2025

쎄니 행정법총론

박준철 편저

1

제 1 편 행정법통론
제 2 편 행정작용법

도서
출판 지금

이 책에 앞서서

> "써니 행정법" 이름하에 40강 형태로 책이 출간된 지 벌써 17년이 지났다. "어떻게 하면 최단시간에 행정법이라는 과목을 시험에서 전략과목으로 만들 것인가"라는 생각으로 다른 수험서와는 구성을 달리하여 40강 편제의 "써니 행정법" 수험서를 2008년에 처음 출간하였으며 매년 새로운 개정을 통해 현재의 체재로 완성하였다.

숲그린으로 전체의 숲과 나무를 보며
기출 ○× – 본문의 1:1 연계 학습을 통해 기본기를 다진다.

해마다 책을 출간하면서 많은 부분에서 내용을 다듬어 책의 완성도를 높여 왔다. 2025년 대비 <써니 행정법총론>에서는 최신 출제경향에 맞춰 시험에 출제되는 내용 위주로 전면 구성함으로써 수험 적합성을 최적화하고, 효과적인 교재 활용을 위해 다양한 학습 장치를 마련하였다는 데 가장 큰 특징이 있다.

내용면에서는 행정기본법을 비롯하여 최신 개정법령과 판례, 최신 기출문제를 전체적으로 촘촘히 반영하여 보다 완결성을 도모하였다. 그 특징을 구체적으로 살펴보면 첫째, 2025년 국가직 9급 시험을 기준으로 한 직전 시행일 개정법령을 완전 반영하였다. 주요 개정법령들로는 행정기본법, 행정소송규칙, 「공공기관의 운영에 관한 법률」 등을 들 수 있다. 둘째, 2024년판 이후 새로 등장한 최신 판례는 물론 그 이전에 존재했으나 최근 다시 주목받고 있는 판례들도 세세히 반영하였다. 또한 판례에서 본문 내용이 필요한 부분은 그대로 유지하여 이해를 높이고, 불필요한 내용은 삭제 후 제목화함으로써 학습의 편의를 도모하였다. 셋째, 2023년 국가직 7급, 지방직·서울시 7급, 군무원 7·9급, 서울시 지적 7급 그리고 2024년 국가직 9급, 지방직·서울시 9급, 소방직 9급, 소방간부, 국회직 8급 시험 등 최신 기출문제를 철저히 분석하여 전면 반영하였다. 또한 낯선 지문이 출제되는 최근 경향에 대비하기 위해 최신 변호사 기출문제도 일부 수록함으로써 기본 문제부터 심화 내용까지 효율적으로 학습할 수 있다.

구성상 특징을 살펴보면 첫째, 단원(강) 시작 전에 '숲그린'을 통해 '숲과 나무'를 파악할 수 있도록 하였다. 특히, 이번 개정판에서는 숲그린의 학습 기능을 한층 강화하고자 주요 키워드에 빨간색으로 포인트를 주어 가독성을 높이고 최종 마무리에도 유용성을 제고하였다. 둘째, 빈출 및 최신 기출지문을 ○×문제로 구성하여 본문의 보조단에 장치하고, 기출○× 문제 번호와 관련 본문 내용을 1:1 매칭시킴으로써 기출과 본문의 학습을 긴밀하게 연계시켰다. 셋째, 기본 학습에 맞는 다양한 복습 테스트(필수 개념 TEST)와 온라인 모의고사를 무료 제공함으로써 문제 적응력을 키우고 중요 내용을 다시 한 번 환기할 수 있다. 특히 편 단위로 수록된 '온라인 모의고사'를 풀고, <써니로TV>를 통해 저자 직강의 해설 강의를 수강하면서 본인의 학습 현황과 이해 정도를 진단하고 이에 따른 학습 방향을 설정할 수 있다.

이 책을 출간하면서 많은 분들의 도움을 받았다. 먼저 이 책 내용의 대부분은 지도교수이신 김연태 교수님을 비롯해 대학교와 대학원에서 강의를 통해 행정법에 대한 가르침을 주신 김남진, 고(故) 류지태 교수님 그리고 존경하는 여러 행정법 교수님들의 저서와 논문 등 행정법 연구의 결과물을 바탕으로 한 것이라는 점을 밝힌다. 또한 도서출판 지금의 김지연·박완철 대표님, 심광명 부장님, 이희중 차장님, 차운학 과장님을 비롯한 출판관계자 분들과 재호와 나원에게도 감사의 마음을 표한다. 그리고 이번 개정작업에는 함께하지 못했지만 그동안 많은 도움을 주었던 서울시 공무원 팬더에게는 늘 고마운 마음뿐이다. 끝으로 이 책으로 공부하는 수험생들에게 진심으로 축복이 함께하기를 기원하면서 이만 글을 마친다.

2024년 7월
편저자 **박준철** 씀

〈2025 써니 행정법총론〉은
수험에 최적화된 기본 이론과 다양한 학습 장치들을 강화하여
'이론/판례/조문과 기출문제'를 유기적으로 연계하는 최적의 단권화를 도모하였다.

우선 이 책은 '숲그린'을 강별 제일 앞에서 만날 수 있다. 숲그린은 숲과 나무 그리고 키워드(핵심 내용)를 한번에 파악하는 데 매우 효과적인 학습 장치이다. 특히 이번 개정판에서는 수험 적합성을 위해 전면 재구성한 본문 내용을 꼼꼼히 반영함은 물론 주요 키워드는 색 글자로 표시함으로써 핵심 내용들을 보다 직관적 · 체계적으로 조망할 수 있다. 숲그린을 통해 강별 학습 전에는 단원의 개관을, 강별 학습 후에는 핵심 내용을 한 번 더 확인할 수 있다.

그리고 기출문제의 중요성은 아무리 강조해도 지나치지 않는바 2023년 하반기부터 2024년 상반기 공무원 기출문제들(2024. 6. 22. 시행 지방직 9급 시험 문제까지 포함)을 전면 반영하여 본문 내용 옆의 보조단에 ○×문제로 배치하였다. 이때 기출지문 ○×와 해설에 해당하는 본문 내용을 1:1로 매칭시킴으로써 학습의 효율성을 제고하였다. 또한 중요도나 빈출도에 따라 보조단 ○×문제와 본문의 판례를 4단계(★없음/★/★★/★★★)로 구분 표시함으로써 학습의 강약을 조절하면서도 놓치기 쉬운 내용들을 빠짐없이 확인할 수 있도록 구성하였다. 특히 최근 낯선 지문의 출제에 대비하기 위해 심화 혹은 사례 문제를 적절히 추가하여 문제 해결력을 키울 수 있도록 하였다.

본서의 가장 큰 특징은 수험에 최적화된 내용으로 구성하면서, '개념 이해와 문제 적용'을 한층 강화하였으며, 다양한 학습 요소들을 가독성 있게 배치함으로써 학습의 효율성을 극대화시켰다는 점이다. 본문에서 중요 내용은 파란색 글자로, 개념어는 빨간색 글자로 표시하여 핵심 내용을 직관적으로 빠르게 파악하고, 키워드나 출제 포인트를 정확히 이해할 수 있도록 하였다. 2024년 기출문제를 분석해 볼 때 판례와 조문 중심의 출제경향은 유지하면서 긴 지문이나 박스 형태로 구성하거나, 또는 주요 이론에 기반을 둔 변형 문제들이 종종 출제되었기 때문에 주요 개념의 이해, 이론(판례) − 문제의 연계를 위한 기출지문의 철저한 반복 학습이 보다 요구된다.

이외에도 최신 출제경향을 반영하여 이론과 판례를 유기적으로 연계하였고, 중요 내용은 본문에, 참고 내용은 본문의 보조단에 배치함으로써 내용의 강약을 조절하였다. 보조단에서는 기출문제를 가장 위에 배치하고 그 다음으로 참고 조문, 참고 판례와 본문에 대한 보충 설명을 배치하여 체계적으로 구성하였다.

마지막으로, 효과적인 교재 활용을 위해 강별 '필수 개념 TEST', 편별 '온라인 모의고사'를 제공함으로써 학습 진도 및 취약 단원을 Self Check할 수 있다. 또한 써니행정법 APP(기출지문 암기 앱)을 통해 기본서에 수록된 기출문제 및 주요 법조문을 이동 시에도 편리하게 학습할 수 있다. APP을 활용하여 기본서의 기출○× 문제를 강별/랜덤으로 학습하고, 순위 보기나 틀린 문제 저장, 즐겨찾기 등 다양한 부가기능을 통해 연계 학습의 효율성을 극대화시킬 수 있다.

2024년 시험에서도 다양하고 변형된 유형의 문제가 출제되었는데, 이러한 새로운 문제 유형에 대비하기 위해서는 전 범위의 내용을 출제경향에 맞게 정리한 기본서로 행정법의 틀을 다질 필요가 있다. 본 개정판에서는 교재 한 권으로 N회독의 학습 효과를 가져다주도록 집필된바 교재의 '숲/나무와 키워드, 이론/판례와 기출지문, 필수 개념과 출제 포인트'를 학습하고, 복습 테스트와 써니행정법 APP을 틈틈이 활용한다면 시험에서 안정적인 고득점을 얻을 수 있다. 이 책으로 공부하는 수험생들은 색 글자로 된 주요 키워드와 핵심 내용 중심으로 정리하면서 교재의 장점을 최대한 활용하여 행정법의 틀을 다지고 실전에 만전을 기하기를 바란다.

특징과 짜임새

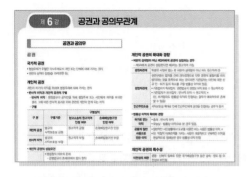

❶ 숲그린

본 책은 총 40강으로 구성되어 있다. 숲그린은 각 강의 내용을 요약 정리하고 있는 것으로, 강 내용 전체를 하나의 펼친 화면으로 정리할 수 있도록 함으로써 그 강의 내용을 스크린하는 차원으로 구성하였다. 이에 숲그린은 시험 직전 중요 내용을 빠르게 정리하는 요약서로도 충분히 활용 가능하다. 숲과 나무를 같이 볼 수 있는 숲그린을 통해 전체의 숲을 확인하면서 본문 내용을 이해하기 바란다.

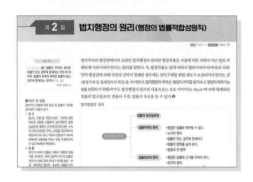

❷ '행정법으로의 초대'와 '핵심집약'에 대한 연계 표시

'행정법으로의 초대'와 '핵심집약'을 연계 학습할 수 있도록 각각의 토픽을 해당되는 단원마다 기본서에 표시하였다. 수험생의 이해 수준에 따라, 기본 개념부터 어렵다면 '행정법으로의 초대'를 펼쳐보도록 하였고, 좀 더 많은 문제를 풀고 싶거나 내용을 요약해서 리마인드하고 싶다면 '핵심집약'을 펼쳐보도록 각 토픽의 일련번호를 제시하였다.

❸ 짜임새 있는 이론 구성

각 강마다 중요한 학습 내용은 본문에 배치하고, 심화 또는 보충적 내용은 보조단(날개)에 선택적으로 배치함으로써 학습하는 데 강약 조절이 가능하도록 하였다. 특히 2025년판에서는 최근 출제 경향을 적극 반영하여 수험에 필요한 내용 위주로 전면 구성하였다. 이와 같은 짜임새 있는 교재 구성으로 '개념 정리 → 문제 적용 → 심화 학습'을 한번에 해결할 수 있도록 하였다.

❹ 다양한 학습 요소들의 체계적 배치

본문의 이론을 학습하는 데 있어 꼭 필요한 학습 요소들을 중요도에 따라 보조단에 배치하였다. 최신 기출문제를 ○×지문 형태로 재구성하여 가장 우선적으로 상단에 배치하였고, 본문 학습에 필수적인 조문과 판례를 그다음 순서대로 배치시켰으며, 이론의 보충적 내용을 가장 하단에 위치시킴으로써 다양한 학습 요소들을 체계적으로 구성 배치하였다.

❺ 기출지문 ○×

기출지문을 ○×문제화하여 보조단의 가장 상단에 위치시키고 ★을 활용하여 중요도를 표기하였다. 또한 기출지문과 본문 내용을 1:1 매칭하여 유기적으로 학습할 수 있도록 하였다. 그리고 5회독 기준으로 문제를 풀어본 후 오답 유무를 스스로 체크(맞힘 ○, 헷갈림 △, 틀림 ×)할 수 있는 난을 두어 자신의 실력 및 취약 부분을 자가 점검할 수 있도록 하였다.

❻ 조문, 판례의 구성

판례 및 법조문의 비중이 높아지고 있는 출제경향을 반영하고자 중요 판례 및 법조문을 엄선하여 수록하였다. 뿐만 아니라 수록된 모든 판례의 중요 내용을 제목화하여 장문의 판례를 쉽게 정리할 수 있도록 하였다. 특히 판례들의 단순한 나열이 아니라 이론들의 흐름 속에서 판례를 이해할 수 있도록 이론과 판례를 적절히 연결하였다. 그리고 사례 문제에 대비하기 위해 중요 판례는 사실관계를 괄호 속에 표시함으로써 이해의 편의를 도모하였다. 또한 행정법 전반이 서로 연결되었다는 점을 고려하여 연결되는 내용들에 연관 페이지를 표시하였으며, 중요 부분(파란색)과 개념어(빨간색)는 각각 색 글자로 처리하여 시험 직전에는 요약서로도 활용할 수 있도록 하였다.

❼ 기출지문 → 필수 개념 TEST → 온라인 모의고사

본문에서는 기출지문을 학습한 뒤, 강이 끝날 때마다 '필수 개념 TEST'를 통해 필수 개념과 출제 포인트를 확인할 수 있다. 각 강별 마지막 페이지 하단의 QR코드를 스캔 후 유튜브 영상을 통해 문제를 풀어보고 옳은 지문은 음성을 통해 반복 학습이 가능하다. 또한 각 편마다 삽입된 QR코드로 단원별 '온라인 모의고사'를 풀어봄으로써 취약 단원과 학습의 이해 정도를 진단하고 이에 따른 학습 방향을 설정할 수 있다. 특히 <써니로TV>를 통해 박준철 교수의 해설 강의를 들을 수 있으며, 실시간 학습 상담도 가능하다.

❽ 기출지문 암기 APP(2권 마지막 페이지)

써니행정법 APP 이용쿠폰을 제공하여 기본서에 수록된 기출문제와 주요 법조문을 이동 시에도 학습하기 용이하도록 하였다. 기본서와 APP의 연계 학습을 통해 학습의 효율성을 극대화할 수 있다.

싣는 순서

제1편 행정법통론

제01강 행정
숲그린 14
제1절 권력분립과 행정 16
제2절 통치행위 18
제3절 행정의 분류 25

제02강 행정법의 의의
숲그린 26
제1절 행정법의 지도원리 28
제2절 법치행정의 원리(행정의 법률적합성원칙) 30

제03강 행정법의 법원과 효력
숲그린 38
제1절 행정법의 법원 40
제2절 행정법의 효력 47

제04강 행정법의 일반원칙
숲그린 54
제1절 비례의 원칙(과잉금지의 원칙) 56
제2절 신뢰보호의 원칙 60
제3절 그 밖의 일반원칙 75

제05강 행정법관계
숲그린 86
제1절 공법관계와 사법관계 88
제2절 행정상 법률관계 95
제3절 행정법관계의 당사자 97

제06강 공권과 공의무관계
숲그린 102
제1절 공권과 공의무(공법관계 - 행정법관계의 내용) 104
제2절 무하자재량행사청구권, 행정개입청구권 116

제07강 특별권력관계 등
숲그린 122
제1절 특별권력관계 124
제2절 공법(행정법)관계에 대한 법규정의 흠결시 타법의 적용 130

제08강 행정법상의 법률요건과 법률사실
숲그린 134
제1절 행정법상의 사건 136
제2절 공법상 사무관리 · 부당이득 143

제09강 사인의 공법행위
숲그린 146
제1절 공법행위 148
제2절 신고와 신청 152

제2편   행정작용법

제10강   법규명령

숲그린   168
제1절 행정입법의 개설   170
제2절 법규명령   172

제11강   행정규칙 등

숲그린   192
제1절 행정규칙   194
제2절 자치입법   211

제12강   행정행위의 기초개념

숲그린   212
제1절 행정행위의 의의 및 종류   214
제2절 기속행위와 재량행위, 불확정개념과 판단여지   222

제13강   행정행위의 내용

숲그린   240
제1절 법률행위적 행정행위   242
제2절 준법률행위적 행정행위   273

제14강   행정행위의 부관

숲그린   280
제1절 행정행위의 부관   282
제2절 부관과 이를 기초로 한 후속조치   298

제15강   행정행위의 요건과 효력

숲그린   300
제1절 행정행위의 성립 및 효력발생요건   302

제2절 행정법령의 적용문제   309
제3절 행정행위의 효력 및 구속력   313

제16강   행정행위의 하자와 하자승계

숲그린   326
제1절 행정행위의 하자   328
제2절 행정행위의 하자승계   350

제17강   행정행위의 폐지(취소 · 철회) 및 실효

숲그린   358
제1절 행정행위의 폐지   360
제2절 행정행위의 실효   375

제18강   확약 등

숲그린   378
제1절 행정상의 확약   380
제2절 행정계획   388

제19강   공법상 계약 등

숲그린   400
제1절 그 밖의 행정의 주요 행정형식 1   402
제2절 그 밖의 행정의 주요 행정형식 2   416

찾아보기(Index)   i

판례 찾아보기   v

싣는 순서

2권

제3편 행정절차, 행정공개

제20강 행정절차법(총칙 등)

숲그린 422
제1절 행정절차법(총칙 등) 424

제21강 행정절차법(처분 등)

숲그린 436
제1절 처분절차 438
제2절 행절절차의 하자 460

제22강 정보공개법

숲그린 462
제1절 행정정보공개의 개설 464
제2절 정보공개법 466

제4편 행정의 실효성 확보수단

제23강 행정의 실효성 확보수단의 개설

숲그린 492
제1절 실효성 확보수단 494
제2절 새로운 행정의 실효성 확보수단 496

제24강 행정상 강제집행(대집행 등)

숲그린 510
제1절 일반론 512
제2절 대집행 514
제3절 이행강제금(집행벌) 526
제4절 직접강제 533
제5절 행정상 강제징수 535

제25강 행정상 즉시강제와 행정조사

숲그린 540
제1절 행정상 즉시강제 542
제2절 행정조사 548

제26강 행정벌(행정형벌, 행정질서벌)

숲그린 558
제1절 행정벌 560
제2절 행정형벌의 특수성 563
제3절 행정질서벌의 특수성 572

제5편   행정구제 1 (행정상 손해전보)

제27강   행정구제 개관

숲그린   582
제1절 사후적 권리구제제도로서의 행정상 손해전보   584

제28강   행정상 손해배상 1 (국가배상법 제2조 등)

숲그린   586
제1절 공무원의 직무행위로 인한 손해배상책임의 요건   588
제2절 배상책임자 등   608
제3절 국가와 지방자치단체의 자동차손해배상책임   613

제29강   행정상 손해배상 2 (국가배상법 제5조 등)

숲그린   616
제1절 영조물의 설치·관리상의 하자로 인한 손해배상   618
제2절 손해배상청구권   630
제3절 배상금 청구절차   638

제30강   행정상 손실보상 1 (손실보상청구권의 요건)

숲그린   640
제1절 행정상 손실보상   642
제2절 경계이론·분리이론   654

제31강   행정상 손실보상 2 (손실보상의 기준과 내용 등)

숲그린   660
제1절 손실보상의 기준과 내용   662
제2절 손실보상의 유형과 지급   677
제3절 손실보상의 절차와 불복   680

제32강   손해전보를 위한 그 밖의 제도 등

숲그린   686
제1절 손해전보를 위한 그 밖의 제도   688
제2절 행정상의 결과제거청구   694

싣는 순서

제6편 행정구제 2(행정쟁송)

제33강 행정심판의 개관 등

숲그린 700
제1절 행정심판의 개관 702
제2절 행정심판의 당사자 등 710
제3절 행정심판위원회 714

제34강 행정심판절차 등

숲그린 720
제1절 행정심판의 청구 722
제2절 행정심판의 심리·재결 730
제3절 행정심판의 고지 743
제4절 행정심판의 특별절차 747

제35강 행정소송 개관, 당사자소송 및 객관적 소송

숲그린 748
제1절 행정소송의 개관 750
제2절 주관적 소송 753
제3절 객관적 소송 765

제36강 항고소송 1(취소소송의 의의 등)

숲그린 768
제1절 취소소송의 일반론 770
제2절 취소소송의 당사자 등 777

제37강 항고소송 2(처분 등)

숲그린 812
제1절 제기요건(소송요건)의 일반론 814
제2절 처분 등의 존재(대상적격의 문제) 815

제38강 항고소송 3(그 밖의 소송요건 및 소변경 등)

숲그린 846
제1절 그 밖의 소송요건 848
제2절 소의 변경과 소제기의 효과 857

제39강 항고소송 4(취소소송의 심리 등)

숲그린 868
제1절 취소소송의 심리 등 870
제2절 취소소송의 판결 등 889

제40강 항고소송 5(무효등확인소송, 부작위위법확인소송)

숲그린 910
제1절 무효등확인소송 912
제2절 부작위위법확인소송 920

찾아보기(Index)   928

판례 찾아보기   932

참고 서식   944

참고문헌   948

2025
써니 행정법총론

2025 써니로(SunnyLaw) 합격하는 온라인 모의고사
- QR코드로 기본서 온라인 모의고사 풀기
- 〈써니로TV〉에서 라이브 테스트 실시 & 해설 강의 제공
- 정답과 취약 단원 파악하기

• 시험 일정은 "[네이버] 써니 행정법 카페"를 확인해 주세요.

1회 온라인 모의고사

PART

1

행정법통론

제 01 강 행 정
제 02 강 행정법의 의의
제 03 강 행정법의 법원과 효력
제 04 강 행정법의 일반원칙
제 05 강 행정법관계
제 06 강 공권과 공의무관계
제 07 강 특별권력관계 등
제 08 강 행정법상의 법률요건과 법률사실
제 09 강 사인의 공법행위

권력분립과 행정

행정의 개념

형식적 의미의 행정과 실질적 의미의 행정

- **형식적 의미의 행정** : 행정기관에 의해 행해지는 모든 활동
- **실질적 의미의 행정** : 행정의 고유한 성질과 기능 중심으로 행정개념을 파악

실질적 의미의 행정과 입법 · 사법의 구별

- **실질적 의미의 입법** : 일반적 · 추상적 규범을 정립함을 목적으로 하는 작용
  - ┌ 입법 : 일반적 · 추상적 규범정립작용
  - └ 행정 : 법규범을 개별적 · 구체적으로 집행하여 국가목적을 실현하는 작용
- **실질적 의미의 사법** : 무엇이 법인가를 판단 · 선언함으로써 분쟁을 해결하는 작용
  - ┌ 사법 : 수동적 · 소극적 작용
  - └ 행정 : 적극적 · 능동적 작용

(형식, 실질) 양자의 관계

형식적 의미	실질적 의미	구체적 예
행 정	행 정	집회의 금지통지, 공무원 임명
	입 법	대통령령, 총리령 · 부령 등 법규명령의 제정
	사 법	행정심판의 재결, 행정청이 행하는 통고처분

통치행위

의의

고도의 정치성을 가지는 국가기관의 행위로서 법원의 사법심사가 제한되는 행위

인정 여부 및 범위

학설

긍정설	권력분립설	권력분립원칙상 정치적 책임 없는 사법부는 심사할 수 없음.
	사법자제설	모든 국가작용은 심사가 가능하지만 사법의 정치화를 방지하기 위해 사법부 스스로가 자제하는 것
부정설		개괄주의와 법치주의의 철저한 관철

판례 등

판례	대법원	권력분립설 또는 사법자제설을 근거로 통치행위를 제한적으로 긍정	
		사법심사 대상 × (통치행위 긍정)	• 계엄선포행위 • 남북정상회담의 개최
		사법심사 대상 ○ (통치행위 부정)	• 지방의회의원의 징계의결 • 서훈취소 • 대북송금행위 • 비상계엄 선포 · 확대가 국헌문란의 목적으로 행해진 경우
	헌법 재판소	사법자제설을 근거로 통치행위 개념은 긍정 – 다만, 국민의 기본권침해와 직접 관련되는 경우 통치행위라도 사법심사의 대상 ○	
		사법심사 대상 × (통치행위 긍정)	• 사면권 행사 • 자이툰부대(일반사병) 이라크 파병결정
		사법심사 대상 ○ (통치행위 개념은 긍정, 단, 국민의 기본권침해와 직접 관련될 경우 사법심사 대상이 된다고 봄)	• 금융실명제에 관한 대통령의 긴급재정 · 경제명령 • 개성공단 전면중단 조치
헌법규정		국회의원의 자격심사 · 징계 · 제명처분에 대해서는 법원에 제소할 수 없음(제64조 제4항).	
기 타		• 통치행위 ○ : 대통령의 외교 · 군사에 관한 행위, 영전의 수여 등 • 통치행위 × : 대통령선거 등	

주 체

행위주체	주로 정부(대통령)가 행사함이 일반적이나, 국회도 주체가 될 수 있음(단, 사법부는 ×).
판단주체	통치행위 여부의 판단은 오로지 사법부만에 의해 이루어져야 한다는 것이 법원의 입장

한 계

- **헌법 등에 의한 구속** : 국민주권주의, 민주주의원칙, 기본권침해의 한계에 관한 헌법상의 여러 원칙에 위배되어서는 안 되며, 통치행위의 행사방법에 대한 법률이 정하는 바에 따라 행사해야 함.
- **정치적 법률분쟁의 문제** : 법률이 정치적인 문제를 포함하더라도 사법심사 가능(판례)

행정의 분류

주체에 따른 분류

국가행정(국가)	국가가 직접 그 기관에 의하여 행하는 행정
자치행정	지방자치단체, 기타 공공단체가 주체가 되어 행하는 행정
위임행정	국가·공공단체가 그 사무를 다른 공공단체나 그 기관 또는 사인에게 위임하여 행하는 행정

목적에 따른 분류

질서행정	경찰행정 등 사회공공의 안녕과 질서를 유지하기 위한 행정
급부행정	행정주체가 사회공공의 복리증진을 위하여 적극적으로 사회구성원의 생활여건 보장·향상을 추구하는 행정
조달행정	인적·물적 수단을 확보하여 관리하는 활동

법적 형식에 따른 분류

공법형식의 행정	권력행정, 관리행정
사법형식의 행정	협의의 국고행정, 행정사법

ⓐ 형식적 의미개념

형식적 의미개념은 기관을 중심으로 정의하는 것이므로, 형식적 의미의 입법이란 법제도상 입법부의 권한으로 부여되어 있는 작용을 말하고, 형식적 의미의 사법(司法)이란 사법부의 권한으로 되어 있는 작용을 말한다.

01 │ 행정개념의 등장

행정법이란 행정에 관한 법을 말하므로, 행정법을 이해하기 위해서는 먼저 행정개념을 이해해야 한다. 행정법의 대상으로서 현재의 행정개념은 근대 입헌국가에 이르러 권력분립이 이루어짐에 따라 등장하였다. 즉, 권력분립에 입각하여 군주의 통치권이 입법 · 사법으로 분화(分化) 및 독립된 후 남은 작용이 군주(행정부)에게 유보됨에 따라 성립된 개념이다. 따라서 입법 · 사법 · 행정의 구별은 국가작용의 본질에 따른 이론상 구별이 아니고 역사적 발전과정에서 정치제도와 관련하여 성립된 구별이다.

02 │ 행정의 개념

❶ 형식적 의미의 행정과 실질적 의미의 행정

1. 형식적 의미의 행정ⓐ

실정법에 의해 행정부의 권한으로 부여되어 있는 작용을 말한다. 이러한 의미의 행정은 행정의 내용이나 기능과 상관없이, 행정기관에 의해 행해지는 모든 활동을 의미한다.

2. 실질적 의미의 행정

행정의 고유한 성질과 기능을 중심으로 행정개념을 파악하는 입장이다.

❷ 실질적 의미의 행정과 입법 · 사법의 구별

1. 실질적 의미의 입법

(1) 의 의

실질적 의미의 입법이란 사법과 행정이 따라야 할 기준을 정하는 작용으로서 일반적 · 추상적 규범을 정립함을 목적으로 하는 작용이다.

(2) 입법과 행정의 구별

입법은 일반적 · 추상적 규범정립작용이라는 점에서, 법규범을 개별적 · 구체적으로 집행하여 국가목적을 실현하는 작용인 행정과는 구별된다.

일반과 개별은 사람을 기준으로 한 구별로서 **일반**이란 불특정 다수인을 의미하며 **개별**이란 특정인을 의미한다. 추상·구체란 사건을 기준으로 한 구별로서 **추상**이란 불특정 다수의 사건, 즉 계속·반복되는 사건을 의미하며 **구체**란 특정 사건을 의미한다. 이를 그림으로 나타내면 다음과 같이 표현할 수 있다.

	사람	사건	
(불특정 다수인)	일반적	추상적	(불특정 사건) = 계속·반복
(특정인)	개별적	구체적	(특정 사건)

2. 실질적 의미의 사법(司法)

(1) 의 의

사법은 당사자 간에 구체적인 법률상 분쟁을 전제로 하여 소제기가 된 경우 무엇이 법인가를 판단·선언함으로써 분쟁을 해결하는 작용이다.

(2) 사법과 행정의 구별

① 사법은 분쟁의 해결을 목적으로 하는 소극적 작용이나, 행정은 적극적으로 공공복리의 증진을 도모하는 작용이다.
② 사법은 분쟁당사자의 신청에 의해서 비로소 사법절차가 개시되는 점에서 수동적 작용이나, 행정은 당사자의 신청이 없는 경우에도 행정기관이 공익적 관점에서 활동할 수 있는 점에서 능동적 작용이라 할 수 있다.

03 | (형식, 실질) 양자의 관계

원래 권력분립은 실질적 의미의 입법·사법·행정을 각각 입법부·사법부·행정부에 분배하는 것이라고 볼 수 있으나, 국정의 합리적 수행이라는 기술적 이유에 의해 실정제도상 권한분배에서는 반드시 서로 일치하지는 않는다. 예컨대, 행정부도 실질적 의미의 입법·사법의 일부를 담당하며, 입법부·사법부 역시 실질적 의미에서는 입법·사법작용이 아닌 다른 작용을 수행하는 경우가 있는바, 이를 도표로 나타내면 다음과 같다.

읽기자료 | 형식적 의미의 행정·사법·입법과 실질적 의미의 행정·사법·입법01

형식적	실질적	구체적 예
행정	행정	이발소영업허가 등 각종의 영업허가, 운전면허처분, 조세부과처분, 행정대집행, 대통령의 대법원장 대법관 임명, ⓒ 군의 징발처분, **집회의 금지통지**, 지방공무원 임명
	사법	**행정심판의 재결**, 토지수용위원회의 이의신청에 대한 재결, 소청심사위원회의 재결, **행정청이 행하는 통고처분** 등 행정벌의 부과
	입법	대통령령·총리령·부령 등 **법규명령의 제정**·개정(행정입법)
사법	행정	대법원의 소속 공무원 임명, **일반법관의 임명**, 등기사무
	사법	법원의 재판행위
	입법	대법원규칙의 제정
입법	행정	국회사무총장의 소속 직원 임명ⓓ
	입법	법률제정

ⓐ 예컨대, 식품위생법 제75조에는 "청소년에게 주류를 판매한 경우 6개월 이하의 영업정지를 할 수 있다."라는 규정이 있다. 이러한 법규정은 누구든지 청소년에게 주류를 판매한 경우 영업정지를 하겠다는 의미로서 불특정 다수를 그 규율대상으로 하므로 일반적이며, 앞으로 일어날 계속·반복적인 사건에 대해 적용된다는 점에서는 추상적이다. 따라서 법의 속성은 일반적·추상적이다.

ⓑ 한편 甲이라는 사람이 청소년에게 주류를 판매하다가 적발이 되어 시장으로부터 식품위생법 제75조에 따라 1개월의 영업정지처분을 받은 경우를 생각해 보자. 이때 시장이 한 영업정지처분은 甲이라는 사람(특정인)에게 행해진다는 점에서는 개별적이며 1개월의 현실적이고 직접적인 불이익을 가한다는 점에서는 구체적이다. 따라서 행정처분의 속성은 주로 개별적·구체적이라고 볼 수 있다(단, 후술하는 바와 같이 개별성은 필수 요소가 아니다. p.215 참조).

ⓒ 현행법상 대법관은 대통령이 임명하도록 되어 있으며 그 밖의 일반판사는 대법원장이 임명하도록 되어 있다.

ⓓ 국회사무총장은 국회, 즉 입법기관 소속이므로 국회사무총장이 한 행위는 형식적으로는 입법이라고 볼 수 있다. 그러나 국회사무총장이 한 행위의 내용은 직원을 임명한 것이므로 그 자체가 추상적인 법령을 제정(실질적 입법작용)한 것도 아니고 분쟁을 해결하는 것과 같은 판단작용(실질적 사법작용)도 아니며 그 실질은 인사행정을 한 것에 불과하므로 실질적 의미에서는 행정이 된다.

ⓐ 사법자제설과 권력분립설의 차이를 이해하
기 바란다. 두 학설 모두 사법심사의 대상에서
제외되는 행위를 긍정한다는 점에서는 공통점
이 있지만, 사법자제설은 그 논거로 사법부가
심사할 수 있지만 사법부 스스로 자제한다(참
는다)는 점을 들고 있으며 권력분립설은 그 논거
로 사법부의 권한이 아니라는 점을 들고 있다.

01 | 통치행위의 의의

❶ 개 념

통설에 따르면 통치행위란 고도의 정치성을 가지는 국가기관의 행위로서, 법원의 사법심사가 제한되
는 행위를 말한다.

❷ 권력분립과 통치행위의 관계

국가권력을 입법·사법·행정으로 분류하는 삼권분립체계상 통치행위의 위치가 문제되나, 종래
통치행위는 최상위 국정의 기본방향 또는 국가적 정책사항을 대상으로 하는 행위로서 입법·사법·
행정의 어느 영역에도 속하지 않는 제4의 영역으로 분류되고 있다.

02 | 통치행위의 인정

❶ 통치행위 인정 여부

1. 학 설

(1) 긍정설ⓐ

긍정설은 구체적인 이론적 근거와 관련하여 다음과 같은 견해가 있다.

① **권력분립설**(내재적 한계설)

권력분립의 원칙상 정치적 책임이 없는 사법부는 정치적 성격이 강한 통치행위에 대해서는 심
사할 수 없다는 견해이다.

② **사법자제설**

사법부는 법이론적으로는 모든 국가작용을 심사할 수 있지만 정치적 문제에 말려들지 않기 위
해 통치행위에 대해서는 사법부 스스로가 자제하는 것이 타당하므로 통치행위는 사법심사대상에
서 제외된다는 견해이다.01

(2) 부정설

부정설은 실질적 법치주의가 확립되고 국민의 재판청구권이 일반적으로 인정되어 있으며 행정소
송상 개괄주의가 채택된 현대국가에서는, 개인의 권익침해가 있어도 사법심사가 배제되는 통치행
위이론은 인정할 수 없다는 견해이다.

2. 사법부

(1) 대법원

대법원은 계엄선포와 관련한 사건 등 정치성이 강한 사건에 대해서 사법심사의 배제를 제한적으로 긍정하고 있으며 그 근거로는 권력분립설(내재적 한계설) 또는 사법자제설을 들고 있다.

> **관련판례**
>
> **사법자제설을 취한 대법원의 입장**
>
> 다만, 국가행위 중에는 고도의 정치성을 띤 것이 있고, 그러한 고도의 정치행위에 대하여 정치적 책임을 지지 않는 법원이 정치의 합목적성이나 정당성을 도외시한 채 합법성의 심사를 감행함으로써 정책결정이 좌우되는 일은 결코 바람직한 일이 아니며, 법원이 정치문제에 개입되어 그 중립성과 독립성을 침해당할 위험성도 부인할 수 없으므로, 고도의 정치성을 띤 국가행위에 대하여는 이른바 <u>통치행위라 하여 법원 스스로 사법심사권의 행사를 억제하여 그 심사대상에서 제외하는 영역이 있으나</u> …… (대판 2004. 3. 26, 2003도7878)

(2) 헌법재판소

헌법재판소는 **사법자제설을 근거로 통치행위 개념을 긍정**하면서도, 다만 국민의 기본권침해와 직접 관련되는 경우 통치행위라 하더라도 사법심사의 대상이 된다고 판시하여 제한적으로 긍정하고 있다(p.21 참조).**01**

> **관련판례**
>
> **1. 통치행위의 개념을 긍정한 헌법재판소의 입장**
>
> 통치행위란 고도의 정치적 결단에 의한 국가행위로서 사법적 심사의 대상으로 삼기에 적절하지 못한 행위라고 일반적으로 정의되고 있는바, 이 사건 긴급명령이 통치행위로서 헌법재판소의 심사대상에서 제외되는지에 관하여 살피건대, <u>고도의 정치적 결단에 의한 행위로서 그 결단을 존중하여야 할 필요성이 있는 행위라는 의미에서 이른바 통치행위의 개념을 인정할 수 있고</u> …… (헌재 1996. 2. 29, 93헌마186)**02**
>
> **2. 사법자제설을 취한 헌법재판소의 입장**
>
> 이 사건 파견결정은 그 성격상 국방 및 외교에 관련된 고도의 정치적 결단을 요하는 문제로서, 헌법과 법률이 정한 절차를 지켜 이루어진 것임이 명백하므로, <u>대통령과 국회의 판단은 존중되어야 하고 헌법재판소가 사법적 기준만으로 이를 심판하는 것은 자제되어야 한다</u>(헌재 2004. 4. 29, 2003헌마814).

3. 결 어

실질적 법치주의와 개괄주의를 채택하고 있다는 점에서 통치행위를 부정하는 견해도 타당성이 있으나, 일정사항에 대해서는 사법심사가 배제될 수밖에 없는 영역이 존재한다. 따라서 이 경우 법치주의의 예외적 현상으로서 **통치행위를 제한적으로 긍정하여 사법심사를 배제하는 것이 통설**의 입장이다. 한편, 구체적 근거와 관련하여서는 권력분립설 또는 사법자제설을 취함이 일반적이다.

❷ 인정범위

1. 헌법규정

현행 헌법에는 통치행위 자체에 대한 직접적인 명문규정은 없지만 헌법 제64조 제4항은 국회의원의 자격심사 · 징계 · 제명처분에 대해서는 법원에 제소할 수 없다고 규정하고 있다.❶ 다만, 그 외의 경우에는 특별한 규정이 없어 학설상 문제되고 있다.

2. 기타

(1) 통치행위로 볼 수 있는 것

① 구체적인 범위에 대해서는 다소 차이가 있으나 일반적으로 학설상 통치행위로 인정되는 것은 대통령의 외교 · 군사에 관한 행위, 긴급명령, 계엄선포, 사면권행사(사면이란 법원에 의해 선고된 형벌의 효과의 전부 또는 일부를 소멸시키는 등의 권한으로서 현행 헌법상 대통령의 권한으로 되어 있다),**01** 영전의 수여, 국무위원의 임면, 법률안거부권의 행사, 주요 정책의 국민투표 회부 등을 들 수 있다.

② 또한 국회의 행위로서 국무총리 · 국무위원해임건의, 국회의원의 징계(이와 달리 지방의회의원의 징계는 행정행위에 해당하며 사법심사가 전면적으로 이루어짐) 등도 성질상 통치행위에 해당한다.

┌─ **관련판례** ─

사면은 국가원수의 고유권한으로서 권력분립의 원리에 대한 예외가 된다. ★★

사면은 형의 선고의 효력 또는 공소권을 상실시키거나, 형의 집행을 면제시키는 국가원수의 고유한 권한을 의미하며, 사법부의 판단을 변경하는 제도로서 권력분립의 원리에 대한 예외가 된다(헌재 2000. 6. 1, 97헌바74).**02**

(2) 통치행위로 보기 어려운 것

대통령선거에 대해서는 선거소송을 제기할 수 있기 때문에 통치행위로 보기 어렵다.❷ 한편, 대법원은 지방의회의원의 징계의결에 대해서는 사법심사의 대상이 됨을 긍정한 바 있으며 서훈취소 또한 통치행위가 아니라고 본 바 있다.

┌─ **관련판례** ─

1. **지방의회의 의원징계의결은 그로 인해 의원의 권리에 직접 법률효과를 미치는 행정처분의 일종으로서 행정소송의 대상이 된다**(대판 1993. 11. 26, 93누7341).★★

2. **서훈취소가 대통령이 국가원수로서 행하는 행위라고 하더라도 법원이 사법심사를 자제하여야 할 고도의 정치성을 띤 행위라고 볼 수는 없다**(대판 2015. 4. 23, 2012두26920).**03** ★

❸ 구체적 판례 검토

1. 법 원

(1) 대법원은 계엄선포행위, 군사시설보호구역의 설정·변경 또는 해제행위, 남북정상회담의 개최는 통치행위로 인정하고 있다.

(2) 그러나 남북정상회담 개최과정에서 이루어진 대북송금행위, 비상계엄의 선포나 확대가 국헌문란의 목적을 위해 행하여진 경우에는 통치행위로 인정하지 않았다.

(3) 구체적 판례를 살펴보면 다음과 같다.

① 사법심사의 대상이 됨을 부정한 판례

관련판례

1. 남북정상회담 개최는 고도의 정치적 성격을 지니고 있는 행위로서 그 당부를 심판하는 것은 사법권의 내재적·본질적 한계를 넘어서는 것이 된다.**01** ★★

   다만, 국가행위 중에는 고도의 정치성을 띤 것이 있고, …… 법원이 정치문제에 개입되어 그 중립성과 독립성을 침해당할 위험성도 부인할 수 없으므로, 고도의 정치성을 띤 국가행위에 대하여는 이른바 통치행위라 하여 법원 스스로 사법심사권의 행사를 억제하여 그 심사대상에서 제외하는 영역이 있으나, 이와 같이 통치행위의 개념을 인정한다고 하더라도 과도한 사법심사의 자제가 기본권을 보장하고 법치주의 이념을 구현하여야 할 법원의 책무를 태만히 하거나 포기하는 것이 되지 않도록 그 인정을 지극히 신중하게 하여야 하며, 그 판단은 오로지 사법부만에 의하여 이루어져야 한다. …… 남북정상회담의 개최는 고도의 정치적 성격을 지니고 있는 행위라 할 것이므로 특별한 사정이 없는 한 그 당부를 심판하는 것은 사법권의 내재적·본질적 한계를 넘어서는 것이 되어 적절하지 못하지만 …… (대판 2004. 3. 26, 2003도7878)

2. 대통령의 계엄선포행위의 당·부당 판단권한은 국회만이 가지므로 계엄선포의 요건 구비 여부나 당·부당을 심판하는 것은 그 선포가 당연무효가 아닌 한 사법권의 한계를 넘어서는 것이 된다(대판 1979. 12. 7, 79초70).

   ✚ 헌법에 따르면 국회가 재적의원 과반수의 찬성으로 계엄의 해제를 요구한 때에는 대통령은 이를 해제하여야 하므로 대법원이 위와 같은 표현을 사용한 것이다.

② 사법심사의 대상이 됨을 긍정한 판례

관련판례

1. 남북정상회담의 개최과정에서 북한 측에 사업권의 대가 명목으로 송금(대북송금)한 행위는 사법심사의 대상이 된다.**02** ★★★

   남북정상회담의 개최과정에서 재정경제부장관에게 신고하지 아니하거나 통일부장관의 협력사업 승인을 얻지 아니한 채 북한 측에 사업권의 대가 명목으로 송금한 행위 자체는 헌법상 법치국가의 원리와 법 앞에 평등원칙 등에 비추어 볼 때 사법심사의 대상이 된다(대판 2004. 3. 26, 2003도7878).

2. 비상계엄의 선포나 확대가 국헌문란의 목적을 달성하기 위해 행해진 경우에는 법원은 그 자체가 범죄행위에 해당하는지 여부에 대해 심사할 수 있다(대판 1997. 4. 17, 96도3376 전합).**03** ★★★

3. 법치주의의 원칙상 통치행위라 하더라도 헌법과 법률에 근거하여야 하고 그에 위배되어서는 아니 된다. 더욱이 유신헌법 제53조에 근거한 긴급조치 제1호는 국민의 기본권에 대한 제한과 관련된 조치로서 형벌법규와 국가형벌권의 행사에 관한 규정을 포함하고 있다. 그러므로 기본권보장의 최후 보루인 법원으로서는 마땅히 긴급조치 제1호에 규정된 형벌법규에 대하여 사법심사권을 행사함으로써, 대통령의 긴급조치권 행사로 인하여 국민의 기본권이 침해되고 나아가 우리나라 헌법의 근본이념인 자유민주적 기본질서가 부정되는 사태가 발생하지 않도록 그 책무를 다하여야 할 것이다(대판 2010. 12. 16, 2010도5986 전합).**04**

法학.

2. 헌법재판소

(1) 헌법재판소는 금융실명제에 관한 대통령의 긴급재정 · 경제명령,01 ⓐ 신행정수도건설이나 수도이전의 문제를 국민투표에 부칠지 여부에 관한 대통령의 의사결정, 개성공단 전면중단 조치는 고도의 정치성을 가진 통치행위로 보면서도 국민의 기본권침해와 직접 관련되는 경우 사법심사의 대상이 됨을 인정하고 있다.

(2) 한편, 자이툰부대(일반사병) 이라크 파병결정사건에서는 고도의 정치적 결단을 요하는 통치행위로 보면서 국민의 기본권침해 여부에 대한 언급 없이 사법심사의 대상이 아니라고 보아 각하 ⓑ 한 바 있다. 또한 헌법재판소는 한미연합 군사훈련에 대해 통치행위성을 부정한 바 있다.

관련판례

1. 대통령의 금융실명제에 관한 긴급재정 · 경제명령은 통치행위에 속하나 비록 통치행위라 하더라도 국민의 기본권침해와 직접 관련되는 경우에는 헌법재판소의 심판대상이 될 수 있다.02 ★★★
대통령의 긴급재정 · 경제명령은 국가긴급권의 일종으로서 고도의 정치적 결단에 의하여 발동되는 행위이고 그 결단을 존중하여야 할 필요성이 있는 행위라는 의미에서 이른바 통치행위에 속한다고 할 수 있으나, 통치행위를 포함하여 모든 국가작용은 국민의 기본권적 가치를 실현하기 위한 수단이라는 한계를 반드시 지켜야 하는 것이고,03 헌법재판소는 헌법의 수호와 국민의 기본권보장을 사명으로 하는 국가기관이므로 비록 고도의 정치적 결단에 의하여 행해지는 국가작용이라고 할지라도 그것이 국민의 기본권침해와 직접 관련되는 경우에는 당연히 헌법재판소의 심판대상이 된다(헌재 1996. 2. 29, 93헌마186).04

2-1. 신행정수도건설이나 수도이전의 문제를 국민투표에 부칠지 여부에 관한 대통령의 의사결정이 사법심사의 대상이 될 경우 위 의사결정은 고도의 정치적 결단을 요하는 문제여서 사법심사를 자제함이 바람직하다고 할 수 있다.

2-2. 그러나 대통령의 위 의사결정이 국민의 기본권침해와 직접 관련되는 경우에는 헌법재판소의 심판대상이 될 수 있고, 이에 따라 위 의사결정과 관련된 법률(「신행정수도의 건설을 위한 특별조치법」)도 헌법재판소의 심판대상이 될 수 있다(헌재 2004. 10. 21, 2004헌마554 · 556 병합).

3. 피청구인 대통령이 한미연합 군사훈련의 일종인 2007년 전시증원연습을 하기로 한 결정은 통치행위에 해당하지 않는다.05 ★
한미연합 군사훈련은 1978. 한미연합사령부의 창설 및 1979. 2. 15. 한미연합연습 양해각서의 체결 이후 연례적으로 실시되어 왔고, 특히 이 사건 연습은 대표적인 한미연합 군사훈련으로서, 피청구인이 2007. 3.경에 한 이 사건 연습결정이 새삼 국방에 관련되는 고도의 정치적 결단에 해당하여 사법심사를 자제하여야 하는 통치행위에 해당된다고 보기 어렵다(헌재 2009. 5. 28, 2007헌마369).

4. 자이툰부대(일반사병) 이라크 파병결정은 고도의 정치적 결단을 요하는 문제로서 헌법재판소가 사법적 기준만으로 이를 심판하는 것은 자제되어야 한다(사법자제설을 따르고 있는 판례).★★
외국에의 국군의 파견결정은 파견군인의 생명과 신체의 안전뿐만 아니라 국제사회에서의 우리나라의 지위와 역할, 동맹국과의 관계, 국가안보문제 등 궁극적으로 국민 내지 국익에 영향을 미치는 복잡하고도 중요한 문제로서 국내 및 국제정치관계 등 제반 상황을 고려하여 미래를 예측하고 목표를 설정하는 등 고도의 정치적 결단이 요구되는 사안이다. 따라서 그와 같은 결정은 그 문제에 대해 정치적 책임을 질 수 있는 국민의 대의기관이 관계분야의 전문가들과 광범위하고 심도 있는 논의를 거쳐 신중히 결정하는 것이 바람직하며 우리 헌법도 그 권한을 국민으로부터 직접 선출되고 국민에게 직접 책임을 지는 대통령에게 부여하고 그 권한행사에 신중을 기하도록 하기 위해 국회로 하여금 파병에 대한 동의 여부를 결정할 수 있도록 하고 있는바, 현행 헌법이 채택하고 있는 대의민주제 통치구조하에서 대의기관인 대통령과 국회의 그와 같은 고도의 정치적 결단은 가급적 존중되어야 한다(헌재 2004. 4. 29, 2003헌마814).01

5. 개성공단 전면중단 조치가 고도의 정치적 결단을 요하는 문제이기는 하나, 조치 결과 개성공단 투자기업인 청구인들에게 기본권제한이 발생하였다면 그 한도에서 헌법소원심판의 대상이 될 수 있다.

개성공단 전면중단 조치가 고도의 정치적 결단을 요하는 문제이기는 하나, 조치 결과 개성공단 투자기업인 청구인들에게 기본권제한이 발생하였고, 국민의 기본권제한과 직접 관련된 공권력의 행사는 고도의 정치적 고려가 필요한 행위라도 헌법과 법률에 따라 결정하고 집행하도록 견제하는 것이 헌법재판소 본연의 임무이므로, 그 한도에서 헌법소원심판의 대상이 될 수 있다(헌재 2022. 1. 27, 2016헌마364).

03 | 통치행위의 주체

❶ 통치행위의 행위주체

1. 계엄선포, 사면권 행사 등 통치행위는 주로 정부(대통령)가 행사함이 일반적이나 국회의원의 징계, 제명 등 국회의 자율권 행사와 관련하여서는 국회도 통치행위의 주체가 될 수 있다.02

2. 사법부가 정치적 행위를 한다는 것은 생각하기 어렵다는 점에서, 사법부의 행위는 통치행위로 인정되지 않는다.03

❷ 통치행위의 판단주체

통치행위 여부의 판단은 오로지 사법부만에 의해 이루어져야 한다는 것이 법원의 입장이다.

> **관련판례**
> **통치행위 여부의 판단은 오로지 사법부만에 의해 이루어져야 한다.★★**
> 이와 같이 통치행위의 개념을 인정한다고 하더라도 과도한 사법심사의 자제가 기본권을 보장하고 법치주의 이념을 구현하여야 할 법원의 책무를 태만히 하거나 포기하는 것이 되지 않도록 그 인정을 지극히 신중하게 하여야 하며, 그 판단은 오로지 사법부만에 의하여 이루어져야 한다(대판 2004. 3. 26, 2003도7878).04

04 | 통치행위의 한계

❶ 헌법 등에 의한 구속

비록 통치행위로 인정된다 하더라도 통치행위 역시 헌법에 근거하여 행사되는 것인 만큼 국민주권주의 및 민주주의 원칙과 기본권침해의 한계에 관한 헌법상의 여러 원칙(⑩ 비례의 원칙 등)에 위배되어서는 안 되며, 또한 통치행위의 행사방법에 대한 법률이 있으면(⑩ 계엄법) 그 법이 정하는 바에 따라 행사되어야 한다.

기출 체크

☐☐☐☐☐ **01** 국군을 외국에 파견하는 결정은 통치행위로서 고도의 정치적 결단이 요구되는 사안에 대한 대통령과 국회의 판단은 존중되어야 하고 헌법재판소가 사법적 기준만으로 이를 심판하는 것은 자제되어야 한다. (○, ×) ★★ 2022 군무원 7급

☐☐☐☐☐ **02** 통치행위는 정부에 의해 이루어지는 것이 일반적이며, 국회에 의해 이루어질 수도 있다. (○, ×) 2018 소방직 9급

☐☐☐☐☐ **03** 통치행위의 주체는 통상 정부가 거론되나 국회와 사법부에 의한 통치행위를 인정하는 것이 일반적이다. (○, ×) 2013 서울시 7급

☐☐☐☐☐ **04** 통치행위의 개념을 인정한다고 하더라도 과도한 사법심사의 자제가 기본권을 보장하고 법치주의 이념을 구현하여야 할 법원의 책무를 태만히 하거나 포기하는 것이 되지 않도록 그 인정을 지극히 신중하게 하여야 하며, 그 판단은 오로지 사법부만에 의하여 이루어져야 한다. (○, ×) ★★ 2013 지방직 9급

❷ 정치적 법률분쟁의 문제

정치적 문제는 진정한 의미에서의 정치적 분쟁과 정치적 법률분쟁으로 크게 구분할 수가 있는데, 법원의 심사대상에서 제외되는 것은 진정한 의미에서의 정치적 분쟁이며, 정치적 법률분쟁은 법원의 심사대상이 된다고 본다.

> ┏ **관련판례**
>
> **법률이 정치적인 문제를 포함하더라도 사법심사의 대상이 될 수 있다.**
>
> 이 사건 심판의 대상은 이 사건 법률의 위헌 여부이고 대통령의 행위의 위헌 여부가 아닌바, 법률의 위헌 여부가 헌법재판의 대상으로 된 경우 당해 법률이 정치적인 문제를 포함한다는 이유만으로 사법심사의 대상에서 제외된다고 할 수는 없다(헌재 2004. 10. 21, 2004헌마554 · 566 병합).

주체에 따른 분류01	국가행정(국가)	국가행정이란 국가가 직접 그 기관에 의하여 행하는 행정을 말한다.
	자치행정(지방자치단체, 기타 공공단체)	지방자치단체, 기타 공공단체가 주체로 되어 행하는 행정을 말한다.
	위임행정	국가 또는 공공단체가 그 사무를 다른 공공단체나 그 기관 또는 사인에게 위임하여 행하는 행정을 말한다. 사인은 일반적으로 행정의 상대방의 지위에 서지만, 사인이 위임행정을 수행하는 경우에는 그 한도 내에서 행정주체의 지위에 설 수 있다.
목적에 따른 분류	질서행정	질서행정이란 경찰행정 등 사회공공의 안녕과 질서를 유지하기 위한 행정을 말한다. 즉, 공적 안정을 추구하는 활동과 공적 질서에 적합하지 아니한 상황에서 오는 위험을 예방·제거하는 활동을 말한다. 질서행정에는 일반적으로 면허취소, 영업정지 등 침해적인 수단이 활용된다.
	급부행정	• **급부행정의 개념** 급부행정이란 사회보장행정, 자금지원행정 등 행정주체가 사회공공의 복리증진을 위하여 적극적으로 사회구성원의 생활여건의 보장·향상을 추구하는 행정을 말한다. 급부행정은 급부의 종류에 따라 보조금의 지급과 같은 금전적 급부, 의약품의 제공과 같은 물건의 급부, 직장의 알선 등과 같은 서비스 제공 등으로 구분할 수 있다. • **급부행정의 중요원칙** 급부행정에서 중요한 원칙이 보충성의 원칙인데, 이는 개인의 생활수단의 확보는 1차적으로 개인에게 맡겨져야 하며 국가에 의한 급부는 그들에게 맡기는 것이 부적당한 경우에 보충적으로 행해져야 한다는 것을 의미한다.
	조달행정	조달행정이란 국가·지방자치단체가 필요로 하는 **인적·물적 수단을 확보하며 관리**하는 활동을 말한다.
법적 형식에 따른 분류02	공법형식의 행정	공법형식의 행정이란 공법에 의거하여 또는 공법의 규율을 받으며 행해지는 행정활동을 말한다. 이러한 공법행정 가운데 명령·강제 등의 수단을 사용하여 행해지는 행정을 **권력행정**이라고 하는 데 대하여, 공법의 규율을 받으나 공물의 설치·관리, 공기업의 경영 등과 같이 권력성이 약한 공법적 행정을 **관리행정**이라고 부른다.
	사법(私法)형식의 행정	• 사법형식의 행정이란 사법에 의하여 또는 사법의 규율을 받으며 행해지는 행정활동으로서 협의(좁은 의미)의 국고행정과 행정사법으로 구분된다(p.418 참조). • 좁은 의미의 국고행정이란 국유일반재산(개정 전 잡종재산)의 임대처럼 국가가 사법상 재산권의 주체로서 활동하는 작용으로서 경제적 수익을 목적으로 하는 작용을 말한다. • **행정사법**이란 직접적으로 공행정 목적을 달성하기 위한 활동을 사법적 형식을 취하여 행하는 활동으로서 비록 사법형식을 취하더라도 **직접 공행정 목적을 달성하기 위한 것**이라는 점에서 협의(좁은 의미)의 국고행정과는 구별된다.

ⓐ 국 고
종래에는 국가가 사법(私法)적으로 행정작용을 하는 경우에 그 국가를 '국고'라고 하였다. 그러나 오늘날에는 국고개념을 구분하여 국가가 행정사법작용의 주체로서 활동하는 경우를 제외하고, 재산권의 주체(국가재산의 관리자)로서 활동하는 경우만을 국고(협의의 국고)라고 한다. 협의의 국고작용의 경우에는 사인(私人)의 작용과 근본적으로 다르지 않기 때문에 원칙적으로 사법이 적용되고 민사소송에 의한다(제19강 참조).

[유튜브] 1강 필수 개념 TEST
- QR코드를 스캔해 주세요.
- 필수 개념과 출제 포인트를 풀어 보세요.
- 틀린 문제는 기본서로 확인해 주세요.

정답 01 ○ **02** ○

행정법의 지도원리

민주국가의 원리

의 의

헌법 제1조는 민주주의가 행정의 기본원리임을 나타냄.

행정을 통한 구현

- **기본권 보장**
  - 사전적 행정구제인 행정절차와, 사후적 행정구제인 행정쟁송과 행정상 손해전보제도에서 강하게 나타남.
  - 헌법재판소가 기본권 보호의무 위반 여부를 심사함에 있어서는 과소보호금지원칙에 따라 판단
- **지방자치제도**

법치국가의 원리

의 의

국가작용, 그중에서도 특히 행정이 헌법과 법률에 의해 행하여지며 행정에 의해 불이익을 입은 사람의 구제제도가 정비되어 있어야 함을 의미함.

유 형

형식적 법치국가	• 의의 : 법의 내용이나 이념은 문제삼지 않는 국가개념 • 변질로 인해 붕괴
실질적 법치국가	의의 : 인권의 보장과 정의가 실현된 법치국가(법치주의의 형식적 요소는 당연히 포함하며 국민의 기본적 인권보호라는 실질적 요소까지 강조하는 입장)

- **법치행정원리의 현대적 의미** : 형식적 법치주의에서 실질적 법치주의로의 전환

행정기본법상 지도원리

- 행정은 공공이익을 위하여 적극 추진되어야 함(행정기본법 제4조 제1항).
- 국가와 지방자치단체는 소속 공무원이 공공의 이익을 위하여 적극적으로 직무를 수행할 수 있도록 제반 여건을 조성하고, 이와 관련된 시책 및 조치를 추진하여야 함(행정기본법 제4조 제2항).

법치행정의 원리

법치행정의 목적은 행정의 자의를 방지하고 행정의 예측가능성을 보장하기 위함.

법률의 법규창조력

국민의 권리·의무에 관한 새로운 사항을 규율하는 법규의 창조는 국민의 대표기관인 의회에서 제정한 법률로써만 가능함.

법률우위의 원칙

의 의	모든 행정작용은 합헌적 절차에 따라 제정된 법률에 위반되어서는 안 된다는 원칙(실질적 법치주의에 따라 법률의 내용까지 합헌적일 것이 요구됨)
근 거	• 헌법 제107조 제2항 • 행정기본법 제8조 전단
소극적 원칙	법률이 있는 경우에 문제가 됨.
법률의 범위	헌법, 형식적 의미의 법률, 법규명령과 행정법의 일반원칙 등 불문법을 포함한 모든 법규범을 의미
적용범위	• 행정의 모든 영역에 적용됨. • 수익·침익, 공법·사법 형식의 국가작용 불문 • 사실행위에도 적용
위반효과	• 행정행위 : 중대·명백설에 따라 무효 또는 취소의 대상이 됨. • 행정입법, 공법상 계약 : 무효

법률유보의 원칙

의 의

- 국민의 권리를 제한(결격사유 등)하거나 의무를 부과하는 경우와 그 밖에 국민생활에 중요한 영향을 미치는 일정한 행정권의 발동에는 법률의 근거가 있어야 한다는 원칙
- 법률유보원칙에서 말하는 법적 근거는 조직규범 외에 작용규범을 의미(원칙적으로 개별법적 근거를 의미)

근 거

행정기본법 제8조 후단과 헌법상 기본원리인 민주주의원리, 법치국가원리, 헌법의 각종 기본권 조항에서 도출

> **행정기본법 제8조(법치행정의 원칙)** 행정작용은 법률에 위반되어서는 아니 되며, 국민의 권리를 제한하거나 의무를 부과하는 경우와 그 밖에 국민생활에 중요한 영향을 미치는 경우에는 법률에 근거하여야 한다.

적극적 원칙

- 적극적으로 법률제정을 요구하며, 제정된 법률이 있을 때에만 그에 근거하여 행하라는 원칙
- 법률이 없는 경우에 문제됨.

법률의 범위

- **형식적 의미의 법률** : 국회의 의결을 거치지 않은 명령이나 불문법원으로서의 관습법·판례법은 법률유보에서 말하는 법률에 포함 ×
  - 단, 법률유보원칙은 법률에 의한 규율만을 뜻하는 것이 아니라 법률에 근거한 규율을 요구하는 것으로 법률에 근거를 두면서 헌법 제75조가 요구하는 위임요건을 구비하기만 하면 위임입법에 의해 기본권 제한 가능
- **예산의 경우** : 일종의 법규범. 하지만 법률과 달리 국가기관만을 구속할 뿐 일반국민을 구속하지는 않으므로 법률유보에서 말하는 법률에 포함 안 됨(판례).

적용범위

- 학설

침해유보설	• 침해적 행정작용은 법적 근거 필요 • 자유주의적 법치국가의 이론, '행정으로부터의 자유' 강조
급부유보설	• 침해적＋급부행정작용은 법적 근거 필요 • '행정을 통한 자유' 강조
전부유보설	• 모든 공행정은 법률의 근거 필요 • 국민주권주의와 의회민주주의 강조, 법치주의에는 가장 충실함. ※비판 : 행정의 자유영역을 부정함.
중요사항유보설 (의회유보설)	• 개념 : 행정작용의 성질에 따라 판단하는 것이 아니라 중요한 작용은 법률의 근거가 필요하고 비중요사항은 법률의 근거 없이도 행정권 발동 가능 • 중요성의 판단기준 : 기본권 관련성 • 의회유보설 : 위임금지를 통해 강화된 법률유보(본질적 중요한 사항에 대해서는 위임이 허용되지 않음) • 특징 : 법률유보의 범위를 기본권 관련 측면에서 파악하고, 법률유보의 '범위'뿐 아니라 '규율정도'에 대해서도 제시

- **사법부의 태도** : 중요사항유보설의 입장
  - 헌법재판소는 오늘날 법률유보원칙은 단순히 행정작용이 법률에 근거를 두기만 하면 충분한 것이 아니라 국민의 기본권실현에 관련된 영역에 있어서는 국민의 대표자인 입법자인 국회가 법률로써 스스로 그 본질적 사항에 대해 결정하여야 한다는 의회유보 요구까지 내포하는 것으로 봄.
  - 본질사항 여부 관련판례

본질사항 ○	• 방송수신료금액의 결정 • 병의 복무기간 • 지방의회의원에 유급보좌인력을 두는 것 • 도시환경정비사업시행인가 신청에 필요한 토지 등 소유자의 동의정족수를 정하는 것(제13강)
본질사항 ×	• 국가유공자단체의 대의원 선출에 관한 사항 • 수신료 징수업무를 한국방송공사가 직접 수행할지, 제3자에게 위탁할 것인지 여부 등

위반효과

- **행정행위** : 위법한 행정작용(무효 또는 취소의 대상이 됨)
- **법규명령** : 무효

행정기본법상 결격사유

- 결격사유법정주의(행정기본법 제16조)

핵심집약 Topic 03

01 ｜ 헌법의 구체화법으로서의 행정법

1. 행정법의 성격

행정법은 헌법정신과 이념을 구체적으로 실현하는 것을 내용으로 하는 헌법의 구체화법으로서의 성격을 가진다. 즉, 헌법에 표현된 국가조직, 작용에 관한 결정 등은 행정법을 통하여 현실화되고 구체화된다.

2. 헌법의 구체화법

헌법은 국가의 최고법이므로 모든 법은 헌법의 집행법으로서의 성격을 가진다고 볼 수 있으나, 헌법 내용을 실천하고 구체화하는 일상적인 임무는 행정권이 가장 많이 담당하고 있으므로 이러한 성격을 강조하기 위해 베르너(F. Werner)는 '행정법은 헌법의 구체화법'이라고 표현한 바 있다. 헌법에는 행정이 준수해야 될 기본적인 내용이 표현되어 있는바, 아래에서 살펴본다.

02 ｜ 행정법의 지도원리 ⓐ

❶ 민주국가의 원리

1. 의 의

헌법 제1조에서 "대한민국은 민주공화국이다(제1항). 대한민국의 주권은 국민에게 있고 모든 권력은 국민으로부터 나온다(제2항)."라고 규정함으로써 민주주의가 행정의 기본원리임을 나타내고 있다.

2. 행정을 통한 구현

민주국가의 원리는 행정을 통해 여러 형태로 표현되고 있는바, 그 내용은 다음과 같다.

(1) 헌법은 인간의 존엄과 가치를 바탕으로 국민의 기본권을 최대한 보장함으로써 국민주권주의와 민주주의를 실현하기 위해서 모든 국가권력의 행사를 국민의 기본권보장에 일치시키고 있다 (헌법 제10조).

(2) 이러한 기본권보장은 사전적 행정구제인 행정절차와 사후적 행정구제인 행정쟁송과 행정상 손해전보제도에서 강하게 나타나고 있다.

(3) 한편 국가의 기본권 보호의무의 이행은 입법자의 입법을 통해 구체화되는데, 이 경우 그 의무를 어느 정도로 이행할 것인지는 원칙적으로 입법재량에 속하므로 헌법재판소가 이러한 의무를 위반하였는지를 심사함에 있어서는 과소보호금지원칙에 따라 판단한다는 것이 헌법재판소의 입장이다.

> ┌ **관련판례**
>
> 국가가 국민의 생명·신체의 안전에 대한 보호의무를 다하지 않았는지 여부를 헌법재판소가 심사할 때에는 국가가 이를 보호하기 위하여 적어도 적절하고 효율적인 최소한의 보호조치를 취하였는가 하는 이른바 '과소보호금지원칙'의 위반 여부를 기준으로 삼아,**01** 국민의 생명·신체의 안전을 보호하기 위한 조

ⓐ **행정법의 기타 지도원리**

1. **사회국가의 원리**
   사회국가란 모든 국민이 인간다운 생활을 할 수 있는 기본적 수요의 충족을 통해 실질적 자유와 평등을 적극적으로 실현하는 국가체제를 말한다.

2. **지방분권주의**
   1991년 지방의회가 구성되고, 1995년 지방자치단체장을 선거를 통해 선출하는 등 지방자치제도를 구현함으로써 이른바 풀뿌리 민주주의 실현을 위한 지방분권주의를 취하고 있다.

3. **국가안전보장원리**
   헌법이 지향하고 있는 민주주의도 대한민국의 존재를 전제로 하는 것이므로 헌법은 대한민국의 안전을 위해 국군의 사명, 계엄 등에 관한 규정을 두고 있다.

4. **문화국가의 원리**
   우리 헌법에는 우리나라가 문화국가임을 명시한 규정은 없으나, 헌법 제9조에서 국가의 민족문화창달에 노력할 의무를 규정함으로써 문화국가원리를 나타내고 있다.

정답 01 ○

치가 필요한 상황인데도 국가가 아무런 보호조치를 취하지 않았든지 아니면 취한 조치가 법익을 보호하기에 전적으로 부적합하거나 매우 불충분한 것임이 명백한 경우에 한하여 국가의 보호의무의 위반을 확인하여야 하는 것이다(헌재 2009. 2. 26, 2005헌마764).★★

② 법치국가의 원리

1. 의의

법치국가원리란 국가작용, 그중에서도 특히 행정이 헌법과 법률에 의해 행해지며 행정에 의해 불이익을 입은 사람의 구제제도가 정비되어 있어야 함을 의미한다. 법치국가의 원리는 모든 국가권력이 군주의 자의에 의해 행사된 절대적 권력국가에 대한 반대개념이라고 볼 수 있다. 이러한 법치국가원리는 권력분립론을 전제로 한다.[a]

2. 법치주의의 기초

(1) 자유주의적 기초

법치주의는 국가권한을 일정한 부분에 한정시키는 것을 내용으로 하는 법에 의한 국가권력의 제한을 통하여 국민의 자유와 재산을 보호하는 것을 목적으로 한다.

(2) 민주주의적 기초

법률을 제정하는 것은 국가기관 중 국민의 선출로 이루어지는 국회의 임무이다. 따라서 법치주의는 국가권력이 국민의 뜻에 따라 행사되어야 함을 의미하는 것으로 민주주의와도 관련이 깊다.

3. 유형 – 형식적 법치국가에서 실질적 법치국가로의 전환01

(1) 형식적 법치국가

① 의의

형식적 법치국가는 19세기 후반 독일에서의 법치국가를 말하는 것으로 국가작용은 법에 근거하여 행해져야 함을 의미할 뿐 법의 내용이나 이념은 문제삼지 않은 국가개념을 의미한다.

② 변질로 인한 붕괴

형식적 법치국가는 법의 내용에는 관심이 없었기 때문에 법률로만 행해지기만 하면 어떠한 행정작용도 정당화될 수 있다는 것으로 오도(誤導)됨으로써, 특히 나치(NAZIS)체제에서 법률이라는 이름하에 많은 독재적 조치가 행해졌으며(변질된 법치국가, 법률에 의한 불법국가) 제2차 세계대전 이후로 붕괴되었다.

(2) 실질적 법치국가

실질적 법치국가는 인권의 보장과 정의가 실현된 법치국가로서 독일과 영·미에서 각각 발전하였다. 한편, 이러한 실질적 법치국가는 형식적 법치국가와 대립하는 개념이 아니라 법치주의의 형식적 요소는 당연히 포함하며 국민의 기본적 인권의 보호라는 실질적 요소까지 강조하는 입장을 의미하는 것으로, 오늘날 법치국가라 하면 실질적 법치국가를 의미한다고 할 수 있다.02

③ 행정기본법상 지도원리 – 행정의 적극적 추진

1. 행정은 공공의 이익을 위하여 적극적으로 추진되어야 한다(행정기본법 제4조 제1항).03

2. 국가와 지방자치단체는 소속 공무원이 공공의 이익을 위하여 적극적으로 직무를 수행할 수 있도록 제반 여건을 조성하고, 이와 관련된 시책 및 조치를 추진하여야 한다(동법 제4조 제2항).04

[a] 우리 헌법에 법치국가라는 표현을 명문화하고 있지는 않지만 행정의 영역에서 법치주의 원리의 실현을 위해 기본권보장규정, 권력분립 원리에 관한 규정, 포괄적 위임입법금지에 관한 규정, 헌법재판제도에 관한 규정, 사법심사제도에 관한 규정을 둠으로써 이러한 원리가 우리 헌법상의 기본원리임을 표현하고 있다.

정답 01 × 02 × 03 ○ 04 ○

법치행정의 원리(행정의 법률적합성원칙)

법치주의의 행정면에서의 표현인 법치행정의 원리란 행정작용은 사람에 의한 지배가 아닌 법의 지배하에 이루어져야 한다는 원리를 말한다. 즉, 행정작용도 법에 따라서 행하여져야 하며(법의 지배) 만약 행정권에 의해 국민의 권익이 침해된 경우에는 권익구제를 위한 제도가 보장되어야 한다는 것(행정구제 및 통제원리의 확립)을 의미한다. 법치행정의 목적은 행정의 자의를 방지하고 행정의 예측가능성을 보장하기 위해서이다. 법치행정의 원리의 내용으로는 오토 마이어(O. Mayer)에 의해 체계화된 법률의 법규창조력, 법률의 우위, 법률의 유보를 들 수 있다.[a]

기출 체크

□□□□□ **01** 법률의 우위의 원칙은 법률이 있는 경우에 문제되는 것인 데 대하여, 법률의 유보의 원칙은 법률이 없는 경우에 문제되는 것이다. (○, ×)

2003 입법고시

[a] 법규 및 법률
일반적인 견해에 따른 법규 및 법률의 의미를 정리하면 다음과 같다.
1. 법 규
법규는 규범 중 국민의 권리 · 의무에 관한 새로운 사항을 규율하여 일반국민과 법원(法院)에 대해서 구속력(국민에 대한 구속력, 재판규범)을 가지는 규범을 의미하며 외부법이라고도 한다. 따라서 행정조직 내부에 대해서만 규율성을 가지는 규범, 즉 행정규칙은 법규개념에서 제외된다.
2. 법 률
형식적 의미의 법률은 국회가 제정한 법형식을 의미한다. 한편 실질적 의미의 법률은 개인이나 법인 등의 권리나 의무를 형성 · 변경 · 폐지하는 일반적 · 추상적 규율을 의미한다. 실질적 의미의 법률에는 후술할 법규명령과 조례가 포함될 수 있다. 일반적으로 법률이라 함은 형식적 의미의 법률을 가리킨다.

법치행정의 원리

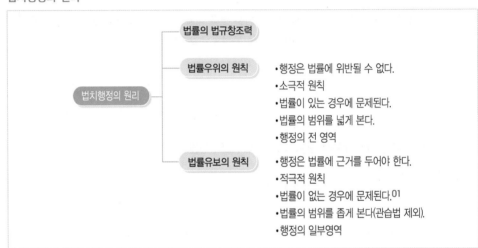

- **법률의 법규창조력**
- **법률우위의 원칙**
  - 행정은 법률에 위반될 수 없다.
  - 소극적 원칙
  - 법률이 있는 경우에 문제된다.
  - 법률의 범위를 넓게 본다.
  - 행정의 전 영역
- **법률유보의 원칙**
  - 행정은 법률에 근거를 두어야 한다.
  - 적극적 원칙
  - 법률이 없는 경우에 문제된다.[01]
  - 법률의 범위를 좁게 본다(관습법 제외).
  - 행정의 일부영역

01 | 법률의 법규창조력

❶ 의 의

법률의 법규창조력이란 국가작용 중 국민의 권리 · 의무에 관한 새로운 사항을 규율하는 법규의 창조는 국민의 대표기관인 의회에서 제정한 법률로써만 가능하다는 것이다. 즉, 법규를 만드는 입법은 모두 의회가 행하여야 한다는 원칙을 말한다.

❷ 법적 근거

입법권은 원칙적으로 국회에 있으며(헌법 제40조), 행정부는 법률의 구체적인 근거가 있는 경우에 법규명령을 제정할 수 있다(헌법 제75 · 95조)는 우리 헌법의 내용은 법률의 법규창조력을 전제로 한 것이다.

정답 01 ○

❸ 의미의 변화

1. 오늘날에는 국회가 제정한 법률 외에 행정법의 일반원칙이나 관습법도 법규성을 가지며, 헌법 상의 예외로 긴급명령(헌법 제76조)처럼 법률적 효력을 갖는 명령을 행정권이 발할 수 있는 경우 도 인정된다.

2. 따라서 이러한 점을 들어 법률의 법규창조력을 독자적 원칙으로 인정하지 않고 법률유보원칙 내용의 하나로 보는 견해도 존재한다.[a]

02 | 법률우위의 원칙(법우위의 원칙)

❶ 의 의

법률우위의 원칙이라 함은 모든 행정작용은 합헌적 절차에 따라 제정된 법률에 위반되어서는 안 된다는 원 칙을 말하는 것으로[01] 행정의 법률에의 구속성을 의미한다. 특히, 실질적 법치주의에 따라 법률의 내 용 그 자체도 헌법상의 기본권보장 정신에 합치해야 하므로 법률의 내용까지 합헌적일 것이 요구된다.

❷ 근 거

법률우위의 원칙은 헌법 제107조 제2항과 행정기본법 제8조에서 규정하고 있다.

> **헌법 제107조** ② 명령·규칙 또는 처분이 헌법이나 법률에 위반되는 여부가 재판의 전제가 된 경우에는 대법원은 이를 최종적 으로 심사할 권한을 가진다.

행정기본법 제8조【법치행정의 원칙】 행정작용은 법률에 위반되어서는 아니 되며, 국민의 권리를 제한하거나 의무를 부과하 는 경우와 그 밖에 국민생활에 중요한 영향을 미치는 경우에는 법률에 근거하여야 한다.[02][03]

❸ 소극적 원칙

법률우위의 원칙은 소극적으로 행정이 기존에 존재하는 법률에 위반되어서는 안 된다는 의미로서 법률이 존재하는 경우에 문제될 뿐이며, 이 점에서 소극적 의미의 원칙이라고 표현되기도 한다.

❹ 법률의 범위

법률의 우위라고 하는 경우에 있어서 법률은 헌법, 형식적 의미의 법률, 법규명령(제10강 참조)과 행정 법의 일반원칙(제4강 참조) 등 불문법을 포함한 모든 법규범을 의미한다[04](이런 의미에서 법률우위 대신 에 법우위의 원칙이라고 표현하는 견해도 있다). 그러나 행정규칙은 행정부 내부적 규율에 불과한 것 이어서 이를 위반하였다고 곧바로 위법이 되는 것은 아니므로 여기의 법률범위에 포함되지 않는다 (제11강 행정규칙 부분 참조).

❺ 적용범위

법률우위원칙은 제한 없이 행정의 모든 영역에 적용되므로 수익적 행정인지 침익적 행정인지를 불문한 다.[05][06] 또한, 법률우위원칙은 공법형식의 국가작용뿐만 아니라 사법(私法)형식의 국가작용에도 적용 되며 사실행위에도 적용된다.[b]

[a] 법률의 법규창조력이란 결국 법규를 만드 는 것은 원칙적으로 국회에서 해야 하지만 행정 부도 법률의 위임이 있으면 법규를 만들 수 있 다는 정도로 이해하면 된다.

[b] **법률행위와 사실행위**
법률행위(법적 행위)란 행정행위와 같이 직접 적으로 당사자 등에게 법률효과(권리·의무를 발생·변경·소멸시키는 효과)를 가져오는 행 위를 말한다.
이에 반해 사실행위란 법률효과의 발생을 직접 목적으로 하는 것이 아니라 대통령의 기자회견, 도로청소 등 사실상의 결과(국민을 설득한다거 나 도로상의 이물질을 제거하는 것)를 목적으 로 하는 행위를 말한다.

ⓐ 조직규범, 작용규범

1. 조직규범이란 행정을 위한 전제로서 행정을 행하는 단체의 조직과 권한을 규정하는 규범을 말한다. 이러한 조직규범은 행정활동의 모든 영역에 있어서 당연히 존재하여야 한다.
2. 작용규범이란 행정주체가 행정객체에 대해 현실적으로 행정을 행함에 필요한 권한사항을 규정하는 규범을 말한다.
3. 예컨대, 도로교통에 관한 사무는 조직규범상 경찰의 권한으로 배분되어 있다. 그런데 경찰이 실제로 도로교통과 관련된 행정행위(ⓔ 음주운전자에 대해 운전면허정지를 하는 것 등)를 일반국민에 대해 행하기 위해서는 구체적인 법적 근거가 필요한바, 이를 작용규범이라고 한다.

ⓑ 개별법적 근거
도로교통법 제93조 시·도경찰청장은, ① 운전면허증을 다른 사람에게 빌려주어 운전을 하게 한 경우 ② 면허를 취소하여야 한다.

ⓒ 포괄적 근거
경찰관직무집행법 제2조 【직무의 범위】 경찰관은 다음 각 호의 직무를 수행한다.
1. 국민의 생명·신체 및 재산의 보호

┌ 관련판례

1. 구 지방재정법 및 「국가를 당사자로 하는 계약에 관한 법률」상의 요건과 절차를 거치지 않고 체결한 지방자치단체와 사인 간의 사법상 계약 또는 예약은 무효이다(대판 2009. 12. 24, 2009다51288).

2. 구 「국가를 당사자로 하는 계약에 관한 법률」상의 요건과 절차를 거치지 않고 체결한 국가와 사인 간의 사법상 계약은 무효이다.★
   구 「국가를 당사자로 하는 계약에 관한 법률」 제11조 규정 내용과 국가가 일방당사자가 되어 체결하는 계약의 내용을 명확히 하고 국가가 사인과 계약을 체결할 때 적법한 절차에 따를 것을 담보하려는 규정의 취지 등에 비추어 보면, 국가가 사인과 계약을 체결할 때에는 국가계약법령에 따른 계약서를 따로 작성하는 등 요건과 절차를 이행하여야 할 것이고, 설령 국가와 사인 사이에 계약이 체결되었더라도 이러한 법령상 요건과 절차를 거치지 아니한 계약은 효력이 없다(대판 2015. 1. 15, 2013다215133).01 02 03

❻ 위반의 효과

행정작용이 법률우위의 원칙을 위반하면 위법한 행정작용이 되는데, 위법한 행정작용의 효력은 행정의 행위형식에 따라 다르게 나타난다. 즉, 행정행위는 중대·명백설에 따라 무효 또는 취소의 대상이 되고 행정입법, 공법상 계약은 특별한 사정이 없는 한 무효가 될 것이다(후술).

---

03 | 법률유보의 원칙

❶ 의 의

법률유보의 원칙이란 일정한 행정권의 발동에는 법률의 근거가 있어야 한다는 원칙을 의미한다. 한편, 행정권의 발동에는 조직법적 근거가 반드시 필요하므로 법률유보원칙에서 말하는 법적 근거는 조직규범 외에 작용규범(권한규범, 근거규범)을 의미한다.04 ⓐ 또한 법적 근거는 원칙적으로 개별법적 근거ⓑ를 의미하며, 다만 예외적으로 포괄적 근거ⓒ도 가능하다.

┌ 관련판례

1-1. 개인택시운송사업자에게 운전면허 취소사유가 있으나 그에 따른 운전면허취소처분이 이루어지지 않은 경우 관할관청이 개인택시운송사업면허를 취소할 수는 없다.05 ★

1-2. 개인택시운송사업자가 음주운전을 하다가 사망한 경우 망인의 운전면허를 취소하는 것은 불가능하고, 음주운전 그 자체는 개인택시운송사업면허의 취소사유가 될 수는 없으므로, 음주운전을 이유로 한 개인택시운송사업면허의 취소처분은 위법하다(대판 2008. 5. 15, 2007두26001).
   ✦ 「여객자동차 운수사업법」에 따르면 운전면허가 취소되면 여객자동차운수사업면허를 취소할 수 있도록 되어 있다. 다만, 음주운전은 운전면허취소사유는 되지만 운수사업면허취소사유로 규정되어 있지는 않다. 따라서 법치행정의 원리에 비추어 볼 때 음주운전을 한 경우 운전면허취소사유는 되더라도 운전면허가 취소되지 않은 이상, 운수사업면허취소를 할 수는 없다는 취지의 판결이다.

2. 집회나 시위 해산을 위한 살수차 사용은 집회의 자유 및 신체의 자유에 대한 중대한 제한을 초래하므로 살수차 사용요건이나 기준은 법률에 근거를 두어야 한다(헌재 2018. 5. 31, 2015헌마476).

❷ 근 거

현행 헌법상 법률유보의 원칙을 명시적으로 선언하고 있는 규정은 없으나, 헌법상 기본원리인 민주주의원리, 법치국가원리 그리고 헌법의 각종 기본권 조항에서 도출될 수 있다. 한편 행정기본법에서는 법률유보원칙을 명시하고 있다.

행정기본법 제8조 【법치행정의 원칙】 행정작용은 법률에 위반되어서는 아니 되며, 국민의 권리를 제한하거나 의무를 부과하는 경우와 그 밖에 국민생활에 중요한 영향을 미치는 경우에는 법률에 근거하여야 한다.**01**

❸ 적극적 원칙

법률우위의 원칙이 소극적으로 기존 법률의 침해를 금지하는 것인 반면, 법률유보의 원칙은 적극적으로 법률제정을 요구하며 행정부는 법률이 존재하지 않을 경우에는 행정작용을 하지 말고, 제정된 법률이 있을 때에만 그에 근거하여 행하라는 원칙으로서 적극적 원칙이라고 표현된다.**02**

❹ 법률의 범위

1. 형식적 의미의 법률

법률의 유보에 있어서 법률은 원칙적으로 국회에서 법률제정의 절차에 따라 만들어진 형식적 의미의 법률을 의미한다. 따라서 국회의 의결을 거치지 않은 명령이나 불문법원으로서의 관습법·판례법은 법률유보에서 말하는 법률에 포함되지 않는다.**03**ⓐ 다만, 법률유보원칙은 법률에 근거한 규율을 요구하는 원리이므로 법률에 근거를 두면서 헌법 제75조가 요구하는 위임요건을 구비하기만 하면 위임입법에 의하여도 기본권제한을 할 수 있다. 따라서 법률유보의 원칙이란 결국 "구체적인 행정권의 발동은 법률의 직접적 근거 또는 법률의 위임에 의해 제정된 법규명령에 근거가 있는 경우에만 이루어져야 한다."는 것을 의미한다고 할 수 있다.

> **관련판례**
>
> 1. 법률유보의 원칙은 '법률에 근거한' 규율을 요청하는 것이다.★★
>   법률유보의 원칙은 '법률에 의한' 규율만을 뜻하는 것이 아니라 '법률에 근거한' 규율을 요청하는 것이므로 기본권제한의 형식이 반드시 법률의 형식일 필요는 없고 법률에 근거를 두면서 헌법 제75조가 요구하는 위임의 구체성과 명확성을 구비하기만 하면 위임입법에 의하여도 기본권제한을 할 수 있다 할 것이다 (헌재 2005. 2. 24, 2003헌마289).**04 05**
>
> 2. 현대국가의 사회적 기능 증대와 사회현상의 복잡화에 따라 국민의 권리·의무에 관한 사항이라 하여 모두 입법부에서 제정한 법률만으로 정할 수는 없어 불가피하게 예외적으로 하위법령에 위임하는 것이 허용된다(헌재 2020. 6. 25, 2018헌바278).
>
> 3. 국민의 기본권은 헌법 제37조 제2항에 의하여 국가안전보장·질서유지 또는 공공복리를 위하여 필요한 경우에 한하여 이를 제한할 수 있으나, 그 제한의 방법은 원칙적으로 법률로써만 가능하고 제한의 정도도 기본권의 본질적 내용을 침해할 수 없으며 필요한 최소한도에 그쳐야 한다. 여기서 기본권제한에 관한 법률유보원칙은 '법률에 근거한 규율'을 요청하는 것이므로, 그 형식이 반드시 법률일 필요는 없다 하더라도 법률상의 근거는 있어야 한다 할 것이다.**06** 따라서 모법의 위임범위를 벗어난 하위법령에 의한 기본권제한은 법률의 근거가 없는 것으로 법률유보원칙에 위반된다(헌재 2010. 4. 29, 2007헌마910).**07** ★★

2. 예산의 경우

예산이 법률유보에서 말하는 법률이 될 수 있는지, 즉 예산을 근거로 국민에 대해 행정작용을 할 수 있는지가 문제되는데, 헌법재판소는 예산은 일종의 법규범이고 법률과 마찬가지로 국회의 의결을 거쳐 제정되지만 법률과 달리 국가기관만을 구속할 뿐 일반국민을 구속하지 않는다고 판시하여 부정적인 입장이다(헌재 2006. 4. 25, 2006헌마409).**08**

ⓐ 관습법에 근거가 있다는 이유만으로 세금을 부과하거나 강제노역 조치를 할 수는 없다.

ⓐ 법률유보의 적용범위에 관한 학설의 입장에 따라 어떠한 행정작용이 법적 근거가 있어야 하는지가 결정된다.

❺ 적용범위

법률우위원칙의 적용범위가 '행정의 모든 영역'인 반면, 법률유보원칙의 적용범위에 대해서는 다음과 같이 견해가 대립한다.ⓐ

1. 학설

(1) 침해유보설

국가행정작용 중에서 국민의 자유와 재산을 침해 또는 제한하거나 의무를 부과하는 등의 침해적 행정작용에 대해서만 법적 근거를 요구하는 이론이다.

(2) 급부유보설(사회유보설)

침해적 행정작용뿐만 아니라, 국가의 국민에 대한 급부행정작용(사회보장행정 · 자금지원행정)에 대해서도 법률의 근거가 필요하다는 이론이다.01

(3) 전부유보설

① 모든 공행정은 의회의 통제대상이 되어야 하므로 행정의 모든 영역에 법률의 근거가 필요하다는 견해이다.

② 국민주권주의와 의회민주주의를 강조하여 법치주의에는 가장 충실한 반면, 법적 근거가 없다면 행정부는 아무런 활동을 못한다는 점에서 행정의 자유영역을 부정한다는 비판을 받고 있다.02

(4) 중요사항유보설(의회유보설)

① **개념 및 유래**

법률유보의 적용영역을 침해작용인가, 급부작용인가라는 행정작용의 성질에 따라 판단하는 것이 아니라, 공동체나 개인에게 중요한 작용은 법률의 근거가 필요하고 비중요사항에 대해서는 법률의 근거가 없어도 행정권을 발동할 수 있다고 한다. 이 설은 독일연방헌법재판소 판례에 의해 정립된 이론이다.

② **의회유보설**

㉠ 이 설에 따르면 매우 중요한 사항에 대해서는 모든 사항이 법률로만 정하여져야 하고 이보다 덜 중요한 사항은 행정입법권에 위임이 될 수 있다.

㉡ 이때 위임이 허용되지 않으며 법률로만 정해져야 하는 사항을 의회유보사항이라고 한다. 즉, 위임금지를 통해 강화된 법률유보를 의회유보라고 부르는바, 이러한 의회유보론은 중요사항유보설과 관련된다.

㉢ 다시 말하면, 의회유보론은 공동체에 매우 중요한 사항 및 국민의 권리 · 의무에 관한 기본적이고 본질적인 사항은 구체적 위임도 안 되며 법률로 정해야 한다는 이론으로, 중요사항유보설은 의회유보론을 포함한다.

③ **정리**

법률유보의 범위를 기본권 관련 측면에서 파악한 점, 법률유보의 범위뿐만 아니라 법률의 규율정도에 대해서도 원칙을 제시하고 있는 점에서 높이 평가받고 있으며, 우리 사법부도 이 설에 입각한 판시를 한 바 있다.03

2. 사법부의 태도

(1) 중요사항유보설의 입장

대법원의 입장은 불분명하나 중요사항유보설의 입장에서 판시한 예가 있다. 헌법재판소는 중요사항유보설(의회유보)의 입장을 취하고 있다.01 중요사항유보설을 취하는 판례에 따르면 오늘날 법률유보원칙은 단순히 행정작용이 법률에 근거를 두기만 하면 충분한 것이 아니라 국민의 기본권실현에 관련된 영역에 있어서는 국민의 대표자인 입법자인 국회가 법률로써 스스로 그 본질적 사항에 대하여 결정하여야 한다는 의회유보 요구까지 내포하고 있는 것으로 본다.02

(2) 중요성의 판단

중요사항유보설에서 중요성의 판단은 일률적으로 확정할 수 없고 구체적인 사례에서 관련된 이익의 중요성 등으로 고려하여 개별적으로 결정할 수 있을 뿐이라는 것이 판례의 입장이다.

┌ **관련판례**
1. 이때 입법자가 형식적 법률로 스스로 규율하여야 하는 사항이 어떤 것인가는 일률적으로 확정할 수 없고 구체적인 사례에서 관련된 이익 내지 가치의 중요성, 규제 내지 침해의 정도와 방법 등을 고려하여 개별적으로 결정할 수 있을 뿐이나, 적어도 헌법상 보장된 국민의 자유나 권리를 제한하는 때에는 그 제한의 본질적인 사항에 관한 한 입법자가 법률로써 스스로 규율하여야 할 것이다(헌재 2013. 7. 25, 2012헌바54).

2. 어떠한 사안이 국회가 형식적 법률로 스스로 규정하여야 하는 본질적 사항에 해당되는지는, 구체적 사례에서 관련된 이익 내지 가치의 중요성, 규제 또는 침해의 정도와 방법 등을 고려하여 개별적으로 결정하여야 하지만, 규율대상이 국민의 기본권 및 기본적 의무와 관련한 중요성을 가질수록 그리고 그에 관한 공개적 토론의 필요성 또는 상충하는 이익 사이의 조정 필요성이 클수록, 그것이 국회의 법률에 의해 직접 규율될 필요성은 더 증대된다(대판 2020. 9. 3, 2016두32992 전합 ; 대판 2015. 8. 20, 2012두23808 전합).03 ★★

(3) 본질사항으로 본 판례

┌ **관련판례**
1. 병의 복무기간은 국방의무의 본질적 내용에 관한 것이어서 이는 반드시 법률로 정하여야 한다.
   병의 복무기간은 국방의무의 본질적 내용에 관한 것이어서 이는 반드시 법률로 정하여야 할 입법사항에 속한다고 풀이할 것인바 …… (대판1985. 2. 28, 85초13)

2-1. 오늘날 '법률유보원칙'은 단순히 행정작용이 법률에 근거를 두기만 하면 충분한 것이 아니라, 국가공동체와 그 구성원에게 기본적이고도 중요한 의미를 갖는 영역, 특히 국민의 기본권실현에 관련된 영역에 있어서는 행정에 맡길 것이 아니라 국민의 대표자인 입법자가 그 본질적 사항에 대해서 스스로 결정하여야 한다는 요구, 즉 의회유보원칙까지 내포하는 것으로 이해되고 있다.04 ★★★

2-2. 텔레비전방송수신료는 기본권실현과 관련된 영역이므로 입법자가 본질적 사항에 대해서 스스로 결정해야 한다.

2-3. 수신료금액의 결정은 납부의무자의 범위 등과 함께 수신료에 관한 본질적인 중요한 사항이므로 국회가 스스로 행하여야 하는 사항이다(헌재 1999. 5. 27, 98헌바70).05 ★★★

3. 국민의 권리와 의무의 형성에 관한 사항을 비롯하여 국가의 통치조직과 작용에 관한 기본적이고 본질적인 사항은 반드시 국회가 정하여야 할 것이다(헌재 2006. 3. 30, 2005헌바31).06

4. 헌법상 법치주의의 한 내용인 법률유보의 원칙은 국민의 기본권실현에 관련된 영역에 있어서 국가 행정권의 행사에 관하여 적용되는 것이지, 기본권규범과 관련 없는 경우에까지 준수되도록 요청되는 것은 아니라 할 것이다(헌재 2010. 2. 25, 2008헌바60).07

5. 지방의회의원에 대하여 유급보좌인력을 두는 것은 지방의회의원의 신분·지위 및 그 처우에 관한 현행 법령상의 제도에 중대한 변경을 초래하는 것으로서, 이는 개별 지방의회의 조례로써 규정할 사항이 아니라 국회의 법률로써 규정하여야 할 입법사항이다(대판 2013. 1. 16, 2012추84).01 02 ★★★

6. 토지 등 소유자가 도시환경정비사업을 시행하는 경우 …… 사업시행인가 신청시 요구되는 토지 등 소유자의 동의정족수를 정하는 것은 국민의 권리와 의무의 형성에 관한 기본적이고 본질적인 사항으로 법률유보 내지 의회유보의 원칙이 지켜져야 할 영역이다(헌재 2011. 8. 30, 2009헌바128).03 04 ★

7. 헌법 제37조 제2항, 제38조, 제59조, 제75조에 비추어 보면, 국민에게 납세의 의무를 부과하기 위해서는 조세의 종목과 세율 등 납세의무에 관한 기본적·본질적 사항은 국민의 대표기관인 국회가 제정한 법률로 규정하여야 하고, 법률의 위임 없이 명령 또는 규칙 등의 행정입법으로 과세요건 등 납세의무에 관한 기본적·본질적 사항을 규정하는 것은 헌법이 정한 조세법률주의 원칙에 위배된다. 특히 법인세, 종합소득세와 같이 납세의무자에게 조세의 납부의무뿐만 아니라 스스로 과세표준과 세액을 계산하여 신고하여야 하는 의무까지 부과하는 경우에는 신고의무이행에 필요한 기본적인 사항과 신고의무불이행시 납세의무자가 입게 될 불이익 등은 납세의무를 구성하는 기본적·본질적 내용으로서 법률로 정하여야 한다(대판 2015. 8. 20, 2012두23808 전합).05

8. 법외노조 통보는 적법하게 설립된 노동조합의 법적 지위를 박탈하는 중대한 침익적 처분으로서 원칙적으로 국민의 대표자인 입법자가 스스로 형식적 법률로써 규정하여야 할 사항이고, 행정입법으로 이를 규정하기 위하여는 반드시 법률의 명시적이고 구체적인 위임이 있어야 한다(대판 2020. 9. 3, 2016두32992 전합).06

(4) 본질사항으로 보지 않는 판례

관련판례

1. 중학교 의무교육의 실시 여부 자체라든가 그 연한은 교육제도의 수립에 있어서 본질적 내용으로서 국회입법에 유보되어 있어서 반드시 형식적 의미의 법률로 규정되어야 할 기본적 사항이라 하겠으나, 그 실시의 시기·범위 등 구체적인 실시에 필요한 세부사항에 관하여는 반드시 그런 것은 아니다. 왜냐하면 이들 사항을 시행하기 위하여서는 막대한 재정지출이 뒤따르고, 실시의 시기와 방법에 관하여는 국회가 사전에 그 시행에 따른 여러 가지 사정에 대한 자료가 상대적으로 부족하기 때문에 오히려 실정에 밝은 집행기관인 행정부에 의한 기민한 정책결정이 불가피하므로 의회 입법사항이 되기에 부적합하다는 점을 고려하면 이들 사항은 국회 스스로 결정하여야 할 기본적인 사항은 아니고 행정부에 위임하여도 무방한 사항이라고 보아야 할 것이다. 따라서 국회법률에 의한 위임을 받은 경우에는 이에 바탕을 둔 법규명령에 의하여 규정될 수 있는 것이다(헌재 1991. 2. 11, 90헌가27).

2. 수신료 징수업무를 한국방송공사가 직접 수행할 것인지 제3자에게 위탁할 것인지, 위탁한다면 누구에게 위탁하도록 할 것인지, 위탁받은 자가 자신의 고유업무와 결합하여 징수업무를 할 수 있는지는 징수업무 처리의 효율성 등을 감안하여 결정할 수 있는 사항으로서 국민의 기본권제한에 관한 본질적인 사항이 아니라 할 것이다.07 따라서 방송법 제64조 및 제67조 제2항은 법률유보의 원칙에 위반되지 아니한다(헌재 2008. 2. 28, 2006헌바70).

❻ 위반의 효과

법률유보원칙에 반하는 행정권의 행사는 위법한 행정작용이 된다.01 다만, 그 법적 효과는 행정작용의 종류에 따라 다르다. 즉, 법적 근거 없이 이루어진 행정행위는 무효 또는 취소할 수 있는 행정행위가 된다. 그러나 그 행정작용이 법규명령일 경우에는 무효가 된다(p.183 참조).

┏ 관련판례

「노동조합 및 노동관계조정법 시행령」 제9조 제2항은 법률의 위임 없이 법률이 정하지 아니한 법외노조 통보에 관하여 규정함으로써 헌법상 노동3권을 본질적으로 제한하고 있으므로 그 자체로 무효이다. …… 법외노조 통보에 관한 「노동조합 및 노동관계조정법 시행령」 제9조 제2항은 헌법상 법률유보의 원칙에 위반되어 그 자체로 무효이므로 그에 기초한 위 법외노조 통보는 법적 근거를 상실하여 위법하다(대판 2020. 9. 3, 2016두32992 전합).

❼ 행정기본법상 결격사유

행정기본법은 결격사유에 법률유보의 원칙이 적용됨을 규정하고 있으며 이에 대한 입법지침을 제시하고 있다.

행정기본법 제16조【결격사유】 ① 자격이나 신분 등을 취득 또는 부여할 수 없거나 인가, 허가, 지정, 승인, 영업등록, 신고수리 등(이하 '인·허가'라 한다)을 필요로 하는 영업 또는 사업 등을 할 수 없는 사유(이하 이 조에서 '결격사유'라 한다)는 법률로 정한다.02
② 결격사유를 규정할 때에는 다음 각 호의 기준에 따른다.
1. 규정의 필요성이 분명할 것
2. 필요한 항목만 최소한으로 규정할 것
3. 대상이 되는 자격, 신분, 영업 또는 사업 등과 실질적인 관련이 있을 것
4. 유사한 다른 제도와 균형을 이룰 것

[유튜브] 2강 필수 개념 TEST
- QR코드를 스캔해 주세요.
- 필수 개념과 출제 포인트를 풀어 보세요.
- 틀린 문제는 기본서로 확인해 주세요.

정답 **01** ○ **02** ○

행정법의 법원과 효력

행정법의 법원

행정법의 존재형식

법원의 의의	개념 : 법의 존재형식 또는 인식근거를 의미
특 색	• 행정법의 성문법주의 : 행정에 대한 예측가능성을 부여하고 법률생활의 안정성을 기함. • 불문법에 의해 보완됨.

행정법의 성문법원

단계적 구조

• 헌법을 최고 정점으로 하는 통일적 · 단계적 구조
• 하위법을 해석함에 있어서는 상위법에 맞게 해석하여야 함.
• 법령 간 상호 모순이 있는 경우에는 상위법우선의 원칙에 의해 하위법은 무효가 됨.

헌법 ⇨ 법률 ⇨ 명령(법규명령과 행정규칙) ⇨ 자치법규

헌 법	• 국가의 최고규범(특히 기본권에 관한 규정은 행정법의 법원 중 가장 기본적 법원이 됨) • 헌법상 기본권 규정 등은 국가권력을 직접 구속 • 다른 법규범의 해석규범
법 률	• 형식적 의미의 법률(국회가 제정한 법률) • 법규명령과 자치법규보다 우월한 효력을 가짐(단, 긴급명령과 긴급재정 · 경제명령은 법률과 동일한 효력). • 특별법우선의 원칙, 신법우선의 원칙 • 구법인 특별법 > 신법인 일반법
명 령	• 법규명령 : 법규성 인정, 위임명령과 집행명령 • 행정규칙 : 법규성 부정
자치법규	• 지방자치단체가 법령의 범위 안에서 제정하는 자치규정, 조례(지방의회)와 규칙(지방자치단체장) • 단계구조 : 조례와 규칙은 헌법 · 법률과 명령에 위반될 수 없음. 조례가 규칙보다 상위규범

조약 및 국제법규

• **조약** : 국가와 국가 사이 또는 국가와 국제기구 사이의 문서에 의한 합의
• **국내행정에 관한 사항을 정하고 있는 것은 행정법의 법원이 됨.**
  – 헌법 제6조 : 헌법에 의하여 체결 · 공포된 조약과 일반적으로 승인된 국제법규는 국내법과 같은 효력을 가짐.
  – 「남북 사이의 화해와 불가침 및 교류협력에 관한 합의서」는 국가 간의 조약이 아니므로 국내법과 동일한 효력이 없음(판례).
• 일반적으로 승인된 국제법규는 별도의 입법조치 없이 국내법으로 수용되어 행정법의 법원이 됨.
• **법단계상 조약의 효력** : 헌법보다는 하위, 국회의 동의를 요하는 조약은 법률과 동일한 효력, 국회의 동의를 요하지 않는 조약은 법규명령의 효력
• **조약과 국내법의 충돌** : 신법우선의 원칙, 특별법우선의 원칙, 상위법우선의 원칙으로 해결
  – 학교급식을 위해 국내산 우수농산물 사용자에게 급식비를 지원하는 내용의 조례안은 GATT에 위반되어 효력이 없음(판례).

• 회원국 정부의 반덤핑부과처분이 WTO 협정위반이라는 이유만으로 사인이 직접 국내법원에 그 처분의 취소를 구하는 소를 제기할 수 없음(판례).

행정법의 불문법원

행정관습법

• **의의** : 오랜 관행이 사회의 법적 확신을 얻어 법적 규범으로 승인된 것(현대 국가에서는 축소되는 경향)
• **성립요건** : 반복된 관행＋법적 확신(국가 승인은 불필요－통설 · 판례)
• **종류**

행정선례법	• 성문법 : 국세기본법(제18조 제3항), 행정절차법(제4조 제2항) • 비과세의 사실상태도 행정청의 묵시적 의사표시로 볼 수 있는 경우 국세행정의 관행이 됨.
민중적 관습법	수산업법상 입어권(관행어업권), 관습상 유수사용권

• **효력**
  – 보충적 효력설(통설)
  – 소멸 : 사회구성원들이 관행의 법적 구속력에 대해 더 이상 확신을 갖지 않게 된 경우 관습법은 더 이상 법적 효력이 없게 됨.
• **관습헌법** : 헌법재판소도 인정
「신행정 수도의 건설을 위한 특별조치법」 사건에서 관습헌법도 헌법의 일부로서 성문헌법과 동일한 효력을 가지기 때문에 성문헌법개정의 방법에 의하여 개정될 수 있다고 판시

판례법

• **개념** : 법원의 재판을 통하여 형성되는 법
• **법원성**

	영 · 미법계 국가	선례구속성의 원칙 적용 O
일반법원의 경우	대륙법계 국가	• 선례구속성의 원칙 적용 × • 우리나라 – 법원조직법 : 상급법원 재판에서의 판단은 해당 사건에 관하여 하급심을 기속함. – 판례 : 대법원의 판례가 사안이 다른 유사 사건을 재판하는 하급심법원을 직접 기속하는 것은 아님.
헌법재판소의 경우		• 헌법재판소법 : 위헌결정은 법원 및 기타 국가기관 및 지방자치단체 기속(법원성 인정) • 판례 : 헌법재판소가 법률의 위헌 여부를 판단하기 위하여 한 법률해석에 법원이 구속되는 것은 아님.

조 리

• **보충적 법원**
• 종래 조리로 불리던 것 중 헌법규정과 헌법원리에서 내용을 도출시킬 수 있는 것은 행정법의 일반원칙으로 논의하는 것이 일반적. 행정법의 일반원칙 중 중요한 원칙들은 행정기본법에 명시됨.

행정법의 효력

시간적 효력

효력발생시기

- **법률 등 중앙정부의 법령의 경우**
  - 법률, 대통령령, 총리령 및 부령 : 공포한 날부터 20일이 경과함으로써 효력 발생
  - 단, 국민의 권리제한, 의무부과와 직접 관련 있는 경우 : 공포일부터 적어도 30일이 경과한 날로부터 시행되도록 하여야 함.
- **조례 · 규칙** : 공포한 날부터 20일이 경과함으로써 효력 발생
- **행정기본법 제7조(법령 등 시행일의 기간계산)**
  - 공포일부터 시행하는 경우 : 공포한 날이 시행일임.
  - 일정 기간이 경과한 날부터 시행하는 경우
    ‣ 공포한 날을 첫날에 산입하지 아니함.
    ‣ 그 기간의 말일이 토요일 또는 공휴일인 때에는 그 말일로 기간이 만료함.

공포와 공포일

- **의미** : 법령의 시행을 위해 국민 또는 주민에게 알리는 것(법률은 대통령이 공포함이 원칙)
- **방법**
  - 일반적인 공포 : 관보에 게재(단, 국회의장이 법률을 공포하는 경우 서울특별시에서 발행되는 일간신문 2 이상에 게재함)
  - 관보의 내용 해석 및 적용 시기 등에 대해 종이관보와 전자관보는 동일한 효력을 가짐.
  - 조례 · 규칙 등 자치법규의 공포 : 지방자치단체의 공보에 게재(지방의회의장이 공포하는 경우 공보나 일간신문에 게재하거나 게시판에 게시)
- **공포한 날(공포일)** : 그 법령 등을 게재한 관보 또는 신문이 발행된 날로 함.

소급적용금지의 원칙

구 분		진정소급적용	부진정소급적용
개 념		법규의 효력발생일 이전에 이미 완성 또는 종결된 사실관계 또는 법률관계를 규율하는 것(행정기본법 제14조)	법규효력발생일 이전에 시작되었으나 법규의 효력발생일까지 계속 진행 중인 사실에 대해서 규율하는 것
허용 여부	원 칙	법적 안정성 또는 신뢰보호에 중대한 장애를 가져오므로 소급효 인정 ×	엄밀한 의미에서의 소급적용이 아님. - 성적불량을 이유로 한 학생 징계처분에 있어서 수강신청 이후 징계요건을 완화한 학칙개정은 부진정소급효로서 허용됨(판례).
	예 외	법령을 소급적용하더라도 일반국민의 이해에 직접 관계가 없는 경우, 오히려 그 이익을 증진하는 경우, 불이익이나 고통을 제거하는 경우 등 특별한 사정이 있는 경우에 한하여 예외적으로 법령의 소급적용 ○	개정 전의 법령에 대한 국민의 신뢰가 개정된 법령을 적용할 공익보다 큰 경우에는 개정 전의 법령 적용

소급입법금지의 원칙

- **의의** : 이미 종결된 사실관계 또는 법률관계에 적용하는 것을 내용으로 하는 법을 제정하는 것을 금지하는 원칙
- **적용범위**

구 분	진정소급입법	부진정소급입법
원 칙	금지	허용
예 외	국민이 소급입법을 예상할 수 있었거나, 법적 상태가 불확실하고 혼란스러워 보호할 만한 신뢰이익이 적은 경우, 소급입법에 의한 당사자의 손실이 없거나 아주 경미한 경우, 기존 사실에 대한 신뢰보호의 요청에 우선하는 심히 중대한 공익상의 사유가 있는 경우 등에는 예외적으로 허용 ○ - 「친일반민족행위자 재산의 국가귀속에 관한 특별법」 제3조 제1항에 따른 친일재산의 소급적 박탈은 진정소급입법에 해당하지만 예외적 사유에 해당하여 허용됨(판례).	국민의 신뢰보호의 관점이 입법자의 입법형성권에 제한을 가하게 됨(신뢰보호이익이 우월한 경우 부진정소급입법이 제한됨).

헌법불합치결정과 소급적용

헌법재판소가 헌법불합치결정을 하면서 그 법률조항을 합헌적으로 개정하는 임무를 입법자의 재량에 맡긴 이상 개선입법의 소급적용의 여부와 범위는 원칙적으로 입법자의 재량

효력의 소멸

- **한시법** : 유효기간 경과시 효력 소멸
- **한시법 이외의 법령의 경우**
  - 폐지 : 명시적 · 묵시적 폐지 등에 의해 효력 상실함.
  - 개정
    ‣ 전문개정시 종전 법률의 부칙규정도 소멸함.
    ‣ 법령이 일부 개정된 경우 특별한 조치가 없는 한 기존 법령 부칙의 경과규정은 당연히 실효되는 것이 아님(판례).

지역적 효력

원 칙	당해 법규를 제정하는 기관의 권한이 미치는 지역 내에서 효력 가짐.
예 외	• 국가의 법률 또는 명령이면서 영토 내의 일부 지역 내에서만 적용되는 경우 있음. • 관할구역을 넘어 적용되는 경우도 있음.

대인적 효력

원 칙	속지주의(그 영토 내에 있는 모든 자연인 · 법인, 내국인 · 외국인에게 효력 미침)
예 외	속인주의를 가미(국외에 있는 한국인에 대해서도 여권법, 병역법 등 우리의 행정법규가 적용됨)

초대 Topic 3 핵심집약 Topic 04

01 | 행정법의 존재형식

❶ 법원의 의의

법원(法源)이란 법의 존재형식 또는 인식근거를 의미하는 것으로서 눈에 보이는 조문의 형태로 존재하는 성문법원과, 조문이 아닌 관습법 등의 형태로 존재하는 불문법원으로 구분할 수 있다.

❷ 특 색

1. 행정법의 성문법주의 원칙

행정에 대한 예측가능성을 부여하고 법률생활의 안정성을 기하는 동시에 권익구제의 길을 쉽게 찾을 수 있게 하기 위한 것으로, 우리나라의 행정법도 성문법주의 원칙을 취하고 있다고 볼 수 있다.

2. 불문법의 보충

행정은 성문법으로 규정하는 것이 바람직하다. 다만, 행정의 규율대상은 매우 복잡하므로 이를 일일이 성문법으로 규율한다는 것은 법기술상 매우 곤란하다. 따라서 행정법은 내용상 불문법에 의해 보완될 수밖에 없다.

02 | 행정법의 성문법원

❶ 문서 형식의 법원

1. 개 념

성문법이란 문서상으로 확정된 법을 말하는 것으로서 이러한 성문법원에는 헌법, 법률, 조약 및 국제법규, 명령, 자치법규(조례와 규칙)를 들 수 있다.

2. 단계적 구조

이들 각 성문법은 헌법을 최고 정점으로 하여 통일적 · 단계적 구조를 이루고 있으므로 하위법을 해석함에 있어서는 상위법에 맞게 해석하여야 하며, 만약 법령 간에 상호 모순 · 저촉이 있는 경우에는 상위법우선의 원칙에 의해 하위법은 무효가 된다.

❷ 헌법 ⇨ 법률 ⇨ 명령 ⇨ 자치법규

1. 헌법

(1) 의의

① 헌법은 국가의 최고규범으로 헌법내용 중 행정조직과 행정작용 및 행정구제에 관한 규정, 특히 기본권에 관한 규정은 행정법의 법원 중 가장 기본적 법원이 된다.01 02

② 헌법상 기본권 규정 등은 행정권, 입법권 등 국가권력을 직접 구속하므로 행정권 등이 헌법규정을 위반하면 그 행정권행사는 위법하게 된다.

(2) 헌법의 효력

헌법은 국내법질서에서 최고의 효력을 갖는 법령이므로 헌법에 위반되는 법규범은 위헌이고 위헌통제의 대상이 된다. 또한, 헌법은 최고법원으로서 다른 법규범의 해석규범이 된다.

2. 법률

(1) 의의

① 법원으로서의 법률이라 함은 형식적 의미의 법률, 즉 국회가 제정한 법률만을 의미한다. 법치국가는 법률에 의한 행정을 원칙으로 하므로 법률은 행정의 중요하고 기본적인 법원이 된다고 할 것이다.

② 국회가 제정한 법률은 본래(本來)적 법원으로서, 법률에 근거하여 성립되는 전래(傳來)적 법원으로서의 법규명령과 자치법규보다 우월한 효력을 가진다. 따라서 법률에 저촉되는 법규명령 또는 자치법규는 무효가 된다. 다만, 우리 헌법상 긴급명령과 긴급재정·경제명령은 법규명령이지만 법률과 동일한 효력을 가지는 것으로 행정법의 법원이 된다.03

(2) 법률의 충돌

① 동일한 효력을 갖는 법 상호 간에 모순이 있는 경우 특별법우선의 원칙ⓐ과 신법우선의 원칙ⓑ에 의해 특별법이 일반법보다 우선하고 신법이 구법보다 우선한다.

② 또한, 특별법우선의 원칙이 신법우선의 원칙보다 우월하므로 구법인 특별법이 신법인 일반법보다 우선한다.ⓒ

3. 명령(법규명령과 행정규칙)ⓓ

명령이란 행정권에 의하여 제정되는 법형식을 의미하는 것으로서 국회가 제정한 법률에 대응하는 것인데, 이는 법규성을 기준으로 법규명령과 행정규칙으로 나눌 수 있다(제10강 참조).

4. 자치법규

(1) 의의

자치법규는 지방자치단체가 법령의 범위 안에서 제정하는 자치에 관한 규정을 말한다.❶ 자치법규에는 지방의회가 제정하는 조례와 지방자치단체의 장이 정하는 규칙이 있는바 이는 행정법의 법원이 된다.05

> **관련판례**
> 「도시 및 주거환경정비법」에 따른 주택재개발 정비사업조합 정관의 법적 성질은 자치법규이며 위 정관에서 정한 사항은 원칙적으로 조합 외부의 제3자를 보호하거나 제3자를 위한 규정이라고 볼 수 없다(대판 2019. 10. 31, 2017다282438).

❶ 헌법 제117조 ① 지방자치단체는 주민의 복리에 관한 사무를 처리하고 재산을 관리하며, 법령의 범위 안에서 자치에 관한 규정을 제정할 수 있다.04

ⓐ 일반법과 특별법
일반법이 보편적인 사람, 사물, 행위, 지역에 적용되는 법률이라면, 특별법은 상대적으로 특정한 사람, 사물, 행위나 지역에 국한되어 적용되는 법률을 말한다. 예컨대, 형법과 군형법은 일반법과 특별법의 관계이다.

ⓑ 신법과 구법
같은 사안에 대해서 규정한 법률 중 시기적으로 이전에 제정(개정)된 법이 구법이 되며, 시기적으로 후에 제정(개정)된 법률이 신법이 된다. 구법과 신법이 충돌할 경우, 신법이 우선 적용됨이 원칙이다.

ⓒ 형법이 개정되어도 군인에게는 군형법이 적용된다는 것을 생각해 볼 것

ⓓ 명령의 종류
1. 법규명령
① 명령 중 대외적 구속력, 즉 법규성이 있는 것으로 상위법령의 위임 여부를 기준으로 위임명령(상위법령에서 위임받은 사항을 정함), 집행명령(상위법령을 집행하기 위한 사항을 정함)으로 나뉜다.
② 또한 발령주체에 따라 대통령령, 총리령, 부령, 중앙선거관리위원회규칙 등으로 나뉜다.
2. 행정규칙
행정조직 내부에서 상급기관이 하급기관의 사무처리의 기준 등을 정하는 것으로 대외적 구속력, 즉 법규성이 인정되지 않는다.

ⓐ 국제법 중에도 성문법이 있고 불문법이 있으나 중요한 것은 성문법이므로 편의상 여기서 설명한다.

(2) 단계구조

① 국가 법질서의 통일을 위해 조례와 규칙은 헌법 · 법률과 명령에 위반될 수 없다. 한편, 광역지방자치단체의 조례나 규칙은 기초지방자치단체의 조례 및 규칙보다 우월하고, 동일 지방자치단체의 조례 및 규칙 상호 간에 있어서는 조례가 규칙보다 우월하다.01

② 예컨대, 서울특별시 조례는 동작구 조례보다 우월하고 서울특별시 조례는 서울특별시 규칙보다 우월하다.

❸ 국제법(조약 및 일반적으로 승인된 국제법규)ⓐ

1. 개념

(1) 조약

조약이란 그 명칭에 관계없이 국가와 국가 사이 또는 국가와 국제기구 사이의 문서에 의한 합의를 말한다.

(2) 일반적으로 승인된 국제법규

일반적으로 승인된 국제법규란 우리나라가 당사국이 아닌 조약으로서 국제사회에서 일반적으로 그 규범성이 승인된 것(예 포로의 지위에 관한 제네바협정 등)과 국제관습법을 말한다.

2. 법원성

헌법에 의하여 체결 · 공포된 조약과 일반적으로 승인된 국제법규 중에서 국내행정에 관한 사항을 정하고 있는 것은 행정법의 법원이 되며 헌법 제6조에서도 "헌법에 의하여 체결 · 공포된 조약과 일반적으로 승인된 국제법규는 국내법과 같은 효력을 가진다."라고 규정하고 있다.02

┌ **관련판례**
「남북 사이의 화해와 불가침 및 교류협력에 관한 합의서」는 국가 간의 조약이 아니므로 국내법과 동일한 효력이 없다(대판 1999. 7. 23, 98두14525).03 ★★★

3. 국내법질서로의 편입방법

일반적으로 승인된 국제법규는 별도의 입법조치 없이 국내법으로 수용되어 행정법의 법원이 된다는 것이 통설 · 판례이다.04

4. 조약 등의 규범구조상 위치

오늘날 다수설은 조약 등의 법단계상 효력은 헌법보다는 하위이며, 국회의 동의를 요하는 조약(입법사항에 관한 조약)의 경우 법률과 동일한 효력을 가지고, 국회의 동의를 요하지 않는 조약(입법사항 이외의 것에 관한 조약 – 행정협정 등)의 경우는 법규명령의 효력을 갖는다고 한다.

5. 조약과 국내법의 충돌

국내법과 국제법이 충돌하는 문제가 발생할 수 있는데, 이는 일반적인 법 충돌시 해결방법인 신법우선의 법칙, 특별법우선의 법칙, 상위법우선의 법칙을 통하여 해결할 수 있다.05

정답 01 ○ 02 ○ 03 × 04 × 05 ○

관련판례

1. 지방자치단체가 제정한 조례가 「1994년 관세 및 무역에 관한 일반협정(General Agreement on Tariffs and Trade 1994)」이나 「정부조달에 관한 협정(Agreement on Government Procurement)」에 위반되는 경우, 그 조례는 무효이다.01 ★★★

2. 학교급식을 위해 국내 우수농산물을 사용하는 자에게 식재료나 구입비의 일부를 지원하는 것 등을 내용으로 하는 지방자치단체의 조례안은 「1994년 관세 및 무역에 관한 일반협정(General Agreement on Tariffs and Trade 1994)」에 위반되어 그 효력이 없다(대판 2005. 9. 9, 2004추10).02 03 ★★★

6. 국제법규가 사인(私人)에 직접적 효력을 미치는지 여부

국제협정은 국가 사이의 권리·의무관계를 설정하는 것이므로 이와 관련한 분쟁은 국제분쟁해결기구에서 해결하는 것이 원칙이고, 사인에 대하여는 이러한 협정의 직접적 효력이 미치지 않는다는 것이 판례의 입장이다.

관련판례

회원국 정부의 반덤핑부과처분이 WTO 협정위반이라는 이유만으로 사인(私人)이 직접 국내 법원에 그 처분의 취소를 구하는 소를 제기할 수 없으며, 협정위반을 처분의 독립된 취소사유로 주장할 수는 없다.04 05 ★★★

위 협정은 국가와 국가 사이의 권리·의무관계를 설정하는 국제협정으로, 그 내용 및 성질에 비추어 이와 관련한 법적 분쟁은 위 WTO 분쟁해결기구에서 해결하는 것이 원칙이고, 사인에 대하여는 위 협정의 직접효력이 미치지 아니한다고 보아야 할 것이므로 …… (대판 2009. 1. 30, 2008두17936)

03 | 행정법의 불문법원

행정법은 성문법주의가 원칙이나 불문법도 중요한 보충적 법원이 된다. 불문법원으로는 관습법, 판례법, 조리를 들 수 있다.06

❶ 행정관습법

1. 행정관습법의 의의

행정관습법이라 함은 행정에 관한 일반 사회생활 및 행정의 운용에 관한 오랜 관행이 국민 또는 관계자의 법적 확신을 얻어 법적 규범으로서 승인된 것을 말한다. 인구의 유동이 심하고 성문법이 증가하는 현대국가에서는 행정관습법의 성립이나 역할이 축소되는 경향이 있다.

관련판례

관습법이란 오랜 관행이 사회의 법적 확신을 얻어 법적 규범으로 승인된 것이다.

관습법이란 사회의 거듭된 관행으로 생성한 사회생활규범이 사회의 법적 확신과 인식에 의하여 법적 규범으로 승인 강행되기에 이른 것을 말하고07 …… (대판 1983. 6. 14, 80다3231)

2. 행정관습법의 성립요건

행정관습법이 성립되기 위해서는 다음과 같은 객관적·주관적 요건이 필요하다.

(1) 객관적 요건 – 반복된 관행

일정한 사실이 사회생활에서 또는 행정의 실제에서 장기적·일반적으로 반복되어야 한다.

정답 01 ○ 02 ○ 03 ○ 04 × 05 ×
06 ○ 07 ○

기출 체크

□□□□□ **01** 국세기본법은 조세행정에서 행정선례법의 존재를 인정하는 조항을 두고 있다. (○, ×) ★★ 2007 국가직 9급

□□□□□ **02** 행정청은 법령 등의 해석 또는 행정청의 관행이 일반적으로 국민들에게 받아들여졌을 때에는 공익 또는 제3자의 정당한 이익을 현저히 해칠 우려가 있는 경우를 제외하고는 새로운 해석 또는 관행에 따라 소급하여 불리하게 처리하여서는 아니 된다. (○, ×) 2014 경행특채 1차

□□□□□ **03** 판례는 국세행정상 비과세의 관행을 일종의 행정선례법으로 인정하지 아니한다. (○, ×) ★★ 2014 지방직 9급

□□□□□ **04** 수산업법은 민중적 관습법인 입어권의 존재를 명문으로 인정하고 있다. (○, ×) 2014 지방직 9급

❶ **행정선례법 인정 규정**
1. 국세기본법 제18조【세법해석의 기준 및 소급과세의 금지】③ 세법의 해석이나 국세행정의 관행이 일반적으로 납세자에게 받아들여진 후에는 그 해석이나 관행에 의한 행위 또는 계산은 정당한 것으로 보며, 새로운 해석이나 관행에 의하여 소급하여 과세되지 아니한다.
2. 행정절차법 제4조【신의성실 및 신뢰보호】② 행정청은 법령 등의 해석 또는 행정청의 관행이 일반적으로 국민들에게 받아들여졌을 때에는 공익 또는 제3자의 정당한 이익을 현저히 해칠 우려가 있는 경우를 제외하고는 새로운 해석 또는 관행에 따라 소급하여 불리하게 처리하여서는 아니 된다.02

❷ **수산업법 제2조【정의】** 이 법에서 사용하는 용어의 뜻은 다음과 같다.
9. '입어자'란 제48조에 따라 어업신고를 한 자로서 마을어업권이 설정되기 전부터 해당 수면에서 계속하여 수산동식물을 포획·채취하여 온 사실이 대다수 사람들에게 인정되는 자 중 대통령령으로 정하는 바에 따라 어업권원부에 등록된 자를 말한다.

ⓐ 관행어업권(입어권)은 마을주민의 공동이익을 위한 마을어업의 어장에서 수산동식물을 포획·채취할 수 있는 권리를 말하며, 유수사용권이란 하천 등의 물을 자신의 농사 등을 위해 사용할 수 있는 권리를 말한다.

정답 01 ○ **02** ○ **03** × **04** ○

---

(2) 주관적 요건 – 법적 확신

장기적 관행이 국민일반의 법적 확신을 얻어야 한다.

(3) 국가의 승인이 필요한지 여부

관습법의 성립에 관습을 법으로 인정하는 '국가에 의한 승인'이 필요한가에 관해서는 긍정설과 부정설(법적 확신설)로 나누어져 있다. 이에 대해 통설과 판례는 국가의 승인은 필요 없고 객관적 요건과 주관적 요건만으로 족하다고 본다.

3. 행정관습법의 종류

(1) 행정선례법

① 의의

행정선례법이란 행정청의 선례가 오랫동안 반복됨으로써 국민 간에 그에 대한 법적 확신이 생긴 경우를 말한다.

② 행정선례법의 존재를 인정하고 있는 성문법 규정과 판례

ⓞ 국세기본법(제18조 제3항)은 조세행정에 있어서 행정선례법의 존재를 명문으로 인정하고 있으며,01 행정절차법(제4조 제2항)에서도 행정선례법의 존재를 인정하고 있다.❶

ⓛ 판례 또한 국세행정상 비과세의 관행을 일종의 행정선례법으로 인정하고 있다.

┌ **관련판례** ─────────────────
비과세의 사실상태도 행정청의 묵시적 의사표시로 볼 수 있는 경우 국세행정의 관행이 된다.03 ★★
비과세의 사실상태가 장기간에 걸쳐 계속된 경우에 그것이 그 사항에 대하여 과세의 대상으로 삼지 아니한다는 뜻의 과세관청의 묵시적인 의사표시로 볼 수 있는 경우에는 이를 국세행정의 관행이라고 인정할 수 있다(대판 1987. 2. 24, 86누571 ; 대판 2009. 12. 24, 2008두15350).

(2) 민중적 관습법

① 개념

행정법관계에 관한 관행이 민중 사이에서 장기적으로 계속됨으로써 그것이 다수의 국민에 의해 인식되었을 때 성립하는 것으로, 주로 공물(도로·하천 등)의 이용관계에서 성립된다.

② 종류

수산업법에서는 입어권(구 수산업법상의 관행어업권)의 존재를 명문으로 인정하고 있으며,04❷ 공유수면인수권, 관습상 유수사용권(하천용수권·유수권·음용수용수권 등) 등을 민중적 관습법의 예로 들 수 있다.ⓐ

4. 행정관습법의 효력

(1) 성문법과 일반적인 행정관습법의 관계

① 개폐적 효력설

관습법은 성문법이 있는 경우에도 성립될 수 있고 성문법을 개정 또는 폐지하는 효력까지도 갖는다는 견해이다.

② 보충적 효력설

법률에서 관습법에 개폐적 효력을 인정하고 있는 특별한 경우를 제외하고는(ⓔ 국세기본법 제18조 제3항), 원칙적으로 관습법은 성문법의 결여시 성문법을 보충하는 한도에서 적용될 뿐 성문법을 개정

또는 폐지하는 효력은 없다는 견해로서 통설의 입장이다.

관련판례

관습법은 제정법에 대해 열후(劣後)적 · 보충적 성격을 가진다.01 ★

원심인정의 관습이 관습법이라는 취지라면 관습법의 제정법에 대한 열후적 · 보충적 성격에 비추어 그와 같은 관습법의 효력을 인정하는 것은 관습법의 법원으로서의 효력을 정한 위 민법 제1조의 취지에 어긋나는 것이라고 할 것이고 …… (대판 1983. 6. 14, 80다3231)

(2) 관습법의 소멸

비록 관습법으로 승인되었다고 하더라도 사회구성원들이 그러한 관행의 법적 구속력에 대해 더 이상 확신을 갖지 않게 되었다면 그러한 관습법은 더 이상 법적 효력을 가질 수 없게 된다.02 ⓐ

5. 관습헌법

(1) 성립가능성

성문(成文)헌법이 존재한다고 하여도 그 속에 모든 헌법사항을 빠짐없이 완전히 규율하는 것은 불가능하다는 점에서 일정한 사항은 관습헌법으로 인정할 여지가 있다. 다만, 관습헌법이 성립하기 위하여서는 관습이 성립하는 사항이 단지 법률로 정할 사항이 아니라 반드시 헌법에 의하여 규율되어 법률에 대하여 효력상 우위를 가져야 할 만큼 헌법적으로 중요한 기본적 사항이 되어야 한다. 헌법재판소도 관습헌법의 존재를 인정하고 있다.

(2) 개정가능성

헌법재판소는 「신행정수도의 건설을 위한 특별조치법」 사건에서 관습헌법도 헌법의 일부로서 성문헌법의 경우와 동일한 효력을 가지기 때문에 그 법규범은 헌법 제130조에 의거한 성문헌법개정의 방법에 의하여 개정될 수 있다고 판시한 바 있다.03

② 판례법

1. 판례법의 의의

판례법이란 법원 또는 헌법재판소의 재판을 통하여 형성되는 법을 의미하는 것으로서, 행정사건에 대한 재판을 통해 나타난 해석 · 적용기준을 다른 사건에 대해서도 적용할 수 있다는 것을 뜻한다.

2. 판례의 법원성

(1) 일반법원의 경우

① 문제의 소재

ㄱ 영 · 미법계의 국가 : 영 · 미 등 판례법 국가에서는 선례구속성의 원칙 ⓐ이 적용되어 판례법이 법적 구속력을 갖기 때문에 그것은 행정법의 법원이 되며 유사사건에서 상급심의 판결은 하급심을 구속한다.04

ㄴ 대륙법계 국가 : 우리나라와 같은 대륙법계의 성문법 국가에서는 이러한 선례구속성의 원칙이 인정되지 않으므로 법원은 법을 해석 및 적용하는 권한만을 갖고 법을 창설하는 권한은 갖지 않는 것이 원칙이다. 따라서, 과연 판례의 법원성을 인정할 수 있을 것인지가 문제된다.

판례 | ⓐ 종중 구성원의 자격을 성년 남자만으로 제한하는 종래의 관습법은 여성을 부당하게 차별하는 것으로 전체 법질서에 부합하지 않으므로 더 이상 법적 효력을 가질 수 없다 (대판 2005. 7. 21, 2002다1178 전합).

ⓐ 선례구속성의 원칙
판결이 축적된 경우 동종의 다른 사건에도 적용될 수 있다는 원칙

② **해 결**

법원조직법 제8조에 따르면 "상급법원 재판에서의 판단은 해당 사건에 관하여 하급심을 기속한다."는 명문규정을 두고 있으므로 해당 사건은 법적인 구속력이 인정될 수 있다.01 그러나 동종 사건의 경우에는 법원이 판례를 변경할 수도 있고, 하급법원도 이론상 상급법원의 판결에 구속되지 않고 다른 판단을 하는 것이 가능하다.02

> **관련판례**
>
> 대법원의 판례가 사안이 다른 유사 사건을 재판하는 하급심법원을 직접 기속하는 효력이 있는 것은 아니다.★★★
>
> 대법원의 판례가 법률해석의 일반적인 기준을 제시한 경우에 유사한 사건을 재판하는 하급심법원의 법관은 판례의 견해를 존중하여 재판하여야 하는 것이나, 판례가 사안이 서로 다른 사건을 재판하는 하급심법원을 직접 기속하는 효력이 있는 것은 아니다(대판 1996. 10. 25, 96다31307).03

(2) 헌법재판소의 경우

① 헌법재판소법은 "법률의 위헌결정은 법원과 그 밖의 국가기관 및 지방자치단체를 기속한다."는 명문규정을 두고 있으므로 헌법재판소의 위헌결정은 법원으로서의 성격을 갖는다.04
② 다만, 법령의 해석·적용 권한은 대법원을 최고법원으로 하는 법원에 전속하므로 헌법재판소가 행한 법률의 위헌결정이 아니라 헌법재판소가 법률의 위헌 여부를 판단하기 위하여 한 법률해석에는 법원이 구속되는 것은 아니라는 것이 판례의 입장이다.05 ⓐ

> **관련판례**
>
> 헌법재판소가 법률의 위헌 여부를 판단하기 위하여 한 법률해석에 법원이 구속되는 것은 아니다.★★
>
> 따라서 합헌적 법률해석을 포함하는 법령의 해석·적용 권한은 대법원을 최고법원으로 하는 법원에 전속하는 것이며, 헌법재판소가 법률의 위헌 여부를 판단하기 위하여 불가피하게 법원의 최종적인 법률해석에 앞서 법령을 해석하거나 그 적용범위를 판단하더라도 헌법재판소의 법률해석에 대법원이나 각급 법원이 구속되는 것은 아니다(대판 2009. 2. 12, 2004두10289).

③ 조 리

1. 조리의 의의

조리란 일반사회의 정의감에 비추어 법령상 나타나 있지 않지만 일반적으로 통용되어야 할 것이라고 인정되는 사물의 본질적 법칙을 말하며 통상 도리, 정의, 형평이라는 것도 이에 해당한다. 조리는 성문법·관습법·판례법이 모두 존재하지 않는 경우에 최후의 보충적 법원으로서 기능을 한다.06 07

2. 행정법의 일반원칙과 '조리'의 관계

다만, 종래 조리로 논의되어 오던 내용 중 일부는 성문법과 관습법이 없는 경우에 보충적으로만 적용되는 것이 아니라, 성문법을 해석함에도 마찬가지로 적용되며, 특히 비례의 원칙 등 법률적 지위가 아니라 헌법적 지위를 갖는 경우도 있다. 따라서 종래 조리로 불리던 것 중 헌법규정과 헌법원리에서 내용을 도출시킬 수 있는 것은 행정법의 일반원칙으로 논의하는 것이 일반적이다. 한편 행정기본법에서는 행정법의 기본원칙 중 중요한 내용들을 명문화하고 있으므로 동법에 규정된 행정법의 일반원칙은 성문법원으로 볼 수 있다. 이에 관해서 '제4강 행정법의 일반원칙'에서 자세히 검토한다.

ⓐ 형법 제331조에서는 흉기를 휴대하고 절도한 경우를 특수절도라고 하며, 단순절도보다 무겁게 처벌하고 있다. 만약 특수절도를 더 무겁게 처벌하는 조항이 위헌이라고 하여 헌법재판소에 위헌법률심판을 청구하는 경우, 헌법재판소는 동 조항이 위헌인지를 판단하기 위해 먼저 흉기가 무엇인지를 해석할 것이다. 이 경우 헌법재판소가 '동 조항이 위헌이다.'라고 결정하는 것이 아니라 '흉기는 무엇이다.'라고 해석하는 것은 말 그대로 법률 개념의 해석일 뿐이므로 법원을 구속하지 않는다는 의미이다.

제 2 절 행정법의 효력

행정법의 효력이라 함은 행정법이 어느 범위에서 이해관계인을 구속하는 힘을 가지는가 하는 문제이다. 이러한 효력은 시간적 효력 · 지역적 효력 및 대인적 효력이라고 하는 세 가지 관점에서 논하여진다.

01 | 시간적 효력

❶ 효력발생시기

1. 법률 등 중앙정부의 법령의 경우

(1) 일반적인 경우

법률, 대통령령, 총리령 및 부령은 그 시행일에 관하여 특별한 규정이 없는 한, 공포한 날로부터 20일을 경과함으로써 효력이 발생한다.01

(2) 국민의 권리제한 등과 관련 있는 경우

국민의 권리제한, 의무부과와 직접 관련되는 법률, 대통령령, 총리령 및 부령은 특별한 사유가 있는 경우를 제외하고는 공포일로부터 적어도 30일이 경과한 날로부터 시행되도록 하여야 한다.02

2. 조례 · 규칙 등의 경우

조례와 규칙은 특별한 규정이 없는 한 공포한 날로부터 20일이 경과한 때에 효력이 발생한다.03

3. 법령 등 시행일의 기간계산

> **행정기본법 제7조【법령 등 시행일의 기간계산】** 법령 등(훈령 · 예규 · 고시 · 지침 등을 포함한다. 이하 이 조에서 같다)의 시행일을 정하거나 계산할 때에는 다음 각 호의 기준에 따른다.
> 1. 법령 등을 공포한 날부터 시행하는 경우에는 공포한 날을 시행일로 한다.04
> 2. 법령 등을 공포한 날부터 일정 기간이 경과한 날부터 시행하는 경우 법령 등을 공포한 날을 첫날에 산입하지 아니한다.05
> 3. 법령 등을 공포한 날부터 일정 기간이 경과한 날부터 시행하는 경우 그 기간의 말일이 토요일 또는 공휴일인 때에는 그 말일로 기간이 만료한다.06 07

❷ 공포와 공포일

법령 등의 시행일은 공포한 날을 기준으로 하고 있는데, 이때 공포의 의미와 공포한 날의 의미가 무엇인지가 문제된다.

1. 공포의 개념

공포란 확정된 법령의 시행을 위해 국민 또는 주민에게 알리는 것을 말한다.

기출 체크

□□□□□ **01** 헌법개정 · 법률 · 조약 · 대통령령 · 총리령 및 부령의 공포는 관보에 게재함으로써 한다. (○, ×) ★
2021 지방직 · 서울시 9급

□□□□□ **02** 헌법개정 · 법률 · 조약 · 대통령령 · 총리령 및 부령의 공포와 헌법개정안 · 예산 및 예산 외 국고부담계약의 공고는 관보(官報)에 게재함으로써 한다. (○, ×) ★
2020 경행경채

□□□□□ **03** 국회법에 따라 하는 국회의장의 법률 공포는 서울특별시에서 발행되는 둘 이상의 일간신문에 게재함으로써 한다. (○, ×) 2021 지방직 · 서울시 9급

□□□□□ **04** 관보의 내용 해석 및 적용 시기 등에 대하여 종이관보가 전자관보보다 우선적 효력을 가진다. (○, ×) 2021 지방직 · 서울시 9급

□□□□□ **05** 조례와 규칙의 공포는 해당 지방자치단체의 공보에 게재하는 방법으로 한다. 다만, 지방자치법 제32조 제6항 후단에 따라 지방의회의 의장이 조례를 공포하는 경우에는 공보나 일간신문에 게재하거나 게시판에 게시한다. (○, ×) 2022 서울시 지적 7급

□□□□□ **06** 법령 등의 공포일 또는 공고일은 해당 법령 등을 게재한 관보 또는 신문이 발행된 날로 한다. (○, ×) 2024 소방간부

□□□□□ **07** 새 법령이 시행되기 전에 종결된 사실에 대하여는 당해 법령을 적용하지 않는 것을 원칙으로 한다. (○, ×) ★★★ 2009 국가직 9급

□□□□□ **08** (행정기본법상) 새로운 법령 등은 법령 등에 특별한 규정이 있는 경우를 제외하고는 그 법령 등의 효력발생 전에 완성되거나 종결된 사실관계 또는 법률관계에 대해서는 적용되지 아니한다. (○, ×) 2023 서울시 지적 7급

□□□□□ **09** 행정법령은 특별한 규정이 없는 한 시행일로부터 장래에 향하여 효력을 발생하는 것이 원칙이다. (○, ×) 2021 군무원 9급

❶「법령 등 공포에 관한 법률」제11조【공포 및 공고의 절차】① 헌법개정 · 법률 · 조약 · 대통령령 · 총리령 및 부령의 공포와 헌법개정안 · 예산 및 예산 외 국고부담계약의 공고는 관보(官報)에 게재함으로써 한다.01 02

ⓐ 공포권자
법률은 일반적으로 대통령이 공포를 하나 대통령이 거부권을 행사한 법률에 대해 국회가 재의결한 경우 이러한 법률에 대해서는 대통령이 법률을 공포하지 않는 경우가 있을 수 있는바, 이 때에는 국회의장도 법률을 공포할 수가 있다. 한편, 조례 · 규칙은 지방자치단체의장이 공포하나 일정한 경우 지방의회의장도 공포할 수가 있다.

정답 01 ○ 02 ○ 03 ○ 04 × 05 ○ 06 ○ 07 ○ 08 ○ 09 ○

2. 공포의 방법

(1) 일반적인 공포의 경우는 관보에 게재함으로써 하나,❶ 국회의장이 법률을 공포하는 경우에는 서울특별시에서 발행되는 일간신문 2 이상에 게재함으로써 한다.03ⓐ 관보의 내용 해석 및 적용 시기 등에 대하여 종이관보와 전자관보는 동일한 효력을 가진다(「법령 등 공포에 관한 법률」제11조 제4항).04

(2) 한편, 조례 · 규칙 등 자치법규의 공포는 해당 지방자치단체의 공보에 게재함으로써 한다. 다만, 지방의회의장이 공포하는 경우에는 공보나 일간신문의 게재 또는 게시판의 게시로써 한다05(지방자치법 제33조 제1항, 「지방교육자치에 관한 법률 시행령」제3조 제4항).

3. 공포한 날

(1) 문제의 소재

공포한 날, 즉 공포일은 그 법령 등을 게재한 관보 또는 신문이 발행된 날로 한다.06 이때 발행된 날의 뜻이 문제되는바, 학설은 관보일자시설, 발송절차완료시설, 최초구독가능시설이 대립한다.

(2) 최초구독가능시설

이에 대해 통설 · 판례는 도달주의 입장을 가미하여 관보가 서울의 중앙보급소에 도달하여 일반국민이 이를 구독하고자 하면 그것이 가능한 상태에 놓인 최초시점으로 보는 최초구독가능시설을 취하고 있다.

> **관련판례**
>
> 발행된 날인 관보게재일은 최초구독가능시를 의미한다.
>
> 구 광업법 시행령(1952. 7. 8, 대통령령 제654호) 제3조에 이른바 관보게재일이라 함은 관보에 인쇄된 발행일자를 뜻하는 것이 아니고 관보가 전국의 각 관보보급소에 발송 · 배포되어 이를 일반인이 열람 또는 구독할 수 있는 상태에 놓이게 된 최초의 시기를 뜻한다(대판 1969. 11. 25, 69누129).

❸ 소급적용금지의 원칙

1. 의의 및 취지

소급적용금지의 원칙이란 법령은 그 효력이 생긴 때를 기준으로 하여 그 이후에 발생한 사실에 대하여서만 적용된다는 원칙을 말한다. 이는 법치국가원칙의 내용인 법적 안정성에서 비롯하는 원칙이라고 할 수 있다.

2. 소급적용금지의 적용범위

(1) 진정소급적용

① 개념

진정소급적용이란 법규의 효력발생일 이전에 이미 완성 또는 종결된 사실관계 또는 법률관계를 규율하는 것을 의미한다.

② 허용 여부

㉠ 원칙 : 이미 완성 또는 종결된 사실에 대해 새로운 법을 적용하는 진정소급효는 이를 인정하면 기존 사실에 대한 법적 안정성 또는 신뢰보호에 중대한 장애를 가져오므로 소급효를 인정하지 않는 것이 원칙이다.07

행정기본법 제14조【법적용의 기준】① 새로운 법령 등은 법령 등에 특별한 규정이 있는 경우를 제외하고는 그 법령 등의 효력발생 전에 완성되거나 종결된 사실관계 또는 법률관계에 대해서는 적용되지 아니한다.08 09

ⓛ **예외** : 대법원은 법령을 소급적용하더라도 일반국민의 이해에 직접 관계가 없는 경우, 오히려 그 이익을 증진하는 경우, 불이익이나 고통을 제거하는 경우 등의 특별한 사정이 있는 경우에 한하여 예외적으로 법령의 소급적용이 허용된다고 한다(대판 2005. 5. 13, 2004다8630).**01 02**

(2) 부진정소급적용

① 개 념

부진정소급적용이란 법규효력발생일 이전에 시작되었으나 법규의 효력발생일까지 계속 진행 중인 사실에 대해서 규율하는 것을 의미한다.

② 허용 여부

ⓖ **원칙** : 부진정소급적용은 엄밀한 의미에서의 소급적용이 아니어서 소급적용금지의 원칙이 적용되지 않으므로, 법규효력발생일 이전에 발생하여 법령의 시행일에도 종결되지 않고 계속되는 사실관계 또는 법률관계에는 새로운 법령을 적용함이 원칙이다.**03**

ⓛ **예외** : 다만, 부진정소급적용의 경우라 하더라도 개정 전의 법령에 대한 국민의 신뢰와 개정된 법령을 적용할 공익을 형량(저울질)하여 전자가 후자보다 큰 경우에는 개정 전의 법령을 적용하여야 한다.

┌ **관련판례**

1. 법령불소급의 원칙은 법령의 효력발생 전에 완성된 요건사실에 대하여 당해 법령을 적용할 수 없다는 의미일 뿐, 계속 중인 사실이나 그 이후에 발생한 요건사실에 대한 법령적용까지를 제한하는 것은 아니다(대판 2014. 4. 24, 2013두26552).**04 05**

2. 과세연도 진행 중에 세율 등을 인상하는 세법을 제정하여 당해 연도에 적용하는 경우 부진정소급으로서 원칙적으로 허용된다(대판 1983. 4. 26, 81누423).**06**

3. 성적불량을 이유로 한 학생징계처분에 있어서 수강신청 이후 징계요건을 완화한 학칙개정은 부진정소급효로서 허용된다.
   대학이 성적불량을 이유로 학생에 대하여 징계처분을 하는 경우에 있어서 수강신청이 있은 후 징계요건을 완화하는 학칙개정이 이루어지고 이어 당해 시험이 실시되어 그 개정학칙에 따라 징계처분을 한 경우라면 이는 이른바 부진정소급효에 관한 것으로서 구 학칙의 존속에 관한 학생의 신뢰보호가 대학 당국의 학칙개정의 목적달성보다 더 중요하다고 인정되는 특별한 사정이 없는 한 위법이라고 할 수 없다(대판 1989. 7. 11, 87누1123).**07**

읽기자료 | 소급적용

기출문제와 관련하여 소급적용을 부연설명하면 다음과 같다. 1999년 10월 1일의 법률로 소득세율을 소득액의 10%에서 소득액의 15%로 인상하는 경우를 생각해 보자(소득세는 1년 단위로 부과되며 1월 1일부터 12월 31일까지의 총소득금액을 기준으로 한다고 전제할 것).

┌───
│ ① 2000년도의 소득액에 대해 개정된 세율을 적용하는 것
│ ② 1998년도의 소득액에 대해 개정된 세율을 적용하는 것
│ ③ 1999년도의 소득액에 대해 개정된 세율을 적용하는 것
└───

위의 세 가지가 허용되는지에 대해 검토해 본다.
①는 1999년 10월 1일 시점에서 장래에 발생할 사실(2000년 1월 1일부터 12월 31일까지의 소득)에 대해 법을 적용하는 것이므로 장래효에 해당하여 원칙적으로 허용된다.
②는 1999년 10월 1일 시점에서 이미 완성된 사실(1998년 1월 1일부터 12월 31일까지의 소득)에 대해 법을 적용하는 것이므로 진정소급적용에 해당하여 원칙적으로 금지된다.
③은 1999년 10월 1일 시점에서 계속 진행 중인 사실(1999년 1월 1일부터 12월 31일까지의 소득)에 대해 법을 적용하는 것이므로 부진정소급적용에 해당하여 원칙적으로 허용된다. 이해의 편의를 위해 수직선상으로 나타내면 다음과 같다.

소급
적용
┌ 진정소급적용 ┬ 원칙 : 금지
│   └ 예외 : 허용
└ 부진정소급적용 ┬ 원칙 : 허용
               └ 예외 : 금지

ⓐ 소급적용금지와 소급입법금지
소급적용금지란 법률을 제·개정한 후 제·개정 이전의 사실에 대해 그러한 규정을 적용하는 것을 금지하는 것을 말한다. 소급입법금지란 법률을 제·개정함에 있어 명문규정을 두어 그 이전의 사실에 대해 법령을 적용하는 것을 내용으로 하는 법을 제정하는 것을 금지하는 것을 말한다.
예컨대, 법률에 아무런 규정이 없음에도 2011년 5월 1일에 제정된 신법령을 2010년에 적용하는 것은 소급적용금지와 관련되는 것이며, 「특정 범죄자에 대한 위치추적 전자장치 부착 등에 관한 법률」(전자발찌법)과 같이 법률을 제·개정하면서 명문규정으로 소급적용하는 내용의 입법을 금지하는 것은 소급입법금지와 관련된다. 다만, 동법상의 규정은 심히 중대한 공익상의 사유가 있는 경우이므로 진정소급입법이 예외적으로 허용된다고 볼 수 있다. 다만, 소급입법이 허용되면 소급적용이 가능하다는 의미이므로 양자는 상호보완적이라고 볼 수 있다.

조문: 구 「특정 범죄자에 대한 위치추적 전자장치 부착 등에 관한 법률」 부칙 제2조 【부착명령 청구에 관한 적용례 및 경과조치】 ① 제5조 제1항의 개정규정에 따른 부착명령 청구는 이 법 시행 전에 저지른 성폭력범죄에 대하여도 적용한다.

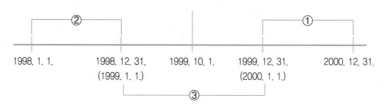

즉, 부진정소급은 ③의 경우처럼 소급(1999년 1월 1일부터 1999년 10월 1일 이전)과 장래(1999년 10월 1일부터 1999년 12월 31일까지)가 혼재된 영역에 대해 법을 적용한 것이라고 말할 수 있다.

④ 소급입법금지ⓐ의 원칙

1. 의의 및 취지

소급입법금지의 원칙이란 이미 종결된 사실관계 또는 법률관계에 적용하는 것을 내용으로 하는 법을 제정하는 것을 금지하는 원칙을 말한다. 이는 법적 안정성을 내용으로 하는 법치국가 원리에 근거한 헌법적 효력을 갖는 원칙이다.

2. 소급입법금지의 적용범위

(1) 진정소급입법

진정소급입법은 법적 안정성에 비추어 볼 때 원칙적으로 금지된다. 다만, 헌법재판소는 국민이 소급입법을 예상할 수 있었거나, 법적 상태가 불확실하고 혼란스러워 보호할 만한 신뢰이익이 적은 경우,01 소급입법에 의한 당사자의 손실이 없거나 아주 경미한 경우 그리고 기존 사실에 대한 신뢰보호의 요청에 우선하는 심히 중대한 공익상의 사유가 있는 경우에는 진정소급입법이 예외적으로 허용된다고 한다.02 또한 유리한 신법의 소급적용 여부는 권리를 제한하거나 의무를 부과하는 경우와는 달리 입법자에게 보다 광범위한 입법형성권이 인정된다는 것이 판례의 입장이다.

(2) 부진정소급입법

부진정소급입법은 엄밀한 의미에서 소급입법이 아니므로 원칙적으로 이러한 입법을 하는 것은 허용된다.03 04 그러나 이 경우에도 소급효를 요구하는 공익상의 사유와 신뢰보호의 요청 사이의 이익형량과정에서 신뢰보호의 관점이 입법자의 입법형성권에 제한을 가하게 된다는 것이 판례의 입장이다.

┌ **관련판례** ─────

1-1. 부진정소급입법은 원칙적으로 허용되나 국민의 신뢰보호의 관점이 입법자의 입법형성권에 제한을 가하게 된다(신뢰보호이익이 우월한 경우 부진정소급입법이 제한된다는 취지이다).05 ★★★

1-2. 진정소급입법은 원칙적으로 금지되나 일정한 경우, 즉 신뢰보호에 우선하는 심히 중대한 공익상의 사유가 있는 경우 등에는 예외적으로 진정소급입법이 허용된다.★★★

소급입법은 새로운 입법으로 이미 종료된 사실관계 또는 법률관계에 작용하게 하는 진정소급입법과 현재 진행 중인 사실관계 또는 법률관계에 작용케 하는 부진정소급입법으로 나눌 수 있는바, 부진정소급입법은 원칙적으로 허용되지만 소급효를 요구하는 공익상의 사유와 신뢰보호의 요청 사이의 교량과정에서 신뢰보호의 관점이 입법자의 형성권에 제한을 가하게 되는 데 반하여, 기존의 법에 의하여 형성되어 이미 굳어진 개인의 법적 지위를 사후입법을 통하여 박탈하는 것 등을 내용으로 하는 진정소급입법은 개인의 신뢰보호와 법적 안정성을 내용으로 하는 법치국가원리에 의하여 특단의 사정이 없는 한 헌법적으로 허용되지 아니하는 것이 원칙이고, 다만 일반적으로 ① 국민이 소급입법을 예상할 수 있었거나 ② 법적 상태가 불확실하고 혼란스러워 보호할 만한 신뢰이익이 적은 경우와 ③ 소급입법에 의한 당사자의 손실이 없거나 아주 경미한 경우 그리고 ④ 신뢰보호의 요청에 우선하는 심히 중대한 공익상의 사유가 소급입법을 정당화하는 경우 등에는 예외적으로 진정소급입법이 허용된다(헌재 1999. 7. 22, 97헌바76).**01**

2. 친일재산은 취득·증여 등 원인행위시에 국가의 소유로 한다고 정한 「친일반민족행위자 재산의 국가귀속에 관한 특별법」 제3조 제1항 본문은 소급입법금지원칙 등을 위반한 것이라고 볼 수 없다(진정소급입법이지만 신뢰보호보다 공익적 요구가 압도적으로 크므로 위헌이 아니라는 의미임)(대판 2011. 5. 13, 2009다26831·26848·26855·26862).**02**

3-1. 개정된 공무원연금법을 적용하여 장래 이행기가 도래하는 퇴직연금수급권의 내용만을 변경하는 퇴직연금 급여제한처분은 소급적용이 아니라 부진정소급적용이다.

3-2. 행정처분의 근거가 되는 개정법령이 그 시행 전에 완성 또는 종결되지 않은 기존의 사실 또는 법률관계를 적용대상으로 하면서 국민의 재산권과 관련하여 종전보다 불리한 법률효과를 규정하고 있는 경우, 개정법령의 적용은 원칙적으로 소급입법에 의한 재산권침해가 아니다(대판 2014. 4. 24, 2013두26552).★★★

4. 행정처분은 그 근거법령이 개정된 경우에도 경과 규정에서 달리 정함이 없는 한 처분 당시 시행되는 개정법령과 그에서 정한 기준에 의하는 것이 원칙이고, 개정법령이 기존의 사실 또는 법률관계를 적용대상으로 하면서 국민의 재산권과 관련하여 종전보다 불리한 법률효과를 규정하고 있는 경우에도 그러한 사실 또는 법률관계가 개정법률이 시행되기 이전에 이미 완성 또는 종결된 것이 아니라면 이를 헌법상 금지되는 소급입법에 의한 재산권침해라고 할 수는 없으며(편저자 주 : 부진정소급입법),**03** 그러한 개정법률의 적용과 관련하여서는 개정 전 법령의 존속에 대한 국민의 신뢰가 개정법령의 적용에 관한 공익상의 요구보다 더 보호가치가 있다고 인정되는 경우에 그러한 국민의 신뢰보호를 보호하기 위하여 그 적용이 제한될 수 있는 여지가 있을 따름이다(대판 2020. 7. 23, 2019두31839).★★★

❺ 헌법불합치결정과 소급적용

헌법재판소가 어떠한 법률조항에 대해 헌법불합치결정**ⓐ**을 하면서 그 법률조항을 합헌적으로 개정 또는 폐지하는 임무를 입법자에게 맡긴 경우 그 개선입법의 소급적용 여부와 소급적용의 범위는 원칙적으로 입법자의 재량에 달려 있다는 것이 판례의 입장이다.

관련판례
헌법재판소의 헌법불합치결정에 따른 개선입법의 소급적용 여부는 입법자의 재량이다.★
어떠한 법률조항에 대하여 헌법재판소가 헌법불합치결정을 하여 그 법률조항을 합헌적으로 개정 또는 폐지하는 임무를 입법자의 형성재량에 맡긴 이상, 그 개선입법의 소급적용 여부와 소급적용의 범위는 원칙적으로 입법자의 재량에 달린 것이다(대판 2008. 1. 17, 2007두21563).**04**

❻ 효력의 소멸

1. 한시법의 경우

법령 중에는 특히 유효기간을 정하고 있는 법령이 있는바, 이를 한시법이라고 한다. 예컨대, 이 법은 2024년 12월 31일까지 효력을 가진다는 규정을 두는 경우가 이에 해당한다. 한시법은 그 개념상 그러한 유효기간이 경과하면 효력이 소멸한다.**05**

기출 체크

☐☐☐☐☐ **01** 진정소급입법이라 하더라도 예외적으로 국민이 소급입법을 예상할 수 있었거나 신뢰보호의 요청에 우선하는 심히 중대한 공익상의 사유가 소급입법을 정당화하는 경우 등에는 허용될 수 있다. (○, ×) ★★★   2024 국회직 8급

☐☐☐☐☐ **02** '친일재산은 그 취득·증여 등 원인행위시에 국가의 소유로 한다.'고 정한 「친일반민족행위자 재산의 국가귀속에 관한 특별법」 제3조 제1항의 규정은 부진정소급입법에 해당하므로 원칙적으로 허용된다. (○, ×)   2019 경행경채 2차

☐☐☐☐☐ **03** 개정법령이 기존의 사실 또는 법률관계를 적용대상으로 하면서 국민의 재산권과 관련하여 종전보다 불리한 법률효과를 규정하고 있는 경우에도 그러한 사실 또는 법률관계가 개정법령이 시행되기 이전에 이미 완성 또는 종결된 것이 아니라면 개정법령을 적용하는 것이 헌법상 금지되는 소급입법에 의한 재산권침해라고 할 수는 없다. (○, ×) ★★★   2024 소방직 9급

☐☐☐☐☐ **04** 어떠한 법률조항에 대하여 헌법재판소가 헌법불합치결정을 하여 그 법률조항을 합헌적으로 개정 또는 폐지하는 임무를 입법자의 형성 재량에 맡긴 이상, 그 개선입법의 소급적용 여부와 소급적용의 범위는 원칙적으로 입법자의 재량에 달린 것이다. (○, ×) ★   2024 소방직 9급

☐☐☐☐☐ **05** 한시법은 명문으로 정해진 유효기간이 경과하더라도 당연히 그 효력이 소멸되는 것은 아니다. (○, ×)   2012 사회복지직 9급

ⓐ 헌법재판소는 어떠한 법률의 위헌 여부에 대해 헌법재판이 신청되면 위헌 여부를 심사하여 단순합헌(合憲), 단순위헌(違憲) 결정 이외에 한정합헌, 한정위헌, 헌법불합치결정 등의 변형결정을 내리기도 한다. 헌법불합치결정은 그 법률이 사실상 위헌이기는 하지만 단순위헌결정을 내리는 경우 법령이 효력을 상실함에 따라 발생하는 법의 공백으로 인한 혼란을 피하기 위해 입법기관이 새로이 법을 개정할 때까지 한시적으로 그 법을 존속시키는 결정을 말한다.

정답 01 ○ 02 × 03 ○ 04 ○ 05 ×

기출 체크

☐☐☐☐☐ **01** 법령이 전문개정된 경우 특별한 사정이 없는 한 종전의 법률 부칙의 경과규정도 모두 실효된다. (O, ×)
2008 국가직 9급

☐☐☐☐☐ **02** 법령이 일부 개정된 경우에는 기존 법령 부칙의 경과규정을 개정 또는 삭제하거나 이를 대체하는 별도의 규정을 두는 등의 특별한 조치가 없는 한 개정법령에 다시 경과규정을 두지 않았다고 하여 기존 법령 부칙의 경과규정이 당연히 실효되는 것은 아니다. (O, ×)
2022 소방간부

☐☐☐☐☐ **03** 특정지역만을 규율대상으로 하는 법률은 무효이다. (O, ×)
2016 교육행정직 9급

☐☐☐☐☐ **04** 하나의 지방자치단체의 조례가 다른 지방자치단체의 구역 내에서도 그 효력을 가지는 경우가 있다. (O, ×)
2008 경기도 9급

2. 한시법 이외의 법령의 경우

당해 법령이나 그와 동위 또는 상위의 법령에 의한 명시적 폐지가 있거나 그와 내용상 저촉되는 동위 또는 상위의 국법의 제정에 의한 묵시적 폐지 등에 의해 효력을 상실한다. 한편 법령이 전문개정된 경우, 이는 기존 법률을 폐지하고 새로운 법률을 제정하는 것과 동일하므로 종전 법률의 부칙규정도 그 효력이 소멸한다는 것이 판례의 입장이다.

┌ **관련판례**

법령이 전문개정된 경우, 종전 법률의 부칙의 경과규정도 소멸한다.

법령의 전부 개정은 기존 법령을 폐지하고 새로운 법령을 제정하는 것과 마찬가지여서 특별한 사정이 없는 한 새로운 법령이 효력을 발생한 이후의 행위에 대하여는 기존 법령의 본칙은 물론 부칙의 경과규정도 모두 실효되어 더는 적용할 수 없지만,01 법령이 일부 개정된 경우에는 기존 법령 부칙의 경과규정을 개정 또는 삭제하거나 이를 대체하는 별도의 규정을 두는 등의 특별한 조치가 없는 한 개정법령에 다시 경과규정을 두지 않았다고 하여 기존 법령 부칙의 경과규정이 당연히 실효되는 것은 아니다(대판 2014. 4. 30, 2011두18229).02

---

02 | 지역적 효력

❶ 원칙

행정법규는 당해 행정법규를 제정하는 기관의 권한이 미치는 지역 내에서 효력을 가지는 것이 원칙이다. 즉, 법률이나 국가의 중앙행정관청이 제정한 명령(대통령령, 총리령, 부령)은 대한민국의 전 영토에 걸쳐 효력을 가지고, 지방자치단체의 조례·규칙은 당해 자치단체의 구역 내에서만 효력을 가지는 것이 원칙이다. 한편, 영토에는 영해도 포함된다.

❷ 예외

위와 같은 원칙에는 다음과 같은 예외가 인정된다.

1. 국가의 법률 또는 명령이면서 영토 내의 일부 지역 내에서만 적용되는 경우가 있는데, 「제주특별자치도 설치 및 국제자유도시 조성을 위한 특별법」, 수도권정비계획법 등이 그 예이다.03

2. 행정법규가 그 제정기관의 본래의 관할구역을 넘어 적용되는 경우가 있다. 예를 들면 지방자치단체가 다른 지방자치단체의 구역에 공공시설을 설치한 경우에, 이 공공시설에 관한 조례가 다른 지방자치단체의 구역에서 효력을 가지는 경우가 이에 해당한다.04

03 | 대인적 효력

❶ 원칙

행정법규는 원칙적으로 속지주의ⓐ에 의해 그 영토 또는 관할구역 내에 있는 모든 자연인·법인, 내국인·외국인에게 효력을 미치는 것이 원칙이다.01 02

❷ 예외

국외에 있는 한국인에 대해서는 여권법, 병역법 등 우리의 행정법규가 적용된다.03 이는 지역적 기준에 대해서 효력을 정하는 속지주의와 달리 사람을 기준으로 그 효력을 정하기 때문에 속인주의라 부른다.

━ 관련문제

다음은 행정법의 법원(法源)에 관한 내용이다. 틀린 대화 내용을 모두 고른 것은?　　2007 국회직 8급

⊙ 甲 : 어제 행정법의 법원에 대해서 공부를 했어. 행정법의 법원으로는 성문법원과 불문법원이 있고, 성문법원에는 헌법, 법률, 명령, 조례, 규칙이 있고 …… 국제법규도 행정법의 법원이 되는지 잘 모르겠어. 乙군! 이 문제에 대해서 어떻게 생각해?

ⓛ 乙 : 우리 헌법에 "헌법에 의해서 체결·공포된 조약과 일반적으로 승인된 국제법규는 국내법과 동일한 효력을 가진다."라는 규정에 의한다면, 국제법규도 행정법의 법원이라고 생각해.

ⓒ 丙 : 그렇지만 어디까지나 국제법규인 만큼 별도의 입법조치가 없이는 국제법규가 국내법으로 수용되는 것은 가능하지 않다고 봐.

ⓔ 乙 : 그건 그렇고, 얼마 전에 우리 도에서 제정한 우수농산물을 이용하여 학교급식을 하자는 조례안이 효력이 없다는 기사를 본 적이 있는데, 아마도 GATT 위반이라는 거였지?

ⓜ 甲 : 맞아. 나도 그 사건을 기억하고 있어. 그래서 그 조례에 의해 학교급식을 순수 국내 우수농산물만을 사용하는 자에게 식재료나 구입비의 일부를 지원하는 것 등을 내용으로 하는 지방자치단체의 조례안은 효력이 없다는 거였어. 그러니 GATT도 우리 행정법의 법원이 되는 것이라고 생각해.

① ⓛ　　　　　　　　　　　　　　　　② ⓒ

③ ⓔ　　　　　　　　　　　　　　　　④ ⓔ, ⓜ

⑤ ⓛ, ⓔ, ⓜ

정답 ②

┌ 기출 체크 ┐

□□□□□ **01** 행정법령의 대인적 효력은 속지주의를 원칙으로 한다.
(○, ×)★★　　2016 교육행정직 9급

□□□□□ **02** 행정법령은 속지주의에 의하여 원칙적으로 그 법령이 적용되는 지역 내에 있는 모든 외국인에게 적용된다.
(○, ×)　　2008 경기도 9급

□□□□□ **03** 국외의 자국인에 대하여 국내법령은 적용되지 않는다. (○, ×)
2012 국회(속기·경위직) 9급

ⓐ **속지주의와 속인주의**
누구에 대해 법의 효력이 미치는지에 대한 것으로 국내의 영토 등을 기준으로 효력이 미치는 범위를 결정하는 것을 속지주의(屬地主義)라고 하고, 국적을 기준으로 효력이 미치는 범위를 결정하는 것을 속인주의(屬人主義)라고 한다. 속지주의에 따르면 영토 안에 있으면 국적을 불문하고 법의 효력이 미치게 되며, 속인주의에 따르면 어느 나라에 있든지 본국의 법을 적용하게 된다.

[유튜브] 3강 필수 개념 TEST
- QR코드를 스캔해 주세요.
- 필수 개념과 출제 포인트를 풀어 보세요.
- 틀린 문제는 기본서로 확인해 주세요.

정답　**01** ○ **02** ○ **03** ×

비례의 원칙(과잉금지의 원칙)

의 의

개 념	행정의 목적과 수단 사이에는 합리적인 비례관계가 유지되어야 함.
법적 근거	• 헌법적 근거 : 헌법재판소는 헌법 제37조 제2항을 비례원칙의 근거로 봄. • 법률적 근거 : 행정기본법 제10조(비례의 원칙) 등

적용범위

• 침해행정뿐 아니라 급부행정영역 등 행정의 모든 영역에서 적용
• 행정 · 입법(立法) · 사법(司法) 등 모든 국가작용에 적용

내 용

적합성의 원칙 (수단의 적정성 원칙)	• 행정목적을 달성하는 데 유효하고 적절할 것(행정기본법 제10조 제1호) • 수단이 목적을 달성하는 데 적합해야 함. 다만, 가장 적합한 수단일 필요는 없음.
필요성의 원칙 (최소침해의 원칙)	• 행정목적을 달성하는 데 필요한 최소한도에 그칠 것(동법 제10조 제2호) • 여러 적합한 수단 중 침해가 가장 적은 수단을 선택해야 함.
상당성의 원칙 (협의의 비례원칙)	• 행정작용으로 인한 국민의 이익침해가 그 행정작용이 의도하는 공익보다 크지 아니할 것(동법 제10조 제3호) • 사익침해의 정도가 달성되는 공익보다 훨씬 큰 경우에는 그 행정조치를 취해서는 안 됨. • 판례는 협의의 비례원칙인 상당성의 원칙을 재량권행사의 적법성 기준으로 보고 있음.
단계적 심사	적합성원칙 ⇨ 필요성원칙 ⇨ 상당성원칙

위반의 효과

비례의 원칙은 헌법상 법치국가원리에서 나온 법의 일반원칙 내지 헌법원칙이므로 이를 위반한 행정작용은 위헌 · 위법한 것이 됨.
• 비례원칙을 위반한 처분 : 항고소송으로 통제 O, 국가배상책임이 인정될 수 있음.
• 헌법재판소는 비례원칙을 위헌법률심사의 기준으로 삼고 있음.

신뢰보호의 원칙

의 의

개 념	행정기관의 어떤 행위가 존속될 것이라는 일반사인의 정당한 신뢰는 보호되어야 한다는 원칙
근 거	• 이론적 근거 : 법치주의의 원리인 법적 안정성(통설 및 판례) • 실정법적 근거 : 행정기본법 제12조 제1항 등

신뢰보호의 요건 및 한계

요 건
• 행정기관의 선행조치
  • 법령 · 행정행위 · 확약 · 행정계획 · 행정지도 등 사실행위, 기타 국민이 신뢰를 가지게 될 일체의 조치가 포함되며 명시적 · 묵시적 표시, 적극적 · 소극적 조치를 불문함.
  • 판례는 선행조치라는 용어 대신에 공적인 견해표명이라는 용어 사용

언동의 범위	• '추상적' 질의에 대한 '일반론'적인 견해표명 : 공적인 견해표명 × • 국회에서 일정한 법률안을 심의하거나 의결한 적이 있다고 하더라도, 그것이 법률로 확정되지 아니한 이상 그러한 사정만으로 어떠한 신뢰를 부하였다고 볼 수 없음(판례). • 재량준칙이 공표된 것만으로 신뢰보호원칙이 적용되는 것은 아님. • 행정청이 지구단위계획을 수립하면서 그 권장용도를 판매 · 위락 · 숙박시설로 결정하여 고시한 행위는 언제든지 숙박시설의 건축허가가 가능하다는 취지의 공적인 견해표명 ×(판례) • 폐기물처리업 사업계획에 대하여 적정통보를 한 것만으로 국토이용계획변경신청을 승인하여 주겠다는 취지의 공적 견해표명을 한 것으로 볼 수 없음(판례).
헌법재판소의 위헌결정	행정청이 개인에 대하여 신뢰의 대상이 되는 공적인 견해를 표명한 것이라고 할 수 없다.
선행조치의 판단기준	• 행정조직상의 형식적인 권한분배에 구애되는 것은 아니고, 상대방의 신뢰가능성에 비추어 실질에 의해 판단 • 행정청 아닌 행정청 소속 담당공무원이 한 경우도 선행조치에 포함됨.
선행조치의 입증책임	신뢰보호원칙의 성립을 주장하는 원고에게 있음.

• 신뢰의 보호가치
  • 개념 : 신뢰의 보호가치 존재(귀책사유가 없어야 함). 법률에 따른 개인의 행위가 국가에 의한 유인된 신뢰라면 보호가치가 인정될 수 있음.
  • 귀책사유 : 부정행위에 의한 경우뿐 아니라 부정행위가 없더라도 선행조치에 하자가 있음을 알았거나 하자를 중대한 과실로 알지 못한 경우 등 포함
  • 귀책사유의 판단대상 : 상대방, 수임인 등 관계자 모두를 기준으로 판단
• 상대방의 조치 : 신뢰를 바탕으로 어떠한 조치(적극적 · 소극적 행위 불문)를 취할 것
• 행정기관의 선행조치와 이를 신뢰하고 행한 국민의 조치 사이에 인과관계 필요
• 선행조치에 반하는 행정기관의 후행 행정작용
• 공익 또는 제3자의 정당한 이익을 현저히 해할 우려가 있는 경우가 아닐 것
  − 국민이 가지는 모든 기대 내지 신뢰가 헌법상 권리로서 보호될 것은 아니고, 그 보호 여부는 기존의 제도를 신뢰한 자의 신뢰를 보호할 필요성과 새로운 제도를 통하여 달성하려고 하는 공익을 비교 · 형량하여 판단(판례)

한 계
• 신뢰보호원칙과 법률적합성원칙의 관계
  − 동위설(이익형량설) : 통설 및 판례
  − 신뢰보호원칙과 공익 충돌시 이익형량
• 확약 후 사정변경이 있는 경우 특별한 사정이 없는 한 신뢰보호를 주장할 수 없음.
• **무효인 행정행위** : 신뢰보호원칙이 적용 안 됨. ⑩ 공무원임용결격자에 대한 공무원임용행위는 무효이며, 사후에 임용취소통보시 상대방은 신뢰보호 주장 ×

적용범위

확 약

행정기관이 상대방에 대해 작위 또는 부작위를 할 것을 약속하는 의사표시로서, 확약의 경우에도 신뢰보호원칙이 적용됨.

실권의 법리

의의	행정청에 권리행사의 기회가 있음에도 장기간 권리를 행사하지 않아 국민이 행정청이 그 권리를 행사하지 않을 것으로 신뢰하는 경우, 그 권리를 행사할 수 없다는 법리
요건	• 행정청이 권리행사의 가능성을 알았을 것 • 장기간 권리를 행사하지 않았을 것 • 국민이 행정청의 권한불행사를 신뢰하였고 그에 대한 정당한 사유가 있을 것 • 공익 또는 제3자의 이익을 현저히 해칠 우려가 없을 것

• 종래 판례는 신의성실의 원칙에서 파생되는 법리로 이해했으나 행정기본법에서는 신뢰보호원칙이라는 표제하에서 규정하고 있음.

신뢰보호의 방법 및 위반의 효과

존속보호의 문제	원칙적으로 존속보호, 보충적으로 가치보호
위반의 효과	• 신뢰보호의 원칙에 반하는 행정작용 : 위헌 · 위법 – 행정작용이 행정행위인 경우 : 무효 또는 취소할 수 있는 행위 – 행정작용이 행정입법이나 공법상 계약인 경우 : 무효 • 위반한 행정작용 : 손해배상청구 가능

그 밖의 일반원칙

평등의 원칙

의의	행정작용을 함에 있어 그 상대방인 국민을 공평하게 대우해야 한다는 것
근거	헌법 제11조, 행정기본법 제9조
한계	위법한 행정작용에서는 적용되지 않음(불법의 평등은 인정될 수 없음).
위반의 효과	• 위헌 · 위법 • 공무원시험에서 국가유공자의 가족에게 10% 가산점 부여 규정은 평등원칙 위배(판례) • 연구단지 내 녹지구역에 LPG충전소를 금지하는 시행령 규정은 평등원칙 위배 ✕(판례) • 정신병원 등의 개설에 관하여는 허가제로, 정신과의원 개설에 관하여는 신고제로 규정하고 있는 것은 평등원칙 위배 ✕(판례)

자기구속의 원칙

의의	• 행정청은 자기 스스로 정한 시행기준을 합리적 이유 없이 이탈할 수 없음. • 재량행위에 있어서 행정권의 자의를 방지하는 재량통제기능을 가짐.
근거	• 통설 : 평등의 원칙 • 사법부 –대법원, 헌법재판소 : '신뢰보호원칙'과 '평등원칙'은 자기구속의 법리의 근거라는 점을 명시적으로 밝힘.
적용	• 요건 –재량행위 영역일 것 –동종의 사안일 것 –동일한 행정청일 것 –선례필요설(다수설) • 재량준칙이 공표된 것만으로 자기구속의 원칙이 적용되는 것은 아니며, 되풀이 시행되어야 함.
한계	위법한 선례인 경우 불인정
위반의 효과	위헌 · 위법 : 항고소송의 대상이 되며 국가배상청구도 가능

부당결부금지의 원칙

의의	'실질적 관련' 없는 상대방의 반대급부를 결부시켜서는 안 됨.
근거	헌법적 효력설(다수설), 행정기본법 제13조
적용 범위	공법상 계약, 부관, 공급거부 · 관허사업의 제한 등 행정의 실효성 확보 수단
위반의 효과	위헌 · 위법(일반적으로 취소사유)

관련문제

• 여러 종류의 자동차운전면허는 서로 별개의 것으로 취급하는 것이 원칙이나, 취소사유가 특정 면허에 관한 것이 아니고 다른 면허와 공통된 것이거나 운전면허를 받은 사람에 관한 것일 경우에는 여러 면허를 전부 취소할 수도 있음.
• 승합차 음주운전 : 1종보통, 1종대형면허 모두 취소 가능
• 1종보통면허로 운전 가능한 차량을 음주운전 : 1종보통, 1종대형, 원동기면허 모두 취소 가능
• 2종소형면허로만 운전할 수 있는 이륜자동차를 음주운전한 사유만으로 1종대형면허나 보통면허의 취소 · 정지를 할 수 없음.

기타

적법절차의 원칙(행정기본법 제3조 제1항)

> 행정기본법 제3조(국가와 지방자치단체의 책무) ① 국가와 지방자치단체는 국민의 삶의 질을 향상시키기 위하여 적법절차에 따라 공정하고 합리적인 행정을 수행할 책무를 진다.

권한남용금지의 원칙(행정기본법 제11조 제2항)

> 행정기본법 제11조(성실의무 및 권한남용금지의 원칙) ② 행정청은 행정권한을 남용하거나 그 권한의 범위를 넘어서는 아니 된다.

부정한 목적의 세무조사에 의하여 수집된 과세자료를 기초로 한 과세처분은 위법함(판례).

신의성실의 원칙(행정기본법 제11조 제1항)

> 행정기본법 제11조(성실의무 및 권한남용금지의 원칙) ① 행정청은 법령 등에 따른 의무를 성실히 수행하여야 한다.

비례의 원칙(과잉금지의 원칙)

비례의 원칙의 구체적 적용
(행정법 전반을 정리한 후 읽기 바란다)
비례의 원칙 위반은 재량권 남용에 해당하고 비례의 원칙에 위반되는 부관은 위법한 부관이 된다. 또한, 행정행위의 직권취소나 철회에 있어서도 공익상의 요구보다 사인의 불이익이 더 큰 경우 그러한 직권취소나 철회는 위법하다. 한편, 행정강제의 경우에도 비례의 원칙이 준수되어야 하는데 우리 행정대집행법 제2조도 이에 관한 규정을 두고 있다. 기타 비례의 원칙에 반하는 행정지도 등 공무원의 직무행위는 위법한 직무집행이 될 것이다.

01 | 의 의

❶ 개 념

비례의 원칙이란 행정의 목적과 그 목적을 실현하기 위한 수단의 관계에서, 수단은 목적을 실현하는 데 유효·적절하고 가능한 한 최소침해를 가져오는 것이어야 하며, 또한 그 수단의 도입으로 인해 생겨나는 침해가 행정이 의도하는 공익을 능가하여서는 안 된다는 원칙을 말한다. 이러한 비례의 원칙은 목적과 수단 사이에 합리적 비례관계가 유지되어야 한다는 것으로서 "대포로 참새를 쏘아서는 아니 된다."는 표현으로 나타내기도 한다.

❷ 법적 근거

1. 헌법적 근거

비례의 원칙은 헌법 제37조 제2항의 규정, 법치국가의 원리 및 기본권보장 등으로부터 도출될 수 있는 것으로 헌법적 원칙으로 보는 것이 통설의 입장이며, 헌법재판소는 비례의 원칙을 헌법 제37조 제2항에서 찾는다.01

> **헌법 제37조** ② 국민의 모든 자유와 권리는 국가안전보장·질서유지 또는 공공복리를 위하여 필요한 경우에 한하여 법률로써 제한할 수 있으며, 제한하는 경우에도 자유와 권리의 본질적인 내용을 침해할 수 없다.

> **▌관련판례**
> 과잉금지의 원칙(비례의 원칙)이라 함은 국민의 기본권을 제한함에 있어서 국가작용의 한계를 명시한 것으로서 목적의 정당성, 방법의 적정성, 피해의 최소성, 법익의 균형성 등을 의미하며 그 어느 하나에라도 저촉이 되면 위헌이 된다는 헌법상의 원칙을 말한다(헌재 1997. 3. 27, 95헌가17).

2. 법률적 근거

(1) 성문의 법적 근거

> **행정기본법 제10조【비례의 원칙】** 행정작용은 다음 각 호의 원칙에 따라야 한다.
> 1. 행정목적을 달성하는 데 유효하고 적절할 것(편저자 주 : 적합성)
> 2. 행정목적을 달성하는 데 필요한 최소한도에 그칠 것(편저자 주 : 필요성)
> 3. 행정작용으로 인한 국민의 이익침해가 그 행정작용이 의도하는 공익보다 크지 아니할 것(편저자 주 : 상당성)

> **경찰관직무집행법 제1조【목적】** ② 이 법에 규정된 경찰관의 직권은 그 직무수행에 필요한 최소한도에서 행사되어야 하며 남용되어서는 아니 된다.02
> **식품위생법 제79조【폐쇄조치 등】** ④ 제1항에 따른 조치는 그 영업을 할 수 없게 하는 데에 필요한 최소한의 범위에 그쳐야 한다.

행정기본법은 학설과 판례로 확립된 행정법의 일반원칙인 비례의 원칙을 일반법의 지위에서 행정의 법원칙으로 명문화하였다.03 한편 경찰관직무집행법(제1조 제2항), 식품위생법(제79조 제4항), 행정규제기본법(제5조 제3항), 행정절차법(제48조 제1항) 등 다른 개별법에서도 이 원칙을 규정하고 있다.

(2) 행정법의 일반원칙

이러한 비례의 원칙은 행정법의 일반원칙으로서 국가의 모든 작용의 위헌·위법성을 심사하는 법원칙으로 기능한다고 할 것이다.

02 | 비례원칙의 적용범위

비례의 원칙은 처음에 경찰권의 한계를 설정해 주는 법원칙으로 출발하였으나, 현재는 행정의 모든 영역에 적용되는 법원칙이다. 즉, 비례의 원칙은 침해행정뿐 아니라 급부행정의 영역 등 행정의 전영역에서 적용된다.01 비례의 원칙은 행정에만 적용되는 원칙이 아니라 입법(立法)·사법(司法) 등 모든 국가작용에 적용되는 헌법상의 기본원리이다.02

> **관련판례**
>
> 비례의 원칙은 법치국가 원리에서 당연히 파생되는 헌법상의 기본원리로서,03 모든 국가작용에 적용된다. 행정목적을 달성하기 위한 수단은 목적달성에 유효·적절하고, 가능한 한 최소침해를 가져오는 것이어야 하며, 아울러 그 수단의 도입에 따른 침해가 의도하는 공익을 능가하여서는 안 된다(대판 2019. 7. 11, 2017두38874).

03 | 비례원칙의 내용

❶ 광의의 비례원칙(과잉금지원칙)

광의의 비례원칙은 다음과 같은 적합성원칙, 필요성(최소침해)원칙, 상당성원칙의 세 가지 내용으로 구성된다.04 다만 헌법재판소는 세 가지 외에 목적의 정당성을 추가하고 있다(p.56 판례 참조).

광의의 비례원칙

```
적합성의
 원칙
  ↓
필요성의
 원칙          광의의
  ↓           비례원칙
상당성의   협의의
 원칙     비례원칙
```

1. 적합성의 원칙(수단의 적정성원칙)

적합성의 원칙이란 행정기관이 취한 조치 또는 수단은 그가 의도하는 목적을 달성하는 데에 적합해야 한다는 것을 의미한다. 행정기본법에서는 "행정목적을 달성하는 데 유효하고 적절할 것(동법 제10조 제1호)"이라는 표현으로 이 원칙을 규정하고 있다.

한편 목적달성을 위한 수단이 여러 개가 있는 경우 이러한 수단이 법령상 허용되는 것이라면 이들 중 어떤 것을 취하더라도 적합성 원칙에는 위반되지 않는다.

2. 필요성의 원칙(최소침해의 원칙)

(1) 필요성의 원칙이란 행정기관이 행정조치를 취함에 있어서는 여러 적합한 수단 중에서도 당사자의 권리나 자유에 대한 침해가 가장 적은 수단을 선택해야 함을 의미한다. 행정기본법에서는 "행정목적을 달성하는 데 필요한 최소한도에 그칠 것(동법 제10조 제2호)"이라는 표현으로 이 원칙을 규정하고 있다. 이는 최소침해의 원칙이라고도 한다.

기출 체크

☐☐☐☐☐ **01** (비례의 원칙은) 침해행정인가 급부행정인가를 가리지 아니하고 행정의 전영역에 적용된다. (○, ×) ★
2013 국가직 9급

☐☐☐☐☐ **02** 비례의 원칙은 행정에만 적용되는 원칙이므로 입법에서는 적용될 여지가 없다. (○, ×) ★
2020 지방직·서울시 9급

☐☐☐☐☐ **03** 비례의 원칙은 법치국가원리에서 당연히 파생되는 헌법상의 기본원리이다. (○, ×)
2022 지방직·서울시 9급

☐☐☐☐☐ **04** 비례의 원칙은 구체적으로 목적적합성의 원칙, 최소침해의 원칙, 협의의 비례의 원칙 등을 내용으로 한다. (○, ×) ★
2005 관세사

정답 01 ○ **02** × **03** ○ **04** ○

(2) 예컨대, 영업에 따른 위험을 예방하기 위해서 영업시간의 제한 등과 같은 부관을 붙여서도 위험을 예방할 수 있으면 영업금지라는 수단을 선택해서는 안 된다. 또한 위험한 건물에 대하여 개수(改修)명령으로써 목적을 달성할 수 있음에도 불구하고 철거명령을 발령하는 것은 필요성원칙에 위배된다.01

관련판례

1. 총기를 사용하는 경찰관으로서는 인체에 대한 위해를 방지하기 위하여 상대방과 근접한 거리에서 상대방의 얼굴을 향하여 이를 발사하지 않는 등 가스총 사용시 요구되는 최소한의 안전수칙을 준수함으로써 장비 사용으로 인한 사고 발생을 미리 막아야 할 주의의무가 있다.02

2. 경찰관이 난동을 부리던 범인을 검거하면서 가스총을 근접 발사하여 가스와 함께 발사된 고무마개가 범인의 눈에 맞아 실명한 경우 국가배상책임이 인정된다(대판 2003. 3. 14, 2002다57218).03

3. 상당성의 원칙(균형성의 원칙, 협의의 비례원칙)

(1) 상당성의 원칙이란 행정조치를 취함에 따른 국민의 불이익이 그 조치에 의해 달성되는 공익보다 훨씬 더 큰 경우에는 그 행정조치를 취해서는 안 된다는 원칙을 말한다. 행정기본법에서는 "행정작용으로 인한 국민의 이익침해가 그 행정작용이 의도하는 공익보다 크지 아니할 것(동법 제10조 제3호)"이라는 표현으로 이 원칙을 규정하고 있다. 이를 협의의 비례원칙이라고도 한다.

(2) 예컨대, 건축법에 위배된 건축물이라고 하더라도, 공익을 침해하지 않는 한 철거하여서는 안 된다. 판례는 협의의 비례원칙인 상당성의 원칙을 재량권행사의 적법성 기준으로 보고 있다.04

관련판례

1-1. 제재적 행정처분이 재량권의 범위를 일탈하였거나 남용하였는지 여부는 처분사유로 된 위반행위의 내용과 그 위반의 정도, 당해 처분에 의하여 달성하려는 공익상의 필요와 개인이 입게 될 불이익 및 이에 따르는 제반사정 등을 객관적으로 심리하여 공익침해의 정도와 그 처분으로 인하여 개인이 입게 될 불이익을 비교·교량하여 판단하여야 한다. ★

1-2. 수입녹용 중 일정성분이 기준치를 0.5% 초과하였다는 이유로 수입녹용 전부에 대해 전량폐기 또는 반송처리를 지시한 처분이 비례원칙을 위반한 것이 아니다(대판 2006. 4. 14, 2004두3854).05

2. 음주운전으로 인한 운전면허취소처분의 재량권 일탈·남용 여부를 판단할 때, 운전면허의 취소로 입게 될 당사자의 불이익보다 음주운전으로 인한 교통사고를 방지하여야 하는 일반예방적 측면이 더 강조되어야 한다.06 ★★★

자동차가 대중적인 교통수단이고 그에 따라 자동차운전면허가 대량으로 발급되어 교통상황이 날로 혼잡해짐에 따라 교통법규를 엄격히 지켜야 할 필요성은 더욱 커지는 점, 음주운전으로 인한 교통사고 역시 빈번하고 그 결과가 참혹한 경우가 많아 대다수의 선량한 운전자 및 보행자를 보호하기 위하여 음주운전을 엄격하게 단속하여야 할 필요가 절실한 점 등에 비추어 보면, 음주운전으로 인한 교통사고를 방지할 공익상의 필요는 더욱 중시되어야 하고 운전면허의 취소는 일반의 수익적 행정행위의 취소와는 달리 그 취소로 인하여 입게 될 당사자의 불이익보다는 이를 방지하여야 하는 일반예방적 측면이 더욱 강조되어야 한다(대판 2019. 1. 17, 2017두59949).

② 단계적 구조

1. 적합성원칙 ⇨ 필요성원칙(최소침해의 원칙) ⇨ 상당성원칙(협의의 비례원칙)

비례의 원칙을 심사함에 있어서는 이러한 세 단계의 단계적 심사를 거치게 된다.

2. 각 단계의 원칙 위반의 경우

적합성원칙에 위배되지 않더라도 필요성원칙에 위배되면 비례원칙 위반으로 위법한 행정작용이 된다. 따라서 건물수리명령을 발하여서도 건물의 붕괴방지라는 목적을 달성할 수 있음에도 불구하고 건물철거명령을 발하는 경우에는, 비록 건물철거명령이 적합성원칙에는 부합하더라도 필요성원칙에는 위반되므로 결국 건물철거명령은 비례의 원칙에 반하는 위법한 처분이 된다.

04 | 위반의 효과

❶ 위헌·위법 ⇨ 행정구제의 대상

비례의 원칙은 헌법상의 법치국가원리에서 나온 법의 일반원칙 내지 헌법원칙이기 때문에 이 원칙을 위반한 행정작용은 위헌·위법한 것이 된다. 따라서 비례의 원칙을 위반한 행정행위는 위법한 것으로 항고소송의 대상이 되며 국가의 손해배상책임을 발생시키기도 한다. 또한 비례의 원칙을 위반한 법률은 위헌이 되므로 헌법재판소는 비례원칙을 위헌법률심사❶의 기준으로 삼고 있다.01

❷ 구체적 판례 검토

1. 비례의 원칙 위반이라고 본 판례

┌ **관련판례**
1. 단 1회 훈령에 위반하여 요정 출입을 하다가 적발된 경우 가벼운 징계처분으로서도 능히 위 훈령의 목적을 달성할 수 있다고 볼 수 있는 점 등에 비추어 생각하면 이에 대해 파면처분을 한 것은 비례의 원칙에 어긋난 것으로서 재량권의 범위를 넘은 위법한 처분이다(대판 1967. 5. 2, 67누24).02 03

2. 여객운송사업자가 지입제 경영을 한 경우 구체적 사안의 개별성과 특수성을 전혀 고려하지 않고 그 사업면허를 필요적으로 취소하도록 한 「여객자동차 운수사업법」 규정은 비례의 원칙에 반한다(헌재 2000. 6. 1, 99헌가11·12 병합).❶

3. 자동차를 이용하여 범죄행위를 한 경우 범죄의 경중에 상관없이 반드시 운전면허를 취소하도록 한 규정은 비례의 원칙 위반이다(헌재 2005. 11. 24, 2004헌가28).04

2. 비례의 원칙 위반이 아니라는 판례

┌ **관련판례**
사법시험 제2차시험에 과락제도를 적용하고 있는 구 사법시험령 제15조 제2항은 비례의 원칙, 과잉금지의 원칙 및 평등의 원칙 등을 위반하였다고 볼 수 없다(대판 2007. 1. 11, 2004두10432).05

❶ 위헌법률심판(= 위헌법률심사)
위헌법률심판이란 법률이 헌법에 합치하는가의 여부를 심판하여 법률이 헌법에 위반된다고 판단되는 경우에 그 효력을 상실하게 하는 제도로, 입법부의 자의적 입법에 대한 헌법보장기능으로서 헌법재판의 핵심이다.

❶ 입법자가 임의적(재량적) 규정으로도 법의 목적을 달성할 수 있음에도 사업면허를 필요적(필수적이라는 의미임)으로 취소하도록 한 규정은 비례의 원칙에 위반된다는 의미이다.

01 ｜ 의의

❶ 개 념

신뢰보호의 원칙이란 행정기관의 어떤 행위가 존속될 것이라는 것을 일반사인이 정당하게 신뢰한 경우 그러한 정당한 신뢰는 보호되어야 한다는 원칙을 의미한다.

❷ 신뢰보호의 근거

1. 이론적 근거

(1) 법적 안정성설(통설 및 판례)

헌법상 원칙인 법치주의원리는 법률적합성의 원리와 법적 안정성의 원리로 구성되어 있는데, 신뢰보호원칙의 근거를 이러한 '법치주의의 원리'인 법적 안정성에서 찾는 견해이다.

> **┏ 관련판례**
>
> 국민이 종전의 법률관계나 제도가 장래에도 지속될 것이라는 합리적인 신뢰를 바탕으로 이에 적응하여 법적 지위를 형성하여 온 경우 국가 등은 법치국가의 원칙에 의한 법적 안정성을 위하여 권리 · 의무에 관련된 법규 · 제도의 개폐에 있어서 국민의 기대와 신뢰를 보호하지 않으면 안 된다(헌재 2014. 4. 24, 2010 헌마747).01 ★★★

(2) 기타 – 신의칙설, 사회국가원리설

신의칙설은 신뢰보호의 근거를 법의 일반원칙이라 할 수 있는 민법상의 신의성실의 원칙에서 구하는 견해이다. 또한 사회국가원리설은 현대국가에서 개인은 국가의 급부에 의존하지 않고는 인간다운 생활이 곤란하므로 개인의 신뢰는 보호되어야 한다는 견해이다.

2. 실정법적 근거

> **행정기본법 제12조【신뢰보호의 원칙】①** 행정청은 공익 또는 제3자의 이익을 현저히 해칠 우려가 있는 경우를 제외하고는 행정에 대한 국민의 정당하고 합리적인 신뢰를 보호하여야 한다.02 03 04

> **국세기본법 제18조【세법해석의 기준 및 소급과세의 금지】③** 세법의 해석이나 국세행정의 관행이 일반적으로 납세자에게 받아들여진 후에는 그 해석이나 관행에 의한 행위 또는 계산은 정당한 것으로 보며, 새로운 해석이나 관행에 의하여 소급하여 과세되지 아니한다.

> **행정절차법 제4조【신의성실 및 신뢰보호】②** 행정청은 법령 등의 해석 또는 행정청의 관행이 일반적으로 국민들에게 받아들여졌을 때에는 공익 또는 제3자의 정당한 이익을 현저히 해칠 우려가 있는 경우를 제외하고는 새로운 해석 또는 관행에 따라 소급하여 불리하게 처리하여서는 아니 된다.

행정기본법은 학설과 판례에 의해 정립된 신뢰보호의 원칙을 일반법의 지위에서 행정의 법원칙으로 명문화하고 있다. 그리고 국세기본법 제18조 제3항, 행정절차법 제4조 제2항 및 행정심판법 제27조 제5항도 신뢰보호의 원칙을 규정하고 있다.05 06

❶ 신뢰보호의 요건

행정기본법에서는 신뢰보호원칙을 명문화하고 있으나 그 구체적인 요건에 대해서는 규정하고 있지 않으므로 구체적인 요건은 여전히 학설과 판례에 의해 보충될 수밖에 없다.

일반적으로 행정상의 법률관계에 있어서 행정청의 행위에 대하여 신뢰보호의 원칙이 적용되기 위해서는, 첫째 행정청이 개인에 대하여 신뢰의 대상이 되는 공적인 견해표명을 하여야 하고,**01** 둘째 행정청의 견해표명이 정당하다고 신뢰한 데에 대하여 그 개인에게 귀책사유가 없어야 하며, 셋째 그 개인이 그 견해표명을 신뢰하고 이에 상응하는 어떠한 행위를 하였어야 하고, 넷째 행정청이 위 견해표명에 반하는 처분을 함으로써 그 견해표명을 신뢰한 개인의 이익이 침해되는 결과가 초래되어야 하며, 마지막으로 위 견해표명에 따른 행정처분을 할 경우 이로 인하여 공익 또는 제3자의 정당한 이익을 현저히 해할 우려가 있는 경우가 아니어야 한다(대판 2006. 2. 24, 2004두13592).

1. 행정기관의 선행조치

(1) 선행조치의 의의

① 상대방인 국민에게 신뢰를 주는 행정청의 선행조치가 있어야 하는데, 이러한 선행조치에는 법령, 행정행위, 확약, 행정지도 등 사실행위,**02 03** 기타 국민이 신뢰를 가지게 될 일체의 조치가 포함되며 명시적 표시·묵시적 표시, 적극적·소극적 조치를 불문한다는 것이 다수의 견해이다.

② 한편, 판례는 선행조치를 '공적인 견해표명'에 한정하고 있다.**04** 행정청의 선행조치는 반드시 처분청 자신의 견해표명일 필요는 없으며 처분청 소속의 보조기관이 행한 조치도 선행조치에 해당한다.

③ 위법한 행정행위도 선행조치가 될 수 있다.**05 ⓐ** 선행조치는 반드시 문서의 형식일 필요도 없다.**06**

> **┏ 관련판례**
> 선행조치인 공적인 견해표명에는 명시적 의사표시뿐만 아니라 묵시적 의사표시도 포함된다(대판 1984. 12. 26, 81누266).**07 08 ★★★**

(2) 언동(言動)의 범위

① 행정권의 언동은 행정권의 행사에 관한 언동(명시적·묵시적 표시, 적극적·소극적 조치 불문)**09**이어야 하고 구체적인 행정권의 행사와 무관하게 단순히 '법령해석과 관련된 질의에 대해 상담 등 회신'해 주는 것은 신뢰보호원칙의 적용대상이 아니다.

② 한편, '추상적' 질의에 대한 '일반론'적인 견해표명은 공적인 견해표명으로 볼 수 없다는 것이 판례의 입장이다.

③ 묵시적 언동도 선행조치에 포함**10**될 수 있으나 묵시적 표시가 있다고 하기 위해서는 단순한 부작위와는 달리 어떠한 의사표시를 한 것으로 볼 수 있는 사정이 있어야 한다.

④ 판례는 재량준칙이 공표된 것만으로는 신청인이 보호가치 있는 신뢰를 갖게 된 것이라고 볼 수 없다고 한다.

기출 체크

□□□□□ **01** (신뢰보호원칙이 적용되려면) 행정청이 개인에 대하여 신뢰의 대상이 되는 공적인 견해표명을 하여야 한다. (○, ×)　2019 서울시 2회 7급

□□□□□ **02** (신뢰보호의 원칙상) 법령이나 비권력적 사실행위인 행정지도 등은 신뢰의 대상이 되는 선행조치에 포함되지 않는다. (○, ×) ★★★　2019 국가직 7급

□□□□□ **03** 신뢰보호의 대상인 행정청의 선행조치에는 법적 행위만이 포함되며, 행정지도 등의 사실행위는 포함되지 아니한다. (○, ×) ★★　2014 국회직 8급

□□□□□ **04** 신뢰의 대상이 되는 선행조치는 공적인 견해표명에 국한되지 않는다. (○, ×)　2024 소방간부

□□□□□ **05** 위법한 행정관행에 대해서도 신뢰보호의 원칙이 적용될 수 있다. (○, ×) ★★　2019 서울시 9급

□□□□□ **06** 신뢰의 대상인 행정청의 선행조치는 문서에 의한 형식적 행위이어야 한다. (○, ×)　2014 국회직 8급

□□□□□ **07** 행정절차법은 처분의 방식으로 문서주의를 표방하고 있으므로, 행정청의 공적 견해표명은 묵시적으로 표시되어서는 안 된다. (○, ×) ★★★　2023 소방직 9급

□□□□□ **08** 신뢰보호의 원칙에서 행정기관의 공적인 견해표명은 명시적이어야 하고 묵시적인 경우에는 인정되지 아니한다. (○, ×) ★★★　2018 소방직 9급

□□□□□ **09** 신뢰보호의 원칙이 적용되기 위한 요건인 행정권의 행사에 관하여 신뢰를 주는 선행조치가 되기 위해서는 반드시 처분청 자신의 적극적인 언동이 있어야만 한다. (○, ×) ★★　2020 지방직·서울시 9급

□□□□□ **10** 행정기관의 선행조치로서의 공적인 견해표명은 반드시 명시적인 언동이어야 한다. (○, ×) ★★★　2019 소방직 9급

ⓐ 조치, 위법

1. 조 치
적극적 조치의 예로는 주택단지를 건설할 것이라는 것을 알리며 공중목욕탕의 건축을 권고하는 것을 들 수 있고, 소극적 조치의 예로는 장기간 행정처분(조세부과, 법규 위반에 대한 제재조치 등)을 내리지 않는 경우를 들 수 있다. 묵시적 표시, 즉 말없이 행동으로 보여주는 표시의 예로는 위법상태의 장기간 묵인 등을 들 수 있다(소극, 묵시는 유사개념).

2. 위 법
행정행위는 비록 위법하더라도 일단 유효하며, 권한 있는 국가기관에 의해 취소될 수 있음에 그친다. 다만, 행정행위의 위법성이 중대하고 명백한 경우에는 예외적으로 무효가 되는바, 무효인 경우에는 처음부터 아무런 효력이 발생하지 않으며 누구나 언제든지 그 효력을 부정할 수 있다(p.313 참조).

정답 01 ○ 02 × 03 × 04 × 05 ○
　　　06 × 07 × 08 × 09 × 10 ×

㉠ 선행조치(공적인 견해표명) 긍정

관련판례

1. 4년 동안 면허세를 부과할 수 있다는 사정을 알면서도 수출확대라는 공익상 필요에서 한 건도 부과한 일이 없었다면 과세관청이 비과세라는 선행조치를 한 것으로 볼 수 있다(대판 1980. 6. 10, 80누6 전합).**01** ★★★

2. 설립한 단체가 세금이 면제되는 '기술진흥단체'인지 여부에 관한 질의에 대하여 건설교통부(현 국토교통부)장관과 내무부(현 행정안전부)장관이 비과세 의견으로 회신한 경우, 공적인 견해표명에 해당한다(대판 2008. 6. 12, 2008두1115).

3. 시의 도시계획과장과 도시계획국장이 도시계획사업의 준공과 동시에 사업부지에 편입한 토지에 대한 완충녹지ⓐ 지정을 해제함과 아울러 당초의 토지소유자들에게 환매하겠다는 약속을 했음에도, 이를 믿고 토지를 협의매매한 토지소유자의 완충녹지지정해제신청을 거부한 것은, 행정상 신뢰보호의 원칙을 위반하거나 재량권을 일탈 · 남용한 위법한 처분이다(대판 2008. 10. 9, 2008두6127).**02** ★

4-1. 사업소세 도입 이래 20년 이상 간호전문대학의 운영자가 경영하는 병원에 대하여 사업소세를 부과하지 않으면서, 장기간 인근 다른 과세관청의 유사 사례에 대한 사업소세 과세 시도를 보면서도 비과세조치를 계속 유지한 경우, 묵시적으로 사업소세 비과세의 의사를 표시한 것으로 볼 수 있으므로, 국세기본법 제18조 제3항에서 정한 '비과세관행'이 성립하였다.ⓑ

4-2. 과세관청이 과거의 언동을 시정하여 장래에 향하여 처분하는 것은 신의성실의 원칙이나 소급과세금지의 원칙에 위반되지 않는다(대판 2009. 12. 24, 2008두15350).

㉡ 선행조치(공적인 견해표명) 부정

관련판례

1-1. 국세기본법 제18조 제3항에서 말하는 비과세관행이 성립하려면 상당한 기간에 걸쳐 과세를 하지 아니한 객관적 사실이 존재할 뿐만 아니라 과세관청 자신이 그 사항에 관하여 과세할 수 있음을 알면서도 어떤 특별한 사정 때문에 과세하지 않는다는 의사가 있어야 한다.**03**

1-2. 한편 공적 견해나 의사는 명시적 또는 묵시적으로 표시되어야 하지만, 묵시적 표시가 있다고 하기 위하여는 단순한 과세누락과는 달리 과세관청이 상당기간 불과세 상태에 대하여 과세하지 않겠다는 의사표시를 한 것으로 볼 수 있는 사정이 있어야 한다(대판 2001. 4. 24, 2000두5203).**04** ★★

2. 국세기본법 제18조 제2항에서 정한 일반적으로 납세자에게 받아들여진 국세행정의 관행이 있으려면 반드시 과세관청이 납세자에 대하여 불과세를 시사하는 명시적인 언동이 있어야만 하는 것은 아니고 묵시적인 언동 다시 말하면 비과세의 사실상태가 장기간에 걸쳐 계속되는 경우에 그것이 그 사항에 대하여 과세의 대상으로 삼지 아니하는 뜻의 과세관청의 묵시적인 의향표시로 볼 수 있는 경우 등에도 이를 인정할 수 있다(대판 1985. 11. 12, 85누549).

3. 상대방의 추상적 질의에 대한 일반론적인 견해표명은 신뢰보호원칙이 적용되는 행정청의 선행조치라고 볼 수 없다.**05** ★★

이와 같은 의사가 대외적으로 명시적 또는 묵시적으로 표시될 것임을 요한다고 해석되며, 특히 그 의사표시가 납세자의 추상적인 질의에 대한 일반론적인 견해표명에 불과한 경우에는 위 원칙의 적용을 부정하여야 한다(대판 1993. 7. 27, 90누10384).

4. (원고가 행정청에 개발부담금부과 여부에 대해 특정하여 질의한 것이 아니고 예식장 · 대형 할인매장 등을 건축하는 것이 관계법령상 가능한지 여부를 질의한 사건에서) 「개발이익환수ⓒ에 관한 법률」에 정한 개발사업을 시행하기 전에, 행정청이 민원예비심사에 대하여 관련 부서 의견으로 '저촉사항 없음'이라고 기재하였다고 하더라도, 이후의 개발부담금 부과처분에 관하여 신뢰보호의 원칙을 적용하기 위한 요건인, 신뢰의 대상이 되는 공적인 견해표명을 한 것이라고는 보기 어렵다(대판 2006. 6. 9, 2004두46).**06** ★★

5. 관할 교육지원청 교육장이 교육환경평가승인신청에 대한 보완요청서에서 "휴양 콘도미니엄업이 교육환경법 제9조 제27호에 따른 금지행위 및 시설로 규정되어 있지 않다."는 의견을 밝힌 것은 교육장이 최종적으로 교육환경평가를 승인해 주겠다는 취지의 공적 견해를 표명한 것이라고 볼 수 없다(대판 2020. 4. 29, 2019두52799).

6. **단순히 착오로 어떠한 처분을 계속한 경우는 행정관행이 성립한 경우에 해당되지 않는다 할 것이고, 따라서 처분청이 추후 오류를 발견하여 합리적인 방법으로 변경하는 것은 신뢰보호원칙에 위배되지 않는다.**

   행정상 법률관계에 있어서 특정의 사항에 대해 신뢰보호의 원칙상 처분청이 그와 배치되는 조치를 할 수 없다고 할 수 있을 정도의 행정관행이 성립되었다고 하려면 상당한 기간에 걸쳐 그 사항에 대해 동일한 처분을 하였다는 객관적 사실이 존재할 뿐만 아니라, 처분청이 그 사항에 관해 다른 내용의 처분을 할 수 있음을 알면서도 어떤 특별한 사정 때문에 그러한 처분을 하지 않는다는 의사가 있고 이와 같은 의사가 명시적 또는 묵시적으로 표시되어야 한다 할 것이므로,**01** 단순히 착오로 어떠한 처분을 계속한 경우는 이에 해당되지 않는다 할 것이고, 따라서 처분청이 추후 오류를 발견하여 합리적인 방법으로 변경하는 것은 위 원칙에 위배되지 않는다(대판 1993. 6. 11, 92누14021).

7. **국회에서 법률안을 심의하거나 의결한 사정만으로 신뢰이익을 인정할 수는 없다.**

   다원적 의견이나 각가지 이익을 반영시킨 토론과정을 거쳐 다수결의 원리에 따라 통일적인 국가의사를 형성하는 국회에서 일정한 법률안을 심의하거나 의결한 적이 있다고 하더라도, 그것이 법률로 확정되지 아니한 이상 국가가 이해관계자들에게 위 법률안에 관련된 사항을 약속하였다고 볼 수 없으며, 이러한 사정만으로 어떠한 신뢰를 부여하였다고 볼 수도 없다(대판 2008. 5. 29, 2004다33469).**02**

8. **병무청 담당부서의 담당공무원에게 공적 견해의 표명을 구하는 정식의 서면질의 등을 하지 아니한 채 총무과 민원팀장에 불과한 공무원이 민원봉사 차원에서 상담에 응하여 안내한 것을 신뢰한 경우, 신뢰보호원칙이 적용되지 아니한다.03 ★★**

   서울지방병무청 총무과 민원팀장이 국외영주권을 취득한 사람의 상담에 응하여 법령의 내용을 숙지하지 못한 채 민원봉사 차원에서 현역입영대상자가 아니라고 답변한 경우 그것이 서울지방병무청장의 공적인 견해표명이라 할 수 없다(대판 2003. 12. 26, 2003두1875).

9. **과세관청이 납세의무자에게 면세사업자등록증을 교부하고 수년간 면세사업자로서 한 부가가치세 예정신고 및 확정신고를 받은 행위는 납세의무자에게 부가가치세를 과세하지 아니함을 시사하는 언동이나 공적인 견해표명이 아니다**(대판 2002. 9. 4, 2001두9370).

10. **과세관청이 납세의무자에게 부가가치세 면세사업자용 사업자등록증을 교부하거나 고유번호를 부여한 행위는 부가가치세를 과세하지 아니함을 시사하는 언동이나 공적인 견해표명을 한 것으로 볼 수 없다.04 ★**

    부가가치세법상의 사업자등록은 과세관청이 부가가치세의 납세의무자를 파악하고 그 과세자료를 확보하는 데 입법취지가 있고, 이는 단순한 사업사실의 신고로서 사업자가 소관 세무서장에게 소정의 사업자등록신청서를 제출함으로써 성립하며, 사업자등록증의 교부는 이와 같은 등록사실을 증명하는 증서의 교부행위에 불과한 것으로 과세관청이 납세의무자에게 부가가치세 면세사업자용 사업자등록증을 교부하였다고 하더라도 그가 영위하는 사업에 관하여 부가가치세를 과세하지 아니함을 시사하는 언동이나 공적인 견해를 표명한 것으로 볼 수 없으며, 구 부가가치세법 시행령(2005. 3. 18, 대통령령 제18740호로 개정되기 전의 것) 제8조 제2항에 정한 고유번호의 부여도 과세자료를 효율적으로 처리하기 위한 것에 불과한 것이므로 과세관청이 납세의무자에게 고유번호를 부여한 경우에도 마찬가지이다(대판 2008. 6. 12, 2007두23255).

11. **문화관광부장관(현 문화체육관광부장관)의 지방자치단체장에 대한 회신은 사인의 신뢰이익을 보호하기 위한 공적 견해표명에 해당되지 않는다**(대판 2006. 4. 28, 2005두6539).**05 ⓐ ★★**

12. **행정규칙인 재량준칙의 공표만으로는 신청인이 보호가치 있는 신뢰를 갖게 되었다고 볼 수 없다.06 ★★★**

    시장이 농림수산식품부(현 농림축산식품부)에 의하여 공표된 '2008년도 농림사업시행지침서'에 명시되지 않은 '시·군별 건조저장시설 개소당 논 면적' 기준을 충족하지 못하였다는 이유로 신규 건조저장시설 사업자 인정신청을 반려한 사안에서, 위 지침이 되풀이 시행되어 행정관행이 이루어졌다거나 그 공표만으로 신청인이 보호가치 있는 신뢰를 갖게 되었다고 볼 수 없고, 쌀 시장 개방화에 대비한 경쟁력 강화 등 우월한 공익상 요청에 따라 위 지침상의 요건 외에 '시·군별 건조저장시설 개소당 논 면적 1,000ha 이상' 요건을 추가할 만한 특별한 사정을 인정할 수 있어, 그 처분이 행정의 자기구속의 원칙 및 행정규칙에 관련된 신뢰보호의 원칙에 위배되거나 재량권을 일탈·남용한 위법이 없다(대판 2009. 12. 24, 2009두7967).

□□□□□ **01** 지구단위계획을 수립하면서 그 권장용도를 판매·위락·숙박시설로 결정하여 고시한 행위를 당해 지구 내에서는 공익과 무관하게 언제든지 숙박시설에 대한 건축허가를 받을 수 있을 것이라는 공적 견해를 표명한 것이라고 평가할 수는 없다.
(○, ×) ★
2021 국회직 8급

□□□□□ **02** 주무부처인 중앙행정기관이 입법예고를 통해 법령 안의 내용을 국민에게 예고한 적이 있다면, 그것이 법령으로 확정되지 아니하였다고 하더라도 국가는 위 법령 안에 관련된 사항에 대해 이해관계자들에게 어떠한 신뢰를 부여한 것으로 볼 수 있다. (○, ×)
2022 소방직 9급

□□□□□ **03** 헌법재판소의 위헌결정은 행정청이 개인에 대하여 신뢰의 대상이 되는 공적인 견해를 표명한 것이라고 할 수 없으므로 그 결정에 관련한 개인의 행위에 대하여는 신뢰보호의 원칙이 적용되지 아니한다. (○, ×) ★★★
2024 국가직 9급

□□□□□ **04** 헌법재판소의 위헌결정이 있다면 행정청이 개인에 대하여 공적인 견해를 표명한 것으로 볼 수 있으므로 위헌결정과 다른 행정청의 결정은 신뢰보호원칙에 반한다. (○, ×) ★★★
2022 군무원 9급

□□□□□ **05** 행정청의 공적 견해표명이 있었는지 여부를 판단함에 있어서는, 반드시 행정조직상의 형식적인 권한분장에 구애될 것은 아니고, 담당자의 조직상의 지위와 임무, 당해 언동을 하게 된 구체적인 경위 및 그에 대한 상대방의 신뢰가능성에 비추어 실질에 의하여 판단하여야 한다. (○, ×) ★★★
2024 지방직·서울시 9급

13-1. 학생들의 교육환경과 인근주민들의 주거환경보호라는 공익이 숙박시설 건축허가신청을 반려한 처분으로 그 신청인이 잃게 되는 이익의 침해를 정당화할 수 있을 정도로 크므로, 위 반려처분은 신뢰보호의 원칙에 위배되지 않는다.

13-2. 행정청이 지구단위계획을 수립하면서 그 권장용도를 판매·위락·숙박시설로 결정하여 고시한 행위를 당해 지구 내에서는 공익과 무관하게 언제든지 숙박시설에 대한 건축허가가 가능하리라는 공적 견해를 표명한 것이라고 평가할 수는 없다.**01** ★

이 사건 처분 당시 시행되던 구 건축법 제8조 제5항에는 숙박시설의 건축을 허가하는 경우에는 주거환경 또는 교육환경 등 주변환경을 감안할 때 부적합하다고 인정하는 경우에는 건축위원회의 심의를 거쳐 건축허가를 하지 아니할 수 있다는 규정이 신설되어 있으며 …… 이 사건에서 피고가 위와 같은 계획을 수립하여 고시하고 관련도서를 비치하여 열람하게 한 행위로서 표명한 공적 견해는 숙박시설의 건축허가를 불허하여야 할 중대한 공익상의 필요가 없음을 전제로 숙박시설 건축허가도 가능하다는 것이지, 이를 H지구 내에서는 공익과 무관하게 언제든지 숙박시설에 대한 건축허가가 가능하리라는 취지의 공적 견해를 표명한 것이라고 평가할 수는 없을 것이고 …… (대판 2005. 11. 25, 2004두6822·6839·6846)(p.246 참조)

14. 입법예고를 통해 법령안의 내용을 국민에게 예고한 적이 있다고 하더라도 그것이 법령으로 확정되지 아니한 이상 국가가 이해관계자들에게 위 법령안에 관련된 사항을 약속하였다고 볼 수 없으며, 이러한 사정만으로 어떠한 신뢰를 부여하였다고 볼 수도 없다(대판 2018. 6. 15, 2017다249769).**02**

(3) 헌법재판소의 위헌결정

판례에 따르면 헌법재판소의 위헌결정은 행정청이 개인에 대해 신뢰의 대상이 되는 공적인 견해를 표명한 것이라고 할 수 없다고 한다.

┌ 관련판례

헌법재판소의 위헌결정은 개인에 대해 공적인 견해를 표명한 것이라고 볼 수 없다.★★★
헌법재판소의 위헌결정은 행정청이 개인에 대하여 신뢰의 대상이 되는 공적인 견해를 표명한 것이라고 할 수 없으므로 그 결정에 관련한 개인의 행위에 대하여는 신뢰보호의 원칙이 적용되지 아니한다(대판 2003. 6. 27, 2002두6965).**03 04**

(4) 선행조치(공적인 견해)의 판단기준

① 판례는 행정청의 공적인 견해표명이 있었는지의 여부를 판단함에 있어서는 반드시 행정조직상의 형식적인 권한분배에 구애될 것은 아니고 담당자의 조직상의 지위와 임무, 당해 언동을 하게 된 구체적인 경위 및 그에 대한 상대방의 신뢰가능성에 비추어 실질에 의해 판단하여야 하는 것으로 보고 있다.

┌ 관련판례

[지방세에 대한 권한이 없는 보건사회부(현 보건복지부)장관이 병원운영자 신청공고를 하면서 국세 및 지방세에 대해 비과세하겠다고 발표한 경우에도 과세관청의 견해표명과 동일하게 신뢰보호원칙은 적용된다고 판시하면서] 과세관청의 공적 견해표명이 있었는지의 여부를 판단하는 데 있어 반드시 **행정조직상의 형식적인 권한분장에 구애될 것은 아니고** 담당자의 조직상의 지위와 임무, 당해 언동을 하게 된 구체적인 경위 및 그에 대한 납세자의 신뢰가능성에 비추어 **실질에 의하여 판단하여야** 한다.**05** ★★★
과세관청의 공적인 견해표명은 원칙적으로 일정한 책임 있는 지위에 있는 세무공무원에 의하여 이루어짐을 요한다. 신의성실의 원칙 내지 금반언의 원칙은 …… 특별한 사정이 있는 경우에 적용되는 것으로서 납세자의 신뢰보호라는 점에 그 법리의 핵심적 요소가 있는 것이므로, 위 요건의 하나인 과세관청의 공적 견해표명이 있었는지의 여부를 판단하는 데 있어 반드시 행정조직상의 형식적인 권한분장에 구애될 것은 아니고 담당자의 조직상의 지위와 임무, 당해 언동을 하게 된 구체적인 경위 및 그에 대한 납세자의 신뢰가능성에 비추어 실질에 의하여 판단하여야 한다(대판 1996. 1. 23, 95누13746).

② 한편 행정청이 아닌 보조기관에 불과한 행정청 소속 담당공무원이 한 경우도 선행조치에 포함될 수 있다는 것이 판례의 입장이다.01

(5) 선행조치의 입증책임

공적인 견해표명이 있었는지에 관한 입증책임은 원고에게 있다는 것이 판례의 입장이다(입증책임 부분 참조).

> **┏ 관련판례**
>
> 과세관청이 납세자에게 신뢰의 대상이 되는 공적인 견해를 표명하였다는 사실에 대한 주장·입증책임은 납세자 (원고)에게 있다(대판 1992. 3. 31, 91누9824).02

(6) 구체적인 판례 검토

① 긍정사례

> **┏ 관련판례**
>
> 1. 대통령이 담화를 발표하고 이에 따라 국방부장관이 삼청교육 관련 피해자들에게 그 피해를 보상하겠다고 공고하고 피해신고까지 받은 것은 선행조치에 해당한다(대판 2001. 7. 10, 98다38364).
>
> 2. 도시계획구역 내 생산녹지로 답(畓)인 토지에 대하여 종교회관 건립을 이용목적으로 하는 토지거래계약의 허가를 받으면서 담당공무원이 관련법규상 허용된다 하여 이를 신뢰하고 건축준비를 하였으나, 그 후 토지형질변경허가신청을 불허가한 것은 신뢰보호원칙에 반한다.03 ★★★
>
>   토지거래계약의 허가과정에서 이 사건 토지형질변경이 가능하다는 피고 측의 견해표명은 원고의 요청에 의하여 우연히 피고의 소속 담당공무원이 은혜적으로 행정청의 단순한 정보제공 내지는 일반적인 법률상담 차원에서 이루어진 것이라고 보이기보다는, 이 사건 토지거래계약의 허가와 같이 그 이용목적이 토지형질변경을 거쳐 건축물을 건축하는 것인 경우 그러한 이용목적이 관계법령상 허용되는 것인지를 개별적·구체적으로 검토하여 그것이 가능할 경우에만 거래계약허가를 하여 주도록 하는 것이 당시 피고 시청의 실무처리관행이거나 내부업무처리지침이어서 그에 따라 이루어진 것으로 볼 여지가 더 많고, 나아가 위 토지거래허가신청과정에서 그 허가담당공무원으로부터 이용목적대로 토지를 이용하겠다는 각서까지 제출할 것을 요구받아 이를 제출한 원고로서는 피고 측의 위와 같은 견해표명에 대하여 더 고도의 신뢰를 갖게 되었다고 할 것이다(대판 1997. 9. 12, 96누18380).

② 부정사례

> **┏ 관련판례**
>
> 1. (원고가 용도지역이 농림지역 또는 준농림지역인 일정 토지 위에 폐기물처리업을 영위할 목적으로 피고에게 폐기물처리업 사업계획서를 제출하였고, 이에 대해 피고가 일정한 조건을 부가하여 사업계획에 대한 적정통보를 한 후 원고가 농림지역을 준도시지역으로 변경하여 달라는 국토이용계획변경신청을 하였으나 피고가 이를 거부한 사건에서) 폐기물처리업 사업계획에 대하여 적정통보를 한 것만으로 그 사업부지 토지에 대한 국토이용계획변경신청을 승인하여 주겠다는 취지의 공적인 견해표명을 한 것으로 볼 수 없다.04 ★★★
>
>   폐기물관리법령에 의한 폐기물처리업 사업계획에 대한 적정통보와 국토이용관리법령에 의한 국토이용계획변경은 각기 그 제도적 취지와 결정단계에서 고려해야 할 사항들이 다르므로, 피고가 위와 같이 폐기물처리업 사업계획에 대하여 적정통보를 한 것만으로 그 사업부지 토지에 대한 국토이용계획변경신청을 승인하여 주겠다는 취지의 공적인 견해표명을 한 것으로 볼 수 없고, 그럼에도 불구하고 원고가 그 승인을 받을 것으로 신뢰하였다면 원고에게 귀책사유가 있다 할 것이므로, 이 사건 처분이 신뢰보호의 원칙에 위배된다고 할 수 없다(대판 2005. 4. 28, 2004두8828).
>
> 2. 폐기물처리업 사업계획에 대한 적정통보 중에 토지에 대한 형질변경신청을 허가하는 취지의 공적 견해표명이 있다고 볼 수 없다(대판 1998. 9. 25, 98두6494).05 ★★
>
> 3. 재정경제부(현 기획재정부)가 보도자료를 통해 '법인세법 시행규칙을 개정하여 법제처의 심의를 거쳐 6월 말경 공포·시행할 예정'이라고 밝힌 것만으로 위 시행규칙을 시기적으로 반드시 6월 말경까지 공포·시행하

기출 체크

□□□□□ **01** 처분청 자신의 공적 견해표명이 있어야만 하는 것은 아니며, 경우에 따라서는 보조기관인 담당공무원의 공적인 견해표명도 신뢰의 대상이 될 수 있다. (○, ×) ★★ 2019 소방직 9급

□□□□□ **02** 납세자에게 신뢰의 대상이 되는 공적인 견해가 표명되었다는 사실은 과세처분의 적법성에 대한 증명책임이 있는 과세관청이 주장·입증하여야 한다. (○, ×) 2022 소방간부

□□□□□ **03** 도시계획구역 내 생산녹지로 답(畓)인 토지에 대하여 종교회관 건립을 이용목적으로 하는 토지거래계약의 허가를 받으면서 담당공무원이 관련법규상 허용된다 하여 이를 신뢰하고 건축준비를 하였으나, 그 후 토지형질변경허가신청을 불허가한 것은 신뢰보호원칙에 반한다. (○, ×) ★★★ 2018 경행경채 3차

□□□□□ **04** 폐기물관리법령에 따른 관할관청의 폐기물처리 사업계획에 대한 적정통보는 그 사업부지 토지에 대한 국토이용계획변경신청을 승인하여 주겠다는 취지의 공적인 견해표명을 한 것으로 볼 수 있다. (○, ×) ★★★ 2022 소방간부

□□□□□ **05** 일반적으로 행정청이 폐기물처리업 사업계획에 대한 적정통보를 한 경우 이는 토지에 대한 형질변경신청을 허가하는 취지의 공적 견해표명까지도 포함한다. (○, ×) ★★ 2021 국가직 9급

정답 **01** ○ **02** × **03** ○ **04** × **05** ×

□□□□□ **01** 수익적 행정행위가 수익자의 귀책사유가 있는 신청에 의해 행하여졌다면 그 신뢰의 보호가치성은 인정되지 않는다. (○, ×) ★★★　2019 소방직 9급

□□□□□ **02** 행정청의 견해표명이 정당하다고 신뢰한 데에 대하여 그 개인에게 귀책사유가 있더라도 신뢰보호의 원칙이 적용된다. (○, ×) ★★★
2019 서울시 2회 7급

□□□□□ **03** 신뢰가 보호할 만한 것인가는 정당한 이익형량에 의한다. 사후에 선행조치가 변경될 것을 사인이 예상하였거나 중대한 과실로 알지 못한 경우 또는 사인의 사위나 사실은폐 등이 있는 경우에는 보호가치가 있는 신뢰라고 보기 어렵다. (○, ×) ★★★　2018 서울시 1회 7급

□□□□□ **04** 신뢰보호의 원칙과 관련하여, 행정청의 선행조치가 신청자인 사인의 사위나 사실은폐에 의해 이뤄진 경우라도 행정청의 선행조치에 대한 사인의 신뢰는 보호되어야 한다. (○, ×) ★★★
2017 서울시 9급

겠다는 내용의 공적 견해를 표명한 것으로 보기 어렵다(대판 2002. 11. 26, 2001두9103).

4. 사정이 비슷한 원고의 형들에 대하여 제2국민역 처분을 하였다고 하더라도 이러한 처분이 원고의 병역의무가 면제된다는 공적 견해를 표명한 것이라고 할 수 없다(대판 2001. 11. 9, 2001두7251).

판례정리 | 선행조치 관련 판례정리

선행조치 긍정	선행조치 부정
① 묵시적 의사표시 ② 지방세에 대한 과세권한이 없는 보건사회부(현 보건복지부)장관이 병원운영자 신청공고를 하면서 행한 국세 및 지방세에 대해 비과세하겠다는 발표 ③ 기술진흥단체인지 여부에 관한 질의에 대해 건설교통부(현 국토교통부)장관과 내무부(현 행정안전부)장관이 비과세 의견으로 회신한 경우 ④ 대통령이 담화를 발표하고 이에 따라 국방부장관이 삼청교육 관련 피해자들에게 그 피해를 보상하겠다고 공고하고 피해신고까지 받은 경우 ⑤ 4년 동안 면허세를 부과할 수 있다는 사정을 알면서도 수출확대라는 공익상 필요에서 한 건도 부과한 일이 없었던 경우 ⑥ 종교회관 건립 목적의 토지거래계약의 허가과정에서 토지형질변경이 가능하다는 허가담당공무원의 견해표명 ⑦ 골절치료기구의 수입판매업자들에게 골절치료기구가 부가가치세 면제대상이라고 한 세무서 직원들의 세무지도 ⑧ 국세청장이 훈련교육용역의 제공이 부가가치세 면세사업인 사업경영상담업에 해당하는 것으로 본다는 회신 ⑨ 도시계획과장 등이 행한 완충녹지지정해제 등의 약속 ⑩ 20년 이상 간호전문대학의 운영자가 경영하는 병원에 사업소세를 부과하지 않으면서 장기간 인근 다른 과세관청의 사업소세 과세 시도를 보면서도 비과세조치를 계속 유지한 경우	① 단순한 과세누락 ② 상대방의 추상적 질의에 대한 일반론적인 견해표명 ③ 병무청 담당부서의 담당공무원에게 공적 견해의 표명을 구하는 정식의 서면질의 등을 하지 아니한 채 총무과 민원팀장에 불과한 공무원이 민원봉사 차원에서 상담에 응하여 안내한 것 ④ 과세관청이 납세의무자에게 면세사업자등록증을 교부하고 수년간 면세사업자로서 한 부가가치세 예정신고 및 확정신고를 받은 행위 ⑤ 문화관광부장관(현 문화체육관광부장관)의 지방자치단체장에 대한 회신 ⑥ 폐기물처리업 사업계획에 대하여 적정통보를 한 것은 국토이용계획변경신청을 승인하여 주겠다는 취지의 공적인 견해표명이 아님. ⑦ 폐기물처리업 사업계획에 대한 적정통보 중에는 토지에 대한 형질변경신청을 허가하는 취지의 공적 견해표명이 없음. ⑧ '법인세법 시행규칙을 개정하여 법제처의 심의를 거쳐 6월 말경 공포·시행할 예정'이라는 재정경제부(현 기획재정부)의 보도자료 ⑨ 원고와 사정이 비슷한 형들에게 행한 제2국민역 처분 ⑩ 헌법재판소의 위헌결정 ⑪ 단순한 재량준칙의 공표 ⑫ 행정청이 지구단위계획을 수립하면서 그 권장용도를 판매·위락·숙박시설로 결정하여 고시한 행위 ⑬ 「개발이익환수에 관한 법률」에 정한 개발사업을 시행하기 전에 행정청이 민원예비심사에 대하여 관련부서 의견으로 '저촉사항 없음'이라고 기재한 것 ⑭ 관할 교육지원청 교육장이 교육환경평가승인신청에 대한 보완요청서에서 의견을 밝힌 것

2. 신뢰의 보호가치

(1) 신뢰의 보호가치 존재

신뢰보호원칙이 성립하기 위해서는 선행조치에 관한 관계인의 신뢰가 보호가치 있는 것이어야 한다. 신뢰가 보호할 만한 것인가는 정당한 이익형량에 의하여야 하므로 상대방 등에게 귀책사유가 있어서는 안 된다.01 02

(2) 귀책사유가 없어야 함

① 귀책사유의 의미

ㄱ 귀책사유란 행정청의 견해표명의 하자가 상대방의 사실은폐나 기타 사기 등의 방법에 의한 신청행위 등 부정행위에 의한 경우뿐만 아니라 부정행위가 없다고 하더라도 선행조치에 하자가 있음을 알았거나 하자를 중대한 과실로 알지 못한 경우 등을 포함한다는 것이 판례의 입장이다.

ㄴ 따라서 사인의 사위(詐僞)나 사실은폐 등이 있는 경우 또는 사후에 선행조치가 변경될 것을 사인(私人)이 예상하였거나 예상할 수 있었음에도 중대한 과실로 알지 못한 경우에는 보호가치 있는 신뢰라고 보기 어렵다.03 04

┌ **관련판례** ───

1. 귀책사유란 사기 등 부정행위에 의한 것뿐만 아니라 행정청의 견해표명에 하자가 있음을 알았거나 중대한 과실로 알지 못한 경우까지 포함한다.**01 02** ★★★

   귀책사유라 함은 행정청의 견해표명의 하자가 상대방 등 관계자의 사실은폐나 기타 사위의 방법에 의한 신청행위 등 부정행위에 기인한 것이거나 그러한 부정행위가 없다고 하더라도 하자가 있음을 알았거나 중대한 과실로 알지 못한 경우 등을 의미한다고 해석함이 상당하고 …… (대판 2002. 11. 8, 2001두1512)

2-1. 행정청의 처분의 하자가 사기 등의 방법에 의한 경우에는 신뢰보호원칙이 적용되지 않는다.

2-2. 허가를 받은 자가 충전소설치예정지로부터 100미터 내에 있는 건물주의 동의를 모두 얻지 아니하였음에도 불구하고 이를 갖춘 양 허가신청을 하여 그 허가를 받아 낸 것이므로 허가의 취소는 위법하지 않다(대판 1992. 5. 8, 91누13274).

3-1. 허가권자가 신청내용에 구애받지 아니하고 조사 및 검토를 거쳐 관련 법령에 정한 기준에 따라 허가 조건의 충족 여부를 제대로 따져 허가 여부를 결정하여야 하는 것은 맞지만, 그렇다고 신청인 측에서 의도적으로 법령에 정한 각종 규제를 탈법적인 방법으로 회피하려고 하는 것을 정당화할 수는 없다.

3-2. 수익적 행정처분의 하자가 당사자의 사실은폐나 기타 사위의 방법에 의한 신청행위에 기인한 것이라면 당사자는 처분에 의한 이익이 위법하게 취득되었음을 알아 취소가능성도 예상하고 있었다 할 것이므로, 그 자신이 처분에 관한 신뢰이익을 원용할 수 없음은 물론 행정청이 이를 고려하지 아니하였더라도 재량권의 남용이 되지 아니한다(대판 2014. 11. 27, 2013두16111).**03 04** ★★★

──

② 귀책사유의 판단대상

귀책사유의 유무는 상대방뿐만 아니라 상대방과 그로부터 신청행위를 위임받은 수임인 등 관계자 모두를 기준으로 판단하여야 한다는 것이 판례의 입장이다.**05**

┌ **관련판례** ───

행정행위의 상대방인 건축주뿐만 아니라 그로부터 위임을 받은 건축설계사 등 관계자에게 귀책사유가 있는 경우에도 신뢰보호원칙이 적용되지 아니한다. ★★★

귀책사유의 유무는 상대방과 그로부터 신청행위를 위임받은 수임인 등 관계자 모두를 기준으로 판단하여야 한다. 건축주와 그로부터 건축설계를 위임받은 건축사가 상세계획지침에 의한 건축한계선의 제한이 있다는 사실을 간과한 채 건축설계를 하고 이를 토대로 건축물의 신축 및 증축허가를 받은 경우, 그 신축 및 증축허가가 정당하다고 신뢰한 데에 귀책사유가 있다(대판 2002. 11. 8, 2001두1512).**06**

──

(3) 국가에 의한 유인된 신뢰

한편 법령의 개정시 구 법령에 대한 신뢰가 보호가치 있는지와 관련하여 헌법재판소는 특히 '국가에 의한 유인된 신뢰'라는 표현을 사용하여 법령에 따른 개인의 신뢰가 국가에 의하여 일정한 방향으로 유인된 것이라면 특별히 보호가치 있는 신뢰로서 개인에 대한 신뢰보호가 국가의 법률개정이익에 우선된다고 볼 여지가 있다고 한다.

┌ **관련판례** ───

(의무사관후보생의 병적에서 제외된 사람의 징집면제연령을 31세에서 36세로 상향조정한 구 병역법 제71조 제1항 단서는 소급입법금지원칙, 신뢰보호원칙 및 평등원칙에 위반되지 않는다고 판시하면서) **법률에 따른 개인의 행위가 단지 법률이 반사적으로 부여하는 기회의 활용을 넘어서 국가에 의하여 일정 방향으로 유인된 것이라면 특별히 보호가치가 있는 신뢰이익이 인정될 수 있다.07 08** ★★

개인의 신뢰이익에 대한 보호가치는 ① 법령에 따른 개인의 행위가 국가에 의하여 일정 방향으로 유인된 신뢰의 행사인지, ② 아니면 단지 법률이 부여한 기회를 활용한 것으로서 원칙적으로 사적 위험부담의 범위에 속하는 것인지 여부에 따라 달라진다. 만일 법률에 따른 개인의 행위가 단지 법률이 반사적으로 부여하는 기회의 활용을 넘어서 국가에 의하여 일정 방향으로 유인된 것이라면 특별히 보호가치가 있는 신뢰이

□□□□□ **01** (신뢰보호원칙이 적용되려면) 개인이 행정청의 견해표명을 신뢰하고 이에 상응하는 어떠한 행위를 하였어야 한다. (○, ×) ★★ 2019 서울시 2회 7급

□□□□□ **02** 행정청의 선행조치에 대하여 상대방인 사인의 아무런 처리행위가 없었던 경우라도 정신적 신뢰를 이유로 신뢰보호를 요구할 수 있다. (○, ×) 2008 국회직 8급

□□□□□ **03** 행정청의 선행조치와 무관하게 우연히 행해진 사인의 처리행위도 신뢰보호의 대상이 될 수 있다. (○, ×) 2008 국회직 8급

□□□□□ **04** (신뢰보호원칙이 적용되려면) 행정청이 그 견해표명에 반하는 처분을 함으로써 견해표명을 신뢰한 개인의 이익이 침해되는 결과가 초래되어야 한다. (○, ×) 2019 서울시 2회 7급

□□□□□ **05** 신뢰보호의 원칙은 공익 또는 제3자의 정당한 이익을 현저히 해칠 우려가 있는 경우에도 부정되어야 하는 것은 아니다. (○, ×) ★ 2023 소방직 9급

□□□□□ **06** '공익을 해할 우려가 있는 경우가 아니어야 함'은 신뢰보호원칙의 성립요건이지만, '제3자의 정당한 이익을 해할 우려가 있는 경우가 아니어야 함은 신뢰보호원칙의 성립요건이 아니다. (○, ×) ★ 2014 국회직 8급

□□□□□ **07** 선행조치의 상대방에 대한 신뢰보호의 이익과 제3자의 이익이 충돌하는 경우에는 신뢰보호원칙이 우선한다. (○, ×) ★★★ 2019 국회직 8급

□□□□□ **08** 국민이 가지는 모든 기대 내지 신뢰가 권리로서 보호될 것은 아니고, 그 보호 여부는 기존의 제도를 신뢰한 자의 신뢰를 보호할 필요성과 새로운 제도를 통하여 달성하려고 하는 공익을 비교·형량하여 판단하여야 한다. (○, ×) 2024 소방간부

❶ 행정기본법 제12조 【신뢰보호의 원칙】 ① 행정청은 공익 또는 제3자의 이익을 현저히 해칠 우려가 있는 경우를 제외하고는 행정에 대한 국민의 정당하고 합리적인 신뢰를 보호하여야 한다.

ⓐ 상대방의 조치에 관한 사례
사인이 과세관청의 비과세를 신뢰하고 세금으로 납부할 금전을 다른 용도로 소비한 경우나, 운전면허 취소처분 사유에 해당함에도 운전면허 정지처분을 받고 정지기간 경과 후 운전한 경우 그 금전의 소비나 운전은 상대방의 조치라고 볼 수 있다.

익이 인정될 수 있고, 원칙적으로 개인의 신뢰보호가 국가의 법률개정이익에 우선된다고 볼 여지가 있다. 그런데 이 사건 법률조항의 경우 국가가 입법을 통하여 개인의 행위를 일정 방향으로 유도하였다고 볼 수는 없고, 따라서 청구인의 징집면제연령에 관한 기대 또는 신뢰는 단지 법률이 부여한 기회를 활용한 것으로서 원칙적으로 사적 위험부담의 범위에 속하는 것이다(헌재 2002. 11. 28, 2002헌바45).

3. 상대방의 조치 – 신뢰에 입각한 국민의 조치

상대방인 국민이 행정기관의 선행조치에 대한 신뢰에 입각하여 투자계획을 세운다든가 영업준비를 하는 등 어떠한 조치(적극적·소극적 행위 불문)를 취하여야 한다.01 02 신뢰보호의 원칙은 행정청의 행위의 존속을 목적으로 하는 것이 아니라 행정청의 조치를 믿고 따른 사인을 보호하는 것이기 때문이다.ⓐ

4. 인과관계

행정기관의 선행조치와 이를 신뢰하고 행한 국민의 조치 사이에는 인과관계가 있어야 한다. 왜냐하면 선행조치에 대한 사인의 신뢰와 행정청의 처리 사이에 인과관계가 없다면 국민의 조치는 우연에 불과한 것으로 보호받아야 할 이유가 없기 때문이다.03

┎ 관련판례

공무원의 허위 아파트입주권 부여대상 확인을 믿고 아파트입주권을 매입한 경우, 공무원의 허위 확인행위와 매수인의 손해 사이에는 상당인과관계가 있다(대판 1996. 11. 29, 95다21709).

5. 선행조치에 반하는 후행행정작용

행정기관이 상대방의 신뢰에 반하는 행정권의 행사를 하였고, 이로 인한 상대방의 권익침해가 있어야 한다.04

6. 공익 또는 제3자의 정당한 이익을 현저히 해칠 우려가 있는 경우가 아닐 것

판례는 공적 견해표명에 따른 처분을 할 경우 이로 인하여 공익 또는 제3자의 정당한 이익을 현저히 해할 우려가 있는 경우가 아니어야 한다는 것을 신뢰보호원칙이 적용되기 위한 소극적 요건으로 보고 있다.05 06 공익 또는 제3자의 정당한 이익을 현저히 해칠 우려가 있어서는 안 된다는 것은 행정기본법에서도 규정하고 있다.❶

┎ 관련판례

1. 신뢰보호의 이익과 공익이 충돌하는 경우 양자의 이익을 비교·형량하여야 한다(대판 1997. 9. 12, 96누18380).07 ★★★

2. 국민이 가지는 모든 기대 내지 신뢰가 헌법상 권리로서 보호될 것은 아니고, 그 보호 여부는 기존의 제도를 신뢰한 자의 신뢰를 보호할 필요성과 새로운 제도를 통하여 달성하려고 하는 공익을 비교·형량하여 판단하여야 한다(헌재 2012. 3. 29, 2010헌마443·2011헌마362).08

3. 유예기간 없이 개인택시 운송사업면허기준을 변경하고 그에 기하여 한 행정청의 면허신청 접수거부처분은 위법하지 않다.
   매년 그때의 상황에 따라 적절히 면허 숫자를 조절해야 할 필요성이 있는 개인택시 면허제도의 성격상 그 자격요건이나 우선순위의 요건을 일정한 범위 내에서 강화하고 그 요건을 변경함에 있어 유예기간을 두지 아니하였다 하더라도 그러한 점만으로는 행정청의 면허신청 접수거부처분이 신뢰보호의 원칙이나 형평의 원칙, 재량권의 남용에 해당하지 아니한다(대판 1996. 7. 30, 95누12897).

4. 한려해상국립공원지구 인근의 자연녹지지역에서의 토석채취허가가 법적으로 가능할 것이라는 행정청의 언동을 신뢰한 개인이 많은 비용과 노력을 투자한 후 토석채취허가 신청을 하였는데 행정청이 불허가 처분을 한 것은 주변의 환경·풍치 등의 공익을 보호할 필요가 크므로 신뢰보호의 원칙에 위반되지 않는다(대판 1998. 11. 13, 98두7343).**01**

② 신뢰보호의 한계

1. 신뢰보호원칙과 법률적합성원칙의 관계

(1) 문제의 소재

예컨대, 위법한 행정행위를 취소하려고 하는 경우 행정행위의 상대방이 신뢰보호원칙을 주장하면 행정의 법률적합성원칙과 충돌하는 문제가 발생하는데, 이를 어떻게 해결할 것인지가 문제된다.

(2) 학설

① 법률적합성 우위설

　행정의 법률적합성원칙이 신뢰보호의 원칙보다 우선하므로 이러한 경우에는 신뢰보호의 원칙이 인정되지 않는다고 하는 견해이다.

② 동위설(이익형량설)

　신뢰보호의 원칙과 행정의 법률적합성원칙은 다 같이 법치주의의 구성요소로서 대등한 효력을 가지므로, 구체적인 경우 적법상태의 실현에 의해 달성되는 공익과 행정작용의 존속에 관한 개인의 신뢰보호라는 사익을 비교·형량(저울질해서 비교한다는 의미)하여 결정해야 한다는 견해이다. 이 설이 통설과 판례의 태도이다.**02 03**

2. 사정변경

(1) 신뢰형성에 기초가 되는 사실관계가 사후에 변경되고 그와 관련된 당사자 등도 사후에 사실관계가 변경되었다는 것을 알았거나 알 수 있는 경우에는 신뢰보호를 주장할 수 없다.

> **관련판례**
>
> 신뢰보호의 원칙은 행정청이 공적인 견해를 표명할 당시의 사정이 그대로 유지됨을 전제로 적용되는 것이 원칙이므로, 사후에 그와 같은 <u>사정이 변경된 경우</u>에는 그 공적 견해가 더 이상 개인에게 신뢰의 대상이 된다고 보기 어려운 만큼, <u>특별한 사정이 없는 한 행정청이 그 견해표명에 반하는 처분을 하더라도 신뢰보호의 원칙에 위반된다고 할 수 없다</u>(대판 2020. 6. 25, 2018두34732).**04 ★★**

(2) 판례는 확약 또는 공적인 의사표명을 하였다고 하더라도, 그 자체에서 상대방으로 하여금 언제까지 처분의 발령을 신청을 하도록 유효기간을 두었는데도 그 기간 내에 상대방의 신청이 없었다거나 확약 또는 공적인 의사표명이 있은 후에 사실적·법률적 상태가 변경되었다면, 그와 같은 확약 또는 공적인 의사표명은 행정청의 별다른 의사표시를 기다리지 않고 실효된다고 판시한 바 있다(p.382 참조).

3. 무효인 행정행위

무효인 행정행위에 대해 그 행정행위의 상대방은 신뢰보호원칙을 주장할 수 없다는 것이 판례의 취지이다(제16강 참조).**ⓐ**

> **관련판례**
>
> 1. 공무원임용결격자에 대한 공무원 임용행위는 무효이며 이 경우 임용결격자는 신뢰보호원칙을 주장할 수 없다.**★★**

ⓐ 위법한 행정행위의 경우 신뢰보호원칙의 적용 가능성

다만, 위법한 행정행위라도 무효가 아닌 한 신뢰보호원칙은 적용될 수 있다(위법한 영업허가를 취소함에 있어서도 신뢰보호원칙은 적용된다). 이때에는 앞에서 본 바와 같이 행정의 법률적합성과 충돌하는 문제가 발생하는바, 이 경우 이익형량을 하여야 한다는 것이 통설의 입장이다(무효에 대해서는 제16강에서 검토).

판례 | ❶ 실권의 법리는 신의성실의 원칙에 바탕을 둔 파생원칙이다.
실권 또는 실효의 법리는 법의 일반원리인 신의성실의 원칙에 바탕을 둔 파생원칙인 것이므로 공법관계 가운데 관리관계는 물론이고 권력관계에도 적용되어야 함을 배제할 수는 없다06 하겠으나 그것은 본래 권리행사의 기회가 있음에도 불구하고 권리자가 장기간에 걸쳐 그의 권리를 행사하지 아니하였기 때문에 의무자인 상대방은 이미 그의 권리를 행사하지 아니할 것으로 믿을 만한 정당한 사유가 있게 되거나 행사하지 아니할 것으로 추인케 할 경우에 새삼스럽게 그 권리를 행사하는 것이 신의성실의 원칙에 반하는 결과가 될 때 그 권리행사를 허용하지 않는 것을 의미하는 것이므로 …… (대판 1988. 4. 27, 87누915)

국가가 공무원임용결격사유가 있는 자에 대하여 결격사유가 있는 것을 알지 못하고 공무원으로 임용하였다가 사후에 결격사유가 있는 자임을 발견하고 공무원 임용행위를 취소하는 것은 당사자에게 원래의 임용행위가 당초부터 당연무효이었음을 통지하여 확인시켜 주는 행위에 지나지 아니하는 것이므로, 그러한 의미에서 당초의 임용처분을 취소함에 있어서는 신의칙 내지 신뢰의 원칙을 적용할 수 없고 또 그러한 의미의 취소권은 시효로 소멸하는 것도 아니다(대판 1987. 4. 14, 86누459).01 02

2. 임용 당시 임용결격사유가 있는 경우라면 임용권자의 과실에 의해 임용결격자임을 밝혀내지 못하였다 하더라도 임용행위는 당연무효로 보아야 한다(대판 2005. 7. 28, 2003두469).03 ★★

03 | 신뢰보호원칙의 적용범위

❶ 확약(후술)

확약이란 행정기관이 상대방에 대해 일정한 작위 또는 부작위를 할 것을 약속하는 의사표시로서 이러한 확약의 경우에도 신뢰보호의 원칙에 따라 행정기관은 구속된다.

❷ 실권의 법리

1. 의의

실권의 법리란 행정청에 취소권·영업정지권 등 권리행사의 기회가 있음에도 불구하고 장기간 권리를 행사하지 않음으로써 상대방인 국민이 행정청이 그 권리를 행사하지 아니할 것으로 신뢰할 만한 정당한 사유가 있는 경우에는 그 권리를 행사할 수 없다는 법리를 말한다.

2. 근거

> **행정기본법 제12조【신뢰보호의 원칙】**② 행정청은 권한행사의 기회가 있음에도 불구하고 장기간 권한을 행사하지 아니하여 국민이 그 권한이 행사되지 아니할 것으로 믿을 만한 정당한 사유가 있는 경우에는 그 권한을 행사해서는 아니 된다. 다만, 공익 또는 제3자의 이익을 현저히 해칠 우려가 있는 경우는 예외로 한다.04 05

실권의 법리는 신뢰보호원칙의 파생법리로서 학설상 설명되고 있는 데 비해 대법원은 실권의 법리를 신의성실원칙의 파생원칙으로 보고 있었다.❶ 이에 실권의 법리에 대한 독자적 규정의 필요성이 있었던바, 행정기본법 제12조에서는 신뢰보호의 원칙하에 실권의 법리를 명문으로 규정하였다.

3. 요건

(1) 실권의 법리에 관한 일반적 요건

① 행정청이 취소사유나 철회사유 등을 앎으로써 권리행사 가능성을 알았어야 한다.

② 행정권행사가 가능함에도 불구하고 행정청이 장기간 권리행사를 하지 않았어야 한다.

③ 상대방인 국민이 행정청이 이제는 더 이상 권리를 행사하지 않을 것으로 신뢰하였고, 그에 대해 정당한 사유가 있어야 한다.

④ 실권을 인정하는 것이 공익 또는 제3자의 이익을 현저히 해칠 우려가 없을 것을 요한다.

(2) 구체적인 판례 검토

① 실권의 법리 및 신뢰보호원칙에 위반된다는 판례

② 실권의 법리 또는 신뢰보호원칙에 위반되지 않는다는 판례

4. 효 과

실권의 법리요건이 충족되면 행정청의 직권취소·철회권한 등은 실효된다.

기출 체크

☐☐☐☐☐ **01** 당초 정구장시설을 설치한다는 도시계획결정을 하였다가 정구장 대신 청소년수련시설을 설치한다는 도시계획변경결정 및 지적승인을 한 경우 당초의 도시계획결정만으로는 도시계획사업의 시행자 지정을 받게 된다는 공적 견해를 표명했다고 할 수 없다. (○, ×) ★★
2019 국가직 7급

☐☐☐☐☐ **02** 정구장시설 설치의 도시계획결정을 청소년수련시설 설치의 도시계획으로 변경한 경우, 사업시행자로 지정받을 것을 예상하고 정구장 설계비용 등을 지출한 자의 신뢰이익을 침해한 것으로 볼 수 없다. (○, ×) ★★ 2012 지방직 7급

☐☐☐☐☐ **03** 법령의 개정에도 신뢰보호의 원칙이 적용된다. (○, ×) ★
2012 지방직 7급

☐☐☐☐☐ **04** 법령의 개정에 있어서 구 법령의 존속에 대한 당사자의 신뢰가 합리적이고도 정당하며, 법령의 개정으로 야기되는 당사자의 손해가 극심하여 새로운 법령으로 달성하고자 하는 공익적 목적이 그러한 신뢰의 파괴를 정당화할 수 없다면, 입법자는 경과규정을 두는 등 당사자의 신뢰를 보호할 적절한 조치를 하여야 한다. (○, ×) ★ 2024 국회직 8급

☐☐☐☐☐ **05** 신뢰보호원칙의 위배 여부를 판단하기 위하여는 한편으로는 침해받은 이익의 보호가치, 침해의 중한 정도, 신뢰가 손상된 정도, 신뢰침해의 방법 등과 다른 한편으로는 새 법령을 통해 실현하고자 하는 공익적 목적을 종합적으로 비교·형량하여야 한다. (○, ×) ★
2024 국회직 8급

☐☐☐☐☐ **06** 새로운 법령에 의한 신뢰이익의 침해는 새로운 법령이 과거의사실 또는 법률관계에 소급적용되는 경우에 한하여 문제된다. (○, ×) 2024 국회직 8급

☐☐☐☐☐ **07** 재건축조합에서 일단 내부규범이 정립되면 조합원들은 특별한 사정이 없는 한 그것이 존속하리라는 신뢰를 가지게 되므로, 내부규범을 변경할 경우 내부규범 변경을 통해 달성하려는 이익이 종전 내부규범의 존속을 신뢰한 조합원들의 이익보다 우월해야 한다. (○, ×) ★
2021 국회직 8급

정답 01 ○ 02 ○ 03 ○ 04 ○ 05 ○
06 × 07 ○

❸ 행정계획

1. 문제의 소재

행정기관이 도시계획 등 행정계획을 발표한 경우, 이를 신뢰한 국민이 일정한 행위를 한 때 행정청이 그 계획을 폐지·변경하는 경우에 개인의 신뢰가 보호될 수 있는지가 문제된다.

2. 검토

(1) 이와 관련한 논의가 이른바 계획보장청구권의 문제인바, 판례는 도시관리계획결정만으로는 기존 계획을 계속 유지하겠다는 공적인 견해표명을 한 것으로 볼 수 없다고 한다.

(2) 학설은 계획의 가변성을 고려하여 원칙적으로는 부정하지만 예외적으로 공익보다 사인의 신뢰이익이 더 큰 경우에는 계획보장청구권이 인정될 수 있다고 한다(p.395 행정계획 참조).

┏ **관련판례**

정구장시설을 설치한다는 도시계획결정을 하였다가 정구장 대신 청소년수련시설을 설치한다는 도시계획변경결정 및 지적승인을 한 경우, 정구장시설의 도시계획사업 시행자로 지정받을 것을 예상하고 정구장 설계비용 등을 지출한 자의 신뢰이익을 침해한 것으로 볼 수 없다(대판 2000. 11. 10, 2000두727).**01 02** ★★

❹ 개정법령의 적용문제 – 법령개정의 경우

법령개정의 경우에도 신뢰보호원칙이 적용될 수 있는바,**03** 이때는 구 법령에 대한 당사자의 신뢰이익과 개정법령의 적용을 통해 실현하고자 하는 공익과의 이익형량을 통해 해결하게 된다.

┏ **관련판례**

1. 변리사 제1차 시험을 절대평가제에서 상대평가제로 환원하는 내용의 변리사법 시행령 개정조항을 즉시 시행하도록 정한 부칙 부분은 헌법상 신뢰보호원칙에 위반되어 무효이다. ★

   (1) 법령의 개정에 있어서 구 법령의 존속에 대한 당사자의 신뢰가 합리적이고도 정당하며, 법령의 개정으로 야기되는 당사자의 손해가 극심하여 새로운 법령으로 달성하고자 하는 공익적 목적이 그러한 신뢰의 파괴를 정당화할 수 없다면, 입법자는 경과규정을 두는 등 당사자의 신뢰를 보호할 적절한 조치를 하여야 하며,**04** 이와 같은 적절한 조치 없이 새 법령을 그대로 시행하거나 적용하는 것은 허용될 수 없는바, 이는 헌법의 기본원리인 법치주의 원리에서 도출되는 신뢰보호의 원칙에 위배되기 때문이다. 이러한 신뢰보호원칙의 위배 여부를 판단하기 위하여는 한편으로는 침해받은 이익의 보호가치, 침해의 중한 정도, 신뢰가 손상된 정도, 신뢰침해의 방법 등과 다른 한편으로는 새 법령을 통해 실현하고자 하는 공익적 목적을 종합적으로 비교·형량하여야 한다.**05**
   변리사 제1차 시험의 상대평가제를 규정한 개정 시행령 제4조 제1항을 2002년의 이 사건 시험에 시행하는 것은 헌법상 신뢰보호의 원칙에 비추어 허용될 수 없다 할 것이므로, 개정 시행령 부칙 중 제4조 제1항을 즉시 이 사건 시험에 대하여 시행하도록 그 시행시기를 정한 부분은 헌법에 위반되어 무효라고 할 것이다.

   (2) 새로운 법령에 의한 신뢰이익의 침해는 새로운 법령이 과거의 사실 또는 법률관계에 소급적용되는 경우에 한하여 문제되는 것은 아니고,**06** 과거에 발생하였지만 완성되지 않고 진행 중인 사실 또는 법률관계 등을 새로운 법령이 규율함으로써 종전에 시행되던 법령의 존속에 대한 신뢰이익을 침해하게 되는 경우에도 신뢰보호의 원칙이 적용될 수 있다(대판 2006. 11. 16, 2003두12899 전합).

2. 재건축조합에서 일단 내부규범이 정립되면 조합원들은 특별한 사정이 없는 한 그것이 존속하리라는 신뢰를 가지게 되므로, 내부규범 변경을 통해 달성하려는 이익이 종전 내부규범의 존속을 신뢰한 조합원들의 이익보다 우월해야 한다(대판 2020. 6. 25, 2018두34732).**07** ★

3. 인·허가 신청 후 처분 전에 관계법령이 개정·시행된 경우 개정된 법령의 부칙에서 그 시행 전에 이

미 인·허가 신청이 있는 때에는 종전의 규정에 의한다는 취지의 경과규정을 특별히 두지 아니한 이상, 행정처분은 그 처분 당시에 시행 중인 법령과 허가기준에 의하여 하는 것이 원칙이다. 따라서 관할 행정청이 인·허가 신청을 수리하고도 정당한 이유 없이 처리를 늦추어 그 사이에 관계법령 및 허가기준이 변경된 것이 아닌 한, 변경된 법령 및 허가기준에 따라서 한 불허가처분을 위법하다고 할 수 없다. 다만 개정 전 허가기준의 존속에 관한 국민의 신뢰가 개정된 허가기준의 적용에 관한 공익상의 요구보다 더 보호가치가 있다고 인정되는 경우에는 그러한 국민의 신뢰를 보호하기 위하여 개정된 허가기준의 적용을 제한할 여지가 있을 뿐이다(대판 2020. 10. 15, 2020두41504).

04 | 신뢰보호의 방법 및 위반의 효과

❶ 존속보호의 문제(제30강 존속보장 참조)

신뢰보호의 대상이 재산권인 경우 그 재산권의 존속을 보호해야 하는지 보상을 보호하면 되는지가 문제된다. 이에 대해 일반적 견해는 원칙적으로 보호할 가치가 있는 대상을 유지시키는 존속보호의 방법에 의하지만 보충적으로 가치보호(보상보호 – 손해배상청구권 또는 손실보상청구권 등)에 의한 신뢰보호도 가능하다고 본다.

❷ 위반의 효과

신뢰보호의 원칙에 반하는 행정작용은 위헌·위법한 것이 된다. 이때 행정작용이 행정행위인 경우에는 무효 또는 취소할 수 있는 행위가 되며 행정입법이나 공법상 계약의 경우에는 무효가 된다. 한편, 신뢰보호원칙에 반하는 행정작용에 대해서는 국가배상법이 정하는 바에 따라 손해배상을 청구할 수도 있다.**01**

> **관련판례**
>
> 1. 폐기물처리업에 대하여 관할관청의 사전 적정통보를 받고 막대한 비용을 들여 허가요건을 갖춘 다음 허가신청을 하였음에도 청소업자의 난립으로 효율적인 청소업무의 수행에 지장이 있다는 이유로 한 불허가처분은 신뢰보호의 원칙을 위반한 위법한 처분이다(대판 1998. 5. 8, 98두4061).**02 ❶ ★★★**
>
> 2. 운전면허취소사유에 해당하는 음주운전을 적발한 경찰관의 소속 경찰서장이 사무착오로 위반자에게 운전면허정지처분을 한 상태에서 위반자의 주소지 관할 지방경찰청장(현 시·도경찰청장)이 위반자에게 운전면허취소처분을 한 것은 선행처분에 대한 당사자의 신뢰 및 법적 안정성을 저해하는 것으로서 허용될 수 없다.**03 ★★**
>   동일한 사유에 관하여 보다 무거운 면허취소처분을 하기 위하여 이미 행하여진 가벼운 면허정지처분을 취소하는 것은 선행처분에 대한 당사자의 신뢰 및 법적 안정성을 크게 저해하는 것이 되어 허용될 수 없다 할 것이다(대판 2000. 2. 25, 99두10520).**04**
>
> 3. 동사무소 직원이 행정상 착오로 국적이탈을 사유로 주민등록을 말소한 것을 신뢰하여 만 18세가 될 때까지 별도로 국적이탈신고를 하지 않았던 사람이, 만 18세가 넘은 후 동사무소의 주민등록 직권 재등록 사실을 알고 국적이탈신고를 하자 '병역을 필하였거나 면제받았다는 증명서가 첨부되지 않았다'는 이유로 반려한 처분은 신뢰보호의 원칙에 반하여 위법하다.
>   행정청이 대외적으로 공신력 있는 주민등록표상 국적이탈을 이유로 원고의 주민등록을 말소한 행위는 원고에게 간접적으로 국적이탈이 법령에 따라 이미 처리되었다는 견해를 표명한 것이라고 보아야 하고 나아가 행정청의 주민등록말소는 주민등록표등·초본에 공시되어 대내외적으로 행정행위의 적법한 존재를 추단하는 중요한 근거가 되는 점에 비추어 원고가 위와 같은 주민등록말소를 통하여 자신

❶ 본 판례와 신뢰보호원칙의 요건 중 선행조치에 관한 구체적인 판례에서 소개된 판례(대판 2005. 4. 28, 2004두8828 <p.65 1번 판례 참조>)는 서로 다른 내용이므로 구별해야 한다. 본 판례는 폐기물처리업 적정통보와 폐기물처리업 허가거부가 문제된 사건이고, p.65 1번 판례는 폐기물처리업 적정통보와 국토이용계획변경거부가 문제된 사건으로 서로 사실관계가 다르다.

☐☐☐☐☐ **01** 행정청이 착오로 인하여 국적이탈을 이유로 주민등록을 말소한 행위를 법령에 따라 국적이탈이 처리되었다는 견해를 표명한 것으로 볼 수는 없으며, 상대방이 이러한 주민등록말소를 통하여 자신의 국적이탈이 적법하게 처리된 것으로 신뢰하였다고 하더라도 이는 보호할 가치 있는 신뢰에 해당하지 않는다.
(○, ×)   2022 소방간부

☐☐☐☐☐ **02** 과세관청이 비과세대상에 해당하는 것으로 잘못 알고 일단 비과세 결정을 하였으나 그 후 과세표준과 세액의 탈루 또는 오류가 있는 것을 발견한 때에는, 이를 조사하여 결정할 수 있다.
(○, ×) ★★   2013 국가직 7급

☐☐☐☐☐ **03** 국립공원 관리권한을 가진 행정청이 실제의 공원구역과 다르게 경계측량과 표지를 설치한 십수 년 후 착오를 발견하여 지형도를 수정한 조치는 신뢰보호원칙에 위배된다. (○, ×) ★   2015 사회복지직 9급

의 국적이탈이 적법하게 처리된 것으로 신뢰한 것에 대하여 귀책사유가 있다고 할 수 없는바, 따라서 원고는 위와 같은 신뢰를 바탕으로 만 18세가 되기까지 별도로 국적이탈신고 절차를 취하지 아니하였던 것이므로, 피고가 원고의 이러한 신뢰에 반하여 원고의 국적이탈신고를 반려한 이 사건 처분은, 신뢰보호의 원칙에 반하여 원고가 만 18세 이전에 국적이탈신고를 할 수 있었던 기회를 박탈한 것으로 위법하다(대판 2008. 1. 17, 2006두10931).**01**

4. 과세관청이 비과세대상에 해당하는 것으로 잘못 알고 일단 비과세 결정을 하였으나 그 후 과세표준과 세액의 탈루 또는 오류가 있는 것을 발견한 때에는, 이를 조사하여 다시 경정 결정을 할 수 있다.**02** ★★

소득세법 제127조는 과세표준과 세액의 조사결정에 탈루 또는 오류가 있음을 발견하면 징세기관은 즉시 경정 결정을 하도록 규정하고 있으므로 피고가 일단 비과세 결정을 하였다가 이를 번복하고 다시 과세처분을 하였다는 사실만으로 피고의 과세처분이 신의성실의 원칙에 반하는 위법한 것이라 할 수 없다(대판 1989. 1. 17, 87누681).

5. 국립공원 관리권한을 가진 행정청이 실제의 공원구역과 다르게 경계측량 및 표지를 설치한 십수 년 후 착오를 발견하여 지형도를 수정한 조치는 신뢰보호의 원칙에 위배되거나 행정의 자기구속의 법리에 반하는 것이라 할 수 없다(대판 1992. 10. 13, 92누2325).**03** ★

01 | 평등의 원칙

❶ 의 의

1. 평등의 원칙이란 특별히 합리적인 사유가 존재하지 않는 이상 행정기관은 행정작용을 함에 있어 그 상대방인 국민을 공평하게 대우해야 한다는 것을 의미하는 것으로 자의금지의 원칙이라고도 하며 재량권행사의 한계원리로서 중요한 의미를 갖는다.01

2. 합리적 이유 없는 차별취급은 두 가지 경우로 나뉘는바, 하나는 동일한 사항을 다르게 취급하는 경우이고 또 하나는 차별취급 그 자체는 이유가 있지만 지나친 차별, 즉 비례원칙에 위반하여 과도하게 차별취급을 하는 경우이다.

❷ 근 거

1. 평등의 원칙은 헌법(제11조) 자체에 근거를 둔 원칙이며, 행정기본법에서도 평등의 원칙을 규정하고 있다.

> **헌법 제11조** ① 모든 국민은 법 앞에 평등하다. 누구든지 성별 · 종교 또는 사회적 신분에 의하여 정치적 · 경제적 · 사회적 · 문화적 생활의 모든 영역에 있어서 차별을 받지 아니한다.

행정기본법 제9조【평등의 원칙】 행정청은 합리적 이유 없이 국민을 차별하여서는 아니 된다.02 03

2. 헌법 제11조 제1항의 평등의 원칙은 일체의 차별적 대우를 부정하는 절대적 평등을 의미하는 것이 아니라 입법과 법의 적용에 있어서 합리적 근거 없는 차별을 하여서는 아니 된다는 상대적 평등을 뜻하고04 따라서 합리적 근거 있는 차별 내지 불평등은 평등의 원칙에 반하는 것이 아니다(헌재 1994. 2. 24, 92헌바43).

❸ 한 계

평등의 원칙은 위법한 행정작용에서는 적용되지 않는다(불법의 평등은 인정될 수 없다). 왜냐하면 위법한 행정작용임에도 불구하고 평등원칙을 적용하여 위법한 행정작용이 계속 행해진다면 법치행정이 붕괴되기 때문이다.[a]

❹ 위반의 효과

평등원칙은 헌법상의 원칙으로서 평등원칙을 위반한 경우 위헌 · 위법한 행정작용이 된다. 구체적으로 보면, 먼저 합리적 이유 없이 동일한 사항을 다르게 취급하는 것은 자의적인 것으로서 평등원칙에 위반된다.

[a] 평등의 원칙과 신뢰보호의 원칙은 모두 선행작용이 위법한 경우에도 국민의 권익구제를 위해 적용된다는 점에서는 공통점이 있다. (×)
➕ 평등의 원칙은 불법의 평등은 인정될 수 없다는 법원칙에 의해 위법한 행정작용에서는 적용될 수 없다. 그러나 신뢰보호의 원칙은 선행작용이 무효가 아닌 한 단순한 위법사유가 있는 경우에도 적용될 수 있다(무효와 취소의 개념에 대해서는 제16강 참조).

☐☐☐☐☐ **01** 국가기관이 채용시험에서 국가유공자의 가족에게 10%의 가산점을 부여하는 규정은 평등권과 공무담임권을 침해한다. (○, ×) 2021 군무원 9급

☐☐☐☐☐ **02** 국가유공자 등과 그 가족에 대한 가산점제도는 입법정책상 전혀 허용될 수 없다. (○, ×)
2012 국회(속기 · 경위직) 9급

☐☐☐☐☐ **03** 지방의회의 감사 또는 조사를 위하여 출석요구를 받은 증인이 출석하지 않을 경우 증인의 사회적 지위에 따라 과태료의 액수에 차등을 두는 것을 내용으로 하는 조례안은 헌법에 규정된 평등의 원칙에 위배된다고 볼 수 없다.
(○, ×) ★★ 2017 서울시 9급

☐☐☐☐☐ **04** 같은 정도의 비위를 저지른 자들 사이에 있어서 그 직무의 특성 등에 비추어, 개전의 정이 있는지 여부에 따라 징계의 종류의 선택과 양정에 있어서 차별적으로 취급하는 것은, 자의적 취급이라고 할 수 있어서 평등원칙 내지 형평에 반한다.
(○, ×) ★★★ 2023 군무원 9급

☐☐☐☐☐ **05** 동일한 사항을 다르게 취급하는 것은 합리적 이유가 없는 차별이므로, 같은 정도의 비위를 저지른 자들은 비록 개전의 정이 있는지 여부에 차이가 있다고 하더라도 징계 종류의 선택과 양정에 있어 동일하게 취급받아야 한다.
(○, ×) ★★★ 2020 지방직 · 서울시 9급

1. 평등원칙에 위반된다는 판례

관련판례

1. 함께 화투놀이를 한 4명 중 3명에게는 가벼운 징계처분인 견책을 하고 1명에게만 파면처분을 한 것은 비례의 원칙과 평등원칙에 위반된 위법한 처분이다. ★★

   원심은 원고가 …… 국가공무원법 제78조 제1 · 3호 규정의 징계사유에 해당한다 할지라도 당직 근무시간이 아닌 그 대기 중에 불과 약 25분간 심심풀이로 한 것이고 또 돈을 걸지 아니하고 접수따기를 한 데 불과하며 원고와 함께 화투놀이를 한 3명(지방공무원)은 부산시 소청심사위원회에서 견책에 처하기로 의결된 사실이 인정되는 점 등 제반 사정을 고려하면 피고가 원고에 대한 징계처분으로 파면을 택한 것은 당직근무 대기자의 실정이나 공평의 원칙상 그 재량의 범위를 벗어난 위법한 것이라고 하였는바, 이를 기록에 대조하여 검토하여 보면 정당하고 징계종류의 선택에 관한 법리를 오해한 위법 있다는 논지는 맞지 아니하여 이유 없다(대판 1972. 12. 26, 72누194).

2. 공무원시험에서 국가유공자의 가족들에게 10%의 가산점을 부여하고 있는 규정은 일반응시자들의 평등권과 공무담임권을 침해한다.01

   이 사건 조항의 경우 명시적인 헌법적 근거 없이 국가유공자의 가족들에게 만점의 10%라는 높은 가산점을 부여하고 있는바, 이 사건 조항의 차별로 인한 불평등 효과는 입법목적과 그 달성수단 간의 비례성을 현저히 초과하는 것이므로, 이 사건 조항은 청구인들과 같은 일반 공직시험 응시자들의 평등권을 침해한다. …… 이 사건 조항이 공무담임권의 행사에 있어서 일반응시자들을 차별하는 것이 평등권을 침해하는 것이라면, 같은 이유에서 이 사건 조항은 그들의 공무담임권을 침해하는 것이다. 이 사건 조항의 위헌성은 국가유공자 등과 그 가족에 대한 가산점제도 자체가 입법정책상 전혀 허용될 수 없다는 것이 아니고, 그 차별의 효과가 지나치다는 것에 기인한다(헌재 2006. 2. 23, 2004헌마675 · 981 · 1022 병합).02

3. 공무원시험에서 제대군인에 대해 과목별 만점의 5% 또는 3%의 가산점을 부여한 규정은 평등원칙에 위반된다.

   가산점제도는 제대군인에 비하여, 여성 및 제대군인이 아닌 남성을 부당한 방법으로 지나치게 차별하는 것으로서 헌법 제11조에 위배되며, 이로 인하여 청구인들의 평등권이 침해된다(헌재 1999. 12. 23, 98헌마363).

4. 지방의회의 조사 · 감사를 위해 채택된 증인의 불출석 등에 대한 과태료를 그 사회적 신분에 따라 차등 부과할 것을 규정한 조례는 헌법상 평등원칙에 위배되어 무효이다.03 ★★

   조례안이 지방의회의 감사 또는 조사를 위하여 출석요구를 받은 증인이 5급 이상 공무원인지 여부, 기관(법인)의 대표나 임원인지 여부 등 증인의 사회적 신분에 따라 미리부터 과태료의 액수에 차등을 두고 있는 경우, 그와 같은 차별은 증인의 불출석이나 증언거부에 대하여 과태료를 부과하는 목적에 비추어 볼 때 그 합리성을 인정할 수 없고 지위의 높고 낮음만을 기준으로 한 부당한 차별대우라고 할 것이어서 헌법에 규정된 평등의 원칙에 위배되어 무효이다(대판 1997. 2. 25, 96추213).

5. 청원경찰의 인원감축을 위하여 초등학교 졸업 이하 학력소지자 집단과 중학교 중퇴 이상 학력소지자 집단으로 나누어 집단별로 같은 감원비율의 인원을 선정한 것은 평등의 원칙에 위반된다(편저자 주 : 다만, 무효사유는 아님)(대판 2002. 2. 8, 2000두4057).★

6. 개발제한구역 훼손부담금의 부과율을 규정함에 있어서 전기공급시설 등과는 달리 집단에너지공급시설에 차등을 두는 구 「개발제한구역의 지정 및 관리에 관한 특별조치법 시행령」 제35조 제1항 제3호의 규정은 헌법상 평등원칙에 위배된 것으로 무효이다(대판 2007. 10. 29, 2005두14417 전합).

2. 평등원칙에 위반되지 않는다는 판례

관련판례

1. 같은 정도의 비위를 저지른 자들 사이에서도 그 직무의 특성 등에 비추어 개전의 정이 있는지 여부에 따라 징계의 종류의 선택과 양정을 달리할 수 있다.04 05 ★★★

   같은 정도의 비위를 저지른 자들 사이에 있어서도 그 직무의 특성 등에 비추어, 개전의 정이 있는지 여부에 따라 징계의 종류의 선택과 양정에 있어서 차별적으로 취급하는 것은, 사안의 성질에 따른 합리

적 차별로서 이를 자의적 취급이라고 할 수 없는 것이어서 평등원칙 내지 형평에 반하지 아니한다(대판 1999. 8. 20, 99두2611).🔵

2. 유예기간 없이 개인택시 운송사업면허 기준을 변경하고 그에 기하여 한 행정청의 면허신청 접수거부처분은 평등원칙 위반이 아니다(대판 1996. 7. 30, 95누12897).

3. 일반직 직원의 정년을 58세로 규정하면서 전화교환직렬 직원만을 정년을 53세로 규정한 것은 합리성이 있으므로 평등원칙 위반이 아니다(대판 1996. 8. 23, 94누13589).**01**

4. LPG는 석유에 비하여 화재 및 폭발의 위험성이 훨씬 커서 주택 및 근린생활시설이 들어설 지역에 LPG충전소의 설치금지는 불가피하다 할 것이고 석유와 LPG의 위와 같은 차이를 고려하여 연구단지 내 녹지구역에 LPG충전소의 설치를 금지한 것은 위와 같은 합리적 이유에 근거한 것이므로 이 사건 시행령 규정이 평등원칙에 위배된다고 볼 수 없다(헌재 2004. 7. 15, 2001헌마646).**02**

5. 관련법령이 정신병원 등의 개설에 관하여는 허가제로, 정신과의원 개설에 관하여는 신고제로 각 규정하고 있는 것은 각 의료기관의 개설 목적 및 규모 등 차이를 반영한 합리적 차별로서 평등의 원칙에 반한다고 볼 수 없다(대판 2018. 10. 25, 2018두44302).**03**

판례정리 | 평등원칙의 위반 여부

평등원칙 위반이라고 본 판례	평등원칙 위반이 아니라고 본 판례
① 함께 화투놀이를 한 4명 중 3명에게는 가벼운 견책처분을 하고, 1명에게만 파면처분을 한 경우	① 유예기간 없이 개인택시 운송사업면허 기준을 변경하고 그에 기한 행정청의 면허신청 접수 거부처분
② 국·공립사범대학 출신자를 사립사범대학 출신자보다 우선적으로 교육공무원으로 채용하도록 한 규정	② 일반직 직원의 정년을 58세로 규정하면서 전화교환직 직원만은 정년을 53세로 규정한 것
③ 공무원시험에서 국가유공자의 가족들에게 10%의 가산점을 부여하고 있는 규정	③ 대부계약을 맺지 않고 국유잡종재산(현 일반재산)을 무단점유한 자에게 대부료의 20%를 할증한 변상금 부과
④ 공무원시험에서 제대군인에 대해 만점의 5% 또는 3%의 가산점을 부여한 규정	④ 비위를 저지른 사립중학교 교사들 중 잘못을 시인한 교사, 잘못을 시인하지 아니한 교사들에게 서로 다른 징계를 한 경우
⑤ 사회단체 등록신청에 대해 선등록단체가 있다는 이유로 후등록신청인의 등록신청을 반려한 경우	⑤ 의료법이 정신병원 등의 개설은 허가제로, 정신과의원 개설은 신고제로 각 규정하고 있는 것
⑥ 지방의회 조사·감사를 위하여 채택된 증인의 불출석 등에 대한 과태료를 그 사회적 신분에 따라 차등 부과할 것을 규정한 조례	
⑦ 청원경찰의 감축을 위해 초등학교 졸업 이하, 중학교 중퇴 이상 학력소지 집단으로 나누어 집단별로 같은 감원비율의 인원을 선정한 것	
⑧ 플라스틱 제품의 '수입업자'가 부담하는 폐기물 부담금의 산출기준을 '제조업자'와 달리 그 수입가만을 기준으로 정한 것	
⑨ 개발제한구역 훼손부담금의 부과율을 규정함에 있어서 전기공급시설 등과는 달리 집단에너지 공급시설에 차등을 두는 구 「개발제한구역의 지정 및 관리에 관한 특별조치법 시행령」 제35조 제1항 제3호의 규정	

❺ 관련문제 – 처분적 법률

1. 개념

처분적 법률이란 일반적·추상적 법률과는 달리 개별적·구체적 사항을 규율하는 법률을 말한다. 즉, 형식적 의미에서는 **법률**에 해당하지만, 그 실질은 **처분의 성격**을 갖는 법률을 의미한다. 이러한 처분적 법률의 경우 실질적 의미의 입법인지 아니면 행정인지의 구별은 어렵다고 할 수 있다.

2. 유형

이러한 처분적 법률은 일정한 범위의 국민만을 그 대상으로 하거나(예 구 정치활동정화법 등) 개별적인 사건을 그 대상으로 하는 것 등이 있다.

판례 | 🔵 학습지 채택료를 수수하고 담당 경찰관에게 수사 무마비를 전달하려고 한 비위를 저지른 사립중학교 교사들 중 잘못을 시인한 교사들은 정직 또는 감봉에, 잘못을 시인하지 아니한 교사들은 파면에 처한 것이 그 직무의 특성 등에 비추어 재량권의 범위를 일탈·남용한 것이 아니다(대판 1999. 8. 20, 99두2611).

☐☐☐☐☐ **01** 행정의 자기구속의 원칙은 법적으로 동일한 사실관계, 즉 동종의 사안에서 적용이 문제되는 것으로 주로 재량의 통제법리와 관련된다. (○, ×) ★
2018 국가직 9급

☐☐☐☐☐ **02** 자기구속원칙은 재량권 행사에 있어서 행정권의 자의방지의 의미를 갖는다. (○, ×)　2005 관세사

☐☐☐☐☐ **03** 행정의 자기구속의 원칙은 평등원칙 및 신뢰보호의 원칙과 밀접한 관련을 지니고 있다. (○, ×) ★★★
2018 소방직 9급

☐☐☐☐☐ **04** 행정의 자기구속의 법리는 평등의 원칙에만 적용된다는 것이 판례의 입장이다. (○, ×) ★★★
2011 사회복지직 9급

☐☐☐☐☐ **05** 재량권행사의 준칙인 행정규칙이 그 정한 바에 따라 되풀이 시행되어 행정관행이 이루어지게 되면, 평등의 원칙이나 신뢰보호의 원칙에 따라 행정기관은 그 상대방에 대한 관계에서 그 행정규칙에 따라야 할 자기구속을 받게 되고, 그러한 경우에는 대외적인 구속력을 가지게 된다. (○, ×) ★★★
2023 국가직 7급

☐☐☐☐☐ **06** 재량준칙은 일반적으로 행정조직 내부에서만 효력을 가질 뿐 대외적인 구속력을 갖는 것은 아니므로 행정처분이 이를 위반하였다고 하여 그러한 사정만으로 곧바로 위법하게 되는 것은 아니다. 다만, 그 재량준칙이 정한 바에 따라 되풀이 시행되어 행정관행이 이루어지게 되면 평등의 원칙이나 신뢰보호의 원칙에 따라 행정기관은 상대방에 대한 관계에서 그 규칙에 따라야 할 자기구속을 받는다.
(○, ×) ★★★　2021 경행경채

☐☐☐☐☐ **07** 처분이 행정규칙을 위반하였다고 해서 그러한 사정만으로 곧바로 위법하게 되는 것은 아니다. (○, ×) ★
2022 국가직 7급

판례 | ㉠ (세무대학설치법폐지법률이 정당하다고 보면서) 어떤 법률이 개별사건법률 또는 처분법률의 성격을 띠고 있다고 해서 그것만으로 헌법에 위반되는 것은 아니다(헌재 2001. 2. 22, 99헌마613).

ⓐ 행정입법을 이해한 후 정리할 것을 권한다.

ⓑ 예컨대, 서울시에서 탈북자 지원을 위해 서울시 소유 공원구역 내에서 자판기를 설치하는 경우 탈북자에게 우선권을 주는 내용의 내부지침을 만들었다고 가정하자. 그런데 이러한 지침은 행정규칙에 불과하여 일반국민에 대해서는 법적 구속력이 없다. 그런데 이 지침에 따라 계속 탈북자에 대한 지원이 이루어졌다면 또 다른 탈북자에 대해서도 특별한 사정이 없는 한 행정부 내부의 지침에 따라 처분이 이루어져야 한다는 것이 자기구속의 원칙이다.

정답 01 ○ 02 ○ 03 ○ 04 × 05 ○
06 ○ 07 ○

---

3. 평등원칙 · 권력분립과 처분적 법률의 관계

처분적 법률은 평등의 원칙과 권력분립의 관계에 비추어 위헌이 아니냐는 의문이 있으나 합리적 이유 있는 차별은 허용될 수 있는 점, 사회복지의 실현, 국가비상적 위기상황에 대처할 필요성 등을 고려할 때 일정범위 내에서는 허용될 수 있다고 봄이 통설 및 판례의 태도이다.㉠

02 | 자기구속의 원칙ⓐ

1 의 의

1. 자기구속의 원칙이란 행정청은 동일한 사안에 대해 제3자에게 한 것과 동일한 결정을 상대방에게 하도록 구속을 받는다는 의미이다. 즉, 행정청은 자기 스스로 정하여 시행하고 있는 결정기준(대표적인 예로 재량준칙과 같은 행정규칙)을 합리적 이유 없이 이탈할 수 없다는 원칙이 자기구속의 법리이다. ⓑ

2. 행정의 자기구속의 원칙은 법적으로 동일한 사실관계, 즉 동종의 사안에서 적용이 문제되는 것으로 주로 재량의 통제원리와 관련된다.01 자기구속의 법리는 재량행위에 있어서 행정권의 자의를 방지하여 그 행사가 적정하게 이루어지도록 하는 재량통제기능을 가진다.02

2 근 거

1. 학 설

행정의 자기구속의 법리의 근거에 관하여 신뢰보호의 원칙에서 구하는 견해와 평등의 원칙에서 구하는 견해가 대립하고 있는데, 통설은 평등의 원칙에서 그 근거를 구하고 있다.

2. 사법부의 태도

(1) 헌법재판소

헌법재판소는 평등의 원칙 또는 신뢰보호원칙을 근거로 자기구속의 법리를 긍정하고 있다.03 04

(2) 대법원

대법원도 평등의 원칙이나 신뢰보호의 원칙을 근거로 자기구속의 원칙을 인정한다.

┏ 관련판례

1. 행정규칙인 재량준칙이 정한 바에 따라 행정관행이 이룩되게 되면 평등원칙이나 신뢰보호원칙에 따라 행정기관은 그 규칙에 따라야 할 자기구속을 당하게 되고 그러한 경우 행정규칙은 대외적 구속력을 가지게 된다.05 ★★★

  행정규칙이 법령의 규정에 의하여 행정관청에 법령의 구체적 내용을 보충할 권한을 부여한 경우, 또는 재량권행사의 준칙인 규칙이 그 정한 바에 따라 되풀이 시행되어 행정관행이 이룩되게 되면, 평등의 원칙이나 신뢰보호의 원칙에 따라 행정기관은 그 상대방에 대한 관계에서 그 규칙에 따라야 할 자기구속을 당하게 되고,06 그러한 경우에는 대외적인 구속력을 가지게 된다 할 것이다(헌재 1990. 9. 3, 90헌마13).

2-1. 상급행정기관이 하급행정기관에 대하여 업무처리지침이나 법령의 해석 · 적용에 관한 기준을 정하여 발하는 이른바 '행정규칙이나 내부지침'은 일반적으로 행정조직 내부에서만 효력을 가질 뿐 대외적인 구속력을 갖는 것은 아니므로 행정처분이 그에 위반하였다고 하여 그러한 사정만으로 곧바로 위법하게 되는 것은 아니다.07 ★

2-2. 재량권행사의 준칙인 행정규칙이 그 정한 바에 따라 되풀이 시행되어 행정관행이 이루어지게 되면 평등의 원칙이나 신뢰보호의 원칙에 따라 행정기관은 그 상대방에 대한 관계에서 그 규칙에 따라야할 자기구속을 받게 되므로, 이러한 경우에는 특별한 사정이 없는 한 그를 위반하는 처분은 평등의 원칙이나 신뢰보호의 원칙에 위배되어 재량권을 일탈·남용한 위법한 처분이 된다(대판 2009. 12. 24, 2009두7967).01 02 ★★★

❸ 적 용

1. 적용영역

(1) 자기구속의 원칙은 행정청의 재량이 인정되는 모든 경우에 적용될 수 있는데, 그중 특히 재량준칙 (재량행위의 기준을 정한 행정규칙)에서 중요한 의미를 갖는다.ⓐ

(2) 즉, 행정청이 재량영역에서 재량준칙을 마련하여 시행하는 경우 행정청은 동일한 사안에 대해서는 당해 재량준칙이 정하는 바에 따라 동일하게 적용하는 자기구속을 받게 된다.

2. 적용요건

(1) 재량행위의 영역일 것

자기구속의 법리는 재량행위와 판단여지가 인정되는 영역에서 의미를 가지며 기속행위의 경우에는 자기구속의 원칙이 문제되지 않는다. 왜냐하면 기속행위의 경우에는 행정청은 자기 스스로 정한 기준에 구속되는 것이 아니라 법규정에 이미 기속되어 있기 때문이다. 한편 재량행위라면 수익적 행위뿐만 아니라 침익적 행위에도 적용된다.

(2) 동종의 사안일 것

동일한 법 적용의 요청은 동종의 상황에서만 가능한 것이므로 처분의 상대방에 대한 상황과 이전 선례의 상황이 동종으로 취급할 수 있는 것이어야 한다.

(3) 동일한 행정청일 것

자기구속의 법리는 개념상 동일한 행정청에 대해서 적용되고 상이한 행정청에 대해서는 적용되지 않는다.03

(4) 선례의 존재 여부

① 자기구속의 원칙이 적용되기 위해서 선례가 필요한지에 대해서는 학설의 대립이 있다.

  ㉠ **선례불필요설** : 재량준칙이 존재하는 경우에는 재량준칙 자체만으로 미리 정해진 행정관행 (예기관행)이 성립되는 것으로 보고 자기구속의 법리를 인정할 수 있다고 한다.

  ㉡ **선례필요설(다수설)** : 자기구속원칙은 선례가 되풀이되어 관행이 성립된 경우에 한하여 인정된다고 본다.

② 판례는 재량준칙이 공표된 것만으로 자기구속의 원칙이 적용될 수 없고 재량준칙이 되풀이 시행되어 행정관행이 성립한 경우에 자기구속의 원칙이 적용될 수 있다는 입장이다.04 05

┌ **관련판례**
재량준칙이 되풀이 시행되어 행정관행이 이루어졌다고 볼 수 없다면 자기구속원칙을 위반한 것이 아니다.06 ⓑ ★★★
위 지침이 되풀이 시행되어 행정관행이 이루어졌다거나 그 공표만으로 신청인이 보호가치 있는 신뢰를 갖게 되었다고 볼 수 없고, 쌀 시장 개방화에 대비한 경쟁력 강화 등 우월한 공익상 요청에 따라 위 지침상의 요건 외에 '시·군별 건조저장시설 개소당 논 면적 1,000ha 이상' 요건을 추가할 만한 특별한 사정을 인정할 수 있어, 그 처분이 행정의 자기구속의 원칙 및 행정규칙에 관련된 신뢰보호의 원칙에 위배되거나 재량권을 일탈·남용한 위법이 없다(대판 2009. 12. 24, 2009두7967).

기출 체크

□□□□□ **01** 행정의 자기구속의 원칙이 인정되는 경우에는 행정관행과 다른 처분은 특별한 사정이 없는 한 위법하다. (○, ×) ★★★　　2021 군무원 9급

□□□□□ **02** 재량준칙이 정한 바에 따라 되풀이 시행되어 행정관행이 이루어지게 되면 평등의 원칙이나 신뢰보호의 원칙에 따라 행정청은 상대방에 대한 관계에서 그 규칙에 따라야 할 자기구속을 받게 되므로, 이러한 경우에는 특별한 사정이 없는 한 그에 반하는 처분은 평등의 원칙이나 신뢰보호의 원칙에 어긋나 재량권을 일탈·남용한 위법한 처분이 된다. (○, ×) ★★★　　2018 서울시 2회 7급

□□□□□ **03** 행정의 자기구속의 원칙은 처분청이 아닌 제3자 행정청에 대해서도 적용된다. (○, ×)　　2019 서울시 9급

□□□□□ **04** 재량준칙이 공표된 것만으로는 행정의 자기구속의 원칙이 적용될 수 없고, 재량준칙이 되풀이 시행되어 행정관행이 성립한 경우에 행정의 자기구속의 원칙이 적용될 수 있다. (○, ×) ★★★　　2023 지방직·서울시 7급

□□□□□ **05** 행정청 내부의 사무처리준칙이 제정·공표되었다면 이 자체만으로도 행정청은 자기구속을 받게 되므로 이 준칙에 위배되는 처분은 위법하게 된다. (○, ×) ★★★　　2022 군무원 9급

□□□□□ **06** 재량권행사의 준칙인 행정규칙이 있으면 그에 따른 관행이 없더라도 평등의 원칙에 따라 행정기관은 상대방에 대한 관계에서 그 규칙에 따라야 할 자기구속을 받게 된다. (○, ×) ★★★　　2019 서울시 1회 7급

ⓐ 행정의 자기구속은 재량영역에서만 존재하기 때문에 '재량준칙'의 경우에만 인정되는 것이며, 법령상의 불확정법개념(ⓒ '공익', '미풍양속', '공무원의 품위' 등과 같이 확정적으로 해석하기 곤란한 법개념)을 통일적으로 해석·집행하기 위해 제정된 '법령해석적 행정규칙'에는 인정되지 않는다.

ⓑ 재량준칙의 공표만으로는 자기구속의 원칙을 인정하지 않으며 재량준칙이 되풀이 시행되어 행정관행이 이루어진 경우에 자기구속의 원칙이 인정된다고 본 판례이다. 또한 재량준칙이 있지만 행정관행이 성립되지 않은 경우, 특별한 공익상의 필요가 있을 때에는 재량기준을 추가하여 신청에 대한 거부처분을 할 수 있다고 판시한 사안이다.

정답 01 ○ 02 ○ 03 × 04 ○ 05 ×
06 ×

□□□□□ **01** 행정처분이 수차례에 걸쳐 반복적으로 행하여졌다면 그 처분이 위법한 것인 때에도 행정청에 대하여 자기구속력을 갖게 된다. (○, ×) ★★★

2022 국가직 7급

□□□□□ **02** 평등의 원칙은 본질적으로 같은 것을 자의적으로 다르게 취급함을 금지하는 것이므로, 위법한 행정처분이 수차례에 걸쳐 반복적으로 행하여졌다면 행정청에 대하여 자기구속력을 갖게 된다. (○, ×) ★★★ 2022 지방직·서울시 9급

□□□□□ **03** 고속국도의 관리청이 고속도로 부지와 접도구역에 송유관 매설을 허가하면서 상대방과 체결한 협약에 따라 송유관 시설을 이전하게 될 경우 상대방에게 그 비용을 부담하도록 한 부관은 행정작용과 실질적 관련성이 없는 의무를 부과하는 것으로서 부당결부금지원칙에 위반된다. (○, ×) ★★★ 2021 경행경채

□□□□□ **04** 부당결부금지의 원칙은 판례에 의해 확립된 행정의 법원칙으로 실정법상 명문의 규정은 없다. (○, ×)

2022 군무원 9급

□□□□□ **05** (행정기본법상) 행정청은 행정작용을 할 때 상대방에게 해당 행정작용과 실질적인 관련이 없는 의무를 부과해서는 아니 된다. (○, ×)

2023 군무원 9급

□□□□□ **06** 부당결부금지의 원칙은 공법상 계약에 있어서도 그 적용이 있다. (○, ×) 2008 지방직 7급

④ 한 계

자기구속의 원칙은 평등원칙을 근거로 하므로 자기구속원칙 역시 선행행정작용이 위법한 경우에는 인정되지 않는다.

┌ **관련판례**
평등의 원칙은 본질적으로 같은 것을 자의적으로 다르게 취급함을 금지하는 것이고, 위법한 행정처분이 수차례에 걸쳐 반복적으로 행하여졌다 하더라도 그러한 처분이 위법한 것인 때에는 행정청에 대하여 자기구속력을 갖게 된다고 할 수 없다(대판 2009. 6. 25, 2008두13132).**01 02** ★★★

⑤ 효 과

자기구속원칙을 위반한 행정작용은 위헌·위법한 것으로서 항고소송의 대상이 되며 국가배상청구도 가능하다.

03 | 부당결부금지의 원칙

① 의 의

부당결부금지의 원칙이란 행정기관이 행정조치를 할 때 그것과 '실질적 관련'이 없는 상대방의 반대급부를 결부시켜서는 안 된다는 원칙을 말한다. 따라서 실질적 관련이 있다면 부당결부금지원칙에 위반되지 않는다.

┌ **관련판례**
고속국도 관리청이 고속도로 부지와 접도구역에 송유관 매설을 허가하면서 상대방과 체결한 협약에 따라 송유관 시설을 이전하게 될 경우 그 비용을 상대방에게 부담하도록 한 경우 위 협약에 포함된 부관이 부당결부금지의 원칙에 반하지 않는다(대판 2009. 2. 12, 2005다65500).**03** ★★★

② 근 거

행정기본법은 부당결부금지의 원칙을 명문으로 규정하여 처분뿐만 아니라 모든 행정작용에 대해 적용됨을 명시하고 있다.**04**

행정기본법 제13조【부당결부금지의 원칙】 행정청은 행정작용을 할 때 상대방에게 해당 행정작용과 실질적인 관련이 없는 의무를 부과해서는 아니 된다.**05**

③ 적용범위

1. 공법상 계약

행정청이 공법상 계약을 체결할 때 계약당사자에게 반대급부의 의무를 지우는 경우에는 그 반대급부는 행정청의 주된 급부와 실질적인 관련성을 가지고 있어야 한다.**06**

2. 부 관

행정청이 행정행위를 하면서 상대방에게 불이익한 부관을 과하는 경우에는 근거법 및 당해 행정행위의 목적실현과 실질적인 관련성이 있어야 한다. 수익적 행정행위, 특히 주택사업계획승인처분을 하면서 일정한 토지 등을 기부채납❶할 것을 부담으로 부과하는 경우, 부당결부금지원칙이 특히 문제된다.

┌ 관련판례

1. 주택사업계획승인을 하면서 주택사업과는 아무런 관련이 없는 토지를 기부채납하도록 하는 부관을 붙인 경우 그 부관은 부당결부금지원칙에 위반되어 위법하다.**01 02 ⓑ ★★★**

2. 부당결부금지의 원칙에 위반한 위법한 부관이라도 그 하자가 중대하고 명백하지 않은 경우 당연무효사유라고는 볼 수 없다(대판 1997. 3. 11, 96다49650).**04 ★★★**

3. 공급거부·관허사업의 제한 등 행정의 실효성 확보수단

행정법상의 의무자가 의무를 이행하지 않아 행정청이 의무이행을 확보하기 위한 수단을 사용하는 경우에는 행정법상의 의무와 그 수단 간에 실질적인 관련성이 있어야 한다.**05** 따라서 식품위생법상의 영업자준수사항을 위반한 자에 대해 식품위생법에 따른 영업허가를 취소하는 것은 동 원칙에 위반되지 않으나, 상속세 체납자에 대해 식품위생법에 따른 영업허가를 취소하는 것과 같은 관허사업의 제한은 부당결부금지의 원칙에 위반될 소지가 크다(p.508 참조).

❹ 위반의 효과

부당결부금지의 원칙은 헌법적 효력을 갖는다는 것이 다수의 견해이며 또한 행정기본법에 명문화되었으므로 부당결부금지의 원칙을 위반한 행위는 위헌·위법한 것이 된다.**06**

❺ 관련문제 – 복수운전면허의 철회ⓒ

1. 일반론

판례는 복수의 운전면허의 경우 이를 취소·정지함에 있어서도 서로 별개의 것으로 취급하는 것이 원칙이나, 그 취소나 정지사유가 다른 면허와 공통된 것이거나 운전면허를 받은 사람에 관한 경우에는 여러 운전면허를 취소·정지할 수 있다고 본다.

읽기자료 │ 복수운전면허의 절차

운전면허의 취소와 관련된 판례를 이해하기 위해서는 도로교통법 시행규칙 [별표 18] 규정을 검토할 필요가 있다. "예컨대, 아래 부당결부금지원칙에 위반된다고 본 1번 판례(대판 1992. 9. 22, 91누8289)를 검토하면 2종 소형면허, 1종 대형면허, 1종 보통면허를 소지한 자가 220cc 이륜자동차를 음주운전하다가 적발된 경우 220cc 이륜자동차의 운전은 2종 소형면허로 운전할 수 있을 뿐 1종 대형면허와 1종 보통면허로는 운전을 할 수 없다. 따라서 이륜자동차의 운전과 1종 대형면허, 1종 보통면허는 아무런 관련이 없으므로 1종 대형면허, 1종 보통면허를 취소한 것은 부당결부금지원칙에 반하는 위법한 처분이 된다는 것이 판례의 취지이다."

❶ 기부채납이란 국가 등의 행정주체가 개인 소유의 재산을 무상으로 받아들이는 것을 말한다.

ⓑ 대규모주택사업계획을 승인하는 경우 행정청은 부관을 붙이는 것이 일반적이다. 예컨대, 주택사업계획을 승인하면서 입주민이 주로 이용할 수 있는 도로의 확장의무와 그 도로를 기부하도록 하는 의무를 부과하는 경우 등이 그러하다. 이러한 부관은 주택사업과 관련이 있으므로 부당결부금지원칙에 위반되지 않는다고 보는 것이 일반적이다.**03**

ⓒ 한 사람이 여러 종류의 자동차운전면허를 취득한 경우 이를 취소·정지함에 있어서 여러 종류의 면허를 전부 취소해야 하는지, 별개의 것으로 취급하여 독립적으로 취소하여야 하는지가 문제된다.

운전면허		운전할 수 있는 차의 종류
종 별	구 분	
제1종	대형면허	승용자동차, 승합자동차, 화물자동차, 건설기계, 특수자동차(대형견인차, 소형견인차 및 구난차 제외), 원동기장치자전거
	보통면허	승용자동차, 승차정원 15인 이하의 승합자동차, 적재중량 12톤 미만의 화물자동차, 건설기계(도로를 운행하는 3톤 미만의 지게차에 한정), 총중량 10톤 미만의 특수자동차(대형견인차, 소형견인차 및 구난차 제외), 원동기장치자전거
	소형면허	3륜화물자동차, 3륜승용자동차, 원동기장치자전거
	특수면허	대형견인차, 소형견인차 및 구난차, 제2종 보통면허로 운전할 수 있는 차량
제2종	보통면허	승용자동차, 승차정원 10인 이하의 승합자동차, 적재중량 4톤 이하의 화물자동차, 총중량 3.5톤 이하의 특수자동차(대형견인차, 소형견인차 및 구난차 제외), 원동기장치자전거
	소형면허	이륜자동차(운반차 포함), 원동기장치자전거
	원동기장치자전거면허	원동기장치자전거(125cc 이하 이륜자동차)

2. 구체적 검토

판례에 나타난 사안을 구체적으로 살펴보면 다음과 같다.

(1) 부당결부금지의 원칙에 위반된 것으로 인정된 경우

관련판례

1. 이륜자동차를 음주운전한 사유만으로 제1종 대형면허나 보통면허의 취소·정지를 할 수 없다.
   2종 소형면허로만 운전할 수 있는 이륜자동차를 음주운전한 사유만으로 제1종 대형면허나 보통면허의 취소·정지를 할 수 없다(대판 1992. 9. 22, 91누8289).

2-1. 한 사람이 여러 종류의 자동차운전면허를 취득한 경우 이를 취소 또는 정지할 때 서로 별개의 것으로 취급하는 것이 원칙이다.**01** ★★

2-2. 취소사유가 특정 면허에 관한 것이 아니고 다른 면허와 공통된 것이거나 운전면허를 받은 사람에 관한 것일 경우, 여러 면허를 전부 취소할 수 있다.**02** ★★

2-3. 제1종 대형, 제1종 보통 자동차운전면허를 가지고 있는 甲이 배기량 400cc의 오토바이를 절취하였다는 이유로 지방경찰청장(현 시·도경찰청장)이 甲의 제1종 대형, 제1종 보통 자동차운전면허를 모두 취소한 사안에서, 위 오토바이를 훔쳤다는 사유만으로 제1종 대형면허나 보통면허를 취소할 수 없다(대판 2012. 5. 24, 2012두1891).

(2) 부당결부금지의 원칙에 위반되지 않은 것으로 본 경우 ●

관련판례

1. 제1종 보통면허로 운전할 수 있는 승합차를 음주운전한 경우 제1종 보통면허 외에 제1종 대형면허까지 취소한 것은 위법한 처분이 아니다(대판 1997. 3. 11, 96누15176).**03** ★★

2. 제1종 보통면허로 운전할 수 있는 차량을 음주운전한 경우에 이와 관련된 면허인 제1종 대형면허와 원동기장치자전거 면허까지 취소할 수 있다(제1종 보통면허의 취소에는 원동기장치자전거의 운전까지 금지하는 취지가 포함되어 있다고 본다)(대판 1994. 11. 25, 94누9672).**04** ★★

3. 승용자동차를 면허 없이 운전한 사람에 대하여 그 사람이 소지한 제2종 원동기장치자전거면허를 취소할 수 있다(대판 2012. 6. 28, 2011두358).

판례 | ● 1. 택시를 음주운전한 것을 이유로 제1종 보통면허 및 제1종 특수면허까지 취소한 것은 위법한 처분이 아니다(대판 1996. 6. 28, 96누4992).
➕ 제1종 특수면허로는 제2종 보통면허로 운전할 수 있는 차량을 모두 운전할 수 있으므로 승용자동차인 택시의 운전은 제1종 보통면허와 제1종 특수면허 모두로 운전한 것이 되어 제1종 보통면허와 제1종 특수면허 전부를 취소할 수 있다.

2. 대형버스(대형승합차)를 음주운전한 경우 제1종 대형면허 외에 제1종 보통면허까지 취소한 것은 위법한 처분이 아니다(대판 1997. 2. 28, 96누17578).
➕ 본문 (2)의 2번 판례(대판 1994. 11. 25, 94누9672)와 이 판례(대판 1997. 2. 28, 96누17578)는 언뜻 보면 논리적인 문제가 있는 것 같으나 다음과 같은 논리에 따라 내려진 판결이다. 즉, 판례에 따르면 취소해야 할 운전면허(대)를 가지고 운전할 수 있는 차량의 범위가 넓어서 다른 운전면허(소)를 가지고 운전할 수 있는 차량이 완전히 포함되는 경우, 즉 대가 소를 완전히 포함하는 경우 다른 운전면허도 취소할 수 있다. 그 논거로는 그러한 면허(대)의 취소에는 다른 면허(소)의 소지자가 운전할 수 있는 차량의 운전까지 금지하는 취지가 포함되어 있기 때문이라고 한다.

정답 **01** ○ **02** ○ **03** × **04** ×

04 | 적법절차의 원칙

적법절차(適法節次)의 원칙이란 개인의 권익을 제한하는 모든 국가작용은 적법절차(due process)에 따라 행하여져야 한다는 원칙이다.

행정기본법 제3조【국가와 지방자치단체의 책무】 ① 국가와 지방자치단체는 국민의 삶의 질을 향상시키기 위하여 적법절차에 따라 공정하고 합리적인 행정을 수행할 책무를 진다.

공권력의 행사가 비록 그 실체적 내용에서는 합법이라 하여도 그 공권력행사의 절차가 적정한 절차를 거치지 않으면 그 공권력행사는 적법절차의 원칙의 위반으로 절차상 위법한 행위가 된다. 행정절차법에 규정이 없는 경우에도 행정권행사가 적정한 절차에 따라 행해지지 아니한 경우에는 그 행정권행사는 적법절차의 원칙 위반으로 위헌·위법이다.01

05 | 권한남용금지의 원칙

1. 권한남용이란 행정기관의 권한을 법적으로 정해진 공익목적에 위반하여 행사하는 것을 말하는 것으로 권한남용금지의 원칙은 법치국가원리 내지 법치주의에 기초한 것이다.

2. 행정법상의 권한이 사적 목적으로 행사된 경우에 권한의 남용이 된다. 예컨대 공무원이 영업허가의 취소권을 취소의 상대방이 되는 영업자와 경쟁관계에 있는 영업자의 이익을 위해 행사하는 경우 권한의 남용이 된다. 또한 행정법상의 권한을 법적으로 정해진 목적과 다른 목적을 위해 행사한 경우에도 권한남용이 된다.

> **관련판례**
>
> 1. 모든 국가기관과 공무원은 헌법과 법률에 의하여 부여된 권한을 행사함에 있어 그 권한을 남용해서는 안 된다는 원칙은 법치국가원리 내지 법치주의에 기초한 것이다.
>
> 2. 세무조사가 과세자료의 수집 또는 신고내용의 정확성 검증이라는 <u>본연의 목적이 아니라 부정한 목적을 위하여 행하여진 것이라면</u> 이는 세무조사에 <u>중대한 위법사유가 있는 경우에 해당하고 이러한 세무조사에 의하여 수집된 과세자료를 기초로 한 과세처분 역시 위법하다.</u>02 03 04 ★★
>
> 민사분쟁의 일방당사자로부터 부탁을 받은 국세청 공무원이 세무조사를 통하여 반대당사자를 압박하려는 목적으로 타인 명의로 직접 탈세제보를 하고, 이후 진행된 세무조사 과정에서도 지속적으로 개입한 결과 수집된 과세자료를 기초로 이루어진 과세처분의 적법성이 문제된 사안에서, 이러한 세무조사는 세무공무원이 개인적 이익을 위하여 그 권한을 남용한 전형적 사례에 해당하여 위법하므로, 이에 기하여 이루어진 과세처분 역시 위법하다(대판 2016. 12. 15, 2016두47659).

3. 행정기본법은 행정청의 권한남용을 금지하는 일반적인 규정을 두고 있다. 경찰법(현「국가경찰과 자치경찰의 조직 및 운영에 관한 법률」), 해양경찰법 등에서 권한남용을 금지하는 규정을 두고 있었으나, 행정기본법에서 일반의무화하였다.

행정기본법 제11조【성실의무 및 권한남용금지의 원칙】 ② 행정청은 행정권한을 남용하거나 그 권한의 범위를 넘어서는 아니 된다.05

기출 체크

□□□□□ **01** 행정절차법상 규정이 없는 경우에도 행정권행사가 적정한 절차에 따라 행해지지 아니하면 그 행정권행사는 적법절차의 원칙에 반한다. (○, ×)　　2020 소방직 9급

□□□□□ **02** 세무조사가 과세자료의 수집 또는 신고내용의 정확성 검증이라는 본연의 목적이 아니라 부정한 목적을 위하여 행하여진 경우, 세무조사에 의하여 수집된 과세자료를 기초로 한 과세처분 역시 위법하다. (○, ×) ★★　2024 소방간부

□□□□□ **03** 세무조사에 중대한 위법사유가 있는 경우 이러한 세무조사에 의하여 수집된 과세자료를 기초로 한 과세처분 역시 위법하다. (○, ×) ★★
2022 국가직 7급

□□□□□ **04** 세무조사가 과세자료의 수집 또는 신고내용의 정확성 검증이라는 본연의 목적이 아니라 부정한 목적을 위하여 행하여진 것이라면 이는 세무조사에 중대한 위법사유가 있는 경우에 해당하고, 이러한 세무조사에 의하여 수집된 과세자료를 기초로 한 과세처분 역시 위법하다. (○, ×) ★★　　2022 소방직 9급

□□□□□ **05** 행정청은 행정권한을 남용하거나 그 권한의 범위를 넘어서는 아니 된다. (○, ×)　　2022 군무원 7급

정답 01 ○ **02** ○ **03** ○ **04** ○ **05** ○

□□□□□ **01** 성실의무 및 권한남용금지의 원칙(은 행정기본법에 규정된 행정법상 원칙이다) (○, ×) 2022 군무원 7급

□□□□□ **02** 행정기본법에서는 행정청은 법령 등에 따른 의무를 성실히 수행하여야 한다는 성실의무의 원칙을 명시하고 있다. (○, ×) 2023 서울시 지적 7급

□□□□□ **03** 근로복지공단의 요양불승인처분의 적법 여부는 사실상 근로자의 휴업급여청구권 발생의 전제가 된다고 볼 수 있는 점 등에 비추어, 근로자가 요양불승인에 대한 취소소송의 판결확정시까지 근로복지공단에 휴업급여를 청구하지 않았던 것에 대한 근로복지공단의 소멸시효 항변은 신의성실의 원칙에 반하여 허용될 수 없다. (○, ×) 2021 국회직 8급

□□□□□ **04** 공무원 임용신청당시 잘못 기재된 호적상 출생년월일을 생년월일로 기재하고, 임용 후 36년 동안 이의를 제기하지 않다가, 정년을 1년 3개월 앞두고 정정된 출생년월일을 기준으로 정년연장을 요구하는 것은 신의성실의 원칙에 반한다. (○, ×) ★ 2021 국가직 9급

□□□□□ **05** 관할관청이 위법한 직업능력개발훈련과정 인정제한처분을 하여 사업주로 하여금 제때 훈련과정 인정신청을 할 수 없도록 하였음에도, 인정제한처분에 대한 취소판결확정 후 사업주가 인정제한기간 내에 실제로 실시하였던 훈련에 관하여 비용지원신청을 한 경우에, 사전에 훈련과정 인정을 받지 않았다는 이유만을 들어 훈련비용 지원을 거부하는 것은 신의성실의 원칙에 반하여 허용될 수 없다. (○, ×) 2021 국회직 8급

ⓐ 시효에 대해서는 p.137 참조

06 | 신의성실의 원칙

❶ 의 의

1. 신의성실의 원칙이란 모든 사람은 공동체의 일원으로서 상대방에 대한 신의를 지켜야 한다는 의미이다. 이는 주로 민법에서 문제되는 원칙인데, 민법뿐만 아니라 모든 법에 보편타당한 일반원칙이라고 볼 수 있다.

2. 행정기본법 제11조에서는 사법상 신의성실의 원칙을 공법관계에 맞게 행정청의 성실의무의 원칙으로 수정하여 규정하고 있고, 행정절차법은 제4조에서 신뢰보호원칙과 함께 이러한 원칙을 규정하고 있다.**01** 신의성실의 원칙에 반하는 행정작용은 위법하다.

> 행정기본법 제11조 【성실의무 및 권한남용금지의 원칙】 ① 행정청은 법령 등에 따른 의무를 성실히 수행하여야 한다.**02**

⌐ 관련판례

1. 근로복지공단의 요양불승인처분에 대한 취소소송을 제기하여 승소확정판결을 받은 근로자가 요양으로 인하여 취업하지 못한 기간의 휴업급여를 청구한 경우, 그 휴업급여청구권이 시효ⓐ완성으로 소멸하였다는 근로복지공단의 항변은 신의성실의 원칙에 반하여 허용될 수 없다.
   근로자가 입은 부상이나 질병이 업무상 재해에 해당하는지 여부에 따라 요양급여 신청의 승인, 휴업급여청구권의 발생 여부가 차례로 결정되고, 따라서 근로복지공단의 요양불승인처분의 적법 여부는 사실상 근로자의 휴업급여청구권 발생의 전제가 된다고 볼 수 있는 점 등에 비추어, 근로자가 요양불승인에 대한 취소소송의 판결확정시까지 근로복지공단에 휴업급여를 청구하지 않았던 것은 이를 행사할 수 없는 사실상의 장애사유가 있었기 때문이라고 보아야 하므로, 근로복지공단의 소멸시효 항변은 신의성실의 원칙에 반하여 허용될 수 없다(대판 2008. 9. 18, 2007두2173 전합).**03**

2. 지방공무원 임용신청 당시 잘못 기재된 호적상 출생년월일을 생년월일로 기재하고, 이에 근거한 공무원인사기록카드의 생년월일 기재에 대하여 처음 임용된 때부터 약 36년 동안 전혀 이의를 제기하지 않다가, 정년을 1년 3개월 앞두고 호적상 출생년월일을 정정한 후 그 출생년월일을 기준으로 정년의 연장을 요구하는 것은 신의성실의 원칙에 반하지 않는다(대판 2009. 3. 26, 2008두21300).**04** ★

❷ 적용되는 경우

행정법상 신청을 할 수 없게 한 장애사유를 행정청이 만든 경우에 행정청이 원인이 된 장애사유를 근거로 그러한 신청을 인정하지 않는 것은 신의성실의 원칙에 반하여 허용될 수 없다(대판 2019. 1. 31, 2016두52019 등).

⌐ 관련판례

1. 직업능력개발훈련과정 인정제한처분에 대한 쟁송절차에서 해당 제한처분이 위법한 것으로 판단되어 취소되거나 당연무효로 확인된 경우, 사업주가 해당 제한처분 때문에 관계법령이 정한 기한 내에 하지 못했던 훈련과정 인정신청과 훈련비용 지원신청을 사후적으로 할 수 있는 기회를 주어야 한다.

2. 사업주에 대한 직업능력개발훈련과정 인정제한처분과 훈련비용 지원제한처분이 쟁송절차에서 위법한 것으로 판단되어 취소되거나 당연무효로 확인된 후에 사업주가 그 인정제한 기간에 실제로 실시한 직업능력개발훈련과정의 비용에 대하여 사후적으로 지원신청을 하는 경우, 관할관청이 사업주가 해당 훈련과정에 대하여 미리 훈련과정 인정을 받아 두지 않았다는 형식적인 이유만으로 훈련비용 지원을 거부할 수 없다(대판 2019. 1. 31, 2016두52019).**05**

❸ 합법성원칙과의 충돌

관련판례

일반 행정법률관계에서 관청의 행위에 대하여 신의칙이 적용되기 위해서는 합법성의 원칙을 희생하여서라도 처분의 상대방의 신뢰를 보호함이 정의의 관념에 부합하는 것으로 인정되는 특별한 사정이 있을 경우에 한하여 예외적으로 적용된다(대판 2004. 7. 22, 2002두11233).

관련문제

신뢰보호원칙과 관련된 사안에 대한 검토의견으로 옳지 않은 것은? (다툼이 있는 경우 판례에 의함)

2011 국가직 9급

① 사안 : 보건복지부장관은 중앙일간지에 "의료취약지 병원설립 운용자에게 5년간 지방세 중 재산세를 면제한다."는 취지의 공고를 하였다. 이에 甲은 의료취약지인 B군(郡)에서 병원을 설립·운용하였으나, B군수는 지방세법 규정에 근거하여 甲에 대해 군세(郡稅)인 재산세를 부과하였다.
검토의견 : 보건복지부장관은 권한분장관계상 재산세를 부과할 권한이 없으므로 보건복지부장관의 공고는 신뢰보호원칙의 요건인 행정청의 공적 견해표명에 해당하지 않는다. 따라서 甲은 신뢰보호원칙의 적용을 주장할 수는 없다.

② 사안 : 甲은 폐기물처리업 사업계획에 대하여 적정통보를 받은 상태에서 사업부지 토지에 대한 국토이용계획변경신청을 승인하여 주겠다는 취지의 공적인 견해표명이 없었음에도 불구하고 승인받을 것을 신뢰하고 그에 기해 일정한 처리를 하였다. 그러나 그 후 甲은 국토이용계획변경 승인을 거부당하였다.
검토의견 : 폐기물관리법령에 의한 폐기물처리업 사업계획에 대한 적정통보와 국토이용관리법령에 의한 국토이용계획변경은 각기 그 제도적 취지와 결정단계에서 고려해야 할 사항들이 다르다. 따라서 甲은 신뢰보호원칙에 의해 보호받을 수 없다.

③ 사안 : 건축주 甲은 건축사 乙에게 건축설계와 신청행위를 의뢰하였는데 乙의 귀책사유로 건축한계선을 위반하였고 이로써 철거명령을 받게 되었다.
검토의견 : 甲과 그로부터 신청행위를 위임받은 수임인 乙 등 관계자 모두를 기준으로 판단할 때 甲에게 귀책사유가 있다고 볼 수 있으므로 甲은 신뢰보호원칙에 의해 보호받을 수 없다.

④ 사안 : 甲은 폐기물처리업에 대하여 사전에 관할관청으로부터 적정통보를 받고 막대한 비용을 들여 허가요건을 갖춘 다음, 허가신청을 하였으나 다수 청소업자의 난립으로 안정적이고 효율적인 청소업무의 수행에 지장이 있다는 이유로 불허가처분을 받았다.
검토의견 : 甲은 위 불허가처분이 신뢰보호의 원칙에 위반되므로 위법한 처분이라고 주장할 수 있다.

정답 ①

[유튜브] 4강 필수 개념 TEST
- QR코드를 스캔해 주세요.
- 필수 개념과 출제 포인트를 풀어 보세요.
- 틀린 문제는 기본서로 확인해 주세요.

공법관계와 사법관계

구별실익

행정법관계

행정상 법률관계가 모두 행정법관계는 아님. 조달청이라는 행정부에서 책상을 구매하는 계약은 조달행정상 계약, 즉 행정상 법률관계이기는 하나 사법(私法)에 따른 계약으로서 사법(私法)의 규율을 받은 관계이므로 행정법관계에 해당하지 않음. 왜냐하면 행정법관계는 행정상 법률관계 중 공법의 규율을 받는 법률관계를 말하는 것이기 때문임.

공법관계

공법 및 공법원리 적용 / 행정소송

사법관계

사법 및 사법원리 적용 / 민사소송

구별기준

1차적 기준

관계법령의 규정내용과 성질 등을 기준으로 구별

2차적 기준

복수기준설(통설)

공법관계 예시

① 국유재산 무단점유자에 대한 변상금 부과처분
② 도시재개발조합과 조합원 간의 법률관계
③ 지방자치단체에 근무하는 청원경찰에 대한 징계처분
④ 서울시립무용단원의 위촉
⑤ 농지개량 조합이 조합직원(조합원을 의미함)에 대하여 행한 징계처분
⑥ 국·공유재산의 관리청이 행하는 행정재산의 사용·수익에 대한 허가
⑦ 행정재산에 대한 사용료 부과
⑧ 국립의료원 부설주차장에 관한 위탁관리용역운영계약(계약이라는 용어를 사용하고 있으나 행정행위로서 특허에 해당)
⑨ 한국전력공사의 수신료 부과
⑩ 수도료 부과징수 및 납부관계 / 공공하수도의 이용관계
⑪ 조세채무관계
⑫ 행정재산을 기부채납한 자에 대한 무상사용허가
⑬ 중학교 의무교육의 위탁관계
⑭ 「도시 및 주거환경정비법」상 주택재건축정비사업조합을 상대로 관리처분계획안에 대한 조합 총회결의의 효력 등을 다투는 소송
⑮ 귀속재산처리법에 의한 귀속재산 매각

사법관계 예시

① 잡종재산(현 일반재산)인 국유림 대부행위 및 대부료 납부고지
② 예산회계법(현 「국가를 당사자로 하는 계약에 관한 법률」) 또는 지방재정법에 따른 행정주체의 계약체결
③ 입찰보증금의 국고귀속조치
④ 환매권 및 환매권행사로 인한 매수, 환매금액의 증감을 구하는 소송
⑤ 공기업과 직원의 근무관계
  • 서울특별시 지하철공사의 임원과 직원의 근무관계
  • 한국조폐공사직원의 근무관계
  • 한국방송공사의 직원채용관계
⑥ 전기·전화공급관계
⑦ 국유재산(잡종재산(현 일반재산))의 매각 및 매각신청반려행위
⑧ 국영철도·지하철이용관계, 시영버스이용관계
⑨ 「공익사업을 위한 토지 등의 취득 및 보상에 관한 법률」에 의한 협의취득
⑩ 구 「공공용지의 취득 및 손실보상에 관한 특례법」에 의한 협의취득 또는 보상합의
⑪ 사립학교 교원과 학교법인의 관계
⑫ 종합유선방송위원회 직원들의 근로관계
⑬ '공무원 및 사립학교 교직원 의료보험관리공단' 직원의 근무관계
⑭ 개발부담금 부과처분이 취소된 경우, 그 과오납금에 대한 부당이득반환청구
⑮ 창덕궁비원안내원들의 근무관계
⑯ 조세과오납금 반환청구
⑰ 주한미군 한국인 직원의료보험조합직원의 근무관계
⑱ 건설도급계약
⑲ 산림청장이 국유임야무상양여신청서를 반려한 거부처분행위
⑳ 사경제의 주체로서 체결하는 지방자치단체의 '공공계약'
㉑ 「지방지치단체를 당사자로 히는 계약에 관한 법률」상 입찰이나 수의계약을 통한 일반재산의 매각
㉒ 지방자치단체의 관할구역상 각급 학교에서 학교회계직원으로 근무하는 것을 내용으로 하는 근로계약
㉓ 한국공항공단이 무상사용허가를 받은 행정재산에 대하여 하는 전대행위
㉔ 지방자치단체와 사인 사이에 체결된 음식물류 폐기물의 수집 등을 내용으로 하는 용역도급계약

기타

• 행정편의를 위하여 사법(私法)상의 금전급부의무불이행에 대해 국세징수법 중 체납처분(현 강제징수－이하 동일)에 관한 규정을 준용하는 경우에는 당해 의무가 법에 의해 행정상 강제징수의 대상이 되는 것으로 규정되어 있더라도 여전히 사법상 의무이며 공법상 의무가 되지 않음.
• 다만, 체납처분행위(압류·매각 등을 의미)는 공법행위이며 특별한 사정이 없는 한 민사소송의 방법으로 대부료 등의 지급을 구하는 것은 허용되지 않음(판례).
  －이 경우 국유일반재산의 강제징수는 공법행위인 처분이므로 체납처분을 대상으로 행정소송을 제기할 수 있음.

행정상 법률관계

행정조직법관계

주로 행정주체 내부관계

행정작용법관계

공법관계

구분	권력관계(본래적 공법관계)	관리관계(전래적 공법관계)
개념	행정주체에게 우월적 지위가 인정되는 법률관계	공권력주체가 아니라 공적 재산 또는 사업의 관리주체로서 국민을 대하는 관계
특성	공정력, 존속력 등 우월한 효력 인정, 법일반원리적 규정 이외에는 사법규정의 적용배제	사법관계와 달리 공행정 목적을 수행. 단, 비권력관계로서 원칙적으로 사법의 규율을 받음.

사법관계(국고관계)(제19강)

(협의의) 국고관계	행정사법관계
행정주체가 일반사인과 같은 사법상의 재산권주체로서 사인과 맺는 관계	행정주체가 공행정작용을 수행하면서 사법적 형식으로 국민과 맺는 법률관계

행정법관계의 당사자

행정주체

행정기관과 행정주체의 구별

구분	행정기관	행정주체
개념	행정을 실제로 수행하는 자	행정법관계에서 행정권을 행사하고 그 행위의 법적 효과가 궁극적으로 귀속되는 당사자
법인격성	독립적인 법인격 없음. ⇨ 직무수행의 권한은 있으나 독자적인 권리는 없음(원칙).	법인격 있음. ⇨ 행정기관이 한 행위의 법적 효과의 귀속주체는 행정주체임.
종류	① 행정청 : 행정에 관한 의사를 결정하여 표시하는 국가 또는 지방자치단체의 (행정)기관, 그 밖에 법령 등에 따라 행정에 관한 의사를 결정하여 표시하는 권한을 가지고 있거나 그 권한을 위임 또는 위탁받은 공공단체 또는 그 기관이나 사인(私人), 항고소송의 피고적격을 가짐. ② 의결기관 : 의사결정권한만 있으며 외부에 표시할 권한은 없음(예 징계위원회). ③ 보조기관(예 차관·국장·실장 등) 보좌기관(예 차관보·비서실 등)	① 국가 ② 공공단체 ③ 공무수탁사인

행정주체의 종류

국가	• 시원적 주체

공공단체
- **지방자치단체** : 지역+주민
  - 광역지방자치단체 : 특별시, 광역시, 특별자치시, 도, 제주특별자치도
  - 기초지방자치단체 : 시, 군, 자치구
- **공공조합** : 조합원 등 구성원(농지개량조합, 재개발조합 등)
- **영조물법인** : 이용자(서울대학교, 한국방송공사, 국립의료원 등)
- **공재단** : 수혜자(한국연구재단 등)

공무수탁사인
- **개념** : 공행정사무를 위탁받아 자신의 이름으로 처리할 수 있는 권한을 부여받은 행정주체인 사인(자연인, 법인, 법인격 없는 단체)
- **예** : 별정우체국장, 선장, 항공기 기장, 사립대학교장, 사인이 토지수용권을 행사하는 경우, 교정업무를 수행하는 교정법인 또는 민영교도소, 공증업무를 수행하는 공증인, 불법행위를 한 변호사에 대해 제재처분을 내리는 경우의 변호사협회 등
- 행정보조인, 사실상 계약에 의해 경영위탁을 받은 자(예 견인업자, 쓰레기수거업자 등)는 공무수탁사인이 아님.
- **관련문제** : 소득세원천징수의무자의 원천징수행위는 행정처분이 아님(판례).
- **법적 근거** : 공권력행사 권한이 사인에게 이전되는 제도이므로 법적 근거가 필요함.
- **공무를 위탁한 행정주체와 공무수탁사인의 관계**
  - 특별감독관계
  - 국가가 수탁사무수행의 합법성뿐만 아니라 합목적성(타당성)까지도 감독할 수 있음.
- **공무수탁사인의 공무수행과 권리구제**
  - 항고소송 : 피고는 공무수탁사인(수탁받은 공무를 수행하는 범위 내에서는 행정주체, 행정기본법·행정절차법·행정심판법·행정소송법상으로는 행정청에 해당)
  - 당사자소송(공법상 계약) : 피고는 공무수탁사인
  - 손해배상 : 공무를 위탁한 국가 또는 지방자치단체를 상대로 청구 가능
  - 손실보상 : 공무수탁사인이 토지보상법상 사업시행자에 해당하는 경우라면 손실보상책임 부담

행정객체

의의
- **개념** : 공권력행사의 상대방을 의미, 일반적으로 사인은 행정객체
- 지방자치단체 등의 공공단체도 국가나 다른 공공단체에 대해서는 행정객체의 지위에 서는 경우가 있음.

행정기관
법인격성이 인정될 수 없으므로 권리·의무의 주체가 되지 못함.

초대 Topic 8 핵심집약 Topic 09

01 | 행정법관계

법률관계란 법에 의하여 규율되는 생활관계를 의미하며, 당사자 간의 권리·의무관계가 원칙적인 내용을 이룬다. 따라서 행정상 법률관계란 행정활동을 기초로 하여 맺어지는 권리·의무관계를 말한다. 그런데 행정상 법률관계가 모두 행정법관계는 아니다. 조달청이라는 행정부에서 책상을 구매하는 계약은 조달행정상의 계약, 즉 행정상의 법률관계이기는 하나 **사법(私法)에 따른 계약**으로서 사법의 규율을 받는 관계이므로 행정법관계에 해당하지 않는다. 왜냐하면 행정법관계는 행정상 법률관계 중 공법의 규율을 받는 법률관계를 말하는 것이기 때문이다.01 그러므로 행정법관계는 공법관계인바, 이하에서 공법관계와 사법관계의 구별에 대해 살펴보고 행정상의 법률관계에 대해 살펴본다.ⓐ

02 | 공법관계(행정법관계)와 사법(私法)관계

공법관계(행정법관계)와 사법관계는 적용되는 법원리가 다른바, 구별의 실익은 구체적으로 무엇이며, 양자를 구별하는 기준은 어떤 것인지가 문제되는데, 이하에서 이에 대해 살펴본다.

❶ 구별의 필요성(실익)

구 분	공법관계	사법관계
적용 법원리02ⓑ	공법원리의 적용	사법원리의 적용
소 송03	분쟁해결은 행정소송(항고소송, 당사자소송, 민중소송, 기관소송)	분쟁해결은 민사소송04

❷ 구별의 기준

1. 1차적 기준

(1) 공법관계와 사법관계는 1차적으로 관계법령의 규정내용과 성질 등을 기준으로 하여 구별한다.05 예컨대, 법규가 행정상 강제집행 등을 인정하고 있는 경우에 그 법규는 공법이며 그 대상이 되는 행위는 공법행위가 되므로 이와 관련된 법률관계는 공법관계가 된다. 또한, 법적 분쟁에 대해 행정상 쟁송을 제기하도록 명문규정을 두고 있는 경우에도 그 규율대상이 되는 행위는 공법행위라고 할 수 있으므로 이와 관련된 관계도 공법관계가 된다.

(2) 다만, 행정편의를 위하여 사법(私法)상의 금전급부의무(예컨대, 일반재산의 대부료를 연체한 경우) 불이행에 대해 국세징수법 중 체납처분(강제징수)에 관한 규정을 준용❶하는 경우에는 당해 의무가 법에 의해 행정상 강제징수의 대상이 되는 것으로 규정되어 있더라도 여전히 사법상 의무이며 공법상 의무가 되지 않는다(대판 1993. 12. 21, 93누13735). 다만, 체납처분행위(압류·매각 등을 의미)는 공법행위

❶ 국유재산법 제73조 【연체료 등의 징수】 ② 중앙관서의 장 등은 국유재산의 사용료, 관리소홀에 따른 가산금, 대부료, 변상금 및 제1항에 따른 연체료가 납부기한까지 납부되지 아니한 경우에는 다음 각 호의 방법에 따라 국세징수법 제10조와 같은 법의 체납처분에 관한 규정을 준용하여 징수할 수 있다.

ⓐ 행정상 ─┬─ 공법관계
　법률관계 └─ 사법관계(조달행정 등)

ⓑ 예컨대, 식품위생법(공법인 행정법)에 따른 영업정지처분을 하는 경우에는 평등의 원칙, 비례의 원칙 등(공법원리)을 준수하여야 하나, 편의점에서 손님에게 물건을 파는 경우는 사법이 적용되므로 공법원리가 적용되지 않고 사법원리가 적용되어 사적 자치의 원칙에 따른다.

정답 01 ○ 02 ○ 03 ○ 04 × 05 ○

이며 특별한 사정이 없는 한 민사소송의 방법으로 대부료 등의 지급을 구하는 것은 허용되지 않는다는 것이 판례의 입장이다(대판 2014. 9. 4, 2014다203588).**01** 한편 이 경우 국유일반재산의 강제징수는 공법행위인 처분이므로 상대방인 국민은 체납처분을 상대로 행정소송을 제기하여 이를 다툴 수 있다.**02**

2. 2차적 기준

법규정의 해석으로도 명확하지 않은 경우 공법관계와 사법관계를 어떻게 구별할 것인지에 대한 학설로는 주체설 등 다양한 학설이 존재하는바 통설은 복수기준설을 취하고 있다.

3. 판례의 태도

(1) 공법관계로 본 판례

관련판례

1. 국유재산 '무단점유자에 대한 변상금 부과처분'은 관리청이 우월적 지위에서 행한 것으로서 행정처분이다.**03 04 ★★★**

   (구)국유재산법 제51조 제1항은 국유재산의 무단점유자에 대하여는 대부 또는 사용·수익허가 등을 받은 경우에 납부하여야 할 대부료 또는 사용료 상당액 외에도 그 징벌적 의미에서 국가 측이 일방적으로 그 2할 상당액을 추가하여 변상금을 징수토록 하고 있으며 동조 제2항은 변상금의 체납시 국세징수법에 의하여 강제징수토록 하고 있는 점 등에 비추어 보면 국유재산의 관리청이 그 무단점유자에 대하여 하는 변상금 부과처분은 순전히 사경제주체로서 행하는 사법상의 법률행위라 할 수 없고 이는 관리청이 공권력을 가진 우월적 지위에서 행한 것으로서 행정소송의 대상이 되는 행정처분이라고 보아야 한다(대판 1988. 2. 23, 87누1046·1047).**05**

2. 국유재산의 무단점유자에 대한 변상금부과는 공권력을 가진 우월적 지위에서 행하는 행정처분이고, 그 부과처분에 의한 변상금징수권은 공법상의 권리인 반면,**06** 민사상 부당이득반환청구권은 국유재산의 소유자로서 가지는 사법상의 채권이다(대판 2014. 9. 4, 2013다3576).

3. 구 도시재개발법에 의한 재개발조합에 대하여 조합원 자격확인을 구하는 소송은 공법상 당사자소송이다.**★**

   구 도시재개발법(1995. 12. 29, 법률 제5116호로 전문개정되기 전의 것)에 의한 재개발조합은 조합원에 대한 법률관계에서 적어도 특수한 존립목적을 부여받은 특수한 행정주체로서 국가의 감독하에 그 존립목적인 특정한 공공사무를 행하고 있다고 볼 수 있는 범위 내에서는 공법상의 권리·의무관계에 서 있다. 따라서 조합을 상대로 한 쟁송에 있어서 강제가입제를 특색으로 한 조합원의 자격 인정 여부에 관하여 다툼이 있는 경우에는 그 단계에서는 아직 조합의 어떠한 처분 등이 개입될 여지는 없으므로 공법상의 당사자소송에 의하여 그 조합원 자격의 확인을 구할 수 있고, …… (대판 1996. 2. 15, 94다31235 전합)

4. 국가나 지방자치단체에 근무하는 청원경찰에 대한 징계처분의 시정을 구하는 소는 행정소송의 대상이지 민사소송의 대상이 아니다.**07 ★★★**

   국가나 지방자치단체에 근무하는 청원경찰은 국가공무원법이나 지방공무원법상의 공무원은 아니지만, 다른 청원경찰과는 달리 그 임용권자가 행정기관의 장이고, 국가나 지방자치단체로부터 보수를 받으며, 산업재해보상보험법이나 근로기준법이 아닌 공무원연금법에 따른 재해보상과 퇴직급여를 지급받고, 직무상의 불법행위에 대하여도 민법이 아닌 국가배상법이 적용되는 등의 특질이 있으며 그 외 임용자격, 직무, 복무의무내용 등을 종합하여 볼 때, 그 근무관계를 사법상의 고용계약관계로 보기는 어려우므로 그에 대한 징계처분의 시정을 구하는 소는 행정소송의 대상이지 민사소송의 대상이 아니다(대판 1993. 7. 13, 92다47564).**08**

5. 서울시립무용단원의 위촉은 공법상 계약이며 그 해촉에 관한 분쟁은 행정소송인 공법상 당사자소송의 대상이 된다.

   (구)지방자치법 제9조 제2항 제5호 (라)목 및 (마)목 등의 규정에 의하면, 서울특별시립무용단원의 공

기출 체크

□□□□□ **01** 국유 일반재산의 대부료 징수에 관하여 국세 체납처분의 예에 따른 간이하고 경제적인 특별한 구제절차가 마련되어 있으므로, 특별한 사정이 없는 한 민사소송으로 일반재산의 대부료 지급을 구하는 것은 허용되지 않는다. (○, ×) ★★
2018 국가직 7급

□□□□□ **02** 행정편의를 위하여 사법상의 금전급부의무의 불이행에 대하여 국세징수법상 체납처분에 관한 규정을 준용하는 경우에 체납처분을 다투는 소송(은 행정소송법상의 행정소송에 해당한다) (○, ×) ★★
2018 지방직 9급

□□□□□ **03** 국유재산 무단점유자에 대한 변상금 부과는 관리청이 공권력을 가진 우월적 지위에서 행한 것으로서 행정소송의 대상이 되는 행정처분이다. (○, ×) ★★★
2023 국회직 8급

□□□□□ **04** 국유재산의 무단점유에 대한 변상금부과는 공법관계에 해당하나, 국유 일반재산의 대부행위는 사법관계에 해당한다. (○, ×) ★★★
2023 국가직 9급

□□□□□ **05** <보기>의 행정상 법률관계 중 행정소송의 대상이 되는 경우만을 모두 고른 것은? ★★★
2019 서울시 9급

> ㉠ 지방재정법에 따라 지방자치단체가 당사자가 되어 체결하는 계약에 있어 계약보증금의 귀속조치
> ㉡ 국유재산의 무단점유자에 대한 변상금의 부과
> ㉢ 시립무용단원의 해촉
> ㉣ 행정재산의 사용·수익허가 신청의 거부

① ㉠, ㉢   ② ㉡, ㉣
③ ㉠, ㉢, ㉣   ④ ㉡, ㉢, ㉣

□□□□□ **06** 국유재산의 무단점유자에 대한 변상금부과는 공권력을 가진 우월적 지위에서 행하는 행정처분이고, 그 부과처분에 의한 변상금징수권은 공법상의 권리이다. (○, ×)
2024 소방간부

□□□□□ **07** 국가나 지방자치단체에 근무하는 청원경찰의 징계처분에 대한 소송(은 행정소송법상의 행정소송에 해당한다) (○, ×) ★★★
2018 지방직 9급

□□□□□ **08** 국가나 지방자치단체에 근무하는 청원경찰은 국가공무원법이나 지방공무원법상의 공무원은 아니지만, 다른 청원경찰과는 달리 그 임용권자가 행정기관의 장이고, 국가나 지방자치단체로부터 보수를 받으므로, 그 근무관계는 사법상의 고용계약관계로 보기는 어려우며 그에 대한 징계처분의 시정을 구하는 소는 행정소송의 대상이지 민사소송의 대상이 아니다. (○, ×) ★★★
2023 군무원 9급

판례 | ❶ 국유 일반재산의 대부료 등의 지급을 원칙적으로 민사소송의 방법으로 구할 수는 없다.
국유 일반재산의 대부료 등의 징수에 관하여는 국세징수법 규정을 준용한 간이하고 경제적인 특별구제절차가 마련되어 있으므로, 특별한 사정이 없는 한 민사소송의 방법으로 대부료 등의 지급을 구하는 것은 허용되지 아니한다(대판 2014. 9. 4, 2014다203588)..

정답 01 ○ 02 ○ 03 ○ 04 ○ 05 ④
06 ○ 07 ○ 08 ○

연 등 활동은 지방문화 및 예술을 진흥시키고자 하는 서울특별시의 공공적 업무수행의 일환으로 이루어진다고 해석될 뿐 아니라, …… 서울특별시립무용단원이 가지는 지위가 공무원과 유사한 것이라면, <u>서울특별시립 무용단 단원의 위촉은 공법상의 계약이라고 할 것이고, 그 단원의 해촉에 대하여는 공법상의 당사자소송으로 그 무효확인을 청구할 수 있다</u>(대판 1995. 12. 22, 95누4636).

6. **농지개량조합과 그 직원**(편저자 주 : 직원이 아니라 조합원을 의미하는데 판례가 표현을 잘못한 것이다)**의 관계는 공법상의 특별권력관계로서 농지개량조합이 조합직원에 대하여 행한 징계처분은 행정소송의 대상이 되는 처분이다.01 ★★★**

   농지개량조합과 그 직원의 관계는 사법상의 근로계약관계가 아닌 <u>공법상의 특별권력관계</u>이고, 그 조합의 직원에 대한 징계처분의 취소를 구하는 소송은 행정소송사항에 속한다(대판 1995. 6. 9, 94누10870).

7. **공유재산의 관리청이 행하는 행정재산의 사용·수익에 대한 허가는 순전히 사경제주체로서 행하는 사법상의 행위가 아니라 관리청이 공권력을 가진 우월적 지위에서 행하는 행정처분으로서 특정인에게 행정재산을 사용할 수 있는 권리를 설정하여 주는 강학상 특허에 해당한다.02 ★★★**

   <u>행정재산의 사용·수익허가처분의 성질에 비추어 국민에게는 행정재산의 사용·수익허가를 신청할 법규상 또는 조리상의 권리가 있다고 할 것이므로 공유재산의 관리청이 행정재산의 사용·수익에 대한 허가신청을 거부한 행위 역시 행정처분에 해당한다</u>(대판 1998. 2. 27, 97누105).03

8. **국유재산의 관리청이 행정재산의 사용·수익을 허가한 다음, 그 자에 대하여 한 <u>사용료 부과</u>는 우월적 지위에서 행한 것으로서 <u>행정처분에 해당한다</u>**(대판 1996. 2. 13, 95누11023).04 ★★★

   > **비교판례**
   >
   > 한국공항공단이 정부로부터 무상사용허가를 받은 행정재산을 구 한국공항공단법 제17조에서 정한 바에 따라 전대하는 경우에 미리 그 계획을 작성하여 건설교통부장관에게 제출하고 승인을 얻어야 하는 등 일부 공법적 규율을 받고 있다고 하더라도, 한국공항공단이 그 행정재산의 관리청으로부터 국유재산관리사무의 위임을 받거나 국유재산관리의 위탁을 받지 않은 이상, <u>한국공항공단이 무상사용허가를 받은 행정재산에 대하여 하는 전대행위는 통상의 사인 간의 임대차와 다를 바가 없다</u>(대판 2004. 1. 15, 2001다12638).05 06

9. **국립의료원 부설주차장에 관한 위탁관리용역운영계약은 계약이라는 용어에도 불구하고 행정재산의 사용허가로서 강학상 특허에 해당한다.07 ★★★**

   <u>국립의료원 부설주차장에 관한 위탁관리용역운영계약의 실질은 행정재산인 위 부설주차장에 대한 국유재산법 제24조 제1항에 의한 사용·수익허가로서 이루어진 것임을 알 수 있으므로, 이는 위 국립의료원이 원고의 신청에 의하여 공권력을 가진 우월적 지위에서 행한 행정처분으로서 특정인에게 행정재산을 사용할 수 있는 권리를 설정하여 주는 강학상 특허에 해당한다 할 것이고 순전히 사경제주체로서 원고와 대등한 위치에서 행한 사법상의 계약으로 보기 어렵다고 할 것이다</u>(대판 2006. 3. 9, 2004다31074).

10. **한국전력공사의 수신료 부과행위는 공법관계이다.**

    수신료의 법적 성격, 피고 보조참가인(한국방송공사)의 수신료 강제징수권의 내용〔구 방송법(2008. 2. 29, 법률 제8867호로 개정되기 전의 것) 제66조 제3항〕 등에 비추어 보면 수신료 부과행위는 공권력의 행사에 해당하므로, 피고(한국전력공사)가 피고 보조참가인(한국방송공사)으로부터 수신료의 징수업무를 위탁받아 자신의 고유업무와 관련된 고지행위와 결합하여 수신료를 징수할 권한이 있는지 여부를 다투는 이 사건 쟁송은 민사소송이 아니라 공법상의 법률관계를 대상으로 하는 것으로서 행정소송법 제3조 제2호에 규정된 당사자소송에 의하여야 한다고 봄이 상당하다(대판 2008. 7. 24, 2007다25261).

11. <u>수도료의 부과징수와 이에 따른 수도료의 납부관계는 공법상의 권리·의무관계이다</u>(대판 1977. 2. 22, 76다2517).08 ★★

12. <u>공공하수도의 이용관계는 공법관계라고 할 것이고</u> …… (대판 2003. 6. 24, 2001두8865)09

13. <u>조세채무관계는 공법관계이다.</u>

    조세채무는 법률의 규정에 의하여 정해지는 법정채무로서 당사자가 그 내용 등을 임의로 정할 수 없고, 조세채무관계는 공법상의 법률관계이고 그에 관한 쟁송은 원칙적으로 행정사건으로서 행정소송법의 적용을 받는다(대판 2007. 12. 14, 2005다1848).10

14. (서울대공원 놀이시설을 준공하여 서울시에 기부한 후 일정기간 무상사용허가를 받은 것과 관련하여) 구 지방재정법 제75조의 규정에 따라 기부채납받은 행정재산에 대해 공유재산 관리청의 기부자에게 사용·수익허가를 하는 것은 공법관계로서 행정처분(특허)이다. ⓐ ★★★

공유재산의 관리청이 하는 행정재산의 사용·수익에 대한 허가는 순전히 사경제주체로서 행하는 사법상의 행위가 아니라 관리청이 공권력을 가진 우월적 지위에서 행하는 행정처분이라고 보아야 할 것인바, …… 그 행정재산이 구 지방재정법 제75조의 규정에 따라 기부채납받은 재산이라 하여 그에 대한 사용·수익허가의 성질이 달라진다고 할 수는 없다(대판 2001. 6. 15, 99두509).

┌ 비교판례

지방자치단체가 구 지방재정법 시행령 제71조의 규정에 따라 기부채납받은 공유재산을 무상으로 기부자에게 사용을 허용하는 행위는 사경제주체로서 상대방과 대등한 입장에서 하는 사법상 행위이지 행정청이 공권력의 주체로서 행하는 공법상 행위라고 할 수 없으므로, 기부자가 기부채납한 부동산을 일정기간 무상사용한 후에 한 사용허가기간 연장신청을 거부한 행정청의 행위도 단순한 사법상의 행위일 뿐 행정처분 기타 공법상 법률관계에 있어서의 행위는 아니다(대판 1994. 1. 25, 93누7365). ⓑ

15. 사립중학교에 대한 중학교 의무교육의 위탁관계는 초·중등교육법 제12조 제3항, 제4항 등 관련법령에 의하여 정해지는 공법적 관계이다(대판 2015. 1. 29, 2012두7387). **01** ★★

┌ 비교판례

사법인(私法人)인 학교법인과 학생의 재학관계는 사법상 계약에 따른 법률관계에 해당한다. 지방자치단체가 학교법인이 설립한 사립중학교에 의무교육대상자에 대한 교육을 위탁한 때에 그 학교법인과 해당 사립중학교에 재학 중인 학생의 재학관계도 기본적으로 마찬가지이다(대판 2018. 12. 28, 2016다33196). **02** ★★

16. 행정관청이 국유재산을 매각하는 것은 사법상의 매매계약일 수도 있으나 귀속재산처리법에 의하여 귀속재산을 매각하는 것은 행정처분이지 사법상의 매매가 아니다(대판 1991. 6. 25, 91다10435). **03** ★

(2) 사법관계로 본 판례

┌ 관련판례

1. '잡종재산'(현 '일반재산')인 국유림 대부행위는 사법관계이다. ★★★

   산림청장이나 그로부터 권한을 위임받은 행정청이 산림법 등이 정하는 바에 따라 국유임야를 대부하거나 매각하는 행위는 사경제적 주체로서 상대방과 대등한 입장에서 하는 사법상 계약이지 행정청이 공권력의 주체로서 상대방의 의사 여하에 불구하고 일방적으로 행하는 행정처분이라고 볼 수 없다(대판 1993. 12. 7, 91누11612).

2. 국유잡종재산(현 일반재산) 대부행위의 법적 성질은 사법상 계약이고 **04** 그 대부료 납부고지의 법적 성질은 사법상의 이행청구에 불과하다. **05 06 07** ★★★

   국유잡종재산을 대부하는 행위는 국가가 사경제주체로서 상대방과 대등한 위치에서 행하는 사법상의 계약이고, 행정청이 공권력의 주체로서 상대방의 의사 여하에 불구하고 일방적으로 행하는 행정처분이라고 볼 수 없으며, 국유잡종재산에 관한 대부료의 납부고지 역시 사법상의 이행청구에 해당하고, 이를 행정처분이라고 할 수 없다(대판 2000. 2. 11, 99다61675). **08**

3. 〔보건소가 행한 의약품 구매 입찰에서 낙찰된 회사(A회사)가 의약품을 공급하기 위해 예방접종 의약품을 제조하는 회사(B회사)와 구매계약을 체결하려고 하였으나 계약체결이 되지 않아 의약품 공급이 어려워지자 보건소장이 A회사에 대한 낙찰을 취소한 사안에서 이는 사법관계라고 판시하면서〕 구 예산회계법(현 「국가를 당사자로 하는 계약에 관한 법률」) 또는 지방재정법에 따라 지방자치단체가 체결하는 계약은 사법상 계약이다(대판 1996. 12. 20, 96누14708). ★★

ⓐ 공물은 국가 등이 설치하는 것이 일반적이지만 사도(私道)를 개설하는 것처럼 사인이 설치하는 경우도 있다. 그런데 이를 설치 후에 무상으로 행정주체에 기부하고 그 대신 일정기간 사용허가를 받는 경우에는 이것이 공법관계인지 사법관계인지 문제된다. 이는 기본적으로 그 재산이 공물인지 사물인지에 따라 달라진다고 볼 수 있는데 14번 판례의 재산인 서울대공원의 놀이시설은 「도시공원 및 녹지 등에 관한 법률」상의 공원시설로서 공물에 속한다. 이러한 재산, 즉 공물의 사용·수익을 허가하는 것은 공법관계라는 것이 판례의 입장이다.

ⓑ 구 지방재정법 시행령 제71조는 일반재산에 관한 규정이다. 따라서 사법관계로 본 판례이다. 14번 판례(99두509)와 구별하기 바란다.

□□□□□ **01** 국가가 수익자인 수요기관을 위하여 국민을 계약상대자로 하여 체결하는 요청조달계약에는 다른 법률에 특별한 규정이 없는 한 당연히 「국가를 당사자로 하는 계약에 관한 법률」이 적용된다. (○, ×)   2023 소방직 9급

□□□□□ **02** 조달청장이 예산회계법에 따라 계약을 체결하거나 입찰보증금 국고귀속조치를 취하는 것은 사법관계에 해당한다. (○, ×) ★★★   2023 국가직 9급

□□□□□ **03** 공용수용의 목적물이 불필요하게 된 경우 피수용자가 다시 수용된 토지의 소유권을 회복할 수 있도록 하는 환매권은 일종의 공권이다. (○, ×) ★★   2020 국회직 8급

□□□□□ **04** 「공익사업을 위한 토지 등의 취득 및 보상에 관한 법률」상 환매권의 존부에 관한 확인을 구하는 소송 및 환매금액의 증감을 구하는 소송은 민사소송이다. (○, ×) ★★   2022 국가직 9급

□□□□□ **05** 서울특별시 지하철공사의 사장이 소속 직원에게 한 징계처분에 대한 불복절차는 민사소송에 의하여야 한다. (○, ×) ★★   2023 군무원 9급

□□□□□ **06** 한국조폐공사의 임원과 직원의 근무관계(는 공법관계에 해당한다) (○, ×) ★★   2018 경행경채 3차

□□□□□ **07** 한국자산관리공사가 국유재산 중 일반재산에 관하여 그 처분을 위임받아 매도하는 것은 행정청이 공권력의 주체라는 우월적 지위에서 행하는 공법상의 행정처분이 아니라 사경제주체로서 행하는 사법상의 법률행위에 해당하여 헌법소원심판의 대상이 되는 공권력의 행사에 해당하지 않는다. (○, ×) ★★   2023 소방직 9급

□□□□□ **08** 국유재산법의 규정에 의하여 총괄청 또는 그 권한을 위임받은 기관이 국유재산을 매각하는 행위는 사경제주체로서 행하는 사법상의 법률행위에 지나지 아니한다. (○, ×) ★★   2015 국회직 8급.

ⓐ 환매권은 토지를 수용당한 자가 일정한 경우 수용당한 토지를 다시 매수하여 그 토지의 소유권을 회복할 수 있는 권리를 말한다.

4. 구 「국가를 당사자로 하는 계약에 관한 법률」(이하 '국가계약법'이라 한다) 제2조는 그 적용범위에 관하여 국가가 대한민국 국민을 계약상대자로 하여 체결하는 계약 등 국가를 당사자로 하는 계약에 대하여 위 법을 적용한다고 규정하고 있고, 제3조는 국가를 당사자로 하는 계약에 관하여는 다른 법률에 특별한 규정이 있는 경우를 제외하고는 이 법에서 정하는 바에 의한다고 규정하고 있으므로, <u>국가가 수익자인 수요기관을 위하여 국민을 계약상대자로 하여 체결하는 요청조달계약에는 다른 법률에 특별한 규정이 없는 한 당연히 국가계약법이 적용된다</u>(대판 2017. 12. 28, 2017두39433).**01**

5. 구 예산회계법(현 「국가를 당사자로 하는 계약에 관한 법률」)상 **입찰보증금의 국고귀속조치는 민사소송의 대상이 된다.02** ★★★

   예산회계법에 따라 체결되는 계약은 사법상의 계약이라고 할 것이고 동법 제70조의5의 입찰보증금은 낙찰자의 계약체결의무이행의 확보를 목적으로 하여 그 불이행시에 이를 국고에 귀속시켜 국가의 손해를 전보하는 사법상 손해배상예정의 성질을 갖는 것이므로 <u>입찰보증금의 국고귀속조치는 국가가 사법상 재산권의 주체로서 행위하는 것이지 공권력을 행사하는 것이거나 공권력작용과 일체성을 가진 것이 아니므로 이에 관한 분쟁은 행정소송이 아닌 민사소송의 대상이 될 수밖에 없다고 할 것이다</u>(대판 1983. 12. 27, 81누366).

6. 환매권은 재판상이든 재판 외이든 그 기간 내에 행사하면 이로써 매매의 효력이 생기고, 위 매매는 「징발재산정리에 관한 특별조치법」 제20조 제1항에 적힌 환매권자와 국가 간의 <u>사법상의 매매</u>라 할 것이다(대판 1992. 4. 24, 92다4673).**03** ★★

7. **환매권ⓐ 행사로 인한 매수의 성질은 사법(私法)상의 매매이다.** ★

   「국가보위에 관한 특별조치법 제5조 제4항에 의한 동원대상지역 내의 토지의 수용·사용에 관한 특별조치령」 제39조 제1항에 규정된 환매권행사로 인한 매수의 성질은 사법상의 매매와 같은 것이다(대판 1998. 5. 26, 96다49018).

8. 구 「공익사업을 위한 토지 등의 취득 및 보상에 관한 법률」 제91조에 규정된 환매권은 상대방에 대한 의사표시를 요하는 형성권의 일종으로서 재판상이든 재판 외이든 위 규정에 따른 기간 내에 행사하면 매매의 효력이 생기는바, 이러한 <u>환매권의 존부에 관한 확인을 구하는 소송 및 구 토지보상법 제91조 제4항에 따라 환매금액의 증감을 구하는 소송 역시 민사소송에 해당한다</u>(대판 2013. 2. 28, 2010두22368).**04** ★★

9. **공기업과 직원의 근무관계(서울특별시 지하철공사의 임원과 직원의 근무관계, 한국조폐공사직원의 근무관계, 한국방송공사의 직원채용관계)는 사법상의 근무관계이다.** ★★

   ① 서울특별시 지하철공사의 임원과 직원의 근무관계의 성질은 지방공기업법의 모든 규정을 살펴보아도 공법상의 특별권력관계라고는 볼 수 없고 <u>사법관계에 속할 뿐만 아니라</u>, 위 지하철공사의 사장이 그 이사회 결의를 거쳐 제정된 인사규정에 의거하여 소속직원에 대한 징계처분을 한 경우 위 사장은 행정소송법 제13조 제1항 본문과 제2조 제2항 소정의 행정청에 해당되지 않으므로 공권력발동 주체로서 위 징계처분을 행한 것으로 볼 수 없고, 따라서 이에 대한 불복절차는 <u>민사소송에 의할 것이지 행정소송에 의할 수는 없다</u>(대판 1989. 9. 12, 89누2103).**05**

   ② 한국조폐공사 직원의 근무관계는 <u>사법관계에 속하고 그 직원의 파면행위도 사법상의 행위</u>라고 보아야 한다(대판 1978. 4. 25, 78다414).**06**

   ③ 한국방송공사의 직원채용관계는 <u>사법적인 관계</u>에 해당한다(헌재 2006. 11. 30, 2005헌마855).

10. 전화가입계약·해지는 <u>사법상 계약·해지</u>에 불과하므로 행정소송이 아닌 민사소송을 제기하여야 한다(대판 1982. 12. 28, 82누441).

11. **국유재산(잡종재산(현 일반재산))의 매각 및 매각신청반려행위는 사법상의 행위에 불과하다**(대판 1986. 6. 24, 86누171).**07 08** ★★

12. **철도운행사업 등 국유철도·시영지하철이용관계는 사법관계에 불과하다**(대판 1999. 6. 22, 99다7008).

13. 「공익사업을 위한 토지 등의 취득 및 보상에 관한 법률」에 의한 <u>협의취득은 사법(私法)상의 법률행위이</u>
<u>다.★★★</u>

공익사업을 위한 토지 등의 취득 및 보상에 관한 법령에 의한 협의취득은 사법상의 법률행위이므로 당
사자 사이의 자유로운 의사에 따라 채무불이행책임이나 매매대금 과부족금에 대한 지급의무를 약정
할 수 있다(대판 2012. 2. 23, 2010다91206).**01**

14. <u>구 「공공용지의 취득 및 손실보상에 관한 특례법」에 의한 협의취득 또는 보상합의는 사법상 계약이다</u>(대판
2004. 9. 24, 2002다68713).

15. 구 「공공용지의 취득 및 손실보상에 관한 특례법」상의 <u>협의취득에 기한 손실보상금의 환수통보는 사법(私法)</u>
<u>상의 이행청구에 해당하는 것으로 항고소송의 대상이 될 수 없다</u>(대판 2010. 11. 11, 2010두14367).**02** ★

16. <u>사립학교 교원과 학교법인은 사법상 관계이므로 사립학교 교원에 대한 학교법인의 해임은 민사소송의 대상</u>
<u>이다</u>(p.844 참조)(대판 1993. 2. 12, 92누13707).**03** ★

17. <u>종합유선방송위원회 직원들의 근로관계는 사법관계이다</u>(대판 2001. 12. 24, 2001다54038).**04** ★

18. <u>'공무원 및 사립학교 교직원 의료보험관리공단' 직원의 근무관계는 사법관계이다</u>(대판 1993. 11. 23, 93누
15212).★★

19. <u>개발부담금 부과처분이 취소된 경우, 그 과오납금에 대한 부당이득반환청구의 법률관계는 사법관계이</u>
<u>다.05 ★★★</u>

개발부담금 부과처분이 취소된 이상 그 후의 부당이득으로서의 과오납금 반환에 관한 법률관계는 단
순한 민사관계에 불과한 것이고, 행정소송절차에 따라야 하는 관계로 볼 수 없다(대판 1995. 12. 22, 94다
51253).

20. <u>창덕궁비원안내원들의 근무관계는 사법관계이다</u>(대판 1995. 10. 13, 95다184).

21. <u>조세과오납환환청구는 민사소송이다.★★★</u>

조세부과처분의 당연무효를 전제로 하여 이미 납부한 세금의 반환을 청구하는 것은 민사상의 부당
이득반환청구로서 민사소송절차에 따라야 한다는 것이 법원의 입장이다(대판 1995. 4. 28, 94다
55019).

22. <u>주한미군 한국인 직원의료보험조합직원의 근무관계는 사법관계에 속하는 것이므로06</u> 동 조합 직원
에 대한 위 조합의 징계면직처분은 항고소송의 대상이 되는 행정처분이 아니고 사법상의 법률행위라
고 보아야 한다(대판 1987. 12. 8, 87누884).

23-1. <u>지방자치단체가 일방 당사자가 되는 이른바 '공공계약'이 사경제의 주체로서 상대방과 대등한 위</u>
<u>치에서 체결하는 사법상 계약에 해당하는 경우 그에 관한 법령에 특별한 정함이 있는 경우를 제외하</u>
<u>고는 사적 자치와 계약자유의 원칙 등 사법의 원리가 그대로 적용된다.07 ★</u>

23-2. 피고 진주시와 폐기물처리업의 허가를 받은 원고 사이에 체결된 진주시에서 발생하는 <u>음식물류</u>
<u>폐기물의 수집 · 운반, 가로 청소, 재활용품의 수집 · 운반 업무의 대행을 위탁하고 그에 대한 대행료</u>
<u>를 지급하는 것을 내용으로 하는 용역도급계약은 사법상 계약이다</u>(대판 2018. 2. 13, 2014두11328).

24. 구 정부투자기관관리기본법(2007. 1. 19, 법률 제8258호 「공공기관의 운영에 관한 법률」 부칙 제2조
제1호로 폐지)의 적용대상인 <u>정부투자기관이 일방 당사자가 되는 계약</u>(이하 '공공계약'이라 한다)은
정부투자기관이 사경제의 주체로서 상대방과 대등한 위치에서 체결하는 사법(私法)상의 계약으로서
<u>본질적인 내용은 사인 간의 계약과 다를 바가 없으므로 그에 관한 법령에 특별한 정함이 있는 경우를</u>
<u>제외하고는 사적 자치와 계약자유의 원칙 등 사법의 원리가 그대로 적용된다</u>(대판 2014. 12. 24, 2010다
83182).

25. 국가를 당사자로 하는 계약이나 공공기관운영에 관한 법률의 적용대상인 공기업이 일방 당사자가 되는 계약(이하 편의상 '공공계약'이라 한다)은 국가 또는 공기업(이하 '국가 등'이라 한다)이 사경제주체로서 상대방과 대등한 위치에서 체결하는 사법상 계약으로서**01 02 03** 본질적인 내용은 사인 간의 계약과 다를 바가 없으므로, 법령에 특별한 정함이 있는 경우를 제외하고는 서로 대등한 입장에서 당사자의 합의에 따라 계약을 체결하여야 하고 당사자는 계약의 내용을 신의성실의 원칙에 따라 이행하여야 하는 등〔구 「국가를 당사자로 하는 계약에 관한 법률」(이하 '국가계약법'이라 한다) 제5조 제1항〕 사적 자치와 계약자유의 원칙을 비롯한 사법의 원리가 원칙적으로 적용된다(대판 2017. 12. 21, 2012다74076 전합).**04 05 06** ★★★

26. 지방자치단체의 관할구역 내에 있는 각급 학교에서 학교회계직원으로 근무하는 것을 내용으로 하는 근로계약은 사법상 계약이다(대판 2018. 5. 11, 2015다237748).**07**

읽기자료 | **국유재산의 분류**

국유재산은 국가가 직접 행정목적을 위해 소유, 사용, 보존하는 재산인 행정재산과 행정재산 외의 모든 국유재산인 일반재산으로 구분된다. 한편 행정재산은 다시 국가가 사용하는 정부종합청사 등의 공용재산과 일반인이 사용하는 공원 · 도로 등의 공공용재산, 그리고 문화재 등의 보존재산 등으로 구분된다. 일반재산은 국가가 직접적인 행정목적과 무관하게 보유하고 있는 재산으로서 국유림 등을 들 수 있다.

---

01 | 행정상 법률관계의 종류

행정상 법률관계는 행정의 조직과 작용에 관한 법률관계를 말하는 것으로, 넓은 의미로는 행정조직법적 관계와 행정작용법적 관계를 포함하지만, 좁은 의미로는 행정작용법적 관계만을 가리킨다.

❶ 행정조직법관계

1. 행정주체 상호 간의 관계

국가의 지방자치단체에 대한 감독관계, 지방자치단체 상호 간에 행하여지는 사무위탁 등이 여기에서 말하는 행정주체 상호 간의 관계에 해당한다.

2. 행정주체 내부관계

여기에는 각부장관 간의 관계와 같은 대등관청 간의 관계와, 장관과 소속기관장의 관계와 같은 비대등관청 간의 관계가 포함되는데, 이러한 관계는 엄밀한 의미에서 권리·의무관계라기보다는 권한행사관계에 불과하다.

❷ 행정작용법관계

행정주체와 그 상대방인 국민 사이의 법률관계를 행정작용법관계라고 하며, 이는 다시 행정법의 적용을 받는 공법관계(권력관계, 관리관계) 그리고 사법의 적용을 받는 사법관계((협의의) 국고관계, 행정사법관계)로 나눌 수 있다.

02 | 행정작용법관계

❶ 공법관계

1. 권력관계

(1) 개 념

권력관계란 국가 등 행정주체가 개인에 대해 일방적으로 명령·강제하거나 법률관계를 형성·변경·소멸시키는 등 행정주체에게 일반 사인에게는 인정되지 않는 우월적 지위가 인정되는 법률관계를 말하며, '본래적(本來的) 공법관계'라고도 한다.01

(2) 특 성

이러한 권력관계에는 공정력, 존속력 등 우월한 효력이 인정되고 법률의 구속을 받으며, 원칙적으로 법일반원리적 규정 이외에는 사법규정의 적용이 배제된다.02

기출 체크

□□□□□ **01** 권력관계란 행정주체에게 개인에게는 인정되지 않는 우월적 지위가 인정되는 법률관계이다. (○, ×) ★★
2011 사회복지직 9급

□□□□□ **02** 권력관계에는 확정력, 강제력 등 행정주체에게 법률상 우월한 힘이 인정된다. (○, ×)
2004 경기도 교행 9급

정답 **01** ○ **02** ○

ⓐ 관리관계라는 개념은 본래 프랑스행정법상의 개념을 일본의 다나카 지로(田中二郎)가 학설로 정착시킨 것으로 위와 같이 보는 것이 종래의 통설이었다. 그런데 관리관계라는 개념은 위에서 본 바와 같이 원칙적으로 사법의 적용을 받고 공익목적의 달성에 필요한 한도에서만 공법의 규율을 받는다는 점에서 이를 행정사법관계와 같은 것으로 보는 견해도 있으며, 비권력적 공법관계(ⓔ 행정지도, 공법상 계약)와 같이 행정주체가 강제수단을 사용하지 않고 그 목적을 달성하기 위해 행하는 행정작용과 같은 관계로 보는 견해도 존재한다.

ⓑ 관리관계를 공법관계로 보면서도 원칙적으로 사법규정이 적용된다고 하는 것은 모순이라는 점을 들어 관리관계 개념에 대해 비판적인 견해도 유력하다.

2. 관리관계 ⓐ

(1) 개념

관리관계는 행정주체가 공물(ⓔ 도로·공원)을 관리하거나 공기업(ⓔ 우편·병원·상하수도) 등을 경영하는 것과 같이, 공권력주체가 아니라 공적 재산 또는 사업의 관리주체로서 국민과 대등한 관계에서 국민을 대하는 관계를 말하며, '전래적(傳來的) 공법관계'라고도 한다.

(2) 특성

이러한 관계는 비권력적 관계라는 점에서 사법(私法)관계와 유사하나 사법관계와 달리 공행정목적(공익)을 수행한다는 점에서 특수한 공법적 규율을 받을 수 있다.

(3) 적용되는 법원리

관리관계는 비권력관계로서 원칙적으로 사법의 규율을 받으며, 공익목적달성에 필요한 한도 안에서만 특별한 공법적 규율을 받을 뿐이라는 것이 일반적 견해이다. **01**ⓑ

❷ 사법관계(국고관계)

사법(私法)관계란 행정주체가 사인(私人)과 같은 지위에서 국민과 맺는 관계를 의미한다. 오늘날에는 이러한 사법관계를 협의의 국고관계와 행정사법관계로 구분하는 것이 일반적 경향이다.

1. (협의의) 국고관계

(1) 개념

협의의 국고관계란 행정주체가 일반사인과 같은 사법상의 재산권의 주체로서 사인과 맺는 관계를 말한다. **02** 예를 들면, 국가나 지방자치단체가 사인과 물품매매계약·건물임대차계약·공사도급계약 등을 체결하거나, 일반재산(개정 전 잡종재산)을 매각하고, 국채·지방채를 모집하거나 수표를 발행하는 것 등이 이에 해당한다.

(2) 적용되는 법원리

이러한 행정주체의 행위는 사법상의 행위로서 사법(私法)에 의한 규율을 받고, 그에 관한 법률상의 분쟁은 민사소송의 대상이 된다.

2. 행정사법관계(p.418 참조)

(1) 개념

행정사법관계란 행정주체가 공행정작용을 수행함에 있어서 사법적 형식으로 국민과 맺는 법률관계를 의미한다. 전통적으로 공행정작용은 공법적 수단에 의해 행해짐이 일반적이나 오늘날 일정한 경우에는 공행정작용이 사법형식으로 수행되는 경우도 있는바, 이와 관련된 논의가 행정사법관계이다.

(2) 적용되는 법원리

행정사법관계도 사법관계의 일종이므로 원칙적으로 사법에 의해 규율된다. 그러나 행정주체가 행하는 작용의 실질은 공행정작용이므로 일정한 공법원리도 적용된다고 본다.

01 | 행정주체

① 행정주체의 의의

1. 개념

행정주체란 행정법관계에서 행정권을 행사하고 그 행위의 법적 효과, 예컨대 권리·의무의 생성, 변경, 소멸 등의 효과가 궁극적으로 귀속되는 당사자를 말한다. 권리·의무는 사람만이 가질 수 있으므로 사람만이 행정주체가 될 수 있는바 이러한 사람에는 본래부터의 사람인 자연인과 법규정에 의해 비로소 사람이 된 법인(法人)이 있다. 행정주체로서의 자연인에는 공무수탁사인이 있고 법인에는 국가, 지방자치단체, 사단법인, 재단법인, 영조물법인이 있다.

2. 행정기관과 행정주체의 구별

(1) 행정기관의 개념

행정을 실제로 수행하는 것은 공무수탁사인과 같은 일정한 경우를 제외하고는 국가 등의 행정주체가 아닌, 국가의 기관을 구성하는 대통령, 장관 등이다. 이처럼 행정을 실제로 수행하는 자를 행정기관이라고 한다.ⓐ

(2) 법인격성 유무

① **법인격의 개념**

행정기관은 독립적인 법인격, 즉 법인이 아니므로 직무수행의 권한은 있으나 독자적인 권리는 없음이 원칙이다.ⓑ 이때 법인격이란 행위의 법적 효과가 귀속되는 지위 내지 자격을 의미하는 것으로 행정기관이 한 행위의 법적 효과의 귀속주체는 행정주체가 되는 것이지 행정기관이 되는 것은 아니다.

② **행정기관의 행위의 효과**

예컨대 동작세무서장이 세금을 부과한 행위의 효과, 즉 세금에 관한 권리의 귀속자는 행정주체인 국가가 되는 것이지, 행정기관인 동작세무서장이 되는 것은 아니다. 이와 같이 행정주체와 행정기관은 서로 구별되는 개념이다(다만, 공공단체와 공무수탁사인은 그 자체가 행정기관이면서 행정주체가 되는바, 이에 관해서는 아래에서 살펴본다).

(3) 행정기관의 종류

① **행정청**

　㉠ **개념** : 국가 또는 지방자치단체의 의사를 결정·표시할 수 있는 행정기관을 의미하는 것으로서 대외적 표시권한이 없는 행정기관은 행정청에 해당하지 않는다.

　㉡ **권한위임의 경우** : 공공단체나 일반사인은 원칙적으로 행정청이 아니나, 행정청으로부터 권한을 위임받은 경우 공공단체 또는 사인도 행정청에 해당할 수 있는바, 행정기본법, 행정절차법, 행정심판법, 행정소송법 등도 이에 관해 규정하고 있다.❶

기출 체크

□□□□□ **01** (행정기본법상) 행정에 관한 의사를 결정하여 표시하는 국가 또는 지방자치단체의 기관은 행정청이다. (○, ×)　　2021 행정사

□□□□□ **02** (행정기본법상) 법령에 따라 행정권한을 위탁받은 사인은 행정청이 될 수 없다. (○, ×)　2021 행정사

□□□□□ **03** 행정소송법을 적용함에 있어서 행정청에는 행정권한의 위임 또는 위탁을 받은 사인이 포함된다. (○, ×)
2023 군무원 7급

❶ 행정기본법 제2조【정의】이 법에서 사용하는 용어의 뜻은 다음과 같다.
2. '행정청'이란 다음 각 목의 자를 말한다.
　가. 행정에 관한 의사를 결정하여 표시하는 국가 또는 지방자치단체의 기관01
　나. 그 밖에 법령 등에 따라 행정에 관한 의사를 결정하여 표시하는 권한을 가지고 있거나 그 권한을 위임 또는 위탁받은 공공단체 또는 그 기관이나 사인(私人)02

행정절차법 제2조【정의】이 법에서 사용하는 용어의 뜻은 다음과 같다.
1. '행정청'이란 다음 각 목의 자를 말한다.
　가. 행정에 관한 의사를 결정하여 표시하는 국가 또는 지방자치단체의 기관
　나. 그 밖에 법령 또는 자치법규(이하 '법령 등'이라 한다)에 따라 행정권한을 가지고 있거나 위임 또는 위탁받은 공공단체 또는 그 기관이나 사인(私人)

행정소송법 제2조【정의】② 이 법을 적용함에 있어서 행정청에는 법령에 의하여 행정권한의 위임 또는 위탁을 받은 행정기관, 공공단체 및 그 기관 또는 사인이 포함된다.03

ⓐ 행정기관의 예
1. 예 : 대통령, 국무총리, 장관, 차관, 차관보, 국장, 담당관, 과장, 계장 등
2. 이와 같은 행정기관은 상이한 법적 지위를 갖는 여러 종류의 행정기관으로 분류(행정청, 보조기관 등)될 수 있는데 이 중에서 행정청이 행정법에서 가장 중요한 행정기관이다. 왜냐하면, 국민과의 관계에서 행정권의 행사는 원칙상 행정청(주로 장관, 청장 등 기관의 장 등)의 이름으로 행해지기 때문이다.

ⓑ 권한과 권리
권리란 '자기의 이익을 위하여 타인에게 일정한 요구를 할 수 있는 법상의 힘'을 뜻한다. 권리는 인격주체만이 가질 수 있는 것으로서 인격주체(행정주체)인 국가에 귀속될 뿐, 국가의 기관에 불과한 행정청에는 귀속되지 아니한다. 행정청은 국가의 권능을 행사할 권한을 갖는 것에 불과하고 이러한 권한을 행사한 효과는 행정청이 아니라 권리를 가진 국가에 귀속하게 된다.

정답 01 ○ 02 × 03 ○

ⓒ **종류**

　ⓐ **독임제 행정청** : 구성원이 1명인 행정청을 독임제 행정청이라고 하는데, 시장·장관 등을 예로 들 수 있으며, 주로 기관장의 개념이 이에 해당한다.

　ⓑ **합의제 행정청** : 노동위원회, 토지수용위원회, 공정거래위원회, 행정심판위원회 등 구성원이 2명 이상이며,01 의사결정이 구성원의 합의에 의해 이루어지는 행정청을 합의제 행정청이라고 한다.

ⓓ **행정소송법 및 행정심판법상 행정청의 지위** : 취소소송 등 항고소송의 피고적격을 가지는 자는 처분 등을 행한 행정청이 되며, 취소심판 등 행정심판의 피청구인적격을 가지는 자도 행정청이 된다.❶

② **의결기관**

ⓐ **행정청과 의결기관의 구별** : 의사를 결정하는 권한만 있을 뿐 이를 외부에 표시할 권한은 없는 행정기관을 의결기관이라 말하며, 이 점에서 합의제 행정청과 구별된다.

ⓑ **예** : 공무원징계위원회 등 각종 징계위원회를 들 수 있다.02

③ **보조기관, 보좌기관 등**

그 밖의 행정기관으로는 차관·국장·실장 등 보조기관(행정청에 소속되어 행정청의 의사결정을 보조하거나 그 명을 받아 사무에 종사하는 기관)이 있고,03 차관보·비서실 등의 보좌기관(주로 정책담당자)이 있으며, 경찰공무원·소방공무원·세무공무원 등의 집행기관 등이 있다.

(4) 행정기관 행위의 법적 효과

행정기관은 행정주체를 위해 사무를 수행하는 자이므로 행정기관 행위의 법적 효과는 행정기관이 아니라 법인격 주체인 행정주체에게 귀속된다.

❷ 행정주체의 종류

1. 국가

국가행정의 주체는 국가가 된다. 국가의 지위는 다른 기관으로부터 부여받은 것이 아니라 처음부터 존재하는 것이라는 점에서 국가는 시원적(始原的) 주체가 된다.

2. 공공단체

공공단체는 광의(廣義)로는 지방자치단체, 공공조합, 영조물법인, 공법상 재단이 있으며, 협의(狹義)로는 지방자치단체를 제외한 나머지를 말한다.

> **관련판례**
> 「도시 및 주거환경정비법」상 주택재건축정비사업조합은 공법인으로서 그 목적범위 내에서 행정주체의 지위를 갖는다.04 05 ★★★
> 「도시 및 주거환경정비법」에 따른 주택재건축정비사업조합은 관할행정청의 감독 아래 위 법상의 주택재건축사업을 시행하는 공법인(동법 제18조)으로서, 그 목적범위 내에서 법령이 정하는 바에 따라 일정한 행정작용을 행하는 행정주체의 지위를 갖는다(대판 2009. 10. 15, 2008다93001).

(1) 지방자치단체

① 개념

지방자치단체는 국가 영토의 일부인 일정지역과 그 지역 안의 지역주민을 구성요소로 하며, 지역 내에서 일정범위의 행정권을 행사하는 법인격을 가지는 공공단체를 말한다. 지방자치단체는 지방자치단체의 고유한 고유사무와 국가로부터 위임받은 위임사무를 수행한다. 한편, 지방자치단체의 자치권에 대해서는 국가로부터 전래(傳來)된 권한으로 보는 것이 일반적이다.

② **분류**

ⓐ 지방자치단체는 포괄적 행정권을 가지는지, 특정 행정권만을 가지는지에 따라 보통지방자치단체(특별시·광역시·특별자치시·도·제주특별자치도·시·군·자치구)와 특별지방자치단체(지방자치단체조합 – 지방자치단체가 특정사무를 공동으로 처리하기 위해 필요한 때에 행정규약을 정해 행정안전부장관의 승인을 얻어 설치한다)로 나눌 수 있다.ⓐ

ⓒ 한편, 보통지방자치단체는 **광역지방자치단체**(특별시·광역시·특별자치시(세종시)·도·제주특별자치도)와 **기초지방자치단체**(시·군·자치구 – 특별시·광역시에 설치된 구)로 나뉜다.02

③ **특색**

지방자치단체도 공공단체에 포함되나 다른 공공단체와 달리 일정한 지역과 주민을 갖고 있다는 점과 보통지방자치단체의 경우 일반적 행정을 담당한다는 점에서 다른 공공단체와 구별된다.

(2) **공공조합**(공법상의 사단법인)

① **개념**

공공조합은 특수한 사업을 수행하기 위하여 일정한 자격을 가진 사람(조합원)에 의해 구성된 공법상의 사단법인을 말한다.ⓑ

② **종류**

농지개량조합(현 한국농어촌공사), 의료보험조합, 상공회의소, **재개발조합**, 토지구획정리조합(현 도시개발조합), 대한변호사협회 등이 이에 속한다.03

③ **지방자치단체와 공공조합의 구별**

공공조합은 지역을 필수적인 구성요소로 하지 않으며 특정 목적을 위해 성립된다는 점에서 지방자치단체와 구별된다.

(3) **영조물법인**

① **개념**

각종 공사나 특수은행과 같이 행정법상 영조물ⓒ에 해당하는 것이 특별한 이유로 그것이 소속한 국가 또는 지방자치단체로부터 독립되어 별도의 법인격이 부여된 경우, 이를 영조물법인이라고 한다.

② **종류**

현행법상 영조물법인에 해당하는 것으로는 **서울대학교**, **한국방송공사**·한국도로공사 등의 각종 공사, 서울대학교병원 등 국립대학병원, **국립의료원**, 적십자병원, 과학기술원, 한국은행 등을 들 수 있다.

(4) **공재단**(공법상의 재단법인)

① **개념**

공재단 또는 공법상의 재단이라 함은 국가나 지방자치단체가 출연한 재산을 관리하기 위해 설립된 재단법인인 공공단체를 말한다. 현행법상 공재단에 해당하는 것으로는 한국학술진흥재단, 한국학중앙연구원, **한국연구재단** 등이 있다.

② **특색**

ⓐ 공법상 재단은 일정한 행정목적을 위하여 출연된 재산의 결합체인 점에서 인적·물적 결합체인 영조물법인과 구별된다.

ⓒ 공법상 재단은 수혜자는 있으나 구성원이 존재하지 않는다는 점에서는 사단법인과 구별된다.

ⓐ **구와 시의 개념**

1. 구
구에는 일반 행정구와 자치구가 있는바, 자치구라 함은 특별시·광역시 안에 설치된 구(⑩ 서울특별시 동작구 등)를 의미하는 것으로, 이러한 자치구는 독립적인 권리·의무의 주체가 됨으로써 행정주체가 된다. 이에 반해 일반시 안에 설치된 구(⑩ 고양시 덕양구, 성남시 수정구 등)는 단순한 행정구로서 독립적인 권리·의무의 주체성을 가지지 못하므로 행정주체가 아니다.

2. 시
시는 특별시·광역시·특별자치시와 그 밖의 시로 구분할 수 있는데, 특별시·광역시·특별자치시는 광역자치단체에 해당하며 그 밖의 시는 기초자치단체에 해당한다. 단, 「제주특별자치도 설치 및 국제자유도시 조성을 위한 특별법」에 따르면 제주도는 제주도라는 단일 자치단체로 한다는 특별규정 때문에 제주도 내에 있는 시(제주시, 서귀포시 등)는 자치단체가 아니다. 한편 현재 특별자치시에는 자치단체인 구를 두고 있지 않다.01

ⓑ **공공조합의 행정주체성**
도시개발조합처럼 지역적 토목사업을 행하는 것과 같은 사업은 공익과 밀접한 관련이 있으므로 이러한 조합은 그러한 사업을 수행하는 한도 내에서 행정주체가 되며, 국가는 이러한 조합이 행하는 작용을 공행정의 일부로 인정하고 조합에 대해 경비징수권 등 일정한 공권을 부여한다.

ⓒ **영조물**

1. 개념
① 영조물 : 단순한 물건이 아니라 일정한 행정목적에 바쳐진 인적·물적 시설의 종합체를 의미한다.
② 예 : 각종 대학, 국립도서관, 시립병원, 국·공립초등학교

2. 영조물법인과 영조물의 구별
영조물은 현재의 국립대학처럼 국가 등의 행정주체가 운영하는 것이 통상의 형식이며, 이 경우 영조물 그 자체는 독립된 법인격이 없으므로 행정주체가 아니다. 그러나 행정주체로부터 분리·독립되어 독자적 법인격이 부여되면 영조물법인이 된다.

기출 체크

☐☐☐☐☐ **01** 공무수탁사인은 특별한 사정이 없는 한 권한을 부여받은 법령의 범위 내에서 행정주체의 지위를 가진다. (○, ×)　　　2022 서울시 지적 7급

☐☐☐☐☐ **02** 법인격 없는 단체는 공무수탁사인이 될 수 없다. (○, ×)　　　　　　　2017 서울시 9급

☐☐☐☐☐ **03** 「항공안전 및 보안에 관한 법률」상 경찰임무를 수행하는 항공기의 기장(은 공무수탁사인에 해당된다) (○, ×) ★　　　2018 서울시 1회 7급

☐☐☐☐☐ **04** 「공익사업을 위한 토지 등의 취득 및 보상에 관한 법률」상 토지수용권을 행사하는 사인(은 공무수탁사인에 해당된다) (○, ×) ★★　　　　2018 서울시 1회 7급

☐☐☐☐☐ **05** 「민영교도소 등의 설치·운영에 관한 법률」상 교정업무를 수행하는 민영교도소(는 공무수탁사인에 해당된다) (○, ×) ★★　2018 서울시 1회 7급

☐☐☐☐☐ **06** (공무수탁사인은) 행정임무를 자기책임하에 수행함이 없이 단순한 기술적 집행만을 행하는 사인인 행정보조인과는 구별된다. (○, ×) ★★　　　　2010 지방직 9급

☐☐☐☐☐ **07** 공무수탁사인으로 공증업무를 수행하는 공증인, 사법상 계약에 의하여 주차위반차량을 견인하는 민간사업자, 교통사고현장에서 경찰의 지시에 따라 경찰을 돕는 보조자 등을 들 수 있다. (○, ×)　　　2022 서울시 지적 7급

☐☐☐☐☐ **08** 도로교통법상 견인업무를 대행하는 자동차견인업자(는 공무수탁사인에 해당된다) (○, ×) ★★　　　2018 서울시 1회 7급

영조물(p.99 ⓒ)
3. 국립대학교의 경우
① 전남대학교, 경북대학교와 같은 국립대학교는 법인으로 한다는 특별법이 제정되어 있지 않으므로 아직은 영조물에 불과하며 영조물법인이 아니다.
② 다만, 울산과학기술대학교와 서울대학교는 관련법의 제정으로 영조물법인이 되었다.
4. 영조물법인 관련 법조문
「국립대학법인 서울대학교 설립·운영에 관한 법률」제3조【법인격 등】① 국립대학법인 서울대학교는 법인으로 한다.

정답 **01** ○ **02** × **03** ○ **04** ○ **05** ○
　　　 06 ○ **07** × **08** ×

3. 공무수탁사인(공권력이 부여된 사인)

(1) 의 의

① 개 념

공무수탁사인이란 공행정사무를 위탁받아 자신의 이름으로 처리할 수 있는 권한을 부여받은 행정주체인 사인을 의미한다.

② 행정주체성

사인은 보통 행정주체에 대해서는 상대방인 행정객체가 되나 사인이 자신의 이름으로 공행정사무를 처리할 수 있는 권한을 위임받은 경우 그 범위 안에서 행정주체의 지위에 서게 되는바, 01 이때의 사인을 공무수탁사인이라고 한다. 이러한 공무수탁사인은 자연인일 수도 있고, 법인 또는 법인격 없는 단체일 수도 있다. 02

(2) 공무수탁사인의 예

① 사인이 별정우체국의 지정을 받아 체신업무를 수행하는 경우
② 선장, 항공기의 기장 03이 경찰임무를 수행하는 경우
③ 사립대학교의 장이 고등교육법에 의해 학위를 수여하는 경우
④ 「공익사업을 위한 토지 등의 취득 및 보상에 관한 법률」상 사인이 토지수용권을 행사하는 경우 04
⑤ 「민영교도소 등의 설치·운영에 관한 법률」에 따라 교정업무를 수행하는 교정법인 또는 민영교도소 05
⑥ 공증업무를 수행하는 공증인 등

(3) 구별개념

① 행정보조인

　ⓐ 개념 : 행정보조인이란 행정을 자기책임하에 수행하는 것이 아니라 행정청을 위하여 비독립적으로 활동하고 공행정업무처리에서 기술적인 집행 등의 단순히 보조역할을 하는 자를 의미한다. 06

　ⓑ 예 : 아르바이트로 우편업무를 수행하는 사인, 사고현장에서 경찰의 부탁에 의해 경찰을 돕는 자 등을 들 수 있는데, 이 역시 행정주체인 공무수탁사인과는 구별된다.

② 사법상 계약에 의해 경영위탁을 받은 자

경찰과 한 용역계약에 의해 주차위반차량을 견인하는 민간사업자, 07 08 쓰레기수거인을 들 수 있으며, 이러한 자 역시 공무수탁사인과는 구별된다.

③ 관련문제 – 소득세원천징수의무자(소득세를 원천적으로 징수하는 회사 사장 등)

　ⓐ 학설 : 소득세원천징수의무자가 공무수탁사인인지에 대해서는 학설이 대립한다. 즉, 소득세원천징수의무자를 공무수탁사인으로 보는 견해, 공의무부담사인에 불과하다고 보는 견해, 행정보조인으로 보는 견해 등이 대립한다.

　ⓑ 판례 : 판례는 소득세원천징수의무자의 원천징수행위는 공권력행사로서 한 행정처분이 아니라고 판시한 바 있다.

> **관련판례**
>
> **원천징수의무자의 원천징수행위는 공권력행사로서 한 행정처분이 아니다.** ★★
>
> 원천징수하는 소득세에서는 납세의무자의 신고나 과세관청의 부과결정이 없이 법령이 정하는 바에 따라 그 세액이 자동적으로 확정되고, 원천징수의무자는 소득세법 제142·143조의 규정에 의하여 이와 같이 자동적으로 확정되는 세액을 수급자로부터 징수하여 과세관청에 납부하여야 할 의무를 부담하고 있으므로, 원천징수의무자가 비록 과세관청과 같은 행정청이더라도 그의 원천징수행위는 법령에서 규정된 징

수 및 납부의무를 이행하기 위한 것에 불과한 것이지, 공권력행사로서의 행정처분을 한 경우에 해당되지 아니한다(대판 1990. 3. 23, 89누4789).01

ⓒ **판례의 해석** : 이러한 판례의 해석에 대해서도 학설이 다양하나 판례는 소득세법상의 원천 징수의무자를 독립한 행정주체로 보지 않고 그의 원천징수행위에 대해서도 독립된 처분으로 보지 않았다는 것이 일반적 견해이다.

(4) 공무수탁사인의 법적 근거

공무수탁사인제도는 공권력행사의 권한을 사인에게 이전시키는 제도이므로 **법적 근거가 필요하다.** 공무수탁사인에 일반적 근거로 정부조직법, 지방자치법, 개별적 근거로 선원법 등을 들 수 있다. 한 편 공무를 국가 등이 직접 수행할 것인지, 아니면 민간으로 하여금 수행하게 할 것인지는 입법자에게 재량이 인정된다는 것이 판례의 입장이다.

┏ **관련판례**
국가가 자신의 임무를 그 스스로 수행할 것인지 아니면 그 임무의 기능을 민간부문으로 하여금 수행하게 할 것인지에 관하여는 입법자에게 광범위한 입법재량 내지 형성의 자유가 인정된다(헌재 2007. 6. 28, 2004헌마262).02

(5) 공무를 위탁한 행정주체와 공무수탁사인의 관계

① 공무수탁사인은 위임자인 국가 또는 지방자치단체의 감독을 받는다.

② 공무수탁사인과 공무를 위탁한 행정주체는 특별행정법관계의 일종인 특별감독관계에 놓이게 된다고 볼 수 있다. 이 경우 국가가 공무수탁사인의 공무수탁사무수행을 감독하는 경우 수탁사무수행의 합법성뿐만 아니라 합목적성(타당성)까지도 감독할 수 있다.03

(6) 공무수탁사인의 공무수행과 권리구제

① **항고소송(취소소송 등)**

공무수탁사인은 수탁받은 공무를 수행하는 범위 내에서는 행정주체이고, 행정기본법 · 행정절차법이나 행정심판법과 행정소송법상으로는 행정청이기도 하다.04 공무수탁사인은 처분이라는 형식에 의해 권한을 행사할 수 있다. 이 경우 그 처분의 위법을 다투기 위해서 항고소송을 제기하여야 하며, 이때 피고는 공무를 위임한 행정청이 아니라 공무수탁사인으로 하여야 한다(행정소송법 제2 · 13조).05 06 ⓐ

② **손해배상**

공무수탁사인의 위법한 침해로 사인이 손해를 입은 경우 국가배상법에 따라 손해배상을 청구할 수 있다.07

02 | 행정객체

행정주체에 의한 공권력행사의 상대방을 행정객체라고 한다. 일반적으로 **사인**이 행정객체가 되나 지방자치단체 등의 공공단체도 국가나 다른 공공단체에 대해서는 행정객체의 지위에 서는 경우가 있다.08

기출 체크

☐☐☐☐☐ **01** 소득세법에 의한 원천징수의무자의 원천징수행위는 법령에서 규정된 징수 및 납부의무를 이행하기 위한 것에 불과한 것이지, 공권력의 행사로서의 행정처분에 해당되지 아니한다고 보는 것이 판례의 입장이다. (○, ×) ★★
2010 지방직 9급

☐☐☐☐☐ **02** 국가가 자신의 임무를 스스로 수행할 것인지 아니면 그 임무의 기능을 민간부문으로 하여금 수행하게 할 것인지에 대하여 입법자에게 광범위한 입법재량 내지 형성의 자유가 인정된다고 보는 것이 판례의 입장이다. (○, ×)
2010 지방직 9급

☐☐☐☐☐ **03** 국가가 공무수탁사인의 공무수탁사무수행을 감독하는 경우 수탁사무수행의 합법성뿐만 아니라 합목적성까지도 감독할 수 있다. (○, ×)
2017 서울시 7급

☐☐☐☐☐ **04** 공무수탁사인은 수탁받은공무를 수행하는 범위 내에서 행정주체이고, 행정절차법이나 행정소송법에서는 행정청이다. (○, ×) ★★
2017 사회복지직 9급

☐☐☐☐☐ **05** 공무수탁사인의 업무수행으로 인하여 권리가 침해당한 사인은 공무수탁사인을 상대로 행정소송을 제기할 수 있다. (○, ×) 2022 서울시 지적 7급

☐☐☐☐☐ **06** 법령에 의하여 공무를 위탁받은 공무수탁사인이 행한 처분에 대하여 항고소송을 제기하는 경우 피고는 위임행정청이 된다. (○, ×) ★★
2010 지방직 9급

☐☐☐☐☐ **07** 공무수탁사인의 위법한 공무집행으로 손해를 입은 사인은 국가나 지방자치단체를 상대로 국가배상을 청구할 수 있다. (○, ×) 2022 서울시 지적 7급

☐☐☐☐☐ **08** 지방자치단체는 행정주체이지 행정권 발동의 상대방인 행정객체는 될 수 없다. (○, ×) ★★
2017 사회복지직 9급

ⓐ 공무수탁사인은 처분을 함에 있어서는 행정주체이면서 동시에 행정청의 지위를 갖는다.

• 취소소송의 피고 ⇨ 행정청
• 공무수탁사인 ⇨ 행정청
∴ 취소소송의 피고 ⇨ 공무수탁사인

[유튜브] 5강 필수 개념 TEST
– QR코드를 스캔해 주세요.
– 필수 개념과 출제 포인트를 풀어 보세요.
– 틀린 문제는 기본서로 확인해 주세요.

정답 01 ○ 02 ○ 03 ○ 04 ○ 05 ○
06 × 07 ○ 08 ×

공권과 공의무

공권

국가적 공권

• 행정주체가 우월한 의사주체로서 개인 또는 단체에 대해 가지는 권리
• 권한의 성격이 강함(◉ 과세권한 등).

개인적 공권

개인이 자기의 이익을 위하여 행정주체에 대해 가지는 권리
• 반사적 이익과 개인적 공권의 구별
　－반사적 이익 : 행정법규가 공익만을 위해 행정주체 또는 사인에게 의무를 부과한 결과, 그에 따른 반사적 효과로 이와 관련된 개인이 얻게 되는 이익
　－구별

구 분	구별기준	구별실익	
		항고소송의 원고적격 인정 여부	손해배상청구권 인정 여부
개인적 공권	법규의 사익보호성 긍정	원고적격 긍정	손해배상청구권 인정
반사적 이익	법규의 사익보호성 부정	원고적격 부정	손해배상청구권 부정

• 개인적 공권의 성립요건

법률규정에 의한 공권의 성립	• 행정청의 의무의 존재 　－강행법규가 존재하여야 함이 원칙 　－예전에는 기속행위에만 행정청에게 의무가 존재한다고 보았으나 오늘날은 재량행위에도 일정한 의무가 존재한다는 것이 통설의 입장 • 사익보호성 　－학설 : 처분의 근거법규 및 관련법규의 목적·취지 등을 종합적으로 고려하여 판단 　－판례 : 처분의 직접적 근거법률 외에 관련법률까지 고려 • 공권의 성립요건으로 재판청구가능성(소구가능성－의사력(법상의 힘))은 더 이상 요구되지 않음(통설).
헌법규정에 의한 공권의 성립	• 헌법상의 모든 기본권이 행정법상의 개인적 공권이 되는 것은 아님. 　－자유권적 기본권 : 소극적 방어권으로 그 자체가 구체적 권리성을 가지고 있어 법률에 의해 구체화되지 않아도 직접 적용될 수 있음. 　－사회권적 기본권 : 법률에 의해 구체화되기 전까지는 그 내용이 추상적 권리성을 가지는 것으로 재판상 주장될 수 있는 구체적인 개인적 공권이 되기는 어려움. • 사법부의 태도 　－대법원 　　▸ 접견권, 알권리, 정보공개청구권 : 헌법에서 도출되는 개인적 공권으로 봄. 　　▸ 헌법상 환경권 : 헌법에서 도출되는 개인적 공권으로 보지 않음. 　－헌법재판소 　　▸ 알권리, 경쟁의 자유 : 헌법에서 도출되는 개인적 공권으로 봄.
조리에 의한 공권의 성립	검사임용신청의 경우 법령상 명문의 규정이 없다고 하여도 조리상 응답을 받을 권리가 있음(판례).
기 타	• 공법상 계약, 법규명령, 관습법에 의한 경우 : 개인적 공권 성립 가능 • 행정규칙(철거민에 대한 시영아파트특별분양지침)에 의한 경우 : 개인적 공권 성립 불가

개인적 공권의 확대화 경향

• 처분의 상대방이 아닌 제3자에게 공권이 성립하는 경우
　－제3자에게 공권이 성립한다면 제3자는 원고적격 가짐.

경원자관계	특별한 사정이 없는 한 처분의 상대방이 아닌 자도 원고적격 ○
경업자관계	관련규범이 업자들 간의 과다경쟁으로 인한 경영의 불합리를 미리 방지하는 것을 목적으로 하는 것이라면 기존업자는 타인에 대한 신규 인·허가 등의 취소를 구할 법률상 이익이 있음. • 기존업자가 특허업자 : 관련법규가 경영상 이익 보호 ⇨ 원고적격 ○ • 기존업자가 허가업자 : 반사적 이익 ⇨ 원고적격 × 　(단, 허가업자도 법률상 이익이 인정되는 경우가 예외적으로 존재할 수 있음)
인근주민소송	사익보호성 확대로 인해 인근주민에게 공권을 인정하는 경우가 증가

• 법률상 이익의 확대화 경향

허가로 얻는 이익	• 종래 : 반사적 이익 • 오늘날 : 법률상 이익으로 본 경우 있음.
공물의 일반 사용으로 인한 이익	• 일반적인 시민생활에서 도로를 이용만 하는 사람은 법률상 이익 × • 단, 직접적 이해관계를 가지는 사람이 개별적이고 구체적인 이익을 현실적으로 침해당한 경우 법률상 이익 인정

개인적 공권의 특수성

이전성의 제한	생명·신체의 침해로 인한 국가배상청구권 등은 상속·양도 등 이전성이 부인됨.
포기성의 제한	소권, 선거권 등

공의무

개인적 공의무는 포기나 이전이 제한됨(병역의무 등).
다만, 순수한 경제적 성질을 가지는 의무의 경우(납세의무 등) 상속이 인정될 수 있음.

공권·공의무의 승계

• 행정주체 간의 승계
　지방자치단체의 폐치·분합, 그 밖의 공공단체의 통·폐합의 경우에 많이 이루어짐.
• 사인 간의 권리·의무 승계

명문규정이 없는 경우	승계요건의 문제 : 일신전속적인 경우 승계 불인정, 대물적 성질 있는 경우 승계 인정
제재사유의 승계 여부	판례는 공법상 책임의 승계뿐만 아니라 법적 책임을 부과하기 이전 단계에서의 제재사유 승계까지 긍정 • 석유판매업의 양도·양수가 이루어진 경우 양도인에게 발생한 제재사유가 영업의 양수인에게 승계되는 것으로 보아 양수인에게 제재처분을 할 수 있음(판례).

무하자재량행사청구권, 행정개입청구권

무하자재량행사청구권

의 의

- 행정청에게 재량권을 하자 없이 행사하여 줄 것을 요구할 수 있는 권리
- 재량행위의 영역에서도 공권이 성립할 수 있음(이와 관련한 것이 무하자재량행사청구권).

법적 성질

형식적 권리성	• 특정처분을 청구하는 것이 아니라, 하자 없는 재량행사를 청구하는 것 • 전통적 견해의 입장(실체적 권리성도 가진다는 견해가 유력함)
적극적 권리성	단순히 위법한 처분을 배제하는 소극적 · 방어적 권리에 그치는 것이 아니라, 적법한 처분을 할 것을 요구하는 권리

인정 여부

- 독자성 인정 여부

판 례	긍 정	• (검사임용을 받지 못한 사법연수원 수료생이 이를 다툰 사건에서) 행정청에는 적어도 재량의 한계일탈이나 남용이 없는 위법하지 않은 응답을 할 의무가 있고, 이에 대해 임용신청자로서도 재량권의 한계일탈이나 남용이 없는 적법한 응답을 요구할 권리가 있음. ⇨ 무하자재량행사청구권의 개념을 인정한 판례로 보는 것이 다수 견해 • 신청에 따른 처분이 기속행위이든 재량행위이든 행정청에게는 적어도 응답의무는 존재함.

- 인정범위
  - 재량권이 인정되는 영역이면 수익적 행위 · 부담적 행위
  - 선택재량 · 결정재량의 경우에도 인정

성립요건

행정청의 의무의 존재 (강행법규성)	• 조리상으로도 가능 • 특정 내용의 처분을 할 의무는 아님.
사익보호성	무하자재량행사청구권도 개인적 공권이므로 사익보호성 요건을 충족해야 함.

행정개입청구권

의 의

- 개념

협의(본래적 의미)의 행정개입청구권	자기의 이익을 위하여 타인에 대해 일정한 행위를 발동하여 줄 것을 청구하는 권리
광의의 행정개입청구권	본래적 의미의 행정개입청구권 외에 자기의 이익을 위하여 자기에 대해 일정한 행위를 발동하여 줄 것을 청구하는 행정행위발급청구권을 포함하는 개념

- 오늘날의 경향 : 행정편의주의를 극복하여 종래 반사적 이익으로 보았던 이익도 상황에 따라 공권으로 보는 경우 증가 ⇨ 행정개입청구권의 성립요건을 완화시켜 해석
- 논의되는 영역

재량행위의 경우	• 재량권이 영(0)으로 수축되는 경우 인정됨. • 재량권이 영(0)으로 수축되기 위한 요건 : ① 사람의 생명, 신체 및 재산 등 중요한 법익에 급박하고 현저한 위험이 존재하고, ② 그러한 위험이 시정명령 등 행정권의 발동에 의해 제거될 수 있는 것이며, ③ 피해자의 개인적인 노력만으로는 권익침해를 막기 어려운 경우 • 재량권이 영(0)으로 수축하면 행정청은 특정한 내용의 처분을 하여야 할 의무를 짐. ⇨ 무하자재량행사청구권이 행정개입청구권으로 전환
기속행위의 경우	인정됨.

성 질

특정처분을 할 것을 요구할 수 있는 실질적 · 적극적 권리

인정 여부

- 통설은 긍정함.
- 판례 : 손해배상청구와 관련한 경우
  - 법조문이 형식상 경찰관에게 재량권을 부여한 것처럼 되어 있으나 구체적인 경우 행정청의 권한의 불행사(부작위)는 직무상 의무를 위반한 것이 되어 위법하므로 손해배상책임이 인정됨(판례).
  - 음주운전으로 적발된 주취운전자가 도로 밖으로 차량을 이동하겠다며 단속경찰관이 보관 중이던 차량열쇠를 반환받아 몰래 차량을 운전하여 가던 중 사고를 일으킨 경우, 국가배상책임이 인정됨(판례).

성립요건

의무의 존재	재량권이 영(0)으로 수축되어 기속행위로 전환된 이후에 개입의무 발생
사익보호성	행정개입청구권 역시 공권이므로 사익보호성 요건을 충족해야 함.

초대 Topic 10 핵심집약 Topic 11

ⓐ 권리와 권한
권리는 권리자가 그 자신을 위하여 가지는 법적인 이익을 말하며, 권한은 권한을 가지는 자가 타인을 위하여 법률효과를 발생시킬 수 있는 일정한 자격이라는 점에서 양자는 구별된다. 예컨대, 법인의 대표이사가 법인을 위해 법인의 사무를 처리하는 것과 같은 대표권은 권한에 속한다.

ⓑ 개인적 공권의 의미
권리란 법률관계의 한쪽 당사자가 다른 당사자에게 작위·부작위·급부 등의 일정한 행위를 요구할 수 있는 법적인 힘을 말한다. 따라서 개인적 공권이라 함은 공법관계에서 개인이 자신의 이익을 위해 국가 등의 행정주체에게 보조금을 지급할 것 등 일정한 행위를 요구할 수 있는 법적인 힘을 말한다.

공법관계는 공법상의 권리·의무관계로 이루어지는 관계를 말하는 것으로서 공권과 공의무관계로 구성된다. 공권은 귀속주체에 따라 국가가 가지는 공권인 국가적 공권과 일반 개인이 가지는 개인적 공권으로 이루어지며, 공의무 역시 국가적 공의무와 개인적 공의무로 구성된다. 이하에서는 국가적 공권, 개인적 공권, 공의무의 순으로 검토해 보되, 행정법에서 통상 '공권'이라고 함은 개인적 공권을 의미하므로 개인적 공권을 중심으로 자세히 고찰한다.

01 | 공권

❶ 국가적 공권

1. 의의

국가적 공권은 행정주체가 우월한 의사주체로서 개인 또는 단체에 대하여 가지는 권리를 말한다. 다만, 국가적 공권은 권리라기보다는 권한ⓐ의 성격이 강하다고 볼 수 있다.

2. 종류

국가적 공권은 목적을 기준으로 하여 조직권, 형벌권, 공기업특권, 공용부담특권, 재정권, 조세권, 군정권 등으로 나눌 수 있고, 내용을 기준으로 하여 하명권, 강제권, 형성권 등으로 나눌 수 있다.

3. 특성

국가적 공권은 행정주체가 우월한 주체로서 상대방에 대해 가지는 지배권의 성격을 띠기 때문에 일방적인 명령, 강제, 처벌을 주내용으로 하며, 또한 국가적 공권의 행사(행정행위)에는 공정력, 존속력, 강제력 등의 특수한 효력이 인정된다.

❷ 개인적 공권

1. 의의

(1) 개념

개인적 공권이란 개인이 직접 자기의 이익을 위하여 행정주체에 대해 가지는 권리로서 행정주체에게 일정한 행위를 할 것을 요구할 수 있는 법적인 힘을 의미한다. 개인적 공권은 주관적 공권으로 불리기도 한다.ⓑ

(2) 논의의 필요성

공권은 법적인 힘이므로 개인적 공권이 침해된 경우에는 법적인 구제를 받을 수가 있다. 따라서 개인적 공권이 침해된 자는 그러한 침해상태를 제거해 줄 것을 소송에서 요구할 수 있는 법적인 지위, 즉 원고적격을 가지고 개인적 공권이 위법하게 침해된 경우 이를 이유로 행정상 손해배상을 청구할 수 있다.

(3) 반사적 이익과 개인적 공권의 구별

① 반사적 이익의 개념

반사적 이익이란 행정법규가 사익이 아닌 공익만을 위하여 행정주체 또는 사인에게 일정한 의무를 부과한 결과, 그에 따른 반사적 효과로서 이와 관련된 개인이 얻게 되는 이익 또는 행정주체가 어떠한 공공시설을 운영함으로써 결과적으로 개인이 반사적으로 얻게 되는 이익을 말한다.

② 반사적 이익의 종류

의료법에서 의사에게 환자를 진료할 의무를 부과함으로써 일반인이 반사적으로 진료를 받게 되는 이익 등을 들 수 있다.

③ 공권과 반사적 이익의 구별실익

공권은 법적으로 보호되는 이익이므로 공권이 침해된 경우에는 법적인 구제를 받을 수 있지만, 반사적 이익은 법적으로 보호받지 못한다는 점에서 차이가 있다. 즉, 공권이 침해된 자는 항고소송을 제기할 원고적격이 있으나 단순히 반사적 이익이 침해된 자는 원고적격을 갖지 못하며, 또한 공권이 침해된 자는 손해배상을 청구할 수 있으나 반사적 이익이 침해된 자는 손해배상을 청구할 수 없다.01 02

④ 공권과 반사적 이익의 구별기준

공권은 처분의 근거법규 및 관계법규에 의해 보호되는 개인의 이익이므로 처분의 근거법규 및 관계법규가 공익뿐만 아니라 개인의 이익(사익)도 아울러 보호하고 있는 경우에 성립될 수 있다. 그러나 행정법규가 공익의 보호만을 목적으로 하고 있고 개인의 이익은 보호하지 않는 경우 그 법규로부터 개인이 이익을 누리더라도 그러한 이익은 반사적 이익에 불과하다.ⓐ

개인적 공권과 반사적 이익

	구별기준	구별실익	
		원고적격 인정 여부	손해배상청구권 인정 여부
개인적 공권	법규의 사익보호성 긍정	원고적격 긍정	손해배상청구권 인정
반사적 이익	법규의 사익보호성 부정	원고적격 부정	손해배상청구권 부정

2. 공권의 성립요건

(1) 개 설

개인적 공권은 헌법규정으로부터 도출되는 것도 있고, 법률의 규정으로부터 도출되는 것도 있으며, 공법상 계약 또는 관습법에 의해서 성립되는 경우도 있다. 이 중 공권성립의 가장 일반적인 형태는 법률의 규정에 의해 성립되는 것이므로 이를 중심으로 살펴보고, 기타 헌법에 의해 성립되는 경우와 조리에 의해 성립되는 경우를 검토해 본다.

(2) 법률규정에 의한 공권의 성립(공권의 3요소론에서 2요소론으로)

공권성립의 요건으로서 독일의 뷜러 교수는 다음의 세 가지를 들었는바, 이를 살펴본다.

① 행정청의 의무의 존재

㉠ 공권이 성립하기 위해서는 먼저 행정주체에게 일정한 의무를 부과하는 **강행법규가 존재하여야 한다.**ⓑ 즉, 법규범에 의한 행정청의 행위가 기속행위의 성질을 가져야 함이 원칙이다.

㉡ 따라서 행정주체에게 재량이 인정되는 경우 종래에는 공권이 성립할 수 없다고 보았으나, 오늘날에는 공권의 확대화 경향에 따라 행정청에게 일정한 의무가 존재하고 따라서 재량행위에도 개인적 공권이 성립될 수 있다는 것이 통설의 입장이다.

ⓐ 예컨대, 이웃주민의 일조(日照)를 보호하는 건축법의 규정은 주거환경의 보호라는 공익목적과 함께 인근주민의 일조(日照) 또는 채광(採光)의 이익을 아울러 보호하는 것을 목적으로 하고 있다고 해석되는데, 이 경우 인근주민의 일조(日照) 또는 채광(採光)의 이익은 법률상 이익(개인적 공권)이다. 이에 반해 건축물의 색채를 규정하고 있는 건축법의 규정은 미관의 보호라는 공익목적만을 갖는 규정으로 볼 수 있으므로 주민들이 이로 인해 보호를 받는 것이 있다 하더라도 이는 반사적 이익에 불과하다.

ⓑ **강행(강제)법규**
강행법규란 당사자의 의사 여부와 관계없이 강제적으로 적용되는 규정, 즉 당사자의 의사에 의하여 그 적용을 배제할 수 없는 규정을 말한다. 일반적으로 공공질서에 관한 사항을 정한 법규로서 공법에 속하는 규정은 대부분 강행법규이다.

반사적 이익의 공권화 경향
실질적 법치주의가 확립됨에 따라 종전에는 공익만을 보호하고 있는 것으로 해석한 법규를 사익까지 보호하고 있는 것으로 해석하는 경향이 증가하고 있다. 이는 공권의 확대화 경향과 관련된 논의이다(p.109 참조).

ⓐ 공권이 완전히 성립하기 위해서는 법이 행정청으로 하여금 개인의 이익을 위해 일정한 의무를 부과하고 있음에도 이를 이행하지 않을 경우, 개인이 그 이익을 관철하기 위해 법원에 소송을 제기할 수 있어야 한다. 왜냐하면 소송을 통해 구제받을 수 없는 것은 권리로서 의미가 없는 것이라고 볼 수 있기 때문이다. 그런데 현대국가에서는 재판청구권이 헌법상 보장되어 있고, 행정소송사항에 대해 개괄주의를 취하고 있기 때문에 앞의 두 요건(의무부과, 사익보호)만 충족되면 당연히 소송제기가 가능하다고 보아야 하므로 세 번째 요건인 소구가능성은 공권의 성립요건으로서 더 이상 논의할 필요가 없다(공권성립의 2요소론)는 것이 통설의 입장이다.

ⓑ **적용의 우위와 효력의 우위**
하나의 사항이 헌법과 법률 그리고 법규명령에서 모순 없이 규율되고 있다면, 구체적인 사건에 대한 결정은 하위의 법규정에 따라 행해지는바, 이를 적용의 우위라 한다. 구체적인 사건은 보다 자세하게 기술된 규정에 따라야 하므로 하위법이 상위법에 비해 적용의 우위를 가지게 된다. 한편, 헌법과 법률, 그리고 법규명령의 내용이 서로 모순되게 규정되어 있다면 상위규범이 우선하여 하위규범은 무효로 되는바, 이를 효력의 우위라고 한다.

② 사익보호성

㉠ 개설

ⓐ 개인적 공권이 성립하기 위해서는 위 ①의 요건 외에 관련법규가 개인의 사익보호를 목적으로 하는 것이어야 한다.**01** 법규가 특정인의 이익을 보호하는 경우는 물론 공익과 더불어 특정인의 이익보호(사익보호)를 목적으로 하는 경우에도 사익보호목적은 존재하는 것이 되어 공권이 성립할 수 있다.**02**

ⓑ 한편, 관련법규가 공익만을 보호하고 있는 경우에 개인이 얻는 이익은 공권이 아닌 반사적 이익에 불과하다는 것은 앞서 살펴본 바와 같다.

㉡ 판단기준 : 법규의 사익보호의 판단기준이 무엇인지 문제된다.

ⓐ 학설 : 사익보호목적의 판단기준에 대해서 처분의 근거법규 및 관련법규의 목적·취지 등을 종합적으로 고려하여 판단해야 한다는 견해가 통설이다(헌법상 기본권과 관련하여서는 후술).

ⓑ 판례 : 법률상 이익이란 처분의 근거법률에 의해 직접 보호되는 구체적 이익을 말한다고 본 판례도 있지만, 최근에는 직접적 근거법률 외에 관련법률까지 고려하고 있다.**03**

┌ **관련판례** ─────────────────────

법률상 이익이란 처분의 근거법규 및 관련법규에 의해 보호되는 개별적·구체적 이익을 말한다. ★★★
행정처분의 직접 상대방이 아닌 제3자라 하더라도 당해 행정처분으로 인하여 법률상 보호되는 이익을 침해당한 경우에는 취소소송을 제기하여 그 당부의 판단을 받을 자격이 있다 할 것이고, 여기에서 말하는 법률상 보호되는 이익이라 함은 당해 처분의 근거법규 및 관련법규에 의하여 보호되는 개별적·직접적·구체적 이익이 있는 경우를 말하는데 …… (대판 2005. 5. 12, 2004두14229)

③ 재판청구가능성〔소구(訴求)가능성 - 의사력(법상의 힘)〕

과거에는 개인적 공권이 성립하기 위해서는 개인이 행정주체에 대해 행정의무의 준수를 관철시킬 수 있는 법적인 가능성, 즉 재판청구가능성〔소구(訴求)가능성 - 의사력(법상의 힘)〕이 제도적으로 보장되어야 한다고 보아 재판청구가능성(소구가능성)을 공권의 성립요건으로 보았다. 그러나 오늘날의 통설적 견해는 소구가능성(법상의 힘)은 공권의 성립요건으로서 더 이상 요구되지 않는다(공권성립의 2요소론)고 본다.ⓐ

(3) 헌법규정에 의한 공권의 성립

① 문제의 소재

행정법상 공권은 법적으로 주장할 수 있는 구체적 권리이다. 그런데 법률에 의해 공권성립이 인정되지 않은 자가 헌법상 기본권침해를 이유로 행정소송을 제기할 수 있는지가 문제된다. 이에 대해 일반적인 견해는 헌법상 기본권 역시 개인을 위한 공권이 될 수 있다는 점에서 소송가능성을 인정하나 헌법상의 모든 기본권이 항상 국민에게 구체적이고 현실적인 권리를 부여하는 것은 아니라는 점에서 그 인정범위가 문제된다.

② 법률의 헌법에 대한 적용우위의 원칙ⓑ

다수설은 법률의 헌법에 대한 적용우위의 원칙상 개별법규로부터 공권이 도출될 수 없는 경우에는 권리구제의 실효성을 위해 헌법상 기본권규정으로부터 직접 개인적 공권을 도출할 수 있다고 한다. 즉, 개인적 공권은 1차적으로 개별적 법규에서, 2차적으로는 헌법상 기본권에서 도출될 수 있다고 한다. 다만, 침익적 처분의 상대방이 그 침익적 처분의 제거를 목적으로 하는 경우에는 사익보호성의 문제를 굳이 검토할 필요 없이 기본권으로부터 직접 개인적 공권의 성립을 인정하는 견해가 유력하다.

③ 기본권에 의한 개인적 공권성립의 범위

　㉠ 기본권의 유형 : 헌법상 기본권은 그 자체가 구체적 내용을 가지고 있어 법률에 의해 구체화되지 않아도 직접 적용될 수 있는 구체적 권리성을 가지는 것과 헌법상 기본권을 구체화하는 법률이 제정되어야 적용될 수 있는 추상적 권리성을 가지는 것이 있다.

　㉡ 행정법상 개인적 공권이 될 수 있는 유형 : 행정법상 공권은 법적으로 주장할 수 있는 구체적 권리를 의미하므로 구체적 권리성을 가지는 기본권이 이에 해당될 수 있다. 예컨대 소극적 방어권인 자유권적 기본권❶은 그 자체가 구체적 내용을 가지고 있어 법률에 의해 구체화되지 않아도 직접 적용될 수 있는 개인적 공권이라고 봄이 일반적이다.01 02

　㉢ 사회권적 기본권❶의 경우 : 환경권과 같은 사회권적 기본권은 법률에 의해 구체화되기 전까지는 그 내용이 추상적 권리성을 가지는 것이므로 재판상 주장될 수 있는 구체적인 개인적 공권이 되기는 어렵다고 할 것이다.03

┌ 관련판례

1-1. 헌법 제32조 제1항이 규정하는 근로의 권리는 사회적 기본권으로서 국가에 대하여 직접 일자리를 청구하거나 일자리에 갈음하는 생계비의 지급청구권을 의미하는 것이 아니라 고용증진을 위한 사회적 · 경제적 정책을 요구할 수 있는 권리에 그치며, 근로의 권리로부터 국가에 대한 직접적인 직장존속청구권이 도출되는 것도 아니다.★★

1-2. 근로자가 퇴직급여를 청구할 수 있는 권리도 헌법상 바로 도출되는 것이 아니라 법률이 구체적으로 정하는 바에 따라 비로소 인정될 수 있는 것이다(헌재 2011. 7. 28, 2009헌마408).04 ★★

2. 사회적 기본권의 성격을 가지는 의료보험수급권은 국가에 대하여 적극적으로 급부를 요구하는 것이므로 헌법규정만으로는 이를 실현할 수 없고 법률에 의한 형성을 필요로 한다. 의료보험수급권의 구체적 내용, 즉 수급요건 · 수급권자의 범위 · 급여금액 등은 법률에 의하여 비로소 확정된다(헌재 2003. 12. 18, 2002헌바1).★★

3. 사회권적 기본권의 성격을 갖는 공무원연금수급권은 헌법규정만으로는 이를 실현할 수 없고 그 구체적인 내용, 즉 수급요건, 수급권자의 범위 및 급여금액 등은 법률에 의하여 비로소 확정된다.05 06 07 ★★
공무원연금수급권과 같은 사회보장수급권은 "모든 국민은 인간다운 생활을 할 권리를 가지고, 국가는 사회보장 · 사회복지의 증진에 노력할 의무를 진다."고 규정한 헌법 제34조 제1항 및 제2항으로부터 도출되는 사회적 기본권 중의 하나로서, 이는 국가에 대하여 적극적으로 급부를 요구하는 것이므로 헌법규정만으로는 이를 실현할 수 없어 법률에 의한 형성이 필요하고,08 그 구체적인 내용, 즉 수급요건, 수급권자의 범위 및 급여금액 등은 법률에 의하여 비로소 확정된다(헌재 2013. 9. 26, 2011헌바272).

④ 사법부의 태도

　㉠ 대법원

　　ⓐ 대법원은 구속된 피고인이 타인과 가지는 접견권을 헌법에서 도출되는 구체적 권리로 파악하였고, 「공공기관의 정보공개에 관한 법률」 시행 전에도 헌법상 표현의 자유로부터 개인의 정보공개청구권을 인정한 바 있다.

　　ⓑ 그러나 헌법상 환경권으로부터는 구체성을 가지는 개인적 공권을 곧바로 도출할 수 없다는 취지로 판시한 바 있다.

┌ 관련판례

1. 구속된 피고인 등의 타인 접견권은 헌법상 기본권인 인간의 존엄과 가치 및 행복추구권으로부터 도출될 수 있는 것으로서 법률에 의하여 비로소 인정되는 권리가 아니다(긍정 판례).

기출 체크

□□□□□ **01** 헌법상의 기본권 규정으로부터는 개인적 공권이 바로 도출될 수 없다. (○, ×) ★★　　2017 교육행정직 9급

□□□□□ **02** 소극적 방어권인 헌법상의 자유권적 기본권은 법률의 규정이 없다고 하더라도 직접 공권이 성립될 수도 있다. (○, ×) ★★　　2017 지방직 9급

□□□□□ **03** 헌법상의 모든 기본권은 법률에 의해 구체화되지 않더라도 재판상 주장될 수 있는 구체적 공권이다. (○, ×) ★★　　2015 교육행정직 9급

□□□□□ **04** 근로자가 퇴직급여를 청구할 수 있는 권리와 같은 이른바 사회적 기본권은 헌법규정에 의하여 바로 도출되는 개인적 공권이라 할 수 없다. (○, ×) ★★　　2012 국가직 9급

□□□□□ **05** 공무원연금수급권과 같은 사회보장수급권은 헌법규정만으로는 이를 실현할 수 없어 법률에 의한 형성이 필요하고, 그 구체적인 내용 즉 수급요건 등은 법률에 의하여 비로소 확정된다. (○, ×) ★★　　2024 지방직 · 서울시 9급

□□□□□ **06** 공무원연금수급권은 법률에 의하여 비로소 확정된다. (○, ×) ★★　　2021 군무원 7급

□□□□□ **07** 사회권적 기본권의 성격을 가지는 연금수급권은 헌법에 근거한 개인적 공권이므로 헌법규정만으로도 실현할 수 있다. (○, ×) ★★　　2017 지방직 9급

□□□□□ **08** 사회적 기본권의 성격을 가지는 연금수급권은 국가에 대하여 적극적으로 급부를 요하는 것이므로 헌법규정만으로는 이를 실현할 수 없고, 법률에 의한 형성을 필요로 한다. (○, ×) ★★　　2023 군무원 9급

❶ 자유권적 기본권
1. 의 의
국가권력으로부터 개인의 자유로운 영역에 대해 간섭이나 침해를 받지 않을 권리를 의미한다.
2. 종 류
신체의 자유, 거주 · 이전의 자유, 직업선택의 자유, 사생활의 비밀과 자유, 양심의 자유, 종교의 자유, 언론 · 출판 · 집회 · 결사의 자유, 학문과 예술의 자유 등이 있다.

❶ 사회권적 기본권
1. 의 의
사회정의실현을 국가목적으로 하는 사회국가 내지 복지국가에서 국민이 인간다운 생활을 확보하기 위하여 일정한 국가적 급부와 배려를 요구할 수 있는 권리를 의미한다.
2. 종 류
인간다운 생활을 할 권리, 근로의 권리, 환경권 등이 있다.

정답 **01** × **02** ○ **03** × **04** ○ **05** ○ **06** ○ **07** × **08** ○

● 헌법규정에 의한 공권의 성립
• 헌법규정에 의해서도 행정법상의 개인적 공권이 성립될 수 있다.
• 헌법상의 모든 기본권이 행정법상의 개인적 공권이 되는 것은 아니다.
• 헌법상의 환경권 또는 환경정책기본법에 근거하여 곧바로 개인에게 행정소송을 제기할 원고적격을 인정할 수 없다.
• 사회적 기본권은 헌법규정에 의하여 바로 도출되는 개인적 공권이라고 할 수 없다.

행정법상 개인적 공권의 성립

헌법규정	변호인접견권, 알권리 (단, 환경권, 근로의 권리 등 사회적 기본권으로부터는 성립하지 않음)
법률해석	사익보호성이 인정되는 경우 성립함.
법규명령	사익보호성이 인정되는 경우 성립함.
행정규칙	성립하지 않음(● '철거민에 대한 시영아파트특별분양개선지침'에 의해서는 분양신청권이 성립하지 않음).
관습법	관행어업권 등
조 리	조리상 신청권 등

만나고 싶은 사람을 만날 수 있다는 것은 인간이 가지는 가장 기본적인 자유 중 하나로서, 이는 헌법 제10조가 보장하고 있는 인간의 존엄과 가치 및 행복추구권 가운데 포함되는 헌법상의 기본권이라고 할 것인바, …… 구속된 피고인 또는 피의자의 타인 접견권은 위와 같은 헌법상의 기본권을 확인하는 것일 뿐 형사소송법의 규정에 의하여 비로소 피고인 또는 피의자의 접견권이 창설되는 것으로는 볼 수 없다(대판 1992. 5. 8, 91부8).

2. **개인의 정보공개청구권은 헌법상 표현의 자유로부터 도출될 수 있다(긍정 판례).**
   국민의 알권리, 특히 국가정보에 대한 접근의 권리는 우리 헌법상 기본적으로 표현의 자유와 관련하여 인정되는 것으로, 그 권리의 내용에는 자신의 권익보호와 직접 관련이 있는 정보의 공개를 청구할 수 있는 이른바 개별적 정보공개청구권이 포함된다(대판 1999. 9. 21, 98두3426).

3. **환경영향평가대상지역 밖에 거주하는 주민에게 헌법상의 환경권 또는 환경정책기본법에 근거하여 공유수면매립면허처분과 농지개량사업시행인가처분의 무효확인을 구할 원고적격이 없다**(부정 판례(헌법상 환경권으로부터는 원고적격이 도출될 수 없다))(대판 2006. 3. 16, 2006두330 전합).**01** ★★★

ⓒ 헌법재판소
  ⓐ 헌법재판소는 알권리를 헌법규정으로부터 도출되는 구체적 권리로 파악한 바 있다.
  ⓑ 또한 헌법상 기본권인 경쟁의 자유로부터 사익보호성을 긍정한 바 있으며, 사회단체의 등록신청권은 결사의 자유로부터 도출할 수 있다고 보았다.

┌ **관련판례**

1. (군수관리의 임야조사서, 토지조사부에 대한 청구인의 열람·복사신청을 행정청이 거부한 사건과 관련하여) **행정서류에 대한 열람·복사민원의 처리(즉, 알권리)는 법률에 규정이 없더라도 가능하다**(헌재 1989. 9. 4, 88헌마22).

2. (플라스틱 병마개의 제조회사가 국세청고시에 의해 납세병마개의 제조업자로 다른 두 회사만이 지정되고 자신은 이에 제외되자 이로 인해 기업활동에 커다란 제한을 받게 되었다는 이유로 이를 다툰 사건에서) **헌법상 기본권인 경쟁의 자유로부터** 행정청의 지정행위의 취소를 다툴 법률상 이익, 즉 사익보호성이 인정된다(헌재 1998. 4. 30, 97헌마141).★★

(4) 조리에 의한 공권의 성립

개인적 공권은 조리에 의해서도 성립될 수 있다.**02** 우리 판례 역시 이를 인정한 바 있다.

┌ **관련판례**

검사임용신청의 경우 법령상 명문의 규정이 없다고 하여도 조리상 응답을 받을 권리가 있다(긍정).★★★
법령상 검사임용신청 및 그 처리의 제도에 관한 명문규정이 없다고 하여도 조리상 임용권자는 임용신청자들에게 전형의 결과에 대한 응답, 즉 임용 여부의 응답을 해줄 의무가 있다고 보아야 하고 원고로서는 그 임용신청에 대하여 임용 여부의 응답을 받을 권리가 있다(대판 1991. 2. 12, 90누5825).**03**

(5) 기 타

① 공법상 계약, 법규명령, 관습법의 경우

개인적 공권은 공법상 계약, 법규명령, 관습법에 의해서도 성립할 수 있다.**04**

┌ **관련판례**

법규명령인 건축법 시행규칙의 규정으로부터도 공법상 권리가 도출될 수 있다.
건축주명의변경신고에 관한 건축법 시행규칙 제3조의2의 규정은 단순히 행정관청의 사무집행의 편의를 위한 것에 지나지 않는 것이 아니라, 허가대상건축물의 양수인에게 건축주의 명의변경을 신고할 수 있는 공법상의 권리를 인정함과 아울러 행정관청에는 그 신고를 수리할 의무를 지게 한 것으로 봄이 상당하다 (대판 1992. 3. 31, 91누4911).

✚ 건축법 시행규칙은 법규명령 중 위임명령에 해당한다(후술).

기출 체크

□□□□□ **01** 다음 사례에서 개인적 공권이 성립할 수 없는 것은? ★★

2010 국가직 9급

① 서울특별시의 '철거민에 대한 시영아파트특별분양개선지침'에 의한 무허가 건물소유자의 시영아파트 특별분양 신청권
② 구 수산업법 제40조 소정의 관행어업권
③ 도시계획구역 내 토지소유자의 도시계획시설변경입안 요구 신청권
④ 헌법상 변호인접견권

② 행정규칙의 경우

행정규칙은 일반국민의 권리 · 의무와 아무런 관련이 없으므로 행정규칙에 의해서는 개인적 공권이 성립하기 어렵다(행정규칙편 참조).

┌ 관련판례

철거민에 대한 시영아파트특별분양지침은 행정규칙이므로 이로부터 공법상 분양신청권이 도출될 수는 없다.01 ★★

행정지침인 서울특별시의 '철거민에 대한 시영아파트특별분양개선지침'은 공법상 분양신청권의 근거법이 아니다(대판 1989. 12. 26, 87누1214).

ⓐ **공권 확대의 방향**

① 새로운 법규(ⓔ 소비자기본법) 제정으로 인한 권리(ⓔ 소비자권)의 확대
② 처분의 상대방이 아닌 제3자에게 공권 성립 인정
③ 기존법규 해석상의 단순 반사적 이익을 공권으로 보는 노력
④ 헌법상 기본권규정으로부터 공권의 도출
⑤ 행정의 민주화 관점에서 행정절차참여 권리의 인정
⑥ 재량행위영역의 공권 확대 등

이 중 ①은 특별 논점이 없고, ④는 앞서 본 바 있으므로, 이하에서는 ②, ③, ⑤, ⑥에 관하여 검토해 본다.

❸ 개인적 공권의 확대화 경향

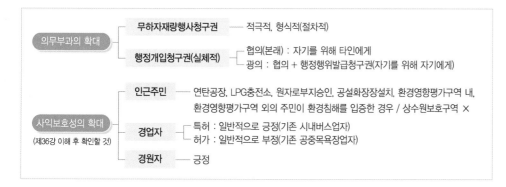

1. 개설

실질적 법치국가에서는 개인의 지위가 현저히 향상되고 행정도 인간의 존엄성을 존중하는 방향으로 전환됨에 따라 개인적 공권이 대폭적으로 확대되고 있다. 이러한 공권의 확대화 경향은 여러 가지 방향에서 이루어지고 있다.ⓐ

2. 처분의 상대방이 아닌 제3자에게 공권이 성립하는 경우(행정소송법 중 원고적격 부분 참조)

(1) 공권의 성립 여부 검토

① 제3자에 대한 공권의 성립 여부

처분의 상대방이 아닌 제3자에게 개인적 공권이 성립할 수 있는지가 문제되는데, 이는 제3자효적 행정행위와 밀접한 관련을 가진다. 만약 처분의 상대방이 아닌 제3자에게 공권이 성립한다면 제3자는 소송을 제기할 원고적격을 가지게 된다.

② 경원자, 경업자, 인근주민의 공권성립 검토

제3자에 대한 공권의 성립 여부는 일반적인 공권성립요건과 마찬가지로 관련 법규정이 제3자의 사익을 보호하는지에 따라 결정된다고 할 것이다. 이하에서 경원자, 경업자, 인근주민의 순서로 공권의 성립 여부를 검토해 본다.

정답 01 ①(③은 제18강 참조)

ⓐ 예컨대, 식품위생법에는 영업을 하기 위해서는 허가를 받도록 하는 법규정이 있는데, 이는 단지 위해식품으로부터의 국민의 건강보호라는 공익을 위한 규정이다. 따라서 허가요건을 정하고 있는 법규정 때문에 신규허가가 제한되어서 이미 허가를 받은 기존의 식품업자가 허가영업을 통해 이익을 보게 되더라도 그 이익은 단지 공익을 위한 허가제도가 있음으로 인해 반사적으로 얻는 이익인 것이며 법이 보호해 주는 이익은 아니다.

(2) 경원자(競願者)관계

① 의의

경원자관계란 인·허가 등의 수익적 행정처분을 신청한 수인이 서로 경쟁관계에 있어서 일방에 대한 면허나 인·허가 등의 행정처분이 타방에 대한 불허가 등으로 귀결될 수밖에 없는 경우의 관계를 의미한다.

② 공권성립 여부

경원자관계에서는 일방에 대한 허가가 타방에 대한 불이익으로 귀결될 수밖에 없으므로 특별한 사정이 없는 한 그 타방에 대해서는 법률상 이익이 침해된 것으로 보아 소송을 제기할 원고적격이 인정된다는 것이 일반적 견해이며, 판례 또한 동일하다.

┏ **관련판례**

(법학전문대학원 설치인가에서 탈락한 대학은 설치인가처분에 대한 취소를 구할 원고적격이 있다고 판시하면서) 경원관계에서 경원자에 대하여 이루어진 허가 등 처분의 상대방이 아닌 자도 원칙적으로 그 처분의 취소를 구할 원고적격이 있다.01 02 ★★★

행정소송법 제12조는 취소소송은 처분 등의 취소를 구할 법률상 이익이 있는 자가 제기할 수 있다고 규정하고 있는바, 인·허가 등의 수익적 행정처분을 신청한 수인이 서로 경쟁관계에 있어서 일방에 대한 허가 등의 처분이 타방에 대한 불허가 등으로 귀결될 수밖에 없는 때(편저자 주 : 이른바 경원관계에 있는 경우로서 동일대상지역에 대한 공유수면매립면허나 도로점용허가 혹은 일정지역의 영업허가 등에 관하여 거리제한규정이나 업소개수제한규정 등이 있는 경우를 그 예로 들 수 있다), 허가 등의 처분을 받지 못한 자는 비록 경원자에 대하여 이루어진 허가 등 처분의 상대방이 아니라 하더라도 당해 처분의 취소를 구할 당사자적격이 있다 할 것이고, 다만 구체적인 경우에서 그 처분이 취소된다 하더라도 허가 등의 처분을 받지 못한 불이익이 회복된다고 볼 수 없을 때에는 당해 처분의 취소를 구할 정당한 이익이 없다고 할 것이다(대판 2009. 12. 10, 2009두8359).

(3) 경업자관계

① 의의

경업자관계란 특허 등을 받아 사업을 영위하고 있는 기존업자가 있는데 타방이 신규로 특허 등을 받아 서로 경쟁관계에 있는 경우 등을 의미한다.

② 공권성립 여부

ⓞ **일반론** : 법률상 이익의 성립 여부는 관련규범을 해석함에 있어 그러한 규범이 업자들 간의 과다경쟁으로 인한 경영의 불합리를 미리 방지하는 것을 목적으로 하는 것이라면 기존업자는 타인에 대한 신규 인·허가 등의 취소를 구할 법률상 이익이 있다고 보아야 한다.03

ⓛ **구체적인 경우**

ⓐ 일반적으로 기존업자가 **특허업자**인 경우에는 관련법규가 기존업자의 **경영상 이익**을 보호하고 있는 것으로 해석될 가능성이 크므로 원고적격이 인정되며, 허가업자인 경우에는 경영상 이익이 반사적 이익으로 해석될 가능성이 크다.04 ⓐ

ⓑ 다만, 허가업자도 법률상 이익이 인정되는 경우가 예외적으로 존재할 수 있다(p.247 참조).

┏ **관련판례**

1. 기존 시내버스업자(특허업자)는 시외버스사업을 하는 자에 대해 시내버스로 전환함을 허용하는 사업계획변경인가처분의 취소를 구할 법률상 이익이 있다.05 ★★★

자동차운수사업법(현 「여객자동차 운수사업법」) 제6조 제1호 규정의 목적이 자동차운수사업에 관한 질서를 확립하고 자동차운수의 종합적인 발달을 도모하여 공공의 복리를 증진함과 동시에 업자 간의 경쟁으로 인한 경영의 불합리를 미리 방지하자는 데 있다 할 것이므로 기존 시내버스업자로서는, 다른 운송사업자가 운행하고 있는 기존 시외버스를 시내버스로 전환함을 허용하는 사업계획변경인가처분에 대하여 그 취소를 구할 법률상 이익이 있다고 할 것이다(대판 1987. 9. 22, 85누985).

2. **선박운항사업면허처분에 대하여 기존업자는 행정처분의 취소를 구할 법률상 이익이 있다.**

해상운송사업의 건전한 발전을 도모하여 …… 기존업자의 이익은 단순한 사실상의 이익이 아니고 법에 의하여 보호되는 이익이라고 해석된다(대판 1969. 12. 30, 69누106).

3. **공중목욕장업허가는 강학상 허가로서 기존 공중목욕장업자가 가지는 이익은 반사적 이익에 불과하므로 신규 목욕장업허가처분에 대해 취소소송을 제기할 원고적격이 없다.01 02 ★★★**

원고에 대한 공중목욕장업 경영허가는 경찰금지의 해제로 인한 영업자유의 회복이라고 볼 것이므로 이 영업의 자유는 법률이 직접 공중목욕장업 피허가자의 이익을 보호함을 목적으로 한 경우에 해당되는 것이 아니고 법률이 공중위생이라는 공공의 복리를 보호하는 결과로서 영업의 자유가 제한됨으로 인하여 간접적으로 관계자인 영업자유의 제한이 해제된 피허가자에게 이익을 부여하게 되는 경우에 해당되는 것이고 거리의 제한과 같은 위의 시행세칙이나 도지사의 지시가 모두 무효인 이상 원고가 이 사건 허가처분에 의하여 목욕장업에 의한 이익이 사실상 감소된다 하여도 이 불이익은 본건 허가처분의 단순한 사실상의 반사적 결과에 불과하고 이로 말미암아 원고의 권리를 침해하는 것이라고는 할 수 없으므로 원고는 피고의 피고 보조참가인에 대한 이 사건 목욕장업허가처분에 대하여 그 취소를 소구할 수 있는 법률상 이익이 없다 할 것인바 …… (대판 1963. 8. 31, 63누101)

(4) 인근주민소송

① 의 의

인근주민소송은 이웃하는 자들 사이에서 특정인에게 주어지는 수익적 행위가 타인에게 법률상 불이익을 초래하는 경우 불이익을 받은 타인이 자기의 법률상 이익 침해를 다투는 소송을 의미한다.

② 공권화경향

종전에는 건축허가 등의 근거법에서 허가 등을 규제하고 있는 조항이 있는 경우 그러한 제한은 공익을 위한 것으로 보아 그 규제로 인해 인근주민이 혜택을 보는 것이 있더라도 그러한 이익은 반사적 이익으로 보았다. 그러나 오늘날에는 그러한 규제 목적이 인근주민의 이익도 아울러 보호하는 것으로 해석하여(사익보호성) 인근주민에게 공권을 인정하는 경우가 점점 늘어나고 있다.❶

┏ **관련판례**

1. **도시계획법(현 「국토의 계획 및 이용에 관한 법률」)과 건축법을 위반한 연탄공장건축허가처분으로 불이익을 받고 있는 주거지역 내 제3자는 당해 행정처분의 취소를 소구할 원고적격이 있다. ★★★**

도시계획법과 건축법의 규정취지에 비추어 볼 때, 이 법률 등이 거주지역의 일정한 건축을 금지하고 또는 제한하고 있는 것은 도시계획법이 추구하는 공공복리의 증진을 도모하고자 하는 데 그 목적이 있는 동시에 한편으로는 주거지역 내에 거주하는 사람의 주거안녕과 생활환경을 보호하고자 하는 데도 그 목적이 있는 것으로 해석된다. 그러므로 주거지역 내에 거주하는 사람이 받는 위와같은 보호이익은 단순한 반사적 이익이나 사실상 이익이 아니라 바로 법률에 의하여 보호되는 이익이라고 할 것이다(대판 1975. 5. 13, 73누96 · 97).

2-1. **원자로시설부지 인근주민들에게 방사성물질 등에 의한 생명 · 신체의 안전침해를 이유로 부지사전승인처분의 취소를 구할 원고적격이 있다. ★★**

2-2. **환경영향평가대상지역 안의 원자로 시설부지 인근주민들이 방사성물질 이외의 원인에 의한 환경침해를 받지 아니하고 생활할 수 있는 이익은 직접적 · 구체적 이익으로 위 주민들에게 원자로시설부지사전승인처분의 취소를 구할 원고적격이 있다**(대판 1998. 9. 4, 97누19588).

판례 | ❶ LPG충전소설치와 관련하여 인근주민인 제3자도 소송을 제기할 자격(원고적격)이 있다.
인근주민이 LPG충전소설치허가처분을 다툰 사건에서 행정처분의 상대방이 아닌 제3자도 그 처분으로 인하여 법률상 보호되는 이익을 침해당한 경우에는 그 처분의 취소 또는 변경을 구하는 행정소송을 제기하여 그 당부의 판단을 받을 법률상 자격이 있다(대판 1983. 7. 12, 83누59).

판례 | ❼ 환경영향평가대상지역 밖의 주민·일반국민·산악인·사진가·학자·환경보호단체는 전원개발사업실시계획승인처분의 취소를 구할 원고적격이 없다(대판 1998. 9. 22, 97누19571).

3. 국립공원 용화집단시설지구개발사업으로 인하여 직접적이고 중대한 환경피해를 입으리라고 예상되는 환경영향평가대상지역 안의 주민에게 환경영향평가대상사업에 관한 변경승인 및 허가처분의 취소를 구할 원고적격이 있다.❼ ★★

환경영향평가에 관한 자연공원법령 및 환경영향평가법령의 규정들의 취지는 집단시설지구개발사업이 환경을 해치지 아니하는 방법으로 시행되도록 함으로써 집단시설지구개발사업과 관련된 환경공익을 보호하려는 데에 그치는 것이 아니라 그 사업으로 인하여 직접적이고 중대한 환경피해를 입으리라고 예상되는 환경영향평가대상지역 안의 주민들이 개발 전과 비교하여 수인한도를 넘는 환경침해를 받지 아니하고 쾌적한 환경에서 생활할 수 있는 개별적 이익까지도 이를 보호하려는 데에 있다 할 것이므로, …… (대판 1998. 4. 24, 97누3286)**01**

3. 법률상 이익의 확대화 경향

종래에는 단순 반사적 이익으로 이해되던 것이 오늘날에는 법률상 이익으로 해석되는 경우가 증가하고 있는데, 특히 논의되는 예를 살펴보면 다음과 같다.

(1) 허가로 인한 이익

전통적 견해는 허가를 통해 얻는 영업상 이익을 반사적 이익으로 보아왔으나 최근에는 허가로 인한 이익도 법률상 이익에 해당하는 것으로 보는 판례도 등장하고 있다(제13강 p.247 참조).

(2) 공물의 일반사용으로 인한 이익

① 공물의 일반사용이라 함은 행정청으로부터 허가 등을 받지 않고도 도로의 통행 등 공물의 본래 용법대로 사용하는 것을 말한다. 판례는 도로를 이용하는 것이 그 도로에 관한 특정권리를 개인에게 부여하는 것이라고는 할 수 없으므로 일반적인 시민생활에서 도로를 이용만 하는 사람은 도로용도폐지를 다툴 법률상 이익이 없다고 본다.

② 다만, 도로의 용도폐지처분과 관련 직접적인 이해관계를 가지는 사람이 개별적이고 구체적인 이익을 현실적으로 침해당한 경우에는 그 처분의 취소를 구할 원고적격이 있다고 한다.

┌ **관련판례** ─────────────────
1. 일반적인 시민생활에 있어 도로를 이용만 하는 사람은 도로용도폐지를 다툴 법률상 이익이 없다.**02** ★★
2. 도로의 용도폐지처분에 관하여 직접적인 이해관계를 가지는 사람이 개별적이고 구체적인 이익을 현실적으로 침해당한 경우에는 그 취소를 구할 법률상의 이익이 있다(대판 1992. 9. 22, 91누13212).

4. 행정절차상 개인의 참여권

행정절차에 개인이 참여하는 것은 행정민주화의 요청에 적합할 뿐만 아니라 개인의 권리침해를 사전에 방지한다는 점에서도 의미를 가진다. 이때 개인이 일정 행정절차에 참가하여 자신의 의견이나 자료를 제출할 수 있는 권리를 행정절차상의 참여권이라 한다. 행정절차법상 개인의 참여방식으로는 청문, 공청회, 의견제출제도 등이 있다(후술 p.449 참조).

5. 무하자재량행사청구권 – 후술(p.116 참조)

6. 행정개입청구권 – 후술(p.118 참조)

정답 01 × 02 ×

④ 개인적 공권의 특수성

1. 이전성의 제한

(1) 원칙

공권은 공익적 견지에서 부여된 것으로 보통 일신전속성을 가지므로 상속·양도❶ 등 이전성이 부인되는 경우가 많다.01 공무원연금법상의 공무원연금청구권, 국민기초생활보장법상의 급여를 받을 권리, 국가배상법상의 생명·신체의 침해로 인한 국가배상청구권 등이 그 예이다. 한편, 공권은 이전성이 부인되므로 압류❷가 제한·금지되기도 한다.

> **관련판례**
> 국가나 지방자치단체에 대한 보조금청구채권은 양도가 금지된 것으로 강제집행의 대상이 될 수 없다(대판 2008. 4. 24, 2006다33586).

(2) 예외

공권 중에서도 그 내용이 경제적 가치를 주된 목적으로 하는 경우에는 사권과 같이 이전성이 인정될 수 있다. 손실보상청구권, 재산권침해로 인한 국가배상청구권 등이 그 예이다.

2. 포기성의 제한

공권은 공익적 견지에서 부여된 것이므로 스스로 또는 당사자의 합의로 이를 포기할 수 없는 경우가 많은데, 이러한 경우에는 포기의사를 표시하더라도 무효라고 볼 수 있다. 소권(재판청구권), 선거권, 연금청구권, 봉급청구권, 석탄산업법 시행령상의 재해위로금청구권 등은 포기가 제한되는 대표적 권리이다.❶❸

> **관련판례**
> 1. 행정소송에 있어서 소권은 개인의 국가에 대한 공권이므로 당사자의 합의로써 이를 포기할 수 없다(대판 1995. 9. 15, 94누4455).02 ★★★
> 2. 행정소송에 대한 부제소특약❹은 무효이다(대판 1998. 8. 21, 98두8919).03 ★★★
> 3. 당사자 사이에 석탄산업법 시행령 제41조 제4항 제5호 소정의 재해위로금에 대한 지급청구권에 관한 부제소합의가 있었다고 하더라도 그러한 합의는 무효라고 할 것이다(대판 1999. 1. 26, 98두12598).04

02 | 공의무

❶ 의의

공의무란 공권에 대응하는 개념으로서 타인을 위해 의무자에게 가해진 공법상의 구속을 의미한다. 공의무는 주체에 따라 봉급지급의무와 같은 행정주체의 의무, 납세의 의무와 같은 개인적 공의무, 내용에 따라 작위의무·부작위의무·수인의무·급부의무, 그 발생근거에 따라 법규에 의해 발생하는 의무, 행정행위에 근거한 의무 등으로 나눌 수 있다.

❷ 특색

1. 개인적 공의무는, 예컨대 병역의무와 같이 포기나 이전이 제한된다. 다만, 순수한 경제적 성질을 갖는 의무(예 납세의 의무) 등은 상속이 인정될 수 있다.
2. 개인적 공의무를 불이행한 경우에는 강제수단이나 행정벌 등 제재조치가 가해지기도 한다.

판례 | ❶ 석탄산업법 시행령 제41조 제4항 제5호 소정의 재해위로금청구권은 개인의 공권으로서 그 공익적 성격에 비추어 당사자의 합의에 의하여 이를 미리 포기할 수 없다(대판 1998. 12. 23, 97누5046).

❶ 양도
매도, 교환 등을 통하여 자산을 유상(有償)으로 사실상 이전하는 것을 말한다.

❷ 압류
국가권력이 특정의 유체물 또는 권리에 대하여 사인의 사실상 또는 법률상의 처분을 금하는 행위를 말한다.

❸ 공권의 포기는 공권의 불행사와 구별해야 하는바, 공권을 포기할 수 없다는 것이 반드시 권리를 행사하여야 할 의무가 있다는 뜻은 아니다. 따라서 권리를 불행사한 채로 방치한 결과 소멸시효가 완성되거나 또는 제척기간 경과로 행사할 수 없게 되는 것은 공권의 포기와는 별개의 문제로서 이를 권리의 불행사라고 하며 이는 허용된다.

❹ 부제소특약은 소권의 포기에 관한 계약을 말한다.

① 행정주체의 승계

행정주체 간의 권리 · 의무의 승계는 지방자치단체의 폐치(폐지 · 설치) · 분합(나눔 · 합침), 그 밖의 공공단체의 통폐합의 경우에 많이 이루어진다.**01** 주체의 변경에는 반드시 법률상의 근거를 필요로 한다. 지방자치법은 이와 관련하여 제8조에서 "지방자치단체의 구역을 변경하거나 지방자치단체를 폐지하거나 설치하거나 나누거나 합칠 때에는 새로 그 지역을 관할하게 된 지방자치단체가 그 사무와 재산을 승계한다."라고 규정하고 있다.

② 사인의 권리 · 의무의 승계

1. 명문의 규정이 있는 경우

개인적 공권과 공의무의 승계에 관한 일반법은 없으나 행정절차법은 제10조에서 지위의 승계에 관한 조항을 두고 있다.**02 ❶** 또한, 개별법에는 행정법상의 권리 · 의무이전을 제한 · 금지하는 규정을 두고 있는 법률도 있다(⑩ 국가배상법 제4조, 공무원연금법 제39조).

2. 명문의 규정이 없는 경우

(1) 승계가능성

과거에는 명문의 규정이 없는 한 공법상 권리 · 의무의 승계는 인정되지 않는다고 보았으나, 오늘날에는 민법상 권리 · 의무의 승계에 관한 규정을 준용해 일정요건을 갖춘 경우에는 **공법상 권리 · 의무의 승계가능성을 긍정**함이 일반적 견해이다.

⌐ **관련판례**
공인회계사법에 의하여 설립된 회계법인 사이에 흡수합병이 있는 경우, 피합병회계법인의 권리 · 의무가 존속회계법인에 승계된다(대판 2004. 7. 8, 2002두1946).**03 ★**

(2) 승계요건의 문제

① 일반적인 요건

공법상 권리 · 의무를 이전하기 위해서는 ⊙ 권리 · 의무가 이전에 적합한 것이어야 하며, ⓛ 영업의 양도 · 양수 등 승계원인이 되는 사실이 있어야 한다.

② 일신전속적인 경우

위 ①의 ⊙과 관련하여서는 권리 · 의무의 성질을 고려하여 판단할 수밖에 없는데, 승계대상이 되는지와 관련하여서는 그것이 일신전속적(한 사람에게 전적으로 속함)인 경우에는 승계가 인정되지 않으며, 대물적 성질이 있는 경우에는 승계가 인정된다고 볼 수 있다.

⌐ **관련판례**
1. 구 산림법령상 채석허가를 받은 자가 사망한 경우, 상속인이 그 지위를 승계한다. ★
2. 산림을 무단형질변경한 자가 사망한 경우, 원상회복명령에 따른 복구의무는 타인이 대신하여 행할 수 있는 의무로서 일신전속적 성질을 갖는 것이 아니므로 당해 토지의 소유권 또는 점유권을 승계한 상속인이 그 복구의무를 부담한다(대판 2005. 8. 19, 2003두9817 · 9824).**04 05 ★★**

3. 관련문제 - 제재사유의 승계 여부

(1) 문제의 소재

행정법관계에서는 당사자 간의 지위승계가 이루어지는 경우 양도인에게 발생한 행정제재 내지 허가 등의 정지·철회사유가 영업양수인 등 타인에게 이전될 수 있는가 하는 것이 문제된다.**ⓐ**

(2) 판례의 태도

대법원은 등록영업인 석유판매업의 양도·양수가 이루어진 경우 양도인에게 발생한 제재사유가 영업의 양수인에게 승계되는 것으로 보아 양수인에게 제재처분을 할 수 있다고 판시한 바 있다(p.257 참조). 즉, 판례는 앞서 본 바와 같이 공법상 책임(공법상 의무)의 승계뿐만 아니라 법적 책임을 부과하기 이전 단계에서의 제재사유의 승계까지 긍정하고 있다.**01**

> ┏ **관련판례**
>
> 석유판매업허가는 대물적 허가의 성격을 갖는 것으로 석유판매업자의 지위를 승계한 자(양수인)에 대하여 종전의 석유판매업자(양도인)가 유사석유제품을 판매하는 위법행위를 하였다는 이유로 사업정지 등 제재처분을 취할 수 있다.**02 ★★★**
>
> <u>석유판매업 등록은 원칙적으로 대물적 허가의 성격을 갖고</u>, 또 석유판매업자가 같은 법 제26조의 유사석유제품 판매금지를 위반함으로써 같은 법 제13조 제3항 제6호, 제1항 제11호에 따라 받게 되는 <u>사업정지 등의 제재처분</u>은 사업자 개인의 자격에 대한 제재가 아니라 사업의 전부나 일부에 대한 것으로서 대물적 처분의 성격을 갖고 있으므로, 위와 같은 지위승계에는 종전 석유판매업자가 유사석유제품을 판매함으로써 받게 되는 사업정지 등 제재처분의 승계가 포함되어 그 지위를 승계한 자에 대하여 사업정지 등의 제재처분을 취할 수 있다고 보아야 하고 같은 법 제14조 제1항 소정의 과징금은 해당 사업자에게 경제적 부담을 주어 행정상의 제재 및 감독의 효과를 달성함과 동시에 그 사업자와 거래관계에 있는 일반국민의 불편을 해소시켜 준다는 취지에서 사업정지처분에 갈음하여 부과되는 것일 뿐이므로, 지위승계의 효과에 있어서 과징금부과처분을 사업정지처분과 달리 볼 이유가 없다(대판 2003. 10. 23, 2003두8005).

ⓐ 한편 개별법에는 양수인이 선의임을 증명하는 경우에는 양수인에게 제재처분을 할 수 없다는 규정을 두는 경우도 있다.

조문 | 식품위생법 제78조 【행정 제재처분 효과의 승계】 영업자가 영업을 양도하거나 법인이 합병되는 경우에는 제75조 제1항 각 호, 같은 조 제2항 또는 제76조 제1항 각 호를 위반한 사유로 종전의 영업자에게 행한 행정 제재처분의 효과는 그 처분기간이 끝난 날부터 1년간 양수인이나 합병 후 존속하는 법인에 승계되며, 행정 제재처분 절차가 진행 중인 경우에는 양수인이나 합병 후 존속하는 법인에 대하여 행정 제재처분 절차를 계속할 수 있다. 다만, 양수인이나 합병 후 존속하는 법인이 양수하거나 합병할 때에 그 처분 또는 위반사실을 알지 못하였음을 증명하는 때에는 그러하지 아니하다.

01 | 무하자재량행사청구권

❶ 의의

1. 개념

무하자재량행사청구권이란 행정청에 재량이 부여되어 있는 경우에, 행정청에 대하여 재량권을 하자 없이 행사하여 줄 것을 요구할 수 있는 권리를 말한다. 즉, 재량행위의 영역에서 행정청에 재량권의 법적 한계를 준수하여 처분을 해줄 것을 청구할 수 있는 권리이다(재량행위에 대해서는 행정행위 부분 재량행위 p.227 참조).

2. 발전과정

(1) 전통적 공권이론에 따르면 개인적 공권은 행정청에 법적 의무를 부과하는 **강행규정**이 존재할 때에만 인정될 수 있고 행정청에 재량이 부여되어 있을 때에는 법적 의무가 없으므로 개인의 청구권은 인정되지 않는다고 보았다.

(2) 그러나 제2차 세계대전 이후 실질적 법치주의가 발전함에 따라 오늘날 더 이상 이런 주장은 타당하지 않고 재량행위의 영역에서도 공권이 성립할 수 있다는 것이 일반적 견해이며, 이와 관련하여 논의되는 것이 무하자재량행사청구권이다.

(3) 즉, 행정재량은 자유로운 재량이 아니라 일정한 한계 내에서 행사하여야 하는 의무가 있는 것이라는 견해가 확립되었다. 따라서 **처분의 근거법규가 재량규정으로 되어 있는 경우**에도 행정청에게 일정한 한계 내에서 재량을 행사할 의무를 부과한다는 점에서 부분적 강행성을 인정받게 되었고,**01** 이를 바탕으로 무하자재량행사청구권이 성립되었다.**02**

❷ 법적 성질

1. 형식적 권리성(실체적 권리성도 가짐)**ⓐ**

무하자재량행사청구권은 재량행위에 인정되는 권리로서 형식적 권리성을 가진다.**03** 기속행위에 대해 인정되는 권리가 특정한 처분(⑩ 식품위생법상의 영업허가요건을 갖춘 자가 영업허가라는 특정처분을 요구)을 청구하는 것인 데 반해, 무하자재량행사청구권은 특정처분을 청구하는 것이 아니라 특정처분의 형성과정에서 재량권의 법적 한계, 즉 하자 없는 재량행사를 청구**ⓑ**하는 것이라는 점에서 제한적인 의미를 갖는다. 따라서 무하자재량행사청구권은 재량의 하자를 발생시키지 말 것을 청구하는 형식적 권리라고 볼 수 있다.

2. 적극적 권리성

무하자재량행사청구권은 단순히 위법한 처분을 배제하는 소극적·방어적 권리에 그치는 것이 아니라 재량처분에 있어 행정청에 적법한 처분을 할 것을 요구하는 권리라는 점에서 적극적 권리성을 가진다.

❸ 인정 여부

1. 독자성 인정 여부

검사임용거부처분취소소송사건에서 비록 무하자재량행사청구권이라는 용어를 명시적으로 사용하지는 않지만, 동 판례를 무하자재량행사청구권의 개념을 인정한 판례로 볼 수 있다는 것이 다수설의 입장이다. 한편 아래의 판례에서 법원은 신청에 따른 처분이 기속행위이든 재량행위이든 행정청에게는 적어도 응답의무는 존재한다고 판시한 바 있다.

> **┏ 관련판례**
>
> (검사임용을 받지 못한 사법연수원 수료생이 이를 다툰 사건에서) 행정청에는 적어도 재량권의 한계일탈이나 남용이 없는 위법하지 않은 응답을 할 의무가 있고, 이에 대해 임용신청자로서도 재량권의 한계일탈이나 남용이 없는 적법한 응답을 요구할 권리가 있다. 01 02 03 04 ★★
>
> 검사의 임용 여부는 임용권자의 자유재량에 속하는 사항이나, 임용권자가 동일한 검사신규임용의 기회에 원고를 비롯한 다수의 검사지원자들로부터 임용신청을 받아 전형을 거쳐 자체에서 정한 임용기준에 따라 이들 중 일부만을 선정하여 검사로 임용하는 경우에 있어서, 법령상 검사임용신청 및 그 처리의 제도에 관한 명문규정이 없다고 하여도 조리상 임용권자는 임용신청자들에게 전형의 결과인 임용 여부의 응답을 해줄 의무가 있다고 보아야 하고, 원고로서는 그 임용신청에 대하여 임용 여부의 응답을 받을 권리가 있다고 할 것이며, 응답할 것인지 여부조차도 임용권자의 편의재량사항이라고는 할 수 없다. 검사의 임용에 있어서 임용권자가 임용 여부에 관하여 어떠한 내용의 응답을 할 것인지는 임용권자의 자유재량에 속하므로 일단 임용거부라는 응답을 한 이상, 설사 그 응답내용이 부당하다고 하여도 사법심사의 대상으로 삼을 수 없는 것이 원칙이나, 적어도 재량권의 한계일탈이나 남용이 없는 위법하지 않은 응답을 할 의무가 임용권자에게 있고, 이에 대응하여 임용신청자로서도 재량권의 한계일탈이나 남용이 없는 적법한 응답을 요구할 권리가 있다고 할 것이며, 이러한 응답 신청권에 기하여 재량권남용의 위법한 거부처분에 대하여는 항고소송으로서 그 취소를 구할 수 있다고 보아야 하므로 임용신청자가 임용거부처분이 재량권을 남용한 위법한 처분이라고 주장하면서 그 취소를 구하는 경우에는 법원은 재량권남용 여부를 심리하여 본안에 관한 판단으로서 청구의 인용 여부를 가려야 한다(대판 1991. 2. 12, 90누5825).
>
> ✚ 한편 이 판례에 대해서는 무하자재량행사청구권을 독자적 권리로 인정하였다고 보기보다는 검사임용의 경우에 임용신청자에게 응답신청권을 인정한 판례로 보아야 한다는 견해도 유력하다.

2. 무하자재량행사청구권의 인정범위

(1) 행위의 성질 – 수익적 행위 · 부담적 행위

무하자재량행사청구권은 행정작용이 수익적 행정행위인 경우뿐만 아니라 부담적 행정행위인 경우에도 적용될 수 있다. 05 부담적 행정행위, 예컨대 건축물의 철거처분과 같은 경우 무하자재량행사청구권의 내용은 행정청에 부작위를 요구하는 방어적 청구권의 기능을 갖는다(정하중, '무하자재량행사청구권의 법리와 실무화', <월간고시> 20권 12호, 법지사).

(2) 재량의 성질 – 선택재량 · 결정재량(p.227 참조)

무하자재량행사청구권은 행정청이 결정재량은 없고 선택재량만을 갖는 경우에 인정되는 권리라는 견해도 있으나 선택재량뿐 아니라 결정재량을 가지는 경우에도 인정된다는 것이 다수설의 태도이다. 06 즉, 무하자재량행사청구권은 재량권이 인정되는 모든 행정권의 행사에서 인정된다.

ⓐ 무하자재량행사청구권
재량이 부여되어 있는 경우 행정청에게 특정한
행위를 할 의무는 없으나 적어도 재량권을 행사
함에 있어 자의적인 결정 등을 내려서는 안 되
는 의무, 즉 하자 없이 재량권을 행사하여야 할
의무는 존재한다. 이러한 행정청의 의무를 고려
해 볼 때 국민은 행정청으로 하여금 특정의 행
정행위를 반드시 하도록 요구할 수는 없으나,
적어도 하자 없이 재량행사를 할 것을 요구할
권리는 가지는바, 이러한 권리가 바로 무하자재
량행사청구권이다.

ⓑ 사익보호성
무하자재량행사청구권의 초기 단계에서는 이
러한 권리를 포괄적으로 이해하여 행정청에 재
량이 부여된 모든 경우에 개인의 일반적 권리로
서 무하자재량행사청구권을 인정하자는 견해
가 있었다. 그러나 오늘날에는 무하자재량행사
청구권도 공권인 이상 관련법규가 사익을 보호
하고 있는 경우에만 성립된다고 본다. 즉, 일반
적 무하자재량행사청구권은 인정되지 않는다.

ⓒ 행정행위발급청구권이 인정되기 위하여는
강행법규에 의한 의무부과와 그러한 법규가 사
익보호를 하고 있는 경우에 인정된다. 또한 행
정행위발급청구권은 원칙적으로 기속행위에
인정되며 재량행위의 경우에도 예외적으로 재
량이 영(0)으로 수축되는 경우에는 인정된다.

---

④ 무하자재량행사청구권의 성립요건

무하자재량행사청구권도 공권인 이상 공권의 성립요건, 즉 의무의 존재와 사익보호성 요건을 충족
해야 한다. 다만, 앞서 본 바와 같이 반사적 이익의 공권화 경향(p.109 참조)에 따라 무하자재량행사
청구권의 성립요건도 그만큼 완화되고 있다.

1. 행정청의 의무의 존재(강행법규성)

(1) 조리상으로도 가능

행정청에 재량권을 행사하여 어떤 처분을 하여야 할 의무가 부과되어야 한다. 이러한 행정청의 의무는
법령상 인정될 수도 있으며, 검사임용과 관련한 판례에서처럼 조리상 인정될 수도 있다.

(2) 특정 내용의 처분을 할 의무를 뜻하는 것은 아님ⓐ

이러한 처분의무는 특정 내용의 처분을 할 의무를 뜻하는 것이 아니고 재량권의 한계를 준수해야 할
의무라는 점에서 기속행위의 의무와는 구별된다.01

2. 사익보호성ⓑ

무하자재량행사청구권도 개인적 공권이라는 점에서 사익보호성 요건을 충족해야 하므로, 재량법규가 단
순한 공익실현이라는 목적 외에 사익의 보호를 의도하고 있어야만 개인에게 무하자재량행사청구
권이 성립한다.

---

02 | 행정개입청구권

① 의 의

1. 개 념

(1) 협의(본래적 의미)의 행정개입청구권

협의의 행정개입청구권이란 개인이 자기의 이익을 위하여 타인에 대해 일정한 행위를 발동하여 줄 것
을 행정청에 청구하는 권리를 말한다. 예를 들면, 이웃주민이 위법건축물을 건축하여 자기의 권리를
침해하는 경우 이웃주민에 대해 위법건축물의 철거명령을 발동해 줄 것을 행정청에 요구하는 것이
그에 해당한다.

(2) 광의의 행정개입청구권

① 광의의 행정개입청구권이란 본래적 의미의 행정개입청구권 외에 개인이 자기의 이익을 위해
자기에 대해 일정한 행위를 발동하여 줄 것을 행정청에 청구하는 행정행위발급청구권ⓒ을 포함하
는 개념이다.

② 행정행위발급청구권은 일반적인 권리와 비교하여 특별히 별도로 고찰할 것이 없으므로, 이하
의 논의에서는 협의(본래적 의미)의 행정개입청구권을 중심으로 살펴본다.

2. 오늘날의 경향

종전에는 행정권 발동 여부는 행정청의 자유판단에 맡겨진 것으로 행정청의 개입으로 인해 국민이

얻는 이익은 반사적 이익으로 보았다. 그러나 오늘날은 이러한 행정편의주의를 극복하여 종래 반사적 이익으로 보았던 이익도 상황에 따라서는 공권으로 보는 경우가 증가하게 됨으로써 행정개입청구권의 성립요건이 완화되고 있다.01

3. 논의되는 영역 – 재량행위 · 기속행위

(1) 재량행위

① 인정 여부

재량행위의 경우에는 원칙적으로 하자 없는 재량행사를 청구할 수 있을 뿐, 특정처분을 청구할 수 있는 권리가 인정되는 것은 아니다. 다만, 이 경우에도 재량권이 영(0)으로 수축되는 경우에는 특정처분을 청구할 수 있는 행정개입청구권이 인정될 수 있는바, 이와 관련하여 재량권의 영(0)으로의 수축이론에 대해 살펴본다.

② 재량권의 영(0)으로의 수축이론

ㄱ 의의 : 재량행위의 경우에는 행정청에 선택 또는 결정의 자유가 인정됨이 원칙이나 예외적으로 재량행위임에도 불구하고 행정청이 하나의 결정만을 하여야 하는 특별한 경우가 나타난다. 즉, 예외적인 경우에는 하나의 결정만이 적법한 행위가 되는데 이를 재량권의 영(0)으로의 수축(또는 1로의 수축)이론이라고 한다. 이때 '영(0)으로의 수축'이라 함은 재량영역이 없다는 것을 의미하며, '1로의 수축'이라 함은 하나의 행위만이 적법하다는 의미로서, 양자는 같은 말을 다르게 표현한 것에 불과하다.

ㄴ 성질 : 재량권이 영(0)으로 수축되면 비록 법조문상 재량행위로 규정되어 있다 하더라도 그 행위는 기속행위로 전환된다.

ㄷ 수축되기 위한 요건 : ⓐ 사람의 생명, 신체 및 재산 등 중요한 법익에 급박하고 현저한 위험이 존재하고,02 ⓑ 그러한 위험이 시정명령 등 행정권의 발동에 의해 제거될 수 있는 것이며, ⓒ 피해자의 개인적인 노력만으로는 권익침해를 막기 어려운 경우라면 재량권이 영(0)으로 수축된다. ⓐ

ㄹ 효과 : 재량권이 영(0)으로 수축하는 경우 행정청은 특정한 내용의 처분을 하여야 할 의무를 진다. 재량권이 영(0)으로 수축하는 경우에는 무하자재량행사청구권은 특정한 내용의 처분을 하여 줄 것을 청구할 수 있는 실체적 권리인 행정행위발급청구권 또는 행정개입청구권으로 전환된다.03 04 재량권의 영(0)으로의 수축이론은 재량행위의 경우에도 행정개입청구권의 성립을 가능하게 함으로써 개인적 공권을 확대하는 역할을 한다.05

ㅁ 판례의 태도 : 우리 대법원은 마을주민이 무장공비와 격투를 벌이고 있는 상황에서 경찰관이 출동하지 않아 마을주민이 사망한 사건을 비롯하여 다수의 사례에서 이 법리를 받아들여 행정상 손해배상청구권을 인정하고 있다.

(2) 기속행위

기속행위에 대해서는 특정행위에 대한 의무가 행정청에 있으므로 이를 별도로 논의할 실익이 없을 뿐 행정개입청구권은 기속행위의 경우에도 인정된다.

❷ 성 질

1. 실질적 권리

무하자재량행사청구권이 특정처분을 할 것을 요구할 수 있는 권리가 아닌 형식적 권리인 것과는 달리, 행정개입청구권은 특정한 처분을 할 것을 요구할 수 있는 권리로서 실질적 권리성을 가진다.06

● (본래적 의미의) 행정개입청구권
• 개인이 자기의 이익을 위하여 타인에 대해 일정한 행위를 발동하여 줄 것을 청구하는 권리를 말한다.
• 특정한 처분을 할 것을 요구할 수 있는 권리로서 실체적 권리성을 가진다.
• 부작위에 대한 사전예방적 성격도 가진다.
• 기속행위뿐만 아니라 재량행위에서도 재량권이 영(0)으로 수축된 경우에는 성립될 수 있다.

ⓐ 예컨대, 대기환경보전법에 따르면 시 · 도지사에게는 배출허용기준치를 초과하여 오염물질을 배출하는 시설에 대해 시설개선명령 등 적당한 조치를 취할 재량이 인정되고 있다. 그러나 환경오염으로 인한 환경피해가 심각하여 주민의 건강상의 위해가 발생한 경우라면 시 · 도지사의 재량이 영(0)으로 수축되어 행정권을 발동하여야만 적법한 행위가 된다고 볼 수 있다.

2. 적극적 권리

행정개입청구권은 단순히 위법한 처분을 배제하는 소극적 또는 방어적 권리가 아니라, 행정청에 대하여 일정한 행정작용을 청구하는 적극적 권리이다.

③ 인정 여부

1. 학설

부정설도 있으나, 실질적 법치주의하의 행정법이론에 의하면 공권은 점점 확대되는 경향이라는 점, 사인 간의 분쟁이라 하더라도 생명·신체 등의 중대한 위험이 있는 경우 행정기관의 편의에 맡길 수 없고 재량권이 영(0)으로 수축되는 사항으로 볼 수 있으므로 행정개입청구권이 인정될 수 있다는 긍정설이 통설의 입장이다.

2. 판례

행정청의 개입의무[기속행위의 경우에는 당연히 개입의무가 있으며 재량행위에서도 재량권이 영(0)으로 수축된 경우에는 개입의무가 발생함]가 존재함에도 불구하고 행정청이 이를 게을리하여(부작위) 손해가 발생한 경우에 우리 대법원은 손해배상청구를 인정하고 있다.

┌─ **관련판례** ─

1-1. 경찰관이 농민들의 시위를 진압하고 시위과정에 도로상에 방치된 트랙터 1대에 대하여 이를 도로 밖으로 옮기거나 후방에 안전표지판을 설치하는 것과 같은 위험발생방지조치를 취하지 아니한 채 그대로 방치하고 철수하여 버린 결과, 야간에 그 도로를 진행하던 운전자가 위 방치된 트랙터를 피하려다가 다른 트랙터에 부딪혀 상해를 입은 경우 국가배상책임이 인정된다.**01**

1-2. 관련 법조문이 형식상 경찰관에게 재량권을 부여한 것처럼 되어 있으나 구체적인 경우 행정청의 권한의 불행사(부작위)는 직무상 의무를 위반한 것이 되어 위법하므로 손해배상책임이 인정된다.**02** ★★★

경찰관직무집행법 제5조는 …… 형식상 경찰관에게 재량에 의한 직무수행권한을 부여한 것처럼 되어 있으나, 경찰관에게 그러한 권한을 부여한 취지와 목적에 비추어 볼 때 구체적인 사정에 따라 경찰관이 그 권한을 행사하여 필요한 조치를 취하지 아니하는 것이 현저하게 불합리하다고 인정되는 경우에는 그러한 권한의 불행사는 직무상의 의무를 위반한 것이 되어 위법하게 된다(대판 1998. 8. 25, 98다6890).

2. (음주운전으로 적발된 주취운전자가 도로 밖으로 차량을 이동하겠다며 단속경찰관이 보관 중이던 차량열쇠를 반환받아 몰래 차량을 운전하여 가던 중 사고를 일으킨 경우, 국가배상책임을 인정하면서)**03** 경찰관의 주취운전자에 대한 권한행사가 관계법률의 규정형식상 경찰관의 재량에 맡겨져 있다고 하더라도, 그러한 권한을 행사하지 아니한 것이 구체적인 상황하에서 현저하게 합리성을 잃어 사회적 타당성이 없는 경우에는 경찰관의 직무상 의무를 위배한 것으로서 위법하다(대판 1998. 5. 8, 97다54482).

④ 행정개입청구권의 성립요건

앞서 본 바와 같이 반사적 이익의 공권화 경향(p.109 참조)에 따라 행정개입청구권의 성립요건도 그만큼 완화되고 있다.

1. 개입의무의 발생

개인에게 행정청에 대한 청구권이 발생하기 위해서는 먼저 행정권을 발동할 의무가 행정청에 발생하여야 한다. 이 경우 기속행위에서는 법규정에 따라 특정처분을 할 의무가 있으므로 특별한 문제가 되지 않으나 재량행위에서는 재량권이 영(0)으로 수축되어 기속행위로 전환된 이후에 개입의무가 발생한다고 할 것이다.

2. 사익보호성

행정개입청구권 역시 공권이므로 사익보호성 요건을 충족하여야 한다.01 즉, 법규가 공익뿐 아니라 특정인의 사익을 보호하고 있는 경우에 그 특정인에게 행정개입청구권이 발생한다. 따라서 행정개입청구권은 자기의 이익과 무관한 경우에는 성립될 수 없다고 할 것이다.

기출 체크

□□□□□ **01** 일반적인 개인적 공권의 성립요건인 사익보호성은 무하자재량행사청구권이나 행정개입청구권에는 적용되지 않는다. (○, ×) ★★★

2015 국가직 9급

[유튜브] 6강 필수 개념 TEST
- QR코드를 스캔해 주세요.
- 필수 개념과 출제 포인트를 풀어 보세요.
- 틀린 문제는 기본서로 확인해 주세요.

정답 01 ×

특별권력관계

특별권력관계론

종래의(전통적) 특별권력관계론

• 의의

일반권력관계	일반적인 행정목적을 위해 행정주체와 일반국민 간에 성립되는 법률관계, 법치주의가 전면적으로 적용되는 관계
특별권력관계	특별한 행정목적 달성을 위해 특별권력기관과 특별한 신분을 가진 자 간에 성립되는 법률관계, 법치주의가 제한되는 관계

• 이론의 성립배경
 - 독일 특유의 이론
 - 군주의 영역확보를 위한 타협의 산물
• 전통적 특별권력관계론의 특색
 - 법률유보의 배제
 - 기본권의 제약
 - 사법심사의 배제
• 일반권력관계와 (전통적) 특별권력관계의 비교

구 분	일반권력관계	특별권력관계
기 초	일반통치권	특별권력
규 율	행정주체와 일반국민	특별권력주체와 내부구성원
성 립	당연히 성립	특별한 원인(법률규정 또는 동의)에 의해 성립
내 용	과세권, 형벌권 등	명령권, 징계권
법치주의와의 관계	전면적으로 적용됨.	법률유보배제, 기본권 제약, 사법심사 배제(불침투이론)

인정 여부

• 울레(Ule)의 수정설
 - 기본관계 : 특별권력관계 자체의 성립·변경·종료 등 구성원의 법적 지위의 본질적 사항에 해당하는 관계(공무원의 임명·파면, 군인의 입대·제대 등) ⇨ 사법심사의 대상 O
 - 경영관계 : 특별권력관계의 목표를 실현하는 데 필요한 관계로서 내부질서를 유지하기 위한 관계(공무원에 대한 직무명령 등) ⇨ 사법심사의 대상 ×
• 검토(특별행정법관계)
 - 일반권력관계와는 다른 특수한 법적 규율을 받는 관계가 존재함을 부정할 수는 없음.
 - 그러나 법률유보의 원칙이 적용되어야 하며, 헌법상 기본권규정에도 합치되어야 하고 소송의 기타 요건을 갖춘 경우에는 사법심사가 허용되는 것이 실질적 법치주의 하에서는 당연함.

특별행정법관계(특별권력관계)

성 립

법률의 규정에 의한 성립	• 병역의무자의 군입대 • 수형자의 교도소 수감 • 감염병환자의 강제입원
동의에 의한 성립	• 임의적 동의 : 공무원 임용, 국·공립대학의 입학 • 강제적 동의 : 학령아동의 초등학교 취학

소 멸

• 목적달성에 의한 경우(국·공립학교의 졸업, 병역의무의 이행)
• 스스로의 임의탈퇴에 의한 경우(공무원의 사임, 학생의 자퇴)
• 권력주체의 일방적 배제에 의한 경우(학생의 퇴학, 공무원의 파면)

종 류

공법상의 근무관계	공무원관계와 군복무관계
공법상의 영조물이용관계	국·공립학교 재학관계, 도서관이용관계
공법상의 특별감독관계	공공조합 등 공공단체와 별정우체국장 등 공무를 위탁받은 사인이 국가로부터 특별한 감독을 받는 관계
공법상의 사단관계	공공조합과 그 조합원의 관계

내 용

명령권	다만, 법률의 수권 없이는 법규성을 갖는 특별명령을 제정할 수는 없음.
징계권	임의적 동의에 의해 성립된 경우 특별권력관계의 배제 및 이익박탈에 그쳐야 함.

특별행정법관계와 법치주의

• **법률유보원칙 적용** : 오늘날 이론에 의하면 특별행정법관계(특별권력관계)에도 법률유보의 원칙이 적용됨. 한편 법률에서 행정부에 위임하는 경우 다소 광범위하게 위임하는 것도 허용됨.
• **기본권제한**
 - 헌법규정 또는 헌법 제37조 제2항의 기본권제한의 원칙에 따라 법률에 근거하여서만 최소한 범위 내에서 가능
 - 육군3사관학교 사관생도의 경우 일반국민보다 기본권이 더 제한될 수 있음. 다만 그 경우에도 법률유보원칙, 과잉금지원칙 등 기본권제한의 헌법상 원칙들을 지켜야 함(판례).
 - 수형자에 대한 서신검열행위가 법률에 근거 없이 행하여졌다면 위법
• **사법심사**
 - 특별행정법관계(특별권력관계)의 행위도 처분성이 긍정되는 한, 사법심사의 대상이 됨(통설).
 - 수형자의 서신을 교도소장이 검열하는 행위는 권력적 사실행위로서 행정심판이나 행정소송의 대상이 되는 행정처분임(판례).
 - 구청장과 동장의 관계는 특별권력관계로서 권리를 침해당한 자는 취소소송을 제기할 수 있음(판례).
 - 국립교육대학 학생에 대한 퇴학처분은 행정처분으로서 행정소송의 대상임(특별권력관계인 경우)(판례).

공법관계에 대한 법규정의 흠결시 타법의 적용

개설

명문에 의한 사법규정의 적용

국가배상법 등의 규정

명문의 규정이 없는 경우

유추적용설 : 공법관계의 내용 및 사법규정의 성질에 따라 사법규정을 유추적용할 수 있다는 유추적용설이 통설과 판례의 입장

공법규정의 흠결시 다른 공법규정을 유추적용하는 경우

개설

공법규정이 결여된 경우 먼저 행정법의 일반원칙을 포함한 공법규정을 유추적용해 법의 흠결을 메워야 한다는 견해가 유력

적용순서

공법규정의 흠결시 : 먼저 다른 공법규정을 준용 ⇨ 적용할 다른 공법규정이 없는 경우 사법규정의 적용을 검토

판례의 태도

성문의 행정법규정의 흠결이 있는 경우에는 우선 유사한 행정법규정(공법규정)을 유추적용하여야 함(판례).

인정한 판례	부정한 판례
제외지 소유자에 대해 손실보상을 한다는 명문규정이 없더라도 하천법 규정을 유추적용하여 관리청은 손실을 보상하여야 함.	조세법률주의의 원칙상 과세요건이나 비과세요건 또는 조세감면요건을 막론하고 조세법규의 해석은 특별한 사정이 없는 한 법문대로 해석할 것임.
관세법에는 환급가산금에 관한 규정이 존재하지 않으나 국세기본법에는 환급가산금규정이 존재하므로 관세의 경우에도 국세기본법상 환급가산금규정을 유추적용하여 환급가산금을 지급하여야 함.	

사법규정의 유추적용 및 그의 한계

사법규정의 성질

법일반원리적 규정과 사인 상호 간 이해조절 규정이 있음.

공법관계유형에 따른 적용한계

구 분	법일반원리적 규정	사인 간 이해조절 규정
권력관계	적용 ○	적용 ×
관리관계	적용 ○	적용 ○

초대 Topic 11   핵심집약 Topic 13

01 | 특별권력관계론

❶ 종래의(전통적) 특별권력관계론

1. 의 의

(1) 종래의 행정법이론에서는 권력관계를 일반권력관계와 특별권력관계로 크게 나누어 고찰하였다. 일반권력관계란 일반적인 행정목적을 위해 행정주체와 일반국민 간에 성립되는 법률관계로서 특별한 법률원인 없이 당연히 성립되며, 행정주체와 상대방 간에 법치주의가 전면적으로 적용되는 관계로 보았다.

(2) 이에 대해 특별권력관계란 특별한 행정목적을 달성하기 위해 **특별권력기관**과 **특별한 신분**을 가진 자 간에 성립되는 법률관계[a]로서, 특별권력기관이 특별한 신분을 가진 자에 대해 포괄적인 지배권을 행사하며 법치주의가 제한되는 관계로 보았다. [b]

2. 이론의 성립배경

(1) 독일 특유의 이론

특별권력관계론은 19세기 후반 독일에서 절대군주정이 붕괴되고 외견적 입헌주의가 발달함에 따라 등장한 이론으로서 프랑스에 없는 독일 특유의 이론이다.01

(2) 군주의 영역확보를 위한 타협의 산물

입헌주의가 발달함에 따라 군주가 의회 및 '의회가 제정한 법률'에 의한 통제와 기속을 받게 되었는데, 이에 그 반대급부로서 군주에 대하여 법률로부터 자유로운 영역을 확보하여 군주의 특권을 유지해 줄 필요에서 발생한 이론이 특별권력관계론이다.02

3. 이론적 기초 – 불침투이론

(1) 특별권력관계론은 당시의 법 또는 법규개념에 이론적 기초를 두고 있다. 법규란 인격주체 간의 관계를 규율하는 것인데 국가도 법인격체로서 하나의 인격주체이므로 국가와 다른 인격주체 간에는 법규가 적용되지만 국가 내부에는 법이 침투할 수 없다는 것(불침투이론)이 이론적 기초라고 할 수 있다.

(2) 즉, 시민이 공무원이나 영조물이용자가 되어 특별권력관계에 들어가면 국가적 행정조직의 구성원이 됨으로써 국가에 대한 관계에서 독립적인 인격주체성을 상실하는 것으로 본다.

4. 전통적 특별권력관계론의 특색 [c]

(1) 법률유보의 배제

국가와 공무원 등의 관계는 국가와 일반국민의 관계와 달리 국가 내부 간의 관계이므로 법률로 규율할 필요가 없다고 보아 법률유보가 배제된다고 하였다. 즉, 특별권력관계에서는 법률유보원칙이 적용되지 않아 특별권력의 주체는 포괄적 지배권을 가지고 이에 복종하는 자(특별권력관계에 들어온 자)에 대해 개별적인 법적 근거 없이도 특별권력을 발동할 수 있다고 보았다.

(2) 기본권의 제약

공무원, 국립대학교 학생 등은 국가 구성원으로 행정조직에 통합된 것으로 보아 일반국민이 가지는 기본권을 보유할 수 있는 기본권주체가 될 수 없다고 보았다. 즉, 특별권력관계에 있는 자에 대해서는 기본권이 제한된다고 보았다.

(3) 사법심사의 배제

특별권력관계는 국가 내부관계로서 법원이 간섭할 필요가 없기 때문에 특별권력관계에 있는 자에 대한 행위는 비록 그 행위로 인해 특별권력관계에 있는 자가 불이익을 받더라도 사법심사의 대상이 되지 않는다고 보았다.

5. 종래의(전통적) 특별권력관계론의 동요(動搖)

전통적 특별권력관계론은 제2차 세계대전 이후 많은 비판ⓐ을 받게 되었는데, 이와 관련한 대표적인 사건으로는 독일의 재소자판결ⓑ을 들 수 있다.

❷ 특별권력관계론의 인정 여부

종래의 특별권력관계론이 위와 같은 문제점들로 인해 비판을 받게 됨에 따라 오늘날 이 이론이 그대로 유지될 수 있는지에 대해서는 다음과 같은 논의가 있다.

1. 학 설

(1) 특별권력관계 긍정설

일반권력관계와 특별권력관계는 그 성립원인이나 지배권의 성질에서 본질적 차이가 있으므로 특별권력관계에는 법치주의가 적용되지 않는다는 견해인데, 오늘날에는 이러한 견해를 주장하는 학자는 없다.

(2) 특별권력관계 부정설
① 일반적 · 형식적 부정설

특별권력관계란 자유주의적 법치국가에서 생성된 역사적 산물이므로, 실질적 법치주의가 확립되고 국민의 재판청구권이 포괄적으로 인정되는 오늘날에는 이러한 특별권력관계론은 인정할 수 없다는 견해이다. ⓒ

② 개별적 · 실질적 부정설

종래 특별권력관계로 보아 온 법률관계가 모두 권력관계라는 점에 대해 비판적인 입장에서, 그 법률관계의 내용을 개별적으로 검토하여 일반권력관계 내지 관리관계(비권력관계)로 분해 · 귀속시켜야 한다는 견해이다. ⓓ

(3) 울레(Ule)의 수정설(기본관계 · 경영관계 구별론)
① 개 념

울레는 특별권력관계의 행위를 기본관계와 경영관계로 구분하여 기본관계는 공법관계로서 법치

ⓐ **특별권력관계론을 비판하는 논거**

1. 민주국가의 등장
   전통적 특별권력관계론은 19세기 후반 독일의 입헌군주정을 배경으로 하여 성립된 것으로 민주체제가 확립된 현대국가에서는 더 이상 이론적 타당성을 찾기 힘들다고 할 수 있다.
2. 공무원 등의 인격주체성
   특별권력관계론은 그 당시의 법개념, 즉 국가는 하나의 인격주체이므로 법이 침투할 수 없다는 불침투이론에 근거하였는데, 오늘날에는 '국가 대 공무원', '영조물주체 대 학생'의 관계도 하나의 인격주체 내의 관계만이 아니라 인격주체 간의 관계이기도 하다는 점에서 비판을 받고 있다.

ⓑ **독일의 재소자판결**
수형자가 교도소 생활에 대한 불만을 담은 서신을 외부인사에게 발송하였는데, 교도소장이 아무런 법률적 근거 없이 서신을 압류하였다. 이에 수형자가 이러한 서신검열 · 압류는 헌법상 보장된 기본권을 침해하는 것이라는 이유로 헌법소원을 제기하였다. 독일연방헌법재판소는 이 사건에서, 비록 재소자라 할지라도 헌법상 기본권이 보장되어야 하며, 그 제한요건 역시 법률적 근거에 의하여야 한다고 결정하였다. 이 판결을 계기로 종래의 특별권력관계론은 위기를 맞게 되었다.

ⓒ 일반적 · 형식적 부정설은 특별권력관계를 전면적으로 부인하고 모두 일반권력관계로 환원하려는 점에 그 특색이 있다.

ⓓ 개별적 · 실질적 부정설은 종래 특별권력관계로 취급되어 온 것 중에서 국 · 공립학교 재학관계나 국 · 공립도서관 이용관계 등은 비권력관계로서 관리관계로 보며, 수형자의 교도소 수용관계 등과 같이 권력적 성질이 강한 관계는 일반권력관계로 보는 것이 타당하다고 한다.

□□□□□ 01 울레(Ule)의 수정설에 따르면 군인의 입대 · 제대와 같은 기본관계에 대해서는 사법심사가 허용되지 않는다. (○, ×) ★★★　　　2005 서울시 9급

□□□□□ 02 특별권력관계에 대한 설명 중 기본관계와 업무수행관계의 구분론에 따를 때, 기본관계에 해당하지 않는 것은?　　　2002 관세사
① 공무원에 대한 징계처분
② 하급공무원의 직무수행에 대한 명령
③ 국립대학에 입학
④ 육군에서 만기제대
⑤ 공립고등학교에서 퇴학

□□□□□ 03 전통적인 특별권력관계의 성립원인으로는 직접 법률의 규정에 의한 경우와 본인의 동의에 의한 경우를 들 수 있다. (○, ×) ★★　　　2005 국회직 8급

ⓐ 직무명령
공무원의 직무과 관련하여 상관이 발하는 명령으로서 '건축허가를 하라'는 등의 명령을 말한다.

ⓑ 학설은 제한적 긍정설을 취하는 견해와 부정설을 취하는 견해가 서로 대립하고 있는데, 두 견해는 표현상의 차이에도 불구하고 실질적으로 그 내용에서는 별 차이를 보이지 않고 있다. 또한, 전통적 의미의 특별권력관계에 대해 부정설을 취하는 교수님들도 특별행정법관계라는 용어를 사용하고 있고 특별권력관계에 대해 제한적 긍정설을 취하는 교수님도 특별행정법관계라는 용어를 사용하고 있다. 따라서 수험생의 입장에서는 학설의 용어에 신경을 쓰기보다는 전체적인 내용을 이해하는 것이 요구된다.

ⓒ 특별행정법관계의 성립, 종류 등은 전통적인 특별권력관계론과 오늘날의 특별행정법관계론 사이에 별다른 차이가 없다.

주의의 적용을 받으므로 사법심사의 대상이 되나,01 경영관계의 행위는 사법심사의 대상이 되지 않는다고 하였다.

② 기본관계와 경영관계

　㉠ 기본관계

　　ⓐ 기본관계란 특별권력관계 자체의 성립 · 변경 · 종료 등 구성원의 법적 지위의 본질적 사항에 해당하는 관계를 의미한다.

　　ⓑ 이의 예로는 공무원의 임명 · 파면 · 전직, 군인의 입대 · 제대, 학생의 입학허가 · 퇴학 · 정학 등이 있다.

　㉡ 경영관계

　　ⓐ 경영관계란 특별권력관계의 목표를 실현하는 데 필요한 관계로서 내부질서를 유지하기 위한 관계를 의미한다.

　　ⓑ 이의 예로는 공무원에 대한 직무명령,ⓐ 군인의 훈련, 학생에 대한 강의, 수형자의 교도소 내의 일상활동 등을 들고 있다.02

2. 검 토

(1) 일반론

① 일반권력관계와는 달리 그 목적이나 기능에 있어서 특수성을 지니며 그에 따라 일반권력관계와는 다른 특수한 법적 규율을 받는 관계가 존재함을 부정할 수는 없다.

② 그러나 그러한 규율도 법치행정의 원리에 적합하도록 법률유보의 원칙이 적용되어야 하며, 헌법상 기본권규정에도 합치되어야 하고 소송의 기타 요건을 갖춘 경우에는 사법심사가 허용되는 것이 실질적 법치주의하에서는 당연하다.

(2) 포괄적인 수권과 폭넓은 재량권의 인정

① 특별권력관계에서는 행정주체에게 특별한 목적을 효율적으로 달성하도록 하기 위해 개괄적 규정에 의한 수권도 가능하다는 점과 특별권력관계의 주체에게 더 폭넓은 재량권이 인정되는 경우가 많다는 점에서 일반권력관계와 차이가 있다.

② 그러나 일반권력관계와 차이를 인정한다고 하더라도 이는 질적인 것이 아닌 양적인 것에 불과하고, 또한 '특별권력관계'라는 용어는 전통적 특별권력관계론과 혼동될 여지가 있으므로, 이하에서는 '특별행정법관계'라는 용어를 사용하여 논의를 전개한다.ⓑ

---

02 ┃ 특별행정법관계(특별권력관계)ⓒ

❶ 특별행정법관계(특별권력관계)의 성립 및 소멸

1. 특별행정법관계(특별권력관계)의 성립03

(1) 법률의 규정에 의한 성립

특별행정법관계(특별권력관계)의 발생원인이 직접 법률에 규정되어 있어서 그러한 원인사실이 발생하면 곧바로 특별행정법관계(특별권력관계)가 성립하는 경우이다. 예컨대, 병역의무자의 군입대

(병역법 제16조), 수형자의 교도소 수감(「형의 집행 및 수용자의 처우에 관한 법률」 제1·16조), 감염병 환자의 강제입원(「감염병의 예방 및 관리에 관한 법률」 제42조) 등을 들 수 있다.

(2) 동의에 의한 성립

동의에 의한 성립은 그 동의가 자유로운 의사에 의한 것과, 법률에 의해 강제되어 있는 것으로 나눌 수 있다.01

임의적(자발적) 동의에 의한 경우	강제적(의무적) 동의에 의한 경우
공무원의 임용, 국·공립대학의 입학 등	동의가 법률에 의해 강제되는 것으로는 **학령아동의 초등학교 취학**을 예로 들 수 있다.

2. 특별행정법관계(특별권력관계)의 소멸

특별행정법관계(특별권력관계)의 소멸은 목적달성에 의한 경우(국·공립학교의 졸업, 병역의무의 이행), 스스로의 임의탈퇴에 의한 경우(공무원의 사임, 학생의 자퇴), 권력주체의 일방적 배제에 의한 경우(학생의 퇴학, 공무원의 파면) 등을 들 수 있다.

❷ 특별행정법관계(특별권력관계)의 종류02

1. 공법상의 근무관계

국가 등 행정주체에 대해 포괄적 근무의무를 부담하는 관계로서 공무원관계와 군복무관계를 들 수 있다.

2. 공법상의 영조물이용관계

행정주체가 제공하는 인적·물적 시설의 결합체인 영조물을 이용하는 관계로서 국·공립학교 재학관계, 도서관이용관계 등을 들 수 있다.

3. 공법상의 특별감독관계

국가 목적을 위해 설립된 공공조합 등 공공단체와, 별정우체국장 등 공무를 위탁받은 사인이 국가로부터 특별한 감독(주무부장관의 시정명령권·감사권·인사권 등)을 받는 관계를 말한다.

4. 공법상의 사단관계

농지개량조합, 임업협동조합 등 공공조합과 그 조합원의 관계로서 공공조합은 조합원에 대해 비용부담을 강제할 수 있는 등 특별한 권력을 가진다.

❸ 특별행정법관계(특별권력관계)의 내용

1. 명령권

특별행정법관계(특별권력관계)의 주체에게는 그 목적을 효율적으로 달성할 수 있도록 하기 위하여 상대방에 대한 포괄적인 의미에서의 명령권이 부여된다. 이러한 명령권의 발동은 개별적·구체적 처분(공무원에 대한 상급자의 직무명령)에 의하거나 일반적·추상적 규정인 행정규칙(훈령·예규 등)의 형식으로 행할 수 있다.

□□□□□ **01** 특별권력관계에서는 특별권력에 따른 명령권과 형벌권이 인정된다. (○, ×)　2009 국회속기직 9급

□□□□□ **02** 특별권력관계의 행정주체에게는 명령권·징계권·과세권을 그 내용으로 하는 포괄적 지배권이 인정된다. (○, ×)　2007 경북 9급

□□□□□ **03** 군인의 복무에 관한 사항을 규율할 권한을 대통령령에 위임하는 경우에는 대통령령으로 규정될 내용 및 범위에 관한 기본적인 사항을 다소 광범위하게 위임하였다 하더라도 포괄위임금지원칙에 위배된다고 볼 수 없다. (○, ×)　2023 국회직 8급

□□□□□ **04** 특별권력관계에서도 헌법 제37조 제2항의 기본권제한의 원칙에 따라 법률의 근거하에 기본권제한이 인정된다. (○, ×)★★　2009 국회속기직 9급

□□□□□ **05** 교도소장의 서신검열행위는 법률에 근거함이 없이 행하여졌다면 위법하다. (○, ×)★★　2011 지방직 9급

□□□□□ **06** 육군3사관학교의 구성원인 사관생도는 학교 입학일부터 특수한 신분관계에 놓이게 되므로 법률유보원칙은 적용되지 아니한다. (○, ×)　2021 군무원 7급

특별행정법관계의 개념
1. 특별한 행정목적(⑩ 재소자의 재사회화, 학생에 대한 교육 등)을 달성하기 위해 성립된 특별한 행정법관계이다.
2. 국가와 일반국민의 관계처럼 당연히 성립하는 것이 아니라 특별한 원인(재소자관계의 경우 법률의 규정)에 의해 성립된다.
3. 상대방은 특별한 신분을 가진 자(군인, 공무원, 재소자, 국·공립대학 학생)이다.
4. 특별행정법관계도 공법관계이므로 행정소송의 대상이 된다(물론 전통적 의미의 특별권력관계론에 따르면 사법심사가 제한된다).

ⓐ 그러나 성질상 제한이 허용되지 않는 기본권(양심의 자유)에 대해서는 그 제한이 허용되지 않는다는 견해가 유력하다(장태주, <행정법개론>, p.148).

2. 징계권

특별행정법관계(특별권력관계)의 내부질서를 문란케 한 자에 대해 질서유지를 목적으로 징계권을 행사할 수 있다. 이러한 징계권은 목적·성질 등에 비추어 일정한 한계가 있다. 특히 당해 특별행정법관계(특별권력관계)가 상대방의 임의적 동의에 의해 성립된 경우(⑩ 국립대학학생의 재학관계)에는 특별행정법관계(특별권력관계)의 배제 및 그 이익의 박탈(⑩ 퇴학)에 그쳐야 한다. 그리고 법률의 규정에 의해 성립한 경우에는 법률이 정한 범위 내에서 징계권이 발동되어야 할 것이다.01 02

❹ 특별행정법관계(특별권력관계)와 법치주의

1. 법률유보의 원칙

오늘날 이론에 의하면 특별행정법관계(특별권력관계)에도 법률유보의 원칙이 적용된다고 본다. 따라서 공무원이나 군인 등의 권리를 제한함에 있어서는 원칙적으로 법률의 근거가 필요(⑩ 법률에 의한 군인의 거주이전의 자유제한)하다. 다만, 특별행정법관계(특별권력관계)의 특수성상 어느 정도 포괄적 수권을 인정하는 등 일반행정법관계보다 규율밀도가 완화될 수 있다.

▶ 관련판례

1. 법률의 구체적 위임에 의하지 아니한 행형법 시행령이나 계호근무준칙 등의 규정은 수형자의 권리 내지 자유를 제한하는 근거가 될 수 없다(대판 2003. 7. 25, 2001다60392).

2. 국방의 목적을 달성하기 위하여 상명하복의 체계적인 구조를 가지고 있는 군조직의 특수성을 감안할 때, 군인의 복무 기타 병영생활 및 정신전력 등과 밀접하게 관련되어 있는 부분은 행정부에 널리 독자적 재량을 인정할 수 있는 영역이라고 할 것이므로, 이와 같은 영역에 대하여 법률유보원칙을 철저하게 준수할 것을 요구하고, 그와 같은 요구를 따르지 못한 경우 헌법에 위반된다고 판단하는 것은 합리적인 것으로 보기 어렵다. 군인사법 제47조의2는 헌법이 대통령에게 부여한 군통수권을 실질적으로 존중한다는 차원에서 군인의 복무에 관한 사항을 규율할 권한을 대통령령에 위임한 것이라 할 수 있고, 대통령령으로 규정될 내용 및 범위에 관한 기본적인 사항을 다소 광범위하게 위임하였다 하더라도 포괄위임금지원칙에 위배된다고 볼 수 없다.03 따라서 이 사건 복무규율조항은 이와 같은 군인사법 조항의 위임에 의하여 제정된 정당한 위임의 범위 내의 규율이라 할 것이므로 법률유보원칙을 준수한 것이다(헌재 2010. 10. 28, 2008헌마638).

2. 기본권제한

특별행정법관계(특별권력관계)의 구성원에 대한 기본권제한은 헌법규정 또는 헌법 제37조 제2항의 기본권제한의 원칙에 따라 법률에 근거하여서만 가능하다.04 따라서 수형자에 대한 서신검열행위가 법률에 근거 없이 행하여졌다면 위법한 행위가 된다.05 또한, 법률에 근거하더라도 특별행정법관계(특별권력관계)의 목적실현을 위해 최소한의 범위 내에서만 제한할 수 있다.ⓐ

▶ 관련판례

육군3사관학교 사관생도의 경우 일반국민보다 기본권이 더 제한될 수 있다. 다만 그 경우에도 법률유보원칙, 과잉금지원칙 등 기본권제한의 헌법상 원칙들을 지켜야 한다.06

사관생도는 군 장교를 배출하기 위하여 국가가 모든 재정을 부담하는 특수교육기관인 육군3사관학교의 구성원으로서, 학교에 입학한 날에 육군 사관생도의 병적에 편입하고 준사관에 준하는 대우를 받는 특수한 신분관계에 있다(「육군3사관학교 설치법 시행령」 제3조). 따라서 그 존립목적을 달성하기 위하여 필요한 한도 내에서 일반국민보다 상대적으로 기본권이 더 제한될 수 있으나, 그러한 경우에도 법률유보원칙, 과잉금지원칙 등 기본권제한의 헌법상 원칙들을 지켜야 한다.

사관생도인 원고가 4회에 걸쳐 학교 밖에서 음주행위를 하였다는 이유로 퇴학처분을 당한 사안에서, 사관생도의 모든 사적 생활에서까지 예외 없이 금주의무를 이행할 것을 요구하는 것은 사관생도의 일반적 행동자유권은 물론 사생활의 비밀과 자유를 지나치게 제한한다고 판단하여, 사관생도 '음주 2회시 퇴학' 예규는 무효이며, 원고에 대한 퇴학처분은 재량권을 일탈·남용한 위법한 처분이다(대판 2018. 8. 30, 2016두60591).

3. 사법심사

(1) 특별행정법관계(특별권력관계)에서 사법심사가 허용되는지는 일반권력관계와 구별되는 특별행정법관계(특별권력관계)의 인정 여부에 관한 학설에 따라 달라질 수 있다. 기본관계·경영관계 구별설에 의하면 기본관계에 대해서는 원칙적으로 사법심사가 긍정되고, 경영관계에 대해서는 사법심사가 원칙적으로 불가능하다고 본다.

(2) 그러나 통설적 견해는 실질적 법치주의를 근거로 특별행정법관계(특별권력관계)의 행위도 처분성이 긍정되는 한, 사법심사의 대상이 된다고 한다.01 판례는 전통적 특별권력관계론을 인정하지 아니한다. 판례에서 언급되는 특별권력관계는 전통적 의미의 특별권력관계가 아니라 특별행정법관계를 말하는 것이다.

┌─ **관련판례**

1. 수형자의 서신을 교도소장이 검열하는 행위는 이른바 권력적 사실행위로서 행정심판이나 행정소송의 대상이 되는 행정처분으로 볼 수 있다(헌재 1998. 8. 27, 96헌마398).02 ★★

2. 구청장과 동장의 관계는 이른바 특별권력관계로서 이러한 특별권력관계의 행위에 의해 권리를 침해당한 자는 행정소송법에 따라 취소소송을 제기할 수 있다(대판 1982. 7. 27, 80누86). ★★

3. 국립교육대학 학생에 대한 퇴학처분은 행정처분으로서 행정소송의 대상이 된다(특별권력관계인 경우)(대판 1991. 11. 22, 91누2144).03 ★★

ⓐ 유추적용
명시적 규정이 없더라도 유사한 성질을 가지는 사항에 대해 다른 법규정을 가져다 쓰는 것을 말한다.

01 | 개 설

대륙법계 국가는 공법과 사법의 이원적 법체계를 가지고 있는데 공법은 통칙적 규정이 없는 결과, 구체적 사건에 적용할 법규나 법원칙이 결여되어 있는 경우가 발생한다. 이 경우 공법관계에 사법규정 또는 사법원리를 적용하여 그 흠결상태를 보완할 수 있는지가 논의되는데, 명문의 규정이 있는 경우와 없는 경우를 나누어 검토해 본다.

❶ 명문에 의한 사법규정의 적용

공법관계에 법의 흠결·공백이 있는 경우에 공법 스스로 사법규정의 적용을 인정하고 있는 경우도 있다. 예컨대, "국가나 지방자치단체의 손해배상책임에 관하여는 이 법에 규정된 사항 외에는 민법에 따른다."라는 국가배상법 제8조 규정이 그것인데, 이 경우에는 사법규정을 적용할 수 있음은 당연하다.

❷ 명문의 규정이 없는 경우 사법규정의 적용가능성

명문의 규정이 없는 경우 공법관계에 사법규정을 적용할 수 있는지에 대해서는 학설이 대립한다.

1. 소극설

공법은 공익의 실현을 목적으로 하고 사법(私法)은 사인 간의 이해조절을 목적으로 하는 것으로서 성질이 다르므로 공법관계에는 사법규정의 적용이 있을 수 없다고 하는 견해이다.

2. 적극설

사법규정의 대부분은 법일반원리의 성질을 가지므로 공법관계에도 일반적·직접적으로 적용된다는 견해(직접적용설)도 있으나, 공법관계에도 사법규정을 적용할 수는 있지만 공법·사법의 특수성을 고려해서 공법관계의 내용 및 사법규정의 성질에 따라 사법규정을 유추적용ⓐ할 수 있다는 견해(유추적용설)가 통설과 판례의 입장이다.

3. 결 론

(1) 소극설은 공법규정의 흠결이 존재하는 경우 해결책을 제시하지 못한다는 문제점이 있고, 직접적용설은 공법과 사법의 특수성을 인정하는 한 받아들이기 어렵다는 문제점이 있으므로 유추적용설이 타당하다.

(2) 이러한 통설에 따르면 공법관계에 대한 사법규정의 적용은 두 가지 기준에 의해 정해진다. 먼저

적용-대상이 되는 공법관계가 권력관계인지 관리관계인지, 또 하나는 사법규정의 성질이 법일반원리적 규정인지, 아니면 사인 간 이익조절규정인지에 따라 달라지는바, 항목을 바꾸어 검토한다.

1. 개 설

  지금까지는 공법의 흠결이 있는 경우에 사법규정을 적용할 수 있는지에 관한 문제가 주로 논의되어 왔으나, 최근 공법규정이 결여된 경우 먼저 행정법의 일반원칙을 포함한 공법규정을 유추적용해 법의 흠결을 메워야 한다는 주장이 제기되면서 학계의 지지를 넓혀가고 있다. 다만, 이 경우도 모든 공법규정이 다 유추적용될 수 있는 것은 아니며, 특히 조세법규는 조세법률주의원칙상 유추해석이 아닌 법문대로 해석함이 원칙이라는 것이 판례의 입장이다.

2. 적용순서 – 공법규정의 우선적용

  이러한 견해에 따르면 공법규정의 흠결시 먼저 다른 공법규정을 준용하여야 하며, 적용할 다른 공법규정이 없는 경우 사법규정의 적용을 검토해야 한다.

3. 판례의 태도

  판례도 공법규정의 흠결시 다른 공법규정의 적용을 인정한 바 있다. 성문의 행정법규정의 흠결이 있는 경우에는 우선 유사한 행정법규정(공법규정)을 유추적용하여야 한다(대판 1987. 7. 21, 84누126 ; 대판 2019. 10. 31, 2016두50907).

  (1) 인정한 판례

   ① 제외지**ⓐ** 소유자에 대해 손실보상을 한다는 명문규정이 없더라도 하천법 규정을 유추적용하여 관리청은 손실을 보상하여야 한다.01

     하천법에 의하면 제외지는 하천구역에 속하는 토지로서 법률의 규정에 의하여 당연히 그 소유권이 국가에 귀속된다고 할 것인바, 한편 동법에서는 위 법의 시행으로 인하여 국유화가 된 제외지의 소유자에 대하여 그 손실을 보상한다는 직접적인 보상규정을 둔 바가 없으나 동법 제74조의 손실보상요건에 관한 규정은 보상사유를 제한적으로 열거한 것이라기보다는 예시적으로 열거하고 있으므로 국유로 된 제외지의 소유자에 대하여는 위 법조를 유추적용하여 관리청은 그 손실을 보상하여야 한다(대판 1987. 7. 21, 84누126).

   ② 관세법에는 환급가산금에 관한 규정이 존재하지 않으나 국세기본법에는 환급가산금규정이 존재하므로 관세의 경우에도 국세기본법상 환급가산금규정을 유추적용하여 환급가산금을 지급하여야 한다.

     과오납관세의 환급에 있어서 국세기본법 제52조 등과 같은 환급가산금(이자)에 관한 규정이 없으나, 부당하게 징수한 조세를 환급함에 있어서 국세와 관세를 구별할 합리적인 이유가 없고 과오납관세의 환급금에 대하여만 법의 규정이 없다 하여 환급가산금을 지급하지 아니한다는 것은 심히 형평을 잃은 것이라 할 것이므로 (따라서 현행 관세법에는 환급가산금에 관한 규정을 신설하였다) 국세기본법의 환급가산금에 관한 규정을 유추적용하여 과오납관세의 환급금에 대하여도 납부한 다음 날부터 환급가산금(이자)을 지급하여야 한다 (대판 1985. 9. 10, 85다카571).

  (2) 부정한 판례

   조세법률주의의 원칙상 과세요건**ⓑ**이나 비과세요건 또는 조세감면요건을 막론하고 조세법규의 해석은 특별한 사정이 없는 한 법문대로 해석할 것이다.02

     조세법률주의의 원칙상 과세요건이거나 비과세요건 또는 조세감면요건을 막론하고 조세법규의 해석은 특별한 사정이 없는 한 법문대로 해석할 것이고, 합리적 이유 없이 확장해석하거나 유추해석하는 것은 허용되지 아니하고, 특히 감면요건 규정 가운데에 명백히 특혜규정이라고 볼 수 있는 것은 엄격하게 해석하는 것이 조세공평의 원칙에도 부합한다(대판 2004. 5. 28, 2003두7392).

   ✛ 엄밀히 말하면 위의 판례는 유추적용의 문제라기보다는 유추해석의 문제이다. 유추해석이란, 예컨대 음주운전을 금지하는 규정이 있는 경우 이 규정의 취지는 안전운행을 위한 것으로 해석되므로 이와 같은 이유에서 유추하여 약물남용 후의 운전도 금지하는 것으로 해석하는 것을 말한다. 유추적용과 유추해석은 법리적으로는 구별되나 실제상 그 차이는 크지 않으므로 수험생으로서는 위의 판례의 결론만을 기억하는 것으로 충분하다.

ⓐ 제외지
물이 흐르는 곳을 포함하여 제방과 제방 사이를 말한다.

ⓑ 과세요건
납세의무의 성립에 필요한 법률상의 요건을 말하는 것이다. 상속세를 예로 들면 상속의 대상이 되는 물건은 무엇이며 그 물건의 금액은 얼마이며 그 금액에 대해서는 어떤 세율로 부과하며 누구에게 부과할 것인가를 과세요건이라고 한다.

ⓐ 사법규정의 유추적용

사법규정의 성질	① 법원리·기술적 규정 ② 대등당사자 전제 이해조절 규정
공법관계	┌ 권력관계 – ① └ 관리관계 – ①＋②

ⓑ 국고관계는 사법관계이므로 사법규정이 적용된다는 점에서 공법관계에 대한 사법규정의 적용과는 관련이 없다.

02 ｜ 사법규정의 유추적용 및 그의 한계ⓐ

❶ 사법규정의 성질

1. 법일반원리적 규정

(1) 사법규정에는 모든 법에 공통적으로 적용될 수 있는 법일반원칙에 해당하는 규정(신의성실의 원칙 등)과 모든 법에 공통적으로 적용될 수 있는 기술적 규정(기간 계산에 관한 규정 등)이 있는데, 이를 법일반원리적 규정이라고 한다. 법일반원리에 해당하는 규정에는 신의성실의 원칙, 권리남용금지의 원칙, 자연인 및 법인, 권리능력과 행위능력, 주소·거소, 물건, 법률행위, 의사표시, 대리, 무효, 취소, 조건, 기한, 기간, 시효, 사무관리, 부당이득, 불법행위 등이 있다.

(2) 예컨대 민법의 법률행위에 관한 규정 중 의사표시의 효력발생시기(도달주의, 제15강 참조), 대리행위의 효력(대리인이 대리권의 범위 내에서 본인(피대리인)을 위한 것임을 표시한 의사표시는 직접 본인에게 대하여 효력이 생긴다), 조건과 기한(제14강 참조)의 효력 등의 규정은 행정행위에도 적용된다.01

2. 사인 상호 간 이해조절 규정

대등한 당사자의 자유로운 의사를 전제로 하여 사인 간의 이해조절을 목적으로 하는 규정이 이에 해당한다.

❷ 공법관계의 유형에 따른 적용한계

행정상 법률관계 중 공법관계는 권력관계와 관리관계(비권력관계)로 나눌 수 있는바, 구분하여 검토해 본다.ⓑ

1. 권력관계

권력관계는 행정주체의 의사의 우월성이 인정되는 관계로서, 대등한 당사자를 전제로 하는 사법관계와는 그 성질이 다르다. 따라서 사법(私法)규정 중 법일반원리적 규정은 적용되나,02 사인 간의 이해조절 규정은 원칙적으로 적용되지 않는다.

2. 관리관계(비권력관계)

관리관계는 우월적 관계가 아닌 대등한 관계로서, 사법관계와 본질적으로 다른 것이 아니므로 특별한 공법적 제한규정이 없는 한, 법일반원리적 규정뿐만 아니라 사인 간 이해조절 규정 등 사법(私法)규정이 원칙적으로 유추적용될 수 있다고 본다.

관련판례

실권의 법리는 법의 일반원리인 신의성실의 원칙에 바탕을 둔 파생원칙으로 공법관계 가운데 관리관계는 물론이고 권력관계에도 적용되어야 한다. ⓐ

실권 또는 실효의 법리는 법의 일반원리인 신의성실의 원칙에 바탕을 둔 파생원칙인 것이므로 공법관계 가운데 관리관계는 물론이고 권력관계에도 적용되어야 함을 배제할 수는 없다 하겠으나 그것은 본래 권리행사의 기회가 있음에도 불구하고 권리자가 장기간에 걸쳐 그의 권리를 행사하지 아니하였기 때문에 의무자인 상대방은 이미 그의 권리를 행사하지 아니할 것으로 믿을 만한 정당한 사유가 있게 되거나 행사하지 아니할 것으로 추인케 할 경우에 새삼스럽게 그 권리를 행사하는 것이 신의성실의 원칙에 반하는 결과가 될 때 그 권리행사를 허용하지 않는 것을 의미하는 것이므로······ (대판 1988. 4. 27, 87누915)

[유튜브] 7강 필수 개념 TEST
- QR코드를 스캔해 주세요.
- 필수 개념과 출제 포인트를 풀어 보세요.
- 틀린 문제는 기본서로 확인해 주세요.

행정법상의 사건

시간의 경과

기 간

- **개념** : 한 시점에서 다른 시점까지의 시간적 간격을 의미
- **행정기본법 제6조**

원 칙	행정에 관한 기간의 계산에 관하여는 특별한 규정이 있는 경우를 제외하고는 민법을 준용함(동법 제6조 제1항)
예 외	국민의 권익을 제한하거나 의무를 부과하는 경우(동법 제6조 제2항)

- **기간의 기산점·만료점**(일·주·월·연으로 정한 경우)

구 분	기산점	만료점
원 칙	초일불산입(다음 날부터 기산)	• 말일의 종료 • 말일이 토요일 또는 공휴일인 경우 익일(다음 날)로 만료
예 외	국민의 권익이 제한되거나 의무가 지속되는 기간은 초일산입(제1호)	국민의 권익이 제한되거나 의무가 지속되는 기간은 말일이 토요일 또는 공휴일이더라도 그 날 만료(제2호)

> **행정기본법 제6조(행정에 관한 기간의 계산)** ① 행정에 관한 기간의 계산에 관하여는 이 법 또는 다른 법령 등에 특별한 규정이 있는 경우를 제외하고는 민법을 준용한다.
> ② 법령 등 또는 처분에서 국민의 권익을 제한하거나 의무를 부과하는 경우 권익이 제한되거나 의무가 지속되는 기간의 계산은 다음 각 호의 기준에 따른다. 다만, 다음 각 호의 기준에 따르는 것이 국민에게 불리한 경우에는 그러하지 아니하다.
> 1. 기간을 일, 주, 월 또는 연으로 정한 경우에는 기간의 첫날을 산입한다.
> 2. 기간의 말일이 토요일 또는 공휴일인 경우에도 기간은 그 날로 만료한다.

시 효

- **개념** : 일정한 사실상태가 지속된 경우 그 계속된 사실상태를 존중, 법률생활의 안정 도모
- **사법규정의 적용** : 공법관계에도 민법의 시효에 관한 규정이 적용되나, 그대로 적용되는 것이 아니라 유추적용됨.
- **금전채권 소멸시효**

국가 등의 국민에 대한 금전채권	'다른 법률'에 특별한 규정이 없는 한 5년 동안 행사하지 않으면 시효로 인하여 소멸함이 원칙(국가재정법 및 지방재정법 규정) －'다른 법률'의 의미 : 민법도 포함된다는 것이 일반적 견해(예외 있음) 　▸민법에서 5년보다 짧은 기간 규정 : 다른 법률에 포함됨(민법상 규정을 따름). 　▸민법에서 5년보다 긴 기간 규정 : 다른 법률에 포함되지 않음(국가재정법 및 지방재정법을 따름). －'다른 법률'의 구체적 예 : 국가배상법상 국가배상청구권(손해 및 가해자를 안 날로부터 3년) －국가의 사법상 행위에서 발생한 금전채권 : 금전의 급부를 목적으로 하는 국가의 권리인 이상, 금전급부의 발생원인에 관하여는 아무런 제한이 없으므로 국가의 사법상의 행위에서 발생한 국가의 채권에도 적용 ⇨ 소멸시효 5년(원칙)
국민의 국가에 대한 금전채권	소멸시효 5년(원칙)

- **소멸시효의 중단·정지 등**

소멸시효의 기산점	권리를 행사할 수 있는 때(권리를 행사함에 있어서 법률상의 장애가 없는 경우를 의미)
소멸시효의 중단·정지	• 다른 법률에 특별한 규정이 없는 한 민법 준용 • 다른 법률의 특별한 규정 : 국세기본법상 납부고지, 독촉 등에 시효중단효력을 인정하는 규정 등 • 납입고지에 의한 시효중단의 효력은 그 납입고지에 의한 부과처분이 취소되더라도 상실되지 않음(판례). • 세무공무원이 체납자의 재산을 압류하기 위해 수색을 하였으나 압류할 목적물이 없어 압류를 실행하지 못한 경우에도 시효중단의 효력이 발생함(판례). • 변상금 부과처분에 대한 취소소송이 진행되는 동안에도 그 부과권의 소멸시효가 진행됨(판례).

- **취득시효**
  - 민법에 따르면 국가도 부동산 점유취득시효의 주체가 되는데, 이 조항은 헌법에 위반되지 아니함(판례).
  - **국유 또는 공유의 공물**

법규정	• 국유재산법, 「공유재산 및 물품관리법」 • 국·공유의 공물은 공용폐지되지 않는 한 취득시효 대상 ×
공용폐지	• 공물의 성질을 소멸시키는 행정청의 의사표시 • 묵시적 의사표시에 의한 폐지도 가능. 다만, 행정재산이 본래 용도에 사용되지 않는다는 사실만으로 묵시적 공용폐지 의사를 인정할 수는 없음.
입증책임	행정재산이 공용폐지되어 취득시효의 대상이 된다는 사실에 대한 입증책임은 시효취득의 이익을 주장하는 자에게 있음.
예정공물의 경우	시효취득 대상 ×

  - **일반재산(구 잡종재산)** : 시효취득 대상

공법상 주소

- 자연인의 행정법상 주소의 경우 주민등록법에 의한 주민등록지가 주소지가 됨.
- 공법상 자연인의 주소는 원칙적으로 1개소에 한정

공법상 사무관리 · 부당이득

공법상 사무관리

- 법률상 의무 없이 타인을 위하여 사무를 관리하는 행위
- 본래 사법상의 개념으로, 공법관계에서도 이를 인정할 수 있는지에 대해 견해대립이 있으나, 통설은 긍정
- 사무처리의 긴급성으로 해양경찰의 직접적인 지휘를 받아 방제작업을 보조한 사인(私人)은 사무관리에 근거하여 국가에 대하여 필요비 내지 유익비의 상환을 청구할 수 있음(판례).

공법상 부당이득

의 의

- 개념
  - 부당이득 : 법률상 원인 없이 타인의 재산 또는 노무를 통하여 이익을 얻고 이로 인하여 타인에게 손해를 가하는 것(예 무자격자의 연금수령)
  - 공법상 부당이득 : 공법상 원인(예 무효인 조세부과처분에 근거한 조세의 납부)에 의하여 발생한 부당이득
  - 부당이득이 있는 경우, 이득자는 손실자에게 그 이득을 반환해야 하는 반환의무가 발생하고, 손실자는 부당이득반환청구권을 취득함.
  - 체납자 명의로 체납액을 완납한 제3자는, 국가에 대하여 부당이득반환을 청구할 수 없음(판례).
- 사법규정의 적용 : 특별한 규정이 없는 경우에는 민법의 부당이득반환의 법리 준용

부당이득반환청구권의 성질

사권설(판례) : 민사소송

부당이득의 유형

- 행정주체의 부당이득

행정행위에 의해 성립한 경우	행정행위는 공정력을 가지므로 당연무효이거나 권한 있는 기관에 의해 취소됨으로써 부당이득이 성립됨. ⇨ 단순위법이 있는 경우 행정행위가 취소되기 전까지 부당이득이 되지 아니함.
행정행위에 의하지 않고 성립한 경우	행정주체가 정당한 권한 없이 타인의 토지를 도로로 조성·사용한 경우 등

- 사인의 부당이득

행정행위에 의해 성립한 경우	행정행위가 당연무효이거나 권한 있는 기관에 의해 취소됨으로써 부당이득이 성립됨.
행정행위에 의하지 않고 성립한 경우	공무원이 봉급을 추가 수령한 경우 등

소멸시효

- 부당이득반환청구권이 금전지급을 목적으로 하는 경우 : 금전채권 소멸시효인 5년이 경과하면 권리 소멸(원칙)
- 판례 : 오납금에 대한 납부자의 부당이득반환청구권은 납부 또는 징수시에 발생하여 확정되며, 그때부터 소멸시효가 진행됨.

핵심집약 Topic 15

01 | 시간의 경과

행정상의 법률관계는 시간의 경과에 따라 발생 · 변경 · 소멸되기도 하는데, 이와 관련한 문제로서 기간, 시효, 제척기간을 들 수 있다.

❶ 기간

1. 의의

(1) 개념

기간이란 한 시점에서 다른 시점까지의 시간적 간격, 즉 길이를 의미하는 것으로 기간 개념에는 시간적 간격의 출발점인 기산점과 종료점인 만료점이 기본적인 구성요소가 된다. 행정상 법률관계는 일정한 기간의 경과에 의해 변동되는 경우도 있는바, 허가의 존속기간이 경과하면 허가의 효력이 상실되는 것이 그 예이다.

(2) 행정에 관한 기간의 계산

① 기간의 계산방법은 행정법에서 중요한 역할을 하지만 종래 행정법에는 기간과 관련한 일반규정이 없었다. 그런데 기간의 계산방법에 관한 규정은 일종의 법기술적 약속으로서 공 · 사법관계에서 별다른 차이가 없으므로, 민법의 기간계산에 관한 규정이 특별한 규정이 없는 한 행정법상의 기간계산에도 적용되어 왔다. 이에 2021년 제정된 행정기본법은 행정에 관한 기간계산의 사항을 명시적으로 규정함으로써 공법관계에 대한 기간계산의 법적 근거를 마련하고 있다.

② 행정기본법은 행정에 관한 기간의 계산에 관하여는 행정기본법 또는 다른 법령 등에 특별한 규정이 있는 경우를 제외하고는 민법을 준용하도록 하되(동법 제6조 제1항),**01** 국민의 권익제한이나 의무부과와 같이 국민에게 불리한 경우 일정한 기간을 계산할 때에는 민법과 별도로 기산일과 만료일에 관하여 특칙을 규정하고 있다. 다만, 특칙의 기준에 따르는 것이 국민에게 불리한 때에는 이를 적용하지 않도록 하고 있다(동법 제6조 제2항).

> **행정기본법 제6조【행정에 관한 기간의 계산】** ① 행정에 관한 기간의 계산에 관하여는 이 법 또는 다른 법령 등에 특별한 규정이 있는 경우를 제외하고는 민법을 준용한다.
> ② 법령 등 또는 처분에서 국민의 권익을 제한하거나 의무를 부과하는 경우 권익이 제한되거나 의무가 지속되는 기간의 계산은 다음 각 호의 기준에 따른다. 다만, 다음 각 호의 기준에 따르는 것이 국민에게 불리한 경우에는 그러하지 아니하다.
> 1. 기간을 일, 주, 월 또는 연으로 정한 경우에는 기간의 첫날을 산입한다.**02 03**
> 2. 기간의 말일이 토요일 또는 공휴일인 경우에도 기간은 그 날로 만료한다.**04 05**

2. 기간의 기산점

기간을 일 · 주 · 월 · 연으로 정한 경우 초일을 산입하지 않고 다음 날(익일)부터 기산함(민법 제157조)

이 원칙이다. 다만, 국민의 권익을 제한하거나 의무를 부과하는 경우 권익이 제한되거나 의무가 지속되는 기간을 일 · 주 · 월 · 연으로 정한 경우에도 초일을 산입한다(행정기본법 제6조 제2항 제1호).

3. 기간의 만료점

(1) 말일의 종료

기간을 일 · 주 · 월 · 연으로 정한 때에는 그 기간의 말일이 종료함으로써 만료되나, 기간의 말일이 토요일 또는 공휴일인 때에는 그 다음 날(익일)에 만료된다(민법 제159 · 161조). 다만, 국민의 권익을 제한하거나 의무를 부과하는 경우 권익이 제한되거나 의무가 지속되는 기간의 말일이 토요일 또는 공휴일인 경우에도 그 날로 만료한다(행정기본법 제6조 제2항 제2호).

(2) 역(曆)에 의한 계산

기간을 주 · 월 · 연으로 정한 때에는 역(曆)에 의하여 계산하되, 주 · 월 · 연의 처음부터 기산하지 아니하는 때에는 최후의 주 · 월 · 연에서 그 기산일에 해당하는 날의 전일로 만료하고, 월 또는 연으로 정한 경우 최종의 월에 해당일이 없는 때에는 그 월의 말일로 만료한다(민법 제160조).

❷ 시 효

1. 의 의

(1) 개 념

시효제도는 진실한 법률관계가 어떠한지를 불문하고, 일정한 사실상태가 지속된 경우 그 계속된 사실상태를 존중하여 이것을 법률적으로 보호함으로써 법률생활의 안정을 도모하려는 제도로서 이러한 시효에는 소멸시효와 취득시효가 있다.

(2) 사법규정의 적용

이는 법기술적 제도로서 특별한 규정이 없는 한 공법관계에도 민법의 시효에 관한 규정이 적용된다. 다만, 행정법관계의 특수성상 민법의 규정이 그대로 적용되는 것이 아니라 유추적용되며 시효기간 등은 후술하는 바와 같이 민법과 다른 특색이 있다.

2. 금전채권 소멸시효

(1) 일반론

① 소멸시효란 권리의 불행사가 일정기간 계속됨으로써 권리의 소멸을 가져오는 것을 말한다. 이의 존재이유로 전통적 견해는 권리의 입증이 곤란하다는 점, 권리 위에 잠자는 자를 보호할 필요가 없다는 점, 권리자가 더 이상 권리를 행사하지 아니할 것으로 믿은 의무자의 신뢰를 보호하여야 한다는 점 등을 들고 있다. 공법상 금전채권의 소멸시효기간을 정하는 이유도 사법관계와 마찬가지로 공법관계에서 법률관계를 오래도록 미확정인 채로 방치하여 두는 것이 타당하지 않기 때문이다.[01]

② 민법상 금전채권의 소멸시효기간은 원칙적으로 10년인데 행정상 법률관계에서 시효기간은 몇 년인지가 문제된다.

정답 01 ○

☐☐☐☐☐ **01** 금전의 급부를 목적으로 하는 국가의 권리로서 시효에 관하여 다른 법률에 규정이 없는 것은 10년 동안 행사하지 아니하면 소멸한다. (○, ×) ★★★
2016 교육행정직 9급

☐☐☐☐☐ **02** 소멸시효에 대해 국가재정법은 국가의 국민에 대한 금전채권은 물론이고 국민의 국가에 대한 금전채권에도 적용된다. (○, ×) ★★ 2020 소방직 9급

☐☐☐☐☐ **03** 금전의 급부를 목적으로 하는 국가의 권리의 경우 소멸시효의 중단·정지, 그 밖의 사항에 관하여 다른 법률의 규정이 없는 때에는 민법의 규정을 적용한다. (○, ×) 2022 소방간부

☐☐☐☐☐ **04** 국가재정법상 5년의 소멸시효가 적용되는 '금전의 급부를 목적으로 하는 국가의 권리'에는 국가의 사법(私法)상 행위에서 발생한 국가에 대한 금전채무도 포함된다. (○, ×) ★★ 2016 지방직 9급

(2) 시효기간

> **국가재정법 제96조【금전채권·채무의 소멸시효】** ① 금전의 급부를 목적으로 하는 국가의 권리로서 시효에 관하여 다른 법률에 규정이 없는 것은 5년 동안 행사하지 아니하면 시효로 인하여 소멸한다. **01**
> ② 국가에 대한 권리로서 금전의 급부를 목적으로 하는 것도 또한 제1항과 같다. **02**
> ③ 금전의 급부를 목적으로 하는 국가의 권리의 경우 소멸시효의 중단·정지, 그 밖의 사항에 관하여 다른 법률의 규정이 없는 때에는 민법의 규정을 적용한다. **03** 국가에 대한 권리로서 금전의 급부를 목적으로 하는 것도 또한 같다.
> ④ 법령의 규정에 따라 국가가 행하는 납입의 고지는 시효중단의 효력이 있다.
>
> **지방재정법 제82조【금전채권과 채무의 소멸시효】** ① 금전의 지급을 목적으로 하는 지방자치단체의 권리는 시효에 관하여 다른 법률에 특별한 규정이 있는 경우를 제외하고는 5년간 행사하지 아니하면 소멸시효가 완성한다.
> ② 금전의 지급을 목적으로 하는 지방자치단체에 대한 권리도 제1항과 같다.

① **국가 등의 국민에 대한 금전채권**

ㄱ 원칙적 5년 : 국가의 국민에 대한 금전채권의 경우와 지방자치단체의 주민에 대한 금전채권의 경우에는 모두 다른 법률에 특별한 규정이 없는 한 5년 동안 행사하지 아니하면 시효로 인하여 소멸한다고 국가재정법과 지방재정법에 규정함으로써, 민법과 달리 시효를 단기(短期)로 정하고 있다. 한편, 국가재정법 조문의 해석상 다른 법률에 시효기간에 관해 별도의 명문규정이 있으면 해석상 그 기간에 따른다.

ㄴ 다른 법률의 의미 : 다른 법률의 범위에 민법도 포함될 수 있는지가 문제되나 일반적 견해는 민법도 포함된다고 한다. 다만, 소멸시효를 단기로 규정하고 있는 국가재정법의 취지상 민법에서 5년보다 짧은 기간을 규정하고 있는 경우에는 다른 법률에 포함되나, 5년보다 긴 기간을 규정하고 있는 경우에는 다른 법률에 포함되지 않는다고 한다.

┏ 관련판례

(국가재정법이 제정되기 전 소멸시효에 관한 근거법인) 예산회계법 제96조에서 말하는 다른 법률의 규정이란 민법도 포함하나 민법 중 10년의 기간을 규정하고 있는 경우는 이에 해당하지 않는다.
예산회계법 제96조에서 '다른 법률의 규정'이라 함은 다른 법률에 예산회계법 제96조에서 규정한 5년의 소멸시효기간보다 짧은 기간의 소멸시효의 규정이 있는 경우를 가리키는 것이고, 이보다 긴 10년의 소멸시효를 규정한 민법 제766조 제2항은 예산회계법 제96조에서 말하는 '다른 법률의 규정'에 해당하지 아니한다(대판 2001. 4. 24, 2000다57856).

ㄷ 다른 법률에 규정을 둔 구체적 예 : '다른 법률의 규정'의 예로는 관세법상의 관세과오납반환청구권(5년), 관세징수권(5년), 공무원연금법상의 단기급여지급청구권(3년), 국가배상법상의 국가배상청구권(손해 및 가해자를 안 날로부터 3년)을 들 수 있다.

ㄹ 국가의 사법(私法)상 행위에서 발생한 금전채권의 경우 : 국가재정법상 금전의 급부를 목적으로 하는 권리라는 표현이 있을 뿐 금전급부의 발생원인에 대해서는 아무런 규정이 없으므로 사법상의 행위에서 발생한 국가의 채권에도 적용된다고 볼 수 있다.

┏ 관련판례

금전의 급부를 목적으로 하는 국가의 권리인 이상 국가의 사법상 행위에서 발생한 권리도 포함한다. ★★
예산회계법(현 국가재정법) 제71조는 금전의 급부를 목적으로 하는 국가의 권리로서 시효에 관하여 다른 법률에 규정이 없는 것은 5년간 행하지 아니할 때에는 시효로 인하여 소멸한다고 규정하고 있는바, 금전의 급부를 목적으로 하는 국가의 권리라 함은 금전의 급부를 목적으로 하는 국가의 권리인 이상, 금전급부의 발생원인에 관하여는 아무런 제한이 없으므로 국가의 공권력 발동으로 하는 행위는 물론 국가의 사법상 행위에서 발생한 국가에 대한 금전채무도 포함한다고 해석함이 타당하다 할 것이며 …… (대판 1967. 7. 4, 67다751) **04**

② 국민의 국가에 대한 금전채권

　　㉠ **원칙적 5년** : 국가재정법과 지방재정법의 조문에 따르면 국민의 국가에 대한 금전채권, 또는 지방자치단체에 관한 금전채권 역시 소멸시효는 5년이다(국가재정법 제96조 제2항, 지방재정법 제82조 제2항).

　　㉡ **위헌성 여부** : 소멸시효기간을 단기로 규정하고 있는 관련법조문이 헌법에 위반되는지가 문제되나, 우리 헌법재판소는 합헌이라고 보고 있다.

(3) 소멸시효의 중단 · 정지 등

① 기산점

소멸시효는 권리를 행사할 수 있는 때로부터 진행한다고 민법은 규정하고 있다. 이의 의미에 관해 판례는 소멸시효의 기산점인 '권리를 행사할 수 있는 때'라 함은 권리를 행사함에 있어서 **법률상의 장애**(ⓔ 이행기 미도래, 정지조건 미성취)가 없는 경우를 말한다.

② 중단 · 정지

소멸시효의 중단 · 정지에 관해서도 다른 법률에 특별한 규정이 없는 한 민법의 규정이 준용되는바,**01** 여기에는 청구 · 압류 등이 있다. 한편 다른 법률의 특별한 규정으로서는 국가 · 지방자치단체가 행하는 조세 등의 납부고지, 독촉에 시효중단의 효력을 인정하는 것을 들 수 있다.❶㉠ⓐ

▶ 관련판례

1. **납입고지(현 납부고지)에 의한 시효중단의 효력은 그 납입고지에 의한 부과처분이 취소되더라도 상실되지 않는다.02 ★★★**

　　구 예산회계법(현 국가재정법) 제98조에서 법령의 규정에 의한 납입고지를 시효중단사유로 규정하고 있는바, 이러한 납입고지에 의한 시효중단의 효력은 그 납입고지에 의한 부과처분이 취소되더라도 상실되지 않는다(대판 2000. 9. 8, 98두19933).

2. **세무공무원이 체납자의 재산을 압류하기 위해 수색을 하였으나 압류할 목적물이 없어 압류를 실행하지 못한 경우에도 시효중단의 효력이 발생한다.03 ★★**

　　구 국세기본법 제28조 제1항은 국세징수권의 소멸시효의 중단사유로서 납세고지, 독촉 또는 납부최고, 교부청구 외에 '압류'를 규정하고 있는바, 여기서의 '압류'란 세무공무원이 구 국세징수법 제24조 (현 제31조) 이하의 규정에 따라 납세자의 재산에 대한 압류절차에 착수하는 것을 가리키는 것이므로, 세무공무원이 구 국세징수법 제26조(현 제35조)에 의하여 체납자의 가옥 · 선박 · 창고 및 기타의 장소를 수색하였으나 압류할 목적물을 찾아내지 못하여 압류를 실행하지 못하고 수색조서를 작성하는 데 그친 경우에도 소멸시효중단의 효력이 있다(대판 2001. 8. 21, 2000다12419).

3. **변상금 부과처분에 대한 취소소송이 진행되는 동안에도 그 부과권의 소멸시효가 진행된다.★★★**

　　소멸시효는 객관적으로 권리가 발생하여 그 권리를 행사할 수 있는 때로부터 진행하고 그 권리를 행사할 수 없는 동안만은 진행하지 아니하는데, 여기서 권리를 행사할 수 없는 경우라 함은 그 권리행사에 법률상의 장애사유가 있는 경우를 말한다. 변상금 부과처분에 대한 취소소송이 진행 중이라도 그 부과권자로서는 위법한 처분을 스스로 취소하고 그 하자를 보완하여 다시 적법한 부과처분을 할 수도 있는 것이어서**04** 그 권리행사에 법률상의 장애사유가 있는 경우에 해당한다고 할 수 없으므로, 그 처분에 대한 취소소송이 진행되는 동안에도 그 부과권의 소멸시효가 진행된다(대판 2006. 2. 10, 2003두5686).**05**

❶ 1. 민법 제168조【소멸시효의 중단사유】소멸시효는 다음 각 호의 사유로 인하여 중단된다.
　　1. 청구
　　2. 압류 또는 가압류, 가처분
　　3. 승인
2. 국세기본법 제28조【소멸시효의 중단과 정지】① 제27조에 따른 소멸시효는 다음 각 호의 사유로 중단된다.
　　1. 납부고지
　　2. 독촉
　　3. 교부청구
　　4. 압류

판례 | ㉠ 과세처분의 취소 또는 무효확인청구의 소가 조세환급을 구하는 부당이득반환청구권의 소멸시효중단사유인 재판상 청구에 해당한다(대판 1992. 3. 31, 91다32053 전합).

ⓐ **소멸시효의 중단의 개념**
시효의 중단이란 재산권을 행사하는 등 일정한 사유의 발생으로 인해 시효기간의 계산이 중간에 중단되는 것을 말하며, 이 경우 시효기간은 처음부터 다시 진행된다.

기출 체크

☐☐☐☐☐ **01** 제척기간은 권리관계를 조속히 확정시키기 위하여 권리의 행사에 중대한 제한을 가하는 것이므로, 모법인 법률에 의한 위임이 없는 한 시행령이 함부로 제척기간을 규정할 수는 없다고 할 것이다. (○, ×)　　2024 국회직 8급

☐☐☐☐☐ **02** 제척기간은 권리자로 하여금 권리를 신속하게 행사하도록 함으로써 그 권리를 중심으로 하는 법률관계를 조속하게 확정하려는 데에 그 제도의 취지가 있는 것으로서, 관계법령에 따라 정당한 사유가 인정되는 등 특별한 사정이 없는 한 그 기간의 경과 자체만으로 곧 권리소멸의 효과를 발생시킨다. (○, ×)
2024 국회직 8급

☐☐☐☐☐ **03** 제척기간에 있어서는 그 성질에 비추어 소멸시효와 같이 기간의 중단이나 정지는 있을 수 없다. (○, ×)
2024 국회직 8급

판례 | ㉠ 일정한 권리에 관하여 법률이 규정한 존속기간을 뜻하는 제척기간은 권리관계를 조속히 확정시키기 위하여 권리의 행사에 중대한 제한을 가하는 것이어서 모법인 법률에 의한 위임이 없는 한 시행령이 함부로 제척기간을 규정할 수는 없다고 할 것이므로,01 구 근로기준법(1989. 3. 29, 법률 제4099호로 개정되기 전의 것) 제38조가 그 단서에서 사용자가 노동위원회의 승인을 받아 휴업수당을 지급하지 않을 수 있는 예외를 규정하고 있을 뿐 그 승인을 받을 수 있는 기간을 제한하는 데 관하여 직접 규정하지 않고 있음은 물론 시행령에 위임하지도 아니하였음에도 불구하고, 같은 법 시행령 제21조가 정하고 있는 사용자의 노동위원회에 대한 휴업수당지급의 예외 승인신청기간은 제척기간으로 볼 수는 없고 훈시규정으로 보아야 한다(대판 1990. 9. 28, 89누2493).

❶ **제척기간과 소멸시효의 구분**
제척기간은 일정기간 권리의 불행사로 그 권리가 소멸된다는 점에서는 소멸시효와 동일하나 제척기간은 특정한 권리에 대해 법률이 미리 정해 놓은 존속기간인 반면, 소멸시효는 일정기간 진행된 사실상태를 권리관계로 인정하려는 제도로서 그 성질이 다르다고 볼 수 있다.

❷ **시효기간과 제척기간의 비교**

시효기간	제척기간
중단 · 정지가 있다.	중단 · 정지가 없다.
당사자가 원용해야 참작한다.	직권조사사항이다.
권리를 행사할 수 있는 때부터 진행한다.	권리가 발생한 때부터 진행한다.
완성의 효과는 소급한다.	소급효가 없다.

❸ **공 물**
국가 · 공공단체 등의 행정주체에 의하여 직접 공공목적에 공용되는 개개의 유체물(有體物)을 말한다.

정답 01 ○ 02 ○ 03 ○

---

(4) 제척기간과 시효기간의 구별

① 의 의

㉠ 제척기간이란 일정한 권리에 대하여 법률이 정한 존속기간을 말하는 것으로 **행정소송법상의 제소기간이 이에 해당**한다.

㉡ 제척기간은 권리의 행사를 제한하는 기간❶이므로 그 기간 내에 권리를 행사하지 않으면 권리가 소멸된다.

┌ **관련판례**

제척기간은 권리자로 하여금 권리를 신속하게 행사하도록 함으로써 그 권리를 중심으로 하는 법률관계를 조속하게 확정하려는 데에 그 제도의 취지가 있는 것으로서, 소멸시효가 일정한 기간의 경과와 권리의 불행사라는 사정에 의하여 그 효과가 발생하는 것과는 달리 관계법령에 따라 정당한 사유가 인정되는 등 특별한 사정이 없는 한 그 기간의 경과 자체만으로 곧 권리소멸의 효과를 발생시킨다.02 따라서 추상적 권리행사에 관한 제척기간은 권리자의 권리행사 태만 여부를 고려하지 않으며, 또 당사자의 신청만으로 추상적 권리가 실현되므로 기간 진행의 중단 · 정지를 상정하기 어렵다.03 이러한 점에서 제척기간은 소멸시효와 근본적인 차이가 있다(대판 2021. 3. 18, 2018두47264 전합).

② 구별방법

통설은 이러한 제척기간과 소멸시효의 구별기준에 대해, 법조문에 '시효에 의하여'라는 규정이 있으면 소멸시효로 보고, 그렇지 않은 경우에는 제척기간으로 보고 있다.

③ 소멸시효와 제척기간의 차이❷❸

㉠ 통설에 따르면 제척기간은 일정기간 내에 권리를 행사하지 않으면 권리를 소멸시킨다는 점에서는 소멸시효와 같으나 일반적으로 그 기간이 짧다는 점, 중단 · 정지제도가 없다는 점, 소송에서 당사자의 원용이 없어도 직권으로 고려해야 한다는 점에서 구별된다고 한다.

㉡ 다만, 법률이 정한 권리행사기간이 시효기간과 제척기간 중 어느 것인지 구별이 어려운 경우도 있다.

3. 공물의 취득시효

(1) 의 의

① 개 념

취득시효란 타인의 물건을 일정기간 계속해 점유(민법상 부동산은 20년)하는 자에게 소유권을 취득하게 하거나 기타 권리를 취득하게 하는 것을 말한다. **민법에 따르면 국가도 부동산 점유취득시효의 주체가 되는데, 이 조항은 헌법에 위반되지 아니한다**는 것이 판례의 입장이다(헌재 2015. 6. 25, 2014헌바404).

② 문제의 소재

이는 민법에 규정된 것으로 민법에서는 일정기간 타인의 재산권을 점유하고 있으면 소유권 등을 취득할 수 있는데, 국 · 공유의 행정재산, 즉 공물❸도 시효에 의한 취득이 가능한지가 문제된다.

(2) 학설 및 판례

① 국유 또는 공유의 공물

㉠ 법규정 : 국유재산법과 「공유재산 및 물품관리법」은 국유 또는 공유의 공물은 시효취득의 대상이 되지 않는다는 규정을 두고 있다. 따라서 이러한 국 · 공유의 공물은 공용폐지되지 않

는 한 취득시효의 대상이 되지 않는다.**01**❶ 한편 공물은 사유(私有)공물일 수도 있는바, 사유의 공물은 시효취득의 대상이 되지만 공적 목적에 제공하여야 하는 공법상의 제한은 여전히 존재한다.ⓐ

┌ 관련판례 ─────────────────────────────
공물인 보존재산은 시효취득의 대상이 되지 않는다. ★★
문화재보호구역 내의 국유토지는 공물인 보존재산에 해당하므로 시효취득의 대상이 되지 않는다(대판 1994. 5. 10, 93다23442).
─────────────────────────────────────

ⓛ **공용폐지**

　　ⓐ **개념** : 공물은 공용폐지가 되면 시효취득의 대상이 되는바, 이때 공용폐지란 공물의 성질을 소멸시키는 행정청의 의사표시를 말한다.

　　ⓑ **폐지의 가능성** : 판례에 따르면 공용폐지는 명시적 의사표시에 의한 폐지 외에 묵시적 의사표시에 의한 폐지도 가능하다고 한다. 다만, 단순히 행정재산이 본래의 용도에 사용되지 않는다는 사실만으로 묵시적 공용폐지 의사를 인정할 수는 없다고 판시함으로써 묵시적 공용폐지가 인정되는 범위를 좁히고 있다.

┌ 관련판례 ─────────────────────────────
1. 행정재산은 공용이 폐지되지 않는 한 사법상 거래의 대상이 될 수 없으므로 취득시효의 대상이 되지 않는다.**03** ★★
2. 공용폐지의 의사표시는 묵시적 공용폐지의 의사표시도 가능하나 사실상 본래의 용도에 사용되지 않고 있다는 사실만으로는 공용폐지의 의사표시가 있었다고 볼 수 없다.**04** ★★
　행정재산은 공용이 폐지되지 않는 한 사법상 거래의 대상이 될 수 없으므로 취득시효의 대상이 되지 않으며, 공용폐지의 의사표시는 명시적이든 묵시적이든 상관이 없으나 적법한 의사표시가 있어야 하고, 행정재산이 사실상 본래의 용도에 사용되지 않고 있다는 사실만으로 용도폐지의 의사표시가 있었다고 볼 수는 없으며 ⋯⋯ (대판 1994. 3. 22, 93다56220)
─────────────────────────────────────

ⓒ **입증책임** : 판례의 태도에 따를 경우 과연 공용폐지의 묵시적 의사표시가 있었는지가 소송에서 문제되는데, 이에 대해 판례는 시효취득의 대상이 된다는 사실은 **시효취득의 이익을 주장하는 자가 입증책임을 진다**고 한다.

┌ 관련판례 ─────────────────────────────
입증책임은 시효취득을 주장하는 자에게 있다.
원래의 행정재산이 공용폐지되어 취득시효의 대상이 된다는 사실에 대한 입증책임은 시효취득을 주장하는 자에게 있다(대판 1994. 3. 22, 93다56220).**05**
─────────────────────────────────────

ⓓ **예정공물의 경우** : 예정공물이란 아직 공공목적에 제공되지 않았으나 장차 그 완성을 기다려 공공목적에 제공되기로 예정된 물건으로서 도로예정지 등을 들 수 있는바, 이러한 **예정공물도 시효취득의 대상이 되지 않는다**는 것이 판례의 입장이다.

┌ 관련판례 ─────────────────────────────
예정공물도 시효취득의 대상이 아니다.
예정공물인 토지도 일종의 행정재산인 공공용물에 준하여 취급하는 것이 타당하다고 할 것이므로 구 국유재산법 제5조 제2항이 준용되어 시효취득의 대상이 될 수 없다(대판 1994. 5. 10, 93다23442).
─────────────────────────────────────

❶ **취득시효**
1. **국유재산법 제7조 【국유재산의 보호】** ① 누구든지 이 법 또는 다른 법률에서 정하는 절차와 방법에 따르지 아니하고는 국유재산을 사용하거나 수익하지 못한다.
② 행정재산은 민법 제245조에도 불구하고 시효취득의 대상이 되지 아니한다.**02**
2. **「공유재산 및 물품관리법」 제6조 【공유재산의 보호】** ① 누구든지 이 법 또는 다른 법률에서 정하는 절차와 방법에 따르지 아니하고는 공유재산을 사용하거나 수익하지 못한다.
② 행정재산은 민법 제245조에도 불구하고 시효취득의 대상이 되지 아니한다.

ⓐ 예컨대, 개인소유 문화재는 사유(私有)의 공물에 속하며 이러한 사유공물은 시효취득의 대상이 된다.

기출 체크

☐☐☐☐☐ **01** 국유재산법상 일반재산은 취득시효의 대상이 될 수 없다.

(○, ×) ★★　　　　2016 지방직 9급

☐☐☐☐☐ **02** 구 국유재산법 제5조 제2항이 잡종재산에 대하여까지 시효취득을 배제하고 있는 것은 국가만을 우대하여 합리적 사유 없이 국가와 사인을 차별하는 것이므로 평등원칙에 위반된다.

(○, ×) ★★　　　　2011 국회직 8급

☐☐☐☐☐ **03** 공법관계에 있어서 자연인의 주소는 주민등록지이고, 그 수는 1개소에 한한다. (○, ×) ★

　　　　　　　　2017 지방직 9급

② 일반재산(개정 전 잡종재산)의 경우

일반재산(개정 전 잡종재산)의 경우는 시효취득의 대상이 될 수 있다.01 한편 헌법재판소는 일반재산(개정 전 잡종재산)을 시효취득에서 제한하고 있었던 구 국유재산법 규정에 대해서 위헌결정을 내린 바 있다.

▶ 관련판례

잡종재산(현 일반재산)을 시효취득에서 제한하고 있는 구 국유재산법의 규정은 헌법상 평등의 원칙에 위반된다.02 ★★

국유잡종재산에 대한 시효취득을 부인하는 동 규정은 합리적 근거 없이 국가만을 우대하는 불평등한 규정으로서 헌법상의 평등원칙과 사유재산권 보장의 이념 및 과잉금지원칙에 반한다(헌재 1991. 5. 13, 89헌가97).

---

❶ **주민등록법 제23조 【주민등록자의 지위 등】** ① 다른 법률에 특별한 규정이 없으면 이 법에 따른 주민등록지를 공법관계에서의 주소로 한다.

ⓐ 주소지를 기준으로 공무원시험 응시자격이 주어지는 것을 생각해 볼 것

거 소

사람이 일정기간 계속하여 거주하는 장소로서 그 장소와의 밀접도가 주소만 못한 곳을 거소라고 하는데, 행정법규는 이러한 거소를 기준으로 법률관계를 규율하기도 한다(소득세법 제1조의2). 공법상의 주소는 주민등록법에 의한 주민등록지가 되는 것이므로 주민등록을 하지 않은 경우에는 생활의 근거지라 하더라도 거소에 불과하다.

02 │ 주 소

주소에 의하여 권리주체의 장소성을 특정하고, 이를 기준으로 법률관계를 결정하는 것은 민법과 마찬가지로 공법관계에서도 동일하다. 예컨대, 지방자치단체의 주민이 되는 요건, 주민세의 납세요건, 외국인이 귀화하는 요건, 각종의 선거권 등의 성립요건은 주소를 기준으로 정한다. 주소와 관련하여 자연인과 법인을 구분해서 살펴보고 주소의 수에 관해 검토해 본다.

❶ 주소의 의의

자연인의 경우 민법상으로는 '생활의 근거가 되는 곳'이 주소가 된다(민법 제18조). 그런데 국고관계는 사법관계이므로 이와 관련된 주소문제는 민법규정이 그대로 적용된다. 그러나 행정법상 주소의 경우는 주민등록법에서 통칙적 규정을 두어 주민등록법에 의한 **주민등록지가 주소지**가 된다고 규정하고 있다.❶

❷ 주소의 수

민법은 주소의 수에 관해 "주소는 동시에 두 곳 이상 있을 수 있다."라고 규정하여 주소복수주의를 취하고 있으나, 주민등록법은 주민등록의 신고를 이중으로 하는 것을 금지하고 있다. 따라서 **공법상 자연인의 주소는 원칙적으로 1개소에 한정**된다.03ⓐ

핵심집약 Topic 16

01 | 공법상 사무관리

❶ 개 념

사무관리란 법률상 의무 없이 타인을 위하여 사무를 관리하는 행위를 말한다. 부재중인 이웃집으로 배달된 우편물이나 소포 등을 대신 받아 보관해주는 경우 등을 예로 들 수 있다. 사무관리제도를 인정하는 것은 의무 없이 임의로 한 행위일지라도 그것이 본인에게 이익이 되는 행위라면 본인과 그 사무를 관리한 자 상호 간의 이해를 조절하는 것(관리비용의 상환청구 등)이 합리적이라고 보기 때문이다. 그런데 이는 본래 사법상의 개념으로서 공법관계에서도 사무관리를 인정할 수 있는지에 대해 견해대립❶이 있으나 통설은 긍정설을 취하고 있다.

┌ **관련판례** ─────────────────

1. 압수물에 대한 환가(편저자 주 : 돈으로 바꿈)처분 후 해당 압수물이 그 후의 형사절차에 의하여 몰수되지 아니한 경우, 그 환가처분은 그 물건 소유자를 위한 사무관리에 준하는 행위라 할 것이다.★★

   몰수할 수 있는 압수물에 대한 수사기관의 환가처분은 그 경제적 가치를 보존하기 위한 형사소송법상의 처분일지라도 해당 압수물이 그 후의 형사절차에 의하여 몰수되지 아니하는 경우 그 환가처분은 그 물건 소유자를 위한 사무관리에 준하는 행위라 할 것이다(대판 2000. 1. 21, 97다58507).

2. 甲 주식회사 소유의 유조선에서 원유가 유출되는 사고가 발생하자 乙 주식회사가 피해 방지를 위해 해양경찰의 직접적인 지휘를 받아 방제작업을 보조한 사안에서, 乙 회사는 사무관리에 근거하여 국가에 방제비용을 청구할 수 있다.

   사무관리가 성립하기 위하여는 우선 그 사무가 타인의 사무이고 타인을 위하여 사무를 처리하는 의사, 즉 관리의 사실상 이익을 타인에게 귀속시키려는 의사가 있어야 하며, 나아가 사무의 처리가 본인에게 불리하거나 본인의 의사에 반한다는 것이 명백하지 아니할 것을 요한다. 다만 타인의 사무가 국가의 사무인 경우, 원칙적으로 사인이 법령상 근거 없이 국가의 사무를 수행할 수 없다는 점을 고려하면, 사인이 처리한 국가의 사무가 사인이 국가를 대신하여 처리할 수 있는 성질의 것으로서, 사무처리의 긴급성 등 국가의 사무에 대한 사인의 개입이 정당화되는 경우에 한하여 사무관리가 성립하고, 사인은 그 범위 내에서 국가에 대하여 국가의 사무를 처리하면서 지출된 필요비 내지 유익비의 상환을 (편저자 주 : 민사소송으로) 청구할 수 있다(대판 2014. 12. 11, 2012다15602).**01**

❷ 사법규정의 적용 및 내용

사무관리에 관한 사법(私法)규정은 법일반원리적 규정이므로 원칙적으로 공법상 사무관리에도 적용된다. 공법상 사무관리에는 특별한 규정이 없는 한 민법상 사무관리에 관한 규정이 준용되므로 행정기관이 공법상 사무관리를 한 경우 그 행정기관은 사무관리의 상대방에 대해 통지의무를 지고, 비용상환청구권을 갖는다.

기출 체크

□□□□□ **01** 사무처리의 긴급성으로 인하여 해양경찰의 직접적인 지휘를 받아 보조로 방제작업을 한 경우, 사인은 그 사무를 처리하며 지출한 필요비 내지 유익비의 상환을 국가에 대하여 민사소송으로 청구할 수 있다. (O, ×) 2022 국가직 9급

❶ 사무관리의 인정 여부
1. 부정설
   행정법상의 사무관리는 공무원의 복무의무 등에 근거한 것이므로 사무관리로 볼 수 없다고 한다.
2. 긍정설
   공무원의 의무는 국가에 대한 것이지 피관리자(🔟 행려병자)에 대한 것은 아니라는 이유로 공법상 사무관리를 긍정하는 견해로서 통설의 입장이다.

□□□□□ **01** 제3자가 체납자가 납부
해야 할 체납액을 체납자 명의로 완납한
경우, 제3자는 국가에 대하여 부당이득반
환을 청구할 수 없다. (○, ×)
2022 소방간부

□□□□□ **02** 공법상 부당이득에 관
한 일반법은 없으므로 특별한 규정이 없는
경우, 민법상 부당이득반환의 법리가 준
용된다. (○, ×) ★★★　2017 지방직 9급

판례 | ⓐ 국립대학의 기성회비는 기성회에 가
입한 회원들로부터 기성회 규약에 따라 받는
회비라는 법률적인 성격을 가짐과 아울러, 실
질에서 국립대학이 기성회를 통하여 영조물
이용관계에서의 사용료를 학생이나 학부모로
부터 납부받은 것으로서 고등교육법 제11조 제
1항에 의하여 국립대학의 설립자·경영자가
받을 수 있는 '그 밖의 납부금'을 납부받은 것
과 마찬가지로 볼 수 있다. 그리고 1997. 12.
13. 고등교육법이 제정된 이래 고등교육법 제
11조 제1항에 수업료 외에 그 밖의 납부금을
받을 수 있는 근거가 규정되어 있으므로, 고등
교육법 제정 이후에 기성회장 명의로 기성회
비 납부고지를 하면서 실질적으로는 국립대
학이 수업료와 함께 기성회비를 납부받은 것
을 가지고 국립대학 기성회가 '법률상 원인 없
이' 타인의 재산으로 인하여 이익을 얻은 경우
에 해당한다고 볼 수는 없다(대판 2015. 6.
25, 2014다5531 전합).
ⓑ 한편 고압전선의 소유자가 해당 토지 상공
에 관하여 일정한 사용권원을 취득한 경우, 그
양적 범위가 토지소유자의 사용·수익이 제
한되는 상공의 범위에 미치지 못한다면, 사용·
수익이 제한되는 상공 중 사용권원을 취득하
지 못한 부분에 대해서 고압전선의 소유자는
특별한 사정이 없는 한 차임 상당의 부당이득
을 토지소유자에게 반환할 의무를 부담한다
(대판 2022. 11. 30, 2017다257043).

02 | 공법상 부당이득

❶ 부당이득의 의의

1. 개념

부당이득이란 무자격자의 연금수령과 같이 법률상 원인 없이 타인의 재산 또는 노무를 통하여 이익을
얻고 이로 인하여 타인에게 손해를 가하는 것을 말한다. 부당이득은 이득의 변동이 공평의 원리에 반
하는 경우에 이를 조절함으로써 합당한 이해조정을 하려는 제도이다. 따라서 부당이득이 있는 경우,
이득자는 손실자에게 그 이득을 반환하여야 하는 반환의무가 발생하고 손실자는 부당이득반환청
구권을 취득한다. 공법상 부당이득이라 함은 공법상 원인, 예컨대 무효인 조세부과처분에 근거한 조세의
납부에 의하여 발생한 부당이득을 말한다. 한편 부당이득의 반환청구는 그 이득의 귀속자가 되는 주체
에게 하여야 한다.

> **관련판례**
>
> 1. 국립대학의 기성회가 기성회비를 납부받은 것이 '법률상 원인 없이' 타인의 재산으로 이익을 얻은 경우에 해
>   당한다고 볼 수 없다(대판 2015. 6. 25, 2014다5531 전합).ⓐ
>
> 2. 농지개량사업 시행지역 내의 토지 등 소유자가 토지사용에 관한 승낙을 하였더라도 그에 대한 정당한
>   보상을 받은 바가 없다면 농지개량사업 시행자는 토지소유자 및 승계인에 대하여 보상할 의무가 있다
>   고 할 것이고, 그러한 보상 없이 타인의 토지를 점유·사용하는 것은 법률상 원인 없이 이득을 얻은 때
>   에 해당한다고 보아야 한다(대판 2016. 6. 23, 2016다206369).
>
> 3. 국세징수법 시행령 제74조 제1항은 제3자가 국세징수법 제71조 제1항에 따라 체납자의 체납액을 납부
>   할 때에는 체납자의 명의로만 하도록 규정하고 있고, 국세징수법 시행령 제74조 제2항은 제3자가 체
>   납자의 명의로 납부를 한 경우에 국가에 대하여 그 반환을 청구할 수 없도록 규정하고 있다. 이와 같이
>   제3자가 체납자가 납부하여야 할 체납액을 체납자의 명의로 납부한 경우에는 원칙적으로 체납자의
>   조세채무에 대한 유효한 이행이 되고, 이로 인하여 국가의 조세채권은 만족을 얻어 소멸하므로, 국가
>   가 체납액을 납부받은 것에 법률상 원인이 없다고 할 수 없고, 제3자는 국가에 대하여 부당이득반환을
>   청구할 수 없다. 이는 세무서장 등이 체납액을 징수하기 위하여 실시한 체납처분압류가 무효인 경우
>   에도 다르지 아니하다(대판 2015. 11. 12, 2013다215263).01
>
> 4-1. 토지의 상공에 고압전선이 통과하게 됨으로써 토지소유자가 토지 상공의 사용·수익을 제한받게 되는 경
>   우, 특별한 사정이 없는 한 고압전선의 소유자는 토지소유자의 사용·수익이 제한되는 상공 부분에 대한 차임
>   상당의 부당이득을 얻고 있으므로, 토지소유자는 이에 대한 반환을 구할 수 있다.
>
> 4-2. 이때 토지소유자의 사용·수익이 제한되는 상공의 범위에는 고압전선이 통과하는 부분뿐만 아니라 관계
>   법령에서 고압전선과 건조물 사이에 일정한 거리를 유지하도록 규정하고 있는 경우 그 거리 내의 부분도 포함
>   된다(대판 2022. 11. 30, 2017다257043).ⓑ

2. 사법규정의 적용

민법상 부당이득반환의 법리는 법의 일반원리에 해당하므로 공법상 부당이득에 관하여 특별한 규정
이 없는 경우에는 민법의 부당이득반환의 법리가 준용된다.02 즉, 앞서 본 바와 같이 공법상 부당이득으
로 손해를 입은 자는 부당이득반환청구권을 갖는다.

❷ 부당이득반환청구권의 성질

부당이득반환청구권은 경제적 이해조정의 견지에서 인정되는 것으로 사법상의 것과 구별할 필요

가 없으므로, 이를 사권이라고 보는 것이 판례의 입장이다. 사권설에 따르면 부당이득반환청구는 민사소송에 의하고 민사법원이 관할한다.

> **관련판례**
>
> **과세처분의 당연무효를 전제로 한 세금반환청구소송은 민사상의 부당이득반환청구로서 민사소송이다.01 ★★★**
> 조세부과처분이 당연무효임을 전제로 하여 이미 납부한 세금의 반환을 청구하는'것은 민사상의 부당이득반환청구로서 민사소송절차에 따라야 한다는 것이 대법원의 확립된 견해이다(대판 1995. 4. 28, 94다55019).

❸ 부당이득의 유형

공법상 부당이득반환의무는 행정주체와 사인 모두에게 발생할 수 있다. 따라서 공법상 부당이득반환청구권의 행사는 사안에 따라 사인과 행정주체 모두가 주장할 수 있다.02

구 분	행정주체의 부당이득	사인의 부당이득
행정행위에 의해 성립한 경우	행정행위는 공정력을 가지고 있으므로 그 행정행위가 당연무효이거나 권한 있는 기관에 의해 취소됨으로써 부당이득을 구성한다. 따라서 행정행위에 단순 위법이 있는 경우 행정행위가 취소되기 전까지는 부당이득이 되지 아니한다(행정행위의 효력 중 공정력(p.313) 참조).	사인의 이득이 행정행위에 근거한 경우에는 그 행정행위가 당연무효이거나 권한 있는 기관에 의해 취소됨으로써 부당이득이 성립된다.
행정행위에 의하지 않고 성립한 경우	행정주체가 정당한 권한 없이 타인이 소유한 토지를 도로로 조성·사용한 경우처럼 행정행위와 무관하게 부당이득이 성립할 수도 있다.	사인이 국유지를 무단사용하는 경우, 공무원이 봉급을 초과수령한 경우와 같이 행정행위와 무관하게 사인이 부당이득을 취하는 것도 가능하다.

❹ 소멸시효

1. 일반론

부당이득반환청구권이 금전지급을 목적으로 하는 경우에는 다른 법률에 특별한 규정이 없는 한 금전채권의 소멸시효인 5년의 기간이 경과함으로써 권리가 소멸하게 된다(국가재정법, 지방재정법).

2. 특별규정을 둔 경우

특별규정을 두고 있는 경우도 있는바, 관세법(제22조 제2항)상의 관세과오납반환청구권은 5년으로,04 산업재해보상보험법상의 보험급여청구권(제112조)은 3년으로 규정하고 있다.

> **관련판례**
>
> **오납금에 대한 납부자의 부당이득반환청구권은 납부 또는 징수시에 발생하여 확정되며 그때부터 소멸시효가 진행된다.**
> 지방재정법 제87조 제1항에 의한 변상금 부과처분이 당연무효인 경우에 이 변상금 부과처분에 의하여 납부자가 납부하거나 징수당한 오납금은 지방자치단체가 법률상 원인 없이 취득한 부당이득에 해당하고,05 이러한 오납금에 대한 납부자의 부당이득반환청구권은 처음부터 법률상 원인이 없이 납부 또는 징수된 것이므로 '납부 또는 징수시'에 발생하여 확정되며, 그때부터 소멸시효가 진행한다(대판 2005. 1. 27, 2004다50143).06

> **기출체크**
>
> ☐☐☐☐☐ **01** 판례는 공법상 부당이득반환청구권은 사권(私權)에 해당되며, 그에 관한 소송은 민사소송절차에 따라야 한다고 보고 있다. (O, ×) ★★★
> 2020 소방직 9급
>
> ☐☐☐☐☐ **02** 공법상 부당이득반환에 대한 청구권의 행사는 개별적인 사안에 따라 행정주체도 주장할 수 있다. (O, ×)
> 2017 지방직 9급
>
> ☐☐☐☐☐ **03** 부당이득과 가장 거리가 먼 것은? 2012 지방직 9급
> ① 조세과오납
> ② 공무원의 봉급과액수령
> ③ 처분이 무효 또는 소급 취소된 경우의 무자격자의 기초생활보장금의 수령
> ④ 자연재해시 빈 상점의 물건의 처분
>
> ☐☐☐☐☐ **04** 관세법상 납세자의 과오납금 또는 그 밖의 관세의 환급청구권은 그 권리를 행사할 수 있는 날부터 5년간 행사하지 아니하면 소멸시효가 완성된다. (O, ×)
> 2020 소방직 9급
>
> ☐☐☐☐☐ **05** 구 지방재정법에 의한 변상금 부과처분이 당연무효인 경우, 이 변상금 부과처분에 의하여 납부자가 납부한 오납금은 지방자치단체가 법률상 원인 없이 취득한 부당이득에 해당한다. (O, ×)
> 2021 국가직 7급
>
> ☐☐☐☐☐ **06** 변상금 부과처분이 당연무효인 경우, 당해 변상금 부과처분에 의하여 납부한 오납금에 대한 납부자의 부당이득반환청구권의 소멸시효는 변상금 부과처분의 부과시부터 진행한다. (O, ×)
> 2020 국가직 9급

공법상 사무관리·부당이득

공법상 사무관리	공법상 부당이득
• 수난구호 • 행려병자와 사자(死者)의 관리 • 사인이 비상재해 등의 경우 행정사무의 일부관리 • 국가의 감독하에 있는 사업에 대한 강제관리	• 조세의 과오납 • 공무원의 봉급 과다수령 • 처분이 무효 또는 취소된 경우의 무자격자의 기초생활보장금의 수령03 • 사인의 국유지 무단점유 • 행정주체의 사인토지 무단점유

[유튜브] 8강 필수 개념 TEST
- QR코드를 스캔해 주세요.
- 필수 개념과 출제 포인트를 풀어 보세요.
- 틀린 문제는 기본서로 확인해 주세요.

정답 01 O **02** O **03** ④ **04** O **05** O **06** ×

제 9 강 사인의 공법행위

공법행위

공법행위의 의의

개 념

공법적 법률효과의 발생을 가저오는 행위의 총체

유 형

공법행위 ─ 행정주체의 공법행위 ─┬─ 권력행위(행정행위 등)
            │   └─ 비권력행위(공법상 계약, 공법상 합동행위 등)
            └─ 사인의 공법행위

사인의 공법행위

의 의

사인이 행하는 공법적 행위로 공법적 효과 발생

법적 근거

- 일반법은 없음.
- 단, 행정절차법, 「민원처리에 관한 법률」에 일부규정 있음.

구별개념

- 행정주체의 공법행위(특히 행정행위)와의 구별

공통점	공법적 효과의 발생을 목적으로 한다는 점
차이점	행정행위에 인정되는 공정력·존속력·자력집행력 등이 사인의 공법행위에는 인정 ×

- 사인의 사법행위와의 구별

공통점	비권력적 행위라는 점
차이점	사적 자치원칙이 지배하는 사인의 사법행위와 달리 사인의 공법행위는 명확성·객관성·정형성 요구됨.

종 류

- 행위의 효과에 의한 분류

자기완결적 공법행위	행위요건적 공법행위
사인의 공법행위만으로 법률효과를 완결시키는 행위	사인의 공법행위가 단순히 행정작용의 요건 등에 그치고 그 자체만으로 법률효과를 완성하지 못하는 행위
건축신고	• 신청 • 공법상 계약의 승낙

적용법규

사인의 공법행위를 규율하는 일반적·통칙적 규정은 없음.

의사능력	의사능력이 없는 자의 행위는 민법상의 법률행위와 마찬가지로 무효
행위능력	• 원칙적으로 민법규정이 유추적용됨. • 행위무능력자(현 제한능력자)에 대한 재산적 법률관계의 보호라는 취지와 무관한 사항의 경우는 민법의 규정이 적용되지 않을 수 있음(우편법상의 행위 등).
대 리	• 대리가 허용되지 않는 경우 : 일신전속적 행위(선거, 투표 등) • 대리가 허용되는 경우 : 일신전속적 성질을 가지지 않는 행위. 이 경우 민법규정이 유추적용됨.
효력발생시기	• 도달주의가 원칙 • 특별히 발신주의를 규정하고 있는 예도 있음(국세기본법 제5조의2).
의사표시	• 민법 적용 ○ : 사기·강박·착오에 의한 의사표시의 경우 - 사직서의 제출이 감사기관이나 상급관청 등의 강박에 의한 경우에는 그 정도가 의사결정의 자유를 박탈할 정도에 이른 것이라면 그 의사표시가 무효(판례) • 민법 적용 × - 단체적 성질이 강한 경우(투표 행위 등) - 비진의의사표시의 무효에 관한 규정은 적용 × : 사인의 공법행위는 비록 의사표시가 진의(眞意)가 아니라 하더라도 표시된 대로 그 효력이 발생
부 관	사인의 공법행위에는 원칙적으로 부관을 붙일 수 없음.
의사표시의 철회·보완 등	사인의 공법행위는 상대방에게 도달한 후에도 그에 의거한 행정행위가 성립하기 전에는 철회할 수 있음이 원칙 - 공무원의 사직의사표시의 철회나 취소는 의원면직처분(사표수리)이 있기 전에는 허용됨(판례).
행위시법 적용의 원칙	특별한 규정이 없는 한 사인의 공법행위는 행위시의 법령에 따름. - 신고사항이 아니었다가 법령개정으로 변경신고사항이 된 경우, 변경행위를 한 후 변경신고를 하지 않은 채 영업을 계속하면 처벌대상이 됨(판례).

신고와 신청

신고

구 분	자기완결적 공법행위의 신고 (수리를 요하지 않는 신고)	행위요건적 공법행위의 신고 (수리를 요하는 신고)
개 념	행정청에 도달함으로써 효과가 발생하는 신고	법률에 신고의 수리가 필요하다고 명시되어 있는 경우(행정기관의 내부업무처리절차로서 규정한 수리는 제외)로서 행정청이 수리함으로써 법적 효과가 발생하는 신고(행정기본법 제34조)
예	• 건축법상 건축신고 • 「체육시설의 설치 · 이용에 관한 법률」상 골프장이용료 변경신고 • 수산제조업의 신고 등	• 액화석유가스충전사업 지위승계신고 • 식품위생법의 영업양도에 따른 지위승계신고 • 납골당 설치신고 • 건축주명의변경신고 • 허가 등 지위승계신고 • 어업의 신고 • 주민등록신고 • 인 · 허가 의제 효과를 수반하는 건축신고 • 구 유통산업발전법에 따른 대규모점포의 개설등록
법규정	행정절차법 제40조에서 규정하고 있는 신고	• 행정절차법 제40조 제1 · 2항이 규정하고 있는 신고 아님. • 행정기본법 제34조
요 건	원칙적으로 형식적 요건 ① 신고서의 기재사항에 흠이 없고, ② 필요한 구비서류가 첨부되어 있으며, ③ 그 밖에 법령 등에 규정된 형식상의 요건에 적합할 것(그 내용의 진실함이 증명될 필요는 ×)	형식적 요건 외 실질적 요건도 필요한 경우 있음.
	신고를 규정한 법률상의 요건 외에 타법상의 요건도 충족되어야 하는 경우 타법상의 요건을 갖추지 못하는 한 적법한 신고를 할 수 없음. – 식품위생법에 따른 식품접객업의 영업신고 요건을 갖추었으나, 그 영업신고를 한 당해 건축물이 무허가건물일 경우 영업신고는 부적법(판례) – 「체육시설의 설치 · 이용에 관한 법률」상 골프연습장의 신고요건을 갖춘 자라 할지라도 골프연습장을 설치하려는 건물이 건축법상 무허가건물이라면 적법한 신고를 할 수 없음(판례). – 가까운 장래에 '부지 확보' 요건을 갖출 것을 전제로 한 건축법상 건축신고수리처분은 위법이 아니지만, 건축주가 장래에도 토지형질변경허가를 받지 않거나 받지 못할 것이 명백하였다면 건축신고수리처분은 적법하다고 볼 수 없음(판례).		
신고수리의 의미	• 신고를 수리하거나 신고필증을 교부하는 행위 : 법적 효과 ×(원칙적으로 처분성 ×) – 의료법에 따른 의원개설신고의 경우 신고필증의 교부가 없다 하여 의원개설신고의 효력을 부정할 수 없음. • 단, 처분성을 인정한 판례 있음.	• 신고의 수리가 있어야 법적 효과 발생(처분성 O) – 사실상 영업이 양도 · 양수되었지만 아직 수리처분이 있기 전 : 종전 영업자인 양도인이 영업허가자이므로, 일정한 경우 양수인의 영업 중 발생한 위반행위에 대한 행정적인 책임은 양도인에게 귀속 • 신고필증 교부 : 필수적인 것 ×

적법한 신고의 효과	접수기관에 도달한 때 효과 발생	• 행정청이 신고를 수리함으로써 효과 발생 • 법령이 정한 요건을 구비한 적법한 신고가 있으면 행정청은 원칙적으로 수리하여야 하며, 법령에 없는 사유를 내세워 수리를 거부할 수 없음. – 투기나 이주대책 요구 등을 방지할 목적으로 주민등록전입신고를 거부하는 것은 주민등록법의 입법 목적과 취지 등에 비추어 허용될 수 없음(판례).
부적법한 신고의 경우	• 지체 없이 상당한 기간을 정하여 보완 요구하여야 함. • 부적법한 신고임에도 수리한 경우 : 효과 발생 × – 요건미비의 부적법한 신고를 하고 신고영업을 영위한다면 수리 여부와 관계없이 무신고 영업으로 불법영업에 해당(판례).	형식적 요건을 갖추지 못한 부적법한 신고의 경우 보완을 요구해야 한다는 것이 유력한 견해
신고수리 또는 수리거부의 처분성	예외적으로 처분성을 인정한 판례 : 건축신고의 수리 거부, 건축물착공신고의 반려행위, 원격평생교육신고의 반려행위	수리 또는 수리의 거부는 준법률행위적 행정행위의 하나로서 행정소송법상의 처분개념에 해당 : 체육시설업자 등이 제출한 회원모집계획서에 대한 시 · 도지사의 검토결과 통보는 수리행위로서 행정처분

신청

개 념	행정청에 일정한 조치를 취해 줄 것을 요구하는 공법상 의사표시
근 거	행정절차법 제17조, 「민원처리에 관한 법률」 제8조
요 건	• 신청권의 존재 : 행정청의 응답을 요구하는 권리. 신청된 대로의 처분을 구하는 권리는 아님. • 신청의 방법 : 원칙적으로 문서, 전자문서의 경우 행정청의 컴퓨터 등에 입력된 때 신청한 것으로 봄. • 신청기간이 제척기간이고 강행규정인 경우 신청기간을 준수하지 못하였음을 이유로 한 거부처분은 적법함(판례).
효 과	• 접수의무 : 접수를 보류 또는 거부하거나 부당하게 되돌려 보내서는 안 됨. • 처리의무(응답의무) – 응답의무는 신청된 내용대로 처분할 의무와는 구별됨(거부처분을 하여도 무방함). – 처분이 허가인 경우 행정청은 형식적 심사 외에 실질적 심사도 거침.
부적법한 신청의 효과	• 곧바로 접수를 거부해서는 안 되며, 보완에 필요한 상당한 기간을 정하여 지체 없이 보완 요구하여야 함. • 이것이 행정청으로 하여금 거부처분을 하기 전에 반드시 신청인에게 신청의 내용이나 처분의 실체적 발급요건에 관한 사항까지 보완할 기회를 부여하여야 할 의무를 정한 것은 아님(판례). • 실질적인 요건에 흠이 있는 경우라도 그것이 민원인의 단순한 착오나 일시적인 사정에 의한 것이라면 보완의 대상이 됨.
권리구제	• 신청에 대해 행정청이 아무런 응답이 없는 경우 : 부작위법확인소송, 의무이행심판 • 신청에 대한 거부처분이 있는 경우 : 거부처분취소소송, 의무이행심판

초대 Topic 12　핵심집약 Topic 17

01 | 공법행위의 의의

❶ 개 념

공법행위라 함은 사법행위에 대비되는 말로서 **공법적 법률효과의 발생**을 가져오는 행위의 총체를 의미한다.

❷ 유 형

공법행위는 크게 행정주체에 의한 것과 사인에 의한 것으로 구분할 수 있다. 행정주체의 공법행위로는 행정행위, 행정벌과 같이 우월적 지위에서 행하는 권력행위와 공법상 계약, 공법상 합동행위 등과 같이 대등한 당사자로서 행하는 비권력행위가 있는바, 이는 제2편에서 고찰한다. 여기서는 사인의 공법행위를 중심으로 살펴보며, 사인의 공법행위 중 신고와 신청에 대해서는 별도로 항을 나누어 살펴보겠다.

02 | 사인의 공법행위

❶ 사인의 공법행위의 의의

1. 의 의

(1) 사인의 공법행위란 사인이 행하는 행위로서 공법적 효과를 발생시키는 일체의 행위를 말하는 것으로 사인의 사실행위와는 구별된다.01

(2) 과거에는 사인의 지위에 관해 행정객체의 지위만이 강조되었으나 오늘날에는 국민의 법적 지위 향상, 행정의 민주화의 영향을 받아 행정법관계에서 사인의 지위가 강조되고 있다.

2. 법적 근거

(1) 사인의 공법행위는 그 유형이 매우 다양하므로 이에 관한 전반적인 사항을 규율하는 일반법은 없다.02

(2) 다만, 자기완결적 공법행위로서 신고와 관련하여서는 행정절차법에, 민원처리와 관련하여서는 「민원처리에 관한 법률」에 몇 개의 원칙적인 규정을 두고 있을 뿐이다.

3. 구별개념

사인의 공법행위는 '사인'의 행위라는 점에서 '행정주체'의 공법행위와 구별되며, 사인의 공법행위는 '공법행위'라는 점에서 사인의 '사법행위'와는 구별되며, '법적 행위'라는 점에서 '사실행위'와도 구별된다. 특히 행정주체의 공법행위와 사인의 사법행위의 차이를 살펴보면 다음과 같다.

(1) 행정주체의 공법행위(특히 행정행위)

사인의 공법행위와 행정주체의 공법행위는 모두 **공법적 효과의 발생을 목적으로 한다**는 점에서는 공통된다. 그러나 사인의 공법행위는 공권력 발동행위가 아니므로 행정행위에 인정되고 있는 특수한 효력(구속력)인 공정력, 존속력, 집행력(p.313 이하 참조) 등이 인정되지 않는다.01

(2) 사인의 사법(私法)행위

사인의 공법행위와 사인의 사법행위는 모두 사인의 행위라는 점과 비권력적 행위라는 점에서는 공통된다. 그러나 사인의 공법행위는 행정목적 실현을 목표로 한다는 점과 법적 안정성의 필요에 의해 명확성, 객관성, 정형성이 요구된다는 점에서 **사적 자치원칙이 지배하는 사인의 사법행위와 구별된다.**

❷ 종 류

1. 자기완결적(자체완성적) 공법행위

사인의 공법행위만으로 법률효과를 완결시키는 행위를 의미하는 것으로 출생신고, 사망신고, 투표행위, 소규모 건축에 있어 건축신고, 사인 상호 간의 공법행위 등을 그 예로 들 수 있다.

2. 행위요건적(행정요건적) 공법행위

사인의 공법행위가 단순히 국가나 지방자치단체의 행정작용의 요건 등에 그치고 그 자체만으로는 법률효과를 완성하지 못하는 행위를 의미하는 것으로 각종의 신청이나 공법상 계약의 승낙 등을 그 예로 들 수 있다.02

❸ 사인의 공법행위에 대한 적용법규

1. 개 설

사인의 공법행위를 규율하는 일반적 · 통칙적 규정은 없고 예외적으로 개별법에 특별한 규정을 두고 있을 뿐이다. 따라서 사인의 공법행위에 관하여 실정법의 규정이 있는 경우에는 그에 따르는 것이 당연하나, 법률상의 규정이 없는 경우 민법의 여러 규정 등을 사인의 공법행위에도 적용할 수 있을 것인지가 문제된다.

2. 의사능력과 행위능력 ⓐ

(1) 의사능력

사인의 공법행위에서도 의사능력이 없는 자의 행위는 민법상의 법률행위와 마찬가지로 **무효**가 된다. 따라서 저항할 수 없는 강요에 의해 의사능력이 상실된 상태에서 사직원을 제출한 것은 무효이다.

(2) 행위능력

① 민법규정의 적용 여부

행위능력에 관해서도 원칙적으로 민법규정이 유추적용된다.03 다만, 민법의 행위능력규정의 입법취지는 행위무능력자(현 제한능력자)에 대한 재산적 법률관계의 보호에 있으므로 이와 무관한 사안에 대해서는 민법의 행위능력에 관한 규정이 적용되지 않을 수도 있다.

ⓐ 의사능력과 행위능력

1. 의사능력
자기 행위의 의미나 결과를 정상적으로 인식 · 판단하여 그에 따라 의사결정을 할 수 있는 능력을 말한다. 의사능력이 없는 자(의사무능력자)의 행위는 민법에 따르면 무효가 된다.

2. 행위능력
의사능력을 가진 자가 법률행위를 단독으로 할 수 있는 능력을 말하는 것으로 미성년자(만 19세에 이르지 않은 자)는 행위무능력자(현 제한능력자)가 된다. 행위무능력자(현 제한능력자)는 원칙적으로 본인이 단독으로 행위를 할 수 없고 부모 등 법정대리인이 대신 행위를 하거나 법정대리인의 동의를 얻어야 한다.

❶ **행위능력에 대한 개별규정**
우편법 제10조【제한능력자의 행위에 관한 의제】우편물의 발송·수취나 그 밖에 우편이용에 관하여 제한능력자가 우편관서에 대하여 행한 행위는 능력자가 행한 것으로 본다.01

도로교통법 제82조【운전면허의 결격사유】① 다음 각 호의 어느 하나에 해당하는 사람은 운전면허를 받을 수 없다.
1. 18세 미만(원동기장치자전거의 경우에는 16세 미만)인 사람 (이하 생략)

❷ **대 리**
대리인이 자신이 하는 법률행위가 본인을 위하여 하는 것임을 나타내어 법률행위를 하고, 대리인이 하는 그 법률행위의 효과가 직접 본인에게 귀속하는 법적 제도를 말한다.

❸ **효력발생시기**
1. 도달주의
   도달주의란 의사표시가 상대방에게 도달한 때에 그 효력이 발생하는 주의를 말한다.
2. 발신주의
   발신주의란 의사표시가 상대방에게 발신된 시점에 그 효력이 발생하는 주의를 말한다.

② **개별법 규정의 적용**

따라서 우편법상의 행위, 도로교통법상의 운전면허발급신청과 같은 일정한 법률관계의 행위인 경우 미성년자도 단독으로 할 수 있다.❶

3. 대 리 ❷

대리제도의 의의는 주로 사적 자치의 확장 및 보충에 있으므로 사인의 공법행위에 대해서는 개별법률의 규정상(예 병역법에 의한 징병검사(현 병역판정검사)의 대리금지) 또는 일신전속적 행위처럼 행위의 성질상 대리가 허용되지 않는 경우가 있다(예 선거, 투표 등). 그러나 일신전속적 성질을 가지지 않는 행위에 대해서는 대리가 허용되며(행정심판법 제18조), 그 경우 대리에 관한 민법규정이 유추적용된다고 할 것이다.02

4. 효력발생시기

사인의 공법행위는 법률에 특별한 규정이 없는 한 민법과 마찬가지로 발신주의가 아니라 도달주의에 의함이 원칙이다.03 그러나 개별법상 발신인의 이익을 위해 특별히 발신주의를 규정하고 있는 예(국세기본법 제5조의2 제1항)도 있다.❸

5. 의사표시

(1) 민법규정이 적용되는 경우

사인의 의사표시·의사결정에 하자가 있는 경우, 즉 사기·강박(협박 등 공포심을 일으키게 하는 행위)·착오에 의한 의사표시의 경우에는 민법의 규정이 유추적용된다. 따라서 기망(속인다는 의미)에 의한 사직원의 제출은 민법 제110조 제1항에 따라 취소할 수 있다.

> 민법 제110조【사기, 강박에 의한 의사표시】① 사기나 강박에 의한 의사표시는 취소할 수 있다.

관련판례

1. 공무원이 감사기관이나 상급관청 등의 강박에 의하여 사직서를 제출한 경우, 사직의 의사표시는 그 강박의 정도에 따라 무효 또는 취소가 된다.
2. 사직서의 제출이 감사기관이나 상급관청 등의 강박에 의한 경우에는 그 정도가 의사결정의 자유를 박탈할 정도에 이른 것이라면 그 의사표시가 무효로 될 것이다.04 ★★
3. 다만 그렇지 않고 의사결정의 자유를 제한하는 정도에 그친 경우라면 그 성질에 반하지 아니하는 한 의사표시에 관한 민법 제110조의 사기나 강박에 의한 의사표시 규정을 준용하여 그 효력을 따져보아야 할 것이다.05
4. 그러나 감사담당직원이 당해 공무원에 대한 비리를 조사하는 과정에서 사직하지 아니하면 징계파면이 될 것이고 또한 그렇게 되면 퇴직금 지급상의 불이익을 당하게 될 것이라는 등의 강경한 태도를 취하였다고 할지라도 그 취지가 단지 비리에 따른 객관적 상황을 고지하면서 사직을 권고·종용한 것에 지나지 않고 공무원이 퇴직금 지급상의 불이익을 당하게 될 것 등 여러 사정을 고려하여 사직서를 제출한 경우라면 그 의사결정이 의원면직처분의 효력에 영향을 미칠 하자가 있었다고는 볼 수 없다(대판 1997. 12. 12, 97누13962).

(2) 민법규정의 적용이 곤란한 경우

① **단체적 성질이 강한 경우**(투표행위의 경우)

투표행위와 같은 집단적·단체적 성질이 강한 행위는 착오로 인한 행위라 하더라도 이를 취소할 수 없다.

② **비진의의사표시의 무효에 관한 규정**

사인의 공법행위에는 정형성이 강하게 요구되므로 민법의 비진의의사표시의 무효에 관한 규정은 적용되지 않는다.01 ❶ 따라서 사인의 공법행위는 비록 의사표시가 진의(眞意)가 아니라 하더라도 표시된 대로 그 효력이 발생한다 할 것이다. ⓐ

┌ 관련판례
1. (여군 단기 복무하사관이 복무연장지원서와 전역지원서를 동시에 제출한 사건에서) 비록 전역지원의 의사표시가 진의 아닌 의사표시라 하더라도 사인의 공법행위에는 민법상의 비진의의사표시의 무효에 관한 규정은 적용되지 않으므로 표시된 대로 유효하다.02 ★★★
군인사정책상 필요에 의하여 복무연장지원서와 전역(여군의 경우 면역임)지원서를 동시에 제출하게 한 방침에 따라 위 양 지원서를 함께 제출한 이상, 그 취지는 복무연장지원의 의사표시를 우선으로 하되, 그것이 받아들여지지 아니하는 경우에 대비하여 원에 의하여 전역하겠다는 조건부 의사표시를 한 것이므로 그 전역지원의 의사표시도 유효한 것으로 보아야 한다. 따라서 위 전역지원의 의사표시가 진의 아닌 의사표시라 하더라도 그 무효에 관한 법리를 선언한 민법 제107조 제1항 단서의 규정은 그 성질상 사인의 공법행위에는 적용되지 않는다 할 것이므로 그 표시된 대로 유효한 것으로 보아야 한다(대판 1994. 1. 11, 93누10057).

2. 1980년의 공직자숙정계획의 일환으로 일괄사표의 제출과 선별수리의 형식으로 의원면직처분이 이루어진 경우 민법상 비진의의사표시의 무효에 관한 규정은 사인의 공법행위에 적용되지 않으므로 의원면직처분은 당연무효가 아니다(대판 2001. 8. 24, 99두9971).03

6. 부 관

사인의 공법행위에는 행정법관계의 명확성·안정성을 도모하기 위해 원칙적으로 부관을 붙일 수 없다.04 예컨대, 공무원 사직서를 제출하면서 조건을 붙이는 것은 허용되지 않는다.

7. 의사표시의 철회·보완 등

사인의 공법행위는 상대방에게 도달한 후에도 그에 의거한 행정행위가 성립하기 전에는 철회할 수 있음이 원칙이며,05 우리 행정절차법도 이와 관련한 규정을 두고 있다.❷ 다만, 법률에 명문규정이 있거나 그 성질상 불가능한 경우(⑩ 선거 등), 신의칙상 허용될 수 없는 경우에는 철회가 인정되지 않는다.

┌ 관련판례
공무원의 사직 의사표시의 철회나 취소는 의원면직처분(사표수리)이 있기 전에는 허용된다.★★
공무원이 한 사직 의사표시의 철회나 취소는 그에 터잡은 의원면직처분이 있을 때까지 할 수 있는 것이고, 일단 면직처분이 있고 난 이후에는 철회나 취소할 여지가 없다(대판 2001. 8. 24, 99두9971).06

8. 행위시법 적용의 원칙

특별한 규정이 없는 한 사인의 공법행위는 행위시의 법령에 따른다.

┌ 관련판례
신고사항이 아니었다가 2003년 시행령 개정으로 변경신고 사항이 된 경우, 2016년에 변경행위를 한 후 변경신고를 하지 않은 채 영업을 계속하면 처벌대상이 된다.
영업장의 면적을 변경하는 행위를 하였음에도 그 당시 법령인 식품위생법 제37조 제4항, 식품위생법 시행령 제26조 제4호에 따라 영업장 면적 변경신고를 하지 않은 채 영업을 계속한다면 처벌대상이 된다고 보아야 하고, 이는 영업장 면적을 변경신고 사항으로 명시한 구 식품위생법 시행령(2003. 4. 22, 대통령령 제17971호로 개정된 것)이 시행되기 이전에 일반음식점 영업신고가 된 경우에도 마찬가지이다(대판 2022. 8. 25, 2020도12944).

❶ 민법 제107조【진의 아닌 의사표시】① 의사표시는 표의자가 진의 아님을 알고 한 것이라도 그 효력이 있다. 그러나 상대방이 표의자의 진의 아님을 알았거나 이를 알 수 있었을 경우에는 무효로 한다.
❷ 행정절차법 제17조【처분의 신청】⑧ 신청인은 처분이 있기 전에는 그 신청의 내용을 보완·변경하거나 취하(取下)할 수 있다. 다만, 다른 법령 등에 특별한 규정이 있거나 그 신청의 성질상 보완·변경하거나 취하할 수 없는 경우에는 그러하지 아니하다.

ⓐ 민법 제107조 제1항의 두 번째 문장인 "그러나 상대방이 표의자의 진의 아님을 알았거나 이를 알 수 있었을 경우에는 무효로 한다."는 규정이 적용되지 않는다는 의미이다.

정답 01 × 02 ○ 03 ○ 04 ○ 05 ○ 06 ○

01 │ 사인의 공법행위로서 신고

❶ 신고의 의의

1. 개념

신고란 사인이 공법적 효과의 발생을 목적으로 행정주체에게 일정한 사실을 알리는 행위로서, 규제완화의 경향에 따라 신고제는 점차 증가하고 있다. 한편, 이러한 신고는 행위의 기능에 따라 정보제공적 신고와 금지해제적 신고로 나눌 수 있으며, 효과에 따라 자기완결적 공법행위인 신고와 행위요건적 공법행위인 신고로 나눌 수 있다.

2. 종류 – 자기완결적 신고(수리를 요하지 않는 신고)와 행위요건적 신고(수리를 요하는 신고)

(1) 자기완결적 신고(수리를 요하지 않는 신고)

① 사인이 행정청에 대하여 일정한 사항을 통지하고 통지가 행정청에 도달함으로써 효과가 발생하는 신고를 말한다.

② 이러한 신고가 본래적인 신고에 해당하며, 대표적 예로는 건축법상의 건축신고, 「가족관계의 등록 등에 관한 법률」상의 출생신고(반대견해 있음), 「체육시설의 설치·이용에 관한 법률」 제20조상의 신고를 들 수 있다.

┌ **관련판례**

1. **구 건축법 제9조(현 제14조)상의 신고를 함으로써 허가를 받은 것으로 간주되는 경우의 건축신고는 자기완결적 신고이다. ❶**

   구 건축법(1996. 12. 30, 법률 제5230호로 개정되기 전의 것) 제9조 제1항에 의하여 <u>신고를 함으로써 건축허가를 받은 것으로 간주되는 경우에는 건축을 하고자 하는 자가 적법한 요건을 갖춘 신고만 하면 행정청의 수리행위 등 별다른 조치를 기다릴 필요 없이 건축을 할 수 있는 것이므로</u> …… (대판 1999. 10. 22, 98두18435)**01 ★★**

2. **골프장이용료 변경신고와 같은 「체육시설의 설치·이용에 관한 법률」 제18조(현 제20조)에 의한 행정청에 대한 신고에는 행정청의 수리행위가 필요 없다.02 03 ⓐ ★★★**

   행정청에 대한 신고는 일정한 법률사실 또는 법률관계에 관하여 관계행정청에 일방적으로 통고를 하는 것을 뜻하는 것으로서 법에 별도의 규정이 있거나 다른 특별한 사정이 없는 한 행정청에 대한 통고로써 그치는 것이고 그에 대한 행정청의 반사적 결정을 기다릴 필요가 없는 것이므로, <u>「체육시설의 설치·이용에 관한 법률」 제18조에 의한 변경신고서는 그 신고 자체가 위법하거나 그 신고에 무효사유가 없는 한 이것이 도지사에게 제출하여 접수된 때에 신고가 있었다고 볼 것이고, 도지사의 수리행위가 있어야만 신고가 있었다고 볼 것은 아니다</u>(대결 1993. 7. 6, 93마635).

3. **수산제조업의 신고는 자기완결적 신고로서 적법한 신고서가 제출되었다면 행정청의 수리를 기다릴 필요 없이 신고서가 제출된 때에 신고가 있었다고 보아야 한다.**

   행정관청에 대한 신고는 일정한 법률사실 또는 법률관계에 관하여 관계행정관청에 일방적인 통고를 하는 것을 뜻하는 것으로 법령에 별도의 규정이 있거나 다른 특별한 사정이 없는 한 행정관청

❶ **건축법 제14조 【건축신고】** ① 제11조에 해당하는 허가 대상 건축물이라 하더라도 다음 각 호의 어느 하나에 해당하는 경우에는 미리 특별자치시장·특별자치도지사 또는 시장·군수·구청장에게 국토교통부령으로 정하는 바에 따라 신고를 하면 건축허가를 받은 것으로 본다.
1. 바닥면적의 합계가 85제곱미터 이내의 증축·개축 또는 재축 (이하 생략)

ⓐ 「체육시설의 설치·이용에 관한 법률」상의 신고를 수리를 요하는 신고로 보는 견해도 존재한다. 그리고 판례 중에도 동법상의 신고를 수리를 요하는 신고로 본 판례도 존재한다. 그런데 수리를 요하는 신고로 본 판례에 대해서 강력한 비판을 하는 견해가 있었으며 실제로 1998년 이후로 동법상의 신고를 수리를 요하는 신고로 본 판례는 존재하지 않는다.

에 대한 통고로써 그치는 것이고, 그에 대한 행정관청의 반사적 결정을 기다릴 필요가 없는 것인 바, …… <u>수산제조업의 신고를 하고자 하는 자가 그 신고서를 구비서류까지 첨부하여 제출한 경우 시장ㆍ군수ㆍ구청장으로서는 형식적 요건에 하자가 없는 한 수리하여야 할 것이고, 나아가 관할관청에 신고업의 신고서가 제출되었다면 담당공무원이 법령에 규정되지 아니한 다른 사유를 들어 그 신고를 수리하지 아니하고 반려하였다고 하더라도, 그 신고서가 제출된 때에 신고가 있었다고 볼 것이다</u>(대판 1999. 12. 24, 98다57419ㆍ57426).

(2) 행위요건적 신고(수리를 요하는 신고)

① 법령 등에서 행정청에 대하여 일정한 사항을 통지하고 행정청이 이를 수리함으로써 법적 효과가 발생하는 신고로서, 변형적 신고라고도 불리며 실정법상 등록이라고 표현하기도 한다.01

② 이러한 신고는 실질적으로 허가제와 큰 차이가 없다는 점에서 이러한 신고제도를 완화된 허가제라고 하는 견해와 허가와는 구별하는 견해가 있는바, 판례는 수리를 요하는 신고의 수리와 허가를 구별하고 있다(대판 2014. 4. 10, 2011두6998).

③ 수리를 요하는 신고의 예로는 건축법상의 건축주명의변경신고, 허가 등의 지위승계신고, 수산업법 제48조상의 어업의 신고, 채석허가 수허가자 명의변경신고 등을 들 수 있다.

▶ 관련판례

1. 「액화석유가스의 안전 및 사업관리법」 제7조 제2항에 의한 <u>액화석유가스충전사업 지위승계신고 수리행위는 사실행위가 아니라 행정처분에 해당한다</u>(대판 1993. 6. 8, 91누11544).02 ★★★

2. <u>식품위생법 제25조 제3항에 의한 영업양도에 따른 지위승계신고는 수리를 요하는 신고로서 이를 수리하는 행정청의 행위는 영업자의 변경이라는 법률효과를 발생시키는 행위이다.</u>★★★
   식품위생법 제25조 제3항에 의한 영업양도에 따른 지위승계신고를 수리하는 허가관청의 행위는 단순히 양도ㆍ양수인 사이에 이미 발생한 사법상의 사업양도의 법률효과에 의하여 양수인이 그 영업을 승계하였다는 사실의 신고를 접수하는 행위에 그치는 것이 아니라, <u>영업허가자의 변경이라는 법률효과를 발생시키는 행위라고 할 것이다</u>(대판 1995. 2. 24, 94누9146).03 ⓐ

3. 「액화석유가스의 안전 및 사업관리법」 제7조 제2항에 의한 <u>사업양수에 의한 지위승계신고를 수리하는 허가관청의 행위</u>는 실질에 있어서 양도자의 사업허가를 취소함과 아울러 양수자에게 적법히 사업을 할 수 있는 법규상 권리를 설정하여 주는 행위로서 사업허가자의 변경이라는 법률효과를 발생시키는 행위이므로 허가관청이 법 제7조 제2항에 의한 사업양수에 의한 지위승계신고를 수리하는 행위는 <u>항고소송의 대상이 되는 행정처분에 해당한다</u>(대판 1993. 6. 8, 91누11544).04 ★★★

4-1. 구 관광진흥법 제8조 제4항에 의한 지위승계신고를 수리하는 허가관청의 행위는 단순히 양도ㆍ양수인 사이에 이미 발생한 사법상 사업양도의 법률효과에 의하여 양수인이 그 영업을 승계하였다는 사실의 신고를 접수하는 행위에 그치는 것이 아니라, 영업허가자의 변경이라는 법률효과를 발생시키는 행위이다.05

4-2. 구 「체육시설의 설치ㆍ이용에 관한 법률」 제20ㆍ27조에 의한 영업양수신고나 문화체육관광부령으로 정하는 체육시설업의 시설 기준에 따른 필수시설인수신고를 수리하는 관계행정청의 행위는 항고소송의 대상이 되는 행정처분이다(대판 2012. 12. 13, 2011두29144).★★

5-1. 건축물 양수인의 건축대장상의 건축주명의변경신고는 행위요건적 신고(수리를 요하는 신고)이다.

5-2. <u>건축주명의변경신고에 대한 수리거부행위는 취소소송의 대상이 되는 처분이다</u>(대판 1992. 3. 31, 91누4911).06 ★★

6. 사회단체등록신청(편저자 주 : 등록신청이라는 용어를 사용하고 있으나 실질은 신고이다)은 수리를 요하는 신고이다(수리거부에 대해 처분성을 인정하고 있다).
   「사회단체등록에 관한 법률」에 의한 등록신청의 법적 성질은 사인의 공법행위로서의 신고이고, <u>등록은 당해 신고를 수리하는 것을 의미하는 준법률행위적 행정행위</u>라 할 것이나, 법 제4조 제1항의 형식요건의 불비가 없는데도 불구하고 등록의 거부처분을 당한 신고인은 우선 법 제10조 소정의 행정

□□□□□ **01** 수리를 요하는 신고란 사인이 행정청에 대하여 일정한 사항을 통지하고 행정청이 이를 수리함으로써 법적 효과가 발생하는 신고를 말하며 실정법상 등록으로 표현되는 경우가 있다. (○, ×) ★
2011 국가직 9급

□□□□□ **02** (판례에 의할 때) 액화석유가스충전사업의 지위승계신고를 수리하는 행위(는 사실행위에 해당한다) (○, ×) ★★★
2015 사회복지직 9급

□□□□□ **03** 식품위생법에 의하여 허가영업의 양도에 따른 지위승계신고를 수리하는 허가관청의 행위는 사업자가의 변경이라는 법률효과를 발생시키는 행위이다. (○, ×) ★★★
2021 지방직ㆍ서울시 7급

□□□□□ **04** 사업양수에 의한 지위승계신고를 수리하는 허가관청의 행위는 그 실질에 있어서 사업허가자의 변경이라는 법률효과를 발생시키므로 수리의 거부는 항고소송으로 다툴 수 있다. (○, ×) ★★★
2022 서울시 지적 7급

□□□□□ **05** 구 관광진흥법에 의한 지위승계신고를 수리하는 허가관청의 행위는 사실적인 행위에 불과하여 항고소송의 대상이 되지 않는다. (○, ×) ★★
2021 지방직ㆍ서울시 9급

□□□□□ **06** 건축주명의변경신고 수리거부행위는 취소소송의 대상이 되는 처분이라고 하지 않을 수 없다. (○, ×) ★★
2015 경행특채 1차

ⓐ 관련법령에서 당해 영업을 하기 위해서는 행정청의 허가를 받아야 함을 규정하면서 이를 양도할 때에는 단지 신고를 할 것을 규정하는 경우, 이러한 신고의 성격이 문제된다. 이때 양도대상이 된 영업의 법적 성질이 허가영업인 경우 그 신고는 일종의 허가신청으로서 행위요건적 신고로 보아야 한다. 만약 자기완결적 신고로 본다면 허가요건을 구비할 수 없는 자가 허가를 손쉽게 얻는 방식으로 악용할 우려가 있기 때문이다. 판례 또한 행정청의 지위승계신고수리를 양도인의 영업허가취소와 양수인의 권리설정행위로 보면서 지위승계신고수리를 양수인에 대한 실질적인 허가처분으로 보고 있다.

□□□□□ **01** 유통산업발전법상 대규모점포의 개설 등록은 수리를 요하는 신고로서 행정처분에 해당한다. (○, ×) ★★★
2023 소방직 9급

□□□□□ **02** 수산업법상 어업신고를 적법하게 하였으나, 관할행정청이 수리를 거부한 경우(에는 신고의 효과가 발생하지 않는다) (○, ×) ★★ 2017 국가직(하) 7급

□□□□□ **03** 수산업법 소정의 어업의 신고는 이른바 자기완결적 신고라 할 것이므로 관할관청의 적법한 수리가 없었다 하더라도 적법한 어업신고가 있는 것으로 볼 수 있다. (○, ×) ★★ 2023 소방간부

□□□□□ **04** 건축법에 의한 인·허가 의제 효과를 수반하는 건축신고는 특별한 사정이 없는 한 행정청이 그 실체적 요건에 관한 심사를 한 후 수리하여야하는, 수리를 요하는 신고에 해당한다. (○, ×) ★★★ 2023 국가직 7급

□□□□□ **05** 건축법에 의한 인·허가 의제 효과를 수반하는 건축신고는 건축을 하고자 하는 자가 적법한 요건을 갖춘 신고만 하면 건축을 할 수 있고, 행정청의 수리 등 별단의 조치를 기다릴 필요가 없다.
(○, ×) ★★★ 2021 지방직·서울시 9급

□□□□□ **06** 「국토의 계획 및 이용에 관한 법률」상의 개발행위허가가 의제되는 건축신고는 특별한 사정이 없는 한 행정청이 그 실체적 요건에 관한 심사를 한 후 수리하여야 하는 이른바 '수리를 요하는 신고'로 보아야 한다. (○, ×) ★★★ 2020 지방직·서울시 9급

□□□□□ **07** 「국토의 계획 및 이용에 관한 법률」상의 개발행위허가로 의제되는 건축신고가 개발행위허가의 기준을 갖추지 못하더라도, 건축법상 적법한 요건을 갖춘 신고만 하면 건축을 할 수 있고 행정청의 수리 등 별단의 조치를 기다릴 필요는 없다. (○, ×) ★★
2019 경행경채 2차

벌의 제재를 벗어나기 위하여 또한 법의 정당한 적용을 청구하는 의미에서도 위와 같은 거부처분에 대한 취소청구를 할 이익이 있는 것이다(대판 1989. 12. 26, 87누308 전합).

✚ 등록의 성질에 대해 위의 판례에서 보는 것과 같이 등록신청은 수리를 요하는 신고로 보고 등록을 수리의 일종으로 보는 견해가 있다. 한편 등록신청은 수리를 요하는 신고로 볼 수 없고 일종의 공증의 신청이며 등록은 공증행위라고 보는 견해가 있다.

7. 구 유통산업발전법 제12조의2 제1항, 제2항, 제3항은 기존의 대규모점포의 등록된 유형 구분을 전제로 '대형마트로 등록된 대규모점포'를 일체로서 규제 대상으로 삼고자 하는 데 취지가 있는 점, …… 등을 고려할 때 대규모점포의 개설 등록은 이른바 '수리를 요하는 신고'로서 행정처분에 해당한다(대판 2015. 11. 19, 2015두295 전합).**01** ★★★

8. 수산업법 제44조(현 제48조)에 따른 어업신고는 행위요건적 신고(수리를 요하는 신고)이다.★★

개정 수산업법 제44조 소정의 어업의 신고는 행정청의 수리에 의하여 비로소 그 효과가 발생하는 이른바 '수리를 요하는 신고'라고 할 것이고, 따라서 설사 관할관청이 어업신고를 수리하면서 공유수면매립구역을 조업구역에서 제외한 것이 위법하다고 하더라도, 그 제외된 구역에 관하여 관할관청의 적법한 수리가 없었던 것이 분명한 이상 그 구역에 관하여는 같은 법 제44조 소정의 적법한 어업신고가 있는 것으로 볼 수 없다(대판 2000. 5. 26, 99다37382).**02 03**

수산업법 제48조 【신고어업】 ④ 제1항에 따른 신고의 유효기간은 신고를 수리(受理)한 날부터 5년으로 한다.

9. 혼인은 호적법(현 「가족관계의 등록 등에 관한 법률」)에 따라 호적공무원이 그 신고를 수리함으로써 유효하게 성립되는 것이며 호적부의 기재는 그 유효요건이 아니다(대판 1991. 12. 10, 91므344).

✚ 한편 혼인신고의 경우 학설상으로는 자기완결적 신고로 보는 견해(홍정선, 고영훈, 송희성 등)와 행위요건적 신고로 보는 견해(김동희, 최정일 등)가 대립한다. 수험생들로서는 판례의 표현을 우선 기억하여 판례를 묻는 문제는 판례 문구대로 답을 찾고, 그 밖의 경우에는 상대적으로 답을 찾기 바란다.

10. 의료법 제33조 제3항에 따른 정신과의원 개설신고는 수리를 요하는 신고이다.

(원고가 정신과의원 개설신고를 하였는데 행정청이 법령에서 정하지 않은 공공복리 등 사유를 들어 반려처분을 하자 원고가 그 취소를 구한 사건에서) 원심판결 이유와 기록에 의하면 원고의 개설신고가 '수리를 요하지 않는 신고'라는 취지로 판시한 부분은 적절하지 않으나, 피고가 법령에서 정하지 않은 사유를 들어 위 개설신고 수리를 거부할 수 없다고 보아 이 사건 반려처분이 위법하다고 판단한 원심의 결론은 정당하다(대판 2018. 10. 25, 2018두44302).

④ 인·허가 의제 효과를 수반하는 건축신고의 경우

신고로 다른 법령상의 인·허가가 의제되는 경우에는 수리기관이 의제되는 인·허가의 실질적인 요건을 심사하여야 하므로 당해 신고는 수리를 요하는 신고에 해당한다는 것이 판례의 입장이다(인·허가 의제에 대해서는 p.249 참조).

▶ 관련판례

1. 건축법 제14조 제2항에 의한 인·허가 의제 효과를 수반하는 건축신고는 일반적인 건축신고와는 달리 행정청이 그 실체적 요건에 관한 심사를 한 후 수리하여야 하는 이른바 '수리를 요하는 신고'에 해당한다.**04 05 06** ★★★

2. 「국토의 계획 및 이용에 관한 법률」상의 개발행위허가로 의제되는 건축신고가 개발행위허가의 기준을 갖추지 못한 경우, 행정청이 수리를 거부할 수 있다(대판 2011. 1. 20, 2010두14954 전합).**07** ★★

3. 구별의 필요성

양자는 행정절차법의 규정 여부, 신고수리의 의미, 신고요건 및 효과, 신고수리 또는 거부행위의 처분성 등에서 그 의미를 달리하므로 구별실익이 있다.

4. 구별의 기준

(1) 자기완결적 신고(수리를 요하지 않는 신고)와 행위요건적 신고(수리를 요하는 신고)의 구별기준은 일차적으로 관련법령에 의해 추론되는 입법자의 객관적 의사이다. "법률에 신고의 수리가

필요하다고 명시되어 있는 경우"에는 그 신고는 수리를 요하는 신고라는 것이 행정기본법 제34조의 규정이다.

> **행정기본법 제34조【수리 여부에 따른 신고의 효력】** 법령 등으로 정하는 바에 따라 행정청에 일정한 사항을 통지하여야 하는 신고로서 법률에 신고의 수리가 필요하다고 명시되어 있는 경우(행정기관의 내부업무처리절차로서 수리를 규정한 경우는 제외한다)에는 행정청이 수리하여야 효력이 발생한다.**01**

(2) 법률에서 수리를 명문으로 규정하고 있는 경우에는 수리를 요하는 신고로 볼 수 있으며, 법률이 신고와 등록을 구분하여 규정하고 있는 경우에는 신고는 자기완결적 신고, 등록은 행위요건적 신고라고 볼 수 있다.

(3) 한편, 판례는 원칙적으로 신고요건이 형식적 요건만인 경우에는 자기완결적 신고이며 형식적 요건 외에 실질적 요건도 포함하는 경우에는 수리를 요하는 신고로 본다.**ⓐ**

❷ 행정절차법 제40조의 적용대상

> **행정절차법 제40조【신고】** ① 법령 등에서 행정청에 일정한 사항을 통지함으로써 의무가 끝나는 신고를 규정하고 있는 경우 신고를 관장하는 행정청은 신고에 필요한 구비서류, 접수기관, 그 밖에 법령 등에 따른 신고에 필요한 사항을 게시(인터넷 등을 통한 게시를 포함한다)하거나 이에 대한 편람을 갖추어 두고 누구나 열람할 수 있도록 하여야 한다.
> ② 제1항에 따른 신고가 다음 각 호의 요건을 갖춘 경우에는 신고서가 접수기관에 도달된 때에 신고의무가 이행된 것으로 본다.**02**
> 1. 신고서의 기재사항에 흠이 없을 것
> 2. 필요한 구비서류가 첨부되어 있을 것
> 3. 그 밖에 법령 등에 규정된 형식상의 요건에 적합할 것
> ③ 행정청은 제2항 각 호의 요건을 갖추지 못한 신고서가 제출된 경우에는 지체 없이 상당한 기간을 정하여 신고인에게 보완을 요구하여야 한다.**03**
> ④ 행정청은 신고인이 제3항에 따른 기간 내에 보완을 하지 아니하였을 때에는 그 이유를 구체적으로 밝혀 해당 신고서를 되돌려 보내야 한다.

1. 자기완결적 신고(수리를 요하지 않는 신고)

행정절차법 제40조는 행정청에 대하여 일정한 사항을 통지함으로써 의무가 끝나는 신고의 경우 접수기관에 도달함으로써 신고의무가 이행된 것으로 본다고 규정하여 수리를 요하는 신고가 아니라 자기완결적 신고를 규정하고 있다**04**고 봄이 통설의 태도이다.**05 06 07 ⓑ**

2. 유추적용의 가능성

한편, 행정절차법 제40조 제3·4항은 행위요건적 신고(수리를 요하는 신고)의 경우에도 유추적용되어야 한다는 견해가 유력하다.

❸ 신고의 요건

1. 자기완결적 신고(수리를 요하지 않는 신고)의 경우

자기완결적 신고의 경우 행정절차법 제40조 제2항의 신고의 요건을 갖추어야 하는데 자기완결적 공법행위의 신고요건은 원칙적으로 형식적 요건이다. 즉, ① 신고서의 기재사항에 흠이 없고, ② 필요한 구비서류가 첨부되어 있으며 ③ 그 밖에 법령 등에 규정된 형식상의 요건에 적합하면 될 뿐 그 내용의 진실함이 증명될 필요는 없다.**08** 따라서 행정청은 자기완결적 신고에서 실체적 사유를 들어 신고수리를 거부할 수 없다.

ⓐ 위 판례는 당구장업소에 대한 체육시설업 신고거부처분 취소소송에서 당구장업소에 대한 체육시설업 신고수리거부를 처분으로 보아 본안에 대한 판결을 한 사안이다. 그런데 이 판례에 대해서 체육시설업신고는 자기완결적 신고로 보아야 한다는 비판이 많이 있었다. 그 후 p.160 1번 판결(대판 1998. 4. 24, 97도3121)에서 당구장 신고를 자기완결적 신고로 보아 신고 후 수리 전에 영업을 하더라도 불법영업이 되는 것은 아니라고 대법원이 판시한 이후로 체육시설업신고를 수리를 요하는 신고로 보는 판례는 존재하지 않는다. 이러한 대법원의 태도에 대해 여러 해석이 있으나, 과거의 수리를 요하는 신고로 본 판례는 수리처분에 대해 취소소송을 제기한 경우이고, 후의 자기완결적 신고로 본 판례는 형사소송에서 신고의 효력이 문제가 된 경우이다. 따라서 수험생들로서는 판례의 제목 정도를 정리하는 것으로 충분하다.

2. 행위요건적 신고(수리를 요하는 신고)의 경우

수리를 요하는 신고는 형식적 요건 외에 일정한 실질적 요건을 신고요건으로 하는 경우가 있다.**01**

┏ 관련판례

구 노인복지법에 의한 유료노인복지주택의 설치신고를 받은 행정관청은 유료노인복지주택의 시설 및 운영기준이 위 법령에 부합하는지와 아울러 그 유료노인복지주택이 적법한 입소대상자에게 분양되었는지와 설치신고 당시 부적격자들이 입소하고 있지는 않은지까지 심사하여 그 신고의 수리 여부를 결정할 수 있다(대판 2007. 1. 11, 2006두14537).**02** ★★

3. 복수의 법률이 적용되는 경우

신고를 규정한 법률상의 요건 외에 타법상의 요건도 충족되어야 하는 경우 타법상의 요건을 갖추지 못하는 한 적법한 신고를 할 수 없다는 것이 판례의 입장이다.**03**

┏ 관련판례

1. 식품위생법에 따른 식품접객업의 영업신고 요건을 갖추었으나, 그 영업신고를 한 당해 건축물이 무허가건물일 경우 영업신고는 부적법하다.★★★

   식품위생법과 건축법은 그 입법목적, 규정사항, 적용범위 등을 서로 달리하고 있어 식품접객업에 관하여 식품위생법이 건축법에 우선하여 배타적으로 적용되는 관계에 있다고는 해석되지 않는다. 그러므로 식품위생법에 따른 식품접객업(일반음식점영업)의 영업신고의 요건을 갖춘 자라고 하더라도, 그 영업신고를 한 당해 건축물이 건축법 소정의 허가를 받지 아니한 무허가건물이라면 적법한 신고를 할 수 없다(대판 2009. 4. 23, 2008도6829).**04**

2. 「체육시설의 설치·이용에 관한 법률」에 따른 당구장업의 신고요건을 갖춘 자라도 구 학교보건법 제5조 소정의 학교환경위생정화구역 내에서는 같은 법 제6조에 의한 별도 요건을 충족하지 아니하는 한 적법한 신고를 할 수 없다.**ⓐ**

   구 학교보건법과 「체육시설의 설치·이용에 관한 법률」은 그 입법목적, 규정사항, 적용범위 등을 서로 달리하고 있어서 당구장의 설치에 관하여 「체육시설의 설치·이용에 관한 법률」이 구 학교보건법에 우선하여 배타적으로 적용되는 관계에 있다고는 해석되지 아니하므로 「체육시설의 설치·이용에 관한 법률」에 따른 당구장업의 신고요건을 갖춘 자라 할지라도 구 학교보건법 제5조 소정의 학교환경위생정화구역 내에서는 같은 법 제6조에 의한 별도 요건을 충족하지 아니하는 한 적법한 신고를 할 수 없다고 보아야 한다(대판 1991. 7. 12, 90누8350).

3. 골프연습장의 설치에 관하여 「체육시설의 설치·이용에 관한 법률」이 건축법에 우선하여 배타적으로 적용되는 관계에 있다고 해석되지 아니하므로 「체육시설의 설치·이용에 관한 법률」에 따른 골프연습장의 신고요건을 갖춘 자라 할지라도 골프연습장을 설치하려는 건물이 건축법상 무허가건물이라면 적법한 신고를 할 수 없다(대판 1993. 4. 27, 93누1374).

4-1. 건축물의 건축은 건축주가 그 부지를 적법하게 확보한 경우에만 허용될 수 있다. 여기에서 '부지 확보'란 건축주가 건축물을 건축할 토지의 소유권이나 그 밖의 사용권원을 확보하여야 한다는 점 외에도 해당 토지가 관계법령상 건축물의 건축이 허용되는 법적 성질을 지니고 있어야 한다는 점을 포함한다.

4-2. 관련 인·허가 의제제도는 사업시행자의 이익을 위하여 만들어진 것이므로, 사업시행자가 반드시 관련 인·허가 의제처리를 신청할 의무가 있는 것은 아니다.

4-3. 만약 건축주가 '부지 확보' 요건을 완비하지는 못한 상태이더라도 가까운 장래에 '부지 확보' 요건을 갖출 가능성이 높다면, 건축행정청이 추후 별도로 「국토의 계획 및 이용에 관한 법률」(이하 '국토계획법'이라 한다)상 개발행위(토지형질변경) 허가를 받을 것을 명시적 조건으로 하거나 또는 당연히 요청되는 사항이므로 묵시적인 전제로 하여 건축주에 대하여 건축법상 건축허가를 발급하는 것이 위법하다고 볼 수는 없다.

4-4. 그러나 건축주가 건축법상 건축허가를 발급받은 후에 국토계획법상 개발행위(토지형질변경) 허가절차를 이행하기를 거부하거나, 그 밖의 사정변경으로 해당 건축부지에 대하여 국토계획법상 개발행

위(토지형질변경) 허가를 발급할 가능성이 사라졌다면, 건축행정청은 건축주의 건축계획이 마땅히 갖추어야 할 '부지 확보' 요건을 충족하지 못하였음을 이유로 이미 발급한 건축허가를 직권으로 취소ㆍ철회하는 방법으로 회수하는 것이 필요하다(대판 2020. 7. 23, 2019두31839).

5. 건축행정청이 추후 별도로 국토계획법상 개발행위(토지형질변경)허가를 받을 것을 명시적 조건으로 하거나 또는 묵시적인 전제로 하여 건축주에 대하여 건축법상 건축신고수리처분을 한다면, 이는 가까운 장래에 '부지 확보' 요건을 갖출 것을 전제로 한 경우이므로 그 건축신고수리처분이 위법하다고 볼 수는 없다. 그러나, '부지 확보' 요건을 완비하지 못한 상태에서 건축신고수리처분이 이루어졌음에도 그 처분 당시 건축주가 장래에도 토지형질변경허가를 받지 않거나 받지 못할 것이 명백하였다면, 그 건축신고수리처분은 '부지 확보'라는 수리요건이 갖추어지지 않았음이 확정된 상태에서 이루어진 처분으로서 적법하다고 볼 수 없다(대판 2023. 9. 21, 2022두31143).

❹ 신고수리의 의미

1. 자기완결적 신고(수리를 요하지 않는 신고)의 경우

자기완결적 신고에 있어 신고를 수리하거나 신고필증을 교부하는 행위는 사인이 일정한 사실을 행정기관에 알렸다는 사실 자체를 확인해 주는 의미만을 가질 뿐 아무런 법적 효과를 발생시키는 것이 아니다.

┌ 관련판례

1. 의료법 시행규칙 제22조 제3항 소정의 신고필증 교부는 신고사실의 확인행위로서 신고필증의 교부가 없다 하여 개설신고의 효력을 부정할 수 없다.01 ★★★

   의료법에 의하면 의원, 치과의원, 한의원 또는 조산소의 개설은 단순한 신고사항으로만 규정하고 있고 또 그 신고의 수리 여부를 심사ㆍ결정할 수 있게 하는 별다른 규정도 두고 있지 아니하므로 의원의 개설신고를 받은 행정관청으로서는 별다른 심사ㆍ결정 없이 그 신고를 당연히 수리하여야 한다. 의료법 시행규칙에 의하면 의원개설신고서를 수리한 행정관청이 소정의 신고필증을 교부하도록 되어 있다 하여도 이는 신고사실의 확인행위02 03로서 신고필증을 교부하도록 규정한 것에 불과하고 그와 같은 신고필증의 교부가 없다 하여 개설신고의 효력을 부정할 수 없다 할 것이다(대판 1985. 4. 23, 84도2953).

2-1. 부가가치세법상의 사업자등록은 과세관청으로 하여금 부가가치세의 납세의무자를 파악하고 그 과세자료를 확보하게 하려는 데 입법취지가 있는 것으로서, 이는 단순한 사업사실의 신고로서 사업자가 소관 세무서장에게 소정의 사업자등록신청서를 제출함으로써 성립되는 것이다.

2-2. 부가가치세법상의 사업자등록은 단순한 사업사실의 신고로서 과세관청이 직권으로 등록을 말소한 행위는 행정처분이 아니다(대판 2000. 12. 22, 99두6903).04 ★

2. 행위요건적 신고(수리를 요하는 신고)의 경우

(1) 행위요건적 신고의 경우 신고만으로는 아무런 법적 효과가 발생하지 않고 신고의 수리가 있어야 법적 효과가 발생한다. 따라서 사실상 영업이 양도ㆍ양수되었지만 아직 수리처분이 있기 전에는 종전 영업자인 양도인이 영업허가자이므로, 일정한 경우 양수인의 영업 중 발생한 위반행위에 대한 행정적인 책임은 양도인에게 귀속된다는 것이 판례의 입장이다.

(2) 또한 신고필증의 교부는 수리가 이루어졌음을 증명하는 행위에 해당한다. 다만, 수리를 요하는 신고에 신고필증의 교부가 필수적인 것은 아니라는 것이 판례의 입장이다.05

┌ 관련판례

1. 사실상 영업이 양도ㆍ양수되었지만 아직 승계신고 및 수리처분이 있기 이전인 경우, 양수인의 영업 중 발생한 위반행위에 대한 행정적인 책임은 영업허가자인 양도인에게 귀속된다.★★★

□□□□□ **01** 사실상 영업이 양도·양수되었지만 승계신고 및 수리처분이 있기 전에 양도인이 허락한 양수인의 영업 중 발생한 위반행위에 대한 행정적 책임은 양수인에게 귀속된다. (○, ×) ★★★
2022 지방직·서울시 9급

□□□□□ **02** 수리를 요하는 신고에서 행정청의 수리행위에 신고필증 교부의 행위가 반드시 필요한 것은 아니다. (○, ×) ★★
2021 지방직·서울시 7급

□□□□□ **03** 납골당 설치신고가 구 장사법 관련 규정의 모든 요건에 맞는 신고라 하더라도 신고인은 곧바로 납골당을 설치할 수는 없고, 이에 대한 행정청의 수리처분이 있어야만 신고한 대로 납골당을 설치할 수 있다. (○, ×) ★★
2019 사회복지직 9급

□□□□□ **04** 자기완결적 신고의 경우 적법한 요건을 갖춘 신고를 하면 신고의 대상이 되는 행위를 적법하게 할 수 있고, 별도로 행정청의 수리를 기다릴 필요가 없다. (○, ×) ★★★ 2023 국가직 7급

□□□□□ **05** 자기완결적 신고가 행정절차법상 요건을 갖춘 경우에는 신고서가 접수기관에 도달된 때에 신고의무가 이행된 것으로 본다. (○, ×) ★★★
2014 경행특채 2차

□□□□□ **06** 수리를 요하는 신고는 행정청이 수리함으로써 비로소 신고의 법적 효과가 발생한다. (○, ×)
2022 서울시 지적 7급

□□□□□ **07** 주민등록의 신고는 행정청에 도달하기만 하면 신고로서의 효력이 발생하는 것이 아니라 행정청이 수리한 경우에 비로소 신고의 효력이 발생한다. (○, ×) ★★★ 2023 군무원 7급

□□□□□ **08** 구 주민등록법상 주민들의 거주지 이동에 따른 주민등록전입신고에 대하여 시장은 그 수리 여부를 심사할 수 있다. (○, ×) ★★★ 2012 국가직 9급

□□□□□ **09** 주민들의 거주지 이동에 따른 주민등록전입신고에 대하여 행정청은 주민등록법의 입법목적 범위 내에서 이를 심사하여 수리를 거부할 수 있다. (○, ×) ★★★ 2024 소방간부

사실상 영업이 양도·양수되었지만 아직 승계신고 및 그 수리처분이 있기 이전에는 여전히 종전의 영업자인 양도인이 영업허가자이고, 양수인은 영업허가자가 되지 못한다 할 것이어서 행정제재처분의 사유가 있는지 여부 및 그 사유가 있다고 하여 행하는 행정제재처분은 영업허가자인 양도인을 기준으로 판단하여 그 양도인에 대하여 행하여야 할 것이다(대판 1995. 2. 24, 94누9146).01

2-1. 납골당 설치신고는 이른바 '수리를 요하는 신고'라 할 것이므로 이에 대한 행정청의 수리처분이 있어야만 신고한 대로 납골당을 설치할 수 있다.★★

2-2. 수리를 요하는 신고에서 수리란 신고를 유효한 것으로 판단하고 법령에 의하여 처리할 의사로 이를 수령하는 수동적 행위이므로 수리행위에 신고필증 교부 등 행위가 꼭 필요한 것은 아니다.02 ★★

납골당 설치신고는 이른바 '수리를 요하는 신고'라 할 것이므로, 납골당 설치신고가 구 장사법 관련 규정의 모든 요건에 맞는 신고라 하더라도 신고인은 곧바로 납골당을 설치할 수는 없고, 이에 대한 행정청의 수리처분이 있어야만 신고한 대로 납골당을 설치할 수 있다.03 한편 수리란 신고를 유효한 것으로 판단하고 법령에 의하여 처리할 의사로 이를 수령하는 수동적 행위이므로 수리행위에 신고필증 교부 등 행위가 꼭 필요한 것은 아니다(대판 2011. 9. 8, 2009두6766).

⑤ 적법한 신고의 효과

1. 자기완결적 신고(수리를 요하지 않는 신고)의 경우

자기완결적 신고의 경우 적법한 신고(신고요건을 갖춘 신고)가 있으면 행정청의 수리 여부와 무관하게 신고서가 접수기관에 도달한 때 신고의무가 이행된 것으로 보며,04 05 법규정에 정하지 아니한 사유를 심사하여 그 사유를 이유로 신고의 수리(자기 완결적 신고이므로 여기서는 접수의 의미로 이해하면 됨)를 거부할 수는 없다. 따라서 적법한 신고가 있은 후라면 행정청이 수리를 하지 않았더라도 신고의 대상이 되는 행위를 한 것이 행정벌의 대상이 되지 않는다.

2. 행위요건적 신고(수리를 요하는 신고)의 경우

(1) 행위요건적 신고의 경우 신고서가 접수기관에 도달된 것만으로는 신고의 효과가 발생하지 않고 수리함으로써 비로소 신고의 효과가 발생한다.06

관련판례

주민등록신고는 수리를 요하는 신고로서 주민등록의 신고는 행정청에 도달하기만 하면 신고로서의 효력이 발생하는 것이 아니라 행정청이 수리한 경우에 비로소 신고의 효력이 발생한다(대판 2009. 1. 30, 2006다17850).07 ★★★

(2) 수리를 요하는 신고의 수리는 원칙상 기속행위로 보아야 하므로 법령이 정한 요건을 구비한 적법한 신고가 있으면 행정청은 원칙적으로 수리하여야 하며 법령에 없는 사유를 내세워 수리를 거부할 수는 없다. 다만, 사설납골시설의 설치신고 수리에 대해 판례는 중대한 공익상 필요가 있는 경우에는 사설납골시설 설치신고의 수리를 거부할 수 있다고 본다. 한편 악취방지법상 악취배출시설 설치·운영신고를 재량행위로 본 판례가 있다.

관련판례

1-1. 주민등록전입신고에 대하여 시장은 그 수리 여부를 심사할 수 있다.08 ★★★

1-2. 시장 등의 주민등록전입신고 수리 여부에 대한 심사는 주민등록법의 입법목적의 범위 내에서 제한적으로 이루어져야 할 것이다.09 ★★★

1-3. (무허가건축물을 실제 생활의 근거지로 삼아 10년 이상 거주해 온 사람의 주민등록전입신고를 거부한 사안에서) 투기나 이주대책 요구 등을 방지할 목적으로 주민등록전입신고를 거부하는 것은 주민등록법의 입법목적과 취지 등에 비추어 허용될 수 없다. 01 02 ★★★

전입신고를 받은 시장 · 군수 또는 구청장의 심사대상은 전입신고자가 30일 이상 생활의 근거로 거주할 목적으로 거주지를 옮기는지 여부만으로 제한된다고 보아야 한다. 따라서 전입신고자가 거주의 목적 이외에 다른 이해관계에 관한 의도를 가지고 있는지 여부, 무허가건축물의 관리, 전입신고를 수리함으로써 당해 지방자치단체에 미치는 영향 등과 같은 사유는 주민등록법이 아닌 다른 법률에 의하여 규율되어야 하고, 주민등록전입신고의 수리 여부를 심사하는 단계에서는 고려대상이 될 수 없다. 03 04 그러므로 주민등록의 대상이 되는 실질적 의미에서의 거주지인지 여부를 심사하기 위하여 주민등록법의 입법목적과 주민등록의 법률상 효과 이외에 지방자치법 및 지방자치의 이념까지도 고려하여야 한다고 판시하였던 대법원 2002. 7. 9, 선고 2002두1748 판결은 이 판결의 견해에 배치되는 범위 내에서 변경하기로 한다(대판 2009. 6. 18, 2008두10997 전합).ⓐ

2. 구 「장사 등에 관한 법률」 제14조 제1항에 의한 사설납골시설의 설치신고는 수리를 요하는 신고로서 행정청은 법령에서 정한 설치기준에 부합하는 한 수리하여야 하나, 중대한 공익상 필요가 있는 경우에는 그 수리를 거부할 수 있다.

사설납골시설의 설치신고는 법령상의 금지지역에 해당하지 않고 법령에서 정한 설치기준에 부합하는 한 수리하여야 하나, 보건위생상의 위해를 방지하거나 국토의 효율적 이용 및 공공복리의 증진 등 중대한 공익상 필요가 있는 경우에는 그 수리를 거부할 수 있다고 보는 것이 타당하다(대판 2010. 9. 9, 2008두22631).

3. 건축허가권자는 건축신고가 건축법, 「국토의 계획 및 이용에 관한 법률」 등 관계법령에서 정하는 명시적인 제한에 배치되지 않는 경우에도 건축을 허용하지 않아야 할 중대한 공익상 필요가 있는 경우에는 건축신고의 수리를 거부할 수 있다(대판 2019. 10. 31, 2017두74320)(p.245 ③의 1번 판례 참조). 05 ★★

4. 숙박업을 하고자 하는 자가 법령이 정하는 시설과 설비를 갖추고 행정청에 신고를 하면, 행정청은 공중위생관리법령의 위 규정에 따라 원칙적으로 이를 수리하여야 한다.

행정청이 법령이 정한 요건 이외의 사유를 들어 수리를 거부하는 것은 위 법령의 목적에 비추어 이를 거부해야 할 중대한 공익상의 필요가 있다는 등 특별한 사정이 있는 경우에 한한다. 이러한 법리는 이미 다른 사람 명의로 숙박업 신고가 되어 있는 시설 등의 전부 또는 일부에서 새로 숙박업을 하고자 하는 자가 신고를 한 경우에도 마찬가지이다. 기존에 다른 사람이 숙박업 신고를 한 적이 있더라도 새로 숙박업을 하려는 자가 그 시설 등의 소유권 등 정당한 사용권한을 취득하여 법령에서 정한 요건을 갖추어 신고하였다면, 행정청으로서는 특별한 사정이 없는 한 이를 수리하여야 하고, 단지 해당 시설 등에 관한 기존의 숙박업 신고가 외관상 남아 있다는 이유만으로 이를 거부할 수 없다(대판 2017. 5. 30, 2017두34087).

5. 대도시의 장 등 관할행정청은 악취배출시설 설치 · 운영신고의 수리 여부를 심사할 권한이 있다고 보는 것이 타당하다(대판 2022. 9. 7, 2020두40327).

ⓐ 구 학교보건법에서는 대학교 앞의 학교환경위생정화구역 내에서 당구장설치를 금지하고 있었으며 이를 위반한 경우 처벌규정이 있었는데 위 사건의 재판진행 중 구 학교보건법상의 대학교 앞 당구장설치금지조항이 위헌결정이 나서, 본 사안의 피고인의 경우 처벌의 필요성이 없어진 경우이다.

❻ 부적법한 신고의 경우

1. 자기완결적 신고(수리를 요하지 않는 신고)의 경우

(1) 보완요구

① 행정청은 요건을 갖추지 못한 신고서가 제출된 경우에는 지체 없이 상당한 기간을 정하여 보완을 요구하여야 한다(행정절차법 제40조 제3항).**01**

② 행정청은 신고인이 보완기간 내에 보완을 하지 아니한 때에는 그 이유를 명시하여 신고서를 되돌려 보내야 한다. 한편 자기완결적 신고에서는 신고가 중요하므로 신고의 효과가 발생하기 위해서는 적법한 신고가 도달되어야 함이 원칙이며, 부적법한 신고의 경우에는 신고가 보완되기 전까지는 신고의 효과가 발생하지 않는다.

> **┏ 관련판례**
>
> 1. 수산제조업을 하고자 하는 사람이 형식적 요건을 모두 갖춘 수산제조업 신고서를 제출한 경우에는 담당공무원이 관계법령에 규정되지 아니한 사유를 들어 그 신고를 수리하지 아니하고 반려하였다고 하더라도 그 신고서가 제출된 때에 신고가 있었다고 볼 것이다.**02** ★
>
> 2. 다만 담당공무원이 관계법령에 규정되지 아니한 서류를 요구하여 신고서를 제출하지 못하였다는 사정만으로는 신고가 있었던 것으로 볼 수 없다(대판 2002. 3. 12, 2000다73612).**03** ★

(2) 부적법한 신고임에도 신고를 수리한 경우

① 부적법한 신고에 대해 행정청이 이를 수리하였더라도 신고의 효과가 발생하지 않는다. 왜냐하면 자기완결적 공법행위의 경우 사인의 신고는 신고가 적법할 것을 전제로 도달함으로써 효과가 발생하고, 행정청의 수리행위는 아무런 효과를 가져오지 않기 때문이다.

② 따라서 요건미비의 부적법한 신고를 하고 신고영업을 영위한다면 수리 여부와 관계없이 그러한 영업은 무신고영업으로 불법영업에 해당한다.**04** 한편, 적법한 신고 후 행정청의 수리가 있기 전에 영업을 하였다 하여 그 영업행위가 무신고영업이 되는 것은 아니다.

> **┏ 관련판례**
>
> 1. (피고인이 숭실대학교 정문으로부터 90m 떨어진 곳에서 법정 시설요건을 갖추어 관할행정청에 '당구장 신고'를 했으나 행정청이 학교보건법상의 이유를 들어 수리를 거절하였는데, 신고 후 수리거부 전 피고인이 10일간 영업을 하자 무신고영업으로 형사재판이 청구된 사건에서 당구장 신고는 자기완결적 신고로서 신고접수 후 수리 전에 영업을 하였더라도 무신고영업이 되는 것은 아니라고 판시하면서) 자기완결적 신고의 경우 요건미비의 신고를 한 후 영업행위를 하는 것은 무신고영업에 해당할 것이지만 적법한 요건을 갖춘 신고를 한 후에는 행정청의 수리 등 별도의 조치를 기다릴 것 없이 신고의 효과가 발생하므로 행정청의 수리가 거부되었다고 하여 무신고영업이 되는 것은 아니다.**05** **ⓐ**
>
>   신고서를 제출하는 방식으로 시 · 도지사에 신고하도록 규정하고 있으므로, 소정의 시설을 갖추지 못한 체육시설업의 신고는 부적법한 것으로 그 수리가 거부될 수밖에 없고 그러한 상태에서 신고체육시설업의 영업행위를 계속하는 것은 무신고영업행위에 해당할 것이지만, 이에 반하여 적법한 요건을 갖춘 신고의 경우에는 행정청의 수리처분 등 별단의 조처를 기다릴 필요 없이 그 접수시에 신고로서의 효력이 발생하는 것이므로 그 수리가 거부되었다고 하여 무신고영업이 되는 것은 아니다(대판 1998. 4. 24, 97도3121).**06**
>
> 2. 축산물위생관리법상 축산물판매업에 대한 신고는 자기완결적 신고이다. 따라서 부적법한 신고가 있었다면 그 신고를 행정청이 수리하였더라도 신고의 효과가 발생하지 않는다(대판 2010. 4. 29, 2009다97925).**07**

2. 행위요건적 신고(수리를 요하는 신고)의 경우

(1) 보완요구

행정절차법 제40조 제3·4항은 이러한 신고의 경우에도 적용이 되어 신고의 형식적 요건을 갖추지 못한 부적법한 신고의 경우 보완을 명하여야 하며, 그럼에도 보완하지 않은 경우에는 수리를 거부할 수 있다고 보아야 한다는 견해가 유력하다.

(2) 부적법한 신고임에도 신고를 수리한 경우

① 수리를 요하는 신고에서 법령상의 신고요건을 갖추지 못한 경우 행정청은 수리를 거부할 수 있다(대판 2010. 9. 9, 2008두22631).**01** 그런데 요건을 갖추지 못한 부적법한 신고에도 불구하고 행정청이 이를 수리하였다면, 그 수리행위는 하자 있는 행정행위가 된다. 따라서 그 하자가 중대·명백하다면 수리행위는 무효가 되며, 아무런 법적 효과가 발생하지 않는다. 다만, 수리행위의 하자가 취소사유에 불과한 경우에는 취소 전까지는 유효하므로 일정한 법적 효과가 발생한다(무효와 취소에 대해서는 p.329 참조).

② 다만, 신고가 무효이면 신고수리행위도 당연무효이다.

┌ **관련판례**

1. 구 유통산업발전법에 따른 대규모점포의 개설 등록 및 구 재래시장법에 따른 시장관리자 지정은 행정청이 그 실체적 요건에 관한 심사를 한 후 수리하여야 하는 이른바 '수리를 요하는 신고'로서 그 수리는 행정처분에 해당한다.**02** 그러므로 이러한 행정처분에 당연무효에 이를 정도의 중대하고도 명백한 하자가 존재하거나 그 처분이 적법한 절차에 의하여 취소되지 않는 한 구 유통산업발전법에 따른 대규모점포개설자의 지위 및 구 재래시장법에 따른 시장관리자의 지위는 공정력을 가진 행정처분에 의하여 유효하게 유지된다고 봄이 타당하다(대판 2019. 9. 10, 2019다208953).

2. 장기요양기관의 폐업신고와 노인의료복지시설의 폐지신고는, 행정청이 관계법령이 규정한 요건에 맞는지를 심사한 후 수리하는 이른바 '수리를 필요로 하는 신고'에 해당한다. 그러나 행정청이 그 신고를 수리하였다고 하더라도, 신고서 위조 등의 사유가 있어 신고행위 자체가 효력이 없다면, 그 수리행위는 유효한 대상이 없는 것으로서, 수리행위 자체에 중대·명백한 하자가 있는지를 따질 것도 없이 당연히 무효이다(대판 2018. 6. 12, 2018두33593).**03 04** ★

❼ 신고의 수리 또는 수리거부의 처분성

1. 자기완결적 신고(수리를 요하지 않는 신고)의 경우

(1) 자기완결적 신고로서 행한 사인의 신고에 대해서 행정청이 거부를 하였다고 하여도, 사인의 신고만으로 법적 효과가 완성되어 행정청의 수리 또는 거부는 아무런 법적 의미를 갖지 않는다. 따라서 행정청의 수리 또는 수리거부행위는 처분성이 인정되지 않으므로 이에 대해 항고소송을 제기하면 부적법 각하된다고 봄이 종래 통설의 태도이다.

(2) 다만, 자기완결적 신고 중 건축신고와 같은 금지해제적 신고의 경우에 신고가 반려될 경우 당해 신고의 대상이 되는 행위를 하면 시정명령, 이행강제금, 벌금의 대상이 되는 등 신고인이 법적 불이익을 받을 위험이 있기 때문에 그 위험을 제거할 수 있도록 하기 위하여 신고거부(반려)행위의 처분성을 인정할 필요가 있다. 판례도 건축신고의 수리거부를 처분으로 본 바 있다.

(3) 한편, 건축신고의 수리거부를 처분으로 본 판결 이후로 자기완결적 신고의 성격을 갖는 건축물 착공신고의 반려행위와 원격평생교육신고의 반려행위의 처분성을 인정하였다. 특히 원격평생교육

● 신고의 수리 또는 수리거부의 처분
• 건축신고의 반려행위는 항고소송의 대상이 되는 처분이다.
• 행위요건적 신고의 수리 또는 수리거부는 행정처분이다.

신고의 반려행위 취소소송사건에서는 행정청이 형식적 요건이 아닌 실질적 사유를 들어 거부한 것은 위법하다는 취지의 판결을 한 바 있다.

┌─ **관련판례**

1. 건축신고 반려행위는 항고소송의 대상이 된다.01 02 ★★★

   구 건축법(2008. 3. 21, 법률 제8974호로 전부 개정되기 전의 것) 관련 규정의 내용 및 취지에 의하면, 행정청은 건축신고로써 건축허가가 의제되는 건축물의 경우에도 그 신고 없이 건축이 개시될 경우 건축주 등에 대하여 공사 중지·철거·사용금지 등의 시정명령을 할 수 있고(제69조 제1항), 그 시정명령을 받고 이행하지 아니한 건축물에 대하여는 당해 건축물을 사용하여 행할 다른 법령에 의한 영업 기타 행위의 허가를 하지 아니하도록 요청할 수 있으며(제69조 제2항), 그 요청을 받은 자는 특별한 이유가 없는 한 이에 응하여야 하고(제69조 제3항), 나아가 행정청은 그 시정명령의 이행을 하지 아니한 건축주 등에 대하여는 이행강제금을 부과할 수 있으며(제69조의2 제1항 제1호), 또한 건축신고를 하지 아니한 자는 200만원 이하의 벌금에 처해질 수 있다(제80조 제1호, 제9조). 이와 같이 건축주 등으로서는 신고 제하에서도 건축신고가 반려될 경우 당해 건축물의 건축을 개시하면 시정명령, 이행강제금, 벌금의 대상이 되거나 당해 건축물을 사용하여 행할 행위의 허가가 거부될 우려가 있어 불안정한 지위에 놓이게 된다. 따라서 건축신고 반려행위가 이루어진 단계에서 당사자로 하여금 반려행위의 적법성을 다투어 그 법적 불안을 해소한 다음 건축행위에 나아가도록 함으로써 장차 있을지도 모르는 위험에서 미리 벗어날 수 있도록 길을 열어 주고, 위법한 건축물의 양산과 그 철거를 둘러싼 분쟁을 조기에 근본적으로 해결할 수 있게 하는 것이 법치행정의 원리에 부합한다. 그러므로 이 사건 건축신고 반려행위는 항고소송의 대상이 된다고 보는 것이 옳다.03 이와 달리, 건축신고의 반려행위 또는 수리거부행위가 항고소송의 대상이 아니어서 그 취소를 구하는 소는 부적법하다는 취지로 판시한 대판 1967. 9. 19, 67누71, 대판 1995. 3. 14, 94누9962, 대판 1997. 4. 25, 97누3187, 대판 1998. 9. 22, 98두10189, 대판 1999. 10. 22, 98두18435, 대판 2000. 9. 5, 99두8800 등을 비롯한 같은 취지의 판결들은 이 판결의 견해와 저촉되는 범위에서 이를 모두 변경하기로 한다(대판 2010. 11. 18, 2008두167 전합).[a]

2. 행정청의 건축물 착공신고 반려행위는 항고소송의 대상이 된다(대판 2011. 6. 10, 2010두7321).04 ★★★

3-1. 원격평생교육신고의 반려행위는 항고소송의 대상이 되는 행정처분이다.★★

3-2. 통신매체를 이용하여 학습비를 받고 불특정 다수인에게 원격평생교육을 실시하기 위해 구 평생교육법 제22조 등에서 정한 형식적 요건을 모두 갖추어 신고한 경우, 행정청이 실체적 사유를 들어 신고수리를 거부할 수 없다(대판 2011. 7. 28, 2005두11784).05 ★★★

2. 행위요건적 신고(수리를 요하는 신고)의 경우

행위요건적 신고의 경우 신고만으로 완전한 법적 효과가 발생하지 않고, 행정청이 수리를 하여야 완전한 법적 효과가 발생하므로, 행정청의 수리 또는 수리의 거부는 준법률행위적 행정행위의 하나로서 행정소송법상의 처분개념에 해당한다.06 07

┌─ **관련판례**

체육시설의 회원을 모집하고자 하는 자의 '회원모집계획서 제출'은 수리를 요하는 신고이며, 이에 대한 시·도지사 등의 검토결과 통보는 수리행위로서 행정처분에 해당한다(대판 2009. 2. 26, 2006두16243).08 ★★

기출 체크

□□□□□ 01 건축법상 신고는 자기완결적 신고로 적법한 신고행위가 있는 경우 그 효력이 발생하게 되므로, 비록 해당 신고에 대해 반려행위가 있더라도 침해되는 법률상 이익이 없어 항고소송의 대상이 되지 않는다. (○, ×) ★★★
2022 서울시 지적 7급

□□□□□ 02 다른 법령에 의한 인·허가가 의제되지 않는 일반적인 건축신고는 자기완결적 신고이므로 이에 대한 수리거부행위는 항고소송의 대상이 되는 처분이 아니다. (○, ×) ★★★
2020 지방직·서울시 9급

□□□□□ 03 건축주 등은 건축신고가 반려될 경우 건축물의 건축을 개시하면 시정명령, 이행강제금, 벌금의 대상이 되거나 당해 건축물을 사용하여 행할 행위의 허가가 거부될 우려가 있어 불안정한 지위에 놓이게 되므로, 건축신고에 대한 반려처분은 항고소송의 대상이 된다.
(○, ×) ★★★　　2023 군무원 7급

□□□□□ 04 건축법상의 착공신고의 경우에는 신고 그 자체로서 법적 절차가 완료되어 행정청의 처분이 개입될 여지가 없으므로, 행정청의 착공신고 반려행위는 항고소송의 대상인 처분에 해당하지 않는다. (○, ×) ★★★　2020 국직 9급

□□□□□ 05 정보통신매체를 이용하여 학습비를 받고 불특정 다수인에게 원격평생교육을 실시하기 위해 구 평생교육법에서 정한 형식적 요건을 모두 갖추어 신고한 경우, 행정청은 신고대상이 된 교육이나 학습이 공익적 기준에 적합하지 않다는 등의 실체적 사유를 들어 신고수리를 거부할 수 없다. (○, ×) ★★★
2021 지방직·서울시 9급

□□□□□ 06 수리를 요하는 신고에서 수리는 행정소송의 대상인 처분에 해당한다. (○, ×) ★★★　2015 지방직 9급

□□□□□ 07 수리를 요하는 신고의 경우 그 신고에 대한 거부행위는 행정소송의 대상이 되는 처분에 해당한다.
(○, ×) ★★★　　2014 국직 7급

□□□□□ 08 시·도지사 등에 대한 체육시설인 골프장회원모집계획서 제출은 자기완결적 신고이다. (○, ×) ★★
2023 군무원 7급

[a] 이 판례에서 건축법상의 건축신고는 자기완결적 신고에 해당한다는 것, 다만 자기완결적 신고 중 건축신고의 반려행위는 항고소송의 대상이 되는 처분이라는 것을 기억하기 바란다.

정답 01 × 02 × 03 ○ 04 × 05 ○
　　 06 ○ 07 ○ 08 ×

02 | 신 청

❶ 신청의 의의

1. 개 념

신청이란 사인이 행정청에 대해 일정한 조치를 취해 줄 것을 요구하는 공법상 의사표시를 말하며, 주로 자신에게 수익적 처분을 해줄 것을 요구하는 경우가 일반적이나 제3자에게 규제조치를 취할 것을 요구하는 경우도 있다.

2. 관련 법조문

행정절차법은 제17조에서 처분을 구하는 신청의 절차를 규정하고 있으며, 「민원처리에 관한 법률」 제8조는 처분에 대한 신청 등을 규율하고 있다.

❷ 신청의 요건

1. 신청권의 존재

신청의 요건이란 신청이 적법하기 위하여 갖추어야 할 요건을 말한다. 신청의 대상인 처분(⑩ 허가, 등록)의 요건과는 구별하여야 한다. 사인의 신청이 적법하기 위해서는 신청인에게 신청권이 있어야 하며, 법령상 요구되는 서류 등을 구비하여야 한다. 한편, 이러한 신청권은 행정청의 응답을 요구하는 권리이며, 신청된 대로의 처분을 구하는 권리는 아니다.

2. 신청의 방법

행정청에 대하여 처분을 구하는 신청은 원칙적으로 문서로 하여야 하며, 처분의 신청을 전자문서로 하는 경우에는 행정청의 컴퓨터 등에 입력된 때에 신청한 것으로 본다.01

3. 신청기간

신청기간이 제척기간❶이고 강행규정❶인 경우 신청기간을 준수하지 못하였음을 이유로 한 거부처분은 적법하다(대판 2021. 3. 18, 2018두47264 전합).

> **관련판례**
> 1. 구 고용보험법 제70조 제2항에서 정한 육아휴직급여 신청기간은 추상적 권리의 행사에 관한 '제척기간'이라고 봄이 타당하다.
> 2. 육아휴직급여 신청기간을 정한 이 사건 조항(구 고용보험법 제70조 제2항. "제1항에 따른 육아휴직급여를 지급받으려는 사람은 육아휴직을 시작한 날 이후 1개월부터 육아휴직이 끝난 날 이후 12개월 이내에 신청하여야 한다. 다만, 해당 기간에 대통령령으로 정하는 사유로 육아휴직급여를 신청할 수 없었던 사람은 그 사유가 끝난 후 30일 이내에 신청하여야 한다.")은 강행규정으로 훈시규정이라고 볼 수 없다(대판 2021. 3. 18, 2018두47264 전합).

기출 체크

□□□□□ 01 행정청에 대하여 처분을 구하는 신청은 원칙적으로 문서로 하여야 하며, 특히 전자문서로 하는 경우에는 행정청의 컴퓨터 등에 입력된 때에 신청한 것으로 본다. (○, ×)   2009 관세사

ⓐ 제척기간
제척기간은 어떤 종류의 권리에 대해 법률로 정한 존속기간을 말한다. 일반적으로 권리자로 하여금 자신의 권리를 신속하게 행사하도록 함으로써 법률관계를 조속히 확정하려는 데 그 취지가 있고, 특별한 사정이 없는 한 그 제척기간의 경과 자체만으로 권리소멸의 효과가 발생한다.

ⓑ 강행규정
강행규정이라 함은 당사자의 의사와 상관없이 강제적으로 적용되는 규정을 말한다. 주로 공공의 질서유지와 관계된 공법이 강행규정이며, 이를 위반한 법률행위는 공공의 질서에 반한 무효로 본다. 반면에 당사자의 의사에 의하여 그 적용을 배제할 수 있는 규정은 임의규정이라고 한다.

정답 01 ○

❶ 행정절차법 제17조 【처분의 신청】 ⑤ 행정청은 신청에 구비서류의 미비 등 흠이 있는 경우에는 보완에 필요한 상당한 기간을 정하여 지체 없이 신청인에게 보완을 요구하여야 한다.

❸ 신청의 효과

1. 접수의무

행정청은 신청을 받았을 때에는 다른 법령 등에 특별한 규정이 있는 경우를 제외하고는 그 접수를 보류 또는 거부하거나 부당하게 되돌려 보내서는 안 된다(행정절차법 제17조 제4항).

2. 처리의무(응답의무)

적법한 신청이 있는 경우에 행정청은 재량행위·기속행위를 불문하고 상당한 기간 내에 신청에 대하여 응답을 하여야 한다. 여기서 응답의무는 신청된 내용대로 처분할 의무와는 구별되어야 하는바, 처분을 구하는 신청에 대해 행정기관은 신청에 따른 행정행위를 하거나 거부처분을 하여도 무방하다.**01** 신청을 받아들이는 처분에는 신청을 전부 받아들이는 처분뿐만 아니라 일부를 받아들이는 처분도 있다. 한편, 처분이 허가인 경우 행정청은 형식적 심사 외에 실질적 심사(◉안정성·공익성 등)도 거쳐야 한다.

3. 부적법한 신청의 효과

(1) 보완요구

행정청은 신청에 구비서류의 미비 등 흠이 있는 경우 곧바로 접수를 거부해서는 안 되며, 보완에 필요한 상당한 기간을 정하여 지체 없이 신청인에게 보완을 요구하여야 한다.**02** 신청인이 그 기간 내에 보완을 하지 아니한 때에는 그 이유를 명시하여 신청을 되돌려 보낼 수 있다.

(2) 보완의 대상

보완의 대상이 되는 흠은 보완이 가능한 경우이어야 하고 그 내용도 형식적·절차적 요건이어야 하며, 실질적인 요건에 대하여는 원칙상 보완 또는 보정요구를 하여야 하는 것은 아니다. 그러나 실질적 요건에 흠이 있는 경우라도 그것이 민원인의 단순한 착오나 일시적인 사정에 의한 것이라면 보완의 대상이 된다.**03**

┌─ **관련판례** ─

1. 행정절차법 제17조 제5항❶이 행정청으로 하여금 신청에 대하여 거부처분을 하기 전에 반드시 신청인에게 신청의 내용이나 처분의 실체적 발급요건에 관한 사항까지 보완할 기회를 부여하여야 할 의무를 정한 것은 아니다.

행정절차법 제17조에 따르면, 행정청은 신청에 구비서류의 미비 등 흠이 있는 경우에는 보완에 필요한 상당한 기간을 정하여 지체 없이 신청인에게 보완을 요구하여야 하고(제5항), 신청인이 그 기간 내에 보완을 하지 않았을 때에는 그 이유를 구체적으로 밝혀 접수된 신청을 되돌려 보낼 수 있으며(제6항), 신청인은 처분이 있기 전에는 그 신청의 내용을 보완·변경하거나 취하할 수 있다(제8항 본문). 이처럼 행정절차법 제17조가 '구비서류의 미비 등 흠의 보완'과 '신청내용의 보완'을 분명하게 구분하고 있는 점에 비추어 보면, 행정절차법 제17조 제5항은 신청인이 신청할 때 관계법령에서 필수적으로 첨부하여 제출하도록 규정한 서류를 첨부하지 않은 경우와 같이 쉽게 보완이 가능한 사항을 누락하는 등의 흠이 있을 때 행정청이 곧바로 거부처분을 하는 것보다는 신청인에게 보완할 기회를 주도록 함으로써 행정의 공정성·투명성 및 신뢰성을 확보하고 국민의 권익을 보호하려는 행정절차법의 입법목적을 달성하고자 함이지, 행정청으로 하여금 신청에 대하여 거부처분을 하기 전에 반드시 신청인에게 신청의 내용이나 처분의 실체적 발급요건에 관한 사항까지 보완할 기회를 부여하여야 할 의무를 정한 것은 아니라고 보아야 한다(대판 2020. 7. 23, 2020두36007).**04**

2. 건축불허가처분을 하면서 그 사유의 하나로 소방시설과 관련된 소방서장의 건축부동의 의견을 들고 있으나 그 보완이 가능한 경우, 보완을 요구하지 아니한 채 곧바로 건축허가신청을 거부한 것은 재량권의 범위를 벗어난 것이다(위법하다는 의미).★★

   위 규정 소정의 보완의 대상이 되는 흠은 보완이 가능한 경우이어야 함은 물론이고, 그 내용 또한 형식적 · 절차적인 요건이거나, 실질적인 요건에 관한 흠이 있는 경우라도 그것이 민원인의 단순한 착오나 일시적인 사정 등에 기한 경우 등이라야 한다. 건축불허가처분을 하면서 그 사유의 하나로 소방시설과 관련된 소방서장의 건축부동의 의견을 들고 있으나 그 보완이 가능한 경우, 보완을 요구하지 아니한 채 곧바로 건축허가신청을 거부한 것은 재량권의 범위를 벗어난 것이다(대판 2004. 10. 15, 2003두6573).

3. 흠결된 서류의 보완 또는 보정을 하면 이미 접수된 주요서류의 대부분을 새로 작성함이 불가피하게 되어 사실상 새로운 신청으로 보아야 할 경우에는 그 흠결서류의 접수를 거부하거나 그것을 반려할 정당한 사유가 있는 경우에 해당하여 이의 접수를 거부하거나 반려하여도 위법이 되지 않는다(대판 1991. 6. 11, 90누8862).**01**

[유튜브] 9강 필수 개념 TEST
- QR코드를 스캔해 주세요.
- 필수 개념과 출제 포인트를 풀어 보세요.
- 틀린 문제는 기본서로 확인해 주세요.

정답　**01** ○

2025
써니 행정법총론

2025 써니로(SunnyLaw) 합격하는 온라인 모의고사

- QR코드로 기본서 온라인 모의고사 풀기
- 〈써니로TV〉에서 라이브 테스트 실시 & 해설 강의 제공
- 정답과 취약 단원 파악하기

• 시험 일정은 "[네이버] 써니 행정법 카페"를 확인해 주세요.

2회 온라인 모의고사

행정작용법

제 10 강   법규명령

제 11 강   행정규칙 등

제 12 강   행정행위의 기초개념

제 13 강   행정행위의 내용

제 14 강   행정행위의 부관

제 15 강   행정행위의 요건과 효력

제 16 강   행정행위의 하자와 하자승계

제 17 강   행정행위의 폐지(취소·철회) 및 실효

제 18 강   확약 등

제 19 강   공법상 계약 등

법규명령

의의

행정권이 정립하는 일반적 · 추상적 규정으로서 법규의 성질을 가지는 것

종 류

수권의 범위 · 근거에 따른 분류

헌법대위명령 (비상명령)	• 헌법의 일부규정에 대한 효력을 정지시키는 등 헌법적 효력을 가짐. • 현행 헌법에는 없음(예 과거 유신헌법상의 대통령 긴급조치).
법률대위명령 (독립명령)	• 법률과는 독립하여 헌법에 직접 근거하여 발하는 명령 • 법률과 대등한 효력(예 헌법 제76조의 긴급명령, 긴급재정 · 경제명령)
법률종속명령 **위임명령**	• 일반적인 법규명령 • 법률보다 하위의 효력을 가짐. • 원칙적으로 개별적인 법률 또는 상위명령에서 구체적으로 범위를 정한 위임규정이 있어야 제정 가능(헌법상의 일반적 근거만으로는 제정할 수 없음) • 위임된 범위 내 새로운 법규사항(국민의 권리 · 의무에 관한 사항) 규정 가능
집행명령	• 법률 또는 상위명령의 개별적 · 구체적 수권(위임) 불필요 • 새로운 법규사항 규정 불가능 • 집행명령으로는 허가를 위한 시설기준 등은 정할 수 없고 허가신청서의 서식 등을 정할 수 있을 뿐임.

법형식에 따른 분류

헌법이 명시하고 있는 법규명령	**대통령령 (법제처 심사+ 국무회의 심의)**	• 대통령이 일반적으로 법률의 위임 또는 직권으로 발하는 법규명령(○○법 시행령) • 총리령 · 부령보다 우월한 효력
	총리령 · 부령 (법제처 심사)	• 국무총리 · 행정각부의 장이 법률이나 대통령령의 위임 또는 직권으로 발하는 명령(○○법 시행규칙) • 행정각부의 장에 해당하지 않는 국무총리직속기관(예 법제처장 등)이나 행정각부소속기관(예 경찰청장 등)은 독자적으로 법규명령을 발할 수 없음. • 법률 또는 대통령령으로 정할 사항을 부령으로 규정한 경우 : 무효
	중앙선거관리 위원회규칙 등	• 중앙선거관리위원회규칙 : 법령의 범위 안에서 선거관리, 국민투표관리 또는 정당사무에 관한 규칙 제정 가능(법규명령으로 행정법의 법원이 됨) • 헌법은 국회규칙, 대법원규칙, 헌법재판소규칙에 관해서도 규정하고 있음.
헌법이 명시하지 않은 법규명령	**감사원규칙**	• 감사원법에 따른 규칙 제정 가능 • 법규명령설(통설) : 헌법은 일정한 법형식, 즉 대통령령, 총리령, 부령 등의 행정입법을 규정하고 있으나 그것은 예시적인 것으로 보아야 함.
	법령보충규칙	• 법규명령성 : 행정규칙의 형식(고시, 훈령 등)으로 규정되어 있으나 실질은 법률내용을 구체적으로 정함. • 행정규제기본법은 고시형식의 법규명령 가능성 인정

근거 및 한계

위임명령의 근거

• **법률 또는 상위명령의 개별적 수권규정이 있는 경우에만 제정 가능** : 구체적 위임 없이 국민의 권리 · 의무에 관한 사항을 새롭게 규정한 위임명령은 무효
• 법률의 시행령이나 시행규칙의 내용이 모법의 해석상 가능한 것을 명시하거나 모법을 구체화하기 위한 것인 경우, 모법에 직접적 위임규정이 없더라도 무효가 아님.
• 위임의 근거가 없어 무효인 법규명령이라도 사후에 위임의 근거가 부여되면 그때부터 유효, 위임의 근거가 있어 유효한 법규명령이라도 사후에 위임의 근거가 없어지면 그때부터 무효

위임명령의 한계

상위법령의 위임의 한계	• 일반적 · 포괄적 위임금지 : 구체적 범위를 정하여 위임하여야 함. － 구체적 위임인지 판단기준 : 예측가능성 － 구체성의 정도 : 기본권 침해영역에서 강화, 급부영역에서 완화 － 사실관계가 수시로 변화할 수 있는 사안 : 구체성 · 명확성 요구 완화 － 조례 · 공법적 단체의 정관에 자치법적 사항을 위임하는 경우 : 포괄적 위임 가능(포괄적 위임금지원칙이 적용되지 않음) • 국회전속적 입법사항의 위임금지 － 국회가 법률로 정해야 하며 법규명령으로 정할 수 없음이 원칙 － 세부적 사항은 구체적 범위를 정하여 행정입법에 위임하는 것 허용 • 형벌규정의 위임 : ① 특히 긴급한 필요가 있거나 부득이한 사정이 있는 경우에 한하여, ② 구성요건을 구체적으로 정하고, ③ 형벌의 종류 · 상한 · 폭을 법률로 명확히 규정하는 것을 조건으로 위임입법 허용
위임명령의 제정상 한계	• 전면적 재위임의 금지 : 위임받은 사항에 관한 대강을 정하고 세부적인 사항을 하위법령에 재위임 가능 • 내용적 한계 － 법률에서 수권되지 않은 사항에 대해서 규정할 수 없음. － 상위법령을 위반하면 안 됨.

집행명령의 근거와 한계

• 법률 또는 상위명령의 개별적 · 구체적 수권(위임)규정이 없어도 가능
• 새로운 국민의 권리 · 의무에 관한 사항(법규사항)은 규정할 수 없음.

성립 · 효력발생요건

성립요건

주 체	• 대통령, 국무총리 등 정당한 권한을 가진 기관이 제정해야 함.
절 차	• 대통령령 : 법제처 심사+국무회의 심의 • 총리령 · 부령 : 법제처의 심사
형 식	조문형식에 의하여야 하고 일정한 형식을 갖춰야 함.
내 용	법령에 근거하고 수권의 범위 내에서 제정
공 포	외부에 표시함으로써 유효하게 성립함.

효력발생요건

• 특별한 규정이 없는 한 공포한 날로부터 20일 경과함으로써 효력 발생
• 특별한 사유가 없는 한 국민의 권리제한 · 의무부과와 관련된 법규명령은 공포일로부터 적어도 30일이 경과한 날로부터 시행

하자 및 소멸

하 자

- **하자 있는 법규명령의 효력 : 무효**
  - 하위법령의 규정이 상위법령의 규정에 저촉되는지 여부가 명백하지 않고 하위법령의 의미를 상위법령에 합치하도록 해석하는 것이 가능한 경우에는 하위법령이 상위법령에 위반된다는 이유로 무효를 선언할 것은 아님.
- **하자 있는 법규명령에 따른 행정행위 : 중대 · 명백설에 따라 판단**
  - 위헌 · 위법한 시행령의 무효를 선언한 대법원판결이 없는 상태에서 그러한 시행령에 근거하여 이루어진 처분은 원칙적으로 당연무효라고 할 수 없음.

소 멸

- **폐지 : 법규명령의 효력을 장래에 향하여 소멸시키는 의사표시**
  - 명시적 · 묵시적 표시 가능
- **종기의 도래 또는 해제조건의 성취 : 당연히 효력 상실**
- **근거법령의 소멸 등**
  - 상위법령이 폐지된 경우 : 법규명령도 소멸
  - 법률에 대한 위헌결정 : 법규명령도 원칙적으로 효력 상실
  - 집행명령의 경우 근거법령이 개정됨에 불과한 경우 : 효력 유지

법규명령에 대한 통제

입법적 통제

사법적 통제

- **일반법원에 의한 통제**
  - 구체적 규범통제(간접적 통제)

개 념	• 명령 · 규칙의 위헌 · 위법 여부가 구체적 사건을 해결하기 위한 전제문제로 되는 경우에 비로소 이를 심사하여 통제하는 것(우리 헌법은 구체적 규범통제를 원칙으로 하고 있음) • 법원이 구체적 규범통제를 통해 위헌 · 위법으로 선언할 심판대상은, 원칙적으로 해당 규정 중 재판의 전제성이 인정되는 조항에 한정됨(판례). • 당사자는 구체적 사건의 심판을 위한 선결문제로서 행정입법의 위법성을 주장하여 법원에 대하여 당해 사건에 대한 적용 여부의 판단을 구할 수 있음(판례).
주 체	• 각급 법원 • 대법원이 최종적으로 심사
명령 · 규칙의 의미	• 명령 : 법규명령 • 규칙 : 대법원 · 국회 · 헌법재판소의 규칙, 지방자치단체의 조례 및 규칙 포함 ○, 행정규칙 포함 ×(법령보충적 행정규칙은 포함 ○)
구체적 규범 통제의 효력	당해 사건에 한해 적용 배제(형식적으로는 여전히 유효한 것)
공 고	대법원에 의해 명령 · 규칙이 위헌 · 위법인 것으로 확정된 경우 행정안전부장관에게 통보, 행정안전부장관은 관보에 게재(행정소송법 제6조)

  - 항고소송에 의한 직접적 통제(처분적 법규의 경우)
    ‣ 법규명령 : 항고소송의 대상 ×(원칙)
    ‣ 처분법규(처분성을 가지는 법규명령) : 항고소송의 대상 ○(두밀분교폐지 조례)
- **헌법재판소에 의한 통제**
  - 헌법재판소 : 별도의 집행행위를 기다리지 않고 직접 기본권침해시 헌법소원의 대상이 될 수 있음.

행정적 통제

- 상급행정청은 하급행정청에 대해 법규명령의 시정지시 또는 폐지를 명할 수 있음(다만, 상급행정청이라도 하급행정청의 법규명령을 스스로 개정 또는 폐지할 수 없음).

행정입법부작위

의 의	법규명령을 제정 · 개정할 의무가 있음에도 하지 않는 것
요 건	• **행정입법의 제정의무가 인정되어야 함.** 단, 법률의 규정이 내용적으로 충분히 명확한 경우는 제정의무 없음. 　- 입법부가 법률로써 행정부에게 특정한 사항을 위임했음에도 불구하고 행정부가 정당한 이유 없이 이를 이행하지 않는다면 권력분립의 원칙과 법치국가 내지 법치행정의 원칙에 위배됨. 　- 우리 헌법하에서 행정권의 행정입법 등 법집행의무는 헌법적 의무(헌재) • **상당한 기간의 경과** • **행정입법이 제정되지 않았을 것**
권리구제	• **항고소송의 가능성 ×** : 추상적인 법령의 제정 여부 등은 부작위법확인소송의 대상이 될 수 없음(대법원). • **헌법소원의 가능성 ○** : 행정입법부작위도 헌법소원의 대상이 될 수 있음(헌재). 다만, 부진정입법부작위는 입법부작위에 대한 헌법소원이 아니라 법령 그 자체를 대상으로 하여 헌법소원을 제기해야 함. • **국가배상청구의 가능성 ○** : 대통령령의 입법부작위에 대한 국가배상책임은 인정됨(판례).

기출 체크

☐☐☐☐☐ **01** 행정입법을 실질적 기준에 따라 구분하는 학설은 행정입법의 법규성 유무, 즉 대외적 구속력이 있는지 여부에 따라 법규명령과 행정규칙으로 구분한다. (O, ×)　2024 소방직 9급

01 | 행정입법의 의의

❶ 개 념

통설적 견해에 의하면 행정입법이란 국가 등 행정주체가 일반적·추상적인 규율을 제정하는 작용 또는 그에 의해 제정된 규범을 말한다. 여기에서 일반적이라 함은 불특정 다수를 규율함을 의미하고 추상적이라 함은 반복적인, 불특정 다수의 사건에 적용됨을 의미한다(p.17 참조).

❷ 구 분

행정입법에는 국가행정권에 의한 입법과 지방자치단체에 의한 입법이 있다. 통설은 이 중 국가행정권에 의한 입법을 법규성(대외적 구속력과 재판규범성)을 가지는지에 따라 크게 법규명령과 행정규칙으로 구분하고 있다.01 한편, 지방자치단체에 의한 입법은 조례와 규칙, 교육규칙으로 구분할 수 있다.

02 | 행정입법의 발전 및 기능

❶ 발전배경

권력분립과 법률에 의한 행정을 기본원칙으로 하는 법치국가에서 법규를 정립하는 권한은 입법부에 속한다고 볼 수 있다. 그러나 20세기 중반 이후 행정기능이 확대되고 전문화·다양화됨에 따라 행정입법의 필요성은 높아지고 있으며, 이는 현대국가의 특색 중 하나라고 할 수 있다.

❷ 기 능

행정입법의 필요성 내지 행정입법의 순기능으로는 다음과 같은 것들을 들 수 있다.

① 전문적·기술적인 입법사항의 증대
② 행정현상의 급격한 변화에 즉응하는 입법의 필요
③ 행정요원의 전문적 지식 및 경험의 활용
④ 국회의 부담 경감
⑤ 지방자치단체의 개별적 사정의 고려(자치법규) 가능

정답 01 O

03 | 행정기본법상의 행정입법에 관한 규정

❶ 행정의 입법활동

1. 국가나 지방자치단체가 법령 등을 제정·개정·폐지하고자 하거나 그와 관련된 활동(법률안의 국회 제출과 조례안의 지방의회 제출을 포함하며, 이하 '행정의 입법활동'이라 한다)을 할 때에는 헌법과 상위법령을 위반해서는 아니 되며, 헌법과 법령 등에서 정한 절차를 준수하여야 한다(행정기본법 제38조 제1항).01

2. 행정의 입법활동은 다음의 기준에 따라야 한다(동법 제38조 제2항).

> ① 일반국민 및 이해관계자로부터 의견을 수렴하고 관계기관과 충분한 협의를 거쳐 책임 있게 추진되어야 한다.02
> ② 법령 등의 내용과 규정은 다른 법령 등과 조화를 이루어야 하고, 법령 등 상호 간에 중복되거나 상충되지 아니하여야 한다.03
> ③ 법령 등은 일반국민이 그 내용을 쉽고 명확하게 이해할 수 있도록 알기 쉽게 만들어져야 한다.04

3. 정부는 매년 해당 연도에 추진할 법령안 입법계획(이하 '정부입법계획'이라 한다)을 수립하여야 한다(동법 제38조 제3항).

4. 행정의 입법활동의 절차 및 정부입법계획의 수립에 관하여 필요한 사항은 정부의 법제업무에 관한 사항을 규율하는 대통령령으로 정한다(동법 제38조 제4항).05

❷ 행정법제의 개선

정부는 권한 있는 기관에 의하여 위헌으로 결정되어 법령이 헌법에 위반되거나 법률에 위반되는 것이 명백한 경우 등 대통령령으로 정하는 경우에는 해당 법령을 개선하여야 한다(동법 제39조 제1항).06

❸ 법령해석

누구든지 법령 등의 내용에 의문이 있으면 법령을 소관하는 중앙행정기관의 장(이하 '법령소관기관'이라 한다)과 자치법규를 소관하는 지방자치단체의 장에게 법령해석을 요청할 수 있다(동법 제40조 제1항).

초대 Topic 13　핵심집약 Topic 19, 20

ⓐ 긴급조치
유신헌법에 규정되어 있었던 헌법적 효력을 가진 특별조치로서 대통령이 발동하는 것을 말한다.

01 ｜ 법규명령의 의의

1. 법규명령이란 행정권이 정립하는 일반적 · 추상적 규정으로서 법규의 성질을 가지는 것을 말한다.01 법규의 성질, 즉 대외적 구속력과 재판규범성을 가진다는 점에서 법규의 성질을 가지지 않고 원칙적으로 행정기관 내부에서만 효력을 갖는 행정규칙과 구별된다.

2. 법규명령은 법규성을 가지므로 국민과 행정청을 모두 구속하고 법규명령을 위반하는 행위는 위법한 행위가 된다.

02 ｜ 법규명령의 종류

법규명령은 여러 기준에 따라 분류할 수 있으나, 수권의 범위 · 근거와 법형식에 따른 분류가 일반적이다.

❶ 수권의 범위 · 근거에 따른 분류

1. 헌법대위명령(비상명령)

헌법대위명령, 즉 비상명령이란 헌법의 일부규정에 대한 효력을 정지시키는 등 헌법적 효력을 가지는 명령을 말한다. 과거 유신헌법상의 대통령 긴급조치ⓐ가 이에 해당하며, 현행 헌법에서는 이러한 명령이 인정되지 않는다.02

2. 법률대위명령(독립명령)

법률대위명령이란 법률과는 독립하여(이 점에서 독립명령이라고도 함) 헌법에 직접 근거하여 발하여지는 명령으로서, 법률과 대등한 효력을 지닌다. 우리 헌법 제76조상의 대통령의 긴급명령, 긴급재정 · 경제명령은 법률대위명령의 예이다.03 04

3. 법률종속명령(위임명령 · 집행명령)

법률종속명령이란 법률에 종속되어 법률보다 하위의 효력을 가지는 명령으로서 법률대위명령을 제외한 모든 법규명령이 이에 해당한다. 한편, 이는 개별적인 법적 근거가 필요한지, 새로운 법규사항(국민의 권리 · 의무에 관한 사항)을 정할 수 있는지에 따라 위임명령과 집행명령으로 구분된다.

(1) 위임명령

① 개 념

위임명령은 법률 또는 상위명령에서 구체적으로 범위를 정하여 위임한 사항을 규정하는 명령을 말하며, 위임된 범위 내에서는 새로이 국민의 권리·의무에 관한 사항을 규정할 수 있다. 위임명령은 헌법상의 일반적 근거만으로는 제정할 수 없으며 원칙적으로 개별적인 법률 또는 상위명령에서 구체적으로 범위를 정한 위임규정이 있어야 제정할 수 있다.01

② 방 식

"○○에 관한 사항은 보건복지부령으로 정한다."라는 식으로 하되 구체적으로 범위를 정하여 위임한다.

(2) 집행명령

① 개 념

- ㉠ **새로운 법규사항의 규정 불가능** : 법률 또는 상위법령의 집행을 위하여 필요한 세부적·기술적 사항을 규정하는 명령으로, 신고서의 양식과 법령을 시행하기 위한 세칙 등 세부적 사항을 규정할 뿐 새로운 법규사항(국민의 권리·의무에 관한 사항)을 규정할 수는 없다.02 03 즉, 집행명령으로는 허가를 위한 시설기준 등은 정할 수 없고 허가신청서의 서식 등은 정할 수 있다.
- ㉡ **개별적인 법적 근거 불필요** : 집행명령은 위임명령과 달리 새로운 국민의 권리·의무에 관한 사항을 규정하는 것은 아니므로 법률 또는 상위명령의 개별적·구체적 수권(위임)은 필요하지 않다.04 다만, 헌법에서 포괄적 근거를 두고 있다.

> **관련판례**
>
> 사법시험 제2차 시험에 과락제도를 적용하고 있는 구 사법시험령 제15조 제2항은 집행명령으로서 상위법의 개별적 수권이 없더라도 허용된다(대판 2007. 1. 11, 2004두10432).

② 방 식

"이 법률의 시행에 필요한 사항은 대통령령으로 정한다."❶라는 식으로 규정한다. 다만, 이런 규정이 없어도 직권으로 가능하다.

위임명령과 집행명령의 비교

구 분	위임명령	집행명령
위 임	법률의 구체적 위임 요함.	법률의 구체적 위임을 요하지 않음.
헌법적 근거	헌법 제75·95조	
목 적	법률의 내용 보충	법률의 집행
규율범위	위임의 범위 내에서 새로이 국민의 권리·의무에 관한 사항을 규정할 수 있음.	새로운 법규사항(국민의 권리·의무에 관한 사항)을 규정할 수 없음.
종속성	법률종속명령	

✚ 위임명령과 집행명령은 실제 입법에서 따로 제정되는 경우는 거의 없으며, 하나의 법규명령에 함께 제정되고 있다.

❷ 법형식에 따른 분류

1. 헌법이 명시하고 있는 법규명령05

대통령, 국무총리, 행정각부의 장, 중앙선거관리위원회 등 제정권자를 기준으로 다음과 같이 구분할 수 있다.06 07

(1) 대통령령❶

① 개 념

대통령이 제정하는 법규명령을 말하는바, 보통 '○○법 시행령' 등으로 이름을 붙인다. 긴급명령

❶ 헌법 제75조 대통령은 법률에서 구체적으로 범위를 정하여 위임받은 사항과 법률을 집행하기 위하여 필요한 사항에 관하여 대통령령을 발할 수 있다.08

❷ 이러한 조항은 일반적 위임조항이므로 위임명령의 근거가 될 수는 없다. 원칙적으로 위임명령은 상위법령의 개별적 근거가 있어야 한다. 예컨대 식품위생법에 따르면 "소비자식품위생감시원의 자격, 직무범위 및 교육, 그 밖에 필요한 사항은 대통령령으로 정한다."라고 되어 있는데 이러한 위임이 개별적·구체적 위임이다.

☐☐☐☐☐ **01** 대통령령은 총리령 및 부령보다 우월한 효력을 가진다.
(○ , ×) ★   2019 국회직 8급

☐☐☐☐☐ **02** 경찰공무원 채용시험에서의 부정행위자에 대한 5년간의 응시자격제한을 규정한 경찰공무원임용령 제46조 제1항은 행정청 내부의 사무처리기준을 규정한 재량준칙에 불과하다. (○ , ×) ★★
2015 사회복지직 9급

☐☐☐☐☐ **03** 시행규칙이라는 이름이 붙여진 명령은 통상 총리령과 부령이다.
(○ , ×)   2004 관세사

☐☐☐☐☐ **04** 입법자는 법률에서 구체적으로 범위를 정하기만 한다면 대통령령뿐만 아니라 부령에 입법사항을 위임할 수 있다. (○ , ×) ★★
2012 국회(속기·경위직) 9급

☐☐☐☐☐ **05** 행정각부가 아닌 국무총리 소속의 독립기관은 독립하여 법규명령을 발할 수 있다. (○ , ×) ★★★
2019 서울시 9급

☐☐☐☐☐ **06** 법령상 대통령령으로 규정하도록 되어 있는 사항을 부령으로 정하더라도 그 부령은 유효하다. (○ , ×) ★★
2018 교육행정직 9급

☐☐☐☐☐ **07** 중앙선거관리위원회규칙은 행정법의 법원이 아니다. (○ , ×)
2016 교육행정직 9급

☐☐☐☐☐ **08** 중앙선거관리위원회는 법령의 범위 안에서 선거관리·국민투표관리·정당사무 등에 관한 규칙을 제정할 수 있는바, 이 규칙은 법규명령의 성질을 가진다. (○ , ×)
2013 지방직(하) 7급

❶ 헌법 제95조 국무총리 또는 행정각부의 장은 소관 사무에 관하여 법률이나 대통령령의 위임 또는 직권으로 총리령 또는 부령을 발할 수 있다.

❷ 헌법 제114조 ⑥ 중앙선거관리위원회는 법령의 범위 안에서 선거관리, 국민투표관리 또는 정당사무에 관한 규칙을 제정할 수 있으며, 법률에 저촉되지 아니하는 범위 안에서 내부규율에 관한 규칙을 제정할 수 있다.

ⓐ 예컨대 건축법이 113개의 조문으로 구성되어 있는데 건축법 시행령은 121개의 조문으로 이루어져 있다.

ⓑ 예컨대 「행정권한의 위임 및 위탁에 관한 규정」, '공무원징계령'은 모두 대통령령인데 전자는 조직법상의 권한위임에 관한 내용이며 후자는 공무원의 징계처분에 관한 내용이다.

ⓒ 규 칙
중앙선거관리위원회는 중앙선거관리위원회규칙을 발하고, 대법원은 대법원규칙을, 국회는 국회규칙을, 감사원은 감사원규칙을 발한다. 이들 명령은 대통령으로부터 독립되어 있는 기관이 발하는 법규명령이며 '규칙'이라는 이름을 붙인다.

정답 **01** ○ **02** × **03** ○ **04** ○ **05** × **06** × **07** × **08** ○

도 대통령이 발하지만, 일반적으로 대통령령이라고 하면 위임명령과 집행명령을 말하며 대통령령은 총리령·부령보다 우월한 효력을 가진다.**01**

② 유 형

대통령령의 경우 모법의 시행에 관한 전반적 사항을 정하는 경우에는 ○○법(법률) 시행령으로,**ⓐ** 모법(상위법)의 일부규정의 시행에 필요한 개별적 사항을 정하거나 대통령령의 권한범위 내의 사항을 정하는 경우에는 ○○규정, ○○령으로 한다.**ⓑ**

읽기자료

대통령령이 항상 시행령의 이름으로만 제정되는 것은 아니다. 「행정권한의 위임 및 위탁에 관한 규정」, 경찰공무원임용령 등도 대통령령에 해당한다.

> 경찰공무원 채용시험에서 부정행위자에 대한 5년간의 응시자격제한을 규정한 경찰공무원임용령 제46조 제1항은 행정청 내부의 사무처리기준을 규정한 재량준칙이 아니라 일반국민이나 법원을 구속하는 법규명령에 해당**02**하므로 그에 의한 처분은 재량행위가 아니라 기속행위이다(대판 2008. 5. 29, 2007두18321). ★★

(2) 총리령·부령 **❶**

① 개 념

국무총리 또는 행정각부의 장이 법률이나 대통령령의 위임 또는 직권으로 발하는 명령(총리령의 위임 범위 내가 아니다)을 말하는바, 보통 '○○법 시행규칙' 등으로 이름을 붙이며**03** 총리령과 부령 모두 위임명령과 집행명령을 포함한다.**04**

② 총리령과 부령의 효력상 우열관계

㉠ **동위설** : 총리령은 행정각부의 장관과 동일한 지위에서 국무총리소속기관의 사무에 대해 발하는 것이므로 총리령과 부령은 동일한 효력이 있다고 한다.

㉡ **총리령 우위설**(다수설) : 총리는 행정각부를 통할하는 지위에 있으므로 총리령이 부령보다 우위에 있다고 한다. 다만, 국무총리와 행정각부의 장은 모두 각각 그 소관 사무에 관하여 총리령 또는 부령을 발령하므로 일반적으로는 규율사항이 충돌하지 않는다.

③ 행정각부가 아닌 경우

헌법은 부령의 발령권자를 행정각부의 장으로 규정하고 있으므로 행정각부의 장에 해당하지 않는 국무총리직속기관(예 인사혁신처장, 법제처장 등)이나 행정각부소속기관(예 경찰청장 등)은 독립하여 법규명령을 제정할 수 없다.**05** 이러한 경우에는 총리령 또는 부령으로 제정할 수밖에 없다. 예컨대, 법제처장의 경우 총리령 형식으로 법규명령을 제정할 수 있을 뿐이다.

④ 법률 또는 대통령령으로 규정할 사항을 부령으로 정한 경우

국민의 기본권과 관련하여 중요한 사항은 상위법령으로 정하여야 한다는 점을 고려할 때, 법률 또는 대통령령으로 정할 사항을 부령으로 규정한 경우 이는 무효라고 보아야 할 것이며, 우리 판례 역시 동일한 태도이다.

관련판례

> 법률 또는 대통령령으로 정할 사항을 부령으로 정한 경우 그러한 부령은 무효이다(대판 1962. 1. 25, 61다9).**06** ★★

(3) 중앙선거관리위원회규칙**ⓒ** 등**❷**

① 중앙선거관리위원회는 법령의 범위 안에서 선거관리, 국민투표관리 또는 정당사무에 관한 규칙을 제정할 수 있는데, 이는 법규명령으로 행정법의 법원(제3강 p.40 참조)이 되며,**07 08** 이러한 중앙선

거관리위원회규칙 역시 위임명령과 집행명령을 포함한다.

② 한편 헌법은 국회규칙, 대법원규칙, 헌법재판소규칙에 관해서도 규정하고 있다.

2. 헌법이 명시하지 않은 법규명령

(1) 감사원규칙(법률에 의한 형식의 인정 여부)

① 문제의 소재

감사원법에 따르면 감사원은 감사절차, 감사원사무처리규칙을 제정할 수 있는데 감사원규칙은 헌법에는 근거가 없고01 02 감사원법이라는 법률에 근거가 있으므로 이의 법적 성질이 문제된다.

② 학 설

㉠ 행정규칙설 : 감사원규칙은 헌법상 명문규정이 없으므로 행정규칙으로 볼 수밖에 없다고 한다.

㉡ 법규명령설(통설) : 비록 헌법규정이 아니라 감사원법이라는 법률에 근거가 있지만 법률에 근거한 법규명령의 창설도 가능한 것으로 보아 법규명령으로 본다. 헌법은 일정한 법형식, 즉 대통령령, 총리령, 부령 등의 행정입법을 규정하고 있으나 그것은 예시적인 것으로 보아야 할 것이므로 법규명령으로 볼 수 있다는 견해로서 통설 및 판례의 입장이다.03

(2) 법령보충규칙

① 법규명령성

행정규칙의 형식(고시, 훈련 등)으로 규정되어 있지만, 그 실질은 법률의 내용을 구체적으로 정하는 기능을 하고 있는 경우 법규명령으로 볼 수 있다는 것이 판례의 입장이다(p.200 참조).04

② 행정규제기본법

행정규제기본법은 이러한 고시형식의 법규명령의 가능성에 대해서 인정하고 있다. 동법에 따르면 행정규제법률주의를 규정하면서, 단서에서 일정한 한계 내에서는 고시형식으로도 법규적 사항을 정할 수 있다고 한다.❶

┌ **관련판례** ─────────────────────────────

1. 국회입법에 의한 수권이 입법기관이 아닌 행정기관에 법률 등으로 구체적인 범위를 정하여 위임한 사항에 관하여는 당해 행정기관이 법정립의 권한을 갖게 되고, 입법자가 규율의 형식도 선택할 수 있다 할 것이다.★

2. 따라서 헌법이 인정하고 있는 위임입법의 형식은 예시적인 것으로 보아야 할 것이고, 그것은 법률이 행정규칙에 위임하더라도 그 행정규칙은 위임된 사항만을 규율할 수 있으므로, 국회입법의 원칙과 상치되지도 않는다.06 ★★★

3. 법률이 입법사항을 대통령령이나 부령이 아닌 고시와 같은 행정규칙의 형식으로 위임하는 것은 헌법 제40조, 제75조(편저자 주 : 포괄위임금지의 원칙), 제95조 등과의 관계에서 일정한 한계 내에서 허용된다.07

4. 행정규칙은 법규명령과 같은 엄격한 제정 및 개정절차를 요하지 아니하므로, 재산권 등과 같은 기본권을 제한하는 작용을 하는 법률이 입법위임을 할 때에는 대통령령, 총리령, 부령 등 법규명령에 위임함이 바람직하고, 고시와 같은 형식으로 입법위임을 할 때에는 적어도 행정규제기본법 제4조 제2항 단서에서 정한 바와 같이 법령이 전문적ㆍ기술적 사항이나 경미한 사항으로서 업무의 성질상 위임이 불가피한 사항에 한정된다 할 것이고,08 그러한 사항이라 하더라도 포괄위임금지의 원칙상 법률의 위임은 반드시 구체적ㆍ개별적으로 한정된 사항에 대하여 행하여져야 한다(헌재 2006. 12. 28, 2005헌바59).

└──

□□□□□ **01** 헌법에서 정한 행정부가 아닌 기관에 의한 행정입법에는 국회규칙, 대법원규칙, 헌법재판소규칙, 중앙선거관리위원회규칙, 감사원규칙이 있다. (ㅇ, ×) 　2024 소방직 9급

□□□□□ **02** 감사원규칙(은 행정법의 법원(法源)으로서 헌법이 직접 규정하고 있지 않다) (ㅇ, ×) ★ 　2018 소방직 9급

□□□□□ **03** 헌법에서 인정한 법규명령의 형식을 예시적으로 이해하는 견해에 의하면 감사원규칙은 법규명령이 아니라고 본다. (ㅇ, ×) ★ 　2020 국가직 7급

□□□□□ **04** 판례는 '고시(告示)' 형식의 법규명령을 인정하고 있다. (ㅇ, ×) ★★★ 　2008 지방직(하) 7급

□□□□□ **05** 성질상 위임이 불가피한 전문적ㆍ기술적 사항에 관하여 구체적으로 범위를 정하여 법령에서 위임하더라도 고시 등으로는 규제의 세부적인 내용을 정할 수 없다. (ㅇ, ×) ★★ 　2018 교육행정직 9급

□□□□□ **06** 헌법이 인정하고 있는 위임입법의 형식은 예시적인 것으로 보아야 할 것이고, 법률이 행정규칙에 위임하더라도 그 행정규칙은 위임된 사항만을 규율할 수 있으므로 국회입법의 원칙과 상치되지 않는다. (ㅇ, ×) ★★★ 　2021 경행경채

□□□□□ **07** 법률이 행정규칙 형식으로 입법위임을 하는 경우에는 행정규칙의 특성상 포괄위임금지의 원칙은 인정되지 않는다. (ㅇ, ×) ★★ 　2020 군무원 9급

□□□□□ **08** 법률이 일정한 사항을 고시와 같은 행정규칙에 위임하는 것은 전문적ㆍ기술적 사항이나 경미한 사항으로서 업무의 성질상 위임이 불가피한 사항에 한정된다. (ㅇ, ×) 　2023 지방직ㆍ서울시 7급

❶ 행정규제기본법 제4조 【규제법정주의】② 규제는 법률에 직접 규정하되, 규제의 세부적인 내용은 법률 또는 상위법령에서 구체적으로 범위를 정하여 위임한 바에 따라 대통령령ㆍ총리령ㆍ부령 또는 조례ㆍ규칙으로 정할 수 있다. 다만, 법령에서 전문적ㆍ기술적 사항이나 경미한 사항으로서 업무의 성질상 위임이 불가피한 사항에 관하여 구체적으로 범위를 정하여 위임한 경우에는 고시 등으로 정할 수 있다.05

정답 **01** × **02** ㅇ **03** × **04** ㅇ **05** × **06** ㅇ **07** × **08** ㅇ

☐☐☐☐☐ **01** 법규명령 중 위임명령은 원칙적으로 헌법 제75조와 헌법 제95조에 따라 법률이나 상위명령에 개별적인 수권규범이 있는 경우만 가능하다.
(○, ×) ★★★   2014 서울시 9급

☐☐☐☐☐ **02** 법령의 위임이 없음에도 법령에 규정된 처분요건에 해당하는 사항을 부령에서 변경하여 규정한 경우에는 그 부령의 규정은 행정청 내부의 사무처리기준 등을 정한 것으로서 행정조직 내에서 적용되는 행정명령의 성격을 지닐 뿐 국민에 대한 대외적 구속력은 없다.
(○, ×) ★★★   2023 국가직 7급

☐☐☐☐☐ **03** 법령의 위임이 없음에도 법령에 규정된 처분요건에 해당하는 사항을 부령에서 변경하여 규정한 경우에 처분의 적법 여부는 그러한 부령에서 정한 요건을 기준으로 판단하여야 한다.
(○, ×) ★★★   2021 지방직 · 서울시 7급

☐☐☐☐☐ **04** 법률의 시행령이나 시행규칙은 법률의 위임이 없으면 개인의 권리 · 의무에 관한 내용을 변경 · 보충하거나 법률이 규정하지 아니한 새로운 내용을 정할 수는 없으므로, 모법에 이에 관하여 직접 위임하는 규정을 두지 아니하였다면 당연히 이를 무효라고 보아야 한다. (○, ×) ★
2022 소방직 9급

☐☐☐☐☐ **05** 법률의 시행령이나 시행규칙의 내용이 모법의 입법취지와 관련 조항 전체를 유기적 · 체계적으로 살펴보아 모법의 해석상 가능한 것을 명시한 것에 지나지 아니하는 때에는 모법에 이에 관하여 직접 위임하는 규정을 두지 아니하였다고 하더라도 이를 무효라고 볼 수는 없다.
(○, ×) ★   2021 국가직 7급

☐☐☐☐☐ **06** 법규명령이 법률상 위임의 근거가 없어 무효였더라도 사후에 법 개정으로 위임의 근거가 부여되면 그때부터는 유효한 법규명령이 된다.
(○, ×) ★★★   2024 지방직 · 서울시 9급

☐☐☐☐☐ **07** 일반적으로 법률의 위임에 따라 효력을 갖는 법규명령의 경우에 위임의 근거가 없어 무효였다면 나중에 법 개정으로 위임의 근거가 부여되었다고 하여 그때부터 유효한 법규명령이 되는 것은 아니다. (○, ×) ★★★   2024 국가직 9급

☐☐☐☐☐ **08** 법률의 위임에 의하여 효력을 갖는 법규명령이 법 개정으로 위임의 근거가 없어지게 되더라도 효력을 상실하지 않는다. (○, ×) ★★★
2022 국가직 9급

❶ 헌법 제76조 ① 대통령은 내우 · 외환 · 천재지변 또는 중대한 재정 · 경제상의 위기에 있어서 국가의 안전보장 또는 공공의 안녕질서를 유지하기 위하여 긴급한 조치가 필요하고 국회의 집회를 기다릴 여유가 없을 때에 한하여 최소한으로 필요한 재정 · 경제상의 처분을 하거나 이에 관하여 법률의 효력을 가지는 명령을 발할 수 있다.

03 | 법규명령의 근거와 한계

❶ 긴급재정 · 경제명령, 긴급명령

긴급재정 · 경제명령, 긴급명령에 관하여서는 헌법 제76조에서 근거와 한계에 관하여 규정하고 있다.❶

❷ 위임명령의 근거와 한계

1. 근거

(1) 개별적 · 구체적 근거

① 위임명령은 원칙적으로 헌법 제75조와 제95조에 따라 법률 또는 상위명령의 개별적 수권규정이 있는 경우에만 제정이 가능하다.01 구체적 위임 없이 국민의 권리 · 의무에 관한 사항을 새롭게 규정한 법규명령은 무효이다.

② 한편 판례는 일정한 경우 예시적 위임도 긍정한다.

관련판례

1. 법령의 위임이 없음에도 법령에 규정된 처분요건에 해당하는 사항을 부령에서 변경하여 규정한 경우에는 그 부령의 규정은 행정청 내부의 사무처리기준 등을 정한 것으로서 행정조직 내에서 적용되는 행정명령의 성격을 지닐 뿐 국민에 대한 대외적 구속력은 없다.02 ★★★
따라서 어떤 행정처분이 그와 같이 법규성이 없는 시행규칙 등의 규정에 위배된다고 하더라도 그 이유만으로 처분이 위법하게 되는 것은 아니라 할 것이고, 또 그 규칙 등에서 정한 요건에 부합한다고 하여 반드시 그 처분이 적법한 것이라고 할 수도 없다. 이 경우 처분의 적법 여부는 그러한 규칙 등에서 정한 요건에 합치하는지 여부가 아니라 일반국민에 대하여 구속력을 가지는 법률 등 법규성이 있는 관계법령의 규정을 기준으로 판단하여야 한다(대판 2013. 9. 12, 2011두10584).03

2. 법률의 시행령이나 시행규칙의 내용이 모법의 입법취지와 관련조항 전체를 유기적 · 체계적으로 살펴보아 모법의 해석상 가능한 것을 명시한 것에 지나지 않거나 모법 조항의 취지에 근거하여 이를 구체화하기 위한 것인 경우, 모법에 직접 위임하는 규정을 두지 않았다고 하여 무효라고 볼 수는 없다(대판 2014. 8. 20, 2012두19526).04 05 ★

(2) 근거법령의 변동

위임의 근거 없이 무효인 법규명령이더라도 사후에 위임의 근거가 부여되면 그때부터 유효한 법규명령이 되며, 위임의 근거가 있어서 유효한 법규명령이라 하더라도 사후에 위임의 근거가 없어지면 법규명령도 무효가 된다는 것이 판례의 입장이다.

관련판례

1-1. 일반적으로 법률의 위임에 의하여 효력을 갖는 법규명령의 경우, 구법에 위임의 근거가 없어 무효였더라도 사후에 법 개정으로 위임의 근거가 부여되면 그때부터는 유효한 법규명령이 된다.06 07 ★★★

1-2. 그리고 구법의 위임에 의한 유효한 법규명령이 법 개정으로 위임의 근거가 없어지게 되면 그때부터 무효인 법규명령이 된다.08 ★★★

1-3. 따라서 어떤 법령의 위임근거 유무에 따른 유효 여부를 심사하려면 법 개정의 전후에 걸쳐 모두 심사하여야만 그 법규명령의 시기에 따른 유효 · 무효를 판단할 수 있다(대판 1995. 6. 30, 93추83).

2. 일반적으로 법률의 위임에 따라 효력을 갖는 법규명령의 경우에 위임의 근거가 없어 무효였더라도 나중에 법 개정으로 위임의 근거가 부여되면 그때부터는 유효한 법규명령으로 볼 수 있다. 그러나 <u>법규명령이 개정된 법률에 규정된 내용을 함부로 유추 · 확장하는 내용의 해석규정이어서 위임의 한계를 벗어난 것으로 인정될 경우에는 법규명령은 여전히 무효이다</u>(대판 2017. 4. 20, 2015두45700 전합).

(3) 근거법령의 명시 여부

법률의 위임관계를 명확히 하기 위해 하위법령에서 위임의 근거가 되는 상위법령의 조항을 구체적으로 명시하는 것이 바람직하나 판례는 구체적 명시는 필요하지 않다고 한다.

┏ 관련판례

법령의 위임관계는 반드시 하위법령의 개별조항에서 위임의 근거가 되는 상위법령의 해당 조항을 구체적으로 명시하고 있어야만 하는 것은 아니라고 할 것이다(대판 1999. 12. 24, 99두5658).**01** ★★

2. 한 계

위임명령의 한계는 법률 등이 위임을 함에 있어 지켜야 할 한계와, 위임명령이 위임에 따른 사항을 제정함에 있어 지켜야 할 한계로 구분하여 검토해 본다.

(1) 상위법령의 위임의 한계(수권법령의 한계)

① 일반적 · 포괄적 위임금지

ㄱ **개념** : 포괄적 위임의 금지란 법률에서 위임명령에 규정할 사항을 위임함에 있어서는 일반적 · 포괄적 위임은 안 되며 구체적으로 범위를 정하여 위임하여야 함을 의미한다.**02 ❶ ⓐ**

┏ 관련판례

헌법 제75조는 위임입법의 근거를 마련하는 한편 대통령령으로 입법할 수 있는 사항을 법률에서 구체적으로 범위를 정하여 위임받은 사항으로 한정함으로써 위임입법의 범위와 한계를 제시하고 있다. 그리고 헌법 제95조는 부령에의 위임근거를 마련하면서 '구체적으로 범위를 정하여'라는 문구를 사용하고 있지는 않지만, 법률의 위임에 의한 대통령령에 가해지는 헌법상의 제한은 당연히 법률의 위임에 의한 부령의 경우에도 적용된다(헌재 2019. 11. 28, 2017헌가23).

ㄴ **구체적 위임인지 판단기준** : 대법원과 헌법재판소는 누구라도 당해 법률이나 상위법령으로부터 위임명령에 규정될 내용의 대강을 예측할 수 있어야 한다고 하여 예측가능성을 그 기준으로 판시하고 있다(대판 2020. 2. 27, 2017두37215 등).**03** 다만, 그 예측가능성은 특정조항 · 개별조항 하나만이 아닌 관련법조항 전체를 유기적 · 체계적으로 종합 판단하여야 한다고 보고 있다.

┏ 관련판례

1. <u>구체적 위임이라면 누구라도 상위법령으로부터 위임명령에 규정되는 내용의 대강을 예측할 수 있어야</u> 하는데, 이때 <u>예측가능성 유무는 위임조항 하나만으로 판단할 것이 아니라 위임조항이 속한 상위법령의 전반적 체계 · 취지 · 목적과 당해 위임조항의 형식 · 내용 및 관련법규를 유기적으로 고려하여 판단하여야 한다.</u>
위임명령은 법률이나 상위명령에서 구체적으로 범위를 정한 개별적인 위임이 있을 때에 가능하고, 여기에서 구체적인 위임의 범위는 규제하고자 하는 대상의 종류와 성격에 따라 달라지는 것이어서 일률적 기준을 정할 수는 없지만, 적어도 위임명령에 규정될 내용 및 범위의 기본사항이 구체적으로 규정되어 있어서 누구라도 당해 법률이나 상위명령으로부터 위임명령에 규정될 내용의 대강을 예측할 수

❶ 헌법 제75조 대통령은 법률에서 구체적으로 범위를 정하여 위임받은 사항과 법률을 집행하기 위하여 필요한 사항에 관하여 대통령령을 발할 수 있다.

ⓐ 헌법 제75조에서는 '구체적으로'라는 문구가 있어 포괄적 위임이 금지됨을 밝히고 있으나, 헌법 제95조에서는 그런 문구가 없다. 그러나 헌법 제95조의 경우에도 포괄적 위임이 금지된다고 해석하는 것이 통설 · 판례의 입장이다.

❶ 「국가유공자 등 단체설립에 관한 법률」 제11조【대의원】각 국가유공자 등 단체의 대의원의 정수 및 선임방법 등은 정관으로 정한다.

위임의 정도

구체성	강 화	기본권 침해영역
	약 화	급부영역
포괄위임 가능		• 법에 위반되지 않는 범위 내에서 조례에 위임 • 정관에 자치법적 사항을 위임

있어야 하나,**01** 이 경우 그 예측가능성의 유무는 당해 위임조항 하나만을 가지고 판단할 것이 아니라 그 위임조항이 속한 법률이나 상위명령의 전반적인 체계와 취지 · 목적, 당해 위임조항의 규정형식과 내용 및 관련법규를 유기적 · 체계적으로 종합 판단하여야 한다(대판 2002. 8. 23, 2001두5651).**02** ★★

2. **외형상으로는 포괄적 위임인 것처럼 보이더라도 그 법률의 전반적 체계 등을 고려하여 위임의 한계를 분명히 확정할 수 있는 것이라면 포괄적 위임이 아니다**(대판 1996. 3. 21, 95누3640 전합).

3. **법률규정에 그 뜻이 분명하지 아니하고 여러 가지 해석이 가능한 표현이 포함되어 있다 하더라도, 법관의 보충적인 가치판단을 통해서 그 뜻을 확인할 수 있고 그러한 보충적 해석이 해석자의 개인적인 취향에 따라 좌우될 가능성이 없다면 명확성원칙에 반한다고 할 수 없다**(헌재 2014. 3. 27, 2012헌바55).

ⓒ **구체성의 정도** : 구체성의 정도는 규율대상의 성격에 따라 달라질 수 있는바, 행정권한의 통제와 국민의 권익보호관점을 고려할 때 기본권 침해영역에서는 구체성이 강화되고 급부영역에서는 구체성이 약화 또는 완화될 수 있다.

┌ **관련판례**

1. 처벌법규나 조세법규와 같이 **국민의 기본권을 직접적으로 제한하거나 침해할 소지가 있는** 영역에서는 일반적인 급부행정의 영역에서보다 **위임의 구체성 · 명확성의 요구가 강화된다**(헌재 2002. 8. 29, 2000헌바50 · 2002헌바56 병합).**03** ★★

2. 보건위생 등 급부행정영역에서는 침해영역보다 **구체성 요구가 다소 약화되어도 무방하다**(대결 1995. 12. 8, 95카기16).**04** ★★

ⓓ **사실관계가 수시로 변화할 수 있는 사안** : 이러한 사안에 대해서는 그 성격상 구체성 · 명확성의 요구가 좀더 완화될 수 있다고 할 것이다.

┌ **관련판례**

(중학교 의무교육의 단계적 실시에 관해 대통령령에 위임한 것과 관련하여) **다양한 사실관계를 규율하거나 사실관계가 수시로 변화할 수 있는 사안에 대해서는 그 성격상 명확성의 요구가 좀더 완화될 수 있다.05** ★★ 다양한 사실관계를 규율하거나 사실관계가 수시로 변화될 것이 예상될 때에는 위임의 명확성의 요건이 완화되어야 한다. 따라서 중학교는 의무교육의 구체적인 실시시기와 절차 등을 하위법령에 위임하여 정하도록 함에 있어서는 막대한 재정지출을 수반하는 무상교육의 수익적 성격과 규율대상의 복잡 다양성을 고려하여 위임의 명확성의 요구 정도를 완화하여 해석할 수 있는 것이다(헌재 1991. 2. 11, 90헌가27).

ⓔ **포괄적 위임금지의 예외**

ⓐ 조례로 일정사항을 정하도록 위임한 경우에는 조례 역시 주민의 대표기관인 지방의회가 제정한 자치법이라는 특성에 비추어 일반적인 위임의 경우와 달리 법에 위반되지 않는 범위 내에서 **포괄적 위임도 가능하다**는 것이 판례의 입장이다.

ⓑ 또한 공법상 단체의 정관에 자치법적 사항을 **위임하는 경우에도 그 성격상 포괄적 위임이 가능하다.❶**

ⓒ 다만, 앞서 본 바와 같이 우리 판례가 취하고 있는 이론인 의회유보론에 따르면 국민의 **권리 · 의무에 관한 기본적이고 본질적인 사항**은 포괄적이든 구체적이든 위임이 허용되지 않으므로 **국회가 스스로 정하여야** 한다(p.35 참조).

┌ 관련판례

1. 조례에 대한 법률의 위임은 법규명령에 대한 법률의 위임과 같이 반드시 구체적으로 범위를 정하여야 할 필요가 없으며 포괄적인 것으로 족하다.**01 02 03** ★★★

   조례의 제정권자인 지방의회는 선거를 통해서 그 지역적인 민주적 정당성을 지니고 있는 주민의 대표기관이고, 헌법이 지방자치단체에 대해 포괄적인 자치권을 보장하고 있는 취지로 볼 때 조례제정권에 대한 지나친 제약은 바람직하지 않으므로 조례에 대한 법률의 위임은 법규명령에 대한 법률의 위임과 같이 반드시 구체적으로 범위를 정하여야 할 필요가 없으며 포괄적인 것으로 족하다고 할 것이다(헌재 1995. 4. 20, 92헌마264 등).

2-1. 법률이 공법적 단체 등의 정관에 자치법적 사항을 위임한 경우 헌법 제75조가 정하는 포괄위임입법금지 원칙은 적용되지 않는다. ★★★

2-2. 법률이 공법적 단체 등의 정관에 자치법적 사항을 위임한 경우 국민의 권리 · 의무에 관한 기본적이고 본질적인 사항까지 정관에 위임할 수는 없으며, 국회가 정해야 한다(편저자 주 : 의회유보).**04 05** ★★★

2-3. 「도시 및 주거환경정비법」 제28조 제4항 본문이 사업시행인가 신청시의 동의요건을 조합의 정관에 포괄적으로 위임하고 있다고 하더라도 헌법 제75조가 정하는 포괄위임입법금지의 원칙이 적용되지 아니하므로 이에 위배된다고 할 수 없다(대판 2007. 10. 12, 2006두14476).**06** ★

3. 법률이 행정부가 아니거나 행정부에 속하지 않는 공법적 기관의 정관에 특정 사항을 정할 수 있다고 위임하는 경우 포괄적인 위임입법의 금지는 원칙적으로 적용되지 않는다(헌재 2006. 3. 30, 2005헌바31). ★★★

② 국회전속적 입법사항의 위임금지

　㉠ 개념

　　ⓐ 국회의 전속사항, 즉 헌법상 또는 법이론상 법률로써 정해야 할 사항은 국회가 법률로 정해야 하며 법규명령으로 정할 수 없다.

　　ⓑ 그 예로는 대한민국의 국민이 되는 요건(헌법 제2조 제1항), 통신 · 방송의 시설기준(헌법 제21조 제3항), 재산권의 수용 · 사용 · 제한 및 그에 대한 보상(헌법 제23조 제3항), 행정조직(헌법 제96조), 조세에 관한 사항(헌법 제59조)을 들 수 있다.❶

　㉡ 세부적 사항의 위임 가능

　　ⓐ 다만, 이러한 입법사항을 모두 법률로 규율하여야 하는 것은 아니고, 세부적 사항에 대해서는 구체적으로 범위를 정하여 행정입법에 위임하는 것이 허용되는 것으로 해석된다.**07**

　　ⓑ 우리 헌법은 제59조에서 "조세의 종목과 세율은 법률로 정한다."라고 규정하여 조세법률주의를 채택하고 있는바, 조세법률주의라 함은 법률에 의하지 아니하고는 조세를 부과징수할 수 없다는 원칙이다.

　　ⓒ 헌법 제38조, 제59조에서 채택하고 있는 조세법률주의의 원칙은 과세요건과 징수절차 등 조세권행사의 요건과 절차는 국민의 대표기관인 국회가 제정한 법률로써 규정하여야 한다는 것이나, 과세요건과 징수절차에 관한 사항을 명령 · 규칙 등 하위법령에 위임하여 규정하게 할 수 없는 것은 아니고, 이러한 사항을 하위법령에 위임하여 규정하게 하는 경우 원칙적으로 구체적 · 개별적 위임만이 허용된다.**08**

③ 처벌규정의 위임문제

　㉠ 위임의 가능성 : 헌법은 범죄와 형벌을 법률로 정하도록 하는 죄형법정주의를 규정하고 있으므로 처벌규정에 관한 사항에 대해 위임이 가능한지 문제된다. 이에 대해 일반적 견해는 위임은 가능하나 처벌규정의 위임은 헌법 제75조에 의한 위임의 한계(포괄적 위임의 금지)와 죄형법정주의에 의해 중첩적으로 제한된다고 본다. 따라서 처벌법규의 위임은 일반 법률

□□□□□ **01** 자치조례에 대한 법률의 위임은 법규명령에 대한 법률의 위임과 같이 반드시 구체적으로 범위를 정하여 할 필요가 없으며 포괄적인 것으로 족하다. (○, ×) ★★★　　2024 소방직 9급

□□□□□ **02** 헌법재판소에 따르면 지방자치단체의 조례에 대한 법률의 위임은 법규명령에 대한 위임과 달리 반드시 구체적으로 범위를 정하여야 할 필요가 없고 포괄적인 것으로 족하다. (○, ×) ★★★　　2022 국회직 8급

□□□□□ **03** 법률이 주민의 권리 · 의무에 관한 사항에 관하여 구체적으로 범위를 정하지 않은 채 조례로 정하도록 포괄적으로 위임한 경우에도 지방자치단체는 법령에 위반되지 않는 범위 내에서 주민의 권리 · 의무에 관한 사항을 조례로 제정할 수 있다. (○, ×) ★★★　2018 국회직 8급

□□□□□ **04** 법률이 공법적 단체 등의 정관에 자치법적 사항을 위임한 경우에도 원칙적으로 헌법 제75조가 정하는 포괄적인 위임입법금지원칙이 적용되므로 이와 별도로 법률유보 내지 의회유보의 원칙을 적용할 필요는 없다. (○, ×) ★★★　2022 지방직 · 서울시 7급

□□□□□ **05** 법률이 공법적 단체 등의 정관에 자치법적 사항을 위임한 경우에는 헌법 제75조가 정하는 포괄적인 위임입법의 금지는 원칙적으로 적용되지 않지만, 그 사항이 국민의 권리 · 의무에 관련되는 것일 경우에는 적어도 국민의 권리 · 의무에 관한 기본적이고 본질적인 사항은 국회가 정하여야 한다. (○, ×) ★★★　　2021 국가직 9급

□□□□□ **06** 구 「도시 및 주거환경정비법」에서 주택재개발사업시행인가 신청시 토지 등 소유자의 동의요건을 재개발조합의 정관에 포괄적으로 위임하고 있는 것은 헌법 제75조에서 정하고 있는 포괄위임입법금지원칙에 위배된다. (○, ×) ★　　2022 소방간부

□□□□□ **07** 국회전속적 입법사항은 반드시 법률에 의하여 규정되어야 하며, 입법자가 법률에서 구체적으로 범위를 정하여도 법규명령에 위임될 수는 없다. (○, ×) ★　　2014 지방직 9급

□□□□□ **08** 헌법에서 채택하고 있는 조세법률주의의 원칙상 과세요건과 징수절차에 관한 사항을 명령 · 규칙 등 하위법령에 구체적 · 개별적으로 위임하여 규정할 수 없다. (○, ×)　2021 국가직 9급

❶ 헌법 제21조 ③ 통신 · 방송의 시설기준과 신문의 기능을 보장하기 위하여 필요한 사항은 법률로 정한다.

정답 **01** ○ **02** ○ **03** ○ **04** × **05** ○ **06** × **07** × **08** ×

기출 체크

☐☐☐☐☐ **01** 특히 긴급한 필요가 있거나 미리 법률로 자세히 정할 수 없는 부득이한 사정이 있어 법률에 형벌의 종류·상한·폭을 명확히 규정하더라도, 행정형벌에 대한 위임입법은 허용되지 않는다.
(○, ×) ★★
2019 국가직 9급

☐☐☐☐☐ **02** 처벌규정의 위임은 죄형법정주의로 인하여 어떠한 경우에도 허용되지 않는다. (○, ×) ★★
2011 지방직 7급

☐☐☐☐☐ **03** 형사처벌에 관한 위임입법의 경우, 수권법률이 구성요건의 점에서는 처벌대상인 행위가 어떠한 것인지 이를 예측할 수 있을 정도로 구체적으로 정하고, 형벌의 점에서는 형벌의 종류 및 그 상한과 폭을 명확히 규정하는 것을 전제로 한다.
(○, ×) ★★
2013 지방직(하) 7급

☐☐☐☐☐ **04** 법률의 시행령이 형사처벌에 관한 사항을 규정하면서 법률의 명시적인 위임범위를 벗어나 처벌의 대상을 확장하는 것은 위임입법의 한계를 벗어난 것으로 그 시행령은 무효이다. (○, ×) ★★
2022 지방직·서울시 9급

☐☐☐☐☐ **05** 법규명령이 법률에서 위임받은 사항에 관하여 대강을 정하고 그 중의 특정사항에 대하여 범위를 정하여 하위법령에 다시 위임하는 경우에는 재위임이 허용된다. (○, ×) ★★★
2018 국가직 9급

☐☐☐☐☐ **06** 법률에서 위임받은 사항을 전혀 규정하지 않고 재위임하는 것은 허용되지 않는다. (○, ×) ★★★
2017 경행경채

☐☐☐☐☐ **07** 법률에서 위임받은 사항에 관하여 대강을 정하고 그중의 특정사항을 범위를 정하여 하위법령에 다시 위임하는 경우에는 재위임이 허용된다. 이러한 법리는 조례가 지방자치법에 따라 주민의 권리제한 또는 의무부과에 관한 사항을 법률로부터 위임받은 후, 이를 다시 지방자치단체장이 정하는 '규칙'이나 '고시' 등에 재위임하는 경우에도 마찬가지이다.
(○, ×) ★★★
2021 국가직 9급

정답 01 × 02 × 03 ○ 04 ○ 05 ○
06 ○ 07 ○

사항보다 훨씬 제한된다.

ⓒ **위임입법의 허용요건** : 이 경우 어떠한 방법으로, 또 어떠한 경우에 위임이 가능한지가 문제가 되는데 ⓐ 특히 긴급한 필요가 있거나 미리 법률로써 자세히 정할 수 없는 부득이한 사정이 있는 경우에 한하여, ⓑ 구성요건의 점에서는 수권법률(위임법률)이 처벌대상인 행위가 어떠한 것일 거라고 이를 예측할 수 있을 정도로 구체적으로 정하고, ⓒ 형벌에 관해서는 형벌의 종류 및 그 상한과 폭을 법률로 명확히 규정하는 것을 조건으로 위임입법이 허용된다.01 02 즉, 형벌의 종류와 상한 자체는 법률로 정하여야 할 것이나, 범죄구성요건의 일부는 행정입법에 위임할 수 있다.

▶ **관련판례**

1. 형벌법규의 경우 ① 보충성(특히 긴급한 필요가 있거나 미리 법률로써 자세히 정할 수 없는 부득이한 사정이 있는 경우), ② 구성요건의 구체성, ③ 형벌의 종류 및 상한과 폭의 명확성을 조건으로 위임입법이 허용된다.03 ★★
형벌법규에 대하여도 특히 긴급한 필요가 있거나 미리 법률로써 자세히 정할 수 없는 부득이한 사정이 있는 경우에 한하여 수권법률(위임법률)이 구성요건의 점에서는 처벌대상인 행위가 어떠한 것일 거라고 이를 예측할 수 있을 정도로 구체적으로 정하고, 형벌의 점에서는 형벌의 종류 및 그 상한과 폭을 명확히 규정하는 것을 조건으로 위임입법이 허용되며, 이러한 위임입법은 죄형법정주의에 반하지 않는다(헌재 1996. 2. 29, 94헌마213).

2. 법률의 시행령이 형사처벌에 관한 사항을 규정하면서 법률의 명시적인 위임범위를 벗어나 처벌의 대상을 확장하는 것은 죄형법정주의의 원칙에도 어긋나는 것이므로, 그러한 시행령은 위임입법의 한계를 벗어난 것으로서 무효이다.04 ★★
법률의 시행령은 모법인 법률의 위임 없이 법률이 규정한 개인의 권리·의무에 관한 내용을 변경·보충하거나 법률에서 규정하지 아니한 새로운 내용을 규정할 수 없고, 특히 법률의 시행령이 형사처벌에 관한 사항을 규정하면서 법률의 명시적인 위임범위를 벗어나 처벌의 대상을 확장하는 것은 죄형법정주의의 원칙에도 어긋나는 것이므로, 그러한 시행령은 위임입법의 한계를 벗어난 것으로서 무효이다(대판 2017. 2. 16, 2015도16014 전합).

(2) 위임명령의 제정상 한계

① 재위임의 문제 – 전면적 재위임의 금지

법령에 의하여 위임받은 사항을 전혀 규정하지 않고 하위명령에 전면적으로 재위임하는 것은 실질적으로 수권법의 내용을 위임명령에서 임의적으로 변경하는 것이 되기 때문에 허용되지 않는다. 다만, 위임받은 사항에 관한 대강을 정하고 세부적인 사항을 하위법령에 재위임함은 가능하다는 것이 일반적인 견해이다.

▶ **관련판례**

1. (부령의 제정·개정절차가 대통령령에 비하여 보다 용이한 점을 고려할 때 재위임에 의한 부령의 경우에도 위임에 의한 대통령령에 가해지는 헌법상의 제한이 당연히 적용되어야 할 것이므로) 법률에서 위임받은 사항을 전혀 규정하지 아니하고 그대로 재위임하는 것은 허용되지 않으며 위임받은 사항에 관하여 대강을 정하고 그중의 특정사항을 범위를 정하여 하위 법령에 다시 위임하는 경우에만 재위임이 허용된다(헌재 2008. 4. 24, 2007헌마1456).05 06 ★★★

2. 조례가 지방자치법 제22조 단서에 따라 주민의 권리제한 또는 의무부과에 관한 사항을 법률로부터 위임받은 후, 이를 다시 지방자치단체장이 정하는 '규칙'이나 '고시' 등에 재위임하는 경우에도 위임받은 사항을 전혀 규정하지 않고 재위임하는 것은 허용되지 않는다(대판 2015. 1. 15, 2013두14238).07 ★★★

② 내용적 한계

위임명령은 수권, 즉 위임의 범위 내에서 제정되어야 하며 그 범위를 일탈하여 법률에서 수권되지 않은 사항에 대해서는 규정할 수 없다. 한편, 위임명령은 그 내용상 상위법령을 위반하여서도 안 되며 명확하고 실현 가능한 것이어야 한다.01

┏ 관련판례

1. 법률의 시행령은 모법인 법률에 의하여 위임받은 사항이나 법률이 규정한 범위 내에서 법률을 현실적으로 집행하는 데 필요한 세부적인 사항만을 규정할 수 있을 뿐, 법률에 의한 위임이 없는 한 법률이 규정한 개인의 권리 · 의무에 관한 내용을 변경 · 보충하거나 법률에 규정되지 아니한 새로운 내용을 규정할 수는 없다(대판 2020. 9. 3, 2016두32992 전합).02

2. 위임명령이 위임내용을 구체화하는 단계를 벗어나 새로운 입법을 한 것으로 평가할 수 있다면, 이는 위임의 한계를 일탈한 것으로서 허용되지 않는다.03 ★★★

   법률이 특정 사안과 관련하여 시행령에 위임을 한 경우 시행령이 위임의 한계를 준수하고 있는지를 판단할 때는 당해 법률규정의 입법목적과 규정내용, 규정의 체계, 다른 규정과의 관계 등을 종합적으로 살펴야 한다. 법률의 위임규정 자체가 그 의미내용을 정확하게 알 수 있는 용어를 사용하여 위임의 한계를 분명히 하고 있는데도 시행령이 그 문언적 의미의 한계를 벗어났다든지, 위임규정에서 사용하고 있는 용어의 의미를 넘어 그 범위를 확장하거나 축소함으로써 위임내용을 구체화하는 단계를 벗어나 새로운 입법을 한 것으로 평가할 수 있다면, 이는 위임의 한계를 일탈한 것으로서 허용되지 않는다(대판 2012. 12. 20, 2011두30878 전합).04

3. 특정 사안과 관련하여 법률에서 하위법령에 위임을 한 경우에 모법의 위임범위를 확정하거나 하위법령이 위임의 한계를 준수하고 있는지 여부를 판단할 때에는, 하위법령이 규정한 내용이 입법자가 형식적 법률로 스스로 규율하여야 하는 본질적 사항으로서 의회유보의 원칙이 지켜져야 할 영역인지, 당해 법률규정의 입법목적과 규정내용, 규정의 체계, 다른 규정과의 관계 등을 종합적으로 고려하여야 하고,05 위임규정 자체에서 의미내용을 정확하게 알 수 있는 용어를 사용하여 위임의 한계를 분명히 하고 있는데도 문언적 의미의 한계를 벗어났는지나, 하위법령의 내용이 모법 자체로부터 위임된 내용의 대강을 예측할 수 있는 범위 내에 속한 것인지, 수권규정에서 사용하고 있는 용어의 의미를 넘어 범위를 확장하거나 축소하여서 위임내용을 구체화하는 단계를 벗어나 새로운 입법을 한 것으로 평가할 수 있는지 등을 구체적으로 따져보아야 한다(대판 2015. 8. 20, 2012두23808 전합).

❸ 집행명령의 근거와 한계

1. 근 거

집행명령은 새로운 법규사항을 정하는 것이 아니라 법률 또는 상위명령에서 정해진 내용을 실현하기 위한 규정에 불과하므로 법률 또는 상위명령에 개별적 · 구체적 수권(위임)규정이 없더라도 직권으로 발할 수 있다.06

2. 한 계

집행명령은 상위법령을 집행하기 위해 필요한 세부적 · 구체적 사항만을 정하는 것으로서, 상위법령 범위 내에서 그 시행에 필요한 구체적인 절차와 형식 등을 규정할 수 있을 뿐이고 새로운 국민의 권리 · 의무에 관한 사항(법규사항)은 규정할 수 없다.07

기출 체크

☐☐☐☐☐ **01** 대통령령을 제정하려면 국무회의의 심의와 법제처의 심사를 거쳐야 한다. (○, ×) ★　2017 국가직(하) 9급

☐☐☐☐☐ **02** 총리령·부령의 제정절차는 대통령령의 경우와는 달리 국무회의 심의는 거치지 않아도 된다. (○, ×)　2023 국가직 9급

☐☐☐☐☐ **03** (「법령 등 공포에 관한 법률」상) 대통령령, 총리령 및 부령은 특별한 규정이 없으면 공포한 날부터 20일이 경과함으로써 효력을 발생한다. (○, ×) ★★　2018 경행경채

☐☐☐☐☐ **04** (「법령 등 공포에 관한 법률」상) 국민의 권리제한 또는 의무부과와 직접 관련되는 법률, 대통령령, 총리령 및 부령은 긴급히 시행하여야 할 특별한 사유가 있는 경우를 제외하고는 공포일부터 적어도 90일이 경과한 날부터 시행되도록 하여야 한다. (○, ×)　2018 경행경채

ⓐ 즉, 대통령령 공포문의 전문에는 국무회의의 심의를 거친 사실을 적고, 대통령이 서명한 후 대통령인을 찍고 번호와 그 공포일을 명기하여 국무총리와 관계국무위원이 부서한다(「법령 등 공포에 관한 법률」제7·10조). 한편, 총리령과 부령은 번호와 일자를 명기하고 서명·날인한다.

04 | 법규명령의 성립·효력발생요건

❶ 성립요건

1. 주체에 관한 요건

법규명령은 대통령, 국무총리, 행정각부의 장, 중앙선거관리위원회 등 정당한 권한을 가진 기관이 제정하여야 한다.

2. 절차에 관한 요건

대통령령은 법제처 심사와 국무회의 심의를 거쳐야 하며,01 총리령과 부령은 법제처의 심사를 거치면 된다.02

3. 형식에 관한 요건

법규명령은 조문의 형식에 의하여야 하고, 일정한 형식을 갖추어야 한다.ⓐ

4. 근거 및 내용에 관한 요건

법규명령은 법령에 근거하고 수권의 범위 내에서 발해져야 하며, 그 내용상 상위법령에 저촉될 수 없고 객관적으로 명확하고 실현 가능한 것이어야 한다.

5. 공포

법규명령은 그 내용을 외부에 표시함으로써 유효하게 성립된다. 이러한 대외적 표시를 공포라고 하는데, 이 경우 공포일은 그 법규명령을 게재한 관보가 발행된 날이 된다.

❷ 효력발생요건

1. 법규명령은 특별한 규정이 없는 한 공포한 날로부터 20일을 경과함으로써 효력이 발생한다.03

2. 국민의 권리제한 또는 의무부과와 직접 관련되는 법규명령은 특별한 사유가 있는 경우를 제외하고는 공포일로부터 적어도 30일이 경과한 날로부터 시행되도록 하여야 한다.04

정답 01 ○ 02 ○ 03 ○ 04 ×

05 | 법규명령의 하자 및 소멸

❶ 법규명령의 하자

1. 하자 있는 법규명령의 효력

(1) 무효

법규명령이 위에서 본 적법요건, 즉 성립·효력요건을 갖추지 못한 때에는 하자 있는 법규명령이 된다.01 이때 하자 있는 법규명령의 효력이 어떠한가에 관해서 학설상 대립이 있으나, 통설은 하자 있는 법규명령, 즉 위법한 법규명령은 하자의 정도와 상관없이 무효가 된다고 한다(하자 있는 행정행위의 경우 무효 또는 취소가 되는 것과 구별할 것(무효와 취소는 p.329 참조)).02

(2) 법률합치적 해석

한편, 하위법령의 규정이 상위법령의 규정에 저촉되는지 여부가 명백하지 않고 하위법령의 의미를 상위법령에 합치하도록 해석하는 것이 가능한 경우에는 하위법령이 상위법령에 위반된다는 이유로 무효를 선언할 것은 아니라는 것이 판례의 입장이다(대판 2020. 3. 26, 2017두41351).

> **관련판례**
> 1. 어느 시행령의 규정이 모법에 저촉되는지의 여부가 명백하지 아니하는 경우에는 모법과 시행령의 다른 규정들과 그 입법취지, 연혁 등을 종합적으로 살펴 모법에 합치된다는 해석도 가능한 경우라면 그 규정을 모법 위반으로 무효라고 선언하여서는 안 된다(대판 2001. 8. 24, 2000두2716).03 ★★
>
> 2. 하위법령은 그 규정이 상위법령의 규정에 명백히 저촉되어 무효인 경우를 제외하고는 관련법령의 내용과 입법취지 및 연혁 등을 종합적으로 살펴서 그 의미를 상위법령에 합치되는 것으로 해석하여야 한다(대판 2013. 11. 28, 2012두16565).04 ★★

2. 하자 있는 법규명령에 따른 행정행위 ⓐ

하자 있는 법규명령에 따른 행정행위의 효력에 관해서 통설은 중대·명백설에 따라 해결되어야 한다고 본다. 따라서 하자가 중대하고 명백한 경우, 이러한 행정행위는 무효가 되나 그렇지 않은 경우에는 취소할 수 있는 행정행위에 불과하다(행정행위의 무효와 취소를 이해한 후 다시 확인할 것을 권한다(p.329 참조)).

> **관련판례**
> 1. 위헌·위법한 시행령의 무효를 선언한 대법원판결이 없는 상태에서 그러한 시행령에 근거하여 이루어진 처분은 원칙적으로 당연무효라고 할 수 없다.05 ⓑ ★★★
>   일반적으로 시행령이 헌법이나 법률에 위반된다는 사정은 그 시행령의 규정을 위헌 또는 위법하여 무효라고 선언한 대법원의 판결이 선고되지 아니한 상태에서는 그 시행령 규정의 위헌 내지 위법 여부가 해석상 다툼의 여지가 없을 정도로 명백하였다고 인정되지 아니하는 이상, 객관적으로 명백한 것이라 할 수 없으므로, 이러한 시행령에 근거한 행정처분의 하자는 취소사유에 해당할 뿐 무효사유가 되지 아니한다(대판 2007. 6. 14, 2004두619).06
>
> 2. 하자 있는 행정처분이 당연무효로 되려면 그 하자가 법규의 중요한 부분을 위반한 중대한 것이어야 할 뿐 아니라 객관적으로 명백한 것이어야 하므로, 행정청이 위법하여 무효인 조례를 적용하여 한 행정처분이 당연무효로 되려면 그 규정이 행정처분의 중요한 부분에 관한 것이어서 결과적으로 그에 따른 행정처분의 중요한 부분에 하자가 있는 것으로 귀착되고, 또한 그 규정의 위법성이 객관적으로 명백하여

기출 체크

□□□□□ **01** 법규명령이 그 성립·발효요건을 갖추지 못한 때에는 하자 있는 것으로 된다. (○, ×) 2009 국가직 7급

□□□□□ **02** 위법한 법규명령은 무효가 아니라 취소할 수 있다. (○, ×) ★★ 2017 교육행정직 9급

□□□□□ **03** 어느 시행령의 규정이 모법에 저촉되는지가 명백하지 않은 경우에는 모법과 시행령의 다른 규정들과 그 입법취지, 연혁 등을 종합적으로 살펴 모법에 합치된다는 해석도 가능한 경우라면 그 규정을 모법 위반으로 무효라고 선언해서는 안 된다. (○, ×) ★★ 2021 지방직·서울시 7급

□□□□□ **04** 하위법령은 그 규정이 상위법령의 규정에 명백히 저촉되어 무효인 경우를 제외하고는 관련법령의 내용과 그 입법취지, 연혁 등을 종합적으로 살펴서 그 의미를 상위법령에 합치되는 것으로 해석하여야 한다. (○, ×) ★★ 2017 사회복지직 9급

□□□□□ **05** 하자 있는 법규명령은 무효이며 따라서 위헌·위법의 법규명령에 근거한 행정행위도 중대·명백설에 따라 무효가 된다. (○, ×) ★★★ 2006 관세사

□□□□□ **06** 일반적으로 시행령이 헌법이나 법률에 위반된다는 사정은 그 시행령 규정을 위헌 또는 위법하여 무효라고 선언한 대법원의 판결이 선고되지 아니한 상태에서는 그 시행령 규정의 위헌 내지 위법 여부가 해석상 다툼의 여지가 없을 정도로 명백하였다고 인정되지 아니하는 이상 객관적으로 명백한 것이라 할 수 없으므로 이러한 시행령에 근거한 행정처분의 하자는 취소사유에 해당할 뿐 무효사유가 된다고 볼 수는 없다. (○, ×) ★★★ 2023 국회직 8급

ⓐ **하 자**
하자 있는 '법규명령'의 효력과 하자 있는 법규명령에 따른 '행정행위'의 효력은 별개의 문제이므로 양자를 구별할 것을 요한다.

ⓑ p.342를 이해하고 나서 다시 한 번 확인하기를 바란다.

정답 01 ○ 02 × 03 ○ 04 ○ 05 × 06 ○

□□□□□ **01** 일반적으로 조례가 법률 등 상위법령에 위배된다는 사정은 그 조례의 규정을 위법하여 무효라고 선언한 대법원의 판결이 선고되지 아니한 상태에서는 그 조례 규정의 위법 여부가 해석상 다툼의 여지가 없을 정도로 명백하였다고 인정되지 아니하는 이상 객관적으로 명백한 것이라 할 수 없으므로, 이러한 조례에 근거한 행정처분의 하자는 취소사유에 해당할 뿐 무효사유가 된다고 볼 수는 없다. (○, ×) ★★★
2022 군무원 7급

□□□□□ **02** 조례가 법률 등 상위법령에 위배되면 비록 그 조례를 무효라고 선언한 대법원의 판결이 선고되지 않았더라도 그 조례에 근거한 행정처분은 당연무효가 된다. (○, ×) ★★★ 2018 국회직 8급

□□□□□ **03** 무효인 권한위임조례에 근거하여 구청장이 건설업영업정지처분을 한 경우 그 처분은 하자가 중대하고 객관적으로 명백하여 당연무효이다. (○, ×) 2023 서울시 지적 7급

□□□□□ **04** 법규명령은 명시적인 방법 외에도 묵시적으로도 폐지될 수 있다. (○, ×) 2006 국회직 8급

□□□□□ **05** 위임명령은 상위법령의 폐지에 의해 소멸된다. (○, ×) 2007 국회직 8급

□□□□□ **06** 법규명령의 위임근거가 되는 법률에 대하여 위헌결정이 선고되더라도 그 위임에 근거하여 제정된 법규명령은 별도의 폐지행위가 있어야 효력을 상실한다. (○, ×) ★★★
2021 지방직 · 서울시 9급

그에 따른 행정처분의 하자가 객관적으로 명백한 것으로 귀착되어야 하는바, 일반적으로 <u>조례가 법률 등 상위법령에 위배된다는 사정은 그 조례의 규정을 위법하여 무효라고 선언한 대법원의 판결이 선고되지 아니한 상태에서는 그 조례 규정의 위법 여부가 해석상 다툼의 여지가 없을 정도로 명백하였다고 인정되지 아니하는 이상 객관적으로 명백한 것이라 할 수 없으므로, 이러한 조례에 근거한 행정처분의 하자는 취소사유에 해당할 뿐 무효사유가 된다고 볼 수는 없다</u>(대판 2009. 10. 29, 2007두26285).**01 02** ★★★

3. 무효인 조례규정에 근거하여 한 행정처분의 하자는 당연무효사유는 아니다.

<u>조례 제정권의 범위를 벗어나 국가사무를 대상으로 한 무효인 서울특별시행정권한위임조례의 규정</u>에 근거하여 구청장이 건설업영업정지처분을 한 경우, 그 처분은 결과적으로 적법한 위임 없이 권한 없는 자에 의하여 행하여진 것과 마찬가지가 되어 그 <u>하자가 중대하나</u>, 지방자치단체의 사무에 관한 조례와 규칙은 조례가 보다 상위규범이라고 할 수 있고, 또한 헌법 제107조 제2항의 '규칙'에는 지방자치단체의 조례와 규칙이 모두 포함되는 등 이른바 규칙의 개념이 경우에 따라 상이하게 해석되는 점 등에 비추어 보면 위 처분의 위임과정의 하자가 객관적으로 명백한 것이라고 할 수 없으므로 이로 인한 하자는 결국 당연무효사유는 아니라고 봄이 상당하다(대판 1995. 7. 11, 94누4615 전합).**03**

❷ 법규명령의 소멸

1. 폐지

폐지란 법규명령의 효력을 장래에 향하여 소멸시키는 행정권의 의사표시인데, 이러한 폐지의 의사표시는 상위의 법규명령 또는 동일한 형식의 법규명령에서 규정되어야 한다. 한편, 폐지의 의사표시는 명시적으로도 가능하며, 내용상 법규명령과 충돌되는 상위의 법령을 제정하는 등 묵시적 표시로도 가능하다.**04** **ⓐ**

2. 종기의 도래 또는 해제조건의 성취

종기 또는 해제조건이 붙은 법규명령은 기한의 도래, 조건의 성취로 당연히 효력을 상실한다.

3. 근거법령의 소멸 등

(1) 근거법령의 소멸

법규명령은 상위 또는 동위의 법령에 근거하여 발하여지는 것이므로, 그 존속이 수권법령의 존재에 의존한다. 따라서 특별한 규정이 없는 한 상위법령이 폐지된 경우에는 법규명령도 소멸함이 원칙이며,**05** 법규명령의 근거법령이 헌법재판소에 의해 위헌결정된 경우에도 법규명령은 원칙적으로 효력을 상실한다.

> ┏ **관련판례**
> 법규명령의 위임근거가 되는 법률에 대하여 위헌결정이 선고되면 그 위임에 근거하여 제정된 법규명령도 원칙적으로 효력을 상실한다(대판 2001. 6. 12, 2000다18547).**06** ★★★

(2) 집행명령의 경우 근거법령의 개정

다만, 집행명령의 경우 근거법령이 개정됨에 불과한 경우에는 새로운 집행명령이 제정될 때까지는 여전히 그 효력을 유지한다.

06 | 법규명령에 대한 통제

❶ 입법적 통제

1. 개념

법규명령의 성립·발효에 대한 동의 또는 승인권이나, 일단 유효하게 성립한 법규명령의 효력을 소멸시키는 권한을 의회에 유보하는 방법(승인유보제도 등)에 의한 통제를 말한다.

2. 구체적 예

(1) 승인유보제도

우리 헌법은 대통령이 긴급재정·경제명령이나 긴급명령권을 행사한 때(즉, 법률대위명령권을 행사한 경우)에는 지체 없이 국회에 보고하고 그 승인을 얻지 못하면 그때부터 그 효력을 상실하도록 하고 있다.02

(2) 의회제출제도

국회법에 따르면 중앙행정기관의 장은 법률에서 위임한 사항이나 법률을 집행하기 위하여 필요한 사항을 규정한 대통령령, 총리령, 부령 등이 제정·개정 또는 폐지되었을 때에는 10일 이내에 이를 국회 소관 상임위원회에 제출하여야 한다는 규정을 두고 있다.03 또한, 대통령령의 경우 국회법과 행정절차법의 개정으로 입법예고시 국회 소관 상임위원회ⓐ에 그 입법예고안을 10일 이내에 제출하도록 하는 규정을 두고 있다.04

❷ 사법적 통제

1. 일반법원에 의한 통제

(1) 구체적 규범통제(간접적 통제)ⓑ

① 개념 및 근거조문

  ㉠ 구체적 규범통제란 법규명령의 위헌·위법 여부가 구체적 사건을 해결하기 위한 전제문제로 되는 경우에 비로소 법규명령을 심사하여 통제하는 것을 말한다. 우리 헌법은 제107조 제2항에서 구체적 규범통제를 원칙으로 하고 있다.05 06

헌법 제107조 ① '법률'이 헌법에 위반되는 여부가 재판의 전제가 된 경우에는 법원은 헌법재판소에 제청하여 그 심판에 의하여 재판한다.
② '명령·규칙' 또는 처분이 헌법이나 법률에 위반되는 여부가 재판의 전제가 된 경우에는 대법원은 이를 최종적으로 심사할 권한을 가진다.

ⓛ 헌법 제107조는 법률과 명령·규칙에 대한 사법심사권을 구분하여 **법률의 위헌 여부가 재판의 전제가 된 경우**에 대해서는 헌법재판소가, 명령·규칙의 위헌, 위법 여부가 재판의 전제가 된 경우의 심사권은 일반법원에 배분하고 있다. 이와 관련하여 대법원은 유신헌법상의 대통령이 발동하는 긴급조치(p.172 보조단 참조)는 국회가 관여하는 것이 아니므로 법률이라고 볼 수 없으므로 최종적으로 대법원이 심사할 수 있다고 판시한 바 있다.**01**

┏ 관련판례

1. 법원이 법률 하위의 법규명령, 규칙, 조례, 행정규칙 등(이하 '규정'이라 한다)이 위헌·위법인지를 심사하려면 그것이 '재판의 전제'가 되어야 한다. 여기에서 '재판의 전제'란 구체적 사건이 법원에 계속 중이어야 하고, 위헌·위법인지가 문제된 경우에는 규정의 특정 조항이 해당 소송사건의 재판에 적용되는 것이어야 하며, 그 조항이 위헌·위법인지에 따라 그 사건을 담당하는 법원이 다른 판단을 하게 되는 경우를 말한다.**02** 따라서 법원이 구체적 규범통제를 통해 위헌·위법으로 선언할 심판대상은, 해당 규정의 전부가 불가분적으로 결합되어 있어 일부를 무효로 하는 경우 나머지 부분이 유지될 수 없는 결과를 가져오는 특별한 사정이 없는 한, 원칙적으로 해당 규정 중 재판의 전제성이 인정되는 조항에 한정된다(대판 2019. 6. 13, 2017두33985).**03** ★★

2. 헌법 제107조 제2항의 규정에 따르면 행정입법의 심사는 일반적인 재판절차에 의하여 구체적 규범통제의 방법에 의하도록 명시하고 있으므로, 당사자는 구체적 사건의 심판을 위한 선결문제로서 행정입법의 위법성을 주장하여 법원에 대하여 당해 사건에 대한 적용 여부의 판단을 구할 수 있을 뿐 행정입법 자체의 합법성의 심사를 목적으로 하는 독립한 신청을 제기할 수는 없다(대결 1994. 4. 26, 93부32).

② **주체**

헌법 제107조 제2항에서는 대법원이 최종적으로 심사한다고 규정함으로써 대법원 외에 지방법원·고등법원도 모두 주체가 될 수 있음을 밝히고 있다. 따라서 규범통제의 주체는 각급 법원이 모두 될 수 있다.**04**

③ **명령·규칙의 의미**

헌법 제107조 제2항에서 말하는 명령이란 행정입법으로서의 법규명령을 의미한다. 한편, 여기의 규칙에는 대법원규칙, 국회규칙, 헌법재판소규칙, 중앙선거관리위원회규칙**05**과 지방자치단체의 조례 및 규칙도 포함되나, 법규성이 없는 행정규칙은 외부적 효력이 없으므로 포함되지 않는다는 것이 일반적 견해이다. 다만, 행정규칙 중 법규적 성질을 갖는 것(예 법령보충적 행정규칙)(p.200 참조)은 그 행정규칙의 위법 여부가 그에 근거한 처분의 위법 여부를 판단함에 있어서 전제문제가 되므로 헌법 제107조의 구체적 규범통제의 대상이 된다.**06** 또한 긴급명령은 법률적 효력을 가지므로 헌법 제107조 제2항의 통제대상이 되지 않는다.

┏ 관련판례

헌법 제107조 제2항의 규칙에는 지방자치단체의 조례와 규칙이 포함된다(대판 1995. 8. 22, 94누5694 전합).**07**

④ **구체적 규범통제의 효력 – 당해 사건에 한해 적용배제**

명령 등이 위법하다고 대법원이 판단한 경우 그러한 법규명령의 효력이 문제된다. 이에 대해 통설적 견해는 당해 행정입법은 일반적으로 그 효력을 상실하는 것은 아니고, 당해 사건에 한하여 그 법규명령이 적용되지 않는 것으로 본다.**01** 왜냐하면 법원은 구체적 사건의 심사를 목적으로 하는 것이지 법령의 심사를 목적으로 하는 것이 아니기 때문이다. 한편, 대법원은 구체적 규범통제를 행하면서 법규명령의 특정조항이 위헌·위법인 경우 무효인 것으로 선언하고 있다. 다만, 무효라고 확정적으로 선언된 경우에도 당해 규정은 당해 사건에서 적용이 배제될 뿐이고, 법령개정절차에 의해 폐지되지 않는 한 이 규정은 형식적으로는 여전히 존재한다.**ⓑ**

⑤ **공 고**

구체적 규범통제에 의해 위헌·위법이라고 판단된 법규명령이 다른 사건에도 적용되지 않도록 할 필요가 있다. 이를 위해 행정소송법은 대법원이 명령·규칙이 위헌·위법인 것으로 확정한 때에는 지체 없이 이를 행정안전부장관에게 통보하도록 하고,**02** 이 경우 통보를 받은 행정안전부장관은 지체 없이 이를 관보에 게재하도록 하고 있다(행정소송법 제6조).**03**

(2) 항고소송에 의한 직접적 통제 – 처분적 법규의 경우

행정소송법은 취소소송과 무효등확인소송의 대상을 '처분 등'으로 규정하고 있는데, 일반적·추상적 규범으로서의 법규명령은 '처분 등'의 개념에 포함되지 않으므로 원칙적으로 항고소송의 대상이 될 수 없다.**04** 다만, 법규명령이 구체성을 갖는 경우, 즉 처분적 성질을 가지는 경우(처분법규)에는 항고소송의 대상이 될 수 있으며,**05** 우리 대법원도 이를 인정하고 있다.**❶**

┌─ **관련판례**
1. 일반적·추상적 법령(재무부령(현 기획재정부령))은 행정소송의 대상이 될 수 없다(대판 1987. 3. 24, 86누656).★★★

2. 법규명령이 처분성을 가지는 경우 그러한 명령의 취소를 법원에 청구할 수 있다(대판 1953. 8. 19, 53누37).**06** ★★★

3. (두밀분교폐지조례 사건에서) <u>조례가 집행행위의 개입 없이도 그 자체로서 직접 국민의 구체적인 권리·의무나 법적 이익에 영향을 미치는 등의 법률상 효과를 발생하는 경우 그 조례는 항고소송의 대상이 되는 행정처분에 해당한다</u>(대판 1996. 9. 20, 95누8003).**07** ★★★

2. 헌법재판소에 의한 통제

(1) 문제의 소재

헌법 및 헌법재판소법에 따르면 공권력의 행사 또는 불행사로 헌법상 보장된 기본권을 침해받은 자는 헌법재판소에 헌법소원을 제기할 수 있다. 그런데 헌법 제107조 제2항은 명령·규칙에 대한 위헌·위법의 심사권을 일반법원에 부여하고 있다는 점에서**08** 헌법재판소가 명령·규칙에 대한 위헌·위법심사권을 가질 수 있는지가 문제된다(p.185 참조).

(2) 헌법재판소의 태도

헌법재판소는 법무사법 시행규칙에 관한 사건에서 법규명령 등이 별도의 집행위를 기다리지 않고 직

기출 체크

□□□□□ **01** 헌법 제107조에 따른 구체적 규범통제의 결과 처분의 근거가 된 명령이 위법하다는 대법원의 판결이 난 경우, 그 명령은 당해 사건에 한하여 적용되지 않는 것이 아니라 일반적으로 효력이 상실된다. (○, ×) 2019 경행경채 2차

□□□□□ **02** 행정소송에 대한 대법원판결에 의하여 명령·규칙이 헌법 또는 법률에 위반된다는 것이 확정된 경우에는 대법원은 지체 없이 그 사유를 국무총리에게 통보하여야 한다. (○, ×)★★ 2023 군무원 7급

□□□□□ **03** 명령·규칙의 위헌판결 등 공고는 현행 행정소송법이 규정하고 있다. (○, ×) 2024 소방간부

□□□□□ **04** 일반적·추상적인 법령 그 자체로서 국민의 구체적인 권리·의무에 직접적인 변동을 초래하는 것이 아닌 것은 취소소송의 대상이 될 수 없다. (○, ×)★★★ 2015 지방직 9급

□□□□□ **05** 처분은 행정청이 행한 구체적 사실에 관한 법집행행위이므로 일반적·추상적 행위는 처분이 아니나, 그 효력이 다른 집행행위의 매개 없이 그 자체로서 직접 국민의 구체적인 권리와 의무나 법률관계를 규율하는 성격을 가지는 처분법규는 처분이 된다. (○, ×)★★★ 2018 소방직 9급

□□□□□ **06** 처분적 법규명령은 무효등확인소송 또는 취소소송의 대상이 된다. (○, ×)★★★ 2023 지방직·서울시 9급

□□□□□ **07** 조례가 집행행위의 개입 없이도 그 자체로서 직접 국민의 구체적인 권리·의무나 법적 이익에 영향을 미치는 등의 법률상 효과를 발생하는 경우 그 조례는 항고소송의 대상이 되는 행정처분에 해당한다. (○, ×)★★★ 2021 소방직 9급

□□□□□ **08** 법규명령이 헌법이나 법률에 위반되는지 여부에 관한 심사권은 헌법상 헌법재판소의 배타적 권한이다. (○, ×)★★★ 2009 국가직 7급

❶ 행정소송법 제19조 【취소소송의 대상】취소소송은 처분 등을 대상으로 한다.
제2조 【정의】 ① 이 법에서 사용하는 용어의 정의는 다음과 같다.
1. '처분 등'이라 함은 행정청이 행하는 구체적 사실에 관한 법집행으로서의 공권력의 행사 또는 그 거부와 그 밖에 이에 준하는 행정작용(이하 '처분'이라 한다) 및 행정심판에 대한 재결을 말한다.

ⓑ 법원에 의해 명령이 위법으로 판정되어도 당해 명령이 일반적으로 효력을 상실하는 것이 아니라고 보는 이유는 위법한 명령이 직접 다투어진 것이 아니고, 명령의 효력이 상실되는 경우 법의 공백상태가 초래되고, 법률의 위헌판결에 대하여는 일반적 효력을 인정하는 명문규정이 있지만 명령에 대한 위헌·위법심사에 대하여는 이와 같은 규정이 없다는 점에 있다.

정답 **01** × **02** × **03** ○ **04** ○ **05** ○ **06** ○ **07** ○ **08** ×

☐☐☐☐☐ **01** 법규명령이 구체적인 집행행위를 매개하지 않고 직접 국민의 기본권을 침해하는 경우에는 헌법소원심판의 대상이 된다. (○, ×) ★★★
2024 소방직 9급

☐☐☐☐☐ **02** 헌법재판소는 대법원규칙인 구 법무사법 시행규칙에 대해, 법규명령이 별도의 집행행위를 기다리지 않고 직접 기본권을 침해하는 것일 때에는 헌법 제107조 제2항의 명령·규칙에 대한 대법원의 최종심사권에도 불구하고 헌법소원심판의 대상이 된다고 한다. (○, ×) ★★★
2017 국가직 9급

☐☐☐☐☐ **03** 상급행정청의 감독권의 대상에는 하급행정청의 행정입법권 행사도 포함되지만 상급행정청은 하급행정청의 법규명령을 스스로 폐지할 수는 없다. (○, ×)
2012 국회직 8급

☐☐☐☐☐ **04** 국무회의에 상정될 총리령안과 부령안은 법제처의 심사를 받아야 한다. (○, ×) ★★
2018 지방직 7급

사법적 통제
• 법률의 위헌 여부가 재판의 전제 – 헌법재판소
• 명령·규칙의 위헌 여부가 재판의 전제 – 일반법원(대법원이 최종적)
• 단, 명령·규칙이 직접 국민의 기본권침해 – 헌법재판소도 심사 가능

ⓐ 공무원·행정기관의 법령심사권
법규명령의 위법함이 명백한 경우에는 공무원 등은 법규명령의 적용을 거부할 수 있다. 그러나 위법함이 불분명한 경우에는 법규명령을 적용할 수밖에 없다고 본다.

접 기본권을 침해하는 경우에는 모두 **헌법소원심판의 대상이 될 수 있다**고 하여 긍정설(적극설)의 입장에서 판시한 바 있다.01

> **▶ 관련판례**
>
> (구 법무사법 시행규칙 제3조 제1항 "법원행정처장은 법무사를 보충할 필요가 있다고 인정되는 경우에는 대법원장의 승인을 얻어 법무사시험을 실시할 수 있다."에 대한 헌법소원 사건에서 동 규칙은 헌법소원의 대상이 된다고 판시하면서) **법규명령 등이 별도의 집행행위를 기다리지 않고 직접 기본권을 침해하는 것인 때에는 헌법소원심판의 대상이 될 수 있다.**02 ★★★
>
> 헌법재판소법 제68조 제1항이 규정하고 있는 헌법소원심판의 대상으로서의 '공권력'이란 입법·사법·행정 등 모든 공권력을 말하는 것이므로 입법부에서 제정한 법률, 행정부에서 제정한 시행령이나 시행규칙 및 사법부에서 제정한 규칙 등은 그것들이 별도의 집행행위를 기다리지 않고 직접 기본권을 침해하는 것일 때에는 모두 헌법소원심판의 대상이 될 수 있는 것이다(헌재 1990. 10. 15, 89헌마178).

❸ 행정적 통제ⓐ

행정청은 상하의 계층적 구조를 이루고 있으므로 상급행정청은 하급행정청에 대한 지휘·감독권의 행사를 통해 하급행정청의 법규명령의 기준·내용 등에 관한 시정지시를 하거나 폐지를 명할 수 있다. 다만, 상급행정청이라도 하급행정청의 법규명령을 스스로 개정 또는 폐지할 수 없고 직접적으로는 상위법령의 제정이나 개정을 통해 하위법규명령의 효력을 소멸시킬 수 있다.03

1. 절차적 통제

이는 법규명령의 제정에 있어 일정한 절차를 거치도록 함으로써 법규명령의 적법성을 확보하는 방법인데, 그 예로는 법제처의 심사, 국무회의의 심의, 관련부처 간의 협의 등을 들 수 있다.
국무회의에 상정될 법령안과 총리령안 및 부령안은 법제처의 심사를 받는다.04 법제처의 법령심사는 법안의 문언, 법령 상호 간의 모순, 상위법령에 대한 위반 여부에 미친다.

2. 행정심판에 의한 통제(시정조치요청권)

행정심판도 행정청이 하는 것이므로 행정적 통제로 볼 수 있다. 특히 행정심판법은 중앙행정심판위원회는 일정한 사유가 있는 경우 관계행정기관에 법규명령의 개정·폐지 등을 요청할 수 있다고 규정함으로써 통제권을 강화하고 있다(행정심판법 제59조)(후술 p.719, 741 참조).

07 | 행정입법부작위

❶ 의 의

행정입법부작위란 행정권에 법규명령을 제정·개정할 법적 의무가 있음에도 합리적인 이유 없이 행정청이 입법을 지체하여 법규명령을 제정 또는 개정하지 않는 것(부작위)을 말한다. 이와 관련하여 행정입법부작위가 성립하기 위한 요건과 이에 대한 사법심사의 가능성이 문제된다.

❷ 행정입법부작위의 요건

1. 행정입법의 제정의무

(1) 행정청에 명령을 제정·개정할 법적 의무가 인정되어야 한다. 대표적 예를 들면 법률이 집행되기 위해서 시행규칙 등 행정입법이 제정되어야 하는 경우에 행정청은 행정입법을 제정할 의무가 있다.

(2) 다만, 법률의 규정이 그 내용에 있어 충분히 명확한 경우에는 행정청에 시행규칙 등 행정입법의 제정의무는 없다고 할 것이다.

┌ **관련판례**

1. 입법부가 법률로써 행정부에게 특정한 사항을 위임했음에도 불구하고 행정부가 정당한 이유 없이 이를 이행하지 않는다면 권력분립의 원칙과 법치국가 내지 법치행정의 원칙에 위배되는 것으로서 위법함과 동시에 위헌적인 것이 된다(대판 2007. 11. 29, 2006다3561).**01** ★

2. 삼권분립의 원칙, 법치행정의 원칙을 당연한 전제로 하고 있는 우리 헌법하에서 행정권의 행정입법 등 법집행 의무는 헌법적 의무라고 보아야 한다.**02** ★
   이 사건과 같이 치과전문의제도의 실시를 법률 및 대통령령이 규정하고 있고 그 실시를 위하여 시행규칙의 개정 등이 행해져야 함에도 불구하고 행정권이 법률의 시행에 필요한 행정입법을 하지 아니하는 경우에는 행정권에 의하여 입법권이 침해되는 결과가 되기 때문이다. 따라서 보건복지부장관에게는 헌법에서 유래하는 행정입법의 작위의무가 있다(헌재 1998. 7. 16, 96헌마246).

3. 행정입법부작위의 위헌·위법성과 관련하여 하위 행정입법의 제정 없이 상위법령의 규정만으로도 집행이 이루어질 수 있는 경우라면 하위 행정입법을 제정하여야 할 헌법적 작위의무는 인정되지 아니한다고 할 것이다 (헌재 2005. 12. 22, 2004헌마66).**03 04 05** ★★★

2. 상당한 기간의 경과

법률을 시행하는 법규명령을 제정하기 위해서는 행정청에 어느 정도의 기간, 즉 상당한 기간이 필요하다. 다만, 어느 정도가 상당한 기간인지는 법령마다 개별적으로 판단하여야 할 것이다.❶

3. 행정입법이 제정되지 않았을 것

위 **1.**, **2.**의 요건이 충족되었음에도 행정청이 법령을 제정하지 않는 경우가 행정입법부작위에 해당한다. 다만, 행정입법을 제정 또는 개정하였지만 그 내용이 불충분 또는 불완전한 경우에는 행정입법부작위가 아니다.

❸ 권리구제

1. 항고소송의 가능성 – 부작위위법확인소송의 가능성

부작위위법확인소송의 대상은 행정소송법의 조문❶을 고려할 때 '처분'의 부작위이지 '입법'의 부작

기출 체크

☐☐☐☐☐ **01** 입법부가 법률로써 행정부에게 특정한 사항을 위임했음에도 불구하고 행정부가 정당한 이유 없이 이를 이행하지 않는다면 권력분립의 원칙과 법치국가 내지 법치행정의 원칙에 위배되는 것으로서 위법함과 동시에 위헌적인 것이 된다. (○, ×) ★   2017 국가직(하) 7급

☐☐☐☐☐ **02** 삼권분립의 원칙, 법치행정의 원칙을 당연한 전제로 하고 있는 우리 헌법하에서 행정권의 행정입법 등 법집행 의무는 헌법적 의무라고 보아야 한다. (○, ×) ★   2022 군무원 9급

☐☐☐☐☐ **03** 행정입법의 부작위가 위헌·위법이라고 하기 위하여는 행정청에게 행정입법을 하여야 할 작위의무를 전제로 하는 것이나, 그 작위의무가 인정되기 위하여는 행정입법의 제정이 법률의 집행에 필수불가결한 것일 필요는 없다. (○, ×) ★★★   2022 군무원 9급

☐☐☐☐☐ **04** 행정입법부작위가 위헌 또는 위법이라고 하기 위해서는 행정청에게 행정입법을 하여야 할 작위의무를 전제로 하는 것이므로, 만일 하위 행정입법의 제정 없이 상위법령의 규정만으로도 집행이 이루어질 수 있는 경우라면 행정청에게 하위 행정입법을 제정하여야 할 작위의무가 인정되지 않는다. (○, ×) ★★★   2021 국회직 8급

☐☐☐☐☐ **05** 집행명령이 없어도 법령이 시행될 수 있는 경우에는 특별한 규정이 없는 한 행정권에게 집행명령을 제정할 의무가 있다. (○, ×) ★★★   2006 서울시 9급

❶ 행정소송법 제2조 【정의】 ① 이 법에서 사용하는 용어의 정의는 다음과 같다.
2. '부작위'라 함은 행정청이 당사자의 신청에 대하여 상당한 기간 내에 일정한 처분을 하여야 할 법률상 의무가 있음에도 불구하고 이를 하지 아니하는 것을 말한다.

판례 | ❶ 법률이 제정된 때로부터 20년 이상이 경과되었음에도 치과전문의와 관련된 시행규칙을 제정하지 않은 것은 헌법에 위반된다(헌재 1998. 7. 16, 96헌마246).

정답 **01** ○ **02** ○ **03** × **04** ○ **05** ×

위는 아니다. 따라서 행정입법부작위의 경우 부작위위법확인소송의 대상이 되지 않는다는 것이 판례의 태도이다.01 02

┌ 관련판례

추상적인 법령의 제정 여부 등은 부작위위법확인소송의 대상이 될 수 없다.★★★

행정소송은 구체적 사건에 대한 법률상 분쟁을 법에 의하여 해결함으로써 법적 안정을 기하자는 것이므로 부작위위법확인소송의 대상이 될 수 있는 것은 구체적 권리·의무에 관한 분쟁이어야 하고 추상적인 법령에 관하여 제정의 여부 등은 그 자체로서 국민의 구체적인 권리·의무에 직접적 변동을 초래하는 것이 아니어서 그 소송의 대상이 될 수 없다(대판 1992. 5. 8, 91누11261).03 04 05 06

2. 헌법소원의 가능성

(1) 입법부작위의 종류

① 진정입법부작위

입법자가 헌법상 입법의무가 있는 어떤 사항에 관하여 전혀 입법을 하지 아니함으로써 '입법행위의 흠결이 있는 경우'를 말한다.

② 부진정입법부작위

입법자가 어떤 사항에 관하여 입법은 하였으나 그 입법의 내용 등이 당해 사항을 불충분하게 규율함으로써 '입법행위에 결함이 있는 경우'를 말한다. 부진정입법부작위는 진정한 입법부작위가 아니므로 입법부작위 그 자체를 헌법소원의 대상으로 할 수는 없고 법령 그 자체에 대해 헌법소원을 제기하여야 한다.07 물론 앞서 본 바와 같이 법규명령 등이 별도의 집행행위를 기다리지 않고 직접 기본권을 침해하는 등의 요건을 갖추어야 한다.

┌ 관련판례

부진정입법부작위를 대상으로 헌법소원을 제기하려면 그것이 평등의 원칙에 위배된다는 등 헌법위반을 내세워 적극적인 헌법소원을 제기하여야 하며, 이 경우에는 헌법재판소법 소정의 제소기간(청구기간❶)을 준수하여야 한다(헌재 1996. 10. 31, 94헌마204).

(2) 대상 여부

헌법소원의 대상은 공권력의 행사 또는 불행사인데 시행령 등 행정입법을 제정할 법적 의무가 있는 경우에 행정입법부작위는 공권력의 불행사에 해당하므로 헌법소원의 대상이 된다.08 09 다만, 헌법소원이 인정되기 위하여는 행정입법부작위로 인해 국민의 기본권이 직접 침해되어야 한다. 헌법재판소는 치과전문의자격시험 불실시에 대한 위헌 확인사건 등에서 헌법소원의 대상이 됨을 긍정하고 있다.

┌ 관련판례

1. **행정입법부작위도 헌법소원의 대상이 될 수 있다.★★★**

   생각건대 헌법에서 기본권보장을 위해 법령에 명시적인 입법위임을 하였음에도 입법자가 이를 이행하지 않을 때, 그리고 헌법해석상 특정인에게 구체적인 기본권이 생겨 이를 보장하기 위한 국가의 행위의무 내지 보호의무가 발생하였음이 명백함에도 불구하고 입법자가 전혀 아무런 입법조치를 취하고 있지 않은 경우가 여기에 해당될 것이며, 이때에는 입법부작위가 헌법소원의 대상이 된다고 봄이 상당할 것이다(헌재 1998. 7. 16, 96헌마246).

2. 대통령이 법률의 명시적인 위임이 있음에도 불구하고 시행령을 제정하지 않은 입법부작위는 청구인들의 재산권을 침해하는 것으로서 헌법에 위반된다(헌재 2004. 2. 26, 2001헌마718).

3. 국가배상청구의 가능성

행정입법부작위로 인해 손해가 발생한 경우 손해배상청구의 요건을 충족하면 손해배상청구가 가능하다.01

> **관련판례**
>
> 1. 입법부가 법률로써 행정부에게 특정한 사항을 위임했음에도 불구하고 행정부가 정당한 이유 없이 이를 이행하지 않는다면 권력분립의 원칙과 법치국가 내지 법치행정의 원칙에 위배되는 것으로서 위법함과 동시에 위헌적인 것이 된다.
>
> 2. 법률에서 군법무관의 보수의 구체적 내용을 시행령에 위임했음에도 불구하고 행정부가 정당한 이유 없이 시행령을 제정하지 않은 것은 불법행위에 해당하여 국가배상청구가 가능하다(대판 2007. 11. 29, 2006다3561).02 03 ★

[유튜브] 10강 필수 개념 TEST
- QR코드를 스캔해 주세요.
- 필수 개념과 출제 포인트를 풀어 보세요.
- 틀린 문제는 기본서로 확인해 주세요.

정답 01 ○ **02** ○ **03** ×

행정규칙

의의

- 상급행정기관이나 상급자가 하급행정기관 또는 하급자에 대하여 행정의 조직과 활동을 규율할 목적으로 그의 권한범위 내에서 발하는 일반적·추상적 규율
- 법규명령과 행정규칙의 비교

구 분	법규명령	행정규칙
법형식	시행령(대통령령) 시행규칙(부령) 등	훈령·고시 등
법적 근거	• 위임명령 : 상위법령의 개별적·구체적 수권을 요함. • 집행명령 : 개별적·구체적 수권은 필요 ×	• 법적 근거 불필요 • 행정규칙의 제정권은 상급기관의 감독권한에 포함되어 있음.
규율의 대상	일반국민	행정조직 내의 기관 또는 구성원
성 질	법규성(재판규범성, 대외적 구속력) ○	법규성(재판규범성, 대외적 구속력) ×
효 력	양면적 구속력(대내·대외적 구속력)	일면적 구속력(대내적 구속력)
위반의 효과	위법한 행정작용이 됨.	• 곧바로 위법한 행정작용이 되는 것은 아님(한편 행정규칙에 따른 처분이 적법한 처분으로 추정되는 것도 아님). • 위반행위는 직무상의 의무위반으로 징계사유는 될 수 있음.
존재형식	조문의 형식	조문의 형식 또는 구술로도 가능함.
공 포	공포가 필요함.	• 공포가 필요한 것은 아님. • 수명기관에 도달하면 효력 발생
한 계	법률유보·법률우위의 원칙 적용	법률우위의 원칙만 적용

종류

형식에 따른 구분	• **광의의 훈령** 　－훈령 　－지시 　－일일명령 　－예규 : 법규문서 이외의 문서로서 행정사무의 통일을 기하기 위하여 반복적 행정사무의 처리기준을 제시하는 명령 • **고시** 　－개념 : 행정기관이 법령이 정하는 방법에 의해 일정 사항을 불특정 다수인에게 알리는 행위 　▸ 고시가 일반·추상적 성격을 가질 때에는 법규명령 또는 행정규칙에 해당하지만, 고시가 구체적인 규율의 성격을 갖는다면 행정처분에 해당함(판례). 　－유형 : 행정규칙적 고시, 일반처분적 고시, 법규명령적 고시

법규명령형식의 행정규칙, 행정규칙형식의 법규명령

법규명령형식의 행정규칙

- **학설** : 법규명령설(다수설)
- **판례**
  - 부령형식인 경우 ┬ 제재적 처분기준 : 법규성 부정(도로교통법 시행규칙 [별표]의 운전면허행정처분기준, 지방자치단체의 규칙으로 정한 행정처분기준 등)
    └ 특허 기준 : 법규성 긍정(시외버스운송사업의 사업계획변경에 관한 절차, 인가기준 등을 구체적으로 규정한 구 「여객자동차 운수사업법 시행규칙」 등)
  - 대통령령형식인 경우 : 법규명령설(다수설·판례)
    - ▸ 효력 ┬ 절대적 구속력을 인정한 경우 : 「국토의 계획 및 이용에 관한 법률 시행령」에 규정된 이행강제금의 부과기준
      └ 최고한도액을 규정한 것으로 본 경우 : 청소년보호법 시행령에 규정된 과징금처분기준 등

행정규칙형식의 법규명령(법령보충규칙)

- **법규성 여부**
  - 판례 : 형식은 행정규칙이지만 내용적으로는 법률을 보충하는 법규명령의 성질을 띤 행정규칙(법령보충규칙)에 대해 수권법령(상위법)과 결합하여 대외적인 구속력이 있는 법규명령으로서의 효력을 갖는다고 봄.
  - 시행규칙으로 정하도록 위임하였는데 행정규칙으로 정한 경우 : 법규명령성 ×
- **한계**

정당성	법규명령의 형식으로 제정되지 않고 행정규칙으로 제정될 현실적인 필요성이 있어야 함(이 경우에도 법령의 수권 필요, 포괄위임금지의 원칙 적용됨).
위임의 한계 준수	포괄적 위임금지 등 위임의 한계를 준수해야 함. 만약 위임의 범위를 벗어난 경우에는 대외적 구속력 인정 ×
상위법령에 위배되지 않을 것	위반된 경우는 무효

- **공포 여부**
  - 법규성이 인정된다 하더라도 행정규칙형식으로 제정된 이상, 법규명령의 형식과 같이 반드시 공포를 거칠 필요 ×
  - 적당한 방법으로 표시 또는 통보함으로써 효력 발생

성립·효력발생요건

성립요건

주 체	정당한 권한을 가진 행정기관이 그 권한의 범위 내에서 발함.
절 차	특별한 절차는 없으나, 대통령훈령 등 일정한 행정규칙은 관례적으로 법제처의 심사를 받음.
형 식	보통 고시, 훈령, 예규 등으로 발령되나 특별한 형식이 있는 것은 아님(조문의 형식으로 제정됨이 일반적이나 구술로도 가능).

효력발생요건 – 표시

- 법규명령과 달리 공포가 필요한 것은 아님.
- 관보 게재, 복사본 교부 등 적당한 방법으로 상대방에게 도달됨으로써 효력 발생

행정규칙의 하자 및 소멸

하 자

성립 · 효력발생요건 등 적법요건을 갖추지 못한 경우 : 하자 있는 행정규칙 ⇨ 무효가 됨.

소 멸

유효하게 성립한 행정규칙이라도 명시적 · 묵시적 폐지, 부관의 성취(종기의 도래, 해제 조건의 성취) 등에 의하여 효력 상실

행정규칙의 효력(구속력)

내부적 효력

• 내부적으로는 구속력이 있으므로 공무원은 행정규칙을 준수해야 할 의무가 있으며, 이를 위반할 경우 징계책임이나 징계벌을 받게 됨.
• 행정규칙의 내용이 위법함이 명백한 경우 복종을 거부할 수 있음(위법함이 명백하지 않은 경우는 준수해야 함).
• 행정규칙의 내용이 상위법령에 위반되는 것이라면 법질서상 당연무효이고, 행정내부적 효력도 인정될 수 없음(판례).

외부적 효력

법령해석규칙	대외적 구속력 ×
재량준칙	재량준칙이 되풀이 시행되어 행정관행이 성립한 경우, 평등의 원칙, 자기구속의 원칙을 매개로 하여 '간접적'으로 대외적인 구속력을 가짐. – 국토계획법 시행령에 따른 국토교통부 훈령 '개발행위허가운영지침'은 세부적인 검토기준으로 행정규칙에 불과하여 대외적 구속력이 없음. 재량준칙인 때에는 객관적 합리성을 결여하였다는 등의 특별한 사정이 없는 한 법원은 이를 존중하는 것이 바람직함(판례).
법령보충규칙	• **법규성 여부** : 상위법령과 결합하여 대외적 구속력을 가짐(그 자체는 직접적 구속력 ×). • **재위임** : 법령보충적 행정규칙의 재위임도 가능함. • **사법적 통제** : 법원 또는 헌법재판소의 통제대상이 됨.

• **행정규칙의 외부적 효력 – 원칙**

행정규칙 그 자체에 대해서는 직접적 · 대외적 구속력은 인정되지 않음.

행정규칙에 대한 사법적 통제

법원에 의한 통제	• 구체적 규범통제 : 행정규칙은 명령 · 규칙 등 심사권의 대상에서 제외되나, 법령보충규칙은 구체적 규범통제의 대상이 될 수 있음. • 항고소송 : 원칙적으로 항고소송의 대상 ×, 예외적으로 처분성을 가지는 경우 이론상 항고소송의 대상이 될 수 있음.
헌법재판소에 의한 통제	• 법령보충규칙처럼 국민에게 효력이 있는 경우 직접 국민의 권익을 침해한다면 헌법소원의 대상이 될 수 있음. – '청소년유해매체물의 표시방법'에 관한 정보통신부(현 방송통신위원회) 고시는 헌법소원의 대상이 됨(판례). • 재량준칙인 행정규칙이 자기구속원칙을 매개로 대외적인 구속력을 갖게 되는 경우 헌법소원의 대상이 될 수 있음.

제 1 절 행정규칙

01 | 행정규칙의 의의

❶ 개 념

행정규칙이란 상급행정기관이나 상급자가 하급행정기관 또는 하급자에 대하여 행정의 조직과 활동을 규율할 목적으로 그의 권한범위 내에서 발하는 일반적·추상적 규율을 말한다. 즉, 법의 해석이나 법의 집행 또는 재량권행사의 기준을 더욱 자세히 규율할 목적으로 발하는 규범을 의미하며, 행정명령이라고 부르는 견해도 있다.

❷ 법규명령과 행정규칙의 구별

행정청이 발하는 일반적·추상적 규율인 점에서는 법규명령과 같으나, 법규가 아니라는 점에서 법규명령과 구별되는데, 이를 구체적으로 살펴보면 다음과 같다.

1. 권력의 기초(법률유보원칙과의 관계)

(1) 법규명령의 제정에는 법률의 법규창조력원칙과 법률유보의 원칙이 적용되므로 법적 근거가 필요하다. 법규명령 중 위임명령은 법률의 개별적 근거가 필요하며, 집행명령의 경우에는 법률의 개별적인 근거는 필요하지 않고 헌법에서 포괄적 근거를 두고 있다.

(2) 이에 반해 행정규칙은 법규가 아니므로 그 제정에는 법적 근거가 필요하지 않다.01 행정규칙의 제정권은 상급기관의 감독권한에 포함되어 있다고 할 수 있다.

2. 규율의 대상과 범위

(1) 법규명령은 행정주체와 국민 간의 관계를 규율하는 법으로서 일반국민을 그 대상으로 한다.

(2) 이에 반해 행정규칙은 행정조직 내에서 그 기관 또는 구성원을 직접적인 규율대상, 즉 수범자로 함이 원칙이다.

3. 대외적 구속력 및 재판규범성의 여부

(1) 법규명령은 법규로서 대외적 구속력이 있으며 법원(法院)의 재판규범이 된다.

(2) 이에 반해 행정규칙은 법규가 아니므로 대외적 구속력 및 재판규범으로서의 효력을 가지지 않는 것이 원칙이다.02

관련판례

상급행정기관이 하급행정기관에 대하여 업무처리지침이나 법령의 해석·적용에 관한 기준을 정하여 발하는 이른바 행정규칙은 일반적으로 행정조직 내부에서만 효력을 가질 뿐 대외적인 구속력을 갖는 것은 아니다(대판 1998. 6. 9, 97누19915).03 04 05 ★★★

4. 행정규칙 위반의 효과

(1) 법규명령을 위반한 행정작용(처분 등)은 위법한 행정작용이 된다.**01**

(2) 이에 반해 행정규칙을 위반한 행정작용은 곧바로 위법한 행정작용이 되는 것은 아니다. 다만, 공무원은 복종의무가 있으므로 행정규칙을 위반하면 징계사유는 될 수 있다.**02** 반면에, 법령에 반하는 위법한 행정규칙은 무효이므로 이러한 행정규칙을 위반한 것은 징계사유가 되지 않는다(대판 2020. 11. 26, 2020두42262).**03**

5. 형 식

(1) 법규명령은 조문의 형식을 갖추어야 하며, 대통령령·총리령·부령은 각각 그 번호와 일자를 붙여 관보에 게재하여 공포함으로써 성립한다.

(2) 이에 반해 행정규칙은 법규명령과 같은 형식을 필요로 하는 것은 아니며 공포가 필요한 것도 아니다. 다만, 행정절차법은 처분기준이 되는 행정규칙은 공포하여야 한다고 규정하고 있다(행정절차법 제20조).

법규명령과 행정규칙의 비교

구 분	법규명령	행정규칙
법 형식	대통령령·총리령·부령 등	훈령·고시 등
법적 근거	• 위임명령 : 상위법령상 개별적·구체적 수권을 요함. • 집행명령 : 개별적·구체적 수권은 필요하지 않음.	법적 근거 불필요
성 질	법규성(재판규범성, 대외적 구속력) 인정	법규성(재판규범성, 대외적 구속력) 부정
효 력	양면적 구속력(대내·대외적 구속력)	일면적 구속력(대내적 구속력)
위반의 효과	위법한 작용이 됨.	곧바로 위법한 작용이 되는 것은 아님(한편 행정규칙에 따른 처분이 적법한 처분으로 추정되는 것도 아님).
존재형식	조문의 형식	조문의 형식 또는 구술로도 가능함.
공 포	공포가 필요함.	• 공포가 필요한 것은 아님. • 수명기관에 도달하면 효력이 발생함.**04**
법치행정의 원리	법률유보·법률우위의 원칙 적용	법률우위의 원칙만 적용(행정규칙은 상위법령에 위반되어서는 안 된다는 의미임)

02 | 행정규칙의 종류

❶ 내용에 따른 구분

1. 조직규칙

이것은 행정기관의 설치·조직, 내부적 권한배분, 사무처리절차 등을 정하기 위해 발하는 행정규칙이다.

> **관련판례**
> 행정관청 내부의 사무처리규정에 불과한 전결규정에 위반하여 원래의 전결권자 아닌 보조기관 등이 처분권자인 행정관청의 이름으로 행정처분을 한 경우, 그 처분은 무효가 아니다(대판 1998. 2. 27, 97누1105).**05**➐ ★★

판례 | ➐ 전결과 같은 행정권한의 내부위임은 법령상 처분권자인 행정관청이 내부적인 사무처리의 편의를 도모하기 위하여 그의 보조기관 또는 하급 행정관청으로 하여금 그의 권한을 사실상 행사하게 하는 것으로서 법률이 위임을 허용하지 않는 경우에도 인정되는 것이므로, 설사 행정관청 내부의 사무처리규정에 불과한 전결규정에 위반하여 원래의 전결권자 아닌 보조기관 등이 처분권자인 행정관청의 이름으로 행정처분을 하였다고 하더라도 그 처분이 권한 없는 자에 의하여 행하여진 무효의 처분이라고는 할 수 없다(대판 1998. 2. 27, 97누1105).

ⓐ 관보규정에 따르면 대통령훈령과 국무총리 훈령은 관보에 게재하도록 하고 있다.

2. 근무규칙

상급행정기관이 하급행정기관 및 구성원의 직무에 관한 사항을 계속적으로 규율하기 위하여 발하는 규칙이다. 예컨대, 서울시장이 소속 공무원에 대해 상습결빙지역을 설정하여 정기적으로 점검할 것을 명하는 지침을 들 수 있다.

3. 재량준칙

행정기관에 재량권이 인정되어 있는 경우 통일적이고 동등한 재량권행사의 확보를 위해 **재량권행사의 기준을 정하는 행정규칙**을 말한다.**01**

4. 규범해석(법령해석)규칙

불확정 법개념(공익 · 질서유지 · 미풍양속 등)을 해석함에 있어 해석에 통일을 기하기 위해 그 기준을 제시할 목적으로 발하는 행정규칙을 말한다.

❷ 형식에 따른 구분

행정규칙은 주로 훈령 또는 고시 형식으로 발령되나 그 밖에 통첩, 지침 등 다양한 형태로 발령될 수 있다.**02** 한편 대통령령인 「행정업무의 운영 및 혁신에 관한 규정」(구 사무관리규정)에 따르면 공문서를 법규문서와 지시문서로 구분하며, 법규문서는 헌법 · 법률 · 대통령령 · 총리령 · 부령 · 조례 · 규칙 등에 관한 문서로, 지시문서는 훈령 · 지시 · 예규 · 일일명령 등 행정기관이 그 하급기관이나 소속 공무원에 대하여 일정한 사항을 지시하는 문서로 규정하고 있다.**03** 여기에서 지시문서가 행정규칙에 해당한다. 다만, 후술하는 바와 같이 행정규칙은 문서의 형식일 필요는 없다.

1. 광의의 훈령(「행정업무의 운영 및 혁신에 관한 규정」)**04**

「행정업무의 운영 및 혁신에 관한 규정」에서는 근무규칙을 다음과 같이 구분하고 있다. 다만, 이 중에서 그 내용이 일반적 · 추상적인 규율이 아닌 것은 행정규칙이 아니다.

(1) 훈 령ⓐ

상급기관이 하급기관에 대하여 장기간에 걸쳐 권한행사를 일반적으로 지시하기 위하여 발하는 명령으로서, 훈령 중 일반적 · 추상적 성질을 가지는 것만이 행정규칙이다.

(2) 지 시

상급기관이 직권으로 또는 하급기관의 문의에 의하여 개별적 · 구체적으로 발하는 명령을 의미한다. 다만, 지시에 대해서는 일반적 · 추상적 규율이 아니므로 행정규칙이 아니라는 견해가 유력하다.

(3) 예 규

행정사무의 통일을 기하기 위하여 반복적 행정사무의 처리기준을 제시하는 명령이다.

(4) 일일명령

당직 · 출장 · 시간외근무 · 휴가 등 일일업무에 관한 명령을 말한다.

2. 고 시

(1) 개 념

행정기관이 법령이 정하는 방법에 의해 일정 사항을 불특정 다수인에게 알리는 행위를 말하는데, 이러한 고시에는 여러 가지 유형이 있을 수 있다.

┌─ **관련판례** ─────────────────────────────────
1. **고시는 법규명령일 수도 있고 행정규칙일 수도 있으며 일반처분의 성질을 가질 수도 있다.** ★★★

   고시 또는 공고의 법적 성질은 일률적으로 판단될 것이 아니라 고시에 담겨진 내용에 따라 구체적인 경우마다 달리 결정된다고 보아야 한다. 즉, 고시가 일반·추상적 성격을 가질 때에는 법규명령 또는 행정규칙에 해당하지만, 고시가 구체적인 규율의 성격을 갖는다면 행정처분에 해당한다(헌재 1998. 4. 30, 97헌마141).**01 02**

2. **대면예배제한 고시는 항고소송의 대상인 행정처분에 해당한다.**

   이 사건 고시는, 피청구인이 구 「감염병의 예방 및 관리에 관한 법률」 제49조 제1항 제2호 등에 근거하여 부산시내 종교시설의 책임자·종사자 및 이용자에게 2021. 1. 4. 0시부터 2021. 1. 17. 24시까지 2주라는 '특정기간' 내에 '대면예배라는 구체적 행위'를 직접 금지하는 것으로, 장래의 불특정하고 추상적이며 반복되는 사항을 규율하는 것이라기보다는 시간적·공간적으로 특정된 사안을 규율하는 것이다(헌재 2023. 6. 29, 2021헌마63).
───

(2) 유 형

① 행정규칙적 고시

고시가 행정사무의 처리기준이 되는 일반적·추상적 규범의 성질을 가지는 경우가 이에 해당한다.

② 일반처분적 고시

고시가 일반적·구체적 성질을 가지고 있을 때에는 일반처분에 해당하며, 특히 고시의 내용이 물건의 성질·상태를 규율하는 경우에는 물적 행정행위로서 일반처분에 해당한다(후술).

③ 법규명령적 고시

행정규칙인 고시가 법령의 수권에 의해 법령을 보충하는 사항을 규정하는 경우에는 근거법령(수권법령)의 규정과 결합하여 대외적으로 구속력 있는 법규명령으로서의 효력을 갖는다(후술할 행정규칙형식의 법규명령 참조).**03** **ⓐ**

03 | 법규명령형식의 행정규칙, 행정규칙형식의 법규명령

입법의 형식과 법령의 내용은 일치하는 것이 일반적이다. 즉, 법규명령형식(시행령 또는 시행규칙)으로는 국민의 권리·의무와 관련된 법규적 사항을 규율하고, 행정규칙형식(훈령 또는 고시)으로는 행정청의 사무처리기준 등을 정함이 일반적이다. 그런데 형식과 내용이 서로 다르게 규정되는 경우가 있어, 이를 어떻게 볼 것인지가 문제된다.

❶ 법규명령형식의 행정규칙

1. 문제의 소재

행정규칙으로 정해질 내용은 보통 고시, 훈령, 예규 등의 형식을 취하지만 때때로 법규명령의 형식을 취하는 경우도 있다. 즉, 시행령 또는 시행규칙으로 행정사무처리기준을 정한 경우 이러한 규정사항을 법규명령으로 보아야 할 것인지 행정규칙으로 보아야 할 것인지가 문제된다. 이는 특히 행정실무상 법규명령에서 제재적 처분기준을 정한 경우와 관련하여 주로 논의된다.**ⓑ**

ⓐ 한편, 행정규제기본법에서는 고시형식의 법규명령의 가능성에 대해 규정하고 있음은 앞서 살펴본 바와 같다(p.175 참조).

ⓑ 법규명령형식의 행정규칙의 문제는 본래 행정규칙의 형식으로 제정되어야 할 제재처분의 구체적인 기준을 법규명령의 형식으로 제정함으로써 야기된 것이다. 원래 행정청은 제재처분의 기준을 훈령 등 행정규칙으로 정했는데, 판례가 행정규칙의 대외적 구속력을 인정하지 않자, 행정청은 그러한 제재처분기준을 부령형식 또는 대통령령형식으로 정하였다. 이에 대법원은 관련법령 및 행위의 성질 등을 고려하여 부령형식으로 정한 제재처분기준의 경우 법규성을 부정하며, 대통령령으로 정한 제재처분의 기준의 경우 단순히 법규명령으로 인정하기도 하고 법규명령으로 보면서도 제재처분의 최고한도를 정한 것으로 보기도 한다.

2. 학설

행정규칙설(실질설)	당해 규범의 내용, 즉 실질을 중시하여 행정기관 내부의 사무처리기준만을 정한 것이라고 보이는 경우에는, 비록 법규명령의 형식을 취하고 있다 하더라도 당해 규범을 행정규칙으로 보아야 한다는 견해이다.
법규명령설(형식설) - 다수설	규범의 형식을 중시하여 법규의 형식으로 제정된 이상, 그 내용을 불문하고 국민이나 법원을 기속하는 법규라고 보아야 한다는 견해이다.

3. 판례

(1) 부령형식인 경우

① 부령형식으로 정해진 제재적 처분기준 - 행정규칙설(실질설)

판례는 부령형식으로 정해진 제재적 처분기준(영업허가의 취소, 정지, 과징금 부과기준)은 그 성질과 내용이 행정내부의 사무처리기준을 규정한 것에 불과하므로 행정규칙의 성질을 가지며01 대외적으로 국민이나 법원을 구속하는 것은 아니라고 보고 있다. 다만, 최근의 대법원 판례는 제재적 행정처분의 기준이 부령의 형식으로 규정되어 있는 경우 여전히 행정규칙(재량준칙)으로 보면서도 법원은 당해 제재처분기준을 존중하여야 한다고 본다(5번 판례 참조).

관련판례

1-1. 제재적 행정처분의 기준이 부령의 형식으로 규정되어 있더라도 그것은 행정청 내부의 사무처리준칙을 정한 것에 지나지 아니하여 대외적으로 국민이나 법원을 기속하는 효력이 없다.02 03

1-2. 당해 처분의 적법 여부는 위 처분기준만이 아니라 관계법령의 규정 내용과 취지에 따라 판단되어야 한다.

1-3. 위 처분기준에 적합하다 하여 곧바로 당해 처분이 적법한 것이라고 할 수는 없지만,04 위 처분기준이 그 자체로 헌법 또는 법률에 합치되지 아니하거나 위 처분기준에 따른 제재적 행정처분이 그 처분사유가 된 위반행위의 내용 및 관계법령의 규정 내용과 취지에 비추어 현저히 부당하다고 인정할 만한 합리적인 이유가 없는 한 섣불리 그 처분이 재량권의 범위를 일탈하였거나 재량권을 남용한 것이라고 판단해서는 안 된다(대판 2007. 9. 20, 2007두6946 ; 대판 2018. 5. 15, 2016두57984).05 ★★

2-1. 식품위생법 제58조 제1항에 의한 제재적 처분의 기준을 정한 같은 법 시행규칙 제53조는 행정규칙에 불과하므로 행정처분이 이에 위반되었다고 하여 곧바로 위법한 것으로 되지는 않는다.06 ★★★

2-2. 즉, 처분의 적법 여부는 위 규칙에 적합한 것인가의 여부에 따라 판단할 것이 아니라 위 법의 규정 및 그 취지에 적합한 것인가의 여부에 따라 판단하여야 한다.07 ★★★

식품위생법 시행규칙 제53조에서 [별표 15]로 식품위생법 제58조에 따른 행정처분의 기준을 정하였다고 하더라도 이는 형식만 부령으로 되어 있을 뿐, 그 성질은 행정기관 내부의 사무처리준칙을 정한 것으로서 행정명령의 성질을 가지는 것이고, 대외적으로 국민이나 법원을 기속하는 힘이 있는 것은 아니므로 식품위생법 제58조 제1항에 의한 처분의 적법 여부는 위 규칙에 적합한 것인가의 여부에 따라 판단할 것이 아니라 위 법의 규정 및 그 취지에 적합한 것인가의 여부에 따라 판단하여야 한다는 것이 당원의 확립된 견해이다(대판 1995. 3. 28, 94누6925).

3. 규정형식상 부령인 시행규칙 또는 지방자치단체의 규칙으로 정한 행정처분의 기준은 행정처분 등에 관한 사무처리기준과 처분절차 등 행정청 내의 사무처리준칙을 규정한 것에 불과하므로 행정조직 내부에 있어서의 행정명령의 성격을 지닐 뿐 대외적으로 국민이나 법원을 구속하는 힘이 없다(대판 1995. 10. 17, 94누14148 전합).08

4. 도로교통법 시행규칙 제53조 제1항이 정한 [별표 16]의 운전면허행정처분기준은 부령의 형식으로 되어 있으나, 그 규정의 성질과 내용이 운전면허의 취소처분 등에 관한 사무처리기준과 처분절차 등 행정청 내부의 사무처리준칙을 규정한 것에 지나지 아니하므로09 대외적으로 국민이나 법원을 기속하는 효력이 없으므

로,01 자동차운전면허취소처분의 적법 여부는 그 운전면허행정처분기준만에 의하여 판단할 것이 아니라 도로교통법의 규정내용과 취지에 따라 판단되어야 한다(대판 1997. 5. 30, 96누5773). ★★★

5. 구 식품위생법 시행규칙 제53조 [별표 15] 행정처분기준은 행정규칙에 불과하여 대외적인 구속력은 없지만, 위 행정처분기준에서 정하고 있는 범위를 벗어나는 처분을 하기 위해서는 그 기준을 준수한 행정처분을 할 경우 공익상 필요와 상대방이 받게 되는 불이익 등과 사이에 현저한 불균형이 발생한다는 등의 특별한 사정이 있어야 한다(대판 2010. 4. 8, 2009두22997).02 ★★★

6. 「공공기관의 운영에 관한 법률」 제39조 제2항, 제3항에 따라 입찰참가자격 제한기준을 정하고 있는 구「공기업·준정부기관 계약사무규칙」 제15조 제2항, 「국가를 당사자로 하는 계약에 관한 법률 시행규칙」 제76조 제1항 [별표 2], 제3항 등은 비록 부령의 형식으로 되어 있으나 규정의 성질과 내용이 공기업·준정부기관(이하 '행정청'이라 한다)이 행하는 입찰참가자격 제한처분에 관한 행정청 내부의 재량준칙을 정한 것에 지나지 아니하여 대외적으로 국민이나 법원을 기속하는 효력이 없으므로, 입찰참가자격 제한처분이 적법한지 여부는 이러한 규칙에서 정한 기준에 적합한지 여부만에 따라 판단할 것이 아니라 「공공기관의 운영에 관한 법률」상 입찰참가자격 제한처분에 관한 규정과 그 취지에 적합한지 여부에 따라 판단하여야 한다(대판 2014. 11. 27, 2013두18964).03 ★★★

② 부령형식으로 정해진 특허기준

판례는 특허의 인가기준을 법령의 위임을 받아 부령으로 정한 경우 이를 법규명령으로 보고 있다.

┌ 관련판례

구「여객자동차 운수사업법」 제11조 제4항의 위임에 따라 시외버스운송사업의 사업계획변경에 관한 절차, 인가기준 등을 구체적으로 규정한 구「여객자동차 운수사업법 시행규칙」 제31조 제2항 제1호, 제2호, 제6호는 대외적인 구속력이 있는 법규명령이라고 할 것이고,04 그것을 행정청 내부의 사무처리준칙을 규정한 행정규칙에 불과하다고 할 수는 없다. ★★★

구「여객자동차 운수사업법 시행규칙」 제31조 제2항 제1호, 제2호, 제6호(이하 '이 사건 각 규정'이라 한다)는 법 제11조 제4항의 위임에 따라 시외버스운송사업의 사업계획변경에 관한 절차, 인가기준 등을 구체적으로 규정한 것으로서, 대외적인 구속력이 있는 법규명령이라고 할 것이고(대판 1996. 6. 14, 95누17823 ; 대판 1997. 5. 16, 97누2313 참조), 그것을 행정청 내부의 사무처리준칙을 규정한 행정규칙에 불과하다고 할 수는 없는 것이다. 따라서 원심이 인정하는 바와 같이 피고가 이 사건 시외버스운송사업계획변경인가처분(이하 '이 사건 처분'이라 한다)을 함에 있어서 이 사건 각 규정에서 정한 절차나 인가기준 등을 위배하였다면, 이 사건 처분은 위법함을 면하지 못한다고 할 것이다(대판 2006. 6. 27, 2003두4355).

(2) 대통령령형식인 경우 – 법규명령설(형식설)

① 법규명령의 성질

판례는 제재적 처분기준이 대통령령의 형식으로 정해진 경우 당해 처분기준을 법규명령으로 본다.05 06

② 효 력

효력과 관련해서는 법령규정의 체계, 형식 및 내용을 고려하여 절대적 구속력을 인정한 경우도 있고 그 상한을 규정한 것으로 본 경우도 있다. ⓐ

③ 구체적 판례 검토

㉠ 절대적 구속력을 인정한 경우 : 과거에는 재량행위인 처분의 기준에 대해 아래의 1번 판례와 같이 절대적 구속력을 인정한 바 있다. 그러나 최근에는 ㉡의 청소년보호법 시행령 판례에

기출 체크

▢▢▢▢▢ **01** 운전면허에 관한 제재적 행정처분의 기준이 도로교통법 시행규칙 [별표]에 규정되어 있는 경우(에는 대외적 구속력을 인정할 수 없다)
(○, ×) ★★★ 2020 지방직·서울시 9급

▢▢▢▢▢ **02** 구 식품위생법 시행규칙 제53조가 정한 [별표 15]의 행정처분기준은 구 식품위생법 제58조에 따른 영업허가의 취소 등에 관한 행정처분의 기준을 정한 것으로 대외적 구속력이 있다.
(○, ×) ★★★ 2014 지방직 9급

▢▢▢▢▢ **03** 「공공기관의 운영에 관한 법률」의 위임에 따라 입찰자격제한기준을 정하는 부령은 행정내부의 재량준칙에 불과하다. (○, ×) ★★★
2017 사회복지직 9급

▢▢▢▢▢ **04** 「여객자동차 운수사업법」의 위임에 따른 시외버스운송사업의 사업계획변경기준 등에 관한 「여객자동차 운수사업법 시행규칙」의 관련규정은 대외적인 구속력이 있는 법규명령이라고 할 것이다. (○, ×) ★★★
2023 지방직·서울시 7급

▢▢▢▢▢ **05** 판례는 종래부터 법령의 위임을 받아 부령으로 정한 제재적 행정처분의 기준을 행정규칙으로 보고, 대통령령으로 정한 제재적 행정처분의 기준은 법규명령으로 보는 경향이 있다.
(○, ×) ★★★ 2017 사회복지직 9급

▢▢▢▢▢ **06** 대통령령이나 부령의 형식으로 발령된 제재적 처분기준에 대해서 판례는 그 법규성을 부인하고 있다.
(○, ×) ★★★ 2015 경행특채 2차

ⓐ 대통령령의 형식으로 정해진 처분기준에 대해 법규성을 인정하는 판례에 따르면 비록 법률에서 재량행위로 규정하고 있더라도 시행령에서 처분기준을 정하고 있는 이상 구체적 타당성이 상실되는 결과가 발생할 수 있다. 이러한 점을 고려하여 판례는 청소년보호법 시행령상의 과징금처분기준(ⓑ 제○○조 위반시 800만 원, 제△△조 위반시 600만원이라고 규정)을 정액이 아닌 최고한도액으로 보아 구체적 타당성을 도모한 것으로 보인다.

정답 01 ○ 02 × 03 ○ 04 ○ 05 ○ 06 ×

ⓐ 이러한 행정규칙형식의 법규명령이 증가하고 있는 이유는 상위법령에서 "○○○장관이 부령으로 정한다."라는 수권방식 대신에 "○○○장관이 고시로 정한다", "○○○장관이 정하는 사항", "○○청장이 지정하는 사항" 등의 수권방식을 채택하고 있는 데 기인하고 있다. 「독점규제 및 공정거래에 관한 법률」제23조 제3항에 근거한 불공정거래행위의 지정고시 등이 대표적인 예인데 후술하는 바와 같이 이러한 고시 등에 대해 판례는 법규성을 긍정하고 있다.

서 보는 바와 같이 재량행위인 처분의 기준에 대해 최고한도액을 정한 것으로 보아 재량의 여지를 인정한다. 다만, 2번 판례와 같이 법령상 기속행위로 규정된 처분의 기준은 상한, 즉 최고한도액이 아니라 당연히 절대적 구속력을 갖는다.

┌─ **관련판례**

1. 주택건설촉진법 시행령(현 주택법 시행령)상의 처분기준은 법규성이 있어서 대외적으로 국민이나 법원을 구속하므로 행정청은 이러한 처분기준에 따라 처분을 하여야 하고 달리 재량의 여지는 없다.**01** ★★★

　이 사건 처분의 기준이 된 시행령 제10조의3 제1항 [별표 1]은 법 제7조 제2항의 위임규정에 터잡은 규정형식상 대통령령이므로 그 성질이 부령인 시행규칙이나 또는 지방자치단체의 규칙과 같이 통상적으로 행정조직 내부에 있어서의 행정명령에 지나지 않는 것이 아니라 대외적으로 국민이나 법원을 구속하는 힘이 있는 법규명령에 해당한다고 할 것이다(대판 1995. 10. 17, 94누14148 전합 참조).
　관할관청으로서는 위 [별표 1]의 규정에 의하여 3개월 간의 영업정지처분을 하여야 할 뿐 달리 그 정지기간에 관하여 재량의 여지가 없다고 할 것이다(대판 1997. 12. 26, 97누15418).

2. 행정청에 「국토의 계획 및 이용에 관한 법률 시행령」 제124조의3 제3항에서 정한 토지이용의무를 위반한 자에게 부과할 이행강제금 부과기준과 다른 이행강제금액을 결정할 재량권은 없다.**02** ★★

　「국토의 계획 및 이용에 관한 법률」및 동법 시행령이 정한 이행강제금의 부과기준은 단지 상한을 정한 것에 불과한 것이 아니라, 위반행위 유형별로 계산된 특정 금액을 규정한 것이므로 행정청에 이와 다른 이행강제금액을 결정할 재량권이 없다고 보아야 한다(대판 2014. 11. 27, 2013두8653).

ⓒ **최고한도액을 규정한 것으로 본 경우**(최근의 판례) : 판례는 청소년보호법상의 과징금이 재량행위인 점을 고려하여 청소년보호법 시행령상의 처분기준을 법규명령으로 보면서도 그 금액을 정액이 아닌 최고한도액으로 보고 있다.

┌─ **관련판례**

구 청소년보호법 제49조 제1·2항의 위임에 따른 같은 법 시행령 제40조 [별표 6]의 위반행위의 종별에 따른 과징금처분기준은 법규명령이나, 처분기준에 규정된 금액은 정액이 아닌 최고한도액이라고 할 것이다(대판 2001. 3. 9, 99두5207).**03 04** ★★★

---

❷ 행정규칙형식의 법규명령(법령보충규칙)

1. 문제의 소재

법령보충적 행정규칙(법령보충규칙)이라 함은 법령의 위임에 의해 법령을 보충하는 법규사항을 정하는 행정규칙을 말한다. 이러한 법령보충적 행정규칙은 법령이 행정기관에 그 법령내용의 구체적인 사항을 정할 수 있는 권한을 부여하면서 그 권한행사의 절차나 방법을 특정하지 아니하여 수임행정기관이 행정규칙의 형식(훈령 또는 고시)으로 그 법령내용을 구체적으로 정하는 경우에 나타난다. 그런데 이러한 법령보충적 행정규칙의 법적 성질을 무엇으로 보아야 하는지가 문제된다.**ⓐ**

2. 법규성 여부

(1) 학 설

법규명령의 성격을 갖는다는 견해, 행정규칙에 불과하다는 견해, 규범구체화 행정규칙의 성격을 갖는다는 견해 등이 대립한다.

(2) 판례 – 법규명령성

① 판례는 형식은 행정규칙이지만 내용적으로는 법률을 보충하는 법규명령의 성질을 띤 행정규칙(법령보충

규칙)에 대해 수권법령(상위법)과 결합하여 대외적인 구속력이 있는 법규명령으로서의 효력을 갖는다고 본다.**01 02** 예컨대 행정규칙인 고시가 법령의 수권에 의해 법령을 보충하는 사항을 정하는 경우에는 법령보충적 고시로서 근거법령규정과 결합하여 대외적으로 구속력을 가진다.**03**

② 그러나 **법령의 위임을 받은 것이어도 행정적 편의를 도모하기 위한 절차적 규정인 경우**(예 구 법인세법 시행규칙에 따른 '소득금액조정합계표 작성요령')에는 **법령보충적 행정규칙이 아니라**, 단순한 행정규칙의 성질을 가진다는 것이 판례의 입장이다(대판 2003. 9. 5, 2001두403).**04**

▶ 관련판례

1. 법령의 규정이 특정 행정기관에게 법령내용의 구체적 사항을 정할 수 있는 권한을 부여하면서 권한행사의 절차나 방법을 특정하지 아니한 경우에는 수임행정기관은 행정규칙이나 규정형식으로 법령내용이 될 사항을 구체적으로 정할 수 있다(대판 2012. 7. 5, 2010다72076).**05** ★★★

2. 법령의 규정이 특정 행정기관에 그 법령내용의 구체적 사항을 정할 수 있는 권한을 부여하면서 권한행사의 절차나 방법을 특정하고 있지 않은 관계로 수임행정기관이 행정규칙의 형식으로 법령의 내용이 될 사항을 구체적으로 정하고 있는 경우, 그러한 행정규칙, 규정은 행정조직 내부에서만 효력을 가질 뿐 대외적인 구속력을 갖지 않는 행정규칙의 일반적 효력으로서가 아니라, 행정기관에 법령의 구체적 내용을 보충할 권한을 부여한 법령규정의 효력에 의하여 그 내용을 보충하는 기능을 갖게 되고, 따라서 당해 법령의 위임한계를 벗어나지 아니하는 한 그것들과 결합하여 대외적인 구속력이 있는 법규명령으로서의 효력을 갖게 된다(대판 1998. 6. 9, 97누19915). ★★★

3-1. 법령상의 어떤 용어가 별도의 법률상의 의미를 가지지 않으면서 일반적으로 통용되는 의미를 가지고 있다면, 상위규범에 그 용어의 의미에 관한 별도의 정의규정을 두고 있지 않고 권한을 위임받은 하위규범에서 그 용어의 사용기준을 정하고 있다 하더라도 하위규범이 상위규범에서 위임한 한계를 벗어났다고 볼 수 없다.

3-2. (법령보충)행정규칙에서 사용하는 개념이 달리 해석할 여지가 있다 하더라도 행정청이 수권의 범위 내에서 법령이 위임한 취지 및 형평과 비례의 원칙에 기초하여 합목적적으로 기준을 설정하여 그 개념을 해석·적용하고 있다면, 개념이 달리 해석할 여지가 있다는 것만으로 이를 사용한 행정규칙이 법령의 위임한계를 벗어났다고는 할 수 없다(대판 2008. 4. 10, 2007두4841).

4. (소득세법령에 따르면 부동산을 양도한 경우 양도차익계산을 기준시가에 의하도록 하면서 투기억제를 위해 필요한 경우 국세청장이 지정하는 거래에 있어서는 실거래가를 적용하여 양도차익을 계산하도록 위임하였으나 그 지정의 절차나 방법에 관해 아무런 제한을 두고 있지 않아서 국세청장이 훈령인 재산제세사무처리규정으로 투기거래유형을 열거한 것과 관련하여) **국세청장훈령인 재산제세조사사무처리규정은 상위법령과 결합하여 법규명령으로서의 효력을 갖는다.** ★★★

   국세청장으로 하여금 양도소득세의 실지거래가액이 적용될 부동산투기억제를 위하여 필요하다고 인정되는 거래를 지정하게 하면서 그 지정의 절차나 방법에 관하여 아무런 제한을 두고 있지 아니하고 있고 이에 따라 국세청장이 재산제세사무처리규정 제72조 제3항에서 양도소득세의 실지거래가액이 적용될 부동산투기억제를 위하여 필요하다고 인정되는 거래의 유형을 열거하고 있으므로 이는 비록 위 재산제세사무처리규정이 국세청장의 훈령형식으로 되어 있다 하더라도 이에 의한 거래지정은 소득세법 시행령의 위임에 따라 그 규정의 내용을 보충하는 기능을 가지면서 그와 결합하여 대외적 효력을 발생하게 된다 할 것이고**06** 그 보충규정의 내용이 위 법령의 위임한계를 벗어났다는 등 특별한 사정이 없는 한 양도소득세의 실지거래가액에 의한 과세의 법령상의 근거가 된다고 할 것이다(대판 1987. 9. 29, 86누484).

5. 노인복지사업지침은 법령의 내용을 보충하면서 그것과 결합하여 법규명령성을 갖는다.

   보건사회부(현 보건복지부)장관이 정한 1994년도 노인복지사업지침은 노령수당의 지급대상자의 선정기준 및 지급수준 등에 관한 권한을 부여한 노인복지법 제13조 제2항, 같은 법 시행령제17조, 제20조 제1항에 따라 보건사회부장관이 발한 것으로서 실질적으로 법령의 규정내용을 보충하는 기능을 지니면서 그것과 결합하여 대외적으로 구속력이 있는 법규명령의 성질을 가지는 것으로 보인다(대판 1996. 4. 12, 95누7727).

기출 체크

☐☐☐☐☐ **01** 「공익사업을 위한 토지 등의 취득 및 보상에 관한 법률」제68조 제3항은 협의취득의 보상액 산정에 관한 구체적 기준을 시행규칙에 위임하고 있고, 위임범위 내에서 동법 시행규칙 제22조는 토지에 건축물 등이 있는 경우에는 건축물 등이 없는 상태를 상정하여 토지를 평가하도록 규정하고 있는데, 이는 대외적 구속력이 없다. (○, ×)　　2014 지방직 9급

☐☐☐☐☐ **02** 상위법령에서 세부사항 등을 시행규칙으로 정하도록 위임하였음에도 이를 고시 등 행정규칙으로 정한 경우 그 행정규칙은 대외적 구속력을 가지는 법규명령으로서 효력이 인정된다. (○, ×) ★★★　2023 국가직 7급

☐☐☐☐☐ **03** 법령의 규정이 특정 행정기관에게 법령내용의 구체적 사항을 정하도록 권한을 부여하여 특정 행정기관이 행정규칙을 정하였으나 그 행정규칙이 상위법령의 위임범위를 벗어났다면, 그러한 행정규칙은 대외적 구속력을 가지는 법규명령으로서의 효력이 인정되지 않는다. (○, ×) ★★★　2022 소방직 9급

☐☐☐☐☐ **04** 법령보충적 행정규칙은 법령의 수권에 의하여 인정되고, 그 수권은 포괄위임금지의 원칙상 구체적·개별적으로 한정된 사항에 대하여 행해져야 한다. (○, ×) ★★★　2019 국가직 7급

☐☐☐☐☐ **05** 행정규칙형식의 법규명령은 통상적인 법규명령과는 달리 포괄적 위임금지의 원칙에 구속받지 아니한다. (○, ×) ★★★　2009 지방직 9급

☐☐☐☐☐ **06** 행정각부의 장이 정하는 고시가 법령에 근거를 둔 것이라면, 그 규정내용이 법령의 위임범위를 벗어난 것이라도 법규명령으로서의 대외적 구속력이 인정된다. (○, ×) ★★★　2023 지방직·서울시 7급

☐☐☐☐☐ **07** 법령에 근거를 둔 고시는 상위법령의 위임범위를 벗어난 경우에도 법규명령으로서 기능한다. (○, ×) ★★★　2018 서울시 9급

6. 「공익사업을 위한 토지 등의 취득 및 보상에 관한 법률」제68조 제3항의 위임에 따라 협의취득의 보상액 산정에 관한 구체적 기준을 정하고 있는 「공익사업을 위한 토지 등의 취득 및 보상에 관한 법률 시행규칙」제22조는 대외적인 구속력을 가진다.

「공익사업을 위한 토지 등의 취득 및 보상에 관한 법률」(이하 '토지보상법'이라 한다) 제68조 제3항은 협의취득의 보상액 산정에 관한 구체적 기준을 시행규칙에 위임하고 있고, 위임범위 내에서 「공익사업을 위한 토지 등의 취득 및 보상에 관한 법률 시행규칙」제22조는 토지에 건축물 등이 있는 경우에는 건축물 등이 없는 상태를 상정하여 토지를 평가하도록 규정하고 있는데, 이는 비록 행정규칙의 형식이나 토지보상법의 내용이 될 사항을 구체적으로 정하여 내용을 보충하는 기능을 갖는 것이므로, 토지보상법 규정과 결합하여 대외적인 구속력을 가진다(대판 2012. 3. 29, 2011다104253).**01**

③ 한편, 판례는 상위법령에서 시행규칙으로 정하도록 형식을 정해서 위임하였음에도 수임기관이 고시 등 행정규칙으로 정한 경우에는 대외적 구속력을 인정하지 않는다.

┏ 관련판례

상위법령에서 세부사항 등을 시행규칙으로 정하도록 위임하였음에도 이를 고시 등 행정규칙으로 정한 경우, 대외적 구속력을 가지는 법규명령으로서 효력을 인정할 수는 없다.**02** ★★★

법령의 규정이 특정 행정기관에게 법령내용의 구체적 사항을 정할 수 있는 권한을 부여하면서 권한행사의 절차나 방법을 특정하지 아니한 경우에는 수임행정기관은 행정규칙이나 규정형식으로 법령내용이 될 사항을 구체적으로 정할 수 있다. 이 경우 행정규칙 등은 당해 법령의 위임한계를 벗어나지 않는 한 대외적 구속력이 있는 법규명령으로서 효력을 가지게 되지만, 이는 행정규칙이 갖는 일반적 효력이 아니라 행정기관에 법령의 구체적 내용을 보충할 권한을 부여한 법령규정의 효력에 근거하여 예외적으로 인정되는 것이다. 따라서 그 행정규칙이나 규정이 상위법령의 위임범위를 벗어난 경우에는 법규명령으로서 대외적 구속력을 인정할 여지는 없다.**03** 이는 행정규칙이나 규정'내용'이 위임범위를 벗어난 경우뿐 아니라 상위법령의 위임규정에서 특정하여 정한 권한행사의 '절차'나 '방식'에 위배되는 경우도 마찬가지이므로, 상위법령에서 세부사항 등을 시행규칙으로 정하도록 위임하였음에도 이를 고시 등 행정규칙으로 정하였다면 그 역시 대외적 구속력을 가지는 법규명령으로서 효력이 인정될 수 없다(대판 2012. 7. 5, 2010다72076).

3. 한 계

행정규칙형식의 법규명령(법령보충적 행정규칙)이 일반적으로 제정될 수 있다고 한다면 국회입법의 원칙 및 법치국가의 원칙에 반하므로 다음과 같은 한계를 준수하여야 한다.

(1) 정당성

법령보충적 행정규칙은 정당성이 있어야 하므로 법규명령의 형식으로 제정되지 않고 행정규칙으로 제정될 현실적인 필요성이 있어야 한다. 즉, 전문적이고 기술적인 사항 또는 빈번하게 개정되어야 하는 구체적인 사항 등에 한하여 인정하여야 한다. 이 경우에도 법령의 수권에 근거하여야 하고, 그 수권은 포괄위임금지의 원칙상 구체적·개별적으로 한정된 사항에 대하여 행하여져야 한다.**04 05**

(2) 위임의 범위를 벗어난 경우

법령보충적 행정규칙이 법령의 위임의 범위를 벗어난 경우 법규명령으로서의 대외적 구속력이 인정되지 않는다는 것이 판례의 입장이다.

┏ 관련판례

1. 행정각부의 장이 정하는 고시가 비록 법령에 근거를 둔 것이라고 하더라도 그 규정내용이 법령의 위임범위를 벗어난 것일 경우에는 법규명령으로서의 대외적 구속력을 인정할 여지는 없다(대결 2006. 4. 28, 2003마715).**06 07** ★★★

정답 01 × 02 × 03 ○ 04 ○ 05 ×
06 × 07 ×

2. 법률의 위임규정 자체가 그 의미 내용을 정확하게 알 수 있는 용어를 사용하여 위임의 한계를 분명히 하고 있는데도 고시에서 그 문언적 의미의 한계를 벗어나면 위임의 한계를 일탈한 것으로서 허용되지 아니한다.01 ★★

그리고 특정 고시가 위임의 한계를 준수하고 있는지를 판단할 때에는, 법률규정의 입법목적과 규정 내용, 규정의 체계, 다른 규정과의 관계 등을 종합적으로 살펴야 하고, 법률의 위임규정 자체가 의미 내용을 정확하게 알 수 있는 용어를 사용하여 위임의 한계를 분명히 하고 있는데도 고시에서 문언적 의미의 한계를 벗어났다든지, 위임규정에서 사용하고 있는 용어의 의미를 넘어 범위를 확장하거나 축소함으로써 위임 내용을 구체화하는 단계를 벗어나 새로운 입법을 한 것으로 평가할 수 있다면, 이는 위임의 한계를 일탈한 것으로서 허용되지 아니한다(대판 2016. 8. 17, 2015두51132).

3. 〔상위법령 등에서 노령수당의 지급대상자를 만 65세 이상의 자로 규정하고 있음에도 불구하고 보건사회부(현 보건복지부)장관이 정한 노인복지사업지침에서 만 70세 이상인 자로 규정한 부분은 위임의 한계를 벗어난 것이어서 무효라고 판시하면서〕 법령보충규칙은 법령의 위임한계 내에서만 효력을 가질 수 있으므로 법령의 위임한계를 벗어난 경우 그러한 법령보충규칙은 무효가 된다. ★★★

법령보충적인 행정규칙, 규정은 당해 법령의 위임한계를 벗어나지 아니하는 범위 내에서만 그것들과 결합하여 법규적 효력을 가지고, 노인복지법 제13조 제2항의 규정에 따른 노인복지법 시행령 제17조, 제20조 제1항은 노령수당의 지급대상자의 연령범위에 관하여 위 법 조항과 동일하게 '65세 이상의 자'로 반복하여 규정한 다음 소득수준 등을 참작한 일정소득 이하의 자라고 하는 지급대상자의 선정기준과 그 지급대상자에 대한 구체적인 지급수준(지급액) 등의 결정을 보건사회부장관에게 위임하고 있으므로, 보건사회부장관이 노령수당의 지급대상자에 관하여 정할 수 있는 것은 65세 이상의 노령자 중에서 그 선정기준이 될 소득수준 등을 참작한 일정소득 이하의 자인 지급대상자의 범위와 그 지급대상자의 최저연령을 법령상의 규정보다 높게 정하는 등 노령수당의 지급대상자의 범위를 법령의 규정보다 축소·조정하여 정할 수는 없다고 할 것임에도, 보건사회부장관이 정한 1994년도 노인복지사업지침은 노령수당의 지급대상자를 '70세 이상'의 생활보호대상자로 규정함으로써 당초 법령이 예정한 노령수당의 지급대상자를 부당하게 축소·조정하였고, 따라서 위 지침 가운데 노령수당의 지급대상자를 '70세 이상'으로 규정한 부분은 법령의 위임한계를 벗어난 것이어서 그 효력이 없다(대판 1996. 4. 12, 95누7727).02

(3) 상위법령에 위배되지 않을 것

법령보충규칙은 법규성을 가지는 것으로 법치행정의 원리상 상위법령에 위반되면 아무런 효력을 발생하지 못한다. 따라서 이러한 법령보충규칙은 무효가 되며 무효인 법령보충규칙에 따라 행해진 처분은 위법한 처분이 된다.

┏ **관련판례**
1. 〔식품위생법 제24조 제1항 제4호는 보건사회부(현 보건복지부)장관이 지정하는 영업 또는 품목에 해당되는 때에는 영업 또는 품목제조의 허가를 할 수 없다고 규정하고 있으며 이를 토대로 제정된 보건사회부 고시인 식품제조영업허가기준은 보존음료수제조업은 제품을 전량 수출하거나 주한 외국인에게만 판매할 경우에만 허가할 수 있도록 규정하였는데, 광천음료수제조업을 영위하는 자가 위 기준을 위반하여 국내판매를 하여 행정청으로부터 받은 과징금 부과처분의 취소를 구한 사건에서〕 보존음료수의 국내판매를 완전히 금지하는 것을 내용으로 하는 보건사회부장관의 고시인 식품제조영업허가기준은 헌법상 기본권인 직업의 자유와 행복추구권을 침해하는 것으로 무효가 된다. ★★
2. 무효인 고시를 근거로 행한 과징금 부과처분은 위법하다(대판 1994. 3. 8, 92누1728).

4. 공포 여부

법규성이 인정된다 하더라도 행정규칙형식으로 제정된 이상 법규명령의 형식과 같이 반드시 공포 등의 절차를 거칠 필요는 없다.03 판례는 원칙적으로 법령보충규칙의 효력발생요건으로 공포나 공표를 요구하고 있지는 않다. 다만, 적당한 방법으로 일반인 또는 관계인에게 표시 또는 통보함으로써 그 효력이 발생한다고 본다.

기출 체크

□□□□□ **01** 고시가 법령의 규정을 보충하는 기능을 가지면서 그와 결합하여 대외적인 구속력이 있는 법규명령으로서의 효력을 가지는 경우에도 그 자체가 법령은 아니고 행정규칙에 지나지 않으므로 적당한 방법으로 이를 일반인 또는 관계인에게 표시 또는 통보함으로써 그 효력이 발생한다. (○, ×)★★ 2019 서울시 1회 7급

□□□□□ **02** 행정규칙은 보통 훈령, 고시, 예규의 형식으로 행하여지며 고유한 서식에 따라야 한다. (○, ×)★★ 2011 국회직 9급

□□□□□ **03** 행정규칙은 그 형식 면에서 문서나 구술 모두 가능하며, 절차 면에서도 일반적으로 따라야 할 법정절차는 없다. (○, ×) 2004 입법고시

□□□□□ **04** 행정규칙도 행정작용의 하나이므로 하자가 있으면 하자의 정도에 따라 무효 또는 취소할 수 있는 행정규칙이 된다. (○, ×)★★ 2018 서울시 1회 7급

□□□□□ **05** 해제조건의 성취는 법규명령과 행정규칙의 공통적 소멸사유이다. (○, ×)★ 2012 지방직 7급

관련판례

법령보충규칙은 상위법령과 결합하여 법규성을 가지나 그 자체가 법규명령은 아니므로 적당한 방법으로 일반인에게 표시 또는 통보함으로써 효력이 발생한다.★★

수입선다변화품목의 지정 및 그 수입절차 등에 관한 1991. 5. 13.자 상공부(현 산업통상자원부) 고시 제91-21호는 그 근거가 되는 대외무역법 시행령 제35조의 규정을 보충하는 기능을 가지면서 그와 결합하여 대외적인 구속력이 있는 법규명령의 효력을 가지는 것으로서 그 시행절차에 관하여 대외무역관리규정은 아무런 규정을 두고 있지 않으나, 그 자체가 법령은 아니고 행정규칙에 지나지 않으므로 적당한 방법으로 이를 일반인 또는 관계인에게 표시 또는 통보함으로써 그 효력이 발생한다(대판 1993. 11. 23, 93도662).**01**

04 | 행정규칙의 성립 · 효력발생요건

❶ 성립요건

1. 주체에 관한 요건

행정규칙은 정당한 권한을 가진 행정기관이 그 권한의 범위 내에서 발할 수 있다.

2. 절차에 관한 요건

특별한 절차가 있는 것은 아니나, 대통령훈령 등 일정한 행정규칙은 관례적으로 법제처의 심사를 받는다.

3. 형식에 관한 요건

행정규칙은 보통 고시, 훈령, 예규 등으로 발령되나 특별한 형식이 있는 것은 아니다.**02** 또한 조문의 형식으로 제정됨이 일반적이나 구술로도 가능하다.**03**

4. 내용에 관한 요건

행정규칙도 행정작용인 이상 상위법령 등에 위반되지 않아야 한다.

❷ 효력발생요건 – 표시

행정규칙은 법규명령과 달리 공포라는 형식이 필요한 것은 아니고 관보 게재, 복사본 교부 등 적당한 방법으로 상대방에게 도달됨으로써 효력이 발생한다. 다만, 대통령훈령, 국무총리훈령은 관보에 의해 기재하는 것이 일반적이다.

05 | 행정규칙의 하자 및 소멸

❶ 행정규칙의 하자

성립 · 효력발생요건 등 적법요건을 갖추지 못한 행정규칙은 하자 있는 행정규칙이 되는데, 이러한 행정규칙은 하자 있는 행정행위가 무효 또는 취소사유가 되는 것과는 달리 무효가 된다는 것이 일반적 견해이다.**04**

❷ 행정규칙의 소멸

유효하게 성립한 행정규칙이라 하더라도 명시적 · 묵시적 폐지, 부관의 성취(종기의 도래, 해제조건의 성취) 등에 의하여 효력을 상실한다.**05**

정답 **01** ○ **02** × **03** ○ **04** × **05** ○(p.184 참조)

06 | 행정규칙의 효력(구속력)

① 내부적 효력

1. 행정규칙은 내부적으로는 구속력이 있으므로 하급행정기관은 행정규칙을 준수할 의무, 즉 복종의무가 있으며, 이를 위반할 경우 **징계책임이나 징계벌을** 받게 된다. 다만, 법령준수의무와의 관계상 훈령 등의 내용이 위법함이 명백한 경우에는 복종을 거부할 수 있다. 그러나 위법함이 명백하지 않은 경우에는 훈령 등을 준수하여야 하며 이에 불복할 경우 징계책임이 인정된다.01

2. 한편 행정규칙의 내용이 상위법령에 위반되는 것이라면, 법질서상 당연무효이고 행정내부적 효력도 인정될 수 없다.

┌ 관련판례

1. 행정기관이 소속 공무원이나 하급행정기관에 대하여 세부적인 업무처리절차나 법령의 해석·적용 기준을 정해 주는 '행정규칙'은 상위법령의 구체적 위임이 있지 않는 한 <u>조직 내부에서만 효력을 가질 뿐 대외적으로 국민이나 법원을 구속하는 효력이 없다.</u>02

2. <u>행정규칙이 이를 정한 행정기관의 재량에 속하는 사항에 관한 것인 때에는 그 규정내용이 객관적 합리성을 결여하였다는 등의 특별한 사정이 없는 한 법원은 이를 존중하는 것이 바람직하다.</u>03

3. 그러나 행정규칙의 내용이 상위법령이나 법의 일반원칙에 반하는 것이라면 법질서상 당연무효이고, 행정내부적 효력도 인정될 수 없다.04 이러한 경우 법원은 해당 행정규칙이 법질서상 부존재하는 것으로 취급하여 행정기관이 한 조치의 당부를 상위법령의 규정과 입법목적 등에 따라서 판단하여야 한다(대판 2020. 5. 28, 2017두66541 ; 대판 2019. 10. 31, 2013두20011).

② 외부적 효력

행정규칙의 외부적 효력이란 행정작용이 행정규칙을 위반했다는 것을 이유로 국민이 행정작용의 위법을 주장할 수 있는지와 행정규칙이 법원(法院)에 대해 재판규범이 되는 것인지에 관한 문제이다. 행정규칙의 외부적 효력, 즉 대외적 구속력에 대해서는 유형별로 검토해 본다.

┌ 관련판례

1. 행정기관 내부의 업무처리지침이나 법령의 해석·적용 기준을 정한 행정규칙은 특별한 사정이 없는 <u>한 대외적으로 국민이나 법원을 구속하는 효력이 없다.</u> 처분이 행정규칙을 위반하였다고 해서 그러한 사정만으로 곧바로 위법하게 되는 것은 아니고, 처분이 행정규칙을 따른 것이라고 해서 적법성이 보장되는 것도 아니다. <u>처분이 적법한지는 행정규칙에 적합한지 여부가 아니라 상위법령의 규정과 입법목적 등에 적합한지 여부에 따라 판단해야 한다</u>(대판 2019. 7. 11, 2017두38874 ; 대판 2021. 10. 14, 2021두39362).

2-1. <u>행정처분이 법규성이 없는 내부지침 등의 규정에 위배된다고 하더라도 그 이유만으로 처분이 위법하게 되는 것은 아니고, 또 내부지침 등에서 정한 요건에 부합한다고 하여 반드시 그 처분이 적법한 것이라고 할 수도 없다.</u>05 ★★★

2-2. <u>처분의 적법 여부는 그러한 내부지침 등에서 정한 요건에 합치하는지 여부가 아니라 일반국민에 대하여 구속력을 가지는 법률 등 법규성이 있는 관계법령의 규정을 기준으로 판단하여야 한다</u>(대판 2018. 6. 15, 2015두40248).

1. 조직규칙

법령의 범위 내에서 행정권의 조직·운용에 관한 사항은 순수하게 내부적인 사항이므로 조직규칙은 내부적 구속력만 갖고 외부적 효력은 없다고 할 것이다.

2. 법령해석규칙(규범해석규칙) ⓐ

법령해석규칙은 원칙적으로 대외적 구속력을 가지지 않는다.01 왜냐하면 법령을 해석하는 최종적 권한은 법원에 있으므로 행정기관의 법령해석이 법원을 구속할 수 없기 때문이다.

3. 재량준칙

(1) 자기구속원칙 등의 매개

① 재량준칙은 그 자체가 직접적으로 법규성이 있는 것은 아니나 재량준칙이 되풀이 시행되어 행정관행이 성립한 경우, 평등의 원칙, 자기구속의 원칙을 매개로 하여 간접적으로 대외적인 구속력을 갖는다는 것이 일반적 견해이다(준법규성설).02

② 즉, 재량준칙에 따른 관행이 성립되어 행정이 자기구속을 받는 경우에 행정청이 합리적 이유 없이 재량준칙에 의해 성립된 관행에 위반된 행위를 하였다면 상대방은 행정규칙 위반이 아니라 자기구속의 원칙 등의 위반을 이유로 위법성을 주장할 수 있다.03

(2) 간접적·외부적 효력

① 이처럼 재량준칙은 직접적으로 외부적 효력을 갖는 것이 아니라 평등원칙 또는 자기구속의 원칙 등을 매개로 하여 간접적으로 외부적 효력을 갖는다고 하는 것이 일반적이다.04

② 한편, 설정된 재량기준(재량준칙)이 객관적으로 합리적이 아니라거나 타당하지 않다고 볼 만한 특별한 사정이 없는 한 행정청의 의사는 존중되어야 한다는 판결이 있다.05 ⓐ 이러한 판례의 태도는 평등원칙을 매개로 재량준칙의 간접적인 대외적 구속력을 인정하는 다수설의 견해와 유사하다. ⓑ

4. 법령보충규칙

(1) 의 의

법령보충규칙이란 법령의 수권에 의해 법령을 구체화하는 사항을 정하는 행정규칙을 의미한다.

(2) 법규성 인정

이의 성질에 대해 법규성을 인정하는 것이 다수설의 입장이다. 대법원 판례도 법규성을 갖는 것으로 보며, 특히 헌법재판소는 이러한 법령보충규칙은 그 자체로서 직접적으로 대외적 구속력을 갖는 것이 아니라06 상위법령(수권법령)과 결합하여 상위법령의 일부가 됨으로써 대외적 구속력을 가지는 것이라고 판시한 바 있다.

┌─ 관련판례 ─────────────────────────────

1. 법령보충적 행정규칙은 그 자체로서 직접적으로 대외적인 구속력을 갖는 것은 아니나 상위법령과 결합되어 일체가 되는 한도 내에서 상위법령의 일부가 됨으로써 대외적 구속력이 발생된다.07 ★★★

   이른바 법령보충적 행정규칙이라도 그 자체로서 직접적으로 대외적인 구속력을 갖는 것은 아니다. 즉, 상위법령과 결합되어 일체가 되는 한도 내에서 상위법령의 일부가 됨으로써 대외적 구속력이 발생되는 것일 뿐 그 행정규칙 자체는 대외적 구속력을 갖는 것은 아니라 할 것이다(헌재 2004. 10. 28, 99헌바91).

☐☐☐☐☐☐ **01** 상급행정기관이 하급행정기관에 대하여 업무처리지침이나 법령의 해석·적용에 관한 기준을 정하여서 발하는 이른바 행정규칙은 일반적으로 행정조직 내부에서의 효력뿐만 아니라 대외적인 구속력도 갖는다. (○, ×) ★★
2011 국가직 9급

☐☐☐☐☐☐ **02** 재량준칙인 경우에는 행정청에 의하여 반복되어 시행되더라도 이는 행정법상 일반원칙에 따른 대외적인 구속력을 가지는 것은 아니다.(○, ×) ★★★
2008 지방직 9급

☐☐☐☐☐☐ **03** 대법원은 재량준칙이 되풀이 시행되어 행정관행이 성립된 경우에는 당해 재량준칙에 자기구속력을 인정한다. 따라서 당해 재량준칙에 반하는 처분은 법규범인 당해 재량준칙을 직접 위반한 것으로서 위법한 처분이 된다고 한다. (○, ×) ★★★
2017 국가직 9급

☐☐☐☐☐☐ **04** 재량준칙은 행정의 자기구속의 법리에 의거하여 간접적으로 대외적 구속력을 갖는다. (○, ×) ★★★
2013 서울시 7급

☐☐☐☐☐☐ **05** 설정된 재량기준이 객관적으로 합리적이 아니라거나 타당하지 않다고 볼 만한 다른 특별한 사정이 없다면 행정청의 의사는 존중되어야 한다. (○, ×) ★
2017 사회복지직 9급

☐☐☐☐☐☐ **06** 이른바 법령보충적 행정규칙은 그 자체로서 직접적으로 대외적인 구속력을 갖는다. (○, ×) ★★★
2018 경행경채

☐☐☐☐☐☐ **07** 법령보충적 행정규칙은 상위법령과 결합하여 그 위임한계를 벗어나지 아니하는 범위 내에서 상위법령의 일부가 됨으로써 대외적 구속력을 발생한다. (○, ×) ★★★
2015 경행특채 2차

판례 | ⓐ 「서울특별시 토지의 형질변경 등 행위허가사무취급요령」(예규)은 법규로서의 효력이 없는 내부의 사무처리준칙에 불과하지만 그 내용이 합리적이고 타당한 규정으로 여겨지는 한 그러한 기준에 따른 처분은 적법하다(대판 1999. 2. 23, 98두17845).

ⓐ 법령보충규칙과 구별하기 바란다.

ⓑ **간접적·외부적 효력**
재량준칙은 평등원칙을 매개로 하여 구속을 갖는 것이므로 합리적인 이유가 있는 경우, 즉 특별한 사정이 있어서 재량준칙을 적용하지 않는 것이 타당하다고 여겨지는 경우에는 예외적으로 재량준칙을 적용하지 않아도 그러한 행정처분은 위법한 처분이 되지 않는다고 보아야 한다.

정답 01 × 02 × 03 × 04 ○ 05 ○
06 × 07 ○

2. 「국토의 계획 및 이용에 관한 법률 시행령」 제56조 제4항에 따라 국토교통부장관이 국토교통부 훈령으로 정한 '개발행위허가운영지침'은 세부적인 검토기준으로 이 지침의 법적 성격은 행정규칙에 불과하여 대외적 구속력이 없다.

   (1) 「국토의 계획 및 이용에 관한 법률 시행령」(이하 '국토계획법 시행령'이라 한다) 제56조 제1항 [별표 1의2] '개발행위허가기준'은 국토계획법 제58조 제3항의 위임에 따라 제정된 대외적으로 구속력 있는 법규명령에 해당한다. 그러나 국토계획법 시행령 제56조 제4항은 국토교통부장관이 제1항의 개발행위허가기준에 대한 '세부적인 검토기준'을 정할 수 있다고 규정하였을 뿐이므로, 그에 따라 국토교통부장관이 국토교통부 훈령으로 정한 '개발행위허가운영지침'은 국토계획법 시행령 제56조 제4항에 따라 정한 개발행위허가기준에 대한 세부적인 검토기준으로, 상급행정기관인 국토교통부장관이 소속 공무원이나 하급행정기관에 대하여 개발행위허가업무와 관련하여 국토계획법령에 규정된 개발행위허가기준의 해석·적용에 관한 세부기준을 정하여 둔 행정규칙(재량준칙)에 불과하여 대외적 구속력이 없다.

   (2) 「국토의 계획 및 이용에 관한 법률」(이하 '국토계획법'이라 한다) 제56조 제1항에 따른 개발행위허가요건에 해당하는지 여부는 행정청의 재량판단의 영역에 속하므로, 그에 대한 사법심사는 행정청의 공익판단에 관한 재량의 여지를 감안하여 원칙적으로 재량권의 일탈이나 남용이 있는지 여부만을 대상으로 하고, 사실오인과 비례·평등의 원칙 위반 여부 등이 그 판단기준이 된다. 또한 행정규칙이 이를 정한 행정기관의 재량에 속하는 사항에 관한 것(재량준칙 즉, 국토교통부장관이 국토교통부 훈령으로 정한 '개발행위허가운영지침')인 때에는 그 규정내용이 객관적 합리성을 결여하였다는 등의 특별한 사정이 없는 한 법원은 이를 존중하는 것이 바람직하다(대판 2023. 2. 2, 2020두43722).

(3) 재위임

판례는 법령보충적 행정규칙의 재위임도 가능한 것으로 본다.

(4) 법령보충적 행정규칙의 사법적 통제

법령보충적 행정규칙은 법규명령과 동일하게 법원 또는 헌법재판소의 통제대상이 된다.ⓐ

5. 집행명령의 성질을 갖는 행정규칙

판례는 개별토지가격합동조사지침에 관한 사건에서 법률의 집행을 위한 절차와 같이 집행명령으로 정해질 수 있는 사항을 법령의 구체적 위임 없이 행정규칙형식으로 정한 경우, 그 행정규칙은 법률의 집행을 위한 집행명령으로서의 성질을 가지며 대외적 구속력을 갖는다고 본 바 있다.

┌ 관련판례 ─
〔국무총리훈령인 개별토지가격합동조사지침에서 개별토지가격결정 절차와 관련하여 산정된 지가의 공개 열람 및 토지소유자 또는 이해관계인의 의견접수를 절차의 하나로 규정하고 있는 것은 「지가공시 및 토지 등의 평가에 관한 법률」(현 「부동산 가격공시에 관한 법률」) 제10조의 시행을 위한 집행명령이라 판시하면서) 개별토지가격합동조사지침은 집행명령으로서 법령보충적 구실을 하는 법규적 성질을 가진다 (대판 1994. 2. 8, 93누111). ⊘★★

6. 정 리

행정규칙의 효력을 검토해 보면 ① 법령보충규칙의 경우에는 우리 판례에 따르면 상위법령과 결합하여 상위법령의 일부가 됨으로써 대외적 구속력을 가지는 것이고, ② 재량준칙의 경우에는 그 자체가 직접적 효력을 가지는 것이 아니라 평등원칙, 자기구속원칙 등을 매개로 간접적 효력을 가지는

기출 체크

□□□□□ **01** 서울특별시가 정한 개인택시운송사업면허지침은 재량권행사의 기준으로 설정된 행정청의 법규명령에 해당한다. (○, ×) ★ 2015 경행특채 1차

□□□□□ **02** 행정청 내부에서의 사무처리지침이 단순히 하급행정기관을 지도하고 통일적 법해석을 기하기 위하여 상위법규 해석의 준거기준을 제시하는 규범해석규칙의 성격을 가지는 것에 불과하다면 그러한 해석기준이 상위법규의 해석상 타당하다고 보여지는 한 그에 따랐다는 이유만으로 행정처분이 위법하게 되는 것은 아니다. (○, ×) 2013 지방직(하) 7급

것에 불과하므로 결국 행정규칙 그 자체에 대해서는 직접적 · 대외적 구속력은 인정되지 않는다고 할 수 있다. 다만, 판례는 앞서 본 바와 같이 행정규칙이 합리적이라면 그러한 기준을 존중하여야 한다고 본다(p.197 참조). 또한 규범해석규칙(법령해석규칙)과 같은 행정규칙의 경우 해석의 기준이 상위법규의 해석상 타당하다고 보여지는 한 그에 따랐다는 이유만으로 처분이 위법하게 되는 것은 아니라고 판시한 바 있다.

▶ 관련판례

1. **훈령은 공법상의 법률관계 내부에서 준거할 준칙 등을 정하는 데 그치고 대외적으로는 아무런 구속력도 가지는 것이 아니다.**

   훈령이란 행정조직 내부에서 그 권한의 행사를 지휘 · 감독하기 위하여 발하는 행정명령으로서 훈령, 예규, 통첩, 지시, 고시, 각서 등 그 사용명칭 여하에 불구하고 공법상의 법률관계 내부에서 준거할 준칙 등을 정하는 데 그치고 대외적으로는 아무런 구속력도 가지는 것이 아니다(대판 1983. 6. 14, 83누54).

2. **서울시가 정한 개인택시운송사업면허지침은 행정청의 내부의 사무처리준칙(행정규칙)에 불과하다.01 ★**

   서울특별시가 정한 개인택시운송사업면허지침은 재량권행사의 기준으로 설정된 행정청의 내부의 사무처리준칙에 불과하므로, 대외적으로 국민을 기속하는 법규명령의 경우와는 달리 외부에 고지되어야만 효력이 발생하는 것은 아니다(대판 1997. 1. 21, 95누12941).

3. **고소사건 기록의 열람 · 등사를 제한하고 있는 검찰보존사무규칙 제22조는 행정기관 내부의 사무처리준칙으로서 행정규칙에 불과하다.**

   검찰보존사무규칙이 검찰청법 제11조에 기하여 제정된 법무부령이기는 하지만, 그 사실만으로 같은 규칙 내의 모든 규정이 법규적 효력을 가지는 것은 아니다. 기록의 열람 · 등사의 제한을 정하고 있는 같은 규칙 제22조는 법률상의 위임근거가 없어 행정기관 내부의 사무처리준칙으로서 행정규칙에 불과하므로, 위 규칙상의 열람 · 등사의 제한을 「공공기관의 정보공개에 관한 법률」 제9조 제1항 제1호의 '다른 법률 또는 법률에 의한 명령에 의하여 비공개사항으로 규정된 경우'에 해당한다고 볼 수 없다(대판 2006. 5. 25, 2006두3049).

4. **법령의 위임 없이 제정한 2006년 교육공무원 보수업무 등 편람은 행정규칙에 불과하고 법규명령의 성질을 가진 것이라고 볼 수 없다**(대판 2010. 12. 9, 2010두16349).

5. **행정청 내부의 사무처리지침에 따랐다는 이유만으로 행정처분이 위법하게 되는 것은 아니라 할 것이다.**

   행정청 내부에서의 사무처리지침이 행정부가 독자적으로 제정한 행정규칙으로서 상위법규의 규정내용을 벗어나 국민에게 새로운 제한을 가한 것이라면 그 효력을 인정할 수 없겠으나, 단순히 행정규칙 중 하급행정기관을 지도하고 통일적 법해석을 기하기 위하여 상위법규 해석의 준거기준을 제시하는 규범해석규칙의 성격을 가지는 것에 불과하다면 그러한 해석기준이 상위법규의 해석상 타당하다고 보여지는 한 그에 따랐다는 이유만으로 행정처분이 위법하게 되는 것은 아니라 할 것이다(대판 1992. 5. 12, 91누8128).**02**

6-1. **행정청이 관계법령이 정하는 바에 따라 고도의 전문적이고 기술적인 사항에 관하여 전문적인 판단을 하였다면, 판단의 기초가 된 사실인정에 중대한 오류가 있거나 판단이 객관적으로 불합리하거나 부당하다는 등의 특별한 사정이 없는 한 존중되어야 한다.**

6-2. **시료채취의 방법 등이 행정규칙에 불과한 고시에서 정한 절차에 위반된다고 하여 그러한 사정만으로 곧바로 그에 기초하여 내려진 행정처분이 위법하다고 볼 수는 없다.**

   (1) 행정청이 관계법령이 정하는 바에 따라 고도의 전문적이고 기술적인 사항에 관하여 전문적인 판단을 하였다면, 판단의 기초가 된 사실인정에 중대한 오류가 있거나 판단이 객관적으로 불합리하거나 부당하다는 등의 특별한 사정이 없는 한 존중되어야 한다. 환경오염물질의 배출허용기준이 법령에 정량적으로 규정되어 있는 경우 행정청이 채취한 시료를 전문연구기관에 의뢰하여 배출허용기준을 초과한다는 검사결과를 회신받아 제재처분을 한 경우, 이 역시 고도의 전문적이고 기술적

정답 01 × **02** ○

인 사항에 관한 판단으로서 그 전제가 되는 실험결과의 신빙성을 의심할 만한 사정이 없는 한 존중되어야 함은 물론이다.

(2) 수질오염물질을 측정하는 경우 <u>시료채취의 방법, 오염물질측정의 방법 등을 정한 구 수질오염공정시험기준은 형식 및 내용에 비추어 행정기관 내부의 사무처리준칙에 불과하므로 일반국민이나 법원을 구속하는 대외적 구속력은 없다. 따라서 시료채취의 방법 등이 위 고시에서 정한 절차에 위반된다고 하여 그러한 사정만으로 곧바로 그에 기초하여 내려진 행정처분이 위법하다고 볼 수는 없고</u>, 관계법령의 규정내용과 취지 등에 비추어 절차상 하자가 채취된 시료를 객관적인 자료로 활용할 수 없을 정도로 중대한지에 따라 판단되어야 한다. 다만 이때에도 시료의 채취와 보존, 검사방법의 적법성 또는 적절성이 담보되어 시료를 객관적인 자료로 활용할 수 있고 그에 따른 실험결과를 믿을 수 있다는 사정은 행정청이 증명책임을 부담하는 것이 원칙이다(대판 2022. 9. 16, 2021두58912).

07 | 행정규칙에 대한 통제

❶ 입법적 통제

국회법 제98조의2에서는 법규명령의 경우와 같이 행정규칙의 제출절차가 규정되어 있다(p.185 참조).01

❷ 사법적 통제

1. 법원에 의한 통제

(1) 구체적 규범통제

법규명령에서 살펴본 바와 같이 행정규칙은 명령·규칙 등 심사권의 대상에서 제외된다는 것이 일반적 견해이다. 다만, 법령보충규칙은 법규성이 인정되므로 구체적 규범통제의 대상이 될 수 있다.

(2) 항고소송의 대상

행정규칙은 원칙적으로 대외적 효력이 인정되지 않으므로 항고소송의 대상이 될 수 없으나,02 예외적으로 국민의 권리·의무에 직접 변동을 가져오는, 즉 처분성을 가지는 경우에는 이론상 항고소송의 대상이 될 수 있다.03

2. 헌법재판소에 의한 통제

행정규칙이 헌법소원의 대상이 될 수 있는지가 문제되나 행정규칙은 일반적으로 행정 내부의 행위로서 국민에게 직접적인 효력이 없으므로 헌법소원의 대상이 될 수 없다. 다만, 법령보충규칙처럼 국민에게 효력이 있는 경우에 이로 인해 직접 국민의 기본권을 침해한다면 헌법소원의 대상이 될 수 있으며, 재량준칙인 행정규칙이 자기구속원칙을 매개로 대외적인 구속력을 갖게 되는 경우 헌법소원의 대상이 될 수 있다.04

┌ 관련판례
1. '청소년유해매체물의 표시방법'에 관한 정보통신부(현 방송통신위원회) 고시는 상위법령과 결합하여 대외적 구속력을 갖는 법규명령으로 기능하는 것으로 헌법소원의 대상이 된다.★★★
　'청소년유해매체물의 표시방법'에 관한 정보통신부(현 방송통신위원회) 고시는 청소년유해매체물을 제공하려는 자가 하여야 할 전자적 표시의 내용을 정하고 있는데, 이는 「정보통신망 이용촉진 및 정보보호 등에 관한 법률」 제42조 및 동법 시행령 제21조 제2·3항의 위임규정에 의하여 제정된 것으로서 국민의 기본권을 제한하는 것인바 상위법령과 결합하여 대외적 구속력을 갖는 법규명령으로 기능하고 있는 것이므로 헌법소원의 대상이 된다(헌재 2004. 1. 29, 2001헌마894).

2. 법령보충규칙 또는 재량준칙이 그 정한 바에 따라 되풀이 시행되어 행정관행이 이룩되게 되면, 평등의 원칙이나 신뢰보호의 원칙에 따라 행정기관은 그 상대방에 대한 관계에서 그 규칙에 따라야 할 자기구속을 당하게 되는 경우에는 대외적인 구속력을 가지게 되며, 이러한 경우에는 헌법소원의 대상이 될 수도 있다.01 02 03 ★★★

행정규칙은 일반적으로 행정조직 내부에서만 효력을 가지는 것이나, 행정규칙이 법령의 규정에 의하여 행정관청에 법령의 구체적 내용을 보충할 권한을 부여한 경우나 재량권행사의 준칙인 규칙이 그 정한 바에 따라 되풀이 시행되어 행정관행이 이룩되게 되면, 평등의 원칙이나 신뢰보호의 원칙에 따라 행정기관은 그 상대방에 대한 관계에서 그 규칙에 따라야 할 자기구속을 당하게 되는 경우에는 대외적인 구속력을 가지게 되는바, 이러한 경우에는 헌법소원의 대상이 될 수도 있다.

경기도교육청의 1999. 6. 2.자 '학교장·교사 초빙제 실시'는 학교장·교사 초빙제의 실시에 따른 구체적 시행을 위해 제정한 사무처리지침으로서 행정조직 내부에서만 효력을 가지는 행정상의 운영지침을 정한 것이어서, 국민이나 법원을 구속하는 효력이 없는 행정규칙에 해당하므로 헌법소원의 대상이 되지 않는다(헌재 2001. 5. 31, 99헌마413).

3. 법령보충규칙에 해당하는 고시의 관계규정에 의하여 직접 기본권침해를 받았다면 헌법재판소법에 따라 헌법소원심판을 청구할 수 있다.04

법령의 직접적인 위임에 따라 위임행정기관이 그 법령을 시행하는 데 필요한 구체적 사항을 정한 것이면, 그 제정형식은 비록 법규명령이 아닌 고시, 훈령, 예규 등과 같은 행정규칙이더라도 그것이 상위법령의 위임한계를 벗어나지 아니하는 한, 상위법령과 결합하여 대외적인 구속력을 갖는 법규명령으로서 기능하게 된다고 보아야 할 것인바, 청구인이 법령과 예규의 관계규정으로 말미암아 직접 기본권침해를 받았다면 이에 대하여 바로 헌법소원심판을 청구할 수 있다(헌재 1992. 6. 26, 91헌마25).05

☐☐☐☐☐ **01** 법령보충적 행정규칙은 물론이고, 재량권행사의 준칙이 되는 행정규칙이 행정의 자기구속원리에 따라 대외적 구속력을 가지는 경우에는 헌법소원의 대상이 될 수 있다. (○, ×) ★★★
2023 국가직 9급

☐☐☐☐☐ **02** 재량권행사의 준칙인 행정규칙이 그 정한 바에 따라 되풀이 시행되어 행정관행이 형성되어 행정기관이 그 상대방에 대한 관계에서 그 행정규칙에 따라야 할 자기구속을 당하게 되는 경우에는 그 행정규칙은 헌법소원의 심판대상이 될 수도 있다. (○, ×) ★★★
2020 국가직 9급

☐☐☐☐☐ **03** 행정규칙이 재량권행사의 준칙으로서 반복적으로 시행됨으로써 평등원칙이나 신뢰보호원칙에 따라 행정기관이 그 규칙에 따라야 할 자기구속을 당하게 되는 경우에는 그 행정규칙은 대외적인 구속력을 갖게 되어 헌법소원의 대상이 된다. (○, ×) ★★★ 2008 국가직 7급

☐☐☐☐☐ **04** 법령보충규칙에 해당하는 고시의 관계규정에 의하여 직접 기본권침해를 받는다고 하여도 이에 대하여 바로 헌법재판소법 제68조 제1항에 의한 헌법소원심판을 청구할 수 없다. (○, ×)
2018 지방직 7급

☐☐☐☐☐ **05** 고시가 상위법령과 결합하여 대외적 구속력을 갖고 국민의 기본권을 침해하는 법규명령으로 기능하는 경우 헌법소원의 대상이 된다. (○, ×)
2020 국가직 7급

❸ 행정적 통제

법규명령과 마찬가지로 상급행정기관은 하급행정기관에 대한 지휘·감독권을 통해 행정규칙을 통제할 수 있다. 행정심판법은 법규명령의 경우와 동일하게 중앙행정심판위원회로 하여금 법령 등의 개선에 대해 통제하도록 규정하고 있다.

01 | 조례

조례는 지방자치단체가 법령의 범위 내에서 그 사무에 관해 지방의회의 의결을 거쳐 제정하는 법규범이다.

02 | 규칙

규칙은 지방자치단체의 장이 법령 또는 조례의 범위 안에서 그의 권한에 속하는 사무에 관해 제정하는 법규범이다.

03 | 교육규칙

교육규칙은 교육감이 법령 또는 조례의 범위 안에서 그 권한에 속하는 사무에 관해 제정하는 법규범이다.

읽기자료 | 규칙

규칙이라는 용어는 다양하게 나타나는바, 정리하면 다음과 같다.

1. **대법원규칙, 선거관리위원회규칙, 헌법재판소규칙**
   대법원, 선거관리위원회, 헌법재판소가 법률의 근거하에서 자신의 업무수행을 위해 제정하는 것으로서 법규명령에 해당하는 것으로 볼 수 있다.

2. **'○○법 시행규칙'**
   법규명령 중 부령으로서 위임명령과 집행명령이 있다.

3. **행정규칙**
   상급행정기관이 하급행정기관의 권한을 통제하기 위해 발하는 것으로 법규성이 없는 것을 말한다.

4. **감사원규칙**
   감사원이 자신의 업무수행을 위해 감사원법에 근거하여 제정하는 것으로서 헌법이 아닌 감사원법이라는 법률에 근거한 것이라는 점에서 법적 성격이 어떠한지가 문제되는데 통설은 법규성을 긍정하고 있다.

5. **규칙, 교육규칙**
   지방의회가 제정하는 조례와 달리 지방자치단체의 장 또는 교육감이 발하는 것으로 자치법규의 일종이다.

[유튜브] 11강 필수 개념 TEST
- QR코드를 스캔해 주세요.
- 필수 개념과 출제 포인트를 풀어 보세요.
- 틀린 문제는 기본서로 확인해 주세요.

행정행위의 의의 및 종류

행정행위와 처분

일반론

- **행정행위의 개념** : 실정법상 인가·허가·면허·결정·재정 등 여러 가지 명칭으로 규정하는 용어들의 공통점을 포괄하는 개념(실정법상 개념이 아니라 학문상 개념으로 정립됨)
- **쟁송법 개념상 처분과 행정행위의 관계** : 이원설(통설)−처분 개념이 행정행위 개념보다 더 넓음.

행정행위의 개념적 요소

- **'행정청'의 행위(행정기본법, 행정절차법, 행정소송법상의 기능적 개념)**
  - **국회사무총장, 지방의회 등도** 일정한 작용(지방의회의원의 징계 등)을 함에 있어서는 행정청이 될 수 있음.
  - **공무수탁 등의 경우** : 공공단체뿐 아니라 일반사인도 공무를 위탁받은 경우에는 행정청이 됨.
  ※ 각종의 징계위원회의 경우 : 행정청에 포함 ×
- **구체적 사실에 관한 행위**
  - 일반처분
    - ▸ 의의 : 구체적 사실과 관련하여 불특정 다수인을 대상으로 하여 발하여지는 행정청의 권력적·단독적 규율행위
    - ▸ 성질 : 일반적·구체적, 행정행위의 유형 중 하나
    - ▸ ⓔ 횡단보도를 설치하여 보행자 통행방법 등을 규제하는 것
- **법적 행위(규율행위)**
  - 외부적 행위
    - ▸ 행정조직의 내부행위(ⓔ 상관의 개별적인 직무명령이나 지시 등)는 행정행위 ×
    - ▸ 다른 행정청의 동의를 얻어 행정행위를 하는 경우에도 동의 그 자체는 외부성이 없으므로 행정행위 ×
  - 상대방에 대해 직접적인 법적 효과가 발생하는 행위
    - ▸ 단순한 사실행위 : 행정행위 ×(ⓔ 도로청소, 도로보수 등)
    - ▸ 행정행위의 효과가 법에 규정되어야 함(판례는 어떠한 처분의 근거가 행정규칙에 규정되어 있다고 하더라도, 그 처분이 상대방의 권리·의무에 직접 영향을 미치는 행위라면, 이 경우에도 항고소송의 대상이 되는 행정처분에 해당한다고 봄).
- **권력적 단독행위로서 공법행위**
  사법(私法)행위, 공법상 계약, 공법상 합동행위 등도 행정행위 ×
- **거부행위**
  - 행정행위의 신청에 대한 거부행위도 행정행위가 됨.
  - 단순한 사실행위의 거부, 사법상 계약체결 요구에 대한 거부 등은 행정행위 ×
  - 거부행위가 항고소송의 대상이 되는 처분이 되기 위해서는 신청인에게 법규상·조리상 신청권 필요

행정행위의 분류기준에 따른 종류

- **법률행위적 행정행위와 준법률행위적 행정행위**
  - 법률행위적 행정행위 : 행정청의 의사표시를 구성요소로 함. 그 표시된 효과의사의 내용에 따라 법적 효과 발생
  - 준법률행위적 행정행위 : 행정청의 의사표시 이외의 정신작용을 구성요소로 함. 법규가 정한 바에 따라 법적 효과 발생
- **기속행위와 재량행위**

- **수익적 행정행위와 침익적 행정행위**

구 분	수익적 행정행위	침익적 행정행위
법률의 유보	법률유보가 완화됨.	법률유보가 엄격함.
신청(협력을 요하는 행정행위)	신청을 전제로 함이 보통임(협력을 요하는 행정행위).	신청과 무관함(일방적 행정행위).
절차적 통제	절차적 통제가 완화됨.	절차적 통제가 엄격함.
부관	부관과 친함.	비교적 거리가 멂.
직권취소·철회	신뢰보호원칙 등으로 취소·철회가 제한됨.	원칙적으로 제한이 없음.
강제집행	개념상 강제집행과는 무관함.	강제집행이 따를 수 있음.

- **대인적 행정행위와 대물적 행정행위**

대인적 행정행위	대물적 행정행위
행정행위 상대방의 주관적 사정을 고려 : 운전면허, 의사면허 − 이전 불가(일신전속적)	그 행위의 대상인 물건이나 시설의 객관적 사정을 고려 : 자동차검사, 건축물의 준공검사 − 명문규정 없이도 이전 가능

  - 구 국민건강보호법에 따른 요양기관 업무정지처분은 요양기관 업무 자체에 대한 것으로서 대물적 처분임. 따라서 속임수나 그 밖의 부당한 방법으로 보험자에게 요양급여비용을 부담하게 한 요양기관이 폐업한 경우, 그 요양기관 및 폐업 후 그 요양기관의 개설자가 새로 개설한 요양기관에 대하여 업무정지처분을 할 수는 없음(판례).
- **적극적 행정행위(ⓔ 허가, 특허 등)와 소극적 행정행위(ⓔ 건축허가 신청반려행위)**

제3자효적 행정행위

상대방에게 이익을 주고 제3자에게는 불이익을 주거나, 상대방에게 불이익을 주고 제3자에게는 이익을 주는 행정행위(ⓔ 화장장 설치허가, 연탄공장 건축허가)

기속행위와 재량행위, 불확정개념과 판단여지

기속행위 · 재량행위

구별기준

효과 재량설	• 재량행위 : 법적 효과가 수익적 • 기속행위 : 법적 효과가 침익적
통 설	• 법문언기준설 : 1차적으로 법규정의 표현을 기준. 단, 규정방식이 명확하지 않은 경우 입법목적 · 취지뿐만 아니라 행위의 성질을 종합적으로 고려하여 판단 • 허가의 경우 원칙적 기속행위, 특허는 재량행위
판 례	• 원칙 : 일률적으로 규정 지을 수 없고, 당해 처분의 근거가 규정형식이나 체제 또는 문언에 따라 개별적으로 판단하여야 함. • 보충적 기준(효과재량설) : 수익적 행정처분은 법령에 행정처분의 요건에 관하여 일의적으로 규정되어 있지 아니한 이상 행정청의 재량행위에 속함.

의 의

- **기속행위** : 법규에서 정한 요건이 충족되면 행정청이 반드시 어떠한 행위를 발하거나 발하지 말아야 하는 행위
- **재량행위** : 선택가능성을 행정청에 부여
  - 필요성 : 구체적 타당성이 있는 행정권의 행사 가능, 개별적 정의 실현
  - 유형 : 결정재량, 선택재량
  - 재량행사의 기준 : 행정청은 재량이 있는 처분을 할 때에는 관련이익을 정당하게 형량하여야 하며, 그 재량권의 범위를 넘어서는 안 됨(행정기본법 제21조).

구별실익

구 분	기속행위	재량행위
법원의 통제	행정권행사에 잘못이 있는 경우는 곧바로 위법한 행위가 됨. ⇨ 법원의 통제 가능	재량권의 한계를 넘지 않는 한 재량을 그르친 경우 부당한 행위임. ⇨ 법원에 의해 통제 ×
사법심사의 방식	법원이 독자적인 결론을 도출한 후 행정청의 판단과 비교	법원이 독자적 결론을 도출함이 없이 행정청의 행위에 재량권의 일탈 · 남용이 있는지를 심사
부관의 허용성	• 종래 통설(전통적 견해) : 법률에 근거가 없는 한 부관을 붙일 수 없음. • 최근의 다수설 : 요건충족적 부관은 붙일 수 있음.	통설 및 판례 : 법률에 근거가 없더라도 부관을 붙이는 것은 가능함.
요건충족에 따른 효과의 부여	원칙적으로 법에 정해진 효과를 부여해야 함.	요건이 충족되어도 공익과 이익형량을 통해 법에 정해진 효과를 부여하지 않을 수 있음.
	귀화신청인이 구 국적법에서 정한 귀화요건을 갖추지 못한 경우, 법무부장관은 귀화 허부에 관한 재량권을 행사할 여지없이 귀화불허처분을 하여야 함(판례).	
판 례	• 국유재산법상 무단점유자에 대한 변상금 부과 • 난민협약이 정한 난민인정 • 육아휴직 중 국가공무원법에 따른 복직명령	• 구 자동차운수사업법에 의한 자동차운송사업면허 • 개발제한구역 내의 건축물의 용도변경허가 • 「야생생물 보호 및 관리에 관한 법률」상의 용도변경 승인행위 • 재외동포에 대한 사증발급 • 여객자동차운송사업의 한정면허(신규발급, 갱신결정) • 가축분뇨법에 따른 가축분뇨 처리방법 변경허가

재량권의 한계

- **재량** : 의무에 합당한 재량을 의미
- **재량의 하자** : 재량권의 일탈 · 남용이 있으면 재량의 하자가 있게 되어 위법한 행정행위가 됨. ⇨ 사법심사의 대상 ○
  - 행정청의 재량에 속하는 처분이라도 재량권의 한계를 넘거나 그 남용이 있는 때에는 법원이 이를 취소할 수 있음(행정소송법 제27조).

재량하자의 유형

일탈(유월)	법률의 외적 한계를 넘어 재량권이 행사된 경우(법률에서 정한 액수 이상의 과태료를 부과한 행위 등)
남용	• 평등의 원칙 위반 • 비례의 원칙 위반 • 사실의 오인 : 사실의 존부에 대한 판단에는 재량권이 인정될 수 없으므로 사실을 오인하여 재량권을 행사한 경우 ⇨ 위법 • 부당결부금지의 원칙 위반 • 행정청이 어떤 면허신청에 대하여 이미 설정된 면허기준을 구체적으로 적용함에 있어서 그 해석상 면허발급의 우선순위에 해당함이 명백함에도 불구하고 이를 제외시켜 면허거부처분을 하였다면 특별한 사정이 없는 한 재량권을 남용한 위법한 처분임(판례).
재량권의 불행사	• 재량을 불행사한 행정행위 ⇨ 위법 • 재량권 불행사는 그 자체로 재량권 일탈 · 남용으로 해당 처분을 취소하여야 할 위법사유가 됨(판례).
재량권의 해태	재량을 행사할 때 고려하여야 할 사항을 충분히 고려하지 않은 경우 ─ 과징금의 임의적 감경사유가 있음에도 이를 전혀 고려하지 않거나 감경사유에 해당하지 않는다고 오인하여 과징금을 감경하지 않은 경우, 그 과징금 부과처분은 재량권을 일탈 · 남용한 위법한 처분임(판례).

재량권에 대한 사법적 통제

- 재량행위가 위법하다는 이유로 소송이 제기된 경우 법원은 각하할 것이 아니라 본안심리를 진행하여 일탈 · 남용이 있으면 인용판결, 그렇지 않으면 청구를 기각
- 처분에 전문성 · 기술성 · 자율성 · 정책성 또는 강한 공익성 등이 있는 경우 재량권 일탈 · 남용의 인정을 신중히 하여야 함(판례).

불확정개념과 판단여지

불확정개념

법규의 '요건'부분에 사용된 추상적이며 다의적인 개념

판단여지 개념

- 법규의 요건부분에 불확정개념이 사용된 경우 이를 해석 · 적용하는 것은 법률작용으로서 원칙적으로 법원의 심사대상
- 단, 일정한 범위 내 행정의 전문적 · 정책적 판단은 존중되며, 그 한도에서 법원의 사법심사가 제한되는바, 이를 판단여지라 함.

판단여지론의 인정 여부

학 설	• **부정설** : 법규정은 요건과 효과규정을 엄격하게 구분할 수 없으므로 사법심사가 제한되는 경우 모두 재량이라는 단일한 개념으로 파악하면 된다는 견해 • **긍정설**(재량과 판단여지를 구분하는 견해) : 판단여지는 법률요건의 포섭단계에서 관련되는 문제, 재량은 법률효과의 결정 내지 선택과 관련되는 문제라고 보는 입장
판 례	• 판단여지론을 부정하며 판단여지로 논의되는 부분을 재량으로 봄. • 행정청의 전문적인 정성적 평가 결과는 특별한 사정이 없는 한 존중되어야 함.

인정영역

예측적 결정, 비대체적 결정, 구속적 가치평가, 형성적 · 정책적 결정

한 계

판단여지가 인정되는 경우에도 일정한 한계를 벗어나면 사법심사의 대상이 됨.

초대 Topic 15 핵심집약 Topic 22

❶ 행정소송법 제2조【정의】① 이 법에서 사용하는 용어의 정의는 다음과 같다.

1. '처분 등'이라 함은 행정청이 행하는 구체적 사실에 관한 법집행으로서의 공권력의 행사 또는 그 거부와 그 밖에 이에 준하는 행정작용(이하 '처분'이라 한다) 및 행정심판에 대한 재결을 말한다. (이하 생략)

ⓐ 우리 법률규정에서는 처분이라고 규정되어 있으나 이를 행정처분으로 표현해도 동일한 의미이다. 이 책에서는 문맥에 따라 처분 또는 행정처분으로 표기하고 있는바, 수험생들은 양자를 동일한 의미로 이해하면 된다.

01 | 행정행위와 처분

❶ 일반론

1. 학문상 개념

행정행위는 우리나라의 경우 실정법상의 개념이 아니라 학문상의 개념으로 정립된 것이다.01 실정법상으로는 학문상의 행정행위에 해당하는 것을 인가 · 허가 · 면허 · 결정 · 재정 등 여러 가지의 명칭으로 규정하고 있는데, 이러한 용어들의 공통점을 포괄하는 개념이 행정행위이다.

2. 쟁송법 개념상 처분과 행정행위의 관계

(1) 소송법상 처분 개념❶

독일에서는 학문상의 행정행위 개념을 바탕으로 행정절차법에서 행정행위라는 개념을 정의하고 이를 행정소송의 대상으로 규정하고 있다. 이에 반해 우리 행정소송법에서는 취소소송 등 항고소송의 대상을 '처분 등'이라고 규정하고 있으므로 처분ⓐ과 행정행위의 개념이 동일한 것인지 문제된다.

(2) 학설의 태도

① 이원설(二元說)

처분 개념은 '그 밖에 이에 준하는 작용'을 포함하는 것으로서 행정행위보다 더 넓은 개념이라는 견해이다.02 우리 행정소송법은 취소소송 중심으로 규정되어 있으므로 국민의 권익구제를 위해 처분 개념을 확대하는 것이 타당하다는 점을 논거로 하며, 이 설이 통설의 입장이다. 다만, 무엇이 그 밖에 이에 준하는 작용에 포함되는지는 개별적으로 판단되어야 하는바, 일반적으로 권력적 사실행위, 처분적 조례 등이 포함된다고 한다.

② 일원설(一元說)

처분이라는 단일개념에 행정행위 이외의 다양한 행정작용을 포함시킨다는 것은 문제가 있다는 점에서 쟁송법상 처분의 개념과 행정행위의 개념이 동일하다는 견해이다.

❷ 행정행위의 개념적 요소

통설에 따르면 행정행위란 행정청이 법 아래에서 구체적 사실에 관한 법집행으로 행하는 권력적 단독행위로서 공법행위를 의미하는데, 행정행위의 개념요소를 분석하면 다음과 같다.

1. '행정청'의 행위

(1) 기능적 개념

행정청이란 행정조직법상의 개념이 아닌 기능면에서 파악한 개념으로서 사인 등도 공무를 위탁받아 수행하는 한 행정청의 개념에 포함될 수 있는바, 우리 실정법(행정기본법, 행정절차법, 행정소송법)도 행정청의 개념을 기능면에서 규정하고 있다.❶

(2) 국회 등의 기관

기능면에서 파악한 개념이므로 국회사무총장, 법원행정처장 등도 직원임명 등의 행위를 하는 경우에는 행정청이 될 수 있다. 또한 지방의회, 지방자치단체장 등도 일정한 작용(지방의회의원의 징계 등)을 함에 있어서는 행정청이 될 수 있다.

(3) 공무수탁 등의 경우

한국토지주택공사, 한국자산관리공사(구 성업공사) 등의 **공공단체뿐 아니라** 일반사인도 공무를 위탁받은 경우에는 행정청으로서 행정행위를 할 수 있다.01

> **┏ 관련판례**
> 교통안전공단 등 공공단체도 공무를 수탁받은 경우 행정청이며 교통안전공단이 구 교통안전공단법에 의거하여 분담금 납부의무자에 대하여 한 분담금 납부통지는 행정처분이다(대판 2000. 9. 8, 2000다12716).02 ★★★

2. 구체적 사실에 관한 행위

행정행위는 구체적 사실에 관한 법집행행위이므로 행정청에 의한 일반적·추상적 규율인 법령제정작용은 그 자체만으로 아직 개인에게 구체적인 법률효과를 발생시키지 않으므로 행정행위가 아니다.03 한편 구체적인 규율은 수범자가 특정인인지, 불특정 다수인인지에 따라 다음과 같이 구분할 수 있다.

(1) 개별·구체적 행위

가장 전형적인 행정행위로서 특정인에게 특정사안에 대해 규율하는 것을 말한다. 예컨대, 특정인 갑(甲)에게 2023년도분의 소득세를 부과하는 것을 들 수 있다.

(2) 일반처분(일반·구체적 행위)

① 의의
일반처분이란 구체적 사실과 관련하여 불특정 다수인을 대상으로 하여 발하여지는 행정청의 권력적·단독적 규율행위를 말한다. 일반처분은 일반적이기는 하나 구체적인 법적 효과를 가져오는 행위인 점에서 일반적일 뿐만 아니라 추상적인 성격을 갖는 법규명령과 구별된다. 일반처분의 예로는 특정일 또는 특정 장소의 집회행위금지조치, 통행금지조치 등을 들 수 있다.04 05

② 일반처분의 성질
일반처분은 규율의 수범자가 불특정 다수인이라는 점에서는 일반적이나, 그 규율대상이 시간·공간 등의 관점에서 특정된다는 점에서는 구체성을 가진다. 이러한 일반처분도 행정행위의 한 유형으로 보는 것이 통설·판례의 입장이다.06

> **┏ 관련판례**
> 지방경찰청장(현 시·도경찰청장)이 횡단보도를 설치하여 보행자의 통행방법 등을 규제하는 것은, 행정청이 특정사항에 대하여 의무의 부담을 명하는 행위이고 이는 국민의 권리·의무에 직접 관계가 있는 행위로서 행정처분이라고 보아야 할 것이다(다만, 동 판결은 횡단보도설치행위에 대해 처분성을 긍정하면서도 횡단보도가 설치

기출 체크

☐☐☐☐☐ **01** 행정권한을 위임받은 사인도 행정청으로서 행정행위를 할 수 있다. (○, ×) ★★★　　2015 서울시 9급

☐☐☐☐☐ **02** 교통안전공단이 구 교통안전공단법에 의거하여 교통안전분담금 납부의무자에게 한 분담금납부통지는 행정처분이 아니다. (○, ×) ★★★　　2014 국가직 9급

☐☐☐☐☐ **03** 행정행위는 행정청이 행하는 구체적 사실에 관한 법집행작용이라는 점에서 행정청에 의한 법의 제정작용은 행정행위가 아니다. (○, ×) ★★　　2007 국회직 8급

☐☐☐☐☐ **04** 특정 장소에의 통행금지와 같은 불특정 다수인에 대한 규율행위는 행정행위에 해당한다. (○, ×) ★★　　2009 관세사

☐☐☐☐☐ **05** 다음과 같은 규율 내용의 법적 성격은? ★★　　2009 지방직 9급

> 2007년 독일에서 개최된 G8 정상회담 당시, 독일정부는 회담기간 중 행사장 주변지역에서의 모든 옥외집회를 금지하였다.

① 개별적·구체적 규율
② 개별적·추상적 규율
③ 일반적·구체적 규율
④ 일반적·추상적 규율

☐☐☐☐☐ **06** 구체적 사실을 규율하는 경우라도 불특정 다수인을 상대방으로 하는 처분이라면 행정행위가 아니다. (○, ×) ★★★　　2016 서울시 9급

❶ 행정기본법 제2조【정의】 이 법에서 사용하는 용어의 뜻은 다음과 같다.
2. '행정청'이란 다음 각 목의 자를 말한다.
　가. 행정에 관한 의사를 결정하여 표시하는 국가 또는 지방자치단체의 기관
　나. 그 밖에 법령 등에 따라 행정에 관한 의사를 결정하여 표시하는 권한을 가지고 있거나 그 권한을 위임 또는 위탁받은 공공단체 또는 그 기관이나 사인(私人)

행정절차법 제2조【정의】 이 법에서 사용하는 용어의 뜻은 다음과 같다.
1. '행정청'이란 다음 각 목의 자를 말한다.
　가. 행정에 관한 의사를 결정하여 표시하는 국가 또는 지방자치단체의 기관
　나. 그 밖에 법령 또는 자치규규(이하 '법령 등'이라 한다)에 따라 행정권한을 가지고 있거나 위임 또는 위탁받은 공공단체 또는 그 기관이나 사인(私人)

정답 **01** ○ **02** × **03** ○ **04** ○
05 ③(이른바 일반처분에 해당하는 것으로서 일반처분은 일반적·구체적 규율로서의 성격을 가진다)
06 ×

ⓐ 한편 이와 비교하여 기존 횡단보도 존치결정은 내부행위로 보아 행정처분성을 부정하는 것이 판례의 입장이다(대판 2000. 10. 24, 99두1144).

ⓑ 외국인에 대한 조치도 행정행위의 개념요소를 구비하면 행정행위가 된다(예 귀화허가).

된 도로 인근에서 영업활동을 하는 자의 원고적격을 부정한 바 있다).01 ⓑ ★★★

도로교통법 제24조 제1항은 모든 차의 운전자는 보행자가 횡단보도를 통행하고 있는 때에는 그 횡단보도 앞에서 일시정지하여 보행자의 횡단을 방해하거나 위험을 주어서는 아니 된다고 …… 규정하는 도로교통법의 취지에 비추어 볼 때, 지방경찰청장(현 시·도경찰청장)이 횡단보도를 설치하여 보행자의 통행방법 등을 규제하는 것은, 행정청이 특정사항에 대하여 의무의 부담을 명하는 행위이고 이는 국민의 권리·의무에 직접 관계가 있는 행위로서 행정처분이라고 보아야 할 것이다(대판 2000. 10. 27, 98두8964).

3. 법적 행위(규율행위)

행정행위는 사실행위가 아닌 법적 행위인바, 법적 행위란 외부적으로 직접적인 법적 효과(권리·의무의 발생, 변경, 소멸)를 가지는 것을 의미하는데, 이를 나누어 살펴보면 다음과 같다.

(1) 외부적 행위

행정행위는 행정청이 국민 등 ⓑ 행정의 상대방에게 하는 행위이므로 행정조직의 내부행위(예 상관의 개별적인 직무명령이나 지시 등)는 행정행위가 아니다.02 또한, 다른 행정청의 동의를 얻어 행정행위를 하는 경우에도 다른 행정청의 동의 그 자체는 외부성이 없으므로 행정행위가 아니다.03

> **관련판례**
>
> **상급행정기관의 지시는 일반적으로 행정조직 내부에서만 효력을 가질 뿐 대외적으로 국민이나 법원을 구속하는 효력이 없다.**
>
> 상급행정기관이 소속 공무원이나 하급행정기관에 대하여 업무처리지침이나 법령의 해석·적용 기준을 정해 주는 '행정규칙'은 일반적으로 행정조직 내부에서만 효력을 가질 뿐 대외적으로 국민이나 법원을 구속하는 효력이 없다. 처분이 행정규칙을 위반하였다고 해서 그러한 사정만으로 곧바로 위법하게 되는 것은 아니고, 처분이 행정규칙을 따른 것이라고 해서 적법성이 보장되는 것도 아니다. 처분이 적법한지는 행정규칙에 적합한지 여부가 아니라 상위법령의 규정과 입법목적 등에 적합한지 여부에 따라 판단해야 한다. 상급행정기관이 소속 공무원이나 하급행정기관에 하는 개별·구체적인 지시도 마찬가지이다.
> 대외적으로 처분권한이 있는 처분청이 상급행정기관의 지시를 위반하는 처분을 하였다고 해서 그러한 사정만으로 처분이 곧바로 위법하게 되는 것은 아니고, 처분이 상급행정기관의 지시를 따른 것이라고 해서 적법성이 보장되는 것도 아니다. 처분이 적법한지는 상급행정기관의 지시를 따른 것인지 여부가 아니라, 헌법과 법률, 대외적으로 구속력 있는 법령의 규정과 입법목적, 비례·평등원칙과 같은 법의 일반원칙에 적합한지 여부에 따라 판단해야 한다(대판 2019. 7. 11, 2017두38874)(p.205 행정규칙 참조).

(2) 상대방에 대해 직접적인 법적 효과가 발생하는 행위

① 단순한 사실행위의 경우

행정행위는 외부에 대하여 직접적인 법적 효과가 발생하는 행위이어야 한다. 따라서 그 자체로는 아무런 법적 효과를 발생시키지 않는 단순한 조사, 도로청소나 도로보수 등을 하는 행위는 사실행위일 뿐이며 행정행위가 아니다.04

> **관련판례**
>
> **건설부(현 국토교통부)장관이 행한 국립공원지정처분에 따라 공원관리청이 행한 경계측량 및 표지의 설치 등은 공원구역의 효율적인 보호·관리를 위하여 이미 확정된 경계를 인식·파악하는 사실상의 행위로 행정처분이 아니다.05 ★★**
>
> 건설부장관이 행한 국립공원지정처분은 그 결정 및 첨부된 도면의 공고로써 그 경계가 확정되는 것이고, 시장이 행한 경계측량 및 표지의 설치 등은 공원관리청이 공원구역의 효율적인 보호·관리를 위하여 이미 확정된 경계를 인식·파악하는 사실상의 행위로 봄이 상당하며, 위와 같은 사실상의 행위를 가리켜 공

권력행사로서의 행정처분의 일부라고 볼 수 없고, 이로 인하여 건설부장관이 행한 공원지정처분이나 그 경계에 변동을 가져온다고 할 수 없다(대판 1992. 10. 13, 92누2325).

② 법에 규정된 효과

　　㉠ 행정행위는 법적 효과를 발생시키는 행위이므로 그 효과가 법령에 규정되어 있어야 하는 것이 일반적이다.

　　㉡ 한편 판례는 어떠한 처분의 근거가 행정규칙에 규정되어 있다고 하더라도, 그 처분이 상대방의 권리 · 의무에 직접 영향을 미치는 행위라면, 이 경우에도 항고소송의 대상이 되는 행정처분에 해당한다고 본다(p.828 참조).

4. 권력적 단독행위로서 공법행위

행정행위는 행정청이 우월한 지위에서 일방적 의사로 행하는 공법상의 행위를 의미한다. 따라서 행정청이 물품을 구매하는 등의 **사법**(私法)행위는 물론 일방적 의사가 아닌 **공법상 계약, 공법상 합동행위** 등도 행정행위가 아니다. ⓐ 다만, 행정행위가 공법상의 행위라는 것은 그 행위의 근거가 공법적이라는 것이지 행위의 효과까지 공법적이라는 것을 의미하는 것은 아니다. 01 02 ⓑ

5. 거부행위

(1) 일반론

① 행정행위의 신청에 대한 거부행위도 행정행위가 된다.

② 다만, 단순한 사실행위의 거부, 사법(私法)상 계약체결 요구〔⑩ 일반재산(개정 전 잡종재산) 임대신청〕에 대한 거부 등은 행정행위가 아니다.

③ 특히, 통설 · 판례는 거부행위가 항고소송의 대상이 되는 처분이 되기 위해서는 상대방에게 법규상 또는 조리상 신청권이 있어야 한다고 보고 있다.

(2) 묵시적 거부

① 가능성

신청인에 대해 직접 거부의 의사표시를 하지 않더라도 일정한 경우에는 묵시적 거부처분이 있는 것으로 봄이 판례의 태도이다. 예컨대, 검사지원자 중 임용대상자에 대한 의사표시는 동시에 임용대상에서 제외한 자에 대한 임용거부의 의사표시를 한 것으로 볼 수 있다고 한다.

② 효력발생시기

이러한 경우 임용거부의 의사표시는 본인에게 직접 고지되지 않았다고 하여도 본인이 이를 알았거나 알 수 있었을 때에 효력이 발생한다고 한다.

┌ **관련판례** ─

1. 검사 지원자 중 한정된 수의 임용대상자에 대한 임용결정만을 하는 경우 임용대상에서 제외된 자에 대하여 임용거부의 소극적 의사표시를 한 것으로 본다.
2. 임용거부의 의사표시는 본인에게 직접 고지되지 않았다고 하여도 본인이 이를 알았거나 알 수 있었을 때에 그 효력이 발생된다(대판 1991. 2. 12, 90누5825).

ⓐ 행정행위를 "행정청이 법 아래에서 구체적 사실에 관한 법집행으로서 행하는 공법적 행위"로 정의하는 견해도 있는데 이 견해에 따르면 비권력적 행위인 공법상 계약, 공법상 합동행위도 행정행위에 포함되게 된다. 그러나 현재 이러한 주장을 하는 학자는 없다.

ⓑ 예컨대, 광업법에 의한 광업권설정의 경우 공법에 따른 행위로서 행정행위인데 광업법에 따르면 광업권에 대해서는 광물을 채굴할 수 있는 토지 등에 대해 민법상의 권리 규정을 적용하도록 하고 있다. 따라서 광업권설정의 상대방에게는 민법상의 권리, 즉 사법상의 법률효과가 발생한다. 또한 수산업법은 공법으로서 수산업법에 따른 어업권 설정행위는 공법에 근거한 행위인데 그에 따른 법적 효과인 어업권은 사권의 성질을 가진다(p.266 참조).

ⓐ **준법률행위적 행정행위**
확인의 일종인 발명특허의 경우 행정청은 발명특허를 출원한 자의 제품이 발명특허의 요건을 갖춘 것인지를 '판단'할 뿐이고, 발명특허를 받은 경우 출원인의 권리·의무는 행정청의 '의사'와는 무관하게 특허 '법령'에 규정된 대로 발생하게 된다. 자세한 내용은 제13강에서 살펴본다.

ⓑ 종래의 통설은 준법률행위적 행정행위의 법적 효과는 행정청의 의사가 아니라 법률에 의해 정해지므로 준법률행위적 행정행위의 법적 효과를 결정함에 있어 행정청에게 재량권이 인정될 수 없다고 하였다. 그러나 오늘날의 다수설은 재량행위와 기속행위는 관계법규정의 문언에 따라 구별되는 것이지 법률행위적 행정행위인지 준법률행위적 행정행위인지는 아무런 관계가 없다고 본다.

02 | 행정행위의 분류기준에 따른 종류

❶ 법률행위적 행정행위와 준법률행위적 행정행위

법률효과의 발생원인에 따른 분류이다.

1. 개 념

(1) 법률행위적 행정행위란 행정청의 의사표시(효과의사)를 구성요소로 하고 그 표시된 효과의사의 내용에 따라 일정한 법적 효과가 발생하는 행위를 말한다.

(2) 이에 반해 준법률행위적 행정행위란 행정청의 의사표시(효과의사) 이외의 정신작용(판단, 인식 등)을 구성요소로 하고 행위자의 의사와는 무관하게 법규가 정한 바에 따라 법적 효과가 발생하는 행위를 의미한다.01 ⓐ

2. 구별실익 ⓑ

종래 통설은 법률행위적 행정행위에는 부관을 붙일 수 있으나 준법률행위적 행정행위에는 부관을 붙일 수 없다고 보았다. 그런데 오늘날의 다수설은 부관의 가능성은 개별적으로 검토하여야 한다는 전제에서 법률행위적 행정행위라도 귀화허가 등의 경우에는 부관을 붙일 수 없고, 준법률행위적 행정행위인 공증에는 기한 등과 같은 부관을 붙일 수 있다고 한다(제14강 참조).

❷ 기속행위와 재량행위

기속행위란 행정청에 어떤 행정행위를 할 수도 있고, 하지 않을 수도 있는 자유가 인정되는 것이 아니라, 법이 정하는 요건이 충족되면 일정한 행위를 반드시 하거나 해서는 안 되는 행정행위를 말한다. 이에 반해 재량행위란 행정법규가 행정청에 일정한 한도 내에서 재량권을 부여한 행위를 말한다(p.227 참조).

❸ 수익적·침익(침해·부담)적·복효적 행정행위

1. 수익적 행정행위와 침익적 행정행위

(1) **수익적 행정행위**

상대방에 대해 권리·이익을 부여하거나 혹은 권리의 제한을 폐지하는 등 유리한 효과를 발생시키는 행정행위를 말하며, 허가·특허·면제·인가·부담적 행정행위의 취소 등을 들 수 있다.

(2) **침익적 행정행위**

권리를 제한하고 의무를 과하는 등 상대방에게 불리한 효과를 발생시키는 행정행위를 말하며, 하명, 수익적 행정행위의 취소·철회 등을 들 수 있다. 수익적 행정행위와 침익적 행정행위는 그 성격상 일정한 차이가 있다.

수익적 행정행위와 침익적 행정행위

구 분	수익적 행정행위	침익적 행정행위
법률의 유보	법률유보가 완화된다.	법률유보가 엄격하다.
신청(협력을 요하는 행정행위)	신청을 전제로 함이 보통이다(협력을 요하는 행정행위).	신청과 무관하다(일방적 행정행위).
절차적 통제	절차적 통제가 완화된다.	절차적 통제가 엄격하다.
부 관	부관과 친하다.	비교적 거리가 멀다.
취소·철회	신뢰보호원칙 등으로 취소·철회가 제한된다.	원칙적으로 제한이 없다.
강제집행	개념상 강제집행과는 무관하다.	강제집행이 따를 수 있다.
구제수단 (제6편 참조)	• 수익적 행정행위의 거부 : 의무이행심판 또는 거부처분취소소송 • 수익적 행정행위의 부작위 : 의무이행심판 또는 부작위위법확인소송	취소심판 또는 취소소송

2. 복효적 행정행위

복효적 행정행위란 하나의 행위가 수익과 부담이라고 하는 복수의 효과를 발생시키는 행정행위를 말하며, 이중효과적 행정행위라고도 한다. 이때 그 복수의 효과가 동일인에게 발생하는 경우를 혼합효 행정행위라고 하고, 1인에게는 이익을 타인에게는 불이익이라고 하는 상반된 효과를 발생시키는 경우를 제3자효 행정행위라고 한다(p.221 참조).

❹ 대인적·대물적·혼합적 행정행위

1. 대인적 행정행위(운전면허 등)

행정행위 상대방의 주관적 사정을 고려하여 행해지는 행정행위로서 운전면허·의사면허 등을 들 수 있다. 대인적 행정행위의 효과는 일신전속적인 것이므로 제3자에게 승계되지 않는다.

2. 대물적 행정행위(건축물의 준공검사 등)

(1) 의 의

그 행위의 대상인 물건이나 시설의 객관적 사정을 고려하여 행해지는 행정행위로서 차량검사합격처분, 건축물 준공검사, 공중위생업소 폐쇄명령, 채석허가, 건물철거명령 등을 들 수 있다.

(2) 효과의 승계[a]

대물적 행정행위의 효과는 명문의 규정이 없어도 제3자에게 이전될 수 있다는 것이 통설 및 판례의 입장이며, 이 점에서 대인적 행정행위와는 구별된다.01 한편 이 경우 신고를 요함이 보통이다.

┌ 관련판례
1. 건축허가는 대물적 허가의 성질을 가지는 것으로02 그 허가의 효과는 허가대상 건축물에 대한 권리변동에 수반하여 이전되고, 별도의 승인처분에 의하여 이전되는 것이 아니다(대판 1979. 10. 30, 79누190).03 ★★

2-1. 구 국민건강보험법 제85조 제1항 제1호에 따른 요양기관 업무정지처분은 요양기관의 업무 자체에 대한 것으로서 대물적 처분이다.

2-2. 속임수나 그 밖의 부당한 방법으로 보험자에게 요양급여비용을 부담하게 한 요양기관이 폐업한 경우, 그 요양기관 및 폐업 후 그 요양기관의 개설자가 새로 개설한 요양기관에 대하여 업무정지처분을 할 수는 없다(대판 2022. 1. 27, 2020두39365).

기출 체크

☐☐☐☐☐ 01 대물적 행정행위 중 수익적 행정행위인 경우에는 그 효과가 승계된다. (O, ×) ★★　　2012 사회복지직 9급

☐☐☐☐☐ 02 건축허가는 대물적 허가의 성질을 가진다. (O, ×) ★★
2019 소방직 9급

☐☐☐☐☐ 03 건축허가는 대물적 허가에 해당하므로, 허가의 효과는 허가대상 건축물에 대한 권리변동에 수반하여 이전되고 별도의 승인처분에 의하여 이전되는 것은 아니다. (O, ×) ★★
2019 국가직 9급

[a] 대물적 행정행위 중 수익적 행정행위인 경우에는 그 효과가 승계된다는 점에 이견(異見)이 없다. 다만, 침해적 행정행위([b] 위법건축물에 대한 철거명령)인 경우 그 효과가 명문의 규정이 없어도 제3자에게 승계되는지에 대해서는 견해의 대립이 있으나 판례는 본문에서 보는 바와 같이 긍정설의 입장이다.

정답 01 O 02 O 03 O

기출 체크

☐☐☐☐☐ **01** 행정행위는 행정청이 우월적인 지위에서 행하는 것이지만, 상대방의 동의나 신청 등의 협력이 필요한 경우에도 역시 행정행위에 포함될 수 있다.
(○, ×) ★   2007 국회직 8급

☐☐☐☐☐ **02** 행정행위는 당해 행위로써 직접 법적 효과를 가져오는 행위이므로, 행정청이 건축허가의 신청을 반려하는 행위는 행정행위가 아니다. (○, ×) ★
2015 교육행정직 9급

판례 | **①** 사업시행자가 종전 토지소유자가 아닌 타인을 권리자로 지정한 환지처분이 있더라도 종전 토지소유자가 환지의 소유권을 취득함에 아무런 지장이 없다(대판 1987. 2. 10, 86다카285).

③ 한편, 쌍방적 행정행위라는 명칭은 상대방의 신청을 행정행위로 오해할 우려가 있다는 점에서 이러한 용어의 사용을 자제하고 '협력을 필요로 하는 행정행위'라는 용어를 사용하자는 견해가 유력하다.

(3) 대물적 행정행위의 효과의 귀속

대물적 행정행위의 효과는 '물건'의 소유자, 점유자 등 관계인에게 귀속되는 것이므로 처분의 상대방이 잘못된 경우에도 그 효과는 물건의 관계인에게 발생한다.**①**

3. 혼합적 행정행위

행정행위의 상대방의 주관적 사정과 함께 행정행위의 대상인 물건, 시설의 객관적 사정을 모두 고려하여 행해지는 행정행위이다. 혼합적 행정행위의 이전은 명문의 규정이 있는 경우에 인정되며 통상 행정청의 승인 또는 허가 등을 받도록 규정하고 있다.

❺ 일방적 행정행위와 협력을 요하는(쌍방적) 행정행위 **③**

1. 일방적 · 쌍방적 행정행위

(1) 일방적 행정행위란 상대방의 협력을 요하지 않고 행정청이 직권으로 발하는 행정행위를 말하며, 조세부과 · 영업정지처분 등 주로 침익적 행정행위가 이에 해당된다.

(2) 협력을 요하는(쌍방적) 행정행위란 동의(**⑩** 공무원 임명행위에서의 동의) · 신청(**⑩** 허가, 특허 등에서 상대방의 신청) 등 상대방의 협력이 필요한 행위를 말하며, 영업허가 · 운전면허 등 주로 수익적 행정행위가 이에 해당된다.01

2. 공법상 계약과 협력을 요하는(쌍방적) 행정행위의 구별

공법상 계약이란 공법적 효과의 발생을 목적으로 하는 복수 당사자 간에 반대방향의 의사의 합치로 이루어지는 비권력적인 공법행위를 말한다. 이에 반해 **협력을 요하는(쌍방적) 행정행위**는 비록 상대방의 신청 또는 동의가 있다 하더라도 행정행위의 내용결정은 행정청에 의해 단독으로 이루어지며 상대방인 국민과 합의가 필요 없는 권력적 공법행위를 말한다는 점에서 양자는 **구별**된다.

❻ 요식행위와 불요식행위

행정행위의 성립에 일정한 형식이 요건으로 되어 있는 행정행위가 요식행위이고 그렇지 않은 행위를 불요식행위라고 한다. 행정절차법은 처분과 관련하여 행정청의 처분은 다른 법령 등에 특별한 규정이 있는 경우를 제외하고는 문서로 하도록 하는 요식주의를 규정하고 있다(행정절차법 제24조).

❼ 적극적 행정행위와 소극적 행정행위

기존의 법률상태에 변동을 가져오는가에 따른 구별이다. 적극적 행정행위는 현재의 법률상태에 변동을 가져오는 행정행위를 의미하며, 소극적 행정행위는 현재의 법률상태에 변동을 가져오지 않겠다는 뜻을 표시하는 행정행위를 의미한다. 허가 · 특허 등이 전자의 예이며, 허가 · 특허 등의 신청에 대한 거부처분이 후자(소극적 행정행위)의 예에 해당한다.02

정답 01 ○ **02** ×

03 | 제3자효적 행정행위(복효적 행정행위)

제3자효적 행정행위란, 상대방에게는 이익을 주고 제3자에게는 불이익을 주거나, 상대방에게는 불이익을 주고 제3자에게는 이익을 주는 행정행위를 말한다. 이의 예로는 행정청이 인근주민에게는 불이익을 주고 당사자에게는 이익을 주는 **화장장 설치허가, 연탄공장 건축허가**(경업관계, 경원관계, 인근주민관계 등 주로 공권의 확대화 경향에서 살펴본 예)를 하는 경우를 들 수 있다.01 여기서 제3자효란 직접적으로 제3자에게 법률상 이익의 효과를 가져오는 경우를 말하고, 간접적으로 제3자에게 사실상 영향을 가져오는 것은 이에 해당하지 아니한다.

기속행위와 재량행위, 불확정개념과 판단여지

판례 | ㉠ 명확성원칙이 불확정개념의 사용을 일체 금지하는 것은 아니고, 행정부로 하여금 다양한 과제를 이행하게 하고 개별적인 특수한 상황을 고려하여 현실의 변화에 적절히 대처할 수 있도록 하기 위하여 입법자는 불확정개념을 사용할 수 있으며, 이로 인한 법률의 불명확성은 법률해석의 방법을 통하여 해소될 수 있다(헌재 2017. 8. 31, 2015헌바388).

01 | 개 설

❶ 행정법규의 모습

법치행정의 원리에 의하면 행정은 법률에 근거하여 법률에 따라 행해진다. 이런 점에서 행정은 행정법규를 해석·적용하는 것이라고 할 수 있다. 그런데 행정법규는 일반적으로 행위의 요건을 정하는 요건법규와, 요건에 해당하는 경우 행위를 할 것인지 여부 및 행위를 하는 경우에 어떠한 행위를 할 것인지에 관해 행위의 종류를 정하는 효과법규로 이루어진다.

읽기자료 | 요건법규, 효과법규

법규정은 일반적으로 '……하면 ~한다'는 형태로 규정되어 있다. 이 경우 '……하면'에 해당하는 규정을 요건법규(요건규정), '~한다'에 해당하는 규정을 효과법규(효과규정)라고 부른다.
(이하의 조문은 복잡한 조문내용을 축약하는 과정에서 이해의 편의를 돕기 위해 다소 수정·변경하였다)

1. 구 도로교통법 제93조
   시·도경찰청장은, ① 운전면허증을 다른 사람에게 빌려주어 운전을 하게 한 경우 ② 면허를 취소하여야 한다.
                                 요건법규   효과법규

2. 구 골재채취법 제22조의2
   국토교통부장관은, ③ 공익상 필요하다고 인정하는 때에는 ④ 골재채취를 일정기간 금지하는 구역을 지정할 수 있다.
                      요건법규   효과법규

3. 식품위생법 제75조
   시장은, ⑤ 불결한 것으로 인체의 건강을 해칠 우려가 있는 식품을 판매한 자에 대해서는 ⑥ 영업허가를 취소하거나 6개월
                           요건법규
   이내의 기간을 정하여 그 영업의 전부 또는 일부를 정지하거나 영업소 폐쇄를 명할 수 있다.
                         효과법규

❷ 불확정개념㉠ 및 결정 또는 선택여지의 필요성

1. 법치주의를 엄격하게 적용한다면 법률의 요건과 효과를 규정함에 있어 해석의 여지없이 명확하게 일의적으로 규정하는 것이 이상적이다. 그러나 법이 모든 예상되는 상황을 빠짐없이 규율하는 것은 현실적으로 불가능하다. 또한 가변적이고 다양한 행정현실에 탄력적으로 대응할 필요성도 존재한다.

2. 이와 관련하여 법령에서는 ③, ⑤의 경우와 같이 요건 부분에 불확정개념을 사용(공익상 필요 등)하거나 ④, ⑥의 경우와 같이 효과 부분에 행위 여부 또는 수개의 행위 중에서 선택할 수 있는 여지를 행정청에 부여하는 경우가 많은데, 이와 관련한 논의가 기속행위·재량행위 그리고 이른바 판단여지론이다.

02 | 기속행위 · 재량행위

❶ 구별기준

1. 종래의 학설

기출 체크

□□□□□ **01** 재량행위와 기속행위의 구분기준에 관한 효과재량설에 따르면 수익적 행정행위는 법규상 또는 해석상 특별한 기속이 없는 한 재량행위이다. (○, ×)
2019 서울시 2회 7급

❸ 직접적으로 규정하고 있는 예는 p.222의 구 도로교통법 제93조를 볼 것.

구 분	요건재량설	효과재량설
등장배경	재량의 범위를 축소하고자 하는 노력으로, **재량의 본질은 요건 부분에 규정된 불확정개념의 해석 · 적용**에 있다는 전제하에 불확정개념 중 불확정성이 상대적으로 작은 것들을 재량에서 제외하여 기속행위로 보는 견해가 주장되었다.	요건재량설이 비판을 받은 후 1960년대 이후에는 행정의 재량을 대폭 축소하려는 시도가 나타났는데, 그러한 배경에서 **재량**은 행정법규의 불확정개념에는 있을 수 없고 오직 **효과의 선택과 결정에 있다**고 보는 견해가 등장하였다.
개 념	행정법규가 처분의 요건에 관하여 **공백규정**(아무런 규정을 두지 아니하는 경우)을 두거나 단지 공익상 필요와 같은 **종국목적만을** 규정한 경우에는 재량이 인정된다고 본다. 이에 반하여 개개의 행정활동에 특유한 **중간목적**(**예** 교통안전, 위생)을 요건으로 규정하고 있는 경우 또는 요건이 구체적으로 규정된 경우에는 **기속행위**라고 본다.	법이 특별한 규정을 두고 있는 경우를 제외하고는 문제된 행위의 성질을 기준으로 국민의 권리 · 이익을 제한하거나 새로운 의무를 부과하는 **침익적 행정행위는 기속행위**이고, 국민에게 권리나 이익을 제공하는 **수익적 행정행위는 법규상 또는 해석상 특별한 기속이 없는 한 재량행위**라고 본다.**01**
비 판	요건재량설은 종국목적과 중간목적을 구별하나 양자의 구별이 명확하지 않다는 점, 행정재량은 주로 효과의 선택에서 인정된다는 점, 공백규정이나 공익상 필요만이 규정된 경우에도 관계법의 규정에 의해 요건이 충분히 보충될 수 있으므로 순수한 공백규정으로 보기 어렵다는 비판이 가능하다.	효과재량설은 수익적 행정행위도 기속행위로 볼 경우가 있고, 제재처분과 같은 부담적 행정행위의 경우에도 재량이 인정될 수 있다는 점에서 비판이 가능하다.

2. 오늘날의 통설적 견해

(1) 법문언기준설

① 오늘날의 통설적 견해는 기속행위와 재량행위의 구별기준에 대해 법치행정의 원칙에 따라 1차적으로 법규정의 표현에서 찾아야 한다고 본다(법문언기준설).

② 다만, 법령의 규정이 명확하지 않은 경우에는 당해 법령의 규정과 함께 문제가 되는 행위의 성질, 기본권 관련성 및 공익 관련성을 종합적으로 고려해야 한다고 본다.

(2) **구체적 기준**

① 법령의 규정방식

ㄱ 먼저 법규정이 행정청에 대해 '~하여야 한다'의 형식을 취하면 그에 기초한 행정행위는 일반적으로 기속행위이다.

ㄴ 그러나 법규정이 '~할 수 있다'는 표현형식을 취한 경우 또는 행정청에 다수의 가능성을 열어놓고 있는 경우(영업허가의 취소 또는 60일 이하의 영업정지)에는 그에 기초한 행정행위는 재량행위로 볼 수 있다.

② 법령의 취지, 행위의 성질

ㄱ **문제의 소재** : 예컨대, 식품위생법에는 "영업을 하려는 자는 대통령령으로 정하는 바에 따라 영업 종류별 또는 영업소별로 식품의약품안전처장 또는 특별자치도지사 · 시장 · 군수 · 구청장의 허가를 받아야 한다."라고 규정하고 있는바, 이처럼 행정청의 권한에 관하여 간접적으로 규정❸하고 있는 경우에는 입법목적 · 취지뿐만 아니라 행위의 성질을 종합적으로 고려한 법해석을 통하여 기속행위, 재량행위 여부를 판단하여야 한다.

정답 **01** ○

ⓛ **일반론** : 이 경우 당해 행위가 원래 당사자에게 허용되는 행위로서 그 발령이 **기본권회복**의 의미를 갖는다면 **기속행위**로 보아야 할 것이다. 반면에 당해 행위의 발령이 공익실현의 관점에서 중요한 의미를 가질 때에는 **재량행위**로 보아야 한다.

(3) 구체적 검토

① 허가의 경우

허가는 법률로 금지된 개인의 자연적 자유를 회복시키는 행위로서 기본권실현과 보장이 중요한 의미를 가지므로 원칙적으로 기속행위로 볼 수 있다.**01**

② 특허의 경우

자동차운송사업의 면허와 같은 특허의 경우에는 공익의 실현이 중요하다는 점에서 행정청이 공익실현을 위해 합리적 판단을 할 수 있어야 하므로 **재량행위**로 볼 수 있다.

3. 판례의 태도

판례는 행위의 근거가 된 법규의 체재 · 형식과 그 문언, 당해 행위가 속하는 행정분야의 주된 목적과 특성, 당해 행위 자체의 개별적 성질과 유형 등을 모두 고려하여 판단하여야 한다는 입장을 원칙으로 하며, 상대방에게 권리나 이익을 부여하는 효과를 수반하는 이른바 **수익적 행정처분**은 법령에 행정처분의 요건에 관하여 일의적으로 규정되어 있지 아니한 이상 행정청의 재량행위에 속한다고 판시함으로써 효과재량설을 보충적 기준으로 활용하고 있다.

(1) 원칙론

> **관련판례**
>
> 1. 행정행위가 그 재량성의 유무 및 범위와 관련하여 이른바 **기속행위** 내지 기속재량행위와 **재량행위** 내지 자유재량행위로 **구분된다**고 할 때, 그 구분은 당해 행위의 근거가 된 **법규의 체재 · 형식과 그 문언, 당해 행위가 속하는 행정 분야의 주된 목적과 특성, 당해 행위 자체의 개별적 성질과 유형 등을 모두 고려하여 판단하여야 한다**(대판 2001. 2. 9, 98두17593 ; 대판 2020. 10. 15, 2019두45739).**02** ★★
>
> 2. 어느 행정행위가 기속행위인지 재량행위인지 나아가 재량행위라고 할지라도 기속재량행위인지 또는 자유재량에 속하는 것인지의 여부는 이를 일률적으로 규정지을 수는 없는 것이고, 당해 처분의 근거가 된 규정의 형식이나 체재 또는 문언에 따라 개별적으로 판단하여야 한다(대판 1997. 12. 26, 97누15418).**03** ★★
>
> 3. 구 주택건설촉진법 제33조에 의한 **주택건설사업계획 승인은 재량행위**로서 법규에 명문의 근거가 없어도 국토 및 자연의 유지와 환경보전 등 공익상 필요를 이유로 그 승인신청을 불허가할 수 있다(효과재량설을 고려한 판례).**04 05** ★★
>   구 주택건설촉진법(2003. 5. 29, 법률 제6916호 주택법으로 전문개정되기 전의 것) 제33조에 의한 주택건설사업계획의 승인은 상대방에게 권리나 이익을 부여하는 효과를 수반하는 이른바 수익적 행정처분으로서 [법령에 행정처분의 요건에 관하여 일의적(一義的)으로 규정되어 있지 아니한 이상] 행정청의 재량행위에 속하므로, 이러한 승인을 받으려는 주택건설사업계획이 관계법령이 정하는 제한에 배치되는 경우는 물론이고 그러한 제한사유가 없는 경우에도 공익상 필요가 있으면 처분권자는 그 승인신청에 대하여 불허가결정을 할 수 있으며,**06** …… (대판 2007. 5. 10, 2005두13315)
>
> 4. 주택재건축사업시행 인가의 법적 성질은 재량행위이다(효과재량설을 고려한 판례).
>   주택재건축사업시행의 인가는 상대방에게 권리나 이익을 부여하는 효과를 가진 이른바 수익적 행정처분으로서 법령에 행정처분의 요건에 관하여 일의적으로 규정되어 있지 아니한 이상 행정청의 재량행위에 속하므로 …… (대판 2007. 7. 12, 2007두6663)

(2) 구체적 검토 ❸

▶ 관련판례

1. 마을버스운송사업면허는 재량행위이며, 마을버스 한정면허시 확정되는 마을버스 노선을 정함에 있어서 기존 일반노선버스의 노선과의 중복 허용 정도에 대한 판단 또한 행정청의 재량에 속한다.★★

   마을버스운송사업면허의 허용 여부는 사업구역의 교통수요, 노선결정, 운송업체의 수송능력, 공급능력 등에 관하여 기술적ㆍ전문적인 판단을 요하는 분야로서 이에 관한 행정처분은 운수행정을 통한 공익실현과 아울러 합목적성을 추구하기 위하여 보다 구체적 타당성에 적합한 기준에 의하여야 할 것이므로 그 범위 내에서는 법령이 특별히 규정한 바가 없으면 행정청의 재량에 속하는 것이라고 보아야 할 것이고,**01** 마을버스 한정면허시 확정되는 마을버스 노선을 정함에 있어서도 기존 일반노선버스의 노선과의 중복 허용 정도에 대한 판단도 행정청의 재량에 속한다고 할 것이며, 노선의 중복 정도는 마을버스 노선과 각 일반버스 노선을 개별적으로 대비하여 판단하여야 한다(대판 2002. 6. 28, 2001두10028).

2. 여객자동차운송사업의 한정면허는 특정인에게 권리나 이익을 부여하는 수익적 행정행위로서, …… 한정면허가 신규로 발급되는 때는 물론이고 한정면허의 갱신 여부를 결정하는 때에도 관계법규 내에서 한정면허의 기준이 충족되었는지를 판단하는 것은 관할행정청의 재량에 속한다(대판 2020. 6. 11, 2020두34384).**02**

3. 폐기물처리업허가와 관련된 사업계획 적정 여부 통보를 위해 필요한 기준을 정하는 것은 행정청의 재량에 속한다.★

   폐기물처리업허가와 관련된 법령들의 체제 또는 문언을 살펴보면 이들 규정들은 폐기물처리업허가를 받기 위한 최소한도의 요건을 규정해 두고는 있으나, 사업계획 적정 여부에 대하여는 일률적으로 확정하여 규정하는 형식을 취하지 아니하여 그 사업의 적정 여부에 대하여 재량의 여지를 남겨두고 있다 할 것이고, 이러한 경우 사업계획 적정 여부 통보를 위하여 필요한 기준을 정하는 것도 역시 행정청의 재량에 속하는 것이다(대판 2004. 5. 28, 2004두961).

4-1. 「여객자동차 운수사업법」에 의한 개인택시운송사업면허는 재량행위이며 그 면허기준 설정행위도 행정청의 재량에 속한다.**03** ★★

4-2. 행정청이 개인택시운송사업의 면허를 하면서, 택시 운전경력이 버스 등 다른 차종의 운전경력보다 개인택시의 운전업무에 더 유용할 수 있다는 점 등을 고려하여 '개인택시운송사업면허 사무처리지침'에 따라 택시의 운전경력을 다소 우대하는 것이 객관적으로 합리적이 아니라거나 타당하지 않다고 볼 수 없다(대판 2009. 11. 26, 2008두16087).**04** ★

5. 비관리청 항만공사 시행허가는 재량행위이다(대판 2011. 1. 27, 2010두20508).★

6. 야생동ㆍ식물보호법(현 「야생생물 보호 및 관리에 관한 법률」) 제16조 제3항에 의한 용도변경승인행위 및 용도변경의 불가피성 판단에 필요한 기준을 정하는 행위는 재량행위이다.**05** ★

   (곰의 웅지를 추출하여 비누, 화장품 등의 재료로 사용할 목적으로 곰의 용도를 '사육곰'에서 '식ㆍ가공품 및 약용 재료'로 변경하겠다는 내용의 국제적 멸종위기종의 용도변경 승인신청에 대하여, 한강유역환경청장이 '웅담 등을 약재로 사용하는 경우' 외에는 용도변경을 해줄 수 없다며 위 용도변경신청을 거부한 사안에서) 야생동ㆍ식물보호법 제16조 제3항과 같은 법 시행규칙 제22조 제1항의 체제 또는 문언을 살펴보면 원칙적으로 국제적 멸종위기종 및 그 가공품의 수입 또는 반입 목적 외의 용도로의 사용을 금지하면서 용도변경이 불가피한 경우로서 환경부장관의 용도변경승인을 받은 경우에 한하여 용도변경을 허용하도록 하고 있으므로, 위 법 제16조 제3항에 의한 용도변경승인은 특정인에게만 용도 외의 사용을 허용해주는 권리나 이익을 부여하는 이른바 수익적 행정행위로서 법령에 특별한 규정이 없는 한 재량행위이고, …… (대판 2011. 1. 27, 2010두23033)

7. 행정청은 폐기물처리업 허가에 관한 폐기물처리사업계획서가 적합한지를 심사하면서 구 폐기물관리법 제25조 제2항 각 호에서 열거한 사항 외의 사유로 부적합통보를 할 수 있다(재량행위이다)(대판 2011. 11. 10, 2011두12283).

8. 출입국관리법상 체류자격 변경허가는 재량행위이다(대판 2016. 7. 14, 2015두48846).**06 07**

🄑 공유재산(지방자치단체 소유의 재산)의 경우도 동일하다.

9. 재외동포에 대한 사증발급은 행정청의 재량행위에 속한다.

재외동포에 대한 사증발급은 행정청의 재량행위에 속하는 것으로서, 재외동포가 사증발급을 신청한 경우에 출입국관리법 시행령 [별표 1의2]에서 정한 재외동포체류자격의 요건을 갖추었다고 해서 무조건 사증을 발급해야 하는 것은 아니다.**01** 재외동포에게 출입국관리법 제11조 제1항 각 호에서 정한 입국금지사유 또는 재외동포법 제5조 제2항에서 정한 재외동포체류자격 부여 제외사유(예컨대 '대한민국 남자가 병역을 기피할 목적으로 외국국적을 취득하고 대한민국 국적을 상실하여 외국인이 된 경우')가 있어 그의 국내 체류를 허용하지 않음으로써 달성하고자 하는 공익이 그로 말미암아 발생하는 불이익보다 큰 경우에는 행정청이 재외동포체류자격의 사증을 발급하지 않을 재량을 가진다(대판 2019. 7. 11, 2017두38874).

10. 국유재산의 무단점유 등에 대한 변상금 부과처분은 기속행위이다.02 🄑

국유재산의 무단점유 등에 대한 변상금 징수의 요건은 국유재산법(1994. 1. 5, 법률 제4968호로 개정된 것) 제51조 제1항에 명백히 규정되어 있으므로 변상금을 징수할 것인가는 처분청의 재량을 허용하지 않는 기속행위이고, 여기에 재량권 일탈 · 남용의 문제는 생길 여지가 없다(대판 1998. 9. 22, 98두7602).

11. 육아휴직 중 국가공무원법 제73조 제2항에 따른 복직명령의 법적 성질은 기속행위이다.

구 교육공무원법 제44조 제1항 제7호는 '만 6세 이하의 초등학교 취학 전 자녀'를 양육대상으로 하여 '교육공무원이 그 자녀를 양육하기 위하여 필요한 경우'를 육아휴직의 사유로 규정하고 있으므로, 육아휴직 중 그 사유가 소멸하였는지는 해당 자녀가 사망하거나 초등학교에 취학하는 등으로 양육대상에 관한 요건이 소멸한 경우뿐만 아니라 육아휴직 중인 교육공무원에게 해당 자녀를 더 이상 양육할 수 없거나, 양육을 위하여 휴직할 필요가 없는 사유가 발생하였는지 여부도 함께 고려하여야 하고, 국가공무원법 제73조 제2항의 문언에 비추어 복직명령은 기속행위이므로 휴직사유가 소멸하였음을 이유로 신청하는 경우 임용권자는 지체 없이 복직명령을 하여야 한다(대판 2014. 6. 12, 2012두4852).**03**

12. 난민인정에 관한 신청을 받은 행정청은 원칙적으로 법령이 정한 난민 요건에 해당하는지를 심사하여 난민인정 여부를 결정할 수 있을 뿐이고, 법령이 정한 난민 요건과 무관한 다른 사유만을 들어 난민인정을 거부할 수는 없다(대판 2017. 12. 5, 2016두42913).**04**

13. 법무부장관이 난민인정 결정의 취소 여부를 결정할 재량이 있다.

구 출입국관리법 제76조의3 제1항 제3호의 문언 · 내용 등에 비추어 보면, 비록 그 규정에서 정한 사유가 있더라도, 법무부장관은 난민인정 결정을 취소할 공익상의 필요와 취소로 당사자가 입을 불이익 등 여러 사정을 참작하여 취소 여부를 결정할 수 있는 재량이 있다(대판 2017. 3. 15, 2013두16333).

14. 「국토의 계획 및 이용에 관한 법률」(이하 '국토계획법'이라고 한다) 제56조에 따른 개발행위허가와 농지법 제34조에 따른 농지전용허가 · 협의는 금지요건 · 허가기준 등이 불확정개념으로 규정된 부분이 많아 그 요건 · 기준에 부합하는지의 판단에 관하여 행정청에 재량권이 부여되어 있으므로, 그 요건에 해당하는지 여부는 행정청의 재량판단의 영역에 속한다.**05** 나아가 국토계획법이 정한 용도지역 안에서 토지의 형질변경행위 · 농지전용행위를 수반하는 건축허가는 건축법 제11조 제1항에 의한 건축허가와 위와 같은 개발행위허가 및 농지전용허가의 성질을 아울러 갖게 되므로 이 역시 재량행위에 해당한다(편저자 주 : 기속행위인 허가가 재량행위인 허가를 포함하는 경우에는 인 · 허가가 의제되는 한도 내에서 재량행위로 보아야 한다)(대판 2017. 10. 12, 2017두48956).**06 ★★**

15. 「부동산 실권리자명의 등기에 관한 법률 시행령」 제3조의2 단서는 조세를 포탈하거나 법령에 의한 제한을 회피할 목적이 아닌 경우에 과징금의 100분의 50을 감경할 수 있다고 규정하고 있고, 이는 임의적 감경규정임이 명백하므로, 위와 같은 감경사유가 존재하더라도 과징금을 감경할 것인지 여부는 과징금 부과관청의 재량에 속한다(대판 2007. 7. 12, 2006두4554).**07**

16. 「가축분뇨법에 따른 처리방법 변경허가는 허가권자의 재량행위에 해당한다.**08** 허가권자는 변경허가 신청내용이 가축분뇨법에서 정한 처리시설의 설치기준(제12조의2 제1항)과 정화시설의 방류수 수질기준(제13조)을 충족하는 경우에도 반드시 이를 허가하여야 하는 것은 아니고, 자연과 주변환경에 미칠 수 있는 영향 등을 고려하여 허가 여부를 결정할 수 있다(대판 2020. 7. 23, 2019두31839 ; 대판 2021. 6. 30, 2021두35681).

(3) 관련문제 – 복합민원

① 개념

복합민원이란 하나의 민원(행정기관에 대하여 처분 등 특정한 행위를 요구하는 것) 목적을 실현하기 위하여 관계법령 등에 의하여 다수 관계기관의 허가·인가·승인 등을 받아야 하는 민원을 말한다. 이는 하나의 허가로 다른 허가가 의제되는 경우(p.249 참조) 등 다양한 유형이 있으나, 여기에서는 복수의 허가를 받아야 하는 경우를 살펴본다.

② 복수의 허가를 받아야 하는 경우

㉠ 원칙 : 하나의 사업을 위해 여러 인·허가가 필요하고, 각각의 인·허가 담당 행정기관에 각각 신청하여야 하는 경우에 각 신청에 대해 당해 신청의 대상이 된 인·허가요건의 충족 여부만을 판단하여 각각 인·허가를 하는 것이 원칙이다.

㉡ 예외 : 다만, 필요한 인·허가를 일괄하여 신청하지 아니하고 그중 어느 하나의 인·허가만을 신청한 경우 그 인·허가의 근거법령에서 다른 법령상의 인·허가에 관한 규정을 원용하고 있거나 그 대상행위가 다른 법령에 의하여 절대적으로 금지되고 있어 그 실현이 객관적으로 불가능한 것이 명백한 경우 이를 고려하여 그 인·허가를 결정할 수 있다는 것이 판례의 입장이다.

> **관련판례**
>
> 1. 입법목적 등을 달리하는 법률들이 일정한 행위에 관한 요건을 각기 정하고 있는 경우, 그 행위에 관하여 각 법률의 규정에 따른 허가를 받아야 한다(대판 1998. 3. 27, 96누19772). ❶
>
> 2. 복합민원에 있어서 필요한 인·허가를 일괄하여 신청하지 아니하고 그중 어느 하나의 인·허가만을 신청한 경우에도 그 '근거법령에서 다른 법령상의 인·허가에 관한 규정을 원용'하고 있거나 그 대상행위가 '다른 법령에 의하여 절대적으로 금지'되고 있어 그 실현이 객관적으로 불가능한 것이 명백한 경우에는 이를 고려하여 그 인·허가 여부를 결정할 수 있다(대판 2000. 3. 24, 98두8766). ★

② 기속행위·재량행위의 의의

위에서 살펴본 기준에 따라 재량행위와 기속행위의 의의를 살펴보면 다음과 같다.

1. 기속행위

기속행위는 행정의 근거법규가 요건에 따른 행위의 효과를 일의적·확정적으로 규정하고 있어서 법규에서 정한 요건이 충족되면 행정청이 반드시 어떠한 행위를 발하거나 발하지 말아야 하는 행위, 즉 단순히 기계적으로 법규를 집행해야 하는 행정행위를 말한다.02

2. 재량행위

(1) 개념

행정기관이 행정권을 행사함에 있어서 둘 이상의 다른 내용의 결정 또는 행태 중에서 선택할 수 있는 권한을 재량권이라 하며, 이러한 재량권의 행사에 의해 행해지는 행정행위를 재량행위라 한다.03 ⓐ

(2) 재량행위의 인정 필요성

재량권이 인정된 취지는 행정의 대상이 되는 사실은 매우 다양하므로 각각의 상황에 맞는 합목적적이고 구체적 타당성이 있는 행정권의 행사가 가능하도록 하여 개별적 정의를 실현하기 위한 것이다.04 따

판례 | ❶ 입법목적 등을 달리하는 법률들이 일정한 행위에 관한 요건을 각기 정하고 있는 경우 어느 법률이 다른 법률에 우선하여 배타적으로 적용된다고 풀이되지 아니하는 한 그 행위에 관하여 각 법률의 규정에 따른 허가를 받아야 할 것인바, 이러한 경우 그중 하나의 허가에 관한 관계법령 등에서 다른 법령상의 허가에 관한 규정을 원용하고 있는 경우나 그 행위가 다른 법령에 의하여 절대적으로 금지되고 있어 그것이 객관적으로 불가능한 것이 명백한 경우 등에는 그러한 요건을 고려하여 허가 여부를 결정할 수 있다(대판 1998. 3. 27, 96누19772).01

ⓐ 재량권은 행정행위에서만 인정되는 것은 아니며 사실행위, 행정입법행위 등 모든 행정작용에서 인정된다. 따라서 재량행위보다는 재량권의 문제로 파악하는 것이 타당하다고 보이나 대부분의 행정법학자들이 재량권보다는 재량행위로 논하고 있으므로 이 책에서도 주로 재량행위라는 주제로 논한다(박균성, <행정법강의>, p.215).

ⓐ 재량행위의 필요성

1. 법률규정
① 기속행위 : 청소년에게 주류를 판매하는 경우 6개월의 영업정지를 하여야 한다.
② 재량행위 : 청소년에게 주류를 판매하는 경우 6개월 이하의 영업정지를 할 수 있다.
2. 예를 들어 甲이 청소년에게 주류를 판매한 경우
① 상습적으로 또한 불과 15세 전후의 청소년에게 주류를 판매한 경우도 있고
② 처음으로 그것도 만 19세를 불과 7일 앞둔 청소년에게 주류를 판매한 경우도 있을 수 있는바
   ✚ 이와 같은 경우에 재량행위로 규정되었을 때 구체적 타당성이 있는 행정권행사가 가능하다.

ⓑ 국가공무원의 징계는 선택재량이 인정되는 대표적인 예이다.

조문 | 국가공무원법 제79조 【징계의 종류】 징계는 파면 · 해임 · 강등 · 정직 · 감봉 · 견책(譴責)으로 구분한다.

라서 행정청은 재량권을 행사함에 있어서 구체적 사정을 고려하여 공익에 합당한 최선의 처분(합목적적 처분)을 행하고 개개인에 대하여 구체적 타당성 있는 처분을 내려야 한다.ⓐ

(3) 재량의 유형

재량에는 당해 행위를 할 것인지 말 것인지에 관한 결정재량(p.222의 ④의 경우)과, 법적으로 허용된 여러 행위 중 어떠한 행위를 할 것인지에 관한 선택재량(p.222의 ⑥의 경우)이 있다(⑥에서 보듯이 결정재량과 선택재량은 함께 주어지는 경우가 많다).ⓑ

읽기자료 | 이른바 기속재량, 자유재량

1. **전통적인 견해**
   전통적인 견해는 재량행위를 다시 기속재량행위와 자유(공익)재량행위로 나누고 있다. 기속재량은 법규재량이라고도 불리며 무엇이 '법'인가에 관한 재량을 의미하는 것이고 자유재량은 무엇이 '공익'에 적합한 것인가에 관한 재량이라고 한다. 따라서 기속재량을 그르치면 법을 그르친 것으로 위법하게 되어 법원의 통제를 받으나 자유재량을 그르친 것은 공익을 그르친 것이 되어 부당함에 그친다고 한다.

2. **오늘날의 견해**
   그러나 오늘날은 기속재량이든 자유재량이든 모두 후술할 한계를 넘는 경우 위법하게 되어 사법심사의 대상이 된다. 그리고 기속과 자유라는 모순되는 개념을 하나로 결합시키는 것이 타당하지 않다는 점에서 위와 같이 분류하는 것은 문제가 있다는 비판이 일반적이다. 즉, 전통적인 견해에서 말하는 기속재량행위는 기속행위로 보면 족하고 자유재량행위는 재량행위로 보면 족하다는 점에서 오늘날의 일반적인 견해는 기속재량과 자유재량의 구별을 하지 않고 기속행위와 재량행위로 양분하고 있다. 판례는 기속재량, 자유재량이라는 용어를 쓰고 있으나 재량권의 남용이나 일탈은 그 재량권이 기속재량이거나 자유재량이거나를 불문하고 사법심사의 대상이 된다고 판시하고 있다.

3. **기속재량행위와 자유재량행위를 언급한 판례**
   행정청의 재량권은 복지행정의 확대 등 행정행위의 복잡다기화에 따라 그 영역이 날로 넓어지는 추세에 있고 한편 국민의 권익을 아울러 보장하여야 하는 행정목적과 행정행위의 특성에 따라 재량권을 부여한 내재적 목적에 반하여 명백히 다른 목적을 위하여 행정처분을 하는 것과 같은 재량권의 남용이나 재량권의 행사가 그 법적 한계를 벗어나는 경우와 같은 재량권의 일탈은 그 재량권이 기속재량이거나 자유재량이거나를 막론하고 사법심사의 대상이 된다고 풀이하여야 할 것일 뿐만 아니라 …… (대판 1984. 1. 31, 83누451)

4. **기속재량행위와 자유재량행위에 대한 새로운 견해**
   ① 이 견해에 따르면 기속재량행위란 허가 등의 요건을 갖추면 원칙적으로 허가 등을 하여야 하고 중대한 공익상 필요가 있는 경우에 한해 예외적으로 허가 등을 거부할 수 있는 행위를 말하며, 기속행위란 허가 등의 요건을 충족하면 반드시 허가 등을 해 주어야 하고 허가 등을 공익상 이유로 거부할 수는 없는 행위를 말한다.
   ② 이 견해는 우리 판례가 "…… 이러한 요건을 갖춘 경우에는 허가 등을 하여야 하고 중대한 공익상 필요가 있는 경우에는 허가 등을 거부할 수 있다."는 취지로 판시한 판결을 기속재량행위를 인정한 판결로 보고 있다.
   ③ 예컨대, "채광계획이 중대한 공익에 배치된다고 할 때에는 인가를 거부할 수 있고, 채광계획을 불인가하는 경우에는 정당한 사유가 제시되어야 하며 자의적으로 불인가를 하여서는 아니 될 것이므로 채광계획인가는 기속재량행위에 속하는 것으로 보아야 할 것이나 …… (대판 2002. 10. 11, 2001두151)"라는 판결 등은 기속재량행위를 인정한 판결이라고 한다.

③ 구별의 실익

1. 행정소송과의 관계

(1) 법원의 통제

① 법원의 심사

법원은 어느 것이 가장 공익에 적합한 것인가 하는 문제(최선인지의 문제), 즉 합목적성과 관련하여서는 심사할 수 없고 위법이냐 적법이냐 하는 합법성 심사만 가능하다.01

② 양자의 구별실익

　㉠ 재량행위는 재량권의 한계를 넘지 않는 한 재량을 그르친 경우에도 위법한 행위가 되는 것이 아니라 부당한 행위가 되는 것에 불과하므로 법원에 의해 통제되지 않는다. 즉, 재량행위는 재량권의 한계 내에서의 재량행사의 경우, 당·부당의 문제로 보아 행정소송의 심사범위에서 제외된다.

　㉡ 이에 반하여 기속행위에 있어 행정권행사에 잘못이 있는 경우는 곧바로 위법한 행위가 되므로 기속행위는 법원의 전면적인 심사대상이 된다.

(2) 사법심사의 방식

① 기속행위의 경우

　기속행위를 심사함에 있어서는 법원이 독자적인 결론을 도출한 후 행정청의 판단과 법원의 판단이 다른 경우에 행정청의 행위를 위법한 것으로 판단할 수 있다(대체판단방식).

② 재량행위의 경우

　재량행위의 경우에는 공익과 관련하여 행정청에 결정의 융통성이 있으므로 법원이 독자적 결론을 도출함이 없이 행정청의 행위에 재량권의 일탈·남용이 있는지를 심사하는 방식으로 위법성을 판단하게 된다.

┌─ **관련판례**

1. **기속행위의 경우 법원이 일정한 결론을 도출한 후 그 결론에 비추어 행정청이 한 판단의 적법 여부를 독자의 입장에서 판정하는 방식에 의한다. 재량행위의 경우 법원은 독자의 결론을 도출함이 없이 당해 행위에 재량권의 일탈·남용이 있는지 여부만을 심사하게 된다.01** ★★★

　행정행위가 그 재량성의 유무 및 범위와 관련하여 이른바 기속행위 내지 기속재량행위와 재량행위 내지 자유재량행위로 구분된다고 할 때, 그 <u>구분은 당해 행위의 근거가 된 법규의 체재·형식과 그 문언, 당해 행위가 속하는 행정 분야의 주된 목적과 특성, 당해 행위 자체의 개별적 성질과 유형 등을 모두 고려하여 판단하여야 하고</u>, 이렇게 구분되는 양자에 대한 사법심사는, 전자(편저자 주 : 기속행위)의 경우 <u>그 법규에 대한 원칙적인 기속성으로 인하여 법원이 사실인정과 관련법규의 해석·적용을 통하여 일정한 결론을 도출한 후 그 결론에 비추어 행정청이 한 판단의 적법 여부를 독자의 입장에서 판정하는 방식에 의하게 되나,02</u> 후자(편저자 주 : 재량행위)의 경우 <u>행정청의 재량에 기한 공익판단의 여지를 감안하여 법원은 독자의 결론을 도출함이 없이 당해 행위에 재량권의 일탈·남용이 있는지 여부만을 심사하게 되고,03 04</u> 이러한 재량권의 일탈·남용 여부에 대한 심사는 사실오인, 비례·평등의 원칙 위배, 당해 행위의 목적 위반이나 동기의 부정 유무 등을 그 판단대상으로 한다(대판 2001. 2. 9, 98두17593).

2-1. **문교부장관(현 교육부장관)이 시행하는 검정은 그 저술한 내용이 교육에 적합한 여부까지를 심사할 수 있다고 하여야 한다.**

2-2. **(교과서검정은 재량행위라는 전제하에) 법원이 문교부장관(행정청)과 동일한 입장에서 교과서의 저술내용이 교육에 적합한지 여부를 심사할 수는 없다.05** ★★

　<u>문교부장관이 시행하는 검정은 그 책을 교과용 도서로 쓰게 할 것인가 아닌가를 정하는 것일 뿐 그 책을 출판하는 것을 막는 것은 아니나 현행 교육제도하에서의 중·고등학교 교과용 도서를 검정함에 있어서 심사는 원칙적으로 오기, 오식 기타 객관적으로 명백한 잘못, 제본 기타 기술적 사항에만 그쳐야 하는 것은 아니고, 그 저술한 내용이 교육에 적합한 여부까지를 심사할 수 있다고 하여야 한다. 법원이 위 검정에 관한 처분의 위법 여부를 심사함에 있어서는 문교부장관과 동일한 입장에 서서 어떠한 처분을 하여야 할 것인가를 판단하고 그것과 동 처분과를 비교하여 당부를 논하는 것은 불가하고,</u> 문교부장관이 관계법령과 심사기준에 따라서 처분을 한 것이라면 그 처분은 유효한 것이고 그 처분이 현저히 부당하다거나 또는 재량권의 남용에 해당된다고 볼 수밖에 없는 특별한 사정이 있는 때가 아니면 동 처분을 취소할 수 없다(대판 1988. 11. 8, 86누618).

정답 01 ○ **02** × **03** ○ **04** × **05** ×

ⓐ 이익형량이 심하게 잘못되었으면 위법이 되고, 다소 잘못된 것에 불과하다면 부당으로 된다. 이와 같이 위법과 부당은 정도의 차이에 불과하나, 법적인 취급은 전혀 다르게 된다. 즉, 위법한 행정행위는 법원이 취소할 수 있으나 부당한 행정행위는 법원이 취소할 수 없다.

읽기자료 | 부당의 개념 및 심사 ⓐ

부당한 재량행위란 공익을 위한 최선의 행위라고는 보기 어려우나 위법의 정도에까지는 이르지 않은 행위를 말한다. 부당한 행위는 쟁송제도와 관련하여 법원의 심사대상, 즉 **행정소송의 통제대상은 아니나 행정청의 통제대상, 즉 행정심판의 통제대상은 된다.**01

> **부당**
> 1. **행정심판법 제5조【행정심판의 종류】** 행정심판의 종류는 다음 각 호와 같다.
>   1. 취소심판 : 행정청의 <u>위법 또는 부당한</u> 처분을 취소하거나 변경하는 행정심판
> 2. **행정소송법 제4조【항고소송】** 항고소송은 다음과 같이 구분한다.
>   1. 취소소송 : 행정청의 <u>위법한</u> 처분 등을 취소 또는 변경하는 소송

2. 부관의 허용성

종래의 통설은 기속행위에는 부관을 붙일 수 없고 재량행위에는 부관을 붙일 수 있다고 보았다. 그러나 유력설(최근의 다수설)은 재량행위에도 성질상 부관을 붙일 수 없는 경우가 있고, 기속행위에도 요건충족적 부관은 붙일 수 있다고 본다(후술).

3. 공권의 성립과의 관계(p.116 참조)

(1) 기속행위의 경우에는 공권이 성립되지만 재량행위에 대해서는 공권이 성립될 수 없다는 견해가 있었으나 오늘날은 재량행위에 대해서도 무하자재량행사청구권이라는 공권이 성립될 수 있다고 봄이 일반적이므로 이 점에서 양자의 구별실익은 없다고 볼 수 있다.02

(2) 다만, 재량행위와 기속행위에서 공권의 내용에는 차이가 있는바, 기속행위에서는 행정청에 대하여 특정한 내용의 행위를 청구할 공권이 인정되지만, 재량행위에서 인정되는 무하자재량행사청구권은 특정한 내용의 행위를 청구할 공권은 아니라는 점에서 구별된다.

4. 선원주의

(1) 개념

선원주의란 요건을 갖추어 신청한 자가 여러 명 있는 경우 먼저 신청한 자에게 허가 등을 발급하여야 한다는 원칙을 말한다.

(2) 기속행위·재량행위에 대한 적용 여부

경원관계에서 기속행위의 경우에는 원칙적으로 선원주의가 적용되지만 재량행위의 경우에는 원칙적으로 선원주의가 적용되지 않고 가장 적정하게 공익을 실현할 수 있는 자에게 효과가 부여된다.

5. 요건 충족에 따른 효과의 부여

(1) 행정청은 기속행위에 있어서는 요건이 충족되면 반드시 법에 정해진 효과를 부여하여야 하지만, 재량행위에 있어서는 요건이 충족되어도 공익과의 이익형량을 통하여 법에 정해진 효과를 부여하지 않을 수도 있다.

(2) 한편, 요건을 갖추지 못한 경우에는 기속행위뿐만 아니라 재량행위에서도 요건충족적 부관부 행정행위를 할 수 있는 경우를 제외하고는 거부처분을 하여야 한다.

❹ 재량권의 한계

1. 개 설

(1) 의무에 합당한 재량

위에서 본 바와 같이 재량행위는 기속행위와 달리 행정청이 행위를 함에 있어 융통성이 부여되나 아무리 재량행위라 하더라도 재량권의 행사는 일정한 한계 내에서 이루어져야 한다. 즉, 재량권의 행사는 행정청의 자의가 아닌 헌법질서의 구속하에 의무에 합당하게 이루어져야 한다. 따라서 재량은 의무에 합당한 재량을 뜻하며 재량의 한계를 넘은 경우 후술할 재량권의 남용이나 일탈이 있게 되어 사법심사의 대상이 된다.01

(2) 재량의 하자

재량행위가 재량권 외적·내적 한계 내에 있다면 당·부당의 문제는 생기더라도 위법의 문제는 생기지 않아 법원의 통제대상이 되지 않는다.02 그러나 재량권이 그 한계를 넘게 되면, 즉 재량권의 일탈·남용이 있으면 재량의 하자가 있게 되어 위법하게 되어 사법심사의 대상이 된다.03 한편, 이러한 재량하자는 기속행위와는 개념상 아무런 관련이 없다.

관련판례

1. **제재적 행정처분이 재량권의 범위를 일탈한 것인지 여부는 공익침해의 정도와 개인이 입을 불이익을 비교·교량하여 판단하여야 한다.**★★
   일반적으로 제재적 행정처분이 사회통념상 재량권의 범위를 일탈한 것인가의 여부는 처분사유인 위반행위의 내용과 당해 처분에 의하여 달성하려는 공익목적 및 이에 따르는 제반 사정 등을 객관적으로 심리하여 공익침해의 정도와 그 처분으로 인하여 개인이 입을 불이익을 비교·교량하여 판단하여야 한다(대판 1989. 4. 25, 88누3079).04

2. **음주측정거부를 이유로 운전면허취소를 함에 있어서 행정청이 그 취소 여부를 선택할 수 있는 재량의 여지가 없음이 법문상 명백하므로(즉, 기속행위이므로) 재량권의 일탈·남용의 문제는 생길 수 없다.**
   술에 취한 상태에 있다고 인정할 만한 상당한 이유가 있음에도 불구하고 경찰공무원의 측정에 응하지 아니한 때에는 필요적으로 운전면허를 취소하도록 되어 있어 처분청이 그 취소 여부를 선택할 수 있는 재량의 여지가 없음이 그 법문상 명백하므로, 위 법조의 요건에 해당하였음을 이유로 한 운전면허취소처분에서 재량권의 일탈 또는 남용의 문제는 생길 수 없다(대판 2004. 11. 12, 2003두12042).

3. **(국립 교육대학 교수회의 학생에 대한 무기정학처분의 징계의결에 대하여 학장이 징계의 재심을 요청하여 다시 개최된 교수회에서 표결을 거치지 아니한 채 학장이 직권으로 징계의결내용을 변경하여 퇴학처분을 한 것이 학칙에 규정된 교수회의 심의·의결을 거치지 아니한 것이어서 위법하다고 판시하면서) 학생에 대한 징계처분이 교육적 재량행위라는 이유로 사법심사의 대상에서 제외되는 것은 아니다.**★★
   학생에 대한 징계권의 발동이나 징계의 양정이 징계권자의 교육적 재량에 맡겨져 있다 할지라도 법원이 심리한 결과 그 징계처분에 위법사유가 있다고 판단되는 경우에는 이를 취소할 수 있는 것이고,05 징계처분이 교육적 재량행위라는 이유만으로 사법심사의 대상에서 당연히 제외되는 것은 아니다(대판 1991. 11. 22, 91누2144).

기출 체크

☐☐☐☐☐☐ **01** 행정청의 재량이란 언제나 의무에 합당한 재량을 의미하며 재량권의 남용이나 일탈이 있는 때에는 사법심사의 대상이 된다. (○, ×) ★★★
2014 국회직 8급

☐☐☐☐☐☐ **02** 재량행위에 대한 법원의 심사는 재량권의 일탈 또는 남용 및 재량권의 한계 내에서의 행정청의 판단, 즉 합목적성 내지 공익성의 판단 등을 대상으로 한다. (○, ×) 2023 국가직 7급

☐☐☐☐☐☐ **03** 재량권의 일탈·남용이 있으면 위법하다. (○, ×) ★★★
2016 교육행정직 9급

☐☐☐☐☐☐ **04** 제재적 행정처분이 사회통념상 재량권의 범위를 일탈하였거나 남용하였는지 여부는 처분사유로 된 위반행위의 내용과 당해 처분행위에 의하여 달성하려는 공익목적 및 이에 따르는 제반 사정 등을 객관적으로 심리하여 공익침해의 정도와 그 처분으로 인하여 개인이 입게 될 불이익을 비교·교량하여 판단하여야 한다. (○, ×) ★★ 2012 사회복지직 9급

☐☐☐☐☐☐ **05** 학생에 대한 징계권의 발동이나 징계의 양정(量定)이 징계권자의 교육적 재량에 맡겨져 있다 할지라도 법원이 심리한 결과 그 징계처분에 위법한 사유가 있다고 판단되는 경우에는 이를 취소할 수 있다. (○, ×) ★★ 2008 국가직 9급

□□□□□ **01** 행정청의 재량에 속하는 처분이라도 재량권의 한계를 넘거나 그 남용이 있을 때에는 법원은 이를 취소할 수 있다. (○, ×) 2022 서울시 지적 7급

□□□□ **02** 판례는 재량권의 일탈과 재량권의 남용을 명확히 구분하고 있다. (○, ×) ★ 2015 국가직 9급

□□□□□ **03** 법률에서 정한 액수 이상의 과태료를 부과한 처분은 부당한 처분이다. (○, ×) ★★ 2011 사회복지직 9급

□□□□□ **04** 재량권의 일탈이란 재량권의 내적 한계를 벗어난 것을 말하고, 재량권의 남용이란 재량권의 외적 한계를 벗어난 것을 말한다. (○, ×) ★★ 2015 국가직 9급

□□□□□ **05** 사실의 존부에 대한 판단에도 재량권이 인정될 수 있으므로, 사실을 오인하여 재량권을 행사한 경우라도 처분이 위법한 것은 아니다. (○, ×) ★★ 2020 국가직 7급

□□□□□ **06** 재량권의 불행사에는 재량권을 충분히 행사하지 아니한 경우는 포함되지 않는다. (○, ×) ★★ 2015 국가직 9급

ⓐ 재량의 일탈 · 남용
대부분의 판례는 재량의 일탈과 재량의 남용을 명확하게 구분하지 않고 일반적으로 재량권의 행사에 재량의 '일탈 또는 남용'이 있었는지를 검토한다.**02**

ⓑ 구체적 예
1. 재량불행사의 예로는 음주운전을 한 경우 운전면허를 취소 또는 정지할 수 있다고 규정되어 있는데 그러한 위반에 대해 법규위반의 정도, 위반사유 및 상대방의 이해관계를 전혀 고려함이 없이 운전면허를 취소한 것을 들 수 있다.
2. 재량해태의 예로는 재량권행사시 고려하여야 하는 관계이익, 예컨대 공익과 사익 등을 충분히 고려하지 않은 경우를 들 수 있다.

(3) 재량하자의 유형

재량하자의 유형에 대해 행정소송법은 "행정청의 재량에 속하는 처분이라도 재량권의 한계를 넘거나 그 남용이 있는 때에는 법원이 이를 취소할 수 있다.**01**"라고 규정하고 있다. 한편 학설은 재량의 일탈 · 남용 외에 재량권의 불행사도 재량하자의 유형으로 본다.

2. 재량하자의 구체적 검토

(1) 재량의 일탈(유월)ⓐ

이는 법률의 외적 한계를 넘어 재량권이 행사된 경우를 말한다. 예를 들어, 법에서 6개월 이내의 영업정지처분을 할 수 있다고 규정하고 있음에도 불구하고 행정청이 1년의 영업정지처분을 내리거나 법률에서 정한 액수 이상의 과태료를 부과한 행위 등이 이에 해당한다.**03**

(2) 재량의 남용

① 일반론

재량의 남용은 법률의 외적 한계는 넘지 않았으나 재량권을 부여한 법의 목적이나 평등의 원칙 · 비례의 원칙 등 내적 한계에 위배되는 경우의 재량권행사를 말한다.**04**

② 구체적 검토

- ㉠ 평등의 원칙 위반 : 처분이 평등의 원칙을 위반하면 재량권을 남용한 것으로 위법한 재량권행사가 된다.
- ㉡ 비례의 원칙 위반 : 상대방이 법을 위반한 정도에 비해 과중한 제재조치를 하는 것은 비례원칙에 위반하여 위법한 행위가 된다.
- ㉢ 목적 위반, 동기의 부정 : 재량권행사가 법률이 정한 목적과 다르거나 불법한 동기에 의해 행사된 경우에는 당해 재량권행사는 위법하게 된다. 예컨대, 소방기본법에 의한 가택출입검사는 화재의 예방 · 진압을 목적으로 하는 것이므로 동법에 의한 범죄예방 목적의 가택출입은 위법하게 된다.
- ㉣ 사실의 오인 : 사실의 존부에 대한 판단에는 재량권이 인정될 수 없으므로 사실을 오인하여 재량권을 행사한 경우에 그 처분은 위법하다.**05** 예를 들어, 공무원에게 비리가 있다고 하여 징계처분을 하였으나 당해 행위를 비리사실로 볼 수 없는 경우와 같이 재량처분의 전제가 되는 요건사실의 인정이 잘못되었다면 그 처분은 위법하다.
- ㉤ 부당결부금지의 원칙 위반 : 재량권행사가 부당결부금지의 원칙에 위반된 경우에는 그 처분이 위법하게 된다.

(3) 재량의 불행사와 해태ⓑ

재량권의 불행사란 행정기관이 재량행위를 기속행위로 오인하여 재량권을 행사하지 않은 경우를, 재량의 해태란 재량을 행사할 때 고려해야 할 사항을 충분히 고려하지 않은 경우를 말하는데 재량의 해태는 재량의 불행사에 포함된다고 볼 수 있다.**06** 재량을 불행사한 행정행위는 위법한 행위가 된다.

┌─ **관련판례** ─
1. 행정청인 시 · 도지사가 한정면허의 갱신 여부를 심사할 때 한정면허의 갱신을 신청한 자가 거부처분으로 입게 되는 불이익의 내용과 정도 등을 전혀 비교 · 형량하지 아니하였거나 비교 · 형량의 고려대상에 마땅히 포함시켜야 할 사항을 누락한 경우 또는 비교 · 형량을 하였으나 정당성 · 객관성이 결여된 경우에는 한정면허의 갱신에 관한 거부처분은 재량권을 일탈 · 남용하여 위법하다(대판 2020. 6. 11, 2020두34384).

2-1. 행정청이 제재처분 양정을 하면서 공익과 사익의 형량을 전혀 하지 않았거나 이익형량의 고려대상에 마땅히 포함하여야 할 사항을 누락한 경우 또는 이익형량을 하였으나 정당성·객관성이 결여된 경우에는 제재처분은 재량권을 일탈·남용한 것이라고 보아야 한다.01 ★★

2-2. 처분 상대방에게 법령에서 정한 임의적 감경사유가 있는 경우에, 행정청이 감경사유까지 고려하고도 감경하지 않은 채 개별처분기준에서 정한 상한으로 처분을 한 경우에는 재량권을 일탈·남용하였다고 단정할 수는 없으나,02 행정청이 감경사유를 전혀 고려하지 않았거나 감경사유에 해당하지 않는다고 오인하여 개별처분기준에서 정한 상한으로 처분을 한 경우에는 마땅히 고려대상에 포함하여야 할 사항을 누락하였거나 고려대상에 관한 사실을 오인한 경우에 해당하여 재량권을 일탈·남용한 것이라고 보아야 한다(대판 2020. 6. 25, 2019두52980).★★

3. 「부동산 실권리자명의 등기에 관한 법률 시행령」 제3조의2 단서의 과징금의 임의적 감경사유가 있음에도 이를 전혀 고려하지 않거나 감경사유에 해당하지 않는다고 오인하여 과징금을 감경하지 않은 경우, 그 과징금 부과처분이 재량권을 일탈·남용한 위법한 것이다.03 04 05 ★★

실권리자명의 등기의무를 위반한 명의신탁자에 대하여 부과하는 과징금의 감경에 관한 「부동산 실권리자명의 등기에 관한 법률 시행령」 제3조의2 단서는 임의적 감경규정임이 명백하므로, 그 감경사유가 존재하더라도 과징금 부과관청이 감경사유까지 고려하고도 과징금을 감경하지 않은 채 과징금 전액을 부과하는 처분을 한 경우에는 이를 위법하다고 단정할 수는 없으나, 위 감경사유가 있음에도 이를 전혀 고려하지 않았거나 감경사유에 해당하지 않는다고 오인한 나머지 과징금을 감경하지 않았다면 그 과징금 부과처분은 재량권을 일탈·남용한 위법한 처분이라고 할 수밖에 없다(대판 2010. 7. 15, 2010두7031).

4-1. 처분의 근거법령이 행정청에 처분의 요건과 효과 판단에 일정한 재량을 부여하였는데도, 행정청이 자신에게 재량권이 없다고 오인한 나머지 처분으로 달성하려는 공익과 그로써 처분상대방이 입게 되는 불이익의 내용과 정도를 전혀 비교·형량하지 않은 채 처분을 하였다면, 이는 재량권 불행사로서 그 자체로 재량권 일탈·남용으로 해당 처분을 취소하여야 할 위법사유가 된다.06 ★★★

4-2. 피고는 자신에게 주어진 재량권을 전혀 행사하지 않고 오로지 13년 7개월 전에 이 사건 입국금지결정이 있었다는 이유만으로 이 사건 사증발급 거부처분을 한 사안에서 피고는 관계법령상 부여된 재량권을 적법하게 행사했어야 했다(비례의 원칙에 반하는 것인지 판단했어야 했다)(대판 2019. 7. 11, 2017두38874).

3. 재량하자에 관한 구체적 판례

(1) 재량권을 일탈·남용한 것이라는 판례

관련판례

1. 단원에게 지급될 급량비를 바로 지급하지 않고 모아두었다가 지급한 시립무용단원에 대한 해촉처분은 급량비의 유용이 개인적 목적을 위한 것이 아니라는 점 등에 비추어 볼 때 징계권을 남용한 것이어서 무효이다.

원고(시립무용단원)가 급량비가 나올 때마다 바로 지급하지 않고 이를 모아두었다가 일정액에 달하였을 때에 지급하여 온 것이 관례화되어 있었을뿐더러 원고가 급량비를 유용한 것은 개인적인 목적을 위한 것이 아니고 시립무용단장의 지시에 따라 시립무용단의 다른 용도에 일시전용한 것이라는 점, 유용한 금액이 비교적 소액이고 그 후에 모두 단원들에게 지급된 점 등 이 사건 변론에 나타난 여러 사정 등을 종합하여 보면, 원고를 징계하기 위하여 한 이 사건 해촉은 너무 가혹하여 징계권을 남용한 것이어서 무효이다(대판 1995. 12. 22, 95누4636).

2. 당해 공무원의 동의 없는 지방공무원법 제29조의3의 규정에 의한 전출명령은 위법하여 취소되어야 하므로, 그 전출명령이 적법함을 전제로 내린 징계처분은 징계양정에 있어 재량권을 일탈하여 위법하다(대판 2001. 12. 11, 99두1823).

3. 민원사무를 처리하는 행정기관이 민원1회방문처리제를 시행하는 절차의 일환으로 민원사항의 심의·조정 등을 위한 민원조정위원회를 개최하면서 민원인에게 회의일정 등을 사전에 통지하지 아니하였다 하더라도, 이러한 사정만으로 곧바로 민원사항에 대한 행정기관의 장의 거부처분에 취소사유에 이를 정도의 흠이 존재한다고 보기는 어렵다.**01** 다만 행정기관의 장의 거부처분이 재량행위인 경우에, 위와 같은 사전통지의 흠결로 민원인에게 의견진술의 기회를 주지 아니한 결과 민원조정위원회의 심의과정에서 고려대상에 마땅히 포함시켜야 할 사항을 누락하는 등 재량권의 불행사 또는 해태로 볼 수 있는 구체적 사정이 있다면, 거부처분은 재량권을 일탈·남용한 것으로서 위법하다(대판 2015. 8. 27, 2013두1560).**02** ★★

4. 청소년유해매체물로 결정·고시된 만화인 사실을 모르고 있던 도서대여업자가 그 고시일로부터 8일 후에 청소년에게 그 만화를 대여한 것을 사유로 그 도서대여업자에게 금 700만원의 과징금이 부과된 경우, 그 도서대여업자에게 청소년유해매체물인 만화를 청소년에게 대여하여서는 아니 된다는 금지의무의 해태를 탓하기는 가혹하므로 그 과징금 부과처분은 재량권을 일탈·남용한 것으로서 위법하다(대판 2001. 7. 27, 99두9490).**03**

5. 자동차운수사업법에 의한 개인택시운송사업 면허는 특정인에게 권리나 이익을 부여하는 행정행위로서 법령에 특별한 규정이 없는 한 재량행위이고, 그 면허를 위하여 필요한 기준을 정하는 것도 역시 행정청의 재량에 속하는 것이므로, 그 설정된 기준이 객관적으로 보아 합리적이 아니라거나 타당하지 않다고 볼 만한 다른 특별한 사정이 없는 이상 행정청의 의사는 가능한 한 존중되어야 하나, 행정청이 어떤 면허신청에 대하여 이미 설정된 면허기준을 구체적으로 적용함에 있어서 그 해석상 당해 신청이 면허발급의 우선순위에 해당함이 명백함에도 불구하고 이를 제외시켜 면허거부처분을 하였다면 특별한 사정이 없는 한 그 거부처분은 재량권을 남용한 위법한 처분이다(대판 1998. 3. 13, 98두1321).**04**

(2) 재량권을 일탈·남용한 것이 아니라는 판례

관련판례

1. 초음파 검사를 통하여 알게 된 태아의 성별을 고지한 의사에 대한 의사면허자격정지처분은 재량권의 일탈·남용이 아니다.

   원심이 이 사건 처분에 재량권 일탈·남용의 위법이 없다고 본 조치는 정당하고 …… 심리미진이나 법리오해 등의 위법이 없다(대판 2002. 10. 25, 2002두4822).

2. 약사법상 금지되어 있는 약사의 의약품 개봉판매행위에 대하여 구 약사법령에 근거하여 업무정지에 갈음하는 과징금 부과처분을 한 것은 재량권의 일탈·남용에 해당한다고 보기 어렵다.

   약사의 의약품 개봉판매행위에 대하여 …… 과징금 부과처분을 한 것이 재량권의 범위를 일탈하거나 재량권을 남용한 것으로 보기 어렵다(대판 2007. 9. 20, 2007두6946).

3. 생물학적 동등성 시험 자료 일부에 조작이 있음을 이유로 해당 의약품의 회수 및 폐기를 명한 행정처분이 재량권을 일탈·남용하여 위법하다고 볼 수 없다.**05**

   행정처분으로 제약회사가 입게 될 경제적 손실이라는 불이익과 생물학적 동등성이 사전에 제대로 확인되지 않은 의약품이 유통되어 국민건강이 침해될 수 있는 위험을 예방하기 위한 공익상의 필요를 단순 비교하기 어려운 점 등에 비추어, 위 처분이 재량권을 일탈·남용하여 위법하다고 볼 수 없다(대판 2008. 11. 13, 2008두8628).

4. 학교법인 임원이 교비회계자금을 법인회계로 부당전출했고, 학교법인이 사실상 행정청의 시정요구 대부분을 이행하지 아니한 경우에 행한 임원취임승인취소처분은 재량권을 일탈·남용하였다고 볼 수 없다.

   학교법인의 임원취임승인취소처분에 대한 취소소송에서, 교비회계자금을 법인회계로 부당전출한 위법성의 정도와 임원들의 이에 대한 가공의 정도가 가볍지 아니하고, 학교법인이 행정청의 시정요구에 대하여 이를 시정하기 위한 노력을 하였다고는 하나 결과적으로 대부분의 시정요구사항이 이행되지 아니하였던 사정 등을 참작하여, 위 취소처분이 재량권을 일탈·남용하였다고 볼 수 없다(대판 2007. 7. 19, 2006두19297 전합).**06**

5. (비록 금액이 작더라도 경찰관이 뇌물수수에 적극적으로 개입했다면 징계처분은 재량의 일탈·남용이 아니라는 관점에서) **교통법규 위반 운전자로부터 1만원을 받은 경찰공무원을 해임처분한 것은 징계재량권의 일탈·남용이 아니다.01**

경찰공무원이 그 단속대상이 되는 신호위반자에게 먼저 적극적으로 돈을 요구하고 다른 사람이 볼 수 없도록 돈을 접어 건네주도록 전달방법을 구체적으로 알려주었으며 동승자에게 신고시 범칙금처분을 받게 된다는 등 비위신고를 막기 위한 말까지 하고 금품을 수수한 경우, 비록 그 받은 돈이 1만원에 불과하더라도 위 금품수수행위를 징계사유로 하여 당해 경찰공무원을 해임처분한 것은 징계재량권의 일탈·남용이 아니다(대판 2006. 12. 21, 2006두16274).

6. 지방공무원 복무조례개정안에 대한 의견을 표명하기 위하여 <u>전국공무원노동조합 간부 10여 명과 함께 시장의 사택을 방문한</u> 위 노동조합 시지부 사무국장에게 지방공무원법 제58조에 정한 <u>집단행위 금지의 무를 위반</u>하였다는 등의 이유로 징계권자가 파면처분을 한 사안에서, 그 징계처분이 사회통념상 현저하게 타당성을 잃거나 객관적으로 명백하게 부당하여 <u>징계권의 한계를 일탈하거나 재량권을 남용하였다고 볼 수 없다</u>(대판 2009. 6. 23, 2006두16786).**02**

7. (초등학교 교감인 원고가 회식을 마치고 귀가하던 길에 여성인 택시운전기사를 강제추행하였음을 사유로 피고가 원고에게 해임처분을 내린 사안에서) 구 「교육공무원 징계양정 등에 관한 규칙」 제4조 제2항 제4호 (가)목은 「성폭력범죄의 처벌 등에 관한 특례법」 제2조에 따른 성폭력범죄행위로 징계의 대상이 된 경우에는 징계를 감경할 수 없다고 규정하고 있는데, 적어도 '고의가 있는 경우'에 관하여는 객관적 합리성을 결여하였다고 보기 어려우므로 위 해임처분은 일탈·남용한 것으로 볼 수 없다(대판 2019. 12. 24, 2019두48684).

❺ 재량권에 대한 사법적 통제 – 법원에 의한 통제[a]

재량권의 행사에 대한 통제는 통제주체에 따라 입법적 통제, 행정적 통제, 사법적 통제로 나뉘는데 그중 사법적 통제로서 법원에 의한 통제는 다음과 같다.

재량행위라 하더라도 행정청이 재량권을 행사함에 있어서 재량의 일탈·남용·불행사 등이 있는 경우에는 위법한 처분이 되므로 법원에 의한 통제대상이 된다. 따라서 **재량행위가 위법하다는 이유로 소송이 제기된 경우에 법원은 각하할 것이 아니라 본안심리를 진행하여 일탈·남용이 있으면 인용판결, 그렇지 않으면 청구를 기각한다.03**

기속행위와 재량행위의 비교

구 분	기속행위	재량행위
개 념	법규에서 정한 요건이 충족되면 행정청이 반드시 어떠한 행위를 발하거나 발하지 말아야 하는 행위	행정기관의 재량권(행정권을 행사함에 있어서 둘 이상의 다른 내용의 결정 또는 행태 중에서 선택할 수 있는 권한) 행사에 의해 행해지는 행정행위
법령의 규정방식	'~하여야 한다'	'~할 수 있다'
법원의 통제	행정권행사에 잘못이 있는 경우는 곧바로 위법한 행위가 됨. ⇨ 법원의 통제 가능	재량권의 한계를 넘지 않는 한 재량을 그르친 경우 부당한 행위임. ⇨ 법원에 의해 통제 ×
사법심사의 방식	법원이 독자적인 결론을 도출한 후 행정청의 판단과 비교	법원이 독자적 결론을 도출함이 없이 행정청의 행위에 재량권의 일탈·남용이 있는지를 심사
부관의 허용성	• 전통적 견해 및 판례 : 법률에 별도의 규정이 없는 경우에는 부관을 붙일 수 없음. • 최근의 다수설 : 요건충족적 부관은 붙일 수 있음.	통설 및 판례 : 법률에 별도의 규정이 없는 경우에도 부관을 붙일 수 있음.
요건충족에 따른 효과의 부여	요건충족시 반드시 법에 정해진 효과를 부여해야 함.	요건이 충족되어도 공익과 이익형량을 통해 법에 정해진 효과를 부여하지 않을 수 있음.

기출 체크

☐☐☐☐☐ **01** 경찰공무원이 교통법규 위반 운전자에게 만원권 지폐 한 장을 두 번 접어서 면허증과 함께 달라고 한 경우에 내려진 해임처분은 징계재량권의 일탈·남용이 아니다. (○, ×)   2015 경행특채 2차

☐☐☐☐☐ **02** 전국공무원노동조합 시지부 사무국장이 지방공무원 복무조례 개정안에 대한 의견을 표명하기 위하여 전국공무원노동조합간부들과 함께 시장의 사택을 방문하였고, 이에 징계권자가 시장 개인의 명예와 시청의 위신을 실추시키고 지방공무원법에서 정한 집단행위 금지의무를 위반하였다는 등의 이유로 사무국장을 파면처분한 것은 재량권의 일탈·남용에 해당되지 않는다. (○, ×)   2015 사회복지직 9급

☐☐☐☐☐ **03** 재량행위가 위법하다는 이유로 소송이 제기된 경우에 법원은 각하할 것이 아니라 그 일탈·남용 여부를 심사하여 그에 해당하지 않으면 청구를 기각하여야 한다. (○, ×) ★★   2014 서울시 9급

[a] 사법적 통제와 관련하여 p.229에서 본 것처럼 부당한 재량행위는 법원에 의해 통제되지 않는다. 이를 재량행위는 재량의 일탈·남용이 없는 한 사법심사의 대상이 되지 않는다고 표현하기도 한다. 이때 사법심사의 대상에서 제외된다는 것은 전통적 재량이론처럼 <u>법원이 각하한다는 의미가 아니다</u>. 법원은 재량행위에 대해서도 일탈·남용이 있는지를 심사하여 <u>일탈·남용이 있으면 청구인용판결을 하고 그렇지 않으면 청구기각판결을 할 수 있다는 의미이다.</u>

정답 01 ○ 02 ○ 03 ○

❶ 국가공무원법 제40조의4【우수공무원 등의 특별승진】직무수행능력이 탁월하여 행정발전에 큰 공헌을 한 자의 경우 특별승진임용할 수 있다.
✚ 이 조문은 복잡한 조문내용을 축약하는 과정에서 이해의 편의를 돕기 위해 다소 수정·변경하였다.

ⓐ 요건재량설과의 구별
판단여지설은 요건에 사용된 불확정개념을 법개념으로 보고 그에 관한 해석판단에 대하여 원칙적으로 전면적인 사법심사의 대상이 되는 법률문제로 보면서, 다만 일정한 경우 사실상 사법심사가 배제된다고 한다. 이에 대하여 요건재량설은 요건에 사용된 불확정개념에 대하여 사법심사가 처음부터 배제되는 재량개념으로 본다.

ⓑ 불확정개념이 여러 상이한 가치판단을 허용한 것으로 해석될 경우 행정은 법원보다 전문성을 가지고 있고, 구체적인 행정문제에 책임을 가지고 있으므로 법원은 행정기관의 전문성과 책임성을 존중하여 행정기관의 판단을 존중하여야 한다.

ⓒ 불확정개념으로서 법원의 심사대상이 된다는 의미
경찰관직무집행법은 "경찰관은 불법집회·시위로 인하여 공공시설안전에 대한 현저한 위험예방을 위해 최루탄을 사용할 수 있다."라고 규정하고 있다(조문의 내용 일부 수정). 국립 A대학교 학생들이 정부의 학과폐지방침에 반발하여 정부종합청사 앞에서 신고도 하지 않고 집회를 하자 경찰관이 '공공시설에 대한 현저한 위험이 있다'고 판단하여 최루탄을 사용하였다. 이러한 판단의 적법성에 대해서 비록 위 조문은 요건에 '현저한 위해의 발생'이라는 불확정개념을 사용하고 있지만 이는 법개념으로서 구체적인 상황과 관련하여 당연히 법원이 그 개념을 해석하여 학생들의 집회가 그러한 현저한 위험의 발생이라는 개념에 포함될 수 있는지를 심사할 수 있어야 한다. 예컨대, 불과 학생들 몇몇이 모여서 촛불을 들고 집회를 하는 경우에 경찰관이 최루탄을 사용하였다면 법원은 이러한 상황이 공공시설에 대한 현저한 위험에 해당하지 않으므로 경찰관의 최루탄 사용은 위법하다고 판단할 수 있다.

03 | 불확정개념과 판단여지

❶ 불확정개념

1. 의의

불확정개념이란 법규의 요건 부분에 사용된 추상적이며 다의적(多義的)인 개념을 일컫는 말로서 불확정법개념 또는 불확정법률개념이라고도 한다. 이렇게 불확정개념이 사용되는 것은 다양한 행정현실 때문이라는 점은 앞서 살펴보았다.

2. 구체적 예

도로교통법상 통행금지요건으로서 '교통의 안전과 원활한 소통의 확보', 「총포·도검·화약류 등의 안전관리에 관한 법률」상 면허의 취소·정지요건으로서 '공공의 안녕질서를 해칠 염려', 국가공무원법상 공무원의 직위해제요건으로서 '근무성적의 극히 나쁨', 공무원의 특별승진요건으로서 '직무수행능력의 탁월' 등의 개념을 들 수 있다.❶

❷ 판단여지론

1. 등장배경

(1) 독일에서는 법규의 요건 부분에는 재량이 없다고 본다.

(2) 이러한 견해에 따르면 법령의 요건 부분에는 재량이 부정되므로 모든 불확정개념의 해석과 적용에 대한 행정청의 판단이 완전히 무시되고 법원의 판단에 의해 대체되게 된다(사법심사의 방식 참조).

(3) 이는 다양한 사회현실을 생각해 볼 때 행정청의 전문영역을 무시한다는 점에서 문제가 있으므로 이를 시정하기 위해 독일에서 등장한 이론이 이른바 판단여지론이다.

2. 판단여지론의 의의

(1) 개념

법규의 요건에 불확정개념이 사용된 경우에도 이를 해석·적용하는 것은 법률작용으로서 원칙적으로 법원의 심사대상이 된다. 다만, 일정한 범위에서는 행정의 전문적·정책적 판단이 종국적인 것으로 존중되며 그 한도에서 법원의 사법심사가 제한되는바 이를 판단여지라고 하고 이를 받아들이는 이론을 판단여지론이라고 한다.ⓐ ⓑ

(2) 논의되는 상황

① 비록 법률에 불확정개념이 사용된 경우라 하더라도 이는 법률용어에 해당하므로 구체적 상황과 관련하여서는 하나의 정당한 해석·적용만이 있을 뿐이고 법을 해석하는 것은 법원의 권한에 속하므로 당연히 법원의 심사대상이 되어야 한다.ⓒ

② 다만 일정한 경우, 예컨대 공무원의 직무수행능력평가 또는 면접시험에서 용모·품행·성실성 등과 같이 성질상 사법심사가 곤란한 영역과 관련하여 논의된다.

3. 우리나라에서 독자적인 판단여지론의 인정 여부

(1) 학 설

위에서 논의된 판단여지를 재량과는 구별되는 독자적 개념으로 인정할 것인지에 관해서는 학설이 대립한다.

① 부정설

　사법심사가 제한된다는 점에서 양자를 구별할 실익이 없으므로 판단여지라는 개념을 독자적으로 인정할 필요는 없고, 또한 법규정은 일체(一體)적으로 판단하여야 하므로 요건과 효과규정을 엄격하게 구분할 수 없으므로 행정법규의 요건 부분이든 효과 부분이든 사법심사가 제한되는 경우 모두 재량이라는 단일한 개념으로 파악하면 된다는 견해이다.

② 긍정설

　㉠ 요건규정의 해석·적용은 법률이 의도하는 하나의 올바른 결정을 위한 법인식의 문제 ⓐ 인 반면, 효과규정에서 논의되는 재량은 요건이 충족된 이후에 행위의 결정·선택의 문제라는 점에서 양자는 구별되므로 독자적인 개념으로 인정할 필요가 있다고 한다.

　㉡ 즉, 어떤 사실에 대해 법을 적용할 때는 먼저 문제되는 사실관계를 확정하여 관련법규의 해석을 통해 그 인정사실이 법규의 구성요건에 포섭되는지를 검토한 뒤, 포섭된다면 어떤 법적 효과를 부여할 것인가를 결정하는 과정을 거치게 된다. 이때 판단여지는 법률요건의 포섭단계에서 관련되는 문제이며 재량은 법률효과의 결정 내지 선택과 관련되는 문제가 된다는 점에서 양자는 구별된다고 한다. 01

　㉢ 또한 판단여지는 요건의 문제이므로 명문의 근거가 없는 한 효과를 제한하는 부관을 붙일 수 없지만 재량행위의 경우에는 후술하는 바와 같이 효과를 제한하는 부관을 붙일 수 있다는 점에서 구별의 실익이 있다고 한다.

(2) 판 례 ⓐ

판례는 판단여지 긍정설이 판단여지의 문제로 보는 각종의 시험평가와 독립된 위원회의 결정과 관련하여 판단여지를 재량과 구별되는 별도의 개념으로 인정하지 않으며, 판단여지가 인정될 수 있는 경우에도 재량권이 인정되는 것으로 보는바, 부정설의 입장을 취하고 있다. 02

┏ 관련판례

1. 교과서검정은 재량권의 범위를 일탈한 것이 아닌 이상 위법하다고 할 수 없다(재량으로 봄)(대판 1992. 4. 24, 91누6634). 03 ★★

2. 행정행위로서의 시험의 출제업무는 출제 담당위원의 재량에 속한다(대판 2006. 12. 22, 2006두12883).

3. 공무원 임용을 위한 면접전형에서 임용신청자의 능력이나 적격성 등에 관한 판단은 면접위원의 자유재량에 속한다. 04 ★★

　공무원 임용을 위한 면접전형에서 임용신청자의 능력이나 적격성 등에 관한 판단은 면접위원의 고도의 교양과 학식, 경험에 기초한 자율적 판단에 의존하는 것으로서 오로지 면접위원의 자유재량에 속하고, 그와 같은 판단이 현저하게 재량권을 일탈 내지 남용한 것이 아니라면 이를 위법하다고 할 수 없다(대판 1997. 11. 28, 97누11911). 05

4. 구 문화재보호법 제44조 제1항 단서 제3호의 규정에 의한 '건설공사를 계속하기 위한 고분발굴허가'는 허가권자의 재량행위에 속한다.

　문화재보호법 제44조 제1항 단서 제3호의 규정에 의하여 문화체육부(현 문화체육관광부)장관 또는 그 권한을 위임받은 문화재관리국장 등이 건설공사를 계속하기 위한 발굴허가신청에 대하여 그 공사를 계속하기 위하여 부득이 발굴할 필요가 있는지의 여부를 결정하여 발굴을 허가하거나 이를 허가하지 아니함으로써 원형 그대로 매장되어 있는 상태를 유지하는 조치는 허가권자의 재량행위에 속하는 것이므로, 행정청은 발굴허가가 신청된 고분 등의 역사적 의의와 현상, 주변의 문화적 상황 등을 고려하

기출 체크

□□□□□ **01** 판단여지를 긍정하는 학설은 판단여지는 법률효과 선택의 문제이고 재량은 법률요건에 대한 인식의 문제라는 점, 양자는 그 인정근거와 내용 등을 달리하는 점에서 구별하는 것이 타당하다고 한다. (○, ×) ★★ 　　　　2017 국가직 9급

□□□□□ **02** 판례는 재량권과 판단여지를 구분하지 않고, 판단여지가 인정되는 경우에도 재량권이 인정되는 것으로 본다. (○, ×) ★★ 　　2024 소방직 9급

□□□□□ **03** 판례는 교과서검정의 위법성을 재량심사에 의하여 판단하고 있다. (○, ×) ★★ 　　　　2010 지방직 9급

□□□□□ **04** 판례는 공무원 임용을 위한 면접전형에서 임용신청자의 능력이나 적격성 등에 관한 판단이 면접위원의 자유재량에 속한다고 보고 있다. (○, ×) ★★ 　　　　2013 지방직(하) 7급

□□□□□ **05** 공무원 임용을 위한 면접전형에서 임용신청자의 능력이나 적격성 등에 관한 판단은 면접위원의 고도의 교양과 학식, 경험에 기초한 자율적 판단에 의존하는 것으로서 면접위원의 자유재량에 속하고, 그와 같은 판단이 현저하게 재량권을 일탈·남용하지 않은 한 이를 위법하다고 할 수 없다. (○, ×) ★★ 　　2023 지방직·서울시 7급

판례 | ⓐ 1. 감정평가사시험 합격기준의 설정은 행정청의 재량에 속한다(대판 1996. 9. 20, 96누6882).
2. 논술형 시험인 사법시험 제2차 시험의 채점위원이 하는 채점행위는 재량행위이다(대판 2007. 1. 11, 2004두10432).

ⓐ 법인식의 문제
국가공무원법은 직무수행능력이 부족하거나 근무성적이 극히 불량한 자에 대해서 직위를 부여하지 아니할 수 있다고 규정하고 있다. 이와 관련하여 甲이라는 사람이 근무 중에 주식거래를 위해 PC방을 출입하는 경우를 생각해 보자. 이때 법규정의 요건 부분인 근무성적이 극히 불량한 경우와 관련하여서 과연 甲의 행동이 이러한 요건에 포섭이 되는지 여부가 인식의 문제이다.

긍정설에 따른 판단여지와 재량의 비교

구 분	판단여지	재 량
인 정	법률요건에 불확정개념의 사용	법률효과에 가능규정 사용
인정 근거	입법자의 수권(판단수권설), 법원에 의한 행정의 책임성, 전문성의 존중	입법자의 수권
인정 범위	요건 중 일정한 불확정개념의 판단	효과의 선택

정답 01 × 02 ○ 03 ○ 04 ○ 05 ○

여 역사적으로 보존되어 온 매장문화재의 현상이 파괴되어 다시는 회복할 수 없게 되거나 관련된 역사 문화자료가 멸실되는 것을 방지하고 그 원형을 보존하기 위한 공익상의 필요에 기하여 그로 인한 개인의 재산권 침해 등 불이익이 훨씬 크다고 여겨지는 경우가 아닌 한 발굴을 허가하지 아니할 수 있다 할 것이고, 행정청이 매장문화재의 원형보존이라는 목표를 추구하기 위하여 문화재보호법 등 관계 법령이 정하는 바에 따라 내린 전문적·기술적 판단은 특별히 다른 사정이 없는 한 이를 최대한 존중하여야 한다(대판 2000. 10. 27, 99두264).

5. 대학수학능력시험과 각 대학별 입학전형에 있어서 출제 및 배점, 채점이나 면접의 방식, 점수의 구체적인 산정방법 및 기준, 합격자의 선정 등은 시험 시행자 또는 전형절차 주관자의 재량사항이다(대판 2007. 12. 13, 2005다66770).

6. 구 전염병예방법 제54조의2 제2항에 따른 예방접종으로 인한 질병, 장애 또는 사망의 인정 여부 결정은 보건복지가족부장관(현 보건복지부장관)의 재량에 속한다(대판 2014. 5. 16, 2014두274).**01**

7. 신의료기술의 안전성·유효성 평가나 신의료기술의 시술로 국민보건에 중대한 위해가 발생하거나 발생할 우려가 있는지에 관한 판단은 고도의 의료·보건상의 전문성을 요하므로, 이에 대하여 전문적인 판단을 하였다면, 판단의 기초가 된 사실인정에 중대한 오류가 있거나 판단이 객관적으로 불합리하거나 부당하다는 등의 특별한 사정이 없는 한 존중되어야 한다. 또한 행정청이 전문적인 판단에 기초하여 재량권의 행사로서 한 처분은 비례의 원칙을 위반하거나 사회통념상 현저하게 타당성을 잃는 등 재량권을 일탈하거나 남용한 것이 아닌 이상 위법하다고 볼 수 없다(대판 2016. 1. 28, 2013두21120).**02**

8. 「개발제한구역의 지정 및 관리에 관한 특별조치법」 및 구 「액화석유가스의 안전관리 및 사업법」 등의 관련 법규에 의하면, 개발제한구역에서의 자동차용 액화석유가스충전사업허가는 그 기준 내지 요건이 불확정개념으로 규정되어 있으므로 그 허가 여부를 판단함에 있어서 행정청에 재량권이 부여되어 있다고 보아야 한다(대판 2016. 1. 28, 2015두52432).**03** ★★

9. '환경오염 발생우려'와 같이 장래에 발생할 불확실한 상황과 파급효과에 대한 예측이 필요한 요건에 관한 행정청의 재량적 판단은 그 내용이 현저히 합리성을 결여하였다거나 상반되는 이익이나 가치를 대비해 볼 때 형평이나 비례의 원칙에 뚜렷하게 배치되는 등의 사정이 없는 한 폭넓게 존중될 필요가 있는 점 등을 함께 고려하여야 한다. 이 경우 행정청의 당초 예측이나 평가와 일부 다른 내용의 감정의견이 제시되었다는 등의 사정만으로 쉽게 행정청의 판단이 위법하다고 단정할 것은 아니다(대판 2020. 7. 23, 2019두31839 ; 대판 2021. 6. 30, 2021두35681).

10. 군인사법상 현역복무 부적합 여부 판단에 관하여 관계기관에 폭넓은 재량이 주어져 있다(대판 2019. 12. 27, 2019두37073).

11. 행정청의 전문적인 정성적 평가 결과는 그 판단의 기초가 된 사실인정에 중대한 오류가 있거나 그 판단이 사회통념상 현저하게 타당성을 잃어 객관적으로 불합리하다는 등의 특별한 사정이 없는 한 법원이 그 당부를 심사하기에 적절하지 않으므로 가급적 존중되어야 한다.**04** 한편 여기에 재량권을 일탈·남용한 특별한 사정이 있다는 점은 증명책임분배의 일반원칙에 따라 이를 주장하는 자가 증명하여야 한다(대판 2020. 7. 9, 2017두39785).

❸ 판단여지 인정영역

1. 판단여지가 논의되는 영역

불확정개념은 원칙상 법개념이고 사법심사의 대상이 되어야 하므로 판단여지는 다음과 같은 영역에서 제한적으로만 인정될 수 있다고 본다.

(1) 예측적 결정

사법적 판단은 과거에 있었던 일에 대한 판단을 주된 내용으로 하는 점에서, 미래지향적 예측결정인 환경행정과 경제행정분야에서 장래 발생할 수 있는 위험에 대한 행정청의 판단과 같은 행위는 사법부가 심사하기 어려우므로 행정청의 판단을 존중하고 사법심사를 자제할 필요가 있다.

(2) 비대체적 결정

타인이 대체할 수 없는 결정으로서 재현·반복이 불가능하고, 전문적·학문적 또는 교육적 평가에 관계되는 시험성적의 평가, 공무원에 대한 근무성적평정을 들 수 있다(그 당시의 상황이 재현 불가능하다).

(3) 구속적 가치평가

이익대표 또는 전문가로 구성된 직무상 독립성을 갖는 **위원회의 결정** 등은 해당 분야의 객관적이고 전문적인 중립기관의 결정이므로 이들의 판단은 가능한 한 존중되어야 한다. 이러한 행위의 예로는 공정거래위원회의 불공정거래행위결정, 청소년보호위원회의 청소년유해도서물결정, 식품의약품안전처의 의약품허가결정, 교과서검정위원회의 교과용 도서 결정, 그리고 예술적 가치판단, 전문위원회에 의한 보호대상문화재 해당 여부의 판단 등을 들 수 있다.

(4) 형성적·정책적 결정

공무원인사를 위한 인력수급계획의 결정,01 외국인의 체류허가 갱신시의 필요성 판단 등 행정의 고유 권한이 인정되는 영역이 이에 해당한다. 전쟁무기의 생산 및 수출 등의 외교정책, 자금지원대상업체의 결정과 같은 경제정책, 기타 사회정책 및 교통정책 등 행정정책적인 결정들이 불확정개념과 결부될 때 이에 대한 내용적 결정은 행정의 고유한 임무로 볼 수 있다.

2. 판단여지의 법적 효과

판단여지가 인정되는 영역 내에서 행정청이 나름 신중하게 내린 판단은 위법하지 않은 것이 되어 법원에 의한 통제의 대상이 되지 않는다.

3. 판단여지의 한계

(1) 일반론

판단여지가 인정되는 경우에도 일정한 한계를 벗어나면 하자가 인정되어 위법하게 되므로 법원은 비록 판단여지가 인정되는 영역이라 하더라도 이를 곧바로 각하할 것이 아니라 아래 (2)의 ①~⑥을 심사하여 한계를 벗어난 경우인지를 판단하여야 한다는 것이 일반적 견해이다.

(2) 구체적 한계

① 절차규정의 위반, ② 부정확한 근거에 의한 판단, ③ 직접 관계없는 사항의 고려, ④ 일반적 평가 기준의 무시, ⑤ 자의적 행동, ⑥ 헌법상의 평등원칙을 그 한계로 볼 수 있으며, 이러한 한계를 벗어난 경우에는 위법한 행위가 되므로 **사법심사의 대상**이 된다.

읽기자료 | 판단여지설

1. 요건규정에 불확정개념이 사용된 경우 이는 재량이 아닌 법개념 ⇨ 원칙적으로 법원의 심사대상
2. 단, 고도의 정책적·전문적 판단을 요하는 사항에 대해서는 법원이 사법심사를 자제(행정청의 판단을 존중한다는 의미)
3. 재량은 입법자에 의해 주어지는 것이나 판단여지는 법원에 의해 주어지는 것이다(판단여지는 법원이 자신에 의한 사법심사가 사실상 불가능하여 행정청의 판단을 존중하기 때문에 인정하는 것으로 볼 수 있으므로 판단여지는 법원에 의해 주어지게 되는 셈이 된다).
4. 판단여지가 인정되는 영역
    ① 예측적 결정
    ② 비대체적 결정
    ③ 구속적 가치평가
    ④ 형성적 결정

기출 체크

□□□□□ **01** 다음 중 판단여지의 구속적 가치평가의 영역이 아닌 것은?
2010 서울시 9급
① 공정거래위원회의 불공정거래행위결정
② 청소년보호위원회의 청소년유해도서물 결정
③ 공무원인사를 위한 인력수급계획의 결정
④ 보호대상문화재의 대상 여부에 대한 평가
⑤ 인사위원회의 평가

ⓐ **판단여지론의 이해**

특별승진 조문의 해석과 관련하여, 임용권자가 공무원 甲을 직무수행능력이 탁월하다고 판단하여 특별승진을 시켰다. 이에 특별승진에서 탈락한 乙이 자신의 직무수행능력이 더 탁월함에도 불구하고 본인을 탈락시켰다고 주장하면서 소송을 제기하였다. 이 경우 법원이 과연 어떤 공무원이 더 직무수행능력이 탁월한지에 대해서 심사하는 것은 사실상 불가능하다. 즉, 이런 경우에는 특별승진을 담당하는 공무원의 판단을 법원의 판단으로 대체하는 것이 사실상 불가능하기 때문에 법원은 행정청의 판단을 존중하여 심사를 자제하여야 한다. 다만, 이 경우라 하더라도 특별승진 담당공무원이 자의적인 결정을 내렸다면(ⓔ 승진심사위원 중의 대부분이 甲과 친족관계에 있는 사람들로 구성되는 등) 이에 대해서는 법원이 심사할 수는 있다.

[유튜브] 12강 필수 개념 TEST
- QR코드를 스캔해 주세요.
- 필수 개념과 출제 포인트를 풀어 보세요.
- 틀린 문제는 기본서로 확인해 주세요.

정답 01 ③

법률행위적 행정행위

명령적 행위 : 하명, 허가, 면제

- 주로 질서유지를 위해 국민에 대하여 일정한 작위·부작위·급부·수인 등의 의무를 명하거나 의무를 해제하는 행정행위
  - 명령적 행위 : 개인의 자연적 자유를 제한하거나 제한된 자유를 회복시킴.
  - cf. 형성적 행위 : 개인의 권리, 권리능력, 법률상의 힘을 새로이 발생·변경·소멸하게 함.

하 명

의 의	작위·부작위·급부·수인 등의 의무를 명하는 행위
성 질	법령의 근거가 필요함.
대 상	• 사실행위가 일반적(통행금지 등) • 법률행위일 수도 있음(총포거래금지 등)
상대방	특정인 O, 불특정 다수인 O(일반처분의 성질을 가짐)
효 과	• 대인적 하명의 효과 : 상대방에게만 효력 발생 • 대물적 하명의 효과 : 양수인에게 승계됨.
위반행위	행정상 강제집행 또는 행정상 제재가 과해지나, 위반행위의 사법(私法)적 효력은 유효함이 원칙
하명의 해제 신청	• 일정한 경우 하명의 해제신청권이 인정되기도 함. • 공사중지명령에 대해 명령의 상대방이 해제를 구하기 위해서는 원인사유가 해제되었음이 인정되어야 함.

허 가

- **의의**
  - 개념 : 일반적·잠정적 금지를 해제하여 개인의 자유를 회복시켜주는 행정행위(학문상 개념)
  - 상대적 금지의 해제 : 절대적 금지(청소년에 대한 주류판매금지)에는 허가 불가능
  - 예방적 금지의 해제
- **성질**
  - 통설 및 판례 : 명령적 행위
  - 원칙적으로 기속행위(단, 재량행위인 경우도 있음. 예 입목벌채허가)
  - 건축허가 : 원칙적으로 기속 / 기속행위인 허가가 재량행위인 허가를 포함하는 경우에는 그 한도 내에서 재량행위(예 토지의 형질변경행위를 수반하는 건축허가)
- **상대방** : 특정인인 경우가 일반적, 불특정 다수인도 가능(통행금지의 해제 등)
- **대상** : 사실행위, 법률행위 모두 가능
- **신청 여부** : 신청을 전제하지 않는 허가도 가능(통행금지의 해제 등)
  - 신청의 내용과 다른 허가도 당연무효는 아님(판례).
- **효과** : 금지의 해제
- 허가의 효과는 당해 허가를 한 행정청의 관할구역 내에서만 미치는 것이 원칙(단, 관할구역 외에까지 효과가 미치는 경우 있음)
- 허가로 인한 영업상 이익 : 원칙적으로 반사적 이익 ⇨ 기존허가업자는 신규영업허가에 대해 취소소송을 제기할 수 있는 원고적격 ×
  - 법률규정이 기존업자의 이익도 보호하고 있다고 해석되는 경우 : 법률상 이익에 해당 ⇨ 원고적격 O
- 다른 법률에 의한 금지까지 해제하지는 않는 것이 원칙
- **인·허가 의제제도**
  - **개념** : 하나의 인·허가(주된 인·허가)를 받으면 법률로 정하는 바에 따라 그와 관련된 여러 인·허가(관련 인·허가)를 받은 것으로 보는 제도(행정기본법 제24조 제1항)
  - **근거 필요 여부** : 법률에 명시적 근거 필요
  - **신청** : 인·허가 의제를 받으려면 주된 인·허가를 신청할 때 관련 인·허가에 필요한 서류를 함께 제출하여야 함. 주된 허가담당관청에만 신청하면 됨.
    - 원칙적으로 사업시행자가 반드시 관련 인·허가 의제 처리를 신청할 의무가 있는 것은 아님(판례).
    - 불가피한 사유로 함께 제출할 수 없는 경우에는 주된 인·허가 행정청이 별도로 정하는 기한까지 제출할 수 있음.
    - 주된 인·허가 행정청은 주된 인·허가를 하기 전에 관련 인·허가에 관하여 미리 관련 인·허가 행정청과 협의하여야 함.
    - 협의요청을 받은 관련 인·허가 행정청은 그 요청을 받은 날부터 20일 이내에 의견을 제출하여야 하고 이 기간 내에 의견을 제출하지 아니하면 협의가 된 것으로 봄.

- 협의요청을 받은 관련 인·허가 행정청은 해당 법령을 위반하여 협의에 응해서는 안 되고, 관련 인·허가에 필요한 심의, 의견청취 등의 절차는 법률에 인·허가 의제시 해당 절차를 거친다는 명시적 규정이 있는 경우에만 거침.
- **절차집중 긍정** : 신청된 주된 허가에 관해 규정된 절차만 거치면 족함(판례).
- **실체집중 부정** : 주된 허가요건뿐 아니라 의제되는 인·허가 요건까지 모두 구비한 경우에 주된 신청에 대한 허가를 할 수 있음(다수설·판례).
- **효과 및 실재 여부에 따른 불복방법**

구 분	주된 인·허가가 행해진 경우	주된 인·허가가 거부된 경우
의제의 효과	• 협의된 사항에 대해서는 주된 인·허가를 받았을 때 관련 인·허가를 받은 것으로 봄. • 인·허가 의제의 효과는 주된 인·허가의 해당 법률에 규정된 관련 인·허가에 한정됨.	의제된 인·허가가 거부된 것으로 보지 않음.
의제된 인·허가의 실재 여부 (판례)	의제된 인·허가도 실재 O(통상적인 인·허가와 동일한 효력) ⇨ 의제된 인·허가의 취소나 철회 가능(이는 항고소송의 대상인 처분임)	의제된 인·허가의 거부처분은 실재 ×
신청인 또는 제3자의 불복방법 (판례)	제3자 등이 의제된 인·허가가 위법함을 다투고자 하는 경우 : 원칙적으로 주된 처분이 아니라 의제된 인·허가를 항고소송의 대상으로 삼아야 함.	주된 허가신청에 대한 거부처분을 하면서 의제된 인·허가와 관련된 사유를 그 근거로 제시한 경우에도 상대방은 의제된 인·허가가 아닌 주된 허가거부처분을 대상으로 소송을 제기해야 함.

- **인·허가 의제의 사후관리 등** : 인·허가 의제의 경우 관련 인·허가 행정청은 관련 인·허가를 직접 한 것으로 보아 관계법령에 따른 관리·감독 등 필요한 조치를 하여야 함.
- 의제되는 처분의 공시방법에 하자가 있는 경우 ; 해당 인·허가 등 의제의 효과가 발생하지 않을 여지가 있게 될 뿐이고, 주된 인·허가 처분 자체의 위법사유가 될 수는 없음(판례).
- **무허가행위의 효과** : 행정상 강제집행 또는 행정상 제재가 과해지나 위반행위의 사법(私法)적 효력은 유효함이 원칙
- **타인 명의로 허가를 받은 경우** : 건축허가 명의와 상관없이 실제로 건물을 건축한 자가 건물의 소유권을 취득함.
- **영업의 양도와 제재사유의 승계** : 대인적 허가는 원칙적으로 양도 ×, 대물적 허가의 대상인 영업은 법적 근거 없이 영업양도 가능 O
  - 제재처분 효과의 승계 O : 양도인의 위법행위로 제재처분이 내려진 경우 그 제재처분의 효과는 양수인에게 당연히 이전
  - 제재사유의 승계 O : 명문의 규정이 없는 경우에도 가능(판례)
- **허가의 기준** : 처분시 법령을 기준(행정기본법 제14조 제2항) / 원칙적으로 법령에 근거 없는 한 허가요건을 추가할 수 없음.
- **허가의 갱신 및 기간**
  - 갱신은 종전 허가가 동일성을 유지한 채로 지속되는 것이고 신규허가 아님. ⇨ 갱신 전 위법사유를 들어 갱신 후에도 제재조치 가능
  - 기한 경과 후 행해진 갱신허가 신청에 따른 허가 ⇨ 신규허가
  - 연장신청이 없는 경우 : 기한 도래 ⇨ 허가의 효력 상실
  - 장기 계속성이 예정된 행정행위에 붙은 기한이 사업의 성질상 부당하게 짧은 경우 ⇨ 허가의 갱신기간(조건의 존속기간)으로 봄.
  - 갱신기간의 경우 기간만료 전 적법한 갱신신청이 있었음에도 갱신 가부의 결정이 없는 경우 ⇨ 주된 행정행위는 효력 유지
- **예외적 허가(승인)**
  - 법령상 금지하는 것이 원칙인 사회적으로 유해한 행위의 금지를 예외적으로 해제하는 것(억제적 금지의 해제), 일반적으로 재량행위
  - 개발제한구역 내에서 예외적인 개발행위의 허가는 재량행위에 속함(판례).

면 제

- 법령에 의해 부과된 작위·급부·수인 등의 의무를 특정한 경우에 해제해 주는 행위
- **허가와 면제의 비교**
  - 허가 : 부작위의무 해제
  - 면제 : 작위·급부·수인 등의 의무 해제
  - 면제도 의무를 해제하는 행위라는 점에서는 허가와 성질이 동일함.

형성적 행위 : 특허, 대리, 인가

새로운 권리 · 법률상의 지위 또는 포괄적 법률관계, 기타 법률상의 힘을 발생 · 변경 · 소멸시키는 행정행위

▪상대방을 위한 행위

특 허

개념	신청인에 대해서 새로운 권리, 능력 또는 포괄적 법률관계 설정(설권행위)
종류	공유수면매립면허, 하천점용허가, 공무원 임용, 귀화허가, 도로점용허가, 주택재건축정비사업조합의 설립인가, 개인택시운송사업면허, 체류자격 변경허가, 공증인 인가 · 임명처분 등
상대방	특정인에 대해서만 가능
성질	쌍방적 행정행위(신청을 요건으로 함), 일반적으로 재량행위 – 구 수도권대기환경특별법상 대기오염물질 총량관리사업장 설치의 허가 또는 변경허가(재량행위) *cf.* 대기환경보전법상 배출시설설치허가(기속행위)
효과	• 법률상 이익 : 새로운 독점적 · 배타적인 법률상의 힘을 부여하는 행위, 양립할 수 없는 이중특허의 경우 후행의 특허는 무효 • 특허로 인해 발생하는 권리는 공권도 있고, 사권인 경우도 있음. • 허가와 특허의 구별 : 기속행위성 강한 허가와 달리 주로 재량행위라는 점, 신청이 없는 경우도 가능한 허가와 달리 반드시 신청을 요한다는 점, 불특정 다수인에게도 가능한 허가와 달리 특정인만을 대상으로 한다는 점 등

▪제3자를 위한 행위

인 가

• 개념 : 제3자의 법률적 행위를 보충하여 그 법률상의 효과를 완성시키는 행정행위
• 종류 : 재단법인정관변경허가, 토지거래허가, 학교법인의 임원에 대한 감독청의 취임승인, 재개발조합의 사업시행계획인가 등
• 성질 : 법률의 명문규정에 따라 기속 · 재량행위 판단
– 자동차관리사업자로 구성하는 사업자단체 설립인가 : 재량행위(판례)
• 대상 : 법률행위만(사실행위 ×). –사법 · 공법행위 모두 가능
• 형식 : 행정행위의 형식(법령에 의한 인가 ×)
• 상대방 및 출원 : 특정인에 대해서만 가능, 신청을 요건으로 함.
• 수정인가의 가부 : 법령의 명시적 근거 없는 한 수정인가 ×
• 효과 : 법률효과의 완성, 인가를 받지 않으면 기본행위의 효력 발생 ×(다만, 인가를 받지 않더라도 원칙적으로 강제집행 또는 처벌의 문제 발생 ×)

기본행위에 하자가 있는 경우	• 기본행위가 성립하지 않거나 무효 : 인가를 받더라도 기본행위는 유효하지 않음(인가 역시 무효). • 기본행위가 일단 유효(취소사유 존재)하고 인가가 행해진 경우 : 기본행위가 나중에 취소되거나 실효되면 인가도 실효
인가에 하자가 있는 경우	• 기본행위가 적법하고 인가가 무효 : 기본행위는 무인가행위(효력 발생 ×) • 기본행위가 적법하고 인가에 취소사유가 존재하는 경우 : 기본행위는 일단 효력 발생 O, 나중에 인가가 취소되면 기본행위는 효력 상실

• 쟁송방법 : 기본행위에 하자가 있는 경우 기본행위를 다투어야 함(기본행위의 하자를 이유로 인가처분을 다툴 수 없음).
– 기본행위가 적법하고 인가에만 문제가 있다면, 인가를 다툴 수 있음은 당연

대 리

의의	제3자가 해야 할 일을 행정청이 대신하여 행함으로써 제3자가 스스로 행한 것과 같은 법적 효과를 발생시키는 행정행위
종류	감독청에 의한 정관작성 · 임원임명, 토지보상액에 대한 토지수용위원회의 재결, 조세체납처분으로서의 공매행위, 행려병사자의 유류품 처분 등

준법률행위적 행정행위

확 인

의의	의문이나 다툼이 있는 경우 행정청이 행하는 판단의 표시행위
성질	준사법적 행위, 원칙적 기속행위(판단여지 또는 재량이 인정되는 경우도 있음)
종류	합격자 · 당선인결정, 도로 · 하천구역결정 등 각종의 결정, 발명특허, 행정심판의 재결, 친일재산 국가귀속결정, 준공검사처분, 교과서의 검정 등
효과	불가변력 발생(행정심판의 재결 등 준사법적 행위), 그 밖의 법적 효과는 개별법규의 규정에 의해 발생

공 증

의의	의문이나 분쟁이 없는 것을 전제로 하여 공적으로 증명하는 인식행위
종류	각종 증서발급, 증서에의 기재
효과	공적 증거력 발생

• 처분성 여부
– 부정판례 : 무허가건물등재대장 삭제행위, 자동차운전면허대장상 등재행위
– 긍정판례 : 지목변경신청반려행위, 토지분할신청거부행위, 건축물대장작성신청에 대한 거부행위, 건축물대장의 용도변경신청 거부행위

통 지

의의	행정청이 특정인 또는 불특정 다수인에 대해 특정한 사실 또는 의사를 알리는 행위를 말하는 것으로서 일정한 법적 효과를 발생시키는 것을 의미함.
종류	특허출원공고, 귀화의 고시, 대집행의 계고, 납세의 독촉 등
효과	개별법령이 정한 바에 따라 발생 – 통지가 있음에도 아무런 법적 효과가 발생하지 않는다면, 그것은 준법률행위적 행정행위인 통지가 아닌 단순한 사실행위(처분성 ×) **예** 정년퇴직발령, 당연퇴직의 인사발령, 국민건강보험공단의 '직장가입자 자격상실 및 자격변동 안내' 통보 등은 처분이 아님.

수 리

의의	타인의 행정청에 대한 행위를 유효한 행위로서 수령하는 행위 / 준법률행위적 행정행위로서 항고소송의 대상인 처분에 해당 – 판례는 수리를 요하는 신고에서의 수리와 허가를 구별함. – 단순한 사실행위에 불과한 접수와는 구별
성질	– 원칙적 기속행위 – 수리 대상인 기본행위가 존재하지 않거나 무효인 때에는 수리를 하였더라도 수리도 당연무효

초대 Topic 16　핵심집약 Topic 25, 26

기출 체크

□□□□□ **01** 행정청의 의사표시를 요소로 하는 법률행위적 행정행위 중에서 명령적 행위에는 하명, 허가, 대리가 속한다. (○, ×) 　2023 국가직 7급

□□□□□ **02** 형성적 행정행위는 명령적 행정행위와 함께 법률행위적 행정행위에 속하며, 이에는 특허 · 인가 · 대리가 속한다. (○, ×) ★ 　2015 국가직 7급

ⓐ **권리능력**
권리와 의무의 주체가 될 수 있는 자격을 말하는 것으로 권리능력을 가지는 자로는 자연인과 법인(法人)이 있다.

통설적 견해에 따르면, 법률행위적 행정행위를 명령적 행정행위와 형성적 행정행위로 구분한다. 이 중 명령적 행정행위에는 하명, 허가, 면제가 포함되고, 형성적 행정행위에는 특허, 대리, 인가가 포함된다.

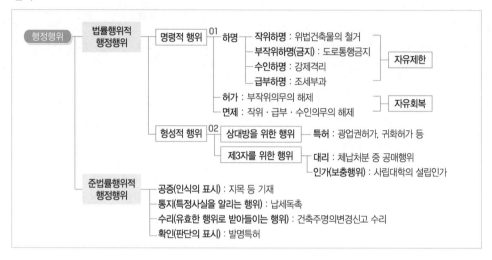

01 | 명령적 행위 : 하명, 허가, 면제

❶ 명령적 행정행위

1. 개 념

명령적 행위란 주로 질서유지를 위해 국민에 대하여 일정한 작위 · 부작위 · 급부 · 수인 등의 의무를 명하거나 해제하는 행정행위를 말한다.

2. 형성적 행위와 명령적 행위의 구별

명령적 행위는 개인의 자연적 자유를 제한하거나 제한된 자유를 회복시킨다는 점에서 개인의 권리, 권리능력,ⓐ 법률상의 힘을 새로이 발생 · 변경 · 소멸하게 하는 것을 내용으로 하는 형성적 행위와 구별된다.

3. 명령적 행위의 구분

명령적 행위는 인간의 본래 자유로운 행동에 대하여 작위 또는 부작위의 의무를 명하는 하명, 인간의 본래 자유로운 활동에 대하여 공공질서의 유지를 위하여 미리 금지를 해두고 일정한 요건을 갖춘 경우 신청에 따라 그 금지를 해제하는 허가와, 일정한 경우 작위 · 급부 · 수인의 의무를 해제하는 면제로 구분된다.

정답 **01** × **02** ○

❷ 하 명

1. 의 의

하명이란 행정청이 작위 · 부작위 · 급부 · 수인 등의 의무를 명하는 행위를 말하며, 이 중에서 특히 부작위의무를 명하는 것을 금지라고 한다.

2. 성 질

하명은 개인의 자유를 제한하거나 의무를 부과하는 것을 내용으로 한다는 점에서 침익적 행위의 성질을 가지므로, 법률유보의 원칙이 적용되어 하명을 함에 있어서는 **법령의 근거가 필요**하다.01

3. 하명의 종류

(1) 하명은 부과하는 의무의 내용에 따라 작위(위법건축물 철거명령 – 철거하여야 할 의무), 부작위 (통행금지 – 통행하지 말아야 할 의무, 영업정지처분 – 영업을 하지 말아야 할 의무), 수인(강제입원 조치 – 강제입원을 참고 받아들여야 할 의무), 급부(조세부과처분 – 세금을 납부하여야 할 의무) 하 명 등으로 구분할 수 있다.

(2) 또한, 상대방이 특정인이냐 불특정인이냐에 따라 개별하명 · 일반하명으로 나눌 수 있으며, 그 대상에 따라 대인적 하명 · 대물적 하명으로 구분할 수 있다.

4. 하명의 대상 및 상대방

(1) 대 상

하명의 대상은 통행금지나 교통장해물 제거, 불법광고물 철거 등과 같은 **사실행위**가 일반적이나, 총포 거래금지 · 영업행위금지 등과 같은 **법률행위**일 수도 있다.02

(2) 상대방

하명은 **특정인**에 대해서뿐만 아니라 **불특정 다수인**에 대해서 행해지는 경우도 있는데, 불특정 다수 인에 대한 하명의 예로는 도로의 통행금지를 들 수 있다. 이처럼 불특정 다수인에 대해서 행해지는 하 명은 일반처분의 성질을 가진다.03

5. 하명의 효과

하명은 그 내용에 따라 상대방에게 일정한 공법상의 의무를 발생시킨다. 대인적 하명의 효과는 그 상대방에게만 미치는 데 비하여, **대물적 하명의 효과**는 그 대상이 된 물건의 이전과 함께 양수인에게 승계되는 것이 보통이다.

6. 하명 위반의 효과

하명에 의해 과해진 의무를 이행하지 않는 자에 대해서는 행정상의 **강제집행**이 행해지거나 행정상 의 제재가 과해질 뿐, 하명을 위반하여 행해진 행위의 **사법상 효력은 무효가 되지 않는 것**이 일반적이 다.04 예컨대, 방문판매가 금지되는 경우 방문판매를 한 자는 처벌될 수 있으나 방문판매행위 자체 는 유효하다.

7. 위법한 하명에 대한 구제

위법한 하명에 의하여 권리 · 이익을 침해당한 자는 행정쟁송에 의하여 그 취소 · 무효확인을 구할 수 있으 며, 손해가 있으면 행정상 손해배상청구를 할 수 있다.05

법규하명
행정청이 의무를 명하는 외에 법령 그 자체에 의해 의무가 부과되는 경우도 있는데, 예컨대 식품위생법 규정에 따라 청소년에게 주류를 판매하는 것 등이 금지되는 것을 들 수 있다. 법규하명은 처분성을 가지면서 명령의 형식 을 취하는 경우라면 항고소송의 대상이 되고, 법률의 형식을 취하는 경우, 예컨대 이륜자동 차에 대한 고속도로 등 통행금지를 명하는 도 로교통법 제63조 등과 같은 경우라면 헌법소 원의 대상이 된다. 법규하명은 법령에서 의무 가 부과된다는 점에서 법령에 따른 행정청의 의무부과행위인 행정행위로서의 하명과는 구 별된다.

기출 체크

☐☐☐☐☐ **01** (허가는) 실정법상으로는 허가 외에도 인가 · 면허 등의 여러 가지 용어로 사용되고 있다. (○, ×)
2005 관세사

☐☐☐☐☐ **02** 실정법상으로는 허가 이외에 면허, 인가, 인허, 승인 등의 용어가 사용되고 있기 때문에 그것이 학문상 개념인 허가에 해당하는지 검토할 필요가 있다. (○, ×)
2021 군무원 9급

☐☐☐☐☐ **03** 지방경찰청장(현 시 · 도경찰청장)이 운전면허시험에 합격한 사람에게 발급하는 운전면허(는 강학상 특허이다) (○, ×) ★★★
2019 서울시 9급

☐☐☐☐☐ **04** 허가란 법령에 의해 금지된 행위를 일정한 요건을 갖춘 경우에 그 금지를 해제하여 적법하게 행위할 수 있게 해준다는 의미에서 상대적 금지와 관련되는 경우이다. (○, ×) ★★
2021 군무원 9급

☐☐☐☐☐ **05** 전통적인 의미에서 허가는 원래 개인이 누리는 자연적 자유를 공익적 차원(공공의 안녕과 질서유지)에서 금지해 두었다가 일정한 요건을 갖춘 경우 그러한 공공에 대한 위험이 없다고 판단되는 경우 그 금지를 풀어줌으로써 자연적 자유를 회복시켜주는 행위이다. (○, ×) ★★★
2021 군무원 9급

☐☐☐☐☐ **06** (전통적 견해에 따르면) 허가는 일반적 금지를 해제하여 본래의 자유를 회복시켜 주는 명령적 행위라고 할 수 있다. (○, ×) ★★★
2011 국가직 9급

☐☐☐☐☐ **07** 한의사면허는 경찰금지를 해제하는 명령적 행위가 강학상 허가에 해당한다. (○, ×) ★★ 2020 경행경채

☐☐☐☐☐ **08** 행정행위와 이에 대한 분류 또는 설명으로 가장 옳지 않은 것은? ★★★
2018 서울시 9급
① 한의사면허 : 진료행위를 할 수 있는 능력을 설정하는 설권행위
② 행정재산에 대한 사용허가 : 특정인에게 행정재산을 사용할 권리를 설정하여 주는 행위
③ 재개발조합설립에 대한 인가 : 공법인의 지위를 부여하는 설권적 처분
④ 재개발조합의 사업시행계획 인가 : 조합의 행위에 대한 보충행위

정답 01 ○ 02 ○ 03 × 04 ○ 05 ○
06 ○ 07 ○
08 ①(②는 p.90, ③은 p.263, ④는 p.268 참조))

8. 하명의 해제신청

일정한 경우에는 하명의 해제신청권이 인정되기도 한다.

> **관련판례**
> 공사중지명령에 대하여 그 명령의 상대방이 해제를 구하기 위해서는 명령의 내용 자체로 또는 성질상으로 명령 이후에 원인사유가 해소되었음이 인정되어야 한다(대판 2014. 11. 27, 2014두37665).★

③ 허 가

1. 의 의

(1) 개 념

허가란 질서유지 · 위험예방 등을 위해 법률로써 개인의 자유를 일반적 · 잠정적으로 제한한 후 행정청이 일정한 요건이 구비된 경우에 그 제한을 해제하여 본래의 자유를 회복시켜 주는 행정행위를 말한다.

(2) 학문상 개념

허가는 학문상 개념으로 실정법상으로는 허가 외에도 인가, 면허, 특허, 승인, 인허 등의 여러 가지 용어가 사용되고 있는바,01 당해 행위가 학문상의 허가인지는 법령의 규정 · 취지 등에 비추어 구체적으로 판단되어야 할 것이다.02 식품위생법상 일반음식점 영업허가, 건축허가, 어업허가(어업면허는 특허임), 주류판매업 면허, 기부금품모집허가, 운전면허,03 사설법인 묘지 설치허가 등이 허가의 예이다.

(3) 상대적 금지의 해제

허가는 금지해제의 가능성이 있는 상대적 금지에 대해서만 가능하고04 금지해제의 가능성이 없는 절대적 금지(예 청소년에 대한 주류판매금지와 같은 경우)에 대해서는 허가할 수 없다.

(4) 예방적 금지의 해제

허가는 위험예방을 목적으로 금지하였던 것을 위험요소가 없는 경우에 해제하는 것으로 예방적 금지의 해제라고 할 수 있다.

2. 성 질

(1) 명령적 행위

통설은 허가는 상대방에게 금지를 해제하여 본래의 자연적 자유를 회복시켜 주는 행위이므로 명령적 행위에 속하며,05 06 이 점에서 형성적 행위인 특허 · 인가와 구별된다고 한다. 판례도 "한의사면허는 경찰금지를 해제하는 명령적 행위(강학상 허가)에 해당한다07 08(대판 1998. 3. 10, 97누4289)."라고 판시함으로써 허가를 명령적 행위로 보고 있다.

(2) 기속행위 또는 재량행위 여부

① **문제의 소재**

법률에 명문으로 재량행위라고 규정한 경우에는 허가를 재량행위로 볼 수 있고 기속행위로 규정한 경우에는 기속행위로 볼 수 있는데(법문언기준설), 법률에 명문규정이 없는 경우 허가는 원칙적으로 기속행위인지 재량행위인지가 문제된다.

② **원칙 - 기속행위**

통설은 허가는 법령에 특별한 규정이 없는 한 기속행위라고 본다. 왜냐하면 허가란 공익목적을

위해서 제한되었던 자연적 자유를 일정한 요건을 충족하는 경우에 회복시켜 주는 행위에 불과하므로, 허가요건을 충족하였음에도 허가를 거부하는 것은 정당한 이유 없이 헌법상 자유권을 제한하는 것이 되어 허용될 수 없기 때문이다.

┏ 관련판례

1. 식품위생법상 일반음식점영업허가신청에 대하여 관계법령에서 정하는 제한사유 외에 공공복리 등의 사유를 들어 거부할 수 없으며 위 법리는 일반음식점허가사항의 변경허가의 경우에도 적용된다.**01 02** ★★
   식품위생법상 일반음식점영업허가는 성질상 일반적 금지의 해제에 불과하므로 허가권자는 허가신청이 법에서 정한 요건을 구비한 때에는 허가하여야 하고 관계법령에서 정하는 제한사유 외에 공공복리 등의 사유를 들어 허가신청을 거부할 수는 없고, 이러한 법리는 일반음식점허가사항의 변경허가에 관하여도 마찬가지이다(대판 2000. 3. 24, 97누12532).

2. 식품위생법상 대중음식점영업허가는 일반적 금지의 해제(즉, 허가)에 불과하므로 요건을 충족한 경우 원칙적으로 허가하여야 한다.
   식품위생법상 대중음식점영업허가는 성질상 일반적 금지에 대한 해제에 불과하므로 허가권자는 허가신청이 법에서 정한 요건을 구비한 때에는 허가하여야 하고, 관계법규에서 정하는 제한사유 이외의 사유를 들어 허가신청을 거부할 수 없다(대판 1993. 5. 27, 93누2216).

3. 기부금품 모집허가는 허가로서 기속행위이다(대판 1999. 7. 23, 99두3690).

4. 주류판매업 면허는 강학상의 허가로 해석되므로 주세법에 열거된 면허제한사유에 해당하지 아니하는 한 면허관청으로서는 임의로 그 면허를 거부할 수 없다.**03** ★★
   주류판매업 면허는 설권적 행위가 아니라 주류판매의 질서유지, 주세 보전의 행정목적 등을 달성하기 위하여 개인의 자연적 자유에 속하는 영업행위를 일반적으로 제한하였다가 특정한 경우에 이를 회복하도록 그 제한을 해제하는 강학상의 허가로 해석되므로 주세법 제10조 제1호 내지 제11호에 열거된 면허제한사유에 해당하지 아니하는 한 면허관청으로서는 임의로 그 면허를 거부할 수 없다(대판 1995. 11. 10, 95누5714).

③ 예외 – 재량행위

공익상 필요가 있다고 인정되어 허가 여부에 대한 이익형량이 요구되는 경우에는 재량행위로 볼 수 있으며, 이 경우 법령상 명문규정이 없더라도 환경상의 필요 등 중대한 공익상의 필요가 있는 경우에는 허가를 거부할 수 있다.

┏ 관련판례

1. 산림훼손(산림형질변경) 금지 또는 제한지역에 해당하지 않더라도 중대한 공익상 필요가 있다고 인정될 때에는 산림훼손허가(산림형질변경허가)를 거부할 수 있고, 그 경우 법규에 명문의 근거가 없더라도 거부처분을 할 수 있으며 이는 산림훼손기간을 연장하는 경우에도 마찬가지이다.**04 05** ★★★
   산림훼손행위는 국토의 유지와 환경의 보전에 직접적으로 영향을 미치는 행위이므로 법령이 규정하는 산림훼손 금지 또는 제한지역에 해당하는 경우는 물론 금지 또는 제한지역에 해당하지 않더라도 허가관청은 산림훼손허가신청 대상토지의 현상과 위치 및 주위의 상황 등을 고려하여 국토 및 자연의 유지와 환경의 보전 등 중대한 공익상 필요가 있다고 인정될 때에는 허가를 거부할 수 있고, 그 경우 법규에 명문의 근거가 없더라도 거부처분을 할 수 있으며, 이는 산림훼손기간을 연장하는 경우에도 마찬가지이다(대판 1997. 9. 12, 97누1228 ; 대판 1997. 8. 29, 96누15213).

2. 법령상 토사채취가 제한되지 않는 산림 내에서의 토사채취에 대하여 국토와 자연의 유지, 환경보전 등 중대한 공익상 필요를 이유로 그 허가를 거부할 수 있다(대판 2007. 6. 15, 2005두9736).**06**

3. 입목의 벌채허가는 재량행위로서 중대한 공익상의 필요가 있는 경우에는 허가를 거부할 수 있다(대판 2001. 11. 30, 2001두5866).**07** ★

기출 체크

□□□□□ **01** 식품위생법상 일반음식점영업허가는 성질상 일반적 금지의 해제에 불과하므로 허가권자는 허가신청이 법에서 정한 요건을 구비한 때에는 원칙적으로 허가를 하여야 하나, 다만 예외적으로 관계법령에서 정하는 제한사유 외에 공공복리 등의 사유를 들어 허가신청을 거부할 수 있다. (○, ×) ★★　　　　　2018 경행경채

□□□□□ **02** 판례에 의할 때 식품위생법상 일반음식점영업허가는 재량행위로 보고 있지 않다. (○, ×) ★★
　　　　　2015 서울시 7급

□□□□□ **03** 주류판매업 면허는 강학상의 허가로 해석되므로 주세법에 열거된 면허제한사유에 해당하지 아니하는 한 면허관청으로서는 임의로 그 면허를 거부할 수 없다. (○, ×) ★★　　2014 지방직 9급

□□□□□ **04** 법령상의 산림훼손금지 또는 제한지역에 해당하지 아니하더라도 중대한 공익상의 필요가 있다고 인정되는 경우, 산림훼손허가신청을 거부할 수 있다. (○, ×) ★★★　　2022 군무원 9급

□□□□□ **05** 환경의 보전 등 중대한 공익상 필요가 있다고 인정되더라도 법규에 명문의 근거가 없다면 산림훼손기간연장허가를 거부할 수 없다. (○, ×) ★★★
　　　　　2019 사회복지직 9급

□□□□□ **06** 법령상 토사채취가 제한되지 않는 산림 내에서의 토사채취에 대하여 국토와 자연의 유지, 환경보전 등 중대한 공익상 필요를 이유로 그 허가를 거부하는 것은 재량권을 일탈·남용하여 위법한 처분이라 할 수 있다. (○, ×)
　　　　　2023 군무원 9급

□□□□□ **07** 입목굴채허가는 기속행위에 해당한다. (○, ×) ★
　　　　　2012 사회복지직 9급

ⓐ 허가의 요건
홍정선 교수님은 일반적인 허가요건으로 무위험성(주유소설치허가는 화재로부터 안전성 확보를 목적으로 함), 신뢰성(전과자들에 대하여는 각종 허가에 제한이 따름), 전문성(자동차운전면허는 시험통과를 요함)을 들고 있다(홍정선, <新행정법특강>, p.193).

정답 01 × **02** ○ **03** ○ **04** ○ **05** ×
06 × **07** ×

기출 체크

☐☐☐☐☐ **01** 숙박용 건물의 건축허가는 기속행위이므로 중대한 공익상의 이유가 있다 할지라도 그 허가를 거부할 수 없다. (○, ×) ★ 2016 교육행정직 9급

☐☐☐☐☐ **02** 건축허가권자는 건축허가신청이 건축법 등 관계법규에서 정하는 어떠한 제한에 배치되지 않는 이상 당연히 같은 법조에서 정하는 건축허가를 하여야 하고, 중대한 공익상의 필요가 없는데도 관계법령에서 정하는 제한사유 이외의 사유를 들어 요건을 갖춘 자에 대한 허가를 거부할 수는 없다. (○, ×) ★★★ 2024 소방직 9급

☐☐☐☐☐ **03** 건축허가는 기속행위이므로 건축법상 허가요건이 충족된 경우에는 항상 허가하여야 한다. (○, ×) ★★★ 2022 군무원 9급

☐☐☐☐☐ **04** 건축허가는 원칙상 기속행위이지만 중대한 공익상 필요가 있는 경우 예외적으로 건축허가를 거부할 수 있다. (○, ×) ★★★ 2019 서울시 1회 7급

☐☐☐☐☐ **05** 「국토의 계획 및 이용에 관한 법률」상 토지의 형질변경허가는 그 금지요건이 불확정개념으로 규정되어 있으므로, 동법상 지정된 도시지역 안에서 토지의 형질변경행위를 수반하는 건축법상의 건축허가는 재량행위이다. (○, ×) ★★★ 2021 국가직 7급

☐☐☐☐☐ **06** 의사면허는 대인적 허가로 볼 수 있다. (○, ×) 2005 선관위 9급

☐☐☐☐☐ **07** 허가의 대상은 사실행위뿐만 아니라 법률행위일 경우도 있다. (○, ×) ★★ 2005 관세사

☐☐☐☐☐ **08** 대법원 판례에 의하면 허가신청과 다른 내용의 허가는 효력이 없다. (○, ×) ★★ 2005 관세사

❶ 건축법 제11조【건축허가】④허가권자는 …… 다음 각 호의 어느 하나에 해당하는 경우에는 이 법이나 다른 법률에도 불구하고 건축위원회의 심의를 거쳐 건축허가를 하지 아니할 수 있다.
1. 위락시설이나 숙박시설에 해당하는 건축물의 건축을 허가하는 경우 해당 대지에 건축하려는 건축물의 용도·규모 또는 형태가 주거환경이나 교육환경 등 주변환경을 고려할 때 부적합하다고 인정되는 경우 (이하 생략)

ⓐ 판례는 건축허가를 기속행위라고 보면서도 예외적으로 중대한 공익상 필요가 있는 경우 그 한도 내에서 재량권이 인정된다는 취지로 판시하고 있다. 이러한 판례의 입장에 대해 건축허가를 기속재량행위로 보고 있다는 견해도 있다 (p.228 참조).

정답 01 × 02 ○ 03 × 04 ○ 05 ○ 06 ○ 07 ○ 08 ×

④ 건축허가의 경우 ❶

법령에서 일정한 경우에 허가를 재량행위로 규정하고 있는 경우에는 재량행위가 된다. 예컨대 건축허가의 경우 일반적으로 기속행위이나 건축법 제11조 제4항의 위락시설이나 숙박시설용 건축물에 대한 건축허가의 경우 교육환경과 주거환경과의 이익형량을 하여야 하므로 이 한도 내에서는 재량행위가 된다.01 그리고 건축허가 등에 의하여 의제되는 인·허가가 재량행위인 경우에는 그 한도 내에서 재량권이 인정된다고 할 것이다. 또한 토지의 형질변경행위를 수반하는 건축허가처럼 기속행위인 허가가 재량행위인 허가를 포함하는 경우에는 그 한도 내에서 재량행위가 된다.

> **관련판례**
>
> 1. 건축허가권자는 신청이 법령상 요건을 구비한 경우 원칙적으로 건축허가를 하여야 하고, 중대한 공익상의 필요 없는데도 관계법령에서 정하는 제한사유 이외의 사유를 들어 요건을 갖춘 자에 대한 허가를 거부할 수는 없다.02 03 04 ⓐ ★★★
>   건축허가권자는 건축허가신청이 건축법 등 관계법규에서 정하는 어떠한 제한에 배치되지 않는 이상 당연히 같은 법조에서 정하는 건축허가를 하여야 하고, 중대한 공익상의 필요가 없음에도 불구하고, 요건을 갖춘 자에 대한 허가를 관계법령에서 정하는 제한사유 이외의 사유를 들어 거부할 수는 없다 (대판 2006. 11. 9, 2006두1227 ; 대판 2009. 9. 24, 2009두8946).
>
> 2. 「국토의 계획 및 이용에 관한 법률」에 의하여 지정된 도시지역 안에서 토지의 형질변경행위를 수반하는 건축허가는 재량행위이다. ★★★
>   「국토의 계획 및 이용에 관한 법률」에서 정한 도시지역 안에서 토지의 형질변경행위를 수반하는 건축허가는 건축법 제8조 제1항의 규정에 의한 건축허가와 「국토의 계획 및 이용에 관한 법률」 제56조 제1항 제2호의 규정에 의한 토지의 형질변경허가의 성질을 아울러 갖는 것으로 보아야 할 것이고, 같은 법 제58조 제1항 제4호, 제3항, 같은 법 시행령 제56조 제1항 [별표 1] 제1호 (가)목 (3), (라)목 (1), (마)목 (1)의 각 규정을 종합하면, 같은 법 제56조 제1항 제2호의 규정에 의한 토지의 형질변경허가는 그 금지요건이 불확정개념으로 규정되어 있어 그 금지요건에 해당하는지 여부를 판단함에 있어서 행정청에 재량권이 부여되어 있다고 할 것이므로, 같은 법에 의하여 지정된 도시지역 안에서 토지의 형질변경행위를 수반하는 건축허가는 결국 재량행위에 속한다(대판 2005. 7. 14, 2004두6181).05

3. 허가의 종류

허가는 그 대상에 따라 대인적 허가(예 의사면허·약사면허·운전면허 등),06 대물적 허가(예 건축허가·음식점영업허가·차량검사 등), 혼합적 허가(예 전당포영업·총포류제조허가 등)로 나눌 수 있다. 대물적 행정행위는 법률에 근거가 없더라도 이전성이 인정된다.

4. 허가의 상대방

허가의 상대방은 특정인인 경우가 일반적이나 통행금지해제 등과 같이 불특정 다수인을 대상으로 하는 허가도 가능하다.

5. 허가의 대상

허가는 통행금지해제 등과 같이 사실행위를 대상으로 행해지는 경우도 있으나, 영업허가와 같이 법률행위를 대상으로 행해지는 경우도 있다.07

6. 허가와 신청

허가는 신청을 전제로 행해지는 것이 보통이나 신청을 전제로 하지 않는 허가도 있다(예 통행금지해제). 한편, 판례는 신청의 내용과 다른 허가도 당연무효는 아니라고 판시한 바 있다.08

7. 허가의 효과

(1) 금지의 해제

① 허가는 누구라도 요건이 충족되는 한 금지를 해제하여 적법하게 어떠한 행위를 할 수 있게 하는 것이므로 허가의 상대방에게 독점적·배타적 권리를 설정하여 주는 것이 아닌 단순한 금지의 해제에 불과하다.

② 한편 허가의 효과는 당해 허가를 한 행정청의 관할구역 내에서만 미치는 것이 원칙이나, 법령의 규정이 있는 경우 또는 허가의 성질상 관할구역 외에까지 그 효과가 미치는 경우가 있는바, 그 예로 운전면허를 들 수 있다.02

(2) 반사적 이익 – 허가로 인한 영업상 이익

① 허가로 인해 상대방이 사실상 독점적 이익을 얻는 경우가 있더라도 이와 같은 영업상 이익은 법률상 이익이 아닌 반사적 이익에 불과하므로❶ 이미 허가한 영업시설과 동종의 영업허가를 함으로써 기존업자의 영업이익에 피해가 발생하더라도 기존허가업자는 신규영업허가에 대해 취소소송을 제기할 수 있는 원고적격이 없는 것이 원칙이다.03 04

관련판례

1. 공중목욕장업 경영허가는 강학상 허가로서 이로 인한 영업상의 이익은 반사적 이익에 불과하다.
   공중목욕장업 경영허가는 사업경영의 권리를 설정하는 형성적 행위가 아니라 경찰금지를 해제하는 명령적 행위로 인한 영업자유의 회복에 불과하므로 원고가 본건 허가처분에 의하여 사실상 목욕장업에 의한 이익이 감소된다 하여도 원고의 이 영업상 이익은 단순한 사실상의 반사적 이익에 불과하고 법률에 의하여 보호되는 이익이라 할 수 없다(대판 1963. 8. 31, 63누101).

2. 유기장영업허가는 허가로서 그 영업상의 이익은 반사적 이익에 불과하다.★★
   유기장영업허가는 유기장경영권을 설정하는 설권행위가 아니고05 일반적 금지를 해제하는 영업자유의 회복이므로 그 영업상의 이익은 반사적 이익에 불과하다(대판 1985. 2. 8, 84누369).

② 다만, **법률규정 중에는 허가에서도 기존업자의 이익을 법률상 이익으로 규정하고 있는 경우가 있는바, 이 경우에는 당연히 법률상 이익이 된다.**06 예컨대, 허가요건 중에는 거리제한 또는 영업허가구역 규정이 있는 경우가 있다. 이때 거리제한 또는 영업허가구역을 규정하는 법이 공익의 보호만을 목적으로 하고 있는 경우에는 기존업자의 이익은 반사적 이익에 불과하고, 당해 규정이 공익의 보호와 함께 기존업자의 이익도 보호하고 있다고 해석되는 경우(사익보호성)에 기존업자가 거리제한 또는 영업허가구역 규정으로 인하여 받는 이익은 법률상 이익으로 볼 수 있다.

관련판례

1. 담배 일반소매인으로 지정되어 영업을 하고 있는 기존업자의 '신규업자(일반소매인)'에 대한 이익은 '법률상 보호되는 이익'에 해당한다.07 ★★★
   담배 일반소매인의 지정기준으로서 일반소매인의 영업소 간에 일정한 거리제한을 두고 있는 것은 담배유통구조의 확립을 통하여 국민의 건강과 관련되고 국가 등의 주요 세원이 되는 담배산업 전반의 건

기출 체크

☐☐☐☐☐ **01** 담배소매인 중에서 구내소매인 지정처분의 취소를 구하는 일반소매인은 판례상 취소소송에서 원고적격이 인정된다 (○, ×) ★★★
2023 군무원 7급

☐☐☐☐☐ **02** 분뇨 관련 영업허가를 받은 기존업자가 다른 업자에 대한 영업허가처분을 다투는 경우 (원고적격이 있다)
(○, ×) ★★
2014 서울시 9급

☐☐☐☐☐ **03** (허가의 경우) 특별한 규정이 없는 한 관계법상의 금지가 해제될 뿐이고, 타법상의 제한까지 해제되는 것은 아니다. (○, ×) ★★
2015 경행특채 2차

☐☐☐☐☐ **04** (甲은 강학상 허가에 해당하는 식품위생법상 영업허가를 신청하였다) 甲이 공무원인 경우 허가를 받으면 이는 식품위생법상의 금지를 해제할 뿐만 아니라 국가공무원법상의 영리업무금지까지 해제하여 주는 효과가 있다.
(○, ×) ★★ 2019 지방직 · 교육행정직 9급

☐☐☐☐☐ **05** (도로법상) 접도구역 안에서 건축을 하기 위해서는 건축허가청으로부터 건축법상 건축허가를 받는 것으로 충분하다. (○, ×) ★★★
2006 국가직 7급

판례 | ❶ 개발제한구역에 속하는 하천구역에 관하여 내수면어업개발법에 의한 어업면허를 얻은 경우 그 구역 내의 토석 등 채취를 위하여 도시계획법에 의한 허가도 받아야 한다(대판 1989. 9. 12, 88누6856).

전한 발전 도모 및 국민경제의 이바지라는 공익목적을 달성하고자 함과 동시에 일반소매인 간의 과다경쟁으로 인한 불합리한 경영을 방지함으로써 일반소매인의 경영상 이익을 보호하는 데에도 그 목적이 있다고 보이므로, 일반소매인으로 지정되어 영업을 하고 있는 기존업자의 신규 일반소매인에 대한 이익은 단순한 사실상의 반사적 이익이 아니라 법률상 보호되는 이익이라고 해석함이 상당하다(대판 2008. 3. 27, 2007두23811).

> 담배 일반소매인으로 지정되어 영업을 하고 있는 기존업자의 '신규 구내소매인'에 대한 이익은 반사적 이익으로서 기존업자는 신규 구내소매인 지정처분의 취소를 구할 원고적격이 없다.**01** ★★★
> 일반소매인으로 지정되어 영업을 하고 있는 기존업자의 신규 구내소매인에 대한 이익은 법률상 보호되는 이익이 아니라 단순한 사실상의 반사적 이익이라고 해석함이 상당하므로, 기존 일반소매인은 신규 구내소매인 지정처분의 취소를 구할 원고적격이 없다(대판 2008. 4. 10, 2008두402).
> ✚ 두 판례는 서로 모순되는 것처럼 보인다. 그런데 일반소매 간에는 법률에서 영업소 간의 거리제한규정을 두고 있으나, 구내소매인과 일반소매인 간에는 법률에서 영업소 간의 거리제한규정을 두고 있지 아니하다는 점 등을 고려하여 서로 다르게 판시한 것으로서 모순되는 판결이 아니다.

2. 분뇨 등 관련 영업허가를 받아 영업을 하고 있는 기존업자의 이익은 법률상 보호되는 이익이다.**02** ★★

구「오수 · 분뇨 및 축산폐수의 처리에 관한 법률」과 시행령의 관계규정이 당해 지방자치단체 내의 분뇨 등의 발생량에 비하여 기존업체의 시설이 과다한 경우 일정한 범위 내에서 분뇨 등 수집 · 운반업 및 정화조청소업에 대한 허가를 제한할 수 있도록 하고 있는 것은 분뇨 등을 적정하게 처리하여 자연환경과 생활환경을 청결히 하고 수질오염을 감소시킴으로써 국민보건의 향상과 환경보전에 이바지한다는 공익목적을 달성하고자 함과 동시에 업자 간의 과당경쟁으로 인한 경영의 불합리를 미리 방지하자는 데 그 목적이 있는 점 등 제반 사정에 비추어 보면, 업종을 분뇨 등 수집 · 운반업 및 정화조청소업으로 하여 분뇨 등 관련 영업허가를 받아 영업을 하고 있는 기존업자의 이익은 단순한 사실상의 반사적 이익이 아니고 법률상 보호되는 이익이라고 해석된다(대판 2006. 7. 28, 2004두6716).

(3) 다른 법률상 제한의 해제 여부

① 허가는 그 근거가 된 법령에 의한 금지를 해제할 뿐이고 다른 법률에 의한 금지까지 해제하지는 않는 것이 원칙이다.**03**❶ 예컨대, 공무원인 자가 음식점영업허가를 받는다 하더라도 그 허가는 식품위생법상의 금지를 해제할 뿐이지 국가공무원법상의 영리업무금지까지 해제해 주는 것은 아니다.**04**

┌ **관련판례** ─

1. (농지전용허가만을 받아 주택을 신축한 경우 구 자연공원법상 건축물의 신축의 허가는 없으므로 피고인의 행위가 유죄라고 판시하면서) **자연공원구역의 건축행위가 건축법상 허가를 요하지 아니하는 건축행위인 경우에도 자연공원법에 정한 공원관리청의 허가를 받아야 한다.**

   구 자연공원법(1999. 2. 8, 법률 제5874호로 개정되기 전의 것) 제23조 제1항 각 호의 행위에 대한 허가는 특별한 사정이 없는 한, 각 행위에 대하여 별도의 허가를 받아야 하고, 건축법상 허가를 요하지 아니하는 건축행위라 하더라도 자연공원구역의 건축행위는 자연공원의 특수성을 살려 자연생태계와 자연 및 문화경관 등을 보존하고 지속가능한 이용을 도모하고자 하는 자연공원법의 입법목적에 비추어 같은 법 제23조 제1항 단서에서 규정하는 경미한 사항에 해당하지 아니하는 한, 같은 조 제1항 제1호 소정의 공원관리청의 허가를 받아야 하는 사항이라고 보아야 한다(대판 2005. 3. 10, 2004도8311).

2. **도로법 제50조 제1항에 의하여 접도구역으로 지정된 지역 안에 있는 건물에 관하여 같은 법조 제4 · 5항에 의하여 도로관리청으로부터 개축허가를 받았다 해도 건축법 제5조 제1항에 의한 건축허가를 다시 받아야 한다.05** ★★★

   도로법과 건축법에서 각 규정하고 있는 건축허가는 그 허가권자의 허가를 받도록 한 목적, 허가의 기준, 허가 후의 감독에 있어서 같지 아니하므로 도로법 제50조 제1항에 의하여 접도구역으로 지정된 지역 안에 있는 건물에 관하여 같은 법조 제4 · 5항에 의하여 도로관리청인 도지사로부터 개축허가를 받았다고 하더라도 건축법 제5조 제1항에 의하여 시장 또는 군수의 허가를 다시 받아야 한다(대판 1991. 4. 12, 91도218).

정답 **01** × **02** ○ **03** ○ **04** × **05** ×

② 다만, 최근의 법령에는 하나의 법령에 의한 허가를 받은 경우 다른 법령에 의한 허가까지 받은 것으로 보는 제도가 있는바, 이에 관하여는 목차를 나누어 검토한다.

8. 인·허가 의제제도

(1) 등장배경 및 개념

행정기능의 팽창·세분화로 말미암아 하나의 행위를 할 때 여러 건의 법령에 따른 인·허가를 받아야 하는 경우가 있다. 이를 복합민원❸이라고 하는바, 이 경우 신청인의 입장에서는 **여러 기관에 각각 인·허가를 신청하여 개별적으로 심사를 받아야 하는 불편함**이 있다. 이를 해소하기 위해 도입된 것이 인·허가 의제제도이다. 인·허가 의제제도란 하나의 인·허가(주된 인·허가)를 받으면 법률로 정하는 바에 따라 그와 관련된 여러 인·허가(관련 인·허가)를 받은 것으로 보는 제도(행정기본법 제24조 제1항)를 말하며,**01** 민원인에게 편의를 제공하는 원스톱 서비스(one stop service)의 기능을 수행한다.**02**

> **관련판례**
>
> 건축법에서 인·허가 의제제도를 둔 취지는, 인·허가 의제사항과 관련하여 건축허가 또는 건축신고의 관할행정청으로 그 창구를 단일화하고 절차를 간소화하며 비용과 시간을 절감함으로써 국민의 권익을 보호하려는 것이지,**03** 인·허가 의제사항 관련법률에 따른 각각의 인·허가 요건에 관한 일체의 심사를 배제하려는 것이 아니다(대판 2011. 1. 20, 2010두14954 전합).**04**

(2) 구체적 예

건축법 제11조의 규정에 따르면 건축허가를 받은 경우 농지법 제34조, 제35조 및 제43조의 규정에 의한 농지전용허가를 포함하여 기타 인·허가 등을 받은 것으로 의제하고 있는 것을 들 수 있다.

> **건축법 제11조【건축허가】** ⑤ 제1항에 따른 건축허가를 받으면 다음 각 호의 허가 등을 받거나 신고를 한 것으로 보며, …… 본다.
> 7. 농지법 제34조, 제35조 및 제43조에 따른 농지전용허가·신고 및 협의

(3) 인·허가 의제의 법적 근거 필요

인·허가 의제제도는 주된 인·허가를 담당하는 기관이 의제되는 인·허가에 관한 심사도 담당한다는 점에서 행정기관의 권한에 변경을 가져오므로 법률에 명시적 근거가 있어야 하며,**05** 의제되는 인·허가의 범위도 법령에 명시되어 있어야 한다. 행정기본법도 "'인·허가 의제'란 하나의 인·허가를 받으면 '법률로 정하는 바에 따라' 그와 관련된 여러 인·허가를 받은 것으로 보는 것을 말한다."고 하여(동법 제24조 제1항), 인·허가 의제 법정주의를 취하고 있다.

(4) 인·허가 등의 신청

> **행정기본법 제24조【인·허가 의제의 기준】** ② 인·허가 의제를 받으려면 주된 인·허가를 신청할 때 관련 인·허가에 필요한 서류를 함께 제출하여야 한다.**06** 다만, 불가피한 사유로 함께 제출할 수 없는 경우에는 주된 인·허가 행정청이 별도로 정하는 기한까지 제출할 수 있다.

① 인·허가 의제를 받으려면 주된 인·허가를 신청할 때 관련 인·허가에 필요한 서류를 함께 주된 인·허가 행정청에만 제출하여야 한다(동법 제24조 제2항 본문 – 동시제출주의).**07** 다만, 불가피한 사유로 함께 제출할 수 없는 경우에는 주된 인·허가 행정청이 별도로 정하는 기한까지 제출할 수 있다(동법 제24조 제2항 단서 – 동시제출의 예외).

② 한편, 인·허가 의제는 민원인의 편의를 위해 인정된 것이므로, 인·허가 의제규정이 있는 경우에도 원칙적으로 반드시 관련 인·허가 의제 처리를 신청할 의무가 있는 것은 아니라고 봄이 판례의 입장이다.

기출 체크

□□□□□ **01** '인·허가 의제'란 하나의 인·허가를 받으면 법률로 정하는 바에 따라 그와 관련된 여러 인·허가를 받은 것으로 보는 것을 말한다. (○, ×) ★★
2024 소방간부

□□□□□ **02** 인·허가의제제도는 복합민원의 일종으로 민원인에게 편의를 제공하는 원스톱 서비스의 기능을 수행하게 된다. (○, ×) ★★ 2013 서울시 9급

□□□□□ **03** 건축법에서 인·허가 제제도를 둔 취지는, 인·허가 의제사항과 관련하여 건축허가의 관할행정청으로 창구를 단일화하고 절차를 간소화하며 비용과 시간을 절감함으로써 국민의 권익을 보호하려는 것이다. (○, ×)
2019 서울시 2회 7급

□□□□□ **04** 건축법에서 관련 인·허가 의제제도를 둔 취지는 인·허가 의제사항 관련법률에 따른 각각의 인·허가 요건에 관한 일체의 심사를 배제하려는 것이 아니다. (○, ×)
2021 국가직 9급

□□□□□ **05** 인·허가 의제는 관계기관의 권한행사에 제약을 가할 수 있으므로 법령상 명문의 근거규정을 필요로 한다. (○, ×) ★★★ 2018 교육행정직 9급

□□□□□ **06** 인·허가 의제를 받으려면 주된 인·허가를 신청할 때 관련 인·허가에 필요한 서류를 함께 제출하여야 한다. (○, ×)
2023 서울시 지적 7급

□□□□□ **07** 인·허가 의제가 인정되는 경우 민원인은 하나의 인·허가 신청과 더불어 의제를 원하는 인·허가 신청을 각각의 해당 기관에 제출하여야 한다. (○, ×) ★★★ 2013 서울시 9급

● 인·허가 의제제도
• 하나의 주된 허가를 받으면 다른 법률상의 허가를 받은 것으로 보는 제도를 말한다.
• 인·허가 의제가 인정되기 위해서는 법률에 명시적 근거가 필요하다.
• 신청을 하는 자는 주된 허가담당관청에만 신청하면 된다.
• 주된 허가기관은 의제되는 인·허가에 규정된 절차는 거칠 필요가 없고, 신청된 주된 허가에 규정된 절차만 거치면 족하다(절차집중효).
• 주된 허가담당기관은 주된 허가요건뿐만 아니라 의제되는 인·허가 요건까지 모두 구비된 이후에 허가를 할 수 있다(실체집중 부정).
• 의제되는 인·허가와 관련된 사유로 허가가 거부되는 경우에도 주된 허가 거부처분을 대상으로 소송을 제기하여야 한다.

❸ 복합민원
하나의 민원목적을 실현하기 위하여 법령·훈령·예규·고시 등에 의하여 다수의 관계기관 또는 관계부서의 허가·인가·승인·추천·협의 또는 확인 등을 거쳐 처리되는 민원사무를 말한다.

정답 **01** ○ **02** ○ **03** ○ **04** ○ **05** ○ **06** ○ **07** ×

기출 체크

□□□□□ **01** 관련 인·허가 의제제도는 사업시행자의 이익을 위하여 만들어진 것이므로, 사업시행자가 반드시 관련 인·허가 의제 처리를 신청할 의무가 있는 것은 아니다. (○, ×)　　2024 소방간부

□□□□□ **02** 인·허가 의제제도의 경우 다른 관계인이나 허가기관의 인·허가를 받지 않는 대신 다른 관계인이나 인·허가기관의 협의를 거치도록 하는 경우가 보통이다. (○, ×) ★★　　2013 서울시 9급

□□□□□ **03** 주된 인·허가 행정청은 주된 인·허가를 하기 전에 관련 인·허가에 관하여 미리 관련 인·허가 행정청과 협의하여야 한다. (○, ×)　　2024 소방간부

□□□□□ **04** 〔甲은 자신의 토지에 건축을 하기 위하여 건축허가(주된 허가)를 신청하려고 담당공무원에게 문의한 결과, 건축허가뿐만 아니라 개발행위허가(의제된 허가)도 받아야 함을 알게 되었다〕개발행위허가 행정청이 건축허가 행정청으로부터 협의를 요청받고도 법령에서 정한 기간 내에 협의 여부에 관하여 의견을 제출하지 아니하면 건축허가 행정청은 재협의를 요청하여야 한다. (○, ×)　　2024 국회직 8급

□□□□□ **05** 주된 인·허가처분이 관계기관의 장과 협의를 거쳐 발령된 이상 의제되는 인·허가에 법령상 요구되는 주민의 의견청취 등의 절차는 거칠 필요가 없다. (○, ×) ★★　　2016 지방직 7급

ⓐ 인·허가 의제제도를 규정한 법령에서는 대부분 주된 행정처분을 하는 행정청으로 하여금 관련 인·허가 행정청과 사전에 <u>협의를 하도록 하는 규정을 두는 경우가 일반적이다.</u>**02** 다만, 행정기본법이 시행되었으므로 명문의 규정이 없는 경우에도 협의는 필요하다.

정답 01 ○ 02 ○ 03 ○ 04 × 05 ○

▶ 관련판례

어떤 개발사업의 시행과 관련하여 인·허가의 근거법령에서 절차간소화를 위하여 관련 인·허가를 의제 처리할 수 있는 근거규정을 둔 경우, 원칙적으로 사업시행자가 인·허가를 신청하면서 반드시 관련 인·허가 의제 처리를 신청할 의무가 있는 것은 아니다.

어떤 인·허가의 근거법령에서 절차간소화를 위하여 관련 인·허가를 의제 처리할 수 있는 근거규정을 둔 경우에는, 사업시행자가 인·허가를 신청하면서 하나의 절차 내에서 관련 인·허가를 의제 처리해 줄 것을 신청할 수 있다. 관련 인·허가 의제제도는 사업시행자의 이익을 위하여 만들어진 것이므로, 사업시행자가 반드시 관련 인·허가 의제 처리를 신청할 의무가 있는 것은 아니다(대판 2020. 7. 23, 2019두31839).**01**

(5) 인·허가 의제의 절차

① 관련 인·허가 행정청과 협의ⓐ

> **행정기본법 제24조【인·허가 의제의 기준】** ③ 주된 인·허가행정청은 주된 인·허가를 하기 전에 관련 인·허가에 관하여 미리 관련 인·허가 행정청과 협의하여야 한다.**03**

행정기본법에 의하면 주된 인·허가 행정청은 주된 인·허가를 하기 전에 관련 인·허가에 관하여 미리 관련 인·허가 행정청과 협의하여야 한다(동법 제24조 제3항). 이러한 **사전협의**는 반드시 거쳐야 하는 필요적 절차로서 관련 인·허가 행정청은 협의에 응할 의무를 부담한다. 다만, 해당 법령을 위반하여 협의에 응해서는 아니 된다(동법 제24조 제5항).

② 관련 인·허가 행정청의 의견제출

> **행정기본법 제24조【인·허가 의제의 기준】** ④ 관련 인·허가 행정청은 제3항에 따른 협의를 요청받으면 그 요청을 받은 날부터 20일 이내(제5항 단서에 따른 절차에 걸리는 기간은 제외한다)에 의견을 제출하여야 한다. 이 경우 전단에서 정한 기간(민원처리 관련법령에 따라 의견을 제출하여야 하는 기간을 연장한 경우에는 그 연장한 기간을 말한다) 내에 협의 여부에 관하여 의견을 제출하지 아니하면 협의가 된 것으로 본다.**04**

- ㉠ 관련 인·허가 행정청은 협의를 요청받으면 반드시 의견을 제출하여야 한다.
- ㉡ 의견제출기한은 요청을 받은 날부터 20일 이내이다. 다만 법률에 인·허가 의제시에 관련 인·허가에 필요한 심의, 의견청취 등 절차를 거친다는 명시적인 규정이 있는 경우, 해당 절차를 거치는 데 걸리는 기간은 20일의 계산에 포함되지 아니한다.
- ㉢ 의견제출기한 내에 협의 여부에 관하여 의견을 제출하지 아니하면 협의가 된 것으로 본다(협의의 간주). 이는 인·허가 의제가 지연되는 것을 방지하기 위한 것이다.

③ 절차의 집중 여부

> **행정기본법 제24조【인·허가 의제의 기준】** ⑤ 제3항에 따라 협의를 요청받은 관련 인·허가 행정청은 해당 법령을 위반하여 협의에 응해서는 아니 된다. 다만, 관련 인·허가에 필요한 심의, 의견청취 등 절차에 관하여는 법률에 인·허가 의제시에도 해당 절차를 거친다는 명시적인 규정이 있는 경우에만 이를 거친다.

- ㉠ **문제의 소재**: 관련 인·허가 법률에 주민의 의견청취 등 일정한 절차가 규정되어 있는 경우 그러한 절차까지 거쳐야 하는지, 아니면 주된 인·허가에 규정된 절차만 거치면 되는지가 문제된다.
- ㉡ **행정기본법 및 판례의 입장**: 절차의 간소화 등을 내용으로 하는 인·허가 의제제도의 취지에 비추어, 주된 인·허가 행정청이 관련 인·허가의 절차를 거칠 필요는 없다는 것이 일반적인 입장이며, 판례도 관련 인·허가에 규정된 절차는 거칠 필요가 없고 신청된 주된 허가에 관해 규정된 절차만 거치면 족하다고 본다(절차집중효설).**05** 행정기본법도 이러한 전제하에,

개별법률에서 인·허가 의제시 관련 인·허가에 필요한 심의, 의견청취 등 절차를 거친다는 명시적인 규정을 둔 경우에만 이를 거치도록 하고 있다(동법 제24조 제5항 단서).

관련판례

1. 건설부장관(현 국토교통부장관)이 관계기관의 장과 협의를 거쳐 주택건설사업계획승인을 한 경우 별도로 도시계획법(현「국토의 계획 및 이용에 관한 법률」) 소정의 중앙도시계획위원회의 의결이나 주민의 의견청취 등의 절차가 필요한 것은 아니다.01 ★★

   주택건설촉진법의 목적 및 기본원칙(제1·2조)에 비추어 보면 건설부장관이 촉진법 제33조에 따라 관계기관의 장과 협의를 거쳐 사업계획승인을 한 이상 같은 조 제4항의 허가, 인가, 결정, 승인 등이 있는 것으로 볼 것이고, 그 절차와 별도로 도시계획법 제12조 등 소정의 중앙도시계획위원회의 의결이나 주민의 의견청취 등의 절차를 거칠 필요는 없는 것이다(대판 1992. 11. 10, 92누1162).

2. 지구단위계획결정이 의제되려면 주택법에 의한 관계행정청과의 협의절차 외에「국토의 계획 및 이용에 관한 법률」상 지구단위계획입안을 위한 주민의견청취절차를 별도로 거쳐야 하는 것은 아니다. ★★

   주택건설사업계획 승인권자가 구 주택법 제17조 제3항에 따라 도시·군관리계획 결정권자와 협의를 거쳐 관계 주택건설사업계획을 승인하면 같은 조 제1항 제5호에 따라 도시·군관리계획결정이 이루어진 것으로 의제되고, 이러한 협의절차와 별도로「국토의 계획 및 이용에 관한 법률」제28조 등에서 정한 도시·군관리계획 입안을 위한 주민의견청취절차를 거칠 필요는 없다(대판 2018. 11. 29, 2016두38792).02

(6) 인·허가 의제요건의 판단방법

인·허가 의제제도에 의하면 주된 인·허가 행정청만이 인·허가 결정을 하게 되는데, 이때 주된 인·허가 행정청이 관련 인·허가의 요건 구비 여부까지 판단해야 하는지에 대해 학설이 대립한다. 한편, 행정기본법에는 관련 인·허가 요건의 심사에 관해 명시적으로 언급하는 바가 없다.

① 실체집중 긍정설

신청된 주된 인·허가 요건의 구비 여부만 심사하면 족하고 관련 인·허가 요건을 구비하였는지는 판단할 필요 없이 허가 여부를 결정할 수 있다고 한다.

② 실체집중 부정설

의제되는 인·허가 요건에 구속되어 주된 허가요건뿐만 아니라 관련 인·허가 요건까지 모두 구비한 경우에 주된 신청에 대한 허가를 할 수 있다03고 보는 견해로서 다수설 및 판례의 태도이다. 이 견해에 따르면 관련 인·허가의 요건불비를 이유로 한 주된 인·허가 신청에 대한 거부처분은 적법하다.

관련판례

1. 채광(편저자 주 : 광물채굴)계획인가로 공유수면 점용허가가 의제될 경우, 공유수면 점용불허결정을 사유로 들어 채광계획을 인가하지 아니할 수 있다.

   채광계획이 중대한 공익에 배치된다고 할 때에는 인가를 거부할 수 있고, 채광계획을 불인가하는 경우에는 정당한 사유가 제시되어야 하며 자의적으로 불인가를 하여서는 아니 될 것이므로 채광계획인가는 기속재량행위에 속하는 것으로 보아야 할 것이나, 구 광업법(1999. 2. 8, 법률 제5893호로 개정되기 전의 것) 제47조의2 제5호에 의하여 채광계획인가를 받으면 공유수면 점용허가를 받은 것으로 의제되고, 이 공유수면 점용허가는 공유수면 관리청이 공공위해의 예방 경감과 공공복리의 증진에 기여함에 적당하다고 인정하는 경우에 그 자유재량에 의하여 허가의 여부를 결정하여야 할 것이므로, 공유수면 점용허가를 필요로 하는 채광계획 인가신청에 대하여도, 공유수면 관리청이 재량적 판단에 의하여 공유수면 점용의 허가 여부를 결정할 수 있고, 그 결과 공유수면 점용을 허용하지 않기로 결정하였다면, 채광계획 인가관청은 이를 사유로 하여 채광계획을 인가하지 아니할 수 있는 것이다(대판 2002. 10. 11, 2001두151).

기출 체크

□□□□□ **01** 행정청이 주택법상 주택건설사업계획을 승인하면「국토의 계획 및 이용에 관한 법률」상의 도시·군관리계획결정이 이루어진 것으로 의제되는데, 이 경우 도시·군관리계획 결정권자와의 협의절차와 별도로「국토의 계획 및 이용에 관한 법률」에서 정한 도시·군관리계획 입안을 위한 주민의견취절차를 거칠 필요는 없다. (○, ×) ★★
2022 지방직·서울시 7급

□□□□□ **02** 주택건설사업계획 승인권자가 도시·군관리계획 결정권자와 협의를 거쳐 주택건설사업계획을 승인함으로써 도시·군관리계획결정이 이루어진 것으로 의제되기 위해서는 협의절차와 별도로「국토의 계획 및 이용에 관한 법률」에 따른 주민의견청취절차를 거쳐야만 한다. (○, ×) ★★
2024 소방간부

□□□□□ **03** 도시계획시설인 주차장에 대한 건축허가신청을 받은 행정청으로서는 건축법상 허가요건뿐 아니라 그에 의해 의제되는 국토의 계획 및 이용에 관한 법령이 정한 도시계획시설사업에 관한 실시계획인가요건도 충족하는 경우에 한하여 이를 허가해야 한다. (○, ×)
2022 지방직·서울시 7급

정답 01 ○ 02 × 03 ○

기출 체크

□□□□□ **01** 건축물의 건축이 「국토의 계획 및 이용에 관한 법률」상 개발행위에 해당할 경우 그 건축의 허가권자는 개발행위허가가 의제되는 건축허가신청이 국토계획법령이 정한 개발행위허가기준에 부합하지 아니하면 이를 거부할 수 있다. (○, ×) ★★
2022 소방직 9급

□□□□□ **02** 관련 인·허가 행정청과 협의된 사항에 대해서는 주된 인·허가를 받았을 때 관련 인·허가를 받은 것으로 본다. (○, ×)
2023 서울시 지적 7급

□□□□□ **03** 주된 인·허가에 의해 의제되는 인·허가는 원칙적으로 주된 인·허가로 인한 사업을 시행하는 데 필요한 범위 내에서만 그 효력이 유지되는 것은 아니므로, 주된 인·허가로 인한 사업이 완료된 이후에도 효력이 있다. (○, ×) ★
2016 지방직 7급

□□□□□ **04** 인·허가 의제는 주된 인·허가가 있으면 다른 법률에 의한 인·허가가 있는 것으로 보는 데 그치고, 거기에서 더 나아가 다른 법률에 의하여 인·허가를 받았음을 전제로 하는 그 다른 법률의 모든 규정들까지 적용되는 것은 아니다. (○, ×)
2024 소방간부

□□□□□ **05** A허가에 대해 B허가가 의제되는 것으로 규정된 경우, A불허가처분을 하면서 B불허가사유를 들고 있으면 A불허가처분과 별개로 B불허가처분도 존재한다. (○, ×) ★★★
2018 국가직 7급

❶ **구 건축법 제8조【건축허가】** ④제1항의 규정에 의한 건축허가를 받은 경우에는 제7조 제3항 각 호 또는 다음 각 호의 허가를 받거나 신고를 한 것으로 보며, 공장건축물의 경우에는 「공업배치 및 공장설립에 관한 법률」 제14조의 규정에 의하여 관계법률의 허가 또는 승인을 얻은 것으로 본다.
1. 도시계획법 제25조의 인가

구 도시계획법 제25조【실시계획의 인가】 ① 도시계획사업의 시행자는 대통령령이 정하는 바에 따라 그 사업의 실시계획을 작성하여 건설부(현 국토교통부)장관의 인가를 받아야 한다. 인가받은 실시계획을 변경 또는 폐지하고자 할 때에도 또한 같다. 다만, 건설부령이 정하는 경미한 사항을 변경하고자 하는 경우에는 그러하지 아니하다.

제83조【공공시설 등의 귀속】 ② 행정청이 아닌 자가 제25조의 규정에 의한 실시계획의 인가 또는 제4조의 규정에 의한 허가를 받아 새로이 설치한 공공시설은 그 시설을 관리할 행정청에 무상으로 귀속되고, 도시계획사업 또는 토지의 형질변경 등의 시행으로 인하여 그 기능이 대체되어 용도가 폐지되는 행정청의 공공시설은 국유재산법 및 지방재정법 등의 규정에 불구하고 그가 새로 설치한 공공시설의 설치비용에 상당하는 범위 안에서 그 인가 또는 허가를 받은 자에게 이를 무상으로 양도할 수 있다.

정답 **01** ○ **02** ○ **03** × **04** ○ **05** ×

2. 「국토의 계획 및 이용에 관한 법률」상 건축물의 건축에 관한 개발행위허가가 의제되는 건축허가신청이 국토의 계획 및 이용에 관한 법령이 정한 개발행위허가기준에 부합하지 아니하는 경우, 허가권자는 이를 거부할 수 있다.01 ★★

「국토의 계획 및 이용에 관한 법률」(이하 '국토계획법'이라고 한다) 제56조 제1항, 제57조 제1항, 제58조 제1항 제4호, 「국토의 계획 및 이용에 관한 법률 시행령」(이하 '국토계획법 시행령'이라고 한다) 제51조 제1항 제1호, 제56조 제1항 [별표 1의2] 제1호 (라)목, 제2호 (가)목, 건축법 제11조 제1항, 제5항 제3호, 제12조 제1항의 규정 체제 및 내용 등을 종합해 보면, 건축물의 건축이 국토계획법상 개발행위에 해당할 경우 그에 대한 건축허가를 하는 허가권자는 건축허가에 배치·저촉되는 관계법령상 제한사유의 하나로 국토계획법령의 개발행위허가기준을 확인하여야 하므로, 국토계획법상 건축물의 건축에 관한 개발행위허가가 의제되는 건축허가신청이 국토계획법령이 정한 개발행위허가기준에 부합하지 아니하면 허가권자로서는 이를 거부할 수 있고, 이는 건축법 제16조 제3항에 의하여 개발행위허가의 변경이 의제되는 건축허가사항의 변경허가에서도 마찬가지이다(대판 2016. 8. 24, 2016두35762).

(7) 인·허가 의제의 효과

> **행정기본법 제25조【인·허가 의제의 효과】** ① 제24조 제3항·제4항에 따라 협의가 된 사항에 대해서는 주된 인·허가를 받았을 때 관련 인·허가를 받은 것으로 본다.02
> ② 인·허가 의제의 효과는 주된 인·허가의 해당 법률에 규정된 관련 인·허가에 한정된다.

① 관련 인·허가 행정청과 협의가 된 사항에 대해서는 주된 인·허가를 받았을 때 관련 인·허가를 받은 것으로 보며, 인·허가 의제의 효과는 주된 인·허가의 해당 법률에 규정된 관련 인·허가에 한정된다(동법 제25조).

┌ 관련판례

1. 구 택지개발촉진법(2002. 2. 4, 법률 제6655호로 개정되기 전의 것) 제11조 제1항 제9호에서는 사업시행자가 택지개발사업 실시계획승인을 받은 때 도로법에 의한 도로공사시행허가 및 도로점용허가를 받은 것으로 본다고 규정하고 있는바, 이러한 <u>인·허가 의제제도는 목적사업의 원활한 수행을 위해 행정절차를 간소화하고자 하는 데 그 취지가 있는 것이므로 위와 같은 실시계획승인에 의해 의제되는 도로공사시행허가 및 도로점용허가는 원칙적으로 당해 택지개발사업을 시행하는 데 필요한 범위 내에서만 그 효력이 유지된다고 보아야 한다.</u> 따라서 원고가 이 사건 택지개발사업과 관련하여 그 사업시행의 일환으로 이 사건 도로예정지 또는 도로에 전력관을 매설하였다고 하더라도 <u>사업시행완료 후 이를 계속 유지·관리하기 위해 도로를 점용하는 것에 대한 도로점용허가까지 그 실시계획 승인에 의해 의제된다고 볼 수는 없다</u>(대판 2010. 4. 29, 2009두18547).03 ★

2. 주된 인·허가에 관한 사항을 규정하고 있는 어떤 법률에서 주된 인·허가가 있으면 다른 법률에 의한 인·허가를 받은 것으로 의제한다는 규정을 둔 경우 <u>다른 법률에 의하여 인·허가를 받았음을 전제로 하는 그 다른 법률의 모든 규정들까지 적용되는 것은 아니다</u>(대판 2004. 7. 22, 2004다19715 ; 대판 2016. 11. 24, 2014두47686).04❶ ★★★

② 만약 주된 인·허가가 거부된 경우라면 의제된 인·허가(관련 인·허가)가 거부된 것으로 의제되지는 않는다.

┌ 관련판례

<u>건축불허가처분을 하면서 그 처분사유로 건축불허가사유뿐만 아니라 형질변경불허가사유나 농지전용불허가사유를 들고 있다고 하여 그 건축불허가처분 외에 별개로 형질변경불허가처분이나 농지전용불허가처분이 존재하는 것이 아니다</u>(대판 2001. 1. 16, 99두10988).05 ★★★

(8) 의제되는 인·허가(관련 인·허가)의 실재(實在) 여부

주된 인·허가가 행해진 경우 의제되는 인·허가도 실제로 존재(실재)하는 것인지가 문제된다. 이는 (9)에서 살펴볼 소송의 대상, 즉 불복방법과도 관련되는 문제이다.

① 학 설

이에 대해서는 주된 인·허가만 존재하며 의제되는 인·허가는 말 그대로 의제될 뿐이라는 부정설과, 주된 인·허가뿐만 아니라 의제되는 인·허가도 실제로 존재한다는 긍정설이 대립한다.

② 판 례

판례는 긍정설을 따르고 있는바, 판례에 따르면 주된 인·허가(창업사업계획승인)로 의제된 인·허가(산지전용허가)는 통상적인 인·허가와 동일한 효력을 가지므로, 의제된 인·허가의 취소나 철회가 허용된다고 본다. 그리고 의제된 인·허가의 직권취소나 철회는 항고소송의 대상이 되는 처분에 해당한다고 본다.

┌ **관련판례**
1. 중소기업창업지원법 제35조 제1항의 인·허가 의제 조항은 창업자가 신속하게 공장을 설립하여 사업을 개시할 수 있도록 창구를 단일화하여 의제되는 인·허가를 일괄처리하는 데 입법취지가 있다. 위 규정에 의하면 사업계획승인권자가 관계행정기관의 장과 미리 협의한 사항에 한하여 승인시에 그 인·허가가 의제될 뿐이고, 해당 사업과 관련된 모든 인·허가 의제사항에 관하여 일괄하여 사전협의를 거쳐야 하는 것은 아니다.
2. 사업계획승인으로 의제된 인·허가는 통상적인 인·허가와 동일한 효력을 가지므로, 그 효력을 제거하기 위한 법적 수단으로 의제된 인·허가의 취소나 철회가 허용될 필요가 있다.**01** ★★★
3. 사업계획승인 후 의제된 인·허가사항을 변경할 수 있다면 의제된 인·허가사항과 관련하여 취소 또는 철회사유가 발생한 경우 해당 의제된 인·허가의 효력만을 소멸시키는 취소 또는 철회도 할 수 있다고 보아야 한다.**02** ★★★
4. 사업계획승인으로 의제된 인·허가 중 일부를 취소 또는 철회하면, 취소 또는 철회된 인·허가를 제외한 나머지 인·허가만 의제된 상태가 된다.
5. 의제된 산지전용허가를 주된 인·허가인 사업계획승인처분과 별도로 취소할 수 있으며 의제된 인·허가의 취소는 항고소송의 대상이 되는 처분에 해당한다(대판 2018. 7. 12, 2017두48734).

(9) 인·허가 의제제도와 관련하여 허가의 신청인 또는 제3자의 불복방법

이는 위 (8)의 주제와 연결이 되는 논의이다.

① 주된 인·허가 신청에 대해 거부처분이 행해진 경우

판례는 인·허가 의제의 경우 주된 허가신청에 대해 거부처분을 하면서 의제되는 인·허가와 관련된 사유를 그 근거로 제시한 경우에도, 거부처분의 상대방은 의제되는 인·허가가 아닌 주된 허가거부처분을 대상으로 소송을 제기하여야 한다는 입장이다.**03**

┌ **관련판례**
건축불허가처분을 하면서 건축불허가사유 외에 형질변경불허가사유나 농지전용불허가사유를 들고 있는 경우, 그 건축불허가처분에 관한 쟁송에서 형질변경불허가사유나 농지전용불허가사유에 관하여도 다툴 수 있다.★★
건축불허가처분을 하면서 그 처분사유로 건축불허가사유뿐만 아니라 형질변경불허가사유나 농지 전용불허가사유를 들고 있다고 하여 그 건축불허가처분 외에 별개로 형질변경불허가처분이나 농지전용불허가처분이 존재하는 것이 아니다.**04** 따라서 그 건축불허가처분을 받은 사람은 그 건축불허가처분에 관한 쟁송에서 건축법상의 건축불허가사유뿐만 아니라 도시계획법상의 형질변경불허가사유나 농지법상의 농지전용불허가사유에 관하여도 다툴 수 있는 것이지, 그 건축불허가처분에 관한 쟁송과는 별개로 형질변경불허가처분이나 농지전용불허가처분에 관한 쟁송을 제기하여 이를 다투어야 하는 것은 아니며, 그러한 쟁송을 제기하지 아니하였어도 형질변경불허가사유나 농지전용불허가사유에 관하여 불가쟁력이 생기지 아니한다(대판 2001. 1. 16, 99두10988).**01**

② **주된 인·허가 신청에 대해 주된 인·허가 처분이 내려진 경우**

㉠ 이는 주된 인·허가가 난 경우에 제3자 등이 의제되는 인·허가의 요건의 결여나 재량권의 일탈·남용을 주장하면서 주된 인·허가와 별개로 의제되는 인·허가에 대해 항고소송을 제기할 수 있는지와 관련하여 주로 문제된다.

㉡ 앞서 (8)에서 살펴본 바와 같이 주된 인·허가 처분이 행해지면 의제되는 인·허가도 실재(實在)한다는 것이 판례의 입장이다. 따라서 판례의 입장에 따르면 주된 인·허가의 허가사유를 다투고자 하는 경우에는 주된 인·허가를 항고소송의 대상으로 하고, 의제되는 인·허가의 허가사유를 다투는 경우에는 의제되는 그 인·허가를 항고소송의 대상으로 본다.

㉢ 즉, 판례에 따르면 이해관계인이 의제된 인·허가가 위법함을 다투고자 하는 경우에는 원칙적으로 주된 처분이 아니라 의제된 인·허가를 항고소송의 대상으로 삼아야 한다고 본다.

▶ **관련판례**

주택건설사업계획승인처분에 따라 의제된 지구단위계획결정에 하자가 있음을 이해관계인이 다투고자 하는 경우, 주된 처분(주택건설사업계획승인처분)이 아니라 의제된 인·허가(지구단위계획결정)를 항고소송의 대상으로 삼아야 한다.**02** ★★★

의제된 인·허가는 통상적인 인·허가와 동일한 효력을 가지므로, 적어도 '부분 인·허가 의제'가 허용되는 경우에는 그 효력을 제거하기 위한 법적 수단으로 의제된 인·허가의 취소나 철회가 허용될 수 있고, 이러한 직권 취소·철회가 가능한 이상 그 의제된 인·허가에 대한 쟁송취소 역시 허용된다.**03** 따라서 주택건설사업계획승인처분에 따라 의제된 인·허가가 위법함을 다투고자 하는 이해관계인은, 주택건설사업계획승인처분의 취소를 구할 것이 아니라 의제된 인·허가의 취소를 구하여야 하며, 의제된 인·허가는 주택건설사업계획승인처분과 별도로 항고소송의 대상이 되는 처분에 해당한다(대판 2018. 11. 29, 2016두38792).**04**

⑽ **선승인후협의제**

① **개념**

선승인후협의제란 인·허가와 관련 있는 행정기관 간에 협의가 모두 완료되기 전이라도 공익상 긴급한 필요가 있는 경우 등 일정한 경우에는 협의가 완료되지 않은 상태에 있는 인·허가에 대해 협의를 완료할 것을 조건으로 각종의 사업시행승인이나 시행인가를 할 수 있는 제도를 말한다.❶

② **구별개념 – 부분 인·허가 의제제도**

이에 반해 부분 인·허가 의제제도라 함은 주된 인·허가로 의제되는 것으로 규정된 인·허가 중 일부에 대해서만 협의가 완료된 경우에도 민원인의 요청이 있으면 주된 인·허가를 할 수 있고, 이 경우 협의가 완료된 일부 인·허가만 의제되는 것으로 하는 제도를 말한다. 부분 인·허가 의제제도에서 아직 의제되지 않은 인·허가는 관계행정기관의 협의가 완료되는 대로 순차적으로 의제되거나 별도의 인·허가의 대상이 될 수 있다. 판례도 부분 인·허가 의제제도를 인정하고 있다.

③ 취지 및 근거

이는 관계행정기관 간에 협의가 완료되기 전이라도 후속절차를 진행할 수 있다는 점에서 사업절차가 간소화되는 효과가 있다. 다만, 협의가 완료되지 않은 경우에도 인·허가가 의제된다는 점에서 명문의 근거가 필요하다.

⑾ 인·허가 의제의 사후관리 등

① 사후관리

인·허가 의제의 경우 관련 인·허가 행정청은 관련 인·허가를 직접 한 것으로 보아 관계법령에 따른 관리·감독 등 필요한 조치를 하여야 한다(행정기본법 제26조 제1항). 사후관리란 관계법령에 따른 관리·감독 등 필요한 조치를 하는 것을 말하고, 관계법령이란 기본적으로 관련 인·허가에 관련된 법령을 말한다.

② 주된 인·허가 변경의 경우

주된 인·허가가 있은 후 이를 변경하는 경우에는 행정기본법 제24조(인·허가 의제의 기준)·제25조(인·허가 의제의 효과) 및 제26조 제1항(인·허가 의제의 사후관리)을 준용한다(동법 제26조 제2항).

⑿ 의제되는 처분의 공시방법에 하자가 있는 경우

9. 허가 위반의 효과 – 무허가행위의 효과

허가받아야 할 일을 허가받지 않고 행한 경우 허가를 받지 않고 한 사법(私法)상 행위의 법률상 효력은 유효함이 원칙이다.[01] 다만, 행정상 강제집행이나 행정벌의 대상은 될 수 있다.[02] @

10. 타인의 명의로 허가를 받은 경우

건축허가가 건축물을 신축한 자가 아닌 타인의 명의로 행해진 경우 건축물이 완공되면 누가 그 건물의 소유권을 취득하는지가 문제된다. 이에 대해 판례는 건축허가 명의와 상관없이 실제로 건물을 건축한 자가 건물의 소유권을 취득한다고 판시한 바 있다. 또한 건축 중인 건물의 소유자와 건축허가의 건축주가 반드시 일치하여야 하는 것도 아니라는 것이 판례의 입장이다.

> ▶ **관련판례**
>
> **1-1.** 건축허가는 상대적 금지를 해제하여 줌으로써 일정한 건축행위를 하여도 좋다는 자유를 회복시켜 주는 행정처분일 뿐 수허가자에게 어떤 새로운 권리나 능력을 부여하는 것이 아니다.**01** ★★
>
> **1-2.** 건축허가 명의자가 아닌 실제로 건물을 건축한 자가 건물의 소유권을 취득한다.★
> 건축허가는 행정관청이 건축행정상 목적을 수행하기 위하여 수허가자에게 일반적으로 행정관청의 허가 없이는 건축행위를 하여서는 안 된다는 상대적 금지를 관계법규에 적합한 일정한 경우에 해제하여 줌으로써 일정한 건축행위를 하여도 좋다는 자유를 회복시켜 주는 행정처분일 뿐 수허가자에게 어떤 새로운 권리나 능력을 부여하는 것이 아니고, 건축허가서는 허가된 건물에 관한 실체적 권리의 득실변경의 공시방법이 아니며 추정력도 없으므로 건축허가서에 건축주로 기재된 자가 건물의 소유권을 취득하는 것은 아니므로(대판 1997. 3. 28, 96다10638 참조), 자기 비용과 노력으로 건물을 신축한 자는 그 건축허가가 타인의 명의로 된 여부에 관계없이 그 소유권을 원시취득한다(대판 2002. 4. 26, 2000다16350).
>
> **2.** 건축 중인 건물의 소유자와 건축허가 명의자가 일치할 필요는 없다(대판 2009. 3. 12, 2006다28454).**02** ★

11. 허가 등에 의한 영업의 양도와 제재사유의 승계

(1) 영업양도의 의의 및 가능성

영업양도라 함은 영업자(양도인)와 양수인의 합의에 의해 영업을 양수인에게 이전하는 것을 말한다. 대인적 허가는 원칙적으로 양도가 인정되지 않으나, 대물적 허가의 대상이 되는 영업은 법적 근거 없이 영업양도가 가능하다.**03**

(2) 제재처분의 효과 또는 제재사유의 승계

영업의 양도로 승계되는 양도인의 지위에는 양도인의 위법행위로 인한 제재처분의 효과 또는 제재사유(허가취소 또는 정지사유)도 포함되는지가 문제된다.

① 제재처분의 효과의 승계
　　양도인의 위법행위로 제재처분이 내려진 경우에 그 제재처분(허가취소, 영업정지처분 또는 과징금 부과처분)의 효과는 이미 영업자의 지위에 포함된 것이므로 양수인에게 당연히 이전된다고 보아야 한다.**04**

② 제재사유의 승계
　　㉠ 문제의 소재 : 양도인이 위법행위를 한 후 제재를 피하기 위하여 영업을 양도하는 경우가 있는 바, 이러한 상황에 대처하기 위하여 명문규정을 두어 양도인의 위법행위로 인한 제재처분의 효과 또는 제재사유의 양수인에 대한 승계를 규정하는 경우가 있다. 이 경우에는 양수인에게 제재처분을 할 수 있다. 그런데 제재사유의 승계에 관한 명문의 규정이 없는 경우에도 양수인에게 제재처분을 할 수 있는지가 문제된다.
　　㉡ 판례 : 대물적 허가의 경우 영업양도가 가능하고, 영업양도의 효과로 양수인에게 승계되는 양도인의 지위에는 양도인의 위법행위로 인한 제재사유가 포함된다는 이유로 또는 제재처분은

대물적 처분이므로 양도인의 지위를 승계한 자에 대하여 양도인이 유사석유제품을 판매하는 위법행위를 하였다는 이유로 법령상의 명문의 규정이 없는 경우에도 양수인에게 사업정지 등 제재처분을 할 수 있다고 판시하여 긍정적인 입장이다.01 02

관련판례

1. **석유판매업허가는 대물적 허가로서 양도가 가능하므로 석유판매업이 양도된 경우, 양도인의 귀책사유로 양수인에게 제재를 가할 수 있다.03 ★★★**

   석유판매업(주유소)허가는 소위 대물적 허가의 성질을 갖는 것이어서 그 사업의 양도도 가능하고 이 경우 양수인은 양도인의 지위를 승계하게 됨에 따라 양도인의 위 허가에 따른 권리·의무가 양수인에게 이전되는 것이므로 만약 양도인에게 그 허가를 취소할 위법사유가 있다면 허가관청은 이를 이유로 양수인에게 응분의 제재조치를 취할 수 있다 할 것이고,04 양수인이 그 양수 후 허가관청으로부터 석유판매업허가를 다시 받았다 하더라도 이는 석유판매업의 양도·양수를 전제로 한 것이어서 이로써 양도인의 지위승계가 부정되는 것은 아니라 할 것이다(대판 1986. 7. 22, 86누203).

   ✛ 한편 이에 대해서 선의의 양수인에게도 이를 적용하는 것은 문제가 있다는 비판이 있어 오던 중 최근의 몇몇 법률들은 양수인이 양도인의 위법사실을 모르고 사업을 양수했음을 입증한 경우에는 행정제재처분을 하지 않도록 개정되었으며(「석유 및 석유대체연료사업법」 제8조), ⓐ 식품위생법도 동일하게 개정되었다.

2. **개인택시운송사업의 양도·양수가 있고 그에 대한 인가가 있은 후 그 양도·양수 이전에 있었던 양도인에 대한 운송사업면허취소사유(음주운전 등으로 인한 자동차운전면허의 취소)를 들어 양수인의 운송사업면허를 취소한 것은 정당하다**(대판 1998. 6. 26, 96누18960).05 ★★★

   ✛ 위 판례는 특허에 관한 것이지만 허가의 경우에도 법리는 동일하다.

   비교판례

   회사가 분할된 경우, 원칙적으로 신설회사에 대하여 분할하는 회사의 분할 전 법위반행위를 이유로 과징금을 부과할 수는 없다.06 ★★★

   회사분할시 신설회사 또는 존속회사가 승계하는 것은 분할하는 회사의 권리와 의무이고, 분할하는 회사의 분할 전 법위반행위를 이유로 과징금이 부과되기 전까지는 단순한 사실행위만 존재할 뿐 과징금과 관련하여 분할하는 회사에 승계대상이 되는 어떠한 의무가 있다고 할 수 없으므로, 특별한 규정이 없는 한 신설회사에 대하여 분할하는 회사의 분할 전 법위반행위를 이유로 과징금을 부과하는 것은 허용되지 않는다(대판 2011. 5. 26, 2008두18335).

3-1. 개인택시운송사업의 양도·양수에 대한 인가를 한 후, 그 양도·양수 이전에 있었던 양도인에 대한 운송사업면허취소사유를 들어 양수인의 사업면허를 취소할 수 있다.07

3-2. 양도인의 제재사유가 현실적으로 발생하지 않았더라도 그 원인되는 사실이 이미 존재하였다면 양도 후 제재사유로 양수인에게 제재처분을 할 수 있다(대판 2010. 4. 8, 2009두17018).★★★

4. **공중위생영업에 있어 그 영업을 정지할 위법사유가 있는 경우, 그 영업이 양도·양수되었다 하더라도 양수인에 대하여 영업정지처분을 할 수 있다.08**

   양수인이 그 양수 후 행정청에 새로운 영업소개설통보를 하였다 하더라도, 그로 인하여 영업양도·양수로 영업소에 관한 권리·의무가 양수인에게 이전하는 법률효과까지 부정되는 것은 아니라 할 것인바, 만일 어떠한 공중위생영업에 대하여 그 영업을 정지할 위법사유가 있다면, 관할행정청은 그 영업이 양도·양수되었다 하더라도 그 업소의 양수인에 대하여 영업정지처분을 할 수 있다고 봄이 상당하다(대판 2001. 6. 29, 2001두1611).

5. **불법증차된 화물자동차를 양수한 화물자동차운송사업자에 대하여 유가보조금 환수처분을 할 수 있다.**

   (1) 화물자동차법 제16조 제4항은 화물자동차운송사업을 양수하고 신고를 마치면 양수인이 양도인의 '운송사업자로서의 지위'를 승계한다고 규정하고 있다. 이러한 지위승계규정은 양도인이 해당 사

기출 체크

□□□□□ **01** 판례는 대물적 영업의 양도의 경우 명시적인 규정이 없는 경우에도 양도 전에 존재하는 영업정지사유를 이유로 양수인에 대해서도 영업정지처분을 할 수 있다고 보고 있다. (2018 소방직 9급)

□□□□□ **02** 식품위생법 제78조나 먹는물관리법 제49조에서와 같이 개별법상 명문규정으로 책임의 승계를 규정하지 않는 한 양수인에게 양도인의 행위에 따른 제재를 할 수 없다. (O, ×) ★★★ (2016 국회직 8급)

□□□□□ **03** 석유판매업 등록은 대물적 허가의 성질을 가지고 있으므로, 종전 석유판매업자가 유사석유제품을 판매한 행위에 대해 승계인에게 사업정지 등 제재처분을 할 수 있다. (O, ×) ★★★ (2022 군무원 9급)

□□□□□ **04** 주유소허가의 양수인은 양도인의 지위를 승계하므로 양도인에게 그 허가를 취소할 법적 사유가 있는 경우 이를 이유로 양수인에게 응분의 제재조치를 할 수 있다. (O, ×) ★★★ (2019 서울시 1회 7급)

□□□□□ **05** 개인택시운송사업의 양도·양수가 있고 그에 대한 인가가 있은 후 그 양도·양수 이전에 있었던 양도인에 대한 운송사업면허취소사유(음주운전 등으로 인한 자동차운전면허의 취소)를 들어 양수인의 운송사업면허를 취소한 것은 위법하다. (O, ×) ★★★ (2023 지방직·서울시 7급)

□□□□□ **06** 회사분할시 특별한 규정이 없는 한 신설회사에 대하여 분할하는 회사의 분할 전 법위반행위를 이유로 과징금을 부과하는 것은 허용되지 않는다. (O, ×) ★★★ (2023 군무원 7급)

□□□□□ **07** 개인택시운송사업의 양도·양수에 대한 인가가 있은 후에 그 양도·양수 이전에 있었던 양도인에 대한 운송사업면허취소사유를 들어 양수인의 사업면허를 취소할 수 있다. (O, ×) ★★★ (2020 국가직 7급)

□□□□□ **08** 어떠한 공중위생영업에 대하여 그 영업을 정지할 위법사유가 있다면, 관할행정청은 그 영업이 양도·양수되었다 하더라도 그 업소의 양수인에 대하여 영업정지처분을 할 수 있다. (O, ×) (2024 소방간부)

ⓐ 「석유 및 석유대체연료사업법」
석유정제업자(또는 석유판매업자)의 지위승계가 있는 때에는 종전의 석유정제업자(또는 석유판매업자)에 대한 제13조 제1항의 규정에 의한 사업정지처분(제14조에 의하여 사업정지에 갈음하여 부과하는 과징금을 포함한다)의 효과는 처분기간이 만료된 날부터 1년간 그 지위를 승계받는 자에게 승계되며, 행정처분의 절차가 진행 중인 때에는 지위승계를 받는 자에게 그 절차를 속행할 수 있다. 다만, 지위승계를 받은 자(상속에 의하여 승계를 받은 자를 제외한다)가 승계를 받을 때에 그 처분 또는 위반사실을 알지 못하였음을 증명하는 경우에는 그러하지 아니하다(제8조, 제10조 제7항).

정답 01 ○ 02 × 03 ○ 04 ○ 05 × 06 ○ 07 ○ 08 ○

☐☐☐☐☐ **01** 당사자의 신청에 따른 처분은 법령 등에 특별한 규정이 있거나 처분 당시의 법령 등을 적용하기 곤란한 특별한 사정이 있는 경우를 제외하고는 신청 당시의 법령 등에 따른다. (○, ×) ★★★
2024 소방간부

☐☐☐☐☐ **02** 당사자의 신청에 따른 처분은 법령 등에 특별한 규정이 있거나 처분 당시의 법령 등을 적용하기 곤란한 특별한 사정이 있는 경우를 제외하고는 처분 당시의 법령 등에 따른다. (○, ×) ★★★
2023 소방간부

☐☐☐☐☐ **03** 건축허가신청 후 건축허가기준에 관한 관계법령 및 조례의 규정이 신청인에게 불리하게 개정된 경우, 당사자의 신뢰를 보호하기 위해 처분시가 아닌 신청시 법령에서 정한 기준에 의하여 건축허가 여부를 결정하는 것이 원칙이다. (○, ×) ★★★ 2018 지방직 9급

☐☐☐☐☐ **04** 허가신청 후 허가기준이 변경되었다 하더라도 그 허가관청이 허가신청을 수리하고도 정당한 이유 없이 그 처리를 늦추어 그 사이에 허가기준이 변경된 것이 아닌 이상 변경되기 이전의 허가기준에 따라서 처분을 하여야 한다. (○, ×) ★★★ 2023 소방간부

판례 | ● 채석허가기준에 관한 관계법령이 개정되었고 경과규정에서 그 적용범위에 관해 달리 정함이 없는 한, 처분 당시에 시행되는 법령의 기준에 따라야 한다(대판 2005. 7. 29, 2003두3550).

업과 관련하여 관계법령상 의무를 위반하여 제재사유가 발생한 후 사업을 양도하는 방법으로 제재처분을 면탈하는 것을 방지하려는 데에도 그 입법목적이 있다. 화물자동차법에서 '운송사업자'란 화물자동차법 제3조 제1항에 따라 화물자동차운송사업허가를 받은 자를 말하므로(제3조 제3항), '운송사업자로서의 지위'란 운송사업허가에 기인한 공법상 권리와 의무를 의미하고, 그 '지위의 승계'란 양도인의 공법상 권리와 의무를 승계하고 이에 따라 양도인의 의무위반행위에 따른 위법상태의 승계도 포함하는 것이라고 보아야 한다. 불법증차를 실행한 운송사업자로부터 운송사업을 양수하고 화물자동차법 제16조 제1항에 따른 신고를 하여 화물자동차법 제16조 제4항에 따라 운송사업자의 지위를 승계한 경우에는 설령 양수인이 영업양도·양수 대상에 불법증차 차량이 포함되어 있는지를 구체적으로 알지 못하였다 할지라도, 양수인은 불법증차 차량이라는 물적 자산과 그에 대한 운송사업자로서의 책임까지 포괄적으로 승계한다(헌재 2019. 9. 26, 2017헌바397 등 참조). 따라서 관할행정청은 양수인의 선의·악의를 불문하고 양수인에 대하여 불법증차 차량에 관하여 지급된 유가보조금의 반환을 명할 수 있다.

(2) 다만 그에 따른 양수인의 책임범위는 지위승계 후 발생한 유가보조금 부정수급액에 한정되고, 지위승계 전에 발생한 유가보조금 부정수급액에 대해서까지 양수인을 상대로 반환명령을 할 수는 없다. 유가보조금 반환명령은 '운송사업자 등'이 유가보조금을 지급받을 요건을 충족하지 못함에도 유가보조금을 청구하여 부정수급하는 행위를 처분사유로 하는 '대인적 처분'으로서, '운송사업자'가 불법증차 차량이라는 물적 자산을 보유하고 있음을 이유로 한 운송사업허가취소 등의 '대물적 제재처분'과는 구별되고, 양수인은 영업양도·양수 전에 벌어진 양도인의 불법증차 차량의 제공 및 유가보조금 부정수급이라는 결과 발생에 어떠한 책임이 있다고 볼 수 없기 때문이다(대판 2021. 7. 29, 2018두55968).

12. 허가의 기준

(1) 신청시와 처분시의 법령이 다른 경우

신청 후 허가를 결정하기 전에 법령의 변경이 있는 경우에는 원칙적으로 신청시가 아닌 처분시의 개정된 법령을 기준으로 허가 여부를 결정하여야 한다고 함이 통설과 판례의 태도였다(p.300 참조).● 이에 최근 제정된 행정기본법에서는 법적용의 기준을 명시적으로 규정함으로써, 당사자의 신청에 따른 처분은 처분 당시의 법령 등을 적용하는 것을 원칙으로 정하고 있다(동법 제14조 제2항).

> **행정기본법 제14조 【법적용의 기준】** ② 당사자의 신청에 따른 처분은 법령 등에 특별한 규정이 있거나 처분 당시의 법령 등을 적용하기 곤란한 특별한 사정이 있는 경우를 제외하고는 처분 당시의 법령 등에 따른다.**01 02**

┌ **관련판례** ─

1. 신청 후 허가기준이 변경된 경우에는 원칙적으로 신청시가 아닌 처분시의 법령과 기준에 의해 처리되어야 한다.**03** ★★★

   허가 등의 행정처분은 원칙적으로 처분시의 법령과 허가기준에 의하여 처리되어야 하고 허가신청 당시의 기준에 따라야 하는 것은 아니며, 비록 허가신청 후 허가기준이 변경되었다 하더라도 그 허가관청이 허가신청을 수리하고도 정당한 이유 없이 그 처리를 늦추어 그 사이에 허가기준이 변경된 것이 아닌 이상 변경된 허가기준에 따라서 처분을 하여야 할 것인바 …… (대판 1996. 8. 20, 95누10877)**04**

2. 양도인이 최초 영업허가를 받을 당시에 '영업장 면적'이 허가(신고) 대상이 아니었더라도 영업자지위승계신고 수리 시점을 기준으로 당시의 식품위생법령에 따른 인적·물적 요건을 갖추어야 하므로 양수인에게 '영업장 면적' 변경신고의무가 있으며, 영업양수 후 기존 건물을 철거하고 새 건물을 신축하여 이루어진 영업에 관해서는 '영업장 소재지'와 '영업장 면적' 변경신고의무가 있다(대판 2020. 3. 26, 2019두38830).

(2) 허가요건의 추가

허가가 기속행위인 경우 허가요건의 추가는 기본권의 제한과 직결되므로 법령에 근거가 있어야 한다. 따라서 법령의 근거 없이 행정권이 독자적으로 허가요건을 추가하는 것은 원칙적으로 허용되지 않는다.01

13. 허가의 갱신 및 기간

(1) 허가의 갱신

① 개 념

허가의 기간제한이 있는 경우 종전 허가의 효력을 유지하기 위해서는 일정한 행위가 필요한바, 이와 같이 종전 허가의 효력을 유지시키는 행위를 허가의 갱신이라고 한다. 갱신제도는 허가요건에 대한 판단을 일정기간마다 반복할 필요가 있는 경우에 인정된다.❶

② 특 성

㉠ 기한 도래 전 이루어진 갱신허가신청 : 허가의 갱신은 신규허가가 아니라 종전 허가가 동일성을 유지한 채로 지속되는 것에 불과하다.02 따라서 갱신 전의 위법사유가 있는 경우 이러한 사유는 갱신 후에도 승계되므로 행정청은 갱신 전의 위법사유를 들어 갱신 후에도 제재조치를 취할 수 있다.

> **관련판례**
> 유료직업소개사업의 갱신이 있은 후에도 갱신 전의 법위반사실을 근거로 허가를 취소할 수 있다.03 ★★★
> 유료직업소개사업의 허가갱신은 허가취득자에게 종전의 지위를 계속 유지시키는 효과를 갖는 것에 불과하고 갱신 후에는 갱신 전의 법위반사항을 불문에 부치는 효과를 발생시키는 것이 아니므로 일단 갱신이 있은 후에도 갱신 전의 법위반사실을 근거로 허가를 취소할 수 있다(대판 1982. 7. 27, 81누174).

㉡ 기한경과 후 이루어진 갱신허가 신청 : 갱신허가의 신청은 종전 허가의 기한만료 전에 이루어져야 하며, 종전 허가의 기한이 경과한 후의 갱신신청에 따른 허가는 종전 허가의 연장이 아니라 신규허가이므로04 허가요건의 적합 여부를 새로이 판단하여 허가 여부를 결정해야 한다는 것이 판례의 취지이다.

㉢ 연장신청이 없는 경우 : 만약 연장신청이 없는 상태에서 기한이 도래하였다면 그 허가의 효력은 상실된다.

> **관련판례**
> 기한경과 후 유효기간이 지나서 한 신청은 신규허가의 신청이므로 허가요건 적합 여부를 새로이 판단하여 허가 여부를 결정하여야 한다.05 06 ★★
> 옥외광고물등관리법의 각 규정을 종합하여 보면, 이 사건의 경우와 같은 지주이용간판을 설치하고자 하는 자는 …… 그와 같은 기간연장허가를 받지 아니한 경우에는 그 허가는 특단의 사정이 없는 한 기한이 도래함으로써 별도의 행위를 기다릴 것 없이 당연히 효력이 상실되는 것이라 할 것인바, …… 종전의 허가가 기한의 도래로 실효한 이상 원고가 종전 허가의 유효기간이 지나서 신청한 이 사건 기간연장신청은 그에 대한 종전의 허가처분을 전제로 하여 단순히 그 유효기간을 연장하여 주는 행정처분을 구하는 것이라기보다는 종전의 허가처분과는 별도의 새로운 허가를 내용으로 하는 행정처분을 구하는 것이라고 보아야 할 것이어서,07 08 이러한 경우 허가권자는 이를 새로운 허가신청으로 보아 법의 관계규정에 의하여 허가요건의 적합 여부를 새로이 판단하여 그 허가 여부를 결정하여야 할 것이다(대판 1995. 11. 10, 94누11866).ⓐ

기출 체크

□□□□□ **01** 허가의 요건은 법령으로 규정되어야 하며, 법령의 근거 없이 행정권이 독자적으로 허가요건을 추가하는 것은 허용되지 아니한다. (○, ×) ★★
2015 경행특채 2차

□□□□□ **02** 건설업면허의 갱신은 기존 면허의 효력의 동일성을 유지하면서 장래에 향하여 지속시키는 데 그친다. (○, ×) ★★★
2006 국회직 8급

□□□□□ **03** 허가의 갱신은 허가취득자에게 종전의 지위를 계속 유지시키는 효과를 갖게 하는 것으로 갱신 후라도 갱신 전 법위반사실을 근거로 허가를 취소할 수 있다. (○, ×) ★★★
2017 국가직 7급

□□□□□ **04** 종전 허가의 유효기간이 지나서 신청한 기간연장신청은 별도의 새로운 허가를 내용으로 하는 행정처분을 구하는 것이라기보다는 종전의 허가처분을 전제로 하여 단순히 그 유효기간을 연장하여 주는 행정처분을 구하는 것으로 보아야 한다. (○, ×) ★★ 2021 경행경채

□□□□□ **05** 허가의 유효기간이 지난 후에 그 허가의 기간연장이 신청된 경우, 허가권자는 특별한 사정이 없는 한 유효기간을 연장해 주어야 한다. (○, ×) ★★
2016 지방직 9급

□□□□□ **06** 갱신신청 없이 유효기간이 지나면 주된 행정행위는 효력이 상실되므로 갱신기간이 지나 신청한 경우에는 기간연장신청이 아니라 새로운 허가신청으로 보아야 하며 허가요건의 충족 여부를 새로이 판단하여야 한다. (○, ×) ★★
2015 국회직 8급

□□□□□ **07** 기한의 도래로 실효한 종전의 허가에 대한 기간연장신청은 새로운 허가를 내용으로 하는 것이 아니라, 종전의 허가처분을 전제로 하여 단순히 그 유효기간을 연장하여 주는 행정처분을 구하는 것으로 보아야 한다. (○, ×) ★★
2022 국가직 7급

□□□□□ **08** 종전 허가의 유효기간이 지난 후에 한 허가기간연장 신청은 종전의 허가처분과는 별도의 새로운 허가를 내용으로 하는 행정처분을 구하는 것이라고 보아야 한다. (○, ×) ★★
2018 지방직 7급

❶ 「총포·도검·화약류 등의 안전관리에 관한 법률」 제16조 【총포소지허가의 갱신】 ① 제12조에 따라 총포의 소지허가를 받은 자는 허가를 받은 날부터 3년마다 이를 갱신하여야 한다.

ⓐ 서울 영등포구 양화동 성산대교 남쪽 88올림픽대로변에 지주이용 야립간판 3개에 관하여 설치기간을 1990. 10. 17.부터 1993. 10. 16.까지 3년으로 한 광고물표시허가를 받아 설치·이용하여 오다가 허가기간 3년이 지난 후인 1994. 1. 11. 피고에게 위 야립간판의 표시허가기간을 연장해 줄 것을 신청한 사안에서 이러한 기간은 장기계속성이 예정되어 있는 행정행위에 부당하게 짧은 기한을 붙인 것으로 볼 수도 없으며, 기한이 지난 후의 연장신청은 신규허가신청에 불과하다고 판시한 바 있다.

정답 01 ○ 02 ○ 03 ○ 04 × 05 ×
06 ○ 07 × 08 ○

□□□□□ **01** 허가에 붙은 기한이 그 허가된 사업의 성질상 부당하게 짧은 경우에 그 기한은 허가조건의 존속기간이 아니라 허가 자체의 존속기간으로 보아야 한다. (○, ×) ★★★
2018 지방직 9급

□□□□□ **02** 허가에 붙은 기한이 부당하게 짧은 경우에는 허가기간의 연장신청이 없는 상태에서 허가기간이 만료하였더라도 그 후에 허가기간 연장신청을 하였다면 허가의 효력은 상실되지 않는다. (○, ×) ★★
2017 사회복지직 9급

□□□□□ **03** 일반적으로 행정처분에 효력기간이 정하여져 있는 경우에는 그 기간의 경과로 그 행정처분의 효력은 상실되며, 다만 허가에 붙은 기한이 그 허가된 사업의 성질상 부당하게 짧은 경우에는 이를 그 허가 자체의 존속기간이 아니라 그 허가조건의 존속기간으로 볼 수 있다. (○, ×) ★★★
2022 군무원 9급

□□□□□ **04** 허가에 붙은 기한이 그 허가된 사업의 성질상 부당하게 짧은 경우에는 이를 그 허가조건의 존속기간으로 보아야 한다. (○, ×) ★★★
2019 서울시 2회 7급

□□□□□ **05** 허가에 붙은 기한이 그 허가된 사업의 성질상 부당하게 짧아 그 기한을 허가조건의 존속기간으로 볼 수 있는 경우에 허가기간이 연장되기 위하여는 그 종기가 도래하기 전에 그 허가기간의 연장에 관한 신청이 있어야 한다. (○, ×) ★★★
2020 국가직 9급

□□□□□ **06** 당초에 붙은 기한을 허가 자체의 존속기간이 아니라 허가조건의 존속기간으로 보더라도 그 후 당초의 기한이 상당 기간 연장되어 연장된 기간을 포함한 존속기간 전체를 기준으로 볼 경우 더 이상 허가된 사업의 성질상 부당하게 짧은 경우에 해당하지 않게 된 때에는 재량권의 행사로서 더 이상의 기간연장을 불허할 수도 있다. (○, ×) ★★
2022 군무원 9급

(2) 허가 자체의 존속기간과 허가조건의 존속기간

① 문제의 소재

허가 등 행정행위에 종기의 일종인 유효기간이 부가된 경우에 그 기간은 허가 자체의 존속기간인지 허가조건의 존속기간인지가 문제된다.

② 구별기준

장기계속성이 예정되어 있는 허가에 붙은 기한이 그 허가된 사업의 성질상 부당하게 짧은 경우에는 그 기한을 '허가 자체'의 존속기간이 아니라 허가'조건'의 존속기간(갱신기간)으로 보아야 하며, 그 기한이 도래함으로써 조건의 개정을 고려한다.01

③ 허가조건의 존속기간인 경우

ⓐ 허가조건의 존속기간인 경우 유효기간이 경과하기 전에 당사자의 갱신신청이 있으면 특별한 사정이 없는 한 조건의 개정을 고려할 수는 있으나, 허가기간은 갱신 내지 연장해 주어야 한다.

ⓑ 허가조건의 존속기간 내에 적법한 갱신신청이 있었음에도 갱신 가부의 결정이 없는 경우에는 유효기간이 지나도 주된 행정행위는 효력이 상실되지 않는다. 그러나 갱신신청 없이 유효기간이 지나면 주된 행정행위는 효력이 상실되므로02 갱신기간이 지나 신청한 경우에는 기간연장신청(갱신신청)이 아니라 새로운 허가신청으로 보아야 한다.

ⓒ 한편 이 경우라도 허가에 붙은 당초의 기한이 상당기간 연장되어 더 이상 사업의 성질상 부당하게 짧은 경우에 해당하지 않은 경우, 관계법령의 규정에 따라 허가 여부의 재량권을 가진 행정청은 기간연장을 불허할 수도 있으며, 이 경우 허가의 효력은 상실된다.

┌ **관련판례** ─

1. 허가에 붙은 기한이 그 허가된 사업의 성질상 부당하게 짧은 경우 그 기한을 허가 자체의 존속기간이 아닌 허가조건의 존속기간으로 볼 수 있다.03 04 다만, 이 경우라도 허가기간이 연장되기 위해서는 종기가 도래하기 전에 기간의 연장에 관한 신청이 있어야 한다.05 ★★★

   일반적으로 행정처분에 효력기간이 정하여져 있는 경우에는 그 기간의 경과로 그 행정처분의 효력은 상실되고, 다만 허가에 붙은 기한이 그 허가된 사업의 성질상 부당하게 짧은 경우에는 이를 그 허가 자체의 존속기간이 아니라 그 허가조건의 존속기간으로 보아 그 기한이 도래함으로써 그 조건의 개정을 고려한다는 뜻으로 해석할 수는 있지만, 그와 같은 경우라 하더라도 그 허가기간이 연장되기 위하여는 그 종기가 도래하기 전에 그 허가기간의 연장에 관한 신청이 있어야 하며, 만일 그러한 연장신청이 없는 상태에서 허가기간이 만료하였다면 그 허가의 효력은 상실된다(대판 2007. 10. 11, 2005두12404).

2. 허가에 붙은 당초의 기한이 상당기간 연장되어 허가된 사업의 성질상 부당하게 짧은 경우에 해당하지 아니하게 된 경우, 관계법령의 규정에 따라 허가 여부의 재량권을 가진 행정청이 기간연장을 불허가하는 것이 가능하다(대판 2004. 3. 25, 2003두12837).06 ★★

④ 허가 자체의 존속기간인 경우

허가 자체의 존속기간인 경우에는 종기의 도래로 허가는 당연히 효력을 상실한다. 당사자는 기간연장에 있어 어떠한 기득권도 주장할 수 없으며 기간연장신청은 새로운 행정행위의 신청에 해당한다.

어업에 관한 허가 또는 신고의 경우 유효기간이 지나면 당연히 효력이 소멸한다. 이 경우 다시 어업허가를 받거나 신고를 하더라도 종전 허가나 신고의 효력 등이 계속되는 것은 아니다.★

어업에 관한 허가 또는 신고의 경우에는 어업면허와 달리 유효기간 연장제도가 마련되어 있지 아니하므로 그 유효기간이 경과하면 그 허가나 신고의 효력이 당연히 소멸하며, 재차 허가를 받거나 신고를 하더라도 허가나 신고의 기간만 갱신되어 종전의 어업허가나 신고의 효력 또는 성질이 계속된다고 볼 수 없고 새로운 허가 내지 신고로서의 효력이 발생한다고 할 것이다(대판 2011. 7. 28, 2011두5728).01 02

14. 예외적 허가(승인)

(1) 의 의

① 개 념

예외적 허가란 일정행위가 사회적으로 유해하거나 바람직하지 않은 것으로서 법령상 금지하는 것이 원칙이나03 특정한 경우에 예외적으로 그 금지를 해제하여 당해 행위를 적법하게 해 주는 행위를 말하며, 예외적 승인이라고도 한다.

② 구체적 예

학교환경위생정화구역 내의 유흥음식점허가, 개발제한구역 내의 건축허가 등과 같이 일반적으로 허용되지 않는 행위를 극히 예외적인 경우에 한해 허가하여 주는 행위를 의미하며, 기타 카지노업허가, 마약류취급자의 허가 등도 이에 해당한다.

(2) 허가와 예외적 허가의 구별 ⓐ

① 허가 – 예방적 금지의 해제

보통의 허가는 법령으로 법질서유지에 장애가 될 우려가 있는 행위를 잠정적으로 금지한 다음, 행정청의 예방적 심사를 통해 법질서유지에 장애가 안 될 경우 원칙적으로 허가하는 것을 전제하고 있다.

② 예외적 허가 – 억제적 금지의 해제

이에 반해 예외적 허가는 사회적으로 유해한 행위를 금지하는 것을 예정하면서 극히 예외적인 경우에만 금지를 해제하는, 즉 억제적 금지를 해제하는 행위이다.04 또한 허가는 그 실질이 본래의 자유의 회복인 데 대하여 예외적 허가는 그 실질이 권리의 범위를 확대해 주는 것이다.

(3) 성 질

예외적 허가의 성질에 대해 특허라고 보는 견해도 있으나 예외적 허가도 어디까지나 금지를 해제하는 것05이지 상대방에게 새로운 권리 등을 부여하는 것은 아니라는 점에서 특허와는 구별되는 것으로 보는 것이 일반적 견해이다. 한편, 예외적 허가는 보통의 허가와는 달리 재량행위라는 것이 일반적 견해이다.06

1. 개발제한구역 안의 건축허가는 재량행위이다.07 ★★★

도시계획법령 등을 종합하여 보면 개발제한구역 안에서는 구역 지정의 목적상 건축물의 건축 등의 개발행위는 원칙적으로 금지되고, 다만 구체적인 경우에 이와 같은 구역 지정의 목적에 위배되지 아니할 경우 예외적으로 허가에 의하여 그러한 행위를 할 수 있게 되어 있음이 그 규정의 체제와 문언상 분명하고, 이러한 예외적인 건축허가는 그 상대방에게 수익적인 것에 틀림이 없으므로 그 법률적 성질은 재량

☐☐☐☐☐ **01** 어업에 관한 허가의 경우 그 유효기간이 경과하면 그 허가의 효력이 당연히 소멸하지만, 유효기간의 만료 후라도 재차 허가를 받게 되면 그 허가기간이 갱신되어 종전의 어업허가의 효력 또는 성질이 계속된다. (○, ×) ★
2022 군무원 9급

☐☐☐☐☐ **02** 어업에 관한 허가 또는 신고에 유효기간 연장제도가 마련되어 있지 않은 경우 그 유효기간이 경과하면 그 허가나 신고의 효력이 당연히 소멸하며, 재차 허가를 받거나 신고를 하더라도 허가나 신고의 기간만 갱신되어 종전의 어업허가나 신고의 효력 또는 성질이 계속된다고 볼 수 없고 새로운 허가 내지 신고로서의 효력이 발생한다고 할 것이다. (○, ×) ★
2018 국회직 8급

☐☐☐☐☐ **03** 예외적 승인은 위험방지를 대상으로 하고 허가는 사회적으로 유해한 행위를 대상으로 한다. (○, ×) ★★
2013 국회직 8급

☐☐☐☐☐ **04** (예외적 허가는) 억제적 금지를 전제로 한다. (○, ×) ★★
2010 국가직 7급

☐☐☐☐☐ **05** (예외적 허가는) 금지의 해제라는 점에서 허가와 차이가 없다. (○, ×) ★★
2010 국가직 7급

☐☐☐☐☐ **06** 다음 (가)그룹과 (나)그룹에 대한 설명으로 옳지 않은 것은? (다툼이 있는 경우 판례에 의함) ★★
2012 국가직 9급

| (가) | • 주거지역 내의 건축허가
• 상가지역 내의 유흥주점업 허가 |
| (나) | • 개발제한구역 내의 건축허가
• 학교환경위생정화구역 내의 유흥주점업 허가 |

	(가)그룹	(나)그룹
①	예방적 금지의 해제	억제적 금지의 해제
②	허가	예외적 승인
③	법률행위적 행정행위	준법률행위적 행정행위
④	기속행위	재량행위

☐☐☐☐☐ **07** 구 도시계획법상 개발제한구역 내에서의 건축허가는 원칙적으로 기속행위이다. (○, ×) ★★★
2017 교육행정직 9급

ⓐ **타 개념과의 구별**
예외적 허가는 억제적 금지의 해제이고, 재량행위의 성질을 갖는다는 점에서 예방적 금지·사전금지의 해제이며 기속행위의 성질을 갖는 보통의 허가와 구별된다.
예외적 허가는 상대방에게 단순히 금지를 해제해 준다는 측면에서 특정한 권리를 부여해 주는 특허와도 구별된다.
또한 부작위의 해제라는 측면에서 특정한 작위·급부의무의 해제인 면제와도 구별된다.

행위 내지 자유재량행위에 속하는 것이다(대판 2003. 3. 28, 2002두11905).**01**

2. 학교보건법 제6조 제1항 단서의 규정에 의한 학교환경위생정화구역 안의 금지행위 및 시설을 해제하거나 해제를 거부하는 조치는 행정청의 재량행위에 속한다(대판 1996. 10. 29, 96누8253).

3. 구 도시계획법상의 개발제한구역 내의 건축물의 용도변경허가는 예외적 허가로서 재량행위의 성격을 가진다(대판 2001. 2. 9, 98두17593).**02 03** ★★

④ 면 제

1. 개 념

면제란 법령에 의해 일반적으로 부과된 작위·급부·수인 등의 의무를 특정한 경우에 해제해 주는 행정행위를 말한다. 면제도 의무를 해제하는 행위라는 점에서는 허가와 성질이 동일하다.

2. 허가와 면제의 구별

허가는 부작위의무를 해제하는 데 반해, 면제는 작위·급부·수인 등의 의무를 해제한다는 점에서 허가와는 구별된다.**04**

02 │ 형성적 행위 : 특허, 대리, 인가

① 형성적 행정행위

1. 개 념

형성적 행위란 개인에 대해 개인이 원래부터 가지고 있는 것이 아닌 새로운 권리·법률상의 지위 또는 포괄적 법률관계, 기타 법률상의 힘을 발생·변경·소멸시키는 행정행위를 말한다. 이 점에서 원래부터 가지고 있던 자연적 자유를 대상으로 이를 제한 또는 회복시키는 명령적 행위와는 구별된다.

2. 구 분

형성적 행위는 직접 상대방을 위해 권리 등을 설정하거나(설권행위 또는 특허) 변경·박탈하는 행위(변경·탈권행위)와 타인의 법률행위의 효력을 보충하여 그 효력을 완성시키거나(인가) 제3자를 대신하는 행위(대리)로 나누어진다. 한편 「도시 및 주거환경정비법」 등 관련법령에 근거하여 행하는 조합설립인가처분은 설권적 처분의 성격을 갖는다는 것이 판례의 입장이다.

관련판례

1-1. 「도시 및 주거환경정비법」 등 관련법령에 근거하여 행하는 조합설립인가처분은 단순히 사인들의 조합설립행위에 대한 보충행위로서의 성질을 갖는 것에 그치는 것이 아니라 법령상 요건을 갖출 경우 「도시 및 주거환경정비법」상 주택재건축사업을 시행할 수 있는 권한을 갖는 행정주체(공법인)로서의 지위를 부여하는 일종의 설권적 처분의 성격을 갖는다.**05 06** ★★★

1-2. 행정청의 조합설립인가처분이 있은 후에 조합설립결의에 하자가 있음을 이유로 소송을 제기하는 경우라면 조합설립인가처분에 대한 항고소송을 제기하여야 한다.**07** ★★★

1-3. 조합설립인가처분이 있은 후에 조합설립결의의 하자를 이유로 그 결의부분만을 따로 떼어내어 무효등확인의 소를 제기하는 것은 허용될 수 없다(대판 2009. 9. 24, 2008다60568).**08** ⓐ ★★★

2. 재개발조합설립인가신청에 대한 행정청의 조합설립인가처분은 단순히 사인들의 조합설립행위에 대한 보충행위로서의 성질을 가지는 것이 아니라 법령상 일정한 요건을 갖추는 경우 행정주체(공법인)의 지위를 부여하는 일종의 설권적 처분의 성질을 가진다고 보아야 한다. 그러므로 구 「도시 및 주거환경정비법」상 재개발조합설립인가신청에 대하여 행정청의 조합설립인가처분이 있은 이후에는, 조합설립 동의에 하자가 있음을 이유로 재개발조합설립의 효력을 부정하려면 항고소송으로 조합설립인가처분의 효력을 다투어야 한다(대판 2010. 1. 28, 2009두4845).01 ★★

② 상대방을 위한 행위

1. 특 허

(1) 특허의 의의

① 개 념

특허는 특정인에 대하여 새로운 권리, 능력 또는 포괄적 법률관계를 설정하는 행위로서 자연적 자유를 회복시키는 허가와 구별되는바, 이러한 이유로 특허를 설권행위라고 부르기도 한다. 한편 이러한 특허 중 권리를 설정하는 행위를 협의의 특허라고도 한다.

② 학문상의 개념

특허도 학문상의 개념으로서, 실정법상으로는 특허 이외에 허가·면허 등의 용어가 사용되는가 하면, 학문상의 특허가 아닌 행위를 특허라고 표현하는 경우(특허법 제2조상의 발명특허 등)도 있다.

(2) 특허의 종류

권리설정행위(협의의 특허)	• 공유수면매립면허 • 특허기업(자동차운수사업·전기공급사업·도시가스공급사업 등의 공익사업)의 특허02 • 행정재산의 사용·수익허가(국립의료원 부설주차장에 관한 위탁관리용역운영계약)03 • 공물사용권(도로점용허가·하천점용허가·공유수면점용허가 등) 특허04 05 06 07 • 광업허가 • 어업면허 • 보세구역의 설영특허 • 개인택시운송사업면허08 09
능력설정행위	공법인을 설립하는 행위, 공증인 인가·임명처분❼ 등
포괄적 법률관계 설정행위	공무원임용, 귀화허가 등

(3) 특허의 형식 및 상대방

특허는 위에 본 것처럼 행정행위인 특허뿐만 아니라 법규의 형태, 즉 법규특허도 가능하다. 한편, 특허는 그 개념상 허가와 달리 불특정인에 대해서는 행해질 수 없고 특정인에 대해서만 가능하다.10

(4) 특허의 성질

① 형성적 행위 및 협력을 요하는(쌍방적) 행정행위

특허는 상대방에게 권리 등을 설정하여 주는 행위인 점에서 형성적 행위에 속한다. 또한, 특허는 출원 등을 요건으로 하는 협력을 요하는(쌍방적) 행정행위의 성질을 가지며,11 특히 허가와 달리 언제나 신청(출원)이 필요하다. 왜냐하면 특허는 특정인에게 법률상의 힘을 부여하는 행위이기 때문에 출원 유무에 관계없이 특허할 수 있다고 하면 행정의 불공정을 가져올 우려가 있기 때문이다.

② 재량행위

특허는 특정인에게 자연적으로 가지는 것이 아닌 새로운 법률상 힘을 부여한다는 점에서 공익적 관점에서 행정청이 판단할 것이 필요하므로 법령상 특별한 규정이 없는 한 재량행위01라는 것이 통설의 태도이다.

관련판례

1. 법무부장관은 법률에 정한 귀화요건을 갖춘 귀화신청인에게 귀화를 허가할 것인지 여부에 관하여 재량권을 가진다.★★

   귀화허가는 외국인에게 대한민국 국적을 부여함으로써 국민으로서의 법적 지위를 포괄적으로 설정하는 행위에 해당한다.02 법무부장관은 귀화신청인이 법률이 정하는 귀화요건을 갖추었다고 하더라도 귀화를 허가할 것인지 여부에 관하여 재량권을 가진다(대판 2010. 7. 15, 2009두19069).

2. 공유수면매립면허는 특허로서 재량행위이며 일단 실효된 공유수면매립면허의 효력을 회복시키는 행위도 재량행위이다(대판 1989. 9. 12, 88누9206).03 04 ●★★

3. 개인택시운송사업면허는 특허로서 특별한 규정이 없는 한 재량행위이다(대판 1995. 7. 14, 94누14841 ; 대판 1995. 11. 10, 95누8461 ; 대판 1996. 10. 11, 96누6172).05 ★★

4. 도로법 제40조 제1항에 의한 도로점용허가는 설권행위(편저자 주 : 특허)로서 재량행위이다.★★

   도로점용의 허가는 특정인에게 일정한 내용의 공물사용권을 설정하는 설권행위로서, 공물관리자가 신청인의 적격성, 사용목적 및 공익상의 영향 등을 참작하여 허가를 할 것인지의 여부를 결정하는 재량행위이다(대판 2002. 10. 25, 2002두5795).06

5. 보세구역 설영특허는 특허로서 특허의 부여 여부 및 기간갱신은 행정청의 재량에 속한다.07 ★★

   관세법 제78조 소정의 보세구역의 설영특허는 보세구역의 설치·경영에 관한 권리를 설정하는 이른바 공기업의 특허로서 그 특허의 부여 여부는 행정청의 자유재량에 속하며, 특허기간이 만료된 때에 특허는 당연히 실효되는 것이어서 특허기간의 갱신은 실질적으로 권리의 설정과 같으므로 그 갱신 여부도 특허관청의 자유재량에 속한다(대판 1989. 5. 9, 88누4188).

6. 구 수도권대기환경특별법 제14조 제1항에서 정한 대기오염물질 총량관리사업장 설치의 허가 또는 변경허가는 특정인에게 인구가 밀집되고 대기오염이 심각하다고 인정되는 수도권 대기관리권역에서 총량관리대상 오염물질을 일정량을 초과하여 배출할 수 있는 특정한 권리를 설정하여 주는 행위로서 그 처분의 여부 및 내용의 결정은 행정청의 재량에 속한다(대판 2013. 5. 9, 2012두22799).08 09 ★★

비교판례

대기환경보전법상 배출시설설치허가는 기속행위이다.★★

구 대기환경보전법 제2조 제9호, 제23조 제1항, 제5항, 제6항, 같은 법 시행령 제11조 제1항 제1호, 제12조, 같은 법 시행규칙 제4조, [별표 2]와 같은 배출시설설치허가와 설치제한에 관한 규정들의 문언과 그 체제·형식에 따르면 환경부장관은 배출시설설치허가신청이 구 대기환경보전법 제23조 제5항에서 정한 허가기준에 부합하고 구 대기환경보전법 제23조 제6항, 같은 법 시행령 제12조에서 정한 허가제한사유에 해당하지 아니하는 한 원칙적으로 허가를 하여야 한다.10 다만 배출시설의 설치는 국민건강이나 환경의 보전에 직접적으로 영향을 미치는 행위라는 점과 대기오염으로 인한 국민건강이나 환경에 관한 위해를 예방하고 대기환경을 적정하고 지속가능하게 관리·보전하여 모든 국민이 건강하고 쾌적한 환경에서 생활할 수 있게 하려는 구 대기환경보전법의 목적(제1조) 등을 고려하면, 환경부장관은 같은 법 시행령 제12조 각 호에서 정한 사유에 준하는 사유로서 환경기준의 유지가 곤란하거나 주민의 건강·재산, 동식물의 생육에 심각한 위해를 끼칠 우려가 있다고 인정되는 등 중대한 공익상의 필요가 있을 때에는 허가를 거부할 수 있다고 보는 것이 타당하다(대판 2013. 5. 9, 2012두22799).

□□□□□ 01 상대방에게 권리, 능력, 법적 지위, 포괄적 법률관계를 설정하는 특허는 형성적 행정행위이며 원칙적으로 기속행위이다. (○, ×) 2023 국가직 7급

□□□□□ 02 귀화허가는 외국인에 대한민국 국적을 부여함으로써 국민으로서의 법적 지위를 포괄적으로 설정하는 행위에 해당한다. (○, ×) ★★
2024 지방직·서울시 9급

□□□□□ 03 공유수면점용허가는 특정인에게 공유수면이용권이라는 독점적 권리를 설정하여 주는 처분으로서 그 처분의 여부 및 내용의 결정은 원칙적으로 행정청의 재량에 속한다. (○, ×) ★★
2021 국가직 7급

□□□□□ 04 공유수면매립법에 따른 공유수면매립면허는 강학상 허가의 성질을 가진다. (○, ×) ★★
2014 사회복지직 9급

□□□□□ 05 「여객자동차 운수사업법」상 개인택시운송사업면허는 재량행위에 해당한다) (○, ×) ★★
2022 지방직·서울시 9급

□□□□□ 06 도로법상 도로점용허가는 특정인에게 일정한 내용의 공물사용권을 설정하는 설권행위로서 공물관리자가 신청인의 적격성, 사용목적 및 공익상의 영향 등을 참작하여 허가를 할 것인지의 여부를 결정하는 재량행위이다. (○, ×) ★★
2014 국가직 7급

□□□□□ 07 관세법 소정의 보세구역 설영특허는 공기업의 특허로서 그 특허의 부여 여부는 행정청의 자유재량에 속하고, 설영특허에 특허기간이 부가된 경우 그 기간의 갱신 여부도 행정청의 자유재량에 속한다. (○, ×) ★★
2015 사회복지직 9급

□□□□□ 08 구 수도권대기환경특별법상 대기오염물질 총량관리사업장 설치허가(는 재량행위에 해당한다) (○, ×) ★★
2022 지방직·서울시 9급

□□□□□ 09 구 「수도권 대기환경개선에 관한 특별법」상 대기오염물질 총량관리사업장 설치의 허가(는 강학상 특허이다) (○, ×) ★★ 2019 서울시 9급

□□□□□ 10 배출시설설치허가의 신청이 구 대기환경보전법에서 정한 허가기준에 부합하고 동 법령상 허가제한사유에 해당하지 아니하는 한 환경부장관은 원칙적으로 허가를 하여야 한다. (○, ×) ★★
2019 서울시 2회 7급

판례 | ● 공유수면매립면허는 설권행위인 특허의 성질을 갖는 것이므로 원칙적으로 행정청의 자유재량에 속하는 것이며, 일단 실효된 공유수면매립면허의 효력을 회복시키는 행위도 특단의 사정이 없는 한 새로운 면허부여와 같이 면허관청의 자유재량에 속한다(대판 1989. 9. 12, 88누9206).

정답 01 × 02 ○ 03 ○ 04 × 05 ○
06 ○ 07 ○ 08 ○ 09 ○ 10 ○

7. 비관리청 항만공사 시행허가는 특정인에게 권리를 설정하는 행위로서 재량행위이다(대판 2011. 1. 27, 2010 두20508).

8. 구 공유수면관리법에 따른 공유수면의 점·사용허가는 특정인에게 공유수면이용권이라는 독점적 권리를 설정하여 주는 처분으로서 그 처분의 여부 및 내용의 결정은 원칙적으로 행정청의 재량에 속한다고 할 것이다(대판 2004. 5. 28, 2002두5016).**01 02 03** ★★★

9. 출입국관리법상 체류자격 변경허가는 설권적 처분(특허)의 성격을 가지며 허가권자는 허가 여부를 결정할 재량을 가진다.**04 05** ★★★
   출입국관리법 제10조 등의 문언, 내용 및 형식, 체계 등에 비추어 보면, 체류자격 변경허가는 신청인에게 당초의 체류자격과 다른 체류자격에 해당하는 활동을 할 수 있는 권한을 부여하는 일종의 설권적 처분의 성격을 가지므로, 허가권자는 신청인이 관계법령에서 정한 요건을 충족하였더라도, 신청인의 적격성, 체류목적, 공익상의 영향 등을 참작하여 허가 여부를 결정할 수 있는 재량을 가진다(대판 2016. 7. 14, 2015두48846).

10. 토지 등 소유자들이 조합을 따로 설립하지 않고 직접 시행하는 도시환경정비사업에서 사업시행인가처분은 단순히 사업시행계획에 대한 보충행위로서의 성질을 가지는 것이 아니라 행정주체로서의 지위를 부여하는 일종의 설권적 처분의 성격을 가진다.**06** ★
    토지 등 소유자들이 그 사업을 위한 조합을 따로 설립하지 않고 직접 시행하는 도시환경정비사업에서 사업시행인가처분은 단순히 사업시행계획에 대한 보충행위로서의 성질을 가지는 것이 아니라 구 도시정비법상 정비사업을 시행할 수 있는 권한을 가지는 행정주체로서의 지위를 부여하는 일종의 설권적 처분의 성격을 가진다(대판 2013. 6. 13, 2011두19994).**07**

11. 개발촉진지구 안에서 시행되는 지역개발사업에 관한 지정권자의 실시계획승인처분은 설권적 처분의 성격을 가진 독립된 행정처분이다.**08**
    관계법령의 내용과 취지 등에 비추어 보면 지구개발사업에 관한 지정권자의 실시계획승인처분은 단순히 시행자가 작성한 실시계획에 대한 법률상의 효력을 완성시키는 보충행위에 불과한 것이 아니라 법령상의 요건을 갖춘 경우 법이 규정하고 있는 지구개발사업을 시행할 수 있는 지위를 시행자에게 부여하는 일종의 설권적 처분으로서의 성격을 가진 독립된 행정처분으로 보아야 한다(대판 2014. 9. 26, 2012두5602).

(5) 특허의 효과

① 법률상 이익

특허는 상대방에 대해 새로운 독점적·배타적인 법률상의 힘을 부여하는 행위로서 그에 의하여 상대방이 받는 경영상 이익은 반사적 이익이 아닌 **법률상 이익**이다. 특허가 가지는 독점적 효력으로 인해 양립할 수 없는 이중의 특허가 있게 되면 후행의 특허는 무효가 된다.

관련판례

1. 특별한 경우가 아닌 한 같은 업무구역 안에 중복된 어업면허는 당연무효이다(대판 1978. 4. 25, 78누42).

2. 이미 광업권이 설정된 구역에 또다시 광업권을 설정할 수는 없다.
   광업법상 이미 광업권이 설정된 동일한 구역에 대하여 동일한 광물에 대한 광업권을 중복설정할 수 없고, 이종광물이라고 할지라도 광업권이 설정된 광물과 동일 광상 중에 부존하는 이종광물은 광업권설정에 있어서 동일광물로 보게 되므로 이러한 이종광물에 대하여는 기존 광업권이 적법히 취소되거나 그 존속기간이 만료되지 않는 한 별도로 광업권을 설정할 수 없다(대판 1986. 2. 25, 85누712).

기출 체크

☐☐☐☐☐ **01** 특허로 인하여 설정되는 권리는 공권인 경우도 있고 사권인 경우도 있다. (○, ×) ★★
2004 관세사

☐☐☐☐☐ **02** 행정행위는 항상 공법적 효과만 발생시킨다. (○, ×) ★★
2003 관세사

☐☐☐☐☐ **03** 허가는 원칙적으로 재량행위, 특허는 원칙적으로 기속행위로 본다. (○, ×)
2015 국회직 8급

☐☐☐☐☐ **04** 강학상 허가와 특허는 의사표시를 요소로 한다는 점과 반드시 신청을 전제로 한다는 점에서 공통점이 있다. (○, ×) ★★
2017 국가직 9급

☐☐☐☐☐ **05** 인가는 당사자의 법률적 행위를 보충하여 그 법률적 효력을 완성시키는 행정주체의 보충적 의사표시로서의 법률행위적 행정행위이다.
(○, ×) ★★★
2021 국가직 7급

ⓐ 구별의 상대성
허가와 특허의 구별은 본질적인 차이가 있는 것이 아니다. 허가는 형성적 성질을 가진다고 보는 견해가 유력하게 주장되고 있으며, 허가도 재량행위의 성질을 가지는 경우도 있다는 점에서 허가와 특허의 구별은 상대적 차이에 불과하다.

② **사법(私法)적 효과의 발생도 가능**

특허로 인하여 성립하는 권리는 공권(예 도로사용권 등의 공물사용권, 특허기업이 갖는 공용부담특권)인 경우도 있지만 사권(예 어업권, 광업권)인 경우도 있다.01 02 어떤 경우이든 특허로 부여된 권리가 침해되면 손해배상 등을 통하여 구제받을 수 있다.

(6) 허가와 특허의 구별

① **공통점**

허가와 특허는 모두 법률행위적 행정행위이며 원칙적으로 쌍방적 행정행위에 속한다는 점에서 공통성이 있다.

② **차이점**

허가는 개인의 자연적 자유를 회복시켜 주는 것이나, 특허는 공익상 관점에서 새로운 권리를 부여하는 것이라는 점에서 기본적 차이가 있는바, 구체적 차이를 검토해 보면 다음과 같다.ⓐ

구 분	허 가	(행정행위로서) 특허
의 의	일반적 · 상대적 금지의 해제 (자연적 자유의 회복)	특정인에게 새로운 권리 부여
법적 성질	• 기속행위성 강함. • 명령적 행위(형성적 행위로 보는 견해 있음)	• 재량행위성 강함.03 • 형성적 행위
신 청	• 원칙적으로 신청을 요함. • 단, 신청이 없는 경우도 가능(예 통행금지해제)04	반드시 신청이 필요함.
상대방	특정인 또는 불특정 다수인(통행금지해제)의 경우에도 행해짐.	특정인에 대해서만 행해짐.

2. 변경행위 · 탈권행위

(1) 변경행위

변경(변권)행위란 특허(즉, 설권행위)에 의해 발생된 효력을 일부 변경하는 행위를 말하며, 그 예로는 광업허가 중 광구의 변경, 여객자동차운송사업면허구역의 변경을 들 수 있다.

(2) 탈권행위

탈권행위란 특허(즉, 설권행위)에 의해 발생된 효력을 소멸하게 하는 행위를 말하며, 그 예로는 광업허가의 취소, 여객자동차운송사업면허의 취소 등을 들 수 있다.

❸ 제3자를 위한 행위

1. 인 가

(1) 인가의 의의

① 인가란 제3자의 법률적 행위를 보충하여 그 법률상의 효과를 완성시키는 행정행위를 말하며, 이런 점에서 보충행위라고도 한다.05 인가는 학문상의 개념으로서 실정법에서는 허가 · 승인 · 특허 등의 용어를 사용하는 경우도 있다.

② 원래 국민, 기타 법인격 주체 간의 법률행위는 행정주체의 개입 없이도 완전한 효력을 발생시키는 것이 원칙이다. 그러나 일정한 법률행위는 공익적 관점에서 그 효력발생에 있어 행정청의 동의를 얻도록 할 필요가 있다. 이때 행정청이 제3자 간의 법률행위에 동의함으로써 그 행위의 효력을 완성시켜 주는 행위를 인가라고 한다.

정답 01 ○ 02 × 03 × 04 × 05 ○

허가와 인가의 비교

구 분	허 가	인 가
의 의	일반적·상대적 금지의 해제 (자연적 자유의 회복)	제3자의 법률행위를 보충하여 그 법률효과 완성
법적 성질	• 기속행위성 강함. • 명령적 행위(형성적 행위로 보는 견해 있음)	• 재량행위 또는 기속행위 • 형성적 행위01
신 청	• 원칙적으로 신청을 요함. 단, 신청이 없는 경우도 가능(⑩ 통행금지해제) • 수정허가 가능	• 반드시 신청을 요함. • 수정인가 원칙적으로 불가능
상대방	특정인 또는 불특정 다수인(통행금지해제)의 경우에도 행해짐.	특정인에 대해서만 가능
방향성	상대방을 위한 행위	제3자를 위한 행위
대 상	법률행위, 사실행위	법률행위만 가능
위반행위의 효과	• 위반행위의 효력은 원칙적 유효 • 행정벌이나 강제집행의 대상이 됨.	• 인가받지 아니한 행위는 무효 • 원칙적으로 행정벌, 강제집행 등의 대상이 안 됨.

(2) 인가의 종류 ⓐ

특허기업의 사업양도허가, 구 자동차운수사업법상의 요금인가, 비영리법인설립인가, ⓑ 공공조합설립인가, 자동차관리사업자단체의 조합설립인가, 재단법인의 정관변경허가,02 토지거래허가구역 내의 토지거래허가, 공익법인의 기본재산처분허가, 학교법인의 임원에 대한 감독청의 취임승인, 협동조합 임원선출에 관한 인가, ⓑ 주택재건축정비사업조합의 사업시행인가 ⓒ 등을 들 수 있다.

관련판례

1. **민법상 재단법인(사회복지법인 등) 정관변경허가는 강학상 인가에 해당한다.** ★★★
   여기서(민법 제45·46조) 말하는 재단법인의 정관변경 '허가'는 법률상의 표현이 허가로 되어 있기는 하나, 그 성질에 있어 법률행위의 효력을 보충해 주는 것이지 일반적 금지를 해제하는 것이 아니므로03 그 법적 성격은 인가라고 보아야 할 것이다. 이러한 견해와 저촉되는 종전의 대판 1979. 12. 26, 79누248과 대판 1985. 8. 20, 84누509 등은 이를 폐기하기로 한다(대판 1996. 5. 16, 95누4810).

2. 구 「도시 및 주거환경정비법」 제20조 제3항은 조합이 정관을 변경하고자 하는 경우에는 총회를 개최하여 조합원 과반수 또는 3분의 2 이상의 동의를 얻어 시장·군수의 인가를 받도록 규정하고 있다. 여기서 시장 등의 인가는 그 대상이 되는 기본행위를 보충하여 법률상 효력을 완성시키는 행위로서04 이러한 인가를 받지 못한 경우 변경된 정관은 효력이 없고, 시장 등이 변경된 정관을 인가하더라도 정관변경의 효력이 총회의 의결이 있었던 때로 소급하여 발생한다고 할 수 없다(대판 2014. 7. 10, 2013도11532).05 ★★★

3. **토지거래허가는 인가적 성질을 띠는 것이다.** ★★★
   토지거래허가가 규제지역 내의 모든 국민에게 전반적으로 토지거래의 자유를 금지하고 일정한 요건을 갖춘 경우에만 금지를 해제하여 계약체결의 자유를 회복시켜 주는 성질의 것이라고 보는 것은 위법의 입법취지를 넘어선 지나친 해석이라고 할 것이고06 규제지역 내에서도 토지거래의 자유가 인정되나, 다만 위 허가를 허가 전의 유동적 무효상태에 있는 법률행위의 효력을 완성시켜 주는 인가적 성질을 띤 것이라고 보는 것이 타당하다(대판 1991. 12. 24, 90다12243 전합).07

4. **구 교육법상 설립자변경인가는 설립자변경행위를 보충하여 그 효력을 완성시키는 행위이다.**
   사립대학에서 공립대학으로의 설립자변경인가처분은 당사자 간의 설립자변경행위를 보충하여 그 법

기출 체크

☐☐☐☐☐☐ **01** 허가는 형성적 행정행위의 일종이며, 인가는 명령적 행정행위이다. (○, ×)　　　2010 서울시 9급

☐☐☐☐☐☐ **02** 강학상 예외적 승인에 해당하지 않는 것은? ★★★　2015 국가직 9급
① 치료목적의 마약류사용허가
② 재단법인의 정관변경허가
③ 개발제한구역 내의 용도변경허가
④ 사행행위 영업허가

☐☐☐☐☐☐ **03** 민법상 재단법인의 정관변경에 대한 주무관청의 허가는 법률상 표현이 허가로 되어 있기는 하나, 그 성질은 법률행위의 효력을 보충해 주는 것이지 일반적 금지를 해제하는 것은 아니다. (○, ×) ★★★　2020 지방직·서울시 9급

☐☐☐☐☐☐ **04** (정비조합 정관변경에 대한 인가)행위는 기본행위의 효력을 완성시켜 주는 보충적 행위이다. (○, ×) ★★★　2019 소방직 9급

☐☐☐☐☐☐ **05** 주택재건축조합의 정관변경에 대한 시장·군수 등의 인가는 그 대상이 되는 기본행위를 보충하여 법률상 효력을 완성시키는 행위로서 시장·군수 등이 변경된 정관을 인가하면 정관변경의 효력이 총회의 의결이 있었던 때로 소급하여 발생한다. (○, ×) ★★★　2022 지방직·서울시 7급

☐☐☐☐☐☐ **06** 토지거래계약허가는 규제지역 내 토지거래의 자유를 일반적으로 금지하고 일정한 요건을 갖춘 경우에만 그 금지를 해제하여 계약체결의 자유를 회복시켜 주는 성질이다. (○, ×) ★★★　2018 교육행정직 9급

☐☐☐☐☐☐ **07** 토지거래허가는 토지거래허가구역 내의 토지거래를 전면적으로 금지시키고 특정한 경우에 예외적으로 토지거래계약을 체결할 수 있는 자격을 부여하는 점에서 강학상 특허에 해당한다. (○, ×) ★★★　2022 국회직 8급

판례 | ⓐ 주택조합장 명의변경인가는 강학상 인가로서 명의변경행위를 보충하여 그 법률상의 효력을 완성시키는 보충적 행정행위이다(대판 1995. 12. 12, 95누7338).

ⓑ 사립학교법상의 설립허가는 강학상 인가에 해당한다.

조문 | 사립학교법 제10조【설립허가】
① 학교법인을 설립하려는 자는 일정한 재산을 출연하고, 다음 각 호의 사항을 적은 정관을 작성하여 대통령령이 정하는 바에 따라 교육부장관의 허가를 받아야 한다.

ⓑ 인가의 예로는 협동조합의 임원선출에 관한 행정청의 인가를 들 수 있다. 협동조합의 임원은 조합원이 선출하는 것이지만 조합원의 선출행위만으로는 선출행위의 효력이 완성되지 못하고 행정청의 인가가 있어야 선출행위가 완전하게 효력을 발생한다. 이때 기본행위는 조합원의 임원선출행위이고, 이에 대한 인가는 기본행위의 효력을 완성시키는 보충행위이다.

ⓒ 주택재건축정비사업조합의 설립인가는 학문상 특허에 해당하나 조합이 설립인가를 통해 행정주체로서 성립된 후 조합이 수립한 사업시행계획의 인가, 관리처분계획의 인가는 보충행위로서 인가에 해당한다. 구별해서 이해하기 바란다.

정답 01 × 02 ② 03 ○ 04 ○ 05 ×
06 × 07 ×

률효과를 완성시키는 의미의 인가처분일 뿐만 아니라, 사실상 사립대학을 폐지하고 새로운 공립대학을 설립하는 내용을 포함하고 있다(대판 1997. 10. 10, 96누4046).

5. 학교법인의 임원에 대한 감독청의 취임승인은 보충적 법률행위이다.01 02 ★★★

사립학교법 제20조 제2항에 의한 학교법인의 임원에 대한 감독청의 취임승인은 학교법인의 임원선임행위(편저자 주 : 사법(私法)행위)를 보충하여 그 법률상의 효력을 완성케 하는 보충적 행정행위로서, 성질상 기본행위를 떠나 승인처분 그 자체만으로는 법률상 아무런 효력도 발생할 수 없으므로 기본행위인 학교법인의 임원선임행위가 불성립 또는 무효인 경우에는, 비록 그에 대한 감독청의 취임승인이 있었다 하여도 이로써 무효인 그 선임행위가 유효한 것으로 될 수는 없다(대판 1987. 8. 18, 86누152).

6. 도시환경정비사업조합이 수립한 사업시행계획을 인가하는 행정청의 행위의 법적 성질은 인가이다.★★★

구 「도시 및 주거환경정비법」(2007. 12. 21, 법률 제8785호로 개정되기 전의 것)에 기초하여 도시환경정비사업조합이 수립한 사업시행계획은 그것이 인가 · 고시를 통해 확정되면 이해관계인에 대한 구속적 행정계획으로서 독립된 행정처분에 해당하므로(대결 2009. 11. 2, 2009마596 참조), 사업시행계획을 인가하는 행정청의 행위는 도시환경정비사업조합의 사업시행계획에 대한 법률상의 효력을 완성시키는 보충행위에 해당한다(대판 2010. 12. 9, 2010두1248).**03**

7. 조합이 수립한 관리처분계획에 대한 행정청의 인가는 관리처분계획의 법률상 효력을 완성시키는 보충행위로서의 성질을 갖는다(대판 2012. 8. 30, 2010두24951).★★★

8. '조합설립추진위원회' 구성승인처분은 조합의 설립을 위한 주체인 추진위원회의 구성행위를 보충하여 그 효력을 부여하는 처분이다(대판 2013. 1. 31, 2011두11112).04 ★★★

9. 구 자동차관리법 제67조 제1항, 제3항, 제4항, 제5항, 구 자동차관리법 시행규칙 제148조 제1항, 제2항의 내용 및 체계 등을 종합하면, 자동차관리법상 자동차관리사업자로 구성하는 사업자단체인 조합 또는 협회의 설립인가처분은 국토해양부장관(현 국토교통부장관) 또는 시 · 도지사가 자동차관리사업자들의 단체결성행위를 보충하여 효력을 완성시키는 처분(인가)에 해당한다(대판 2015. 5. 29, 2013두635).**05 06 ★**

10. 공익법인의 기본재산 처분행위에 따른 권리의 양도가 있는 경우, 감독관청의 처분허가의 효력은 존속한다.
공익법인의 기본재산에 대한 감독관청의 처분허가는 그 성질상 특정 상대에 대한 처분행위의 허가가 아니고 처분의 상대가 누구이든 이에 대한 처분행위를 보충하여 유효하게 하는 행위라 할 것이므로 그 처분행위에 따른 권리의 양도가 있는 경우에도 처분이 완전히 끝날 때까지는 허가의 효력이 유효하게 존속한다(대판 2005. 9. 28, 2004다50044).

(3) 인가의 성질

인가가 기속행위인지 재량행위인지는 법률의 명문규정에 따라 판단하는 것이 원칙이다. 다만, 법령에 명문규정이 없는 경우 인가는 공익적 차원에서 판단을 요하는 경우가 대부분이므로 보통은 **재량행위**가 될 것이나, 개인의 기본권행사 등 사익의 보호가 중요한 경우(예 토지거래허가 등)는 **기속행위**라고 할 것이다.

┏ 관련판례

1. 재단법인의 임원취임이 사법인인 재단법인의 정관에 근거한다 할지라도 이에 대한 행정청의 승인(인가)행위는 법인에 대한 주무관청의 감독권에 연유하는 이상 그 인가행위 또는 인가거부행위는 공법상의 행정처분으로서, 그 임원취임을 인가 또는 거부할 것인지 여부는 주무관청의 권한에 속하는 사항이라고 할 것이고, 재단법인의 임원취임승인 신청에 대하여 주무관청이 이에 기속되어 이를 당연히 승인(인가)하여야 하는 것은 아니다(대판 2000. 1. 28, 98두16996).**07 08 ★**

2. (인근주민들의 혐오시설설치 반대가 토지거래계약 불허가사유가 될 수 없다고 하면서) **법령상의 불허가사유에 해당하지 아니하는 한 허가를 하여야 한다(즉, 토지거래허가는 기속행위이다).**

   토지거래계약 허가권자는 그 허가신청이 국토이용관리법(현 「국토의 계획 및 이용에 관한 법률」) 제21조의4 제1항 각 호 소정의 불허가사유에 해당하지 아니하는 한 허가를 하여야 하는 것인데, 인근주민들이 당해 폐기물 처리장 설치를 반대한다는 사유는 국토이용관리법 제21조의4 규정에 의한 불허가사유로 규정되어 있지 아니하므로 그와 같은 사유만으로는 토지거래허가를 거부할 사유가 될 수 없다(대판 1997. 6. 27, 96누9362).

3. 구 자동차관리법상 자동차관리사업자로 구성하는 사업자단체인 조합 또는 협회(이하 '조합 등'이라고 한다) 설립인가 제도의 입법취지, 조합 등에 대하여 인가권자가 가지는 지도·감독 권한의 범위 등과 아울러 자동차관리법상 조합 등 설립인가에 관하여 구체적인 기준이 정하여져 있지 않은 점에 비추어 보면, 인가권자인 국토해양부장관(현 국토교통부장관) 또는 시·도지사는 조합 등의 설립인가 신청에 대하여 자동차관리법 제67조 제3항에 정한 설립요건의 충족 여부는 물론, 나아가 조합 등의 사업내용이나 운영계획 등이 자동차관리사업의 건전한 발전과 질서확립이라는 사업자단체설립의 공익적 목적에 부합하는지 등을 함께 검토하여 설립인가 여부를 결정할 재량을 가진다.**01** 다만 이러한 재량을 행사할 때 기초가 되는 사실을 오인하였거나 비례·평등의 원칙을 위반하는 등의 사유가 있다면 이는 재량권의 일탈·남용으로서 위법하다(대판 2015. 5. 29, 2013두635).

(4) 인가의 대상

인가는 **법률행위를 대상**으로 하고, 사실행위에 대한 인가란 있을 수 없다.**02** 인가의 대상인 법률행위는 **사법(私法)행위인 경우**(에 토지거래계약, 사립학교 이사의 선임행위 등)도 있으나 **공법(公法)행위인 경우**(에 공공조합의 설립행위 등)도 있다.**03** 또한 법률행위에는 **계약도 있으며 합동행위도 존재한다.**

(5) 인가의 형식·상대방 및 출원

인가는 언제나 **행정행위의 형식으로 이루어지며 법령에 의한 인가는 있을 수 없다.** 인가는 특정인에 대하여서만 가능하며 불특정 다수인에 대한 인가란 있을 수 없다. 그리고 **인가는 보충적 행위이므로 항상 상대방의 신청을 요건으로 하는 행위이다.04**

(6) 수정인가의 가부

신청의 내용과 다른 인가가 가능한가에 대해 **법령의 명시적 근거가 없는 한** 행정청은 인가 여부만 결정할 수 있을 뿐이고 **수정인가는 할 수 없다는** 것이 통설적 입장이다.**05**

(7) 인가의 효과

① 법률효과의 완성

인가가 행해지면 제3자가 한 **기본행위는 그 효력을 완전히 발생**한다. 한편, 인가는 **법률행위만을 대상으로 하는 것이기 때문에** 인가의 효력은 **당해 법률행위에 대해서만 발생하며 타인에게 이전되지 않는 것이 원칙**이다.**ⓐ**

② 인가를 받지 않은 경우

ⓐ 인가는 효력발생요건으로서 **인가를 받지 않으면 기본행위는 효력이 발생하지 않는다.** 다만, 인가를 받지 않았더라도 **원칙적으로 강제집행 또는 처벌의 문제는 발생하지 않는다.ⓑ**

ⓑ 한편 판례는 구 주택건설촉진법 규정과 관련하여, 인가 유무에 따라 기본행위의 효력이 문제되는 것은 주택건설촉진법과 관련한 공법상의 관계이고 주택조합과 조합원 또는 조합원들 사이의 내부적인 사법관계까지 영향을 미치는 것은 아니라고 보고 있다.**ⓒ**

판례 | ⓒ 주택건설촉진법(현 주택법) 제44조 제1항 소정의 관할시장 등의 인가 유무에 따라 기본행위의 효력이 문제되는 것은 주택건설촉진법과 관련한 공법상의 관계에서이지 주택조합과 조합원, 또는 조합원들 사이의 내부적인 사법관계까지 영향을 미치는 것은 아니다(대결 2002. 3. 11, 2002그12).

ⓐ 즉, 토지거래허가를 받은 경우라도 취득한 토지를 다시 타인에게 매각할 때에는 또다시 토지거래허가를 받아야 한다는 의미이다.

ⓑ 이사회에서 임원을 선임했으나 관할청에서 승인을 거부했다고 하더라도 이사회의 구성원을 처벌하지는 않는다는 것을 생각할 것

기출 체크

☐☐☐☐☐ **01** 공유수면매립면허의 공동명의자 사이의 면허로 인한 권리·의무양도약정은 면허관청의 인가를 받지 않은 이상 법률상 아무런 효력도 발생할 수 없다. (○, ×) ★　　　2020 국가직 9급

☐☐☐☐☐ **02** 인가는 기본행위의 효력을 완성시켜주는 보충적 행위이므로 기본행위가 무효인 경우에는 이에 대한 인가가 내려지더라도 그 인가는 무효이다. (○, ×) ★★★　　　2023 국가직 7급

☐☐☐☐☐ **03** 인가의 대상이 되는 행위에 취소원인이 있더라도 일단 인가가 있는 때에는 그 흠은 치유된다. (○, ×) ★★★　　　2018 국회직 8급

☐☐☐☐☐ **04** 기본행위에 취소원인이 있더라도 인가가 있은 후에는 기본행위를 취소할 수 없다. (○, ×) ★★★　　　2007 국가직 9급

☐☐☐☐☐ **05** 유효한 기본행위를 대상으로 인가가 행해진 후에 기본행위가 취소되거나 실효된 경우에는 인가도 실효된다. (○, ×) ★★★　　　2015 국가직 9급

☐☐☐☐☐ **06** 기본행위가 무효인 경우 그에 대한 인가처분이 있더라도 그 기본행위가 유효한 것으로 될 수 없다. (○, ×) ★★★　　　2024 소방직 9급

☐☐☐☐☐ **07** 강학상 인가는 기본행위에 대한 법률상의 효력을 완성시키는 보충행위로서, 그 기본이 되는 행위에 하자가 있을 때에는 그에 대한 인가가 있었다 하여도 기본행위가 유효한 것으로 될 수 없다. (○, ×) ★★★　　　2020 지방직·서울시 9급

☐☐☐☐☐ **08** 구 외자도입법에 따른 기술도입계약에 대한 인가는 기본행위인 기술도입계약을 보충하여 그 법률상 효력을 완성시키는 보충적 행정행위에 지나지 아니하므로 기본행위인 기술도입계약의 해지로 인하여 소멸되었다면 위 인가처분은 처분청의 직권취소에 의하여 소멸한다. (○, ×) ★★★　　　2020 군무원 9급

┏ 관련판례

1. 공유수면매립면허로 인한 권리·의무양도약정은 면허관청의 인가를 받지 않은 이상 법률상 아무런 효력도 발생할 수 없다.

   공유수면매립법 제20조 제1항 및 같은 법 시행령 제29조 제1항 등 관계법령의 규정내용과 공유수면매립의 성질 등에 비추어 볼 때, 공유수면매립의 면허로 인한 권리·의무의 양도·양수에 있어서의 면허관청의 인가는 효력요건으로서, 위 각 규정은 강행규정이라고 할 것인바, 위 면허의 공동명의자 사이의 면허로 인한 권리·의무양도약정은 면허관청의 인가를 받지 않은 이상 법률상 아무런 효력도 발생할 수 없다(대판 1991. 6. 25, 90누5184).**01** ★

2. 학교법인이 용도변경이나 의무부담을 내용으로 하는 계약을 체결한 경우 반드시 계약 전에 사립학교법 제28조 제1항에 따른 관할청의 허가를 받아야만 하는 것은 아니고 계약 후라도 관할청의 허가를 받으면 유효하게 될 수 있다. 그러나 이러한 계약은 관할청의 불허가처분이 있는 경우뿐만 아니라 당사자가 허가신청을 하지 않을 의사를 명백히 표시하거나 계약을 이행할 의사를 철회한 경우 또는 그 밖에 관할청의 허가를 받는 것이 사실상 불가능하게 된 경우 무효로 확정된다(대판 2022. 1. 27, 2019다289815).

(8) 기본행위의 하자 및 실효와 인가

① **기본행위에 하자가 있는 경우**

　㉠ 기본행위가 성립하지 않거나 무효인 경우에 인가를 받더라도 기본행위가 유효로 되는 것은 아니며 인가 역시 무효로 된다.**02** 즉, 인가는 기본행위의 하자를 치유하지 않는다.**03**

　㉡ 기본행위가 일단 유효하고 이에 대해 인가가 행해진 경우에도 기본행위에 취소사유가 있으면 기본행위를 취소할 수 있는데,**04** 이와 같이 기본행위가 나중에 취소되거나 실효되면 인가도 실효된다.**05**

┏ 관련판례

1-1. 학교법인의 임원에 대한 감독청의 취임승인은 학교법인의 임원선임행위를 보충하여 그 법률상의 효력을 완성하게 하는 보충적 행정행위로서 성질상 기본행위를 떠나 승인처분 그 자체만으로는 법률상 아무런 효력도 발생할 수 없다.★★★

1-2. 기본행위인 학교법인의 임원선임행위가 불성립 또는 무효인 경우에는 비록 그에 대한 감독청의 취임승인이 있었다 하여도 이로써 무효인 그 선임행위가 유효한 것으로 될 수는 없다(대판 1987. 8. 18, 86누152).**06 07** ★★★

2. 기본행위인 사업시행계획이 무효인 경우 그에 대한 인가처분이 있다고 하더라도 그 기본행위인 사업시행계획이 유효한 것으로 될 수 없으며, 기본행위가 적법·유효하고 보충행위인 인가처분 자체에만 하자가 있다면 그 인가처분의 무효나 취소를 주장할 수 있다고 할 것이지만, 인가처분에 하자가 없다면 기본행위에 하자가 있다고 하더라도 따로 그 기본행위의 하자를 다투는 것은 별론으로 하고 기본행위의 무효를 내세워 바로 그에 대한 인가처분의 취소 또는 무효확인을 구할 수 없다(대판 2014. 2. 27, 2011두25173).

3. 자동차운송사업의 양수도계약이 취소된 경우 위 계약에 대한 행정청의 인가처분의 효력은 무효이다(대판 1979. 2. 13, 78누428 전합).

4. 기본행위(기술도입계약)가 해지된 경우 그에 대한 인가처분은 당연히 실효된다.★★★

   구 외자도입법 제19조에 따른 기술도입계약에 대한 인가는 기본행위인 기술도입계약을 보충하여 그 법률상 효력을 완성시키는 보충적 행정행위에 지나지 아니하므로 기본행위인 기술도입계약이 해지로 인하여 소멸되었다면 위 인가처분은 무효선언이나 그 취소처분이 없어도 당연히 실효된다(대판 1983. 12. 27, 82누491).**08**

정답 **01** ○ **02** ○ **03** × **04** × **05** ○
　　 06 ○ **07** ○ **08** ×

② 인가에 하자가 있는 경우

    ㉠ 기본행위가 적법하고 인가가 무효라면 기본행위는 무인가행위로서 아무런 효력도 발생하지 못한다. 기본행위가 적법하고 인가가 취소할 수 있는 경우라면 일단 기본행위는 유인가행위로서 효력이 발생하고 나중에 인가가 취소되면 무인가행위가 되어 기본행위는 효력을 상실한다.

    ㉡ 한편, 판례는 주택재건축조합이 재건축결의에서 결정된 내용과 다르게 사업시행계획을 작성하여 인가를 받은 경우 이는 기본행위의 하자일 뿐 인가처분 자체에 하자가 있는 것이라고 볼 수는 없다고 한다.

> **▛ 관련판례**
>
> 조합이 사업시행계획을 재건축결의에서 결정된 내용과 달리 작성한 경우 이러한 하자는 기본행위인 사업시행계획 작성행위의 하자이고, 이에 대한 보충행위인 행정청의 인가처분이 그 근거조항인 「도시 및 주거환경정비법」 제28조의 적법요건을 갖추고 있는 이상은 그 인가처분 자체에 하자가 있는 것이라 할 수 없다(대판 2008. 1. 10, 2007두16691).

(9) 쟁송방법

인가의 보충성에 비추어 기본행위에 하자가 있는 경우 기본행위를 다투어야 하며 **기본행위의 하자를 이유로 인가처분을 다툴 수는 없다**는 것이 통설 및 판례의 입장이다. 한편, 기본행위가 적법하고 인가에만 문제가 있는 경우 인가를 다툴 수 있음은 당연하다.**01**

> **▛ 관련판례**
>
> 1. <u>인가는 기본행위인 재단법인의 정관변경에 대한 법률상의 효력을 완성시키는 보충행위로서, 그 기본이 되는 정관변경결의에 하자가 있을 때에는 그에 대한 인가가 있었다 하여도 기본행위인 정관변경결의가 유효한 것으로 될 수 없으므로</u>**02** 기본행위인 정관변경결의가 적법·유효하고 보충행위인 인가처분 자체에만 하자가 있다면 그 인가처분의 무효나 취소를 주장할 수 있지만, 인가처분에 하자가 없다면 <u>기본행위인 정관변경결의에 하자가 있는 경우 기본행위를 다투는 것은 별론으로 하고 기본행위의 무효를 내세워 인가처분의 취소 또는 무효확인을 구할 법률상 이익은 없다</u>(대판 1996. 5. 16, 95누4810).**03** ★★★
> 2. <u>기본행위인 이사선임결의가 적법·유효하고 보충행위인 승인처분 자체에만 하자가 있다면 그 승인처분의 무효확인이나 그 취소를 주장할 수 있다</u>(대판 2002. 5. 24, 2000두3641).**04** ★
> 3. 기본행위인 주택재개발정비사업조합이 수립한 사업시행계획에 하자가 있는데 보충행위인 관할행정청의 사업시행계획 인가처분에는 고유한 하자가 없는 경우, 사업시행계획의 무효를 주장하면서 곧바로 그에 대한 인가처분의 무효확인이나 취소를 구하여서는 아니 된다(대판 2021. 2. 10, 2020두48031).**05**

2. 대리

(1) 대리의 의의

대리란 제3자가 해야 할 일을 행정청이 대신하여 행함으로써 제3자가 스스로 행한 것과 같은 법적 효과를 발생시키는 행정행위를 말한다.

(2) 대리의 종류

감독적 입장	행정주체가 공익적·감독적 견지에서 공공단체·특허기업자 등을 대신하여 행하는 행위로서 **감독청에 의한 정관작성·임원임명** 등을 들 수 있다.
조정적 입장	당사자 사이의 협의불성립의 경우에 국가가 대신하여 행하는 **토지보상액에 대한 토지수용위원회의 재결** 등을 들 수 있다.
행정목적 달성	행정주체가 행정작용의 실효성을 확보하기 위하여 행하는 행위인 **조세체납처분으로서의 공매행위** 등을 들 수 있다.
개인보호 입장	보호자적 입장에서 타인을 보호하기 위하여 하는 행위로서 **행려병사자의 유류품 처분06** 등을 들 수 있다.

(3) 대리의 효과

공법상 대리는 제3자가 스스로 그 행위를 한 것과 동일한 법적 효과를 발생시킨다.

관련문제

사립학교법은 학교법인의 임원은 정관이 정하는 바에 의하여 학교법인의 이사회에서 선임하고, 관할청의 승인을 얻어 취임하는 것으로 규정하고 있다. A사립학교법인은 이사회를 소집하지 않은 채 B를 임원으로 선임하여 취임승인을 요청하였고, 이에 대하여 관할청은 취임을 승인하였다. 이에 대한 설명으로 옳은 것은? (다툼이 있는 경우 판례에 의함)   2016 국가직 9급

① 관할청의 임원취임승인으로 선임절차상의 하자는 치유되고 B는 임원으로서의 지위를 취득한다.

② 임원선임절차상의 하자를 이유로 관할청의 취임승인처분에 대한 취소를 구하는 소송은 허용되지 않는다.

③ A학교법인의 임원선임행위에 대해서는 선임처분취소소송을 제기하여 그 효력을 다툴 수 있다.

④ 관할청의 임원취임승인은 B에 대해 학교법인의 임원으로서의 포괄적 지위를 설정하여 주는 특허에 해당한다.

정답 ②

---

01 | 법규정에 따른 효과 발생

준법률행위적 행정행위는 행정청의 의사표시(효과의사) 이외의 정신작용(판단 · 인식) 등을 구성요건으로 하는 행정행위로서 그 효과가 행정청의 의사가 아닌 법률의 규정에 의해 발생하는 행위를 말하며, 확인, 공증, 통지 및 수리행위가 이에 해당한다.

02 | 확인, 공증, 통지, 수리

❶ 확 인

1. 확인의 의의

(1) 개 념

확인이란 특정한 사실 또는 법률관계의 존재 여부 또는 정당성 여부에 관해 의문이나 다툼이 있는 경우 행정청이 공적인 권위로서 행하는 판단의 표시행위를 말한다.

(2) 구체적 예

확인의 예로는 도로구역 결정, 행정심판의 재결,01 발명특허,02 국가유공자등록결정, 장애등급결정, 민주화운동관련자결정, 국가시험합격자의 결정03 등을 들 수 있는데, 실정법상 재결 · 재정 등의 용어가 주로 사용된다.

┌─ **관련판례** ─
「친일반민족행위자 재산의 국가귀속에 관한 특별법」에 따른 친일반민족행위자재산조사위원회의 친일재산 국가귀속결정은 당해 재산이 친일재산에 해당한다는 사실을 확인하는 준법률행위적 행정행위에 해당한다.04 05 ★★
「친일반민족행위자 재산의 국가귀속에 관한 특별법」 제3조 제1항 본문, 제9조 규정들의 취지와 내용에 비추어 보면, 같은 법 제2조 제2호에 정한 친일재산은 친일반민족행위자재산조사위원회가 국가귀속결정을 하여야 비로소 국가의 소유로 되는 것이 아니라 특별법의 시행에 따라 그 취득 · 증여 등 원인행위시에 소급하여 당연히 국가의 소유로 되고,06 위 위원회의 국가귀속결정은 당해 재산이 친일재산에 해당한다는 사실을 확인하는 이른바 준법률행위적 행정행위의 성격을 가진다(대판 2008. 11. 13, 2008두13491).

2. 확인의 성질

(1) 준사법적 행위

확인은 특정한 사실 또는 법률관계의 존재 여부 또는 정당성 여부 등에 관한 판단작용일 뿐 새로운 법률관계를 창설하는 것이 아니라는 점에서 법원의 판결과 유사하므로 준사법적 행위 또는 법선언적 행위라고도 한다.

기출 체크

☐☐☐☐☐ **01** 확인은 준사법적 행위로, 원칙적으로 기속행위이다. (○, ×)
2006 광주시 9급

☐☐☐☐☐ **02** 건축허가관청은 특단의 사정이 없는 한 건축허가내용대로 완공된 건축물의 준공을 거부할 수 없다. (○, ×) ★
2019 지방직 7급

☐☐☐☐☐ **03** 선거에 있어 당선인 결정(은 준법률적 행정행위 중 통지행위에 해당한다) (○, ×) ★★ 2020 경행경채

☐☐☐☐☐ **04** 행정심판의 재결(은 강학상 공증행위에 해당한다) (○, ×) ★★
2017 지방직(하) 9급

☐☐☐☐☐ **05** 특정의 사실 또는 법률관계의 존재를 공적으로 증명하여 공적 증거력을 부여하는 행정행위는 확인행위로서 당선인 결정, 장애등급결정, 행정심판의 재결 등이 그 예이다. (○, ×) ★★
2023 국가직 7급

☐☐☐☐☐ **06** 확인은 특정한 사실 또는 법률관계에 관하여 의문이 있는 경우에 행정청이 그 존부 또는 정부를 판단하는 준법률행위적 행정행위이며, 그 예로는 합격증서의 발급 및 영수증의 교부 등을 들 수 있다. (○, ×) ★★ 2015 국가직 7급

ⓐ 이의신청의 재결이나 행정심판의 재결과 같은 준사법적 행위에만 불가변력이 발생하는 것으로 보고, 그 이외의 확인행위는 취소권 또는 철회권이 제한되는 예로 보는 것이 타당하다는 견해가 유력하다(박균성, <행정법강의>, p.258).

(2) 기속행위성

확인은 객관적 사실에 대해 판단하는 작용으로서 사실의 존재 등이 판단되는 이상, 확인을 하여야 한다는 점에서 원칙적으로 기속행위라고 할 수 있다.01 다만, 교과서의 검정 등과 같은 행위에는 판단여지 또는 재량이 인정될 수 있다.

> **┌ 관련판례 ─**
>
> 1. 준공검사처분은 확인의 성격을 가진다.
>
>   준공검사처분은 건축허가를 받아 건축한 건물이 건축허가사항대로 건축행정목적에 적합한가의 여부를 확인하고, 준공검사필증을 교부하여 줌으로써 허가받은 자로 하여금 건축한 건물을 사용·수익할 수 있게 하는 법률효과를 발생시키는 것이므로 허가관청은 특단의 사정이 없는 한 건축허가내용대로 완공된 건축물의 준공을 거부할 수 없다(대판 1992. 4. 10, 91누5358).02 ★
>
> 2. 건축주가 건축허가내용대로 완공한 경우 건축허가 자체에 하자가 있어서 위법한 건축물이라는 이유로 허가관청이 사용승인을 거부하려면 건축허가의 취소에 있어서와 같은 조리상의 제약이 따르고, 만약 당해 건축허가를 취소할 수 없는 특별한 사정이 있는 경우라면 그 사용승인도 거부할 수 없다(대판 2009. 3. 12, 2008두18052). ★

3. 확인의 종류

행정의 영역에 따라 다음과 같이 분류할 수 있다.

조직법상의 확인	국가시험합격자, 당선인 결정 등03
급부행정상의 확인	도로·하천구역 결정, 발명특허, 교과서 검정 등
재정법상의 확인	소득세부과를 위한 소득금액의 결정 등
쟁송법상의 확인	이의신청·행정심판에 대한 재결 등04

4. 확인의 형식

확인은 언제나 구체적인 처분(행정행위)으로 행해지며, 일정한 형식이 요구되는 것이 보통이다.

5. 확인의 효과

(1) 불가변력 발생

확인은 특정한 사실 또는 법률관계의 존재 여부 또는 정당성 여부를 공적으로 확정하는 효과를 발생시킨다. 따라서 확인행위에는 일반적으로 행정청이 임의적으로 변경할 수 없는 불가변력이 발생한다.ⓐ

(2) 법률에 규정된 효과의 발생

확인은 준법률행위적 행정행위이므로 그 밖의 법적 효과는 개별법규의 규정에 의해 발생한다. 예컨대, 발명특허의 경우 특허권이라는 형성적 효과가 부여되나 그것은 확인행위 그 자체에 의한 것이 아니라 특허법이라는 법률의 규정에 의한 것이다.

❷ 공 증

1. 공증의 의의

(1) 개 념

공증이란 특정한 사실 또는 법률관계의 존재를 공적으로 증명하는 행위를 말하는 것으로, 각종의 등기·등록·증명서의 발급 등이 이에 해당한다.05 06

(2) 확인과 공증의 구별

① 확인은 특정한 법률사실이나 법률관계에 관한 의문 또는 분쟁이 있음을 전제로 하는 데 반하여, 공증은 의문이나 분쟁이 없는 것을 전제로 하는 점에서 양자가 구별된다.**02**

② 또한, 확인은 판단을 표시하는 행위인데, 공증은 어떠한 사실 또는 법률관계가 진실이라고 인식하여 그것을 공적으로 증명하는 인식행위라고 할 수 있다.

2. 공증의 종류 🅐

(1) 공적 장부의 등기 · 등록 · 등재 등

의료유사업자 자격증 갱신발급행위,**03 04** 부동산등기부의 등기, 광업권원부의 등록, 선거인명부의 등록, 토지대장의 등재, 건설업면허증의 교부 등이 이에 해당한다.

(2) 증명서발급

당선증서, 합격증서 등의 발급이 이에 해당한다.**05**

(3) 기타의 경우

여권 등의 발급, 회의록 등의 기재, 영수증 교부 등이 이에 해당한다.

3. 공증의 효과 – 공적 증거력의 발생

(1) 공증의 공통적 효과로는 반증(反證)이 없는 한 특정한 사실에 대해 그것을 증명하고 공적 증거력을 부여한다는 점을 들 수 있다.**08**

(2) 다만, 이러한 공적 증거력에 대해 통설은 반증(反證)이 있게 되면 누구든지 행정청이나 법원의 공증의 취소를 기다림이 없이 공적 증거력을 전복시킬 수 있다고 한다.

기출 체크

☐☐☐☐☐ **01** 무허가건물을 무허가건물관리대장에서 삭제하는 행위는 다른 특별한 사정이 없는 한 항고소송의 대상이 되는 행정처분에 해당한다. (○, ×) ★★★
2019 지방직 7급

☐☐☐☐☐ **02** 지적공부 소관청의 지목변경신청 반려행위는 국민의 권리관계에 영향을 미친다고 볼 수 없어서 행정처분에 해당하지 않는다. (○, ×) ★★★
2022 국가직 7급

☐☐☐☐☐ **03** 지적공부 소관청의 지목변경신청 반려행위는 국민의 권리관계에 영향을 미치는 것으로서 항고소송의 대상이 되는 행정처분에 해당한다. (○, ×) ★★★
2023 소방직 9급

☐☐☐☐☐ **04** 행정청이 건축물대장의 용도변경신청을 거부한 행위(는 처분성이 인정된다) (○, ×) ★★
2017 국가직 7급

판례 | ❶ 1. 자동차운전면허대장상의 등재행위는 행정처분이 아니다.
자동차운전면허대장상 일정한 사항의 등재행위는 운전면허행정사무집행의 편의와 사실증명의 자료로 삼기 위한 것일 뿐 그 등재행위로 인하여 당해 운전면허 취득자에게 새로이 어떠한 권리가 부여되거나 변동 또는 상실되는 효력이 발생하는 것은 아니다(대판 1991. 9. 24, 91누1400).
2. 가옥대장에 한 등재의 말소는 행정처분이 아니다(대판 1982. 10. 26, 82누411).

❷ 지적등록사항 정정신청을 반려한 행위가 헌법소원의 대상인 공권력의 행사에 해당한다(헌재 1999. 6. 24, 97헌마315).

4. 처분성 여부

(1) 일반론

공증의 법적 성격은 일률적으로 판단하기 어려운바, 장부의 기재행위가 개인의 권리나 법적 지위를 확정하는 행위라면 처분성이 인정될 수 있는 반면, 단순히 행정편의적인 기재에 불과한 것이라면 처분성이 인정되기 어렵다.

(2) 판례의 태도

① 처분성 부정 판례

판례는 자동차운전면허대장에 일정사항을 등재하는 행위, 건축물관리대장에 일정사항을 등재하는 행위 등 공적 장부의 등재행위는 행정사무집행의 편의와 사실증명의 자료로 삼기 위한 것이고, 등재로 실체상의 권리관계에 변동을 가져오지 않는다는 점에서 처분성을 부정한 바 있다.❶

┏ 관련판례

무허가건물등재대장 삭제행위는 행정처분이 아니다. ★★★

무허가건물관리대장은, 행정관청이 지방자치단체의 조례 등에 근거하여 무허가건물 정비에 관한 행정상 사무처리의 편의와 사실증명의 자료로 삼기 위하여 작성·비치하는 대장으로서 무허가건물을 무허가건물관리대장에 등재하거나 등재된 내용을 변경 또는 삭제하는 행위로 인하여 당해 무허가건물에 대한 실체상의 권리관계에 변동을 가져오는 것이 아니고, 무허가건물의 건축시기, 용도, 면적 등이 무허가건물관리대장의 기재에 의해서만 증명되는 것도 아니므로, 관할관청이 무허가건물의 무허가건물관리대장 등재 요건에 관한 오류를 바로잡으면서 당해 무허가건물을 무허가건물관리대장에서 삭제하는 행위는 다른 특별한 사정이 없는 한 항고소송의 대상이 되는 행정처분이 아니다(대판 2009. 3. 12, 2008두11525).**01**

② 처분성 긍정 판례

최근 대법원은 지목변경신청반려행위와 관련하여 지목은 공법상의 권리관계에 영향을 미친다는 점에서 처분성을 긍정한 바 있고, 토지분할신청거부행위의 처분성도 긍정한 바 있다. 또한 건축물대장작성신청에 대한 거부행위와 건축물대장의 용도변경신청을 거부한 행위도 처분성을 긍정하고 있다. 헌법재판소는 지목등록변경신청거부사건과 관련하여 헌법소원의 대상인 공권력행사로 본 바 있다.❷

┏ 관련판례

1. **지적공부 소관청의 지목변경신청반려행위는 항고소송의 대상이 되는 행정처분이다.02** ★★★
구 지적법 규정은 토지소유자에게 지목변경신청권과 지목정정신청권을 부여한 것이고, 한편 지목은 토지에 대한 공법상의 규제, 개발부담금의 부과대상, 지방세의 과세대상, 공시지가의 산정, 손실보상가액의 산정 등 토지행정의 기초로서 공법상의 법률관계에 영향을 미치고, 토지소유자는 지목을 토대로 토지의 사용·수익·처분에 일정한 제한을 받게 되는 점 등을 고려하면, 지목은 토지소유권을 제대로 행사하기 위한 전제요건으로서 토지소유자의 실체적 권리관계에 밀접하게 관련되어 있으므로 지적공부 소관청의 지목변경신청반려행위는 국민의 권리관계에 영향을 미치는 것으로서 항고소송의 대상이 되는 행정처분에 해당한다(대판 2004. 4. 22, 2003두9015).**03**

2. **행정청이 건축물대장의 용도변경신청을 거부한 행위는 행정처분에 해당한다.04** ★★
구 건축법(2005. 11. 8, 법률 제7696호로 개정되기 전의 것) 제14조 제4항의 규정은 건축물의 소유자에게 건축물대장의 용도변경신청권을 부여한 것이고, 한편 건축물의 용도는 토지의 지목에 대응하는 것으로서 건물의 이용에 대한 공법상의 규제, 건축법상의 시정명령, 지방세 등의 과세대상 등 공법상 법률관계

정답 01 × 02 × 03 ○ 04 ○

에 영향을 미치고, 건물소유자는 용도를 토대로 건물의 사용·수익·처분에 일정한 영향을 받게 된다. 이러한 점 등을 고려해 보면, 건축물대장의 용도는 건축물의 소유권을 제대로 행사하기 위한 전제요건으로서 건축물 소유자의 실체적 권리관계에 밀접하게 관련되어 있으므로, 건축물대장 소관청의 용도변경신청 거부행위는 국민의 권리관계에 영향을 미치는 것으로서 항고소송의 대상이 되는 행정처분에 해당한다(대판 2009. 1. 30, 2007두7277).**01**

3. **행정청이 건축물대장의 작성신청을 거부한 행위는 항고소송의 대상이 되는 행정처분에 해당한다.** ★★
   구 건축법 …… 제3항의 각 규정에 의하면, 구 건축법 제18조의 규정에 의한 사용승인(다른 법령에 의하여 사용승인으로 의제되는 준공검사·준공인가 등을 포함한다)을 신청하는 자 또는 구 건축법 제18조의 규정에 의한 사용승인을 얻어야 하는 자 외의 자는 **건축물대장의 작성 신청권을 가지고 있고** …… **건축물대장 소관청의 작성신청 반려행위는 국민의 권리관계에 영향을 미치는 것으로서 항고소송의 대상이 되는 행정처분에 해당한다**(대판 2009. 2. 12, 2007두17359).**02**

4. 지적 소관청의 토지분할신청 거부행위는 항고소송의 대상이 되는 행정처분이다(대판 1992. 12. 8, 92누7542).

(3) 정 리

공증은 위에서 본 바와 같이 다양한 형태가 있을 수 있으므로 공증의 처분성을 한마디로 논의하기는 어렵다. 따라서 공증행위로서 법률관계를 변동시키는 경우에는 처분성을 인정함이 타당하며, 아무런 법률관계를 발생시키지 않는 경우에는 행정행위가 아닌 단순한 사실행위에 불과하다고 보아야 할 것이다.

❸ 통 지

1. 통지의 의의

준법률행위적 행정행위인 통지란 행정청이 특정인 또는 불특정 다수인에 대해 특정한 사실 또는 의사를 알리는 행위를 말하는 것으로서 일정한 법적 효과를 발생시키는 것을 의미한다.

┌─ **관련판례**
│ **대집행의 계고행위는 준법률행위적 행정행위인 통지이다.**
│ 대집행의 계고는 …… 대집행을 한다는 의사를 통지하는 준법률행위적 행정행위라 할 것이며 …… (대판 1966. 10. 31, 66누25)

2. 통지의 종류

통지는 관념의 통지인 경우(例특허출원공고,**03 04** 귀화의 고시, 토지수용에 있어 사업인정고시)도 있고, 앞으로 어떠한 행위를 할 것을 표시하는 의사의 통지인 경우(例대집행의 계고,**05** 납세의 독촉 등)도 있다.❶

3. 통지의 효과

(1) 통지행위의 효과는 개별법령이 정한 바에 따라 발생한다. 예컨대, 납세의 독촉이 있음에도 납세자가 체납하면 체납처분이 가능하게 되는 것이 그것이다.

(2) 한편, 통지가 있음에도 아무런 법적 효과가 발생하지 않는다면 그러한 통지행위는 준법률행위적 행정행위인 통지가 아닌 단순한 사실행위일 뿐이라는 것은 앞서 살펴본 바와 같다.

기출 체크

□□□□□ **01** 국가공무원법상 당연퇴직의 인사발령(은 취소소송의 대상이 되는 처분이다) (○, ×) ★★★ 2022 군무원 9급

□□□□□ **02** 공무원에 대한 당연퇴직의 인사발령은 공무원의 신분을 상실시키는 새로운 형성적 행위이므로 행정소송의 대상이 되는 행정처분이다. (○, ×) ★★★ 2022 국가직 7급

□□□□□ **03** 국민건강보험공단이 행한 '직장가입자 자격상실 및 자격변동 안내' 통보는 가입자 자격의 변동 여부 및 시기를 확인하는 의미에서 한 사실상 통지행위에 불과할 뿐, 항고소송의 대상이 되는 행정처분에 해당하지 않는다. (○, ×) ★ 2023 국가직 9급

□□□□□ **04** 신고의 수리는 타인의 행위를 유효한 행위로 받아들이는 행정행위를 말하며, 이는 강학상 법률행위적 행정행위에 해당한다. (○, ×) ★ 2018 국가직 9급

□□□□□ **05** 수리를 요하는 신고에서의 수리와 허가제의 허가는 구별되는 개념이다. (○, ×) ★ 2014 서울시 9급

□□□□□ **06** 수리는 행정청이 타인의 행위를 유효한 것으로서 수령하는 의사작용인 점에서 사실행위인 도달 또는 접수와 구별된다. (○, ×) ★ 2006 관세사

판례 | ❶ 유선장의 경영신고와 그 변경신고는 사인의 공법행위의 신고에 해당하고 신고를 받은 행정청은 형식적(절차적) 요건에 하자가 없는 한 이를 수리하여야 한다. 「유선 및 도선업법」 제3조 제1항, 제5항, 같은 법 시행령 제3조 제2항에 의하면 유선장의 경영신고와 그 신고사항의 변경신고는 모두가 강학상 이른바 사인의 공법행위의 신고에 해당하고 그 신고를 받은 행정청은 위 법과 그 시행령 소정의 형식적(절차적) 요건에 하자가 없는 한 이를 수리해야 할 입장에 있다(대판 1988. 8. 9, 86누889).

정답 01 × 02 × 03 ○ 04 × 05 ○ 06 ○

┌ 관련판례

1. **정년퇴직발령은 행정소송의 대상이 아니다(처분성 부정).** ★★★

   국가공무원법 제74조에 의하면 공무원이 소정의 정년에 달하면 그 사실에 대한 효과로서 공무담임권이 소멸되어 당연히 퇴직되고 따로 그에 대한 행정처분이 행하여져야 비로소 퇴직되는 것은 아니라 할 것이며 피고의 원고에 대한 정년퇴직발령은 정년퇴직 사실을 알리는 이른바 관념의 통지에 불과하므로 행정소송의 대상이 되지 아니한다(대판 1983. 2. 8, 81누263).

2. **당연퇴직의 인사발령은 행정소송의 대상인 행정처분이 아니다(처분성 부정).01 02** ★★★

   국가공무원법 제69조에 의하면 공무원이 제33조 각 호의 1에 해당할 때에는 당연히 퇴직한다고 규정하고 있으므로, 국가공무원법상 당연퇴직은 결격사유가 있을 때 법률상 당연히 퇴직하는 것이지 공무원관계를 소멸시키기 위한 별도의 행정처분을 요하는 것이 아니며, 당연퇴직의 인사발령은 법률상 당연히 발생하는 퇴직사유를 공적으로 확인하여 알려주는 이른바 관념의 통지에 불과하고 공무원의 신분을 상실시키는 새로운 형성적 행위가 아니므로 행정소송의 대상이 되는 독립한 행정처분이라고 할 수 없다(대판 1995. 11. 14, 95누2036).

3. **국민건강보험공단이 한 '직장가입자 자격상실 및 자격변동 안내' 통보 및 '사업장 직권탈퇴에 따른 가입자 자격상실 안내' 통보는 항고소송의 대상이 되는 처분이 아니다.03** ★

   국민건강보험 직장가입자 또는 지역가입자 자격변동은 법령이 정하는 사유가 생기면 별도 처분 등의 개입 없이 사유가 발생한 날부터 변동의 효력이 당연히 발생하므로, 위 통보는 처분성이 인정되지 않는다(대판 2019. 2. 14, 2016두41729).

❹ 수 리

1. 수리의 의의

(1) 개 념

수리란 타인의 행정청에 대한 행위를 유효한 행위로서 수령하는 행위를 말하는 것으로, 수리를 요하는 신고에서 수리가 준법률행위적 행정행위인 수리로서 항고소송의 대상인 처분에 해당한다.04 앞서 제9강에서 살펴본 바와 같이 판례는 수리를 요하는 신고에서의 수리와 허가를 구별하고 있다.05 그 예로는 사직원의 수리, 행정심판청구서의 수리 등을 들 수 있다.

(2) 접수와 수리의 구별

① 수리는 행정청의 수동적인 의사표시로서 법적 효과가 있는 행정행위이므로 단순한 사실행위에 불과한 접수와는 구별된다.06

② 앞서 본 바와 같이 출생신고와 같은 자기완결적 신고의 경우 형식적 요건을 갖춘 신고서가 행정기관에 도달한 때에 신고의 효과는 발생하며, 행정청의 별도의 수리행위가 필요한 것이 아니다. 이러한 경우 실무상 수리라는 용어를 쓰더라도 이때의 수리는 단순한 사실행위인 접수에 불과하며 행정행위인 수리는 아니다.

2. 수리의 성질

(1) 법률에 특별한 규정이 없는 한 법정요건을 갖춘 신고는 수리되어야 하므로 수리는 원칙적으로 기속행위라고 할 것이다.❶ 한편, 여기서의 신고란 행위요건적 신고(수리를 요하는 신고)를 의미하고 자기완결적 신고의 경우 수리가 필요 없다는 것은 위에서 살펴본 바와 같다.

1-1. 가설건축물 존치기간을 연장하려는 건축주 등이 법령에 규정되어 있는 제반 서류와 요건을 갖추어 행정청에 연장신고를 한 때에는 행정청은 원칙적으로 이를 수리하여 신고필증을 교부하여야 하고, 법령에서 정한 요건 이외의 사유를 들어 수리를 거부할 수는 없다.01

1-2. 따라서 행정청으로서는 법령에서 요구하고 있지도 아니한 '대지사용승낙서' 등의 서류가 제출되지 아니하였거나, 대지소유권자의 사용승낙이 없다는 등의 사유를 들어 가설건축물 존치기간 연장신고의 수리를 거부하여서는 아니 된다(대판 2018. 1. 25, 2015두35116).

2. 의료법에 따라 정신과의원을 개설하려는 자가 법령에 규정되어 있는 요건을 갖추어 개설신고를 한 때에, 행정청은 원칙적으로 이를 수리하여 신고필증을 교부하여야 하고, 법령에서 정한 요건 이외의 사유를 들어 의원급 의료기관 개설신고의 수리를 거부할 수는 없다(대판 2018. 10. 25, 2018두44302).02

3-1. 허가대상 건축물의 양수인이 구 건축법 시행규칙에 규정되어 있는 형식적 요건을 갖추어 시장·군수에게 적법하게 건축주의 명의변경을 신고한 때에는 시장·군수는 그 신고를 수리하여야지 실체적인 이유를 내세워 신고의 수리를 거부할 수 없다.03

3-2. 다만, 건축물의 소유권을 둘러싸고 소송이 계속 중이어서 판결로 소유권의 귀속이 확정될 때까지 건축주명의변경신고의 수리를 거부함은 상당하다(대판 1993. 10. 12, 93누883).04

(2) 사업의 양도·양수에 따른 지위승계신고와 같은 행위요건적 신고는 유효한 기본행위의 존재를 전제로 하는 수동적인 행위로서 수리대상인 기본행위가 존재하지 않거나 무효인 때에는 수리를 하였더라도 수리도 당연무효가 된다는 것이 통설 및 판례의 입장이다.05

관련판례

지위승계신고의 수리대상인 사업양도·양수가 존재하지 아니하거나 무효인 때에는 수리를 하였다 하더라도 그 수리는 당연히 무효이다.★★★

사업양도·양수에 따른 허가관청의 지위승계신고의 수리는 적법한 사업의 양도·양수가 있었음을 전제로 하는 것이므로 그 수리대상인 사업양도·양수가 존재하지 아니하거나 무효인 때에는 수리를 하였다 하더라도 그 수리는 유효한 대상이 없는 것으로서 당연히 무효라 할 것이고 …… (대판 2005. 12. 23, 2005두3554)

관련문제

다음 사례에 대한 설명으로 옳은 것은? (다툼이 있는 경우 판례에 의함)　　2022 지방직·서울시 9급

> 「도시 및 주거환경정비법」에 따라 설립된 A주택재건축정비사업조합은 관할 B구청장으로부터 ㉠조합설립인가를 받은 후, 조합총회에서 재건축 관련 ㉡관리처분계획에 대한 의결을 하였고, 관할 B구청장으로부터 위 ㉢관리처분계획에 대한 인가를 받았다. 이후 조합원 甲은 위 관리처분계획의 의결에는 조합원 전체의 4/5 이상의 결의가 있어야 함에도 불구하고, 이를 위반하여 위법한 것임을 이유로 ㉣관리처분계획의 무효를 주장하며 소송으로 다투려고 한다.

① ㉠과 ㉢의 인가의 강학상 법적 성격은 동일하다.
② 甲이 ㉡에 대해 소송으로 다투려면 A주택재건축정비사업조합을 상대로 민사소송을 제기하여야 한다.
③ 甲이 ㉣에 대해 소송으로 다투려면 항고소송을 제기하여야 한다.
④ 甲이 ㉣에 대해 소송으로 다투려면 B구청장을 피고로 하여야 한다.

정답 ③

☐☐☐☐☐ **01** 가설건축물 존치기간을 연장하려는 건축주 등이 법령에 규정되어 있는 제반 서류와 요건을 갖추어 행정청에 연장신고를 한 때에는 행정청은 원칙적으로 이를 수리하여 신고필증을 교부하여야 하고, 법령에서 정한 요건 이외의 사유를 들어 수리를 거부할 수는 없다. (○, ×)
2022 소방직 9급

☐☐☐☐☐ **02** 의료법에 따라 정신과의원을 개설하려는 자가 법령에 규정되어 있는 요건을 갖추어 개설신고를 한 경우라도 관할 시장·군수·구청장은 법령에서 정한 요건 이외의 사유를 들어 의원급 의료기관 개설신고의 수리를 거부할 수 있다. (○, ×)
2019 지방직 7급

☐☐☐☐☐ **03** 건축주명의변경신고는 형식적 요건을 갖추어 시장, 군수에게 적법하게 건축주의 명의변경을 신고한 때에는 시장, 군수는 그 신고를 수리하여야지 실체적인 이유를 내세워 그 신고의 수리를 거부할 수는 없다. (○, ×)
2023 군무원 7급

☐☐☐☐☐ **04** 건축물의 소유권을 둘러싸고 소송이 계속 중이어서 판결로 소유권의 귀속이 확정될 때까지 건축주명의변경신고의 수리를 거부함은 상당하다. (○, ×)
2015 국회직 8급

☐☐☐☐☐ **05** 판례는 수리행위의 대상인 기본행위가 존재하지 않거나 무효인 때에는 그 수리행위는 당연무효가 된다고 한다. (○, ×) ★★★
2011 국회직 8급

[유튜브] 13강 필수 개념 TEST
- QR코드를 스캔해 주세요.
- 필수 개념과 출제 포인트를 풀어 보세요.
- 틀린 문제는 기본서로 확인해 주세요.

정답 01 ○ 02 × 03 ○ 04 ○ 05 ○

행정행위의 부관

부관의 의의

부관의 개념

- **종래 다수설** : 행정행위의 효과를 제한하기 위하여 그 행위의 요소인 주된 의사표시에 붙여진 종된 의사표시
- **새로운 견해(최근의 다수설)** : 행정행위의 효과를 제한 또는 요건을 보충하거나 특별한 의무를 부과하기 위하여 주된 행정행위에 부가된 종된 규율
- **구별개념**
  - 법정부관

개 념	법령이 직접 행정행위의 조건, 기한 등을 정하는 것(⑩ 광업법 제28조) – 구 사회복지사업법상 임시이사를 선임하면서 그 임기를 '후임 정식이사가 선임될 때까지'로 기재한 것은 법정부관 ○(본래 의미의 부관 ×)(판례)
통 제	구체적 규범통제 대상 ○, 처분성이 있는 경우 취소소송의 대상 ○
한 계	부관의 한계에 관한 일반적 원칙 적용 × • 법령보충규칙인 고시에 정한 허가기준에 따라 보존음료수 제조업의 허가에 붙여진 전량수출 또는 주한외국인에 대한 판매에 한한다는 내용의 조건은 이른바 법정부관으로, 본래의 의미에서 행정행위의 부관은 아니어서 부관의 한계에 관한 일반원칙이 적용되지 않음(판례).

  - 행정행위의 내용상 제한 : 행정행위의 내용 그 자체를 정하는 것이므로 부관이 아님.

특 성

부관의 부종성 : 주된 행정행위가 효력을 발생하지 않으면 부관도 효력을 발생하지 않음.

부관의 종류

조건(불확실한 사실에 의존)

정지조건	• 행정행위 효과의 발생을 장래의 불확실한 사실에 의존 • 일정한 조건이 성취되어야 비로소 주된 행정행위의 효력이 발생함.
해제조건	• 행정행위 효과의 소멸을 장래의 불확실한 사실에 의존 • 처음부터 행정행위의 효력이 발생하되 조건이 성취되면 행정행위의 효력이 당연히 상실(⑩ 일정기간 내 공사에 착수할 것을 조건으로 하는 공유수면매립면허)

기한(확실한 사실에 의존)

- **종류**

시기와 종기	• 시기 : 일정한 사실의 발생에 의해 행정행위의 효력을 발생시킴. • 종기 : 일정한 사실의 발생에 의해 행정행위의 효력을 소멸하게 함.
확정기한과 불확정기한	• 확정기한 : 도래하는 시기까지도 확실한 기한 • 불확정기한 : 도래할 것은 확실하나 도래하는 시기까지는 확실하지 않은 기한

- **종기 도래의 효과** : 특별한 의사표시 없이도 당연히 효력을 상실함.

부 담

- 행정행위의 주된 내용에 부가하여 그 행정행위의 상대방에게 작위 · 부작위 · 급부 등의 의무를 부과하는 부관(⑩ 공장건축허가를 하면서 근로자의 정기 건강진단의무 부과)
- **특색** : 주된 행정행위와 독립하여 별도로 소송제기 가능
  - 한편, 주된 행정행위의 효력 발생 × ⇨ 부담의 효력 발생 ×

- **부담의 불이행시**
  - 주된 행정행위 철회 가능(주된 행정행위의 효력이 당연히 소멸하는 것 ×)
    ‣ 부담 불이행을 이유로 주된 수익적 행정행위를 철회하는 경우에도 철회권 제한의 법리 적용 ○
  - 강제집행 가능
  - 그 후의 단계적인 조치를 거부하는 것도 가능
- **조건과 부담의 구별**

구 분	조 건	부 담
효력 발생	조건의 성취가 있어야 비로소 행정행위의 효력 발생 (정지조건부 행정행위)	처음부터 행정행위의 효력 발생
효력 소멸	조건사실의 성취에 의하여 당연히 행정행위의 효력이 소멸 (해제조건부 행정행위)	행정청이 철회함으로써 행정행위의 효력이 소멸
강제집행대상	독자적으로 강제집행의 대상 ×	독립하여 강제집행의 대상 ○
쟁송대상 여부 (다수설, 판례)	행정행위 전체를 대상으로 하여 소송을 제기	독립하여 행정쟁송의 대상 ○

※부담과 조건의 구별이 불분명한 경우 상대방에게 유리한 부담으로 봄.

- **부담의 부가방법** : 행정청이 일방적으로 부가 가능. 상대방과 협의하여 협약의 형식으로 미리 정한 다음 부가하는 것도 가능
- **부담의 적법 여부 판단** : 처분 당시 법령을 기준으로 판단하여야 함.
  - 부담이 처분 당시 법령을 기준으로 적법하다면 주된 행정처분의 근거법령이 개정됨으로써 행정청이 더 이상 부관을 붙일 수 없게 되었다 하더라도 부담이 곧바로 위법하게 되는 것은 아님(판례).

철회권의 유보

- **의의** : 일정한 사유가 발생한 경우에 주된 행정행위를 철회할 수 있는 권한을 행정청에 유보하는 부관(상대방의 신뢰보호 약화시킴)
- **해제조건과 구별**

해제조건	조건사실이 발생하면 당연히 행정행위의 효력 소멸
철회권 유보	효력을 소멸시키려면 행정청의 별도의 의사표시(철회)를 필요로 함.

- **철회권행사의 한계** : 철회권이 유보된 경우라도 철회의 제한에 관한 일반원리가 그대로 적용됨(이익형량 필요, 자유롭게 철회 불가).

법률효과의 일부배제

- **의의** : 주된 행정행위의 내용에 대해서 법령이 부여하고 있는 법적 효과를 일부배제하는 부관
- **부관의 일종인지 여부**
  - 판례(부관성 긍정) : 공유수면매립준공인가를 함에 있어 매립지 일부에 대해 국가에 소유권을 귀속시킨 처분은 법률효과의 일부배제라는 부관을 붙인 것
- **법적 근거 필요 여부** : 법률에 특별한 근거가 있는 경우에만 가능(다수설)

수정부담

- 신청과 다른 내용의 행정행위
- 부관이 아니라 수정된 행정행위 내지 수정허가로 봄(통설).

부관 종류의 개관

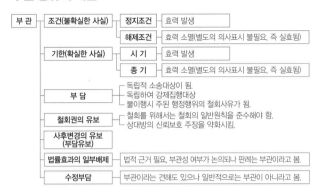

부관과 행정행위 효력의 관계

⇨ 실선은 행정행위의 효력발생시기를 의미함.

*출처 : 박수혁, '행정행위의 부관', 〈고시연구〉 22권 8호, 고시연구사

부관의 가능성

준법률행위적 행정행위와 부관

- 종래의 다수설(전통적 견해) ┌ 법률행위적 행정행위 : 부관 ○
  └ 준법률행위적 행정행위 : 부관 ×
- 새로운 견해(최근의 다수설) : 준법률행위적 행정행위라도 확인·공증의 경우에는 종기 등과 같은 부관은 붙일 수 있음(예 여권에 붙은 유효기간 등).

기속행위와 부관

- 행정기본법 제17조 : 행정청은 처분에 재량이 있는 경우(재량행위)에 부관을 붙일 수 있고(제1항), 처분에 재량이 없는 경우(기속행위)에는 법률에 근거가 있는 경우에 부관을 붙일 수 있음(제2항).
- 종래의 다수설(전통적 견해)
  - 법령에 근거가 없는 경우 ┌ 재량행위 : 부관 ○
    └ 기속행위 : 부관 ×
- 판례 : 종래의 다수설과 동일한 입장
  - 기속행위에는 법령에 근거가 없는 한 부관을 붙일 수 없고 붙였다 하더라도 무효
  - 수익적 행정행위에는 법령에 특별한 근거규정이 없더라도 부담을 붙일 수 있음.
  - 일반적으로 보조금 교부결정에 관해서는 행정청에 광범위한 재량이 부여되어 있고, 행정청은 보조금 교부결정을 할 때 법령과 예산에서 정하는 보조금의 교부 목적을 달성하는 데에 필요한 조건을 붙일 수 있음(판례).

신분설정행위

귀화허가 또는 공무원의 임명행위와 같은 신분설정행위는 부관을 붙일 수 없음.

인가의 경우

- 인가가 재량행위라면 부관을 붙일 수 있음.
- 사회복지법인의 정관변경허가(재량행위)에 부관을 붙일 수 있음(판례).

부관의 내용상 한계

- 부관의 적법요건(행정기본법 제17조 제4항)
  - 해당 처분의 목적에 위배되지 아니할 것
  - 해당 처분과 실질적인 관련이 있을 것
  - 해당 처분의 목적을 달성하기 위하여 필요한 최소한의 범위일 것
- 적법성 한계 : 법령에 위배되어서는 안 됨.
- 목적상 한계 : 주된 행정행위의 본질적 효력을 해치지 않는 범위 내의 것이어야 함.
- 상대방이 이행가능한 부관이어야 하며, 행정법의 일반원칙 등을 준수해야 함.
  - 공무원이 공법상 제한을 회피할 목적으로 사법상 계약을 체결하는 형식을 취하였다면 법치행정원리에 반하는 것으로서 위법함(판례).

부관의 시간적 한계

- 행정기본법 제17조 제3항 : 행정청이 처분을 한 후에도 ① 법률에 근거가 있는 경우, ② 당사자의 동의가 있는 경우, ③ 사정변경이 있는 경우 등에는 부관을 새로 붙이거나 종전의 부관을 변경할 수 있음.
- 판례 : ① 법률에 명문규정 있는 경우, ② 변경이 미리 유보된 경우, ③ 상대방의 동의가 있는 경우에 원칙적으로 허용되며, ④ 사정변경의 경우에도 예외적으로 사후변경이 허용됨.

하자 있는 부관

부관의 하자와 주된 행정행위의 효력

- 부관이 본체인 행정행위의 중요한 요소(본질적 요소)인 경우 : 부관이 무효이면 본체인 행정행위도 무효
  - 예 기부채납받은 공원시설의 사용·수익허가에서 허가기간은 행정행위의 본질적 요소에 해당. 따라서 부관인 허가기간에 위법사유가 있으면, 허가 전체가 위법함(판례).
- 부관이 본체인 행정행위의 중요한 요소가 아닌 경우 : 부관만 무효

하자 있는 부관과 행정쟁송(판례)

- 부담만이 독립하여 항고소송의 대상이 됨.
  - 당해 행정청이 아닌 다른 행정청이 부담상의 의무이행을 요구하는 의사표시를 하였을 경우, 이러한 행위가 당연히 항고소송의 대상이 되는 처분은 아님(판례).
- 부담을 제외한 부관만의 취소를 구하는 소송은 각하판결을 하여야 함(부진정일부취소소송 불인정).
  - 어업면허처분을 함에 있어 면허의 유효기간을 1년으로 정한 경우, 어업면허 중 면허의 유효기간만의 취소를 구하는 청구는 허용될 수 없음.
- 부담 이외의 부관으로 인해 권리침해를 받은 자
  - 부관부 행정행위 전체에 대해 취소소송을 제기할 수 있음.
  - 행정청에 부관이 없는 행정행위로 변경해 줄 것을 청구한 다음 그것이 거부된 경우에 거부처분취소소송을 제기할 수 있음.

부관과 이를 기초로 한 후속조치

- 기부채납은 기부채납부담과는 별개의 사법상의 증여계약임.
- 토지소유자가 토지형질변경행위허가에 붙은 기부채납의 부관에 따라 토지를 기부채납(증여)한 경우, 기부채납의 부관이 당연무효이거나 취소되지 않은 상태에서 그 부관으로 인하여 증여계약의 중요부분에 착오가 있음을 이유로 증여계약을 취소할 수 없음(판례).
- 행정처분에 붙은 부담인 부관이 무효가 되더라도 그 부담의 이행으로 한 사법상 법률행위가 당연히 무효가 되는 것은 아님.
- 행정처분에 붙은 부담인 부관에 제소기간 도과로 불가쟁력이 생긴 경우에도 그 부담의 이행으로 한 사법상 법률행위의 효력을 다툴 수 있음.

초대 Topic 17 　 핵심집약 Topic 28

❶ 광업법 제28조【광업권설정】① 광업출원인은 광업권설정의 허가통지서를 받으면 허가통지를 받은 날부터 60일 이내에 대통령령으로 정하는 바에 따라 등록세를 내고 산업통상자원부장관에게 등록을 신청하여야 한다.
② 제1항에 따른 등록을 신청하지 아니하면 허가는 효력을 상실한다.

판례 | ❼ 구 사회복지사업법상 임시이사를 선임하면서 그 임기를 '후임 정식이사가 선임될 때까지'로 기재한 것은 근거법률의 해석상 당연히 도출되는 사항을 주의적·확인적으로 기재한 이른바 '법정부관'일 뿐, 행정청의 의사에 따라 붙이는 본래 의미의 행정처분 부관이라고 볼 수 없다(대판 1994. 3. 8, 92누1728 참조). 후임 정식이사가 선임되었다는 사유만으로 임시이사의 임기가 자동적으로 만료되어 임시이사의 지위가 상실되는 효과가 발생하지 않고, 관할행정청이 후임 정식이사가 선임되었음을 이유로 임시이사를 해임하는 행정처분을 해야만 비로소 임시이사의 지위가 상실되는 효과가 발생한다(대판 2020. 10. 29, 2017다269152).

ⓐ 광업법 제28조에 따르면 광업허가통지서를 받은 경우 통지서를 받은 날부터 60일 이내에 등록을 신청하지 아니하면 광업허가의 효력이 상실된다고 규정하고 있는바, 이는 행정청이 부가한 조건이 아니라 법령의 내용 그 자체이므로 이는 부관이 아니라는 것이 통설 및 판례의 입장이다.

01 | 부관의 의의

❶ 부관의 개념

1. 주된 행정행위에 부가된 종된 규율

(1) 종래의 다수설

전통적인 견해에 따르면 행정행위의 부관이란 '행정행위의 효과를 제한하기 위하여 행정기관에 의해 그 행위의 요소인 주된 의사표시의 내용에 붙여진 종된 의사표시'를 말한다.

(2) 새로운 견해(최근의 다수설)

부관을 '행정행위의 효과를 제한·보충 또는 요건을 보충하거나 특별한 의무를 부과하기 위하여 행정기관에 의해 주된 행정행위에 부가된 종된 규율'이라고 정의한다.

(3) 두 견해의 차이점

두 견해는 부관이 법률행위적 행정행위에만 허용되는 것인지, 또한 부관의 기능과 관련하여 기속행위에도 부관이 가능한 것인지에 대해 시각을 달리하고 있는바, 이에 관해서는 후술한다. 행정행위의 부관은 학문상 개념으로 실정법에서는 주로 '조건'으로 표시되고 있다. 한편 부관을 주된 의사표시에 붙여진 것으로 보든, 주된 행정행위에 부가된 것으로 보든, 부관도 행정행위의 내용을 이루는 것이므로 외부에 표시되어야 한다.**01**

2. 구별개념

(1) 법정부관

① 개념
행정행위의 조건, 기한 등이 행정청의 작용에 의해서 정해지는 것이 아니라 법령이 직접 행정행위의 조건, 기한 등을 정하는 경우가 있는바, 이를 법정부관이라고 한다.

② 법정부관의 예
　ⓐ 광업법 제28조에는 광업권설정허가통지서를 받은 자가 산업통상자원부장관에게 등록을 신청하지 아니한 경우 광업허가는 효력을 상실한다고 규정하고 있는바, 이는 광업권허가 효력의 소멸을 직접 법률에서 규정하고 있는 것이므로 법정부관이라고 할 수 있다.**❶ⓐ**
　ⓑ 한편 이러한 법정부관의 내용을 행정행위의 부관으로 표시하는 경우가 있는데, 이는 법령에서 정하고 있는 의무의 내용을 확인한 것에 불과하며 여전히 법정부관으로서의 성질을 갖는다.**❼**

③ 법정부관의 통제
법정부관은 법령 그 자체이므로 법정부관이 위법한 경우 법률 및 법규명령에 대한 규범통제방식(구체적 규범통제)에 의해 통제되며,**02** 만약 법정부관이 처분성을 갖는다면 취소소송의 대상이 될 수도 있다(법규명령에 대한 통제 참조). 예를 들면, 생수의 국내시판을 금지하는 법정부관(법규적 효력이 있는 고시로서 법령보충규칙)에 위반한 행위에 대해 과징금 부과처분이 내려진 경우에 동 과징금 부과처분취소소송에서 전제문제로서 그 법정부관의 위법성이 통제된다(p.185 참조).

④ 법정부관의 한계

이러한 법정부관은 본래 의미에서 행정행위의 부관은 아니므로 부관의 한계에 관한 일반적 원칙이 적용되지 않는다고 봄이 판례의 입장이다.01

┌ **관련판례**

1. 법령보충규칙인 고시에 정한 허가기준에 따라 보존음료수 제조업의 허가에 붙여진 전량수출 또는 주한외국인에 대한 판매에 한한다는 내용의 조건은 이른바 법정부관으로서 행정청의 의사에 기하여 붙여지는 본래의 의미에서의 행정행위의 부관은 아니다.★★★

2. 법정부관은 부관과는 구별되는 것이어서 부관의 한계에 관한 일반원칙이 적용되지 않는다.02 ★★★
   고시에 정한 허가기준에 따라 보존음료수 제조업의 허가에 붙여진 전량수출 또는 주한외국인에 대한 판매에 한한다는 내용의 조건은 이른바 법정부관으로서 행정청의 의사에 기하여 붙여지는 본래의 의미에서 행정행위의 부관은 아니므로, 이와 같은 법정부관에 대하여는 행정행위에 부관을 붙일 수 있는 한계에 관한 일반적인 원칙이 적용되지는 않는다(대판 1994. 3. 8, 92누1728).03 04

(2) 행정행위의 내용상 제한

① 영업구역의 설정 등 행정행위의 내용 그 자체를 정하는 행정행위의 내용적 제한은 부관이 아니다. 이러한 내용적 제한은 행정행위의 내용 그 자체를 직접 규율하지만, 행정행위의 부관은 행정행위 효력의 발생 또는 소멸을 좌우한다는 점에서 양자는 구별된다.

② 이와 관련하여 법률효과의 일부배제, 수정부담의 부관성 여부가 논의되는데, 이에 관해서는 후술한다.

(3) 수정부담

수정부담에 대해서는 후술한다.

❷ 부관의 기능과 특성

1. 부관의 순기능 ⓐ

행정의 목적 및 기능은 매우 다양하므로 전형적인 상황에 맞추어 정해진 단순한 행정행위는 공익의 필요에 충분히 대처할 수 없다. 따라서 행정청이 상황의 특성에 따라 더욱 적합한 행정행위를 할 수 있도록 해 주는 것이 바로 행정행위의 부관이다. 이처럼 행정행위의 부관은 행정의 합리성, 신축성, 탄력성을 보장하는 역할을 한다.05 ⓑ

2. 부관의 특성 – 부종성(종속성)

(1) 부관은 주된 행정행위에 부가되는 것이어서 종속적인 지위를 가지므로 주된 행정행위에 의존하고 영향을 받게 되는바, 이를 부관의 부종성이라고 한다. ⓒ

(2) 따라서 부관은 행정행위의 존재 여부와 효력 여부에 의존하게 되며, 주된 행정행위가 효력이 발생하지 않으면 부관도 효력이 발생하지 않는다. 또한 부관은 주된 행정행위와 실질적 관련성이 있는 경

ⓐ **부관의 순기능**
부관은 법의 불비를 보충하고 행정에 있어 형평성의 보장 내지 이해관계의 조절에 기여할 수 있다.
예컨대, 주택단지 조성시 도로, 공원 등 공공시설은 국가나 지방자치단체가 부담하기보다는 주택단지조성자 내지는 주택단지입주자의 부담으로 하는 것이 형평의 원칙에 부합한다. 그런데 우리 현행법에는 이에 관한 규정이 불비되어 있다. 이 경우 주택건설사업계획의 승인시에 공공시설의 기부채납을 부관 중 부담으로 붙임으로써 입법의 불비를 메우고 행정에 형평을 도모할 수 있게 된다.

ⓑ 만약 부관이 없었다면 전면적인 거부를 했을 경우에도 행정청이 부관을 부가하여 제한적으로나마 행정작용을 하게 한다는 점에서 부관은 탄력성 있는 행정을 가능하게 한다.

ⓒ **부담의 경우**
부관 중 부담의 경우는 그 자체가 하나의 행정행위인 하명의 성질을 가지므로 다른 부관에 비해 독립성이 강하여 소송 측면과 강제집행면에서 특색을 갖는다(후술).

ⓐ 단순히 생각하면, 공사에 착수하면 면허의 효력이 생긴다는 의미로 이해할 수 있지만 이렇게 본다면 의미상 문제가 있다. 왜냐하면 공사를 하기 위해서 필요한 것이 공유수면매립면허이기 때문이다. 따라서 "공유수면매립면허를 준다. 다만, 일정한 기간(예컨대 3개월을 부가하였다면) 내에 공사를 하지 않으면 매립면허의 효력은 상실된다."의 의미로 이해하는 것이 자연스럽다. 그러므로 이러한 부관은 해제조건으로 볼 수 있다.

우에만 인정될 수 있다. 따라서 주된 행정행위와 아무런 관련이 없는 목적을 위해 부관이 부가될 수는 없다(p.80 참조).

02 | 부관의 종류

❶ 조 건

1. 의의

행정행위의 효과의 발생 또는 소멸을 장래 발생이 불확실한 사실에 의존시키는 부관을 조건이라고 한다. 행정행위의 조건이 부가된 경우 행정행위의 효력의 발생·소멸 여부가 불안정한 상태에 놓이게 되므로 조건부 행정행위의 예는 많지 않다.

2. 종류

(1) 정지조건

① 개념

행정행위의 효과의 발생을 장래의 불확실한 사실에 의존시키는 부관을 정지조건이라고 한다.**01** 정지조건이 부가된 행정행위는 일정한 조건이 성취되어야 비로소 주된 행정행위의 효력이 발생한다. 따라서 정지조건부 영업허가의 경우 조건이 성취되지 않은 상태에서는 허가의 대상이 되는 행위를 할 수 없다.**02**

② 정지조건의 예

ㄱ 주차시설을 완비할 것을 조건으로 한 호텔영업허가
ㄴ 전쟁이 발생할 것을 조건으로 한 입영영장 발부
ㄷ 일정한 수의 자동차 확보를 조건으로 한 여객자동차운수사업면허

(2) 해제조건

① 개념

행정행위의 효과의 소멸을 장래의 불확실한 사실에 의존시키는 것을 해제조건이라고 한다.**03** 해제조건이 부가된 행정행위는 일단 처음부터 행정행위의 효력이 발생하되 조건이 성취되면 그 행정행위가 당연히 효력을 상실하게 된다.**04 05**

② 해제조건의 예

ㄱ 일정기간 내 공사에 착수할 것을 조건으로 하는 공유수면매립면허ⓐ
ㄴ 특정기업에 취업을 조건으로 하는 체류허가의 발급 등

❷ 기 한

1. 의의

행정행위의 효과의 발생 또는 소멸을 장래 도래할 것이 확실한 사실에 의존시키는 부관을 말한다.**06 07** 기한은 장래 도래가 확실한 사실이라는 점에서 장래 도래가 불확실한 조건과 구별된다.**08**

2. 종류

(1) 시기와 종기 01

① 시기

시기란 일정한 사실의 발생에 의해 비로소 **행정행위의 효력을 발생시키는 부관**을 말한다. 이의 예로는 "2024년 1월 1일부터 영업을 허가한다."라는 부관을 들 수 있다.

② 종기

종기란 일정한 사실의 발생에 의해 **행정행위의 효력을 소멸하게 하는 부관**을 말한다. 이의 예로는 "2025년 1월 1일까지 영업을 허가한다."라는 부관을 들 수 있다.

(2) 확정기한과 불확정기한

① 확정기한

확정기한이란 도래하는 시기까지도 확실한 기한을 말한다. 이의 예로는 "2024년 12월 31일까지 연금을 지급한다."라는 부관을 들 수 있다.

② 불확정기한

불확정기한이란 도래할 것은 확실하나 도래하는 시기까지는 확실하지 않은 기한을 말한다. 이의 예로는 "사망시까지 연금을 지급한다."라는 부관을 들 수 있다.

3. 종기 도래의 효과

종기인 기한이 도래하면 주된 행정행위는 행정청의 특별한 의사표시 없이도 당연히 효력을 상실(실효)한다.

❸ 부담

1. 의의

(1) 개념

부담이란 행정행위의 주된 내용에 부가하여 그 행정행위의 상대방에게 작위 · 부작위 · 급부 등의 의무를 부과하는 부관을 말하며, 주로 허가 · 특허 등과 같은 수익적 행정행위에 붙여진다.

(2) 부담의 예

① 도로나 하천점용허가를 하면서 일정한 점용료를 납부하도록 하는 것
② 버스사업의 면허를 부여하면서 행정청이 버스회사에 대해 정유소 정비의무를 부과하는 것
③ 사립대학설립을 인가하면서 일정한 미비된 시설의 보완의무를 부과하는 것
④ 주택사업계획승인을 하면서 주택진입로 확장의무를 부과하는 것
⑤ 영업허가를 하면서 위생복의 착용을 명하는 것
⑥ 사도 변경허가처분에 부가된 '공사기간'
⑦ 공장건축허가를 하면서 근로자의 정기건강진단의무를 부과하는 것

2. 특색

(1) 부담은 다른 부관과 달리 그 존속이 본체인 행정행위의 존재를 전제로 하는 것일 뿐 행정행위의 불가분적인 요소는 아니어서 주된 행정행위와 독립하여 별도로 소송제기가 가능하며, 02 부담에 대해서 독자적인 강제집행도 가능하다.

기출 체크

☐☐☐☐☐ **01** 부담을 불이행하면 주된 행정행위의 효력이 당연히 소멸한다. (○, ×) ★★★　　2015 교육행정직 9급

☐☐☐☐☐ **02** 부담에 의하여 부과된 의무의 불이행으로 부담부 행정행위가 당연히 효력을 상실하는 것이 아니고 당해 의무불이행은 부담부 행정행위의 철회사유가 될 수 있다. (○, ×) ★★★　　2016 국가직 7급

☐☐☐☐☐ **03** 부담부 행정처분에 있어서 처분의 상대방이 부담을 이행하지 아니한 경우에 처분청이 이를 들어 당해 처분을 철회할 수 없다. (○, ×)　　2024 지방직 · 서울시 9급

☐☐☐☐☐ **04** 부담의 불이행을 이유로 행정행위를 철회하는 경우라면 이익형량에 따른 철회의 제한이 적용되지 않는다. (○, ×) ★★★　　2016 서울시 9급

☐☐☐☐☐ **05** 부담불이행은 후행행위 발령의 거부사유가 될 수 있다. (○, ×) ★★　　2008 관세사

☐☐☐☐☐ **06** 부담부 행정행위의 경우 부담에서 부과하고 있는 의무의 이행이 있어야 비로소 주된 행정행위의 효력이 발생한다. (○, ×) ★★★　　2017 지방직 9급

판례 | ㉮ 개간허가시 붙인 부담을 불이행한 경우 후속조치인 준공인가를 하지 않을 수 있다 (대판 1985. 2. 8, 83누625).

ⓐ 예컨대, 도로점용허가를 하면서 매월 점용료 납부를 명한 경우 점용료를 계속해서 납부하지 않으면 행정청은 주된 행정행위인 도로점용허가를 철회할 수 있다고 할 것이다.

ⓑ 예컨대, 소음방지시설을 설치하는 부관하에 무도장허가를 하는 경우에 그 부관이 부담이라면 무도장허가는 즉시 효력이 발생하지만, 정지조건인 경우에는 소음방지시설이 완비될 때까지 무도장허가는 효력이 발생하지 않는다.

정답 **01** ×　**02** ○　**03** ×　**04** ×　**05** ○　**06** ×

(2) 다만, 부담도 부관인 이상 주된 행정행위에 대해 어느 정도 부종성(종속성)을 가질 수밖에 없으므로 주된 행정행위가 아무런 효력이 발생하지 않는 경우 부담도 효력이 발생하지 않는다.

3. 부담의 불이행

행정행위의 상대방이 부담에 의해 부과된 의무를 불이행하는 경우 행정청은 어떤 조치를 할 수 있는지가 문제된다.

(1) 철회 가능

① 상대방이 부담을 통해 부과된 의무를 불이행하는 경우, 해제조건이 성취되거나 종기가 도래한 경우와 달리 주된 행정행위의 효력이 당연히 소멸하는 것이 아니며,**01** 의무불이행은 행정행위의 철회사유가 되어 행정청은 주된 행정행위를 철회할 수 있다.**02** ⓐ

> **┏ 관련판례**
> **부담의 불이행시 철회할 수 있다.**
> 부담부 행정처분에 있어서 처분의 상대방이 부담(의무)을 이행하지 아니한 경우에 처분행정청으로서는 이를 들어 당해 처분을 취소(철회)할 수 있는 것이다(대판 1989. 10. 24, 89누2431).**03**

② 부담의 불이행을 이유로 주된 수익적 행정행위를 철회하는 경우에도 철회를 함으로써 달성되는 공익 등과 상대방의 불이익 등의 이익형량을 하여야 하는 등 철회권 제한의 법리가 적용된다 (p.371 참조).**04**

(2) 강제집행

부담은 '2. 특색'에서 본 것처럼 상대적 독립성이 있으므로 부담을 불이행한 경우에는 주된 행정행위와는 별도로 부담만을 강제집행할 수 있다. 예컨대, 도로점용허가에 부가된 점용료납부의무를 불이행한 경우 도로점용료에 대해서 행정청은 강제징수할 수 있다고 할 것이다.

(3) 단계적 조치의 불이행

부담으로 부과된 의무를 불이행하는 경우 행정청은 그 후의 단계적인 조치를 거부하는 것도 가능하다.**05** 예컨대, 건축허가시 붙인 부담의 불이행을 이유로 그 후의 준공검사를 하지 않거나, 임야개간허가시 붙인 부담의 불이행을 이유로 그 후의 개간준공허가를 하지 않는 것 등을 들 수 있다.㉮

4. 조건과 부담의 구별

(1) 문제의 소재

조건은 부담과 실무상 구별이 애매한 경우가 있고 실정법상 조건이라고 규정되어 있어도 그것을 부담으로 보아야 할 경우가 있다. 예컨대, 공유수면매립면허를 함에 있어서 일정한 시설을 설치해야 한다는 부관을 붙인 경우 이것을 부담으로 보아야 할 것인지, 조건으로 보아야 할 것인지의 문제 등이 종종 발생한다.ⓑ

(2) 구별실익

① 효력발생 – 정지조건부 행정행위와 부담부 행정행위의 구별

부담부 행정행위는 처음부터 행정행위의 효력이 발생하는 데 반하여,**06** 정지조건부 행정행위는 일정

한 사실, 즉 조건의 성취가 있어야 비로소 행정행위의 효력이 발생한다는 점에서 구별된다. 따라서 부관부 영업허가의 경우 당해 부관이 부담이라면 부담의 이행 없이 영업을 하여도 무허가영업이 아니지만, 당해 부관이 정지조건이라면 조건의 성취 없이 영업을 하면 무허가영업으로서 불법영업이 된다.01

② **효력소멸 – 해제조건부 행정행위와 부담부 행정행위의 구별**

부담부 행정행위는 부담을 이행하지 않더라도 당연히 그 효력이 소멸되지는 않고 행정청이 철회함으로써 행정행위의 효력이 소멸되는 데 반하여,02 해제조건부 행정행위는 조건이 되는 사실의 성취에 의하여 당연히 행정행위의 효력이 소멸된다는 점에서 구별된다.

③ **강제집행대상**

부담은 그 자체가 하명의 성질을 가지므로 그러한 의무불이행시 독립하여 강제집행의 대상이 되는 데 반하여,03 조건은 독자적으로 강제집행의 대상이 되지 않는다.

④ **쟁송대상 여부**

다수설과 판례에 따르면 부담은 주된 행정행위와 독립하여 행정쟁송의 대상이 되는 반면, 조건부 행정행위는 행정행위 전체를 대상으로 하여 소송을 제기할 수밖에 없다.

(3) 구별기준 ⓐ

① **일반론**

행정청의 객관적 의사를 고려하여 행정행위의 효력 자체를 그 조건에 의존시키려는 의사였을 경우는 조건, 그렇지 않은 경우는 부담으로 볼 수 있다. 예컨대, 정지조건인지 부담인지에 대해 행정청이 부관이 성취된 시점부터 행정행위의 효력이 발생하는 것으로 하였다면 정지조건, 그렇지 않고 처음부터 행정행위의 효력이 발생하는 것으로 하였다면 부담으로 볼 수 있다.

② **의사가 불분명한 경우**

행정청의 의사가 불분명한 경우 최소침해의 원칙에 따라 상대방에게 유리한 부담으로 보아야 한다.04 05

5. 기한과 부담의 구별

기한은 그 도래에 의해 주된 행정행위의 효력을 발생시키거나 실효시키지만, 부담의 경우는 의무기한의 도래로 의무불이행이 되며 철회사유가 될 뿐이다.

> **┌ 관련판례**
>
> 사도개설허가를 하면서 '공사기간을 준수할 것을 명'하였는바, 이러한 부관은 부담이므로 사도개설허가에서 정해진 공사기간 내에 사도로 준공검사를 받지 못한 경우라도 사도개설허가가 당연히 실효되는 것은 아니다.06 사도개설허가에는 본질적으로 사도를 개설하기 위한 토목공사 등 현실적인 도로개설공사가 따르기 마련이므로 허가를 하면서 공사기간을 특정하기도 하지만 사도개설허가는 사도를 개설할 수 있는 권한의 부여 자체에 주안점이 있는 것이지 공사기간의 제한에 주안점이 있는 것이 아닌 점 등에 비추어 보면 이 사건 제1처분에 명시된 공사기간은 변경된 허가권자인 보조참가인에 대하여 공사기간을 준수하여 공사를 마치도록 하는 의무를 부과하는 일종의 부담에 불과한 것이지, 사도개설허가 자체의 존속기간(즉, 유효기간)을 정한 것이라 볼 수 없고, 따라서 보조참가인이 이 사건 제1처분의 사도개설허가에서 정해진 공사기간 내에 사도로 준공검사를 받지 못하였다 하더라도, 이를 이유로 행정관청이 새로운 행정처분을 하는 것은 별론으로 하고, 사도개설허가가 당연히 실효되는 것은 아니다(대판 2004. 11. 25, 2004두7023).

기출 체크

☐☐☐☐☐ **01** 행정청이 수익적 행정처분을 하면서 부가한 부담의 위법 여부는 처분 당시 법령을 기준으로 판단하여야 한다. (○, ×) ★★★　　2021 경행경채

☐☐☐☐☐ **02** 부담은 행정청이 일방적 의사표시로 붙일 수 있고, 상대방의 동의를 얻거나 상대방과 협의하여 부담의 내용에 대해 협약의 형식으로 미리 정한 다음 행정처분을 하면서 이를 부가할 수도 있다. (○, ×) ★★★　　2024 국회직 8급

☐☐☐☐☐ **03** 부담이 처분 당시 법령을 기준으로 적법하다면 처분 후 부담의 전제가 된 주된 행정처분의 근거법령이 개정됨으로써 행정청이 더 이상 부관을 붙일 수 없게 되었다 하더라도 곧바로 위법하게 되거나 그 효력이 소멸하게 되는 것은 아니다. (○, ×) ★★★　　2024 지방직·서울시 9급

☐☐☐☐☐ **04** 철회권의 유보는 일정한 사실의 발생시에 행정행위를 철회할 수 있는 권한을 유보하는 부관을 말한다. (○, ×) ★★　　2007 국회직 8급

☐☐☐☐☐ **05** 숙박영업허가를 함에 있어 윤락행위를 알선하면 허가를 취소한다는 부관을 붙인 경우에는 철회권의 유보이다. (○, ×) ★★　　2010 국가직 9급

☐☐☐☐☐ **06** 해제조건은 조건사실이 발생하면 당연히 행정행위의 효력이 소멸되지만 철회권 유보는 유보된 사실이 발생하더라도 그 효력을 소멸시키려면 행정청의 별도의 의사표시(철회)가 필요하다. (○, ×) ★★　　2013 국회속기직 9급

☐☐☐☐☐ **07** 행정청이 종교단체에 대하여 기본재산전환인가를 함에 있어 인가조건을 부가하고 그 불이행시 인가를 취소할 수 있도록 하였다면 그 인가조건은 부관으로서 철회권의 유보에 해당한다. (○, ×) ★★　　2023 소방간부

☐☐☐☐☐ **08** 수익적 행정행위에 대한 철회권유보의 부관은 그 유보된 사유가 발생하여 철회권이 행사된 경우 상대방이 신뢰보호원칙을 원용하는 것을 제한하는 데 실익이 있다. (○, ×) ★★　　2016 서울시 9급

☐☐☐☐☐ **09** 철회권이 유보된 경우일지라도 행정행위의 상대방은 당해 행정행위 철회시 신뢰보호의 원칙을 원용하여 손실보상을 청구할 수 있다. (○, ×) ★★　　2011 국가직 9급

ⓐ "인근에 주택이 많이 들어서는 경우에는 학교환경위생정화구역(상대정화구역) 내에서의 甲의 유흥주점에 대한 금지해제조치를 취소한다."는 조건을 붙여 유흥주점허가를 해준 경우의 조건은 학문상(강학상) 철회권의 유보에 해당한다.

정답 01 ○ 02 ○ 03 ○ 04 ○ 05 ○
06 ○ 07 ○ 08 ○ 09 ×

6. 부담의 부가방법 등

(1) 부담은 행정청이 행정처분을 하면서 일방적으로 부가할 수도 있지만 부담을 부가하기 이전에 상대방과 협의하여 부담의 내용을 협약의 형식으로 미리 정한 다음 행정처분을 하면서 이를 부가할 수도 있다는 것이 판례의 입장이다.

(2) 또한 판례는 부담의 적법 여부는 처분 당시 법령을 기준으로 판단하여야 하고,**01** 부담이 처분 당시 법령을 기준으로 적법하다면 처분 후 부담의 전제가 된 주된 행정처분의 근거법령이 개정됨으로써 행정청이 더 이상 부관을 붙일 수 없게 되었다 하더라도 부담이 곧바로 위법하게 되는 것은 아니라고 한다.

> **관련판례**
>
> 1. 수익적 행정처분에 있어서는 법령에 특별한 근거규정이 없다고 하더라도 그 부관으로서 부담을 붙일 수 있고, 그와 같은 부담은 행정청이 행정처분을 하면서 일방적으로 부가할 수도 있지만 부담을 부가하기 이전에 상대방과 협의하여 <u>부담의 내용을 협약의 형식으로 미리 정한 다음 행정처분을 하면서 이를 부가할 수도 있다.</u>**02** ★★★
> 2. 행정청이 수익적 행정처분을 하면서 사전에 상대방과 체결한 협약상의 <u>의무를 부담으로 부가하였는데 부담의 전제가 된 주된 행정처분의 근거법령이 개정되어 부관을 붙일 수 없게 된 경우라도 위 협약의 효력이 소멸하는 것은 아니다</u>(대판 2009. 2. 12, 2005다65500).**03** ★★★

❹ 철회권의 유보

1. 의 의

철회권의 유보란 일정한 사유가 발생한 경우에 주된 행정행위를 철회할 수 있는 권한을 행정청에 유보하는 부관**04**(예컨대, 숙박영업허가를 함에 있어 윤락행위를 알선하면 허가를 취소한다는 부관을 붙인 경우)으로서 실무상 취소권의 유보라고 표현되기도 한다.**05ⓐ** 철회권의 유보는 행정행위의 효력의 소멸이라는 점에서 '해제조건'과 유사하다. 그러나 해제조건은 조건사실이 발생하면 당연히 행정행위의 효력이 소멸되지만, 철회권유보의 경우에는 유보된 사실이 발생하더라도 그 효력을 소멸시키려면 행정청의 별도의 의사표시(철회)를 필요로 한다는 점에서 양자는 구별된다.**06**

> **관련판례**
>
> 행정청이 종교단체에 대하여 기본재산전환인가를 함에 있어 인가조건을 부가하고 그 불이행시 인가를 취소할 수 있도록 한 경우, 인가조건의 의미는 철회권을 유보한 것이다(대판 2003. 5. 30, 2003다6422).**07** ★★

2. 기 능

(1) 철회권의 유보는 이를 통하여 상대방에게 철회의 가능성을 미리 알려주고, 공익목적의 실현과 장래의 상황변화에 대비하게 하는 기능을 한다.

(2) 즉, 철회권이 유보된 행정행위의 상대방은 장래 당해 행위가 철회될 수 있음을 예기할 수 있으므로 원칙적으로 신뢰보호원칙에 기한 철회의 제한을 주장하거나 철회로 인한 손실보상을 요구할 수 없다.**08 09**

3. 철회권행사의 한계

철회권을 유보하였다고 하여 항상 행정청이 무제한으로 철회권을 행사할 수 있는 것이 아니고, 철회를 하지 않으면 안 될 공익상의 필요가 있고 행정행위의 목적에 비추어 합리적 이유가 있다

고 인정되는 경우에 행사할 수 있는 등 철회의 일반적 요건이 충족되어야 한다는 것이 학설·판례의 입장이다. 즉, 철회권이 유보된 경우라도 철회권의 행사는 그 자체만으로는 정당화되지 않고 이익형량을 해야하는 등의 행정행위의 철회의 제한에 관한 일반원리가 적용된다.01 02 03 다만, 2. (2)에서 본 것처럼 행정행위의 계속성에 대한 상대방의 신뢰는 유보된 철회사유에 대해서는 인정되지 않는다.04

> **관련판례**
>
> 철회권을 유보하였더라도 취소(철회)를 필요로 할 만한 공익상의 필요가 있는 경우에만 철회권을 행사할 수 있다.★★★
>
> 취소(철회)권을 유보한 경우에 있어서도 무조건적으로 취소권을 행사할 수 있는 것이 아니고, 취소를 필요로 할 만한 공익상의 필요가 있는 경우에 한하여 취소권을 행사할 수 있다(대판 1964. 6. 9, 64누40 등).

❺ 법률효과의 일부배제[a]

1. 의의

법률효과의 일부배제는 주된 행정행위의 내용에 대해서 법령이 일반적으로 부여하고 있는 행정행위의 법적 효과를 일부배제하는 부관을 말한다.

2. 부관의 일종인지 여부

(1) 학설

소수설은 법률효과의 일부배제는 행정행위에 별도로 부가된 것이 아니라는 점에서 행정행위의 내용 그 자체를 제한하는 행정행위의 내용적 제한이므로 부관이 아니라고 보나, 다수설은 법률효과의 일부배제를 행정행위의 내용상 제한이 아니라 부관의 일종이라고 보고 있다.

(2) 판례

공유수면매립준공인가를 함에 있어 매립대지의 일부에 대해 국가에 소유권을 귀속시킨 행위를 법률효과의 일부배제라는 부관으로 보아 부관성을 긍정하고 있다.05

> **관련판례**
>
> 매립지 일부에 대해 국가에 소유권을 귀속시킨 처분은 법률효과의 일부배제라는 부관을 붙인 것이다.★★★
>
> 행정행위의 부관은 부담의 경우를 제외하고는 독립하여 행정소송의 대상이 될 수 없는 것인바, 행정청이 한 공유수면매립준공인가 중 매립지 일부에 대하여 한 국가귀속처분은 매립준공인가를 함에 있어서 매립의 면허를 받은 자의 매립지에 대한 소유권취득을 규정한 공유수면매립법 제14조의 효과 일부를 배제하는 부관을 붙인 것이므로06 이러한 행정행위의 부관에 대하여는 독립하여 행정소송의 대상으로 삼을 수 없다(대판 1991. 12. 13, 90누8503).07

3. 법적 근거가 필요한지 여부

법률효과의 일부배제는 법령 자체가 인정한 일반적인 효과를 행정청이 일부배제하는 것이므로 법률에 특별한 근거가 있는 경우에만 이러한 부관을 붙일 수 있다고 함이 다수설적 견해이다.08

☐☐☐☐☐ **01** 학설의 다수견해는 수정부담의 성격을 부관으로 이해한다.
(○, ×) ★   2017 지방직 9급

☐☐☐☐☐ **02** 준법률행위에는 부관을 붙일 수 없다는 것이 전통적 견해이다.
(○, ×) ★   2011 국가직 9급

☐☐☐☐☐ **03** (행정기본법상) 행정청은 처분에 재량이 있는 경우에는 부관을 붙일 수 있다. (○, ×) ★★★
                    2023 국가직 7급

☐☐☐☐☐ **04** (행정기본법상) 행정청은 처분에 재량이 없는 경우에는 법률에 근거가 있는 경우에 부관을 붙일 수 있다.
(○, ×) ★★★   2023 국가직 7급

☐☐☐☐☐ **05** 행정청은 처분에 재량이 있는 경우에도 법률에 근거가 있어야만 부관을 붙일 수 있다. (○, ×) ★★★
                    2023 군무원 9급

☐☐☐☐☐ **06** 관련법령에 법적 근거가 없더라도 개인택시운송사업면허를 하면서 부관을 붙일 수 있다. (○, ×) ★★★
                    2017 지방직 9급

❶ 식품위생법 제37조【영업허가 등】
② 식품의약품안전처장 또는 특별자치시장·특별자치도지사·시장·군수·구청장은 제1항에 따른 영업허가를 하는 때에는 필요한 조건을 붙일 수 있다(편저자 주 : 학문상의 부관을 통칭하여 법조문에서는 조건이라는 용어를 사용하는 경우가 많다).

ⓐ 부담과 수정부담
1. 구조적 특색
① 통상의 부담은 'Ja, aber(… 신청한 대로 허가한다. 그러나 ~)'의 구조
② 수정부담은 'Nein, aber(… 신청한 대로 허가할 수 없다. 그러나 ~)'의 구조
2. 예 : 甲이 A도로점용허가신청을 한 경우
① 부담 : 행정청이 A도로점용허가를 하고 사용료납부의무를 부가
② 수정부담 : 행정청이 A도로점용허가를 거부하고 그 대신 B도로점용허가를 하는 것

ⓑ 수정부담에 대한 구제
1. 수정부담시 상대방이 수정된 내용의 행정행위를 받아들이지 않는 경우에는 수정부담을 거부처분으로 보고 거부처분에 대한 취소소송을 제기하거나, 신청한 내용에 대해 아무런 응답이 없는 것으로 보아 부작위위법확인소송을 제기할 수 있다.
2. 한편, 상대방이 수정된 내용을 그대로 받아들이면 수정부담의 효과는 그대로 발생한다.

❻ 수정부담 ⓐ ⓑ

1. 의의

(1) 수정부담이란 상대방이 신청한 행정행위를 발령한 후 그 행정행위에 부가하여 새로운 의무를 부과하는 것이 아니라, 상대방이 신청한 것과는 다르게 행정행위의 내용을 정하는 것을 말한다.

(2) 예를 들면, 甲이 행정청에 대해 A국으로부터의 쇠고기 수입허가를 신청하였는데, 행정청이 甲에 대해 B국으로부터의 쇠고기 수입허가를 부여하는 것과 같은 경우가 있다.

2. 부관성 여부

신청된 내용의 행정행위를 부여하면서 그 법적 효과를 제한하는 것이 아니라 신청된 행정행위의 내용 자체를 변경하여 변경된 내용의 행정행위를 행하는 것이므로 수정부담을 부관이 아니라 수정된 행정행위 내지 수정허가로 보는 것이 다수설의 입장이다.01

---

03 | 부관의 가능성과 한계

❶ 부관의 가능성

부관의 가능성은 부관의 개념을 어떻게 정의하느냐에 따라 다음과 같이 학설이 대립한다.

1. 준법률행위적 행정행위와 부관

(1) 종래의 다수설(전통적 견해)

부관을 행정행위의 효과를 제한하기 위하여 주된 의사표시에 부가된 종된 의사표시라고 정의함으로써 의사표시를 요소로 하는 법률행위적 행정행위에는 부관을 붙일 수 있으나, 의사표시를 요소로 하지 않는 준법률행위적 행정행위에는 부관을 붙일 수 없다고 한다.02

(2) 새로운 견해(최근의 다수설)

개별적으로 검토하여 준법률행위적 행정행위라도 공증인 여권에 붙은 유효기간처럼 확인·공증의 경우에는 종기 등과 같은 부관은 붙일 수 있다고 한다.

2. 기속행위와 부관

(1) 행정기본법의 태도

① 행정청은 처분에 재량이 있는 경우(재량행위)에 부관을 붙일 수 있고,03 처분에 재량이 없는 경우(기속행위)에는 법률에 근거가 있는 경우에 부관을 붙일 수 있다(행정기본법 제17조 제1·2항).04

② 예컨대 식품위생법에 따른 영업허가는 기속행위로 볼 수 있는데 식품위생법 제37조 제2항❶에는 부관을 붙일 수 있다는 취지의 규정을 두고 있다. 이러한 경우에는 기속행위라도 부관을 붙일 수 있다.

(2) 판례

판례는 종래의 통설과 같은 입장에서 재량행위에는 법령에 근거가 없어도 부관을 붙일 수 있으나,05 06 기속

행위에는 법률에서 명시적으로 부관을 붙일 수 있는 근거가 있으면 부관을 붙일 수 있음은 당연하나, 법령에 근거가 없는 한 부관을 붙일 수 없고 붙였다 하더라도 무효라고 한다.**01 02 03** 따라서 판례의 취지에 따르면 기속행위에 법적 근거 없이 부담을 붙인 경우, 이러한 부담은 무효이므로 부담을 이행할 의무는 없다.**04**

관련판례

1. **기속행위에는 법적 근거가 없는 한 부관을 붙일 수 없다.★★★**

   이사회소집승인에 있어서의 일시, 장소의 지정을 가리켜 소집승인행위의 부관으로 본다 하더라도, 일반적으로 기속행위나 기속적 재량행위에는 부관을 붙일 수 없는 것이고, 위 <u>이사회소집승인행위가 기속행위 내지 기속적 재량행위</u>에 해당함은 위에서 설시한 바에 비추어 분명하므로, 여기에는 <u>부관을 붙이지 못한다 할 것이며, 가사 부관을 붙였다 하더라도 이는 무효의 것</u>으로서 당초부터 부관이 붙지 아니한 소집승인 행위가 있었던 것으로 보아야 할 것이다(대판 1988. 4. 27, 87누1106 ; 대판 1988. 4. 27, 87누1107).

2. **행정청이 건축변경허가시 건축주에게 새 담장을 설치하라는 내용의 부관을 붙인 것은 위법하다.**

   행정청이 건축변경허가를 함에 있어서 건축주에게 새 담장을 설치하라는 부관을 붙인 것은 법령상 근거 없는 부담을 부가한 것으로 위법하다(대판 2000. 2. 11, 98누7527).

3. **건축허가를 하면서 일정 토지를 기부채납하도록 한 허가조건은 기속행위 내지 기속적 재량행위인 건축허가에 붙인 부담이거나 또는 법령상 아무런 근거가 없는 부관이어서 무효이다**(대판 1995. 6. 13, 94다56883).**05 ★★**

4. **재량행위는 법령에 명시적 근거가 없더라도 부관을 붙일 수 있다.★★★**

   일반적으로 이 사건 공유수면매립면허와 같은 기속적 행정행위가 아닌 재량적 행정행위에 있어서는 법령상의 근거가 없다고 하더라도 부관을 붙일 수 있음은 당연하다(대판 1982. 12. 28, 80다731 · 732).**06**

5. **주택재건축사업시행인가는 재량행위로서 이에 대하여 법령상의 제한에 근거하지 않더라도 조건(부담)을 부과할 수 있다.**

   <u>주택재건축사업시행의 인가</u>는 상대방에게 권리나 이익을 부여하는 효과를 가진 이른바 <u>수익적 행정처분으로서 법령에 행정처분의 요건에 관하여 일의적으로 규정되어 있지 아니한 이상 행정청의 재량행위에 속하므로, 처분청으로서는 법령상의 제한에 근거한 것이 아니라 하더라도 공익상 필요 등에 의하여 필요한 범위 내에서 여러 조건(부담)을 부과할 수 있다</u>(대판 2007. 7. 12, 2007두6663).**07**

6. **재량행위에는 법령상 근거가 없더라도 그 내용이 적법하고 이행가능하며 비례의 원칙 및 평등의 원칙에 적합하고 행정처분의 본질적 효력을 해하지 아니하는 한도 내에서 부관을 붙일 수 있다. 일반적으로 보조금 교부결정에 관해서는 행정청에 광범위한 재량이 부여되어 있고, 행정청은 보조금 교부결정을 할 때 법령과 예산에서 정하는 보조금의 교부 목적을 달성하는 데에 필요한 조건을 붙일 수 있다**(대판 2021. 2. 4, 2020두48772).**08**

---

3. 귀화허가 등 신분설정행위

법률행위적 행정행위 중 귀화허가 또는 공무원의 임명행위와 같은 신분설정행위는 부관을 붙일 수 없는 행정행위이다.**09** 왜냐하면 이러한 행위에 부관을 붙일 수 있다고 한다면 당사자의 법적 지위가 지나치게 불안정하게 되기 때문이다.

4. 인가의 경우

인가는 기속행위인 경우도 있지만 재량행위인 경우도 존재한다. 이 경우 인가가 재량행위라면 부관을

붙일 수 있음은 당연하다.01

관련판례

1. 사회복지법인의 정관변경허가는 재량행위이며 주무관청이 정관변경허가를 하는 경우 부관을 붙일 수 있다.★★
   사회복지법인의 정관변경을 허가할 것인지의 여부는 주무관청의 정책적 판단에 따른 재량에 맡겨져 있다고 할 것이고,02 주무관청이 정관변경허가를 함에 있어서는 비례의 원칙 및 평등의 원칙에 적합하고 행정처분의 본질적 효력을 해하지 않는 한도 내에서 부관을 붙일 수 있다(대판 2002. 9. 24, 2000두5661).

2. 공익법인의 기본재산의 처분에 관한 「공익법인의 설립·운영에 관한 법률」 제11조 제3항의 규정은 강행규정으로서 이에 위반하여 주무관청의 허가를 받지 않고 기본재산을 처분하는 것은 무효라 할 것인데, 위 처분허가에 부관을 붙인 경우 그 처분허가의 법률적 성질이 형성적 행정행위로서의 인가에 해당한다고 하여 조건으로서의 부관의 부과가 허용되지 아니한다고 볼 수는 없고,03 04 다만 구체적인 경우에 그것이 조건, 기한, 부담, 철회권의 유보 중 어느 종류의 부관에 해당하는지는 당해 부관의 내용, 경위 기타 제반 사정을 종합하여 판단하여야 할 것이다(대판 2005. 9. 28, 2004다50044).

읽기자료

1. 우리 판례 중에는 "수익적 행정행위에 있어서는 법령에 특별한 근거규정이 없다고 하더라도 그 부관으로서 부담을 붙일 수 있으나,05 그러한 부담은 비례의 원칙, 부당결부금지의 원칙에 위반되지 않아야만 적법하다(대판 1997. 3. 11, 96다49650)." 라고 판시한 경우가 몇몇 있다. 이 판례의 취지를 보면 수익적 행정행위에는 법령에 특정한 명문규정이 없더라도 얼마든지 부관을 붙일 수 있는 것처럼 해석될 여지가 있다.

2. 그러나 이 판례는 주택사업계획승인을 함에 있어 행정청이 부관을 붙인 것으로 비록 판례가 명시적 언급을 하지 않았으나 주택사업계획승인 자체가 재량행위라는 점에서 재량행위에는 법률에 명문규정이 없더라도 부관을 붙일 수 있다는 취지의 판례와 동일한 내용이다.

3. 이 판례 외의 사건에서 대법원은 "…… 처분은 수익적 처분으로서 재량행위이고, 재량행위에는 법률에 명문규정이 없더라도 부관을 붙일 수 있다."라고 판시하여 이 점을 명백히 하고 있다.

4. 이 점은 부관 자체가 주로 수익적 행정행위에 붙는다는 점을 생각하면 더욱 명백하게 이해될 것이다. 따라서 수험생으로서는 이러한 표현을 쓴 판례가 있었다는 점은 기억하되 판례의 취지를 오해하지 않아야 한다.
   즉, 수익적 행정행위에는 법령상 특별한 근거규정이 없다고 하더라도 부관으로서 부담을 붙일 수 있으나 그러한 부담은 행정법의 일반원칙에 위반되지 않아야 한다는 판례가 있다는 것을 기억하면 족하다.

❷ 부관의 내용상 한계

> 행정기본법 제17조 【부관】 ④ 부관은 다음 각 호의 요건에 적합하여야 한다.
> 1. 해당 처분의 목적에 위배되지 아니할 것
> 2. 해당 처분과 실질적인 관련이 있을 것
> 3. 해당 처분의 목적을 달성하기 위하여 필요한 최소한의 범위일 것06 07

행정행위에 부관을 붙일 수 있는 경우라 하더라도 부관을 무제한적으로 붙일 수 있는 것이 아니라 일정한 한계가 있다. 이에 행정기본법은 부관의 부가가능성과 한계를 명확하게 규정함으로써 과도한 부담이 되는 부관을 방지하고 있는바, 그 한계는 대체로 다음과 같다.

1. 적법성 한계❼

(1) 부관은 법령에 위배되어서는 안 된다. 부관의 내용은 헌법을 포함한 법령의 규정에 위반되어서는 아니 됨은 물론 형식도 법령에 저촉되어서는 안 되므로 헌법에 보장된 기본권을 침해하는 내용 등의 부관은 허용되지 않는다고 할 것이다.

(2) 예컨대, 보건복지부장관이 무의촌에서 개업할 것을 조건으로 하는 의사면허를 발급했다면 이는 헌법상 직업의 자유를 침해하는 부관이라고 할 것이다.

2. 목적상 한계

부관은 행정행위의 목적상 필요한 범위를 넘어서는 안 된다.**03** 예컨대 주택건축허가를 하면서 영업목적으로만 사용할 것을 부관으로 정한 경우, 이러한 부관은 주된 행정목적에 위반된다.**04** 이와 관련하여 대법원은 어업면허시 붙이는 부관은 면허된 어업의 본질적 효력을 해하지 않는 범위 내의 것이어야 하므로 어업면허시 운반선 등 부속선을 사용할 수 없도록 제한한 부관은 기선선망어업허가의 본질적 효력을 해하는 것으로 위법이라고 판시한 바 있다.**05**

3. 이행가능성과 비례·평등·부당결부금지원칙 등에 따른 한계

(1) 부관은 이행 가능하여야 하며, 특히 요건충족적 부관의 경우 해당 요건의 충족이 가능하여야 한다.

(2) 부관은 비례원칙, 평등의 원칙 및 부당결부금지원칙 등 행정법의 일반원칙에 적합하여야 한다.**08**

기출 체크

☐☐☐☐☐ **01** 부관이 주된 행정행위와 실질적 관련성을 갖더라도 주된 행정행위의 효과를 무의미하게 만드는 경우라면 그러한 부관은 비례원칙에 반하는 하자 있는 부관이 된다. (○, ×) ★ 2015 국적직 9급

☐☐☐☐☐ **02** 부관은 주된 행정행위와 실질적 관련성이 있어야 한다. (○, ×) ★★★ 2015 교육행정직 9급

☐☐☐☐☐ **03** 부관은 본체인 행정행위의 본질적 효력을 저해해서는 아니 된다. (○, ×) 2009 관세사

☐☐☐☐☐ **04** 재량행위에는 법령상 근거가 없더라도 그 내용이 적법하고 이행가능하며 비례의 원칙 및 평등의 원칙에 적합하고 행정처분의 본질적 효력을 해하지 아니하는 한도 내에서 부관을 붙일 수 있다. (○, ×) 2024 국직직 8급

☐☐☐☐☐ **05** 행정처분과 실제적 관련성이 없어 부관을 붙일 수 없는 경우에도 사법상 계약의 형식으로 공법상 제한을 회피할 수 있다. (○, ×) ★★★ 2022 지방직 · 서울시 9급

☐☐☐☐☐ **06** 행정처분과 부관 사이에 실제적 관련성이 있다고 볼 수 없는 경우, 공무원이 공법상의 제한을 회피할 목적으로 행정처분의 상대방과 사이에 사법상 계약을 체결하는 형식을 취하였더라도 법치행정의 원리에 반하는 것으로서 위법하다고 볼 수 없다. (○, ×) ★★★ 2021 국가직 9급

☐☐☐☐☐ **07** 행정청은 부관을 붙일 수 있는 처분에 당사자의 동의가 있는 경우에는 그 처분을 한 후에도 부관을 새로 붙일 수 있다. (○, ×) ★★★ 2024 국회직 8급

☐☐☐☐☐ **08** (행정기본법상) 행정청은 사정이 변경되어 종전의 부관을 변경하지 아니하면 해당 처분의 목적을 달성할 수 없다고 인정되는 경우에도 법률에 근거가 없다면 종전의 부관을 변경할 수 없다. (○, ×) ★★★ 2023 국가직 7급

☐☐☐☐☐ **09** 부관은 면허발급 당시에 붙이는 것뿐만 아니라 면허발급 이후에 붙이는 것도 법률에 명문의 규정이 있거나 변경이 미리 유보되어 있는 경우 또는 상대방의 동의가 있는 경우 등에는 특별한 사정이 없는 한 허용된다. (○, ×) ★★ 2023 국가직 9급

ⓐ 예컨대 주택건설사업계획 승인을 하면서 입주민이 이용하는 진입도로 설치 후 기부채납할 것을 명한 경우, 그 도로설치 비용이 주택건설사업비용을 훨씬 초과하는 상황을 생각해 볼 것

정답 **01** ○ **02** ○ **03** ○ **04** ○ **05** ×
06 × **07** ○ **08** × **09** ○

예컨대 부관이 주된 행정행위와 실질적 관련성을 갖더라도 주된 행정행위의 효과를 무의미하게 만드는 경우라면 그러한 부관은 비례원칙에 반하는 하자 있는 부관이 된다. **01 02 03 ⓐ**

┌ 관련판례

1. 재량행위에 있어서는 관계법령에 명시적인 금지규정이 없는 한 행정목적을 달성하기 위하여 조건이나 기한, 부담 등의 부관을 붙일 수 있고, 그 부관의 내용이 이행 가능하고 비례의 원칙 및 평등의 원칙에 적합하며 행정처분의 본질적 효력을 저해하지 아니하는 이상 위법하다고 할 수 없다(대판 2004. 3. 25, 2003두12837). **04**

2. 65세대의 주택건설사업에 대한 사업계획승인시 '진입도로 설치 후 기부채납, 인근주민의 기존 통행로 폐쇄에 따른 대체 통행로 설치 후 그 부지 일부 기부채납'을 조건으로 붙인 것은 위법한 부관이라고 할 수 없다(대판 1997. 3. 14, 96누16698).

3-1. 행정처분과 실제적 관련성이 없어 부관으로 붙일 수 없는 부담을 사법상 계약의 형식으로 행정처분의 상대방에게 부과할 수는 없다. **05** ★★★

3-2. 공무원이 공법상의 제한을 회피할 목적으로 행정처분의 상대방과 사이에 사법상 계약을 체결하는 형식을 취하였다면 이는 법치행정의 원리에 반하는 것으로서 위법하다. **06** ★★★

3-3. 지방자치단체가 골프장사업계획승인과 관련하여 사업자로부터 기부금을 지급받기로 한 증여계약은, 공무수행과 결부된 금전적 대가로서 그 조건이나 동기가 사회질서에 반하므로 민법 제103조에 의해 무효이다(대판 2009. 12. 10, 2007다63966).

❸ 부관의 시간적 한계

행정기본법 제17조【부관】 ③ 행정청은 부관을 붙일 수 있는 처분이 다음 각 호의 어느 하나에 해당하는 경우에는 그 처분을 한 후에도 부관을 새로 붙이거나 종전의 부관을 변경할 수 있다.
1. 법률에 근거가 있는 경우
2. 당사자의 동의가 있는 경우 **07**
3. 사정이 변경되어 부관을 새로 붙이거나 종전의 부관을 변경하지 아니하면 해당 처분의 목적을 달성할 수 없다고 인정되는 경우 **08**

행정기본법은 행정청이 처분을 한 후에도 법률에 근거가 있는 경우, 당사자의 동의가 있는 경우, 사정이 변경되어 부관을 새로 붙이거나 종전의 부관을 변경하지 아니하면 해당 처분의 목적을 달성할 수 없다고 인정되는 경우에는 부관을 새로 붙이거나 종전의 부관을 변경할 수 있도록 규정하고 있다.

┌ 관련판례

1. 부관은 면허 발급 당시에 붙이는 것뿐만 아니라 면허 발급 이후에 붙이는 것도 법률에 명문의 규정이 있거나 변경이 미리 유보되어 있는 경우 또는 상대방의 동의가 있는 경우 등에는 특별한 사정이 없는 한 허용된다(대판 2016. 11. 24, 2016두45028). **09** ★★

2. ① 법률에 명문의 규정이 있는 경우, ② 변경이 미리 유보된 경우, ③ 상대방의 동의가 있는 경우에 허용되는 것이 원칙이지만 ④ 사정변경이 있는 경우에도 예외적으로 부관의 사후변경이 허용된다. ★★★
행정처분에 이미 부담이 부가되어 있는 상태에서 그 의무의 범위 또는 내용 등을 변경하는 부관의 사후변경은, 법률에 명문의 규정이 있거나 그 변경이 미리 유보되어 있는 경우 또는 상대방의 동의가 있는 경우에 한하여 허용되는 것이 원칙이지만, 사정변경으로 인하여 당초에 부담을 부가한 목적을 달

성할 수 없게 된 경우에도 그 목적달성에 필요한 범위 내에서 예외적으로 허용된다(대판 1997. 5. 30, 97누2627).**01 02**

04 | 하자 있는 부관

❶ 부관의 하자와 주된 행정행위의 효력

1. 하자 있는 부관의 효력

위에서 서술한 한계를 넘은 부관은 하자 있는 부관으로서 위법한 부관이 되고, 위법한 부관의 효력 문제는 행정행위의 하자에 관한 일반이론에 비추어 판단하여야 할 것이다. 따라서 부관의 하자가 중대하고 명백한 것일 때에는 그 부관은 무효이며, 하자가 그 정도에 이르지 못한 때에는 단순히 취소할 수 있는 경우에 불과하다.

2. 무효인 부관이 붙은 행정행위의 효력ⓐ

(1) 무효인 부관이 그 본체인 행정행위의 효력에 어떠한 영향을 미치는지, 즉 그 부관만을 무효로 볼 것인지 행정행위 전체를 무효로 볼 것인지가 문제된다.

(2) 통설은 부관이 본체인 행정행위의 중요한 요소(본질적 요소)인 경우에 한해 부관이 무효이면 본체인 행정행위도 무효가 되나, 그렇지 않은 경우에는 부관만 무효가 된다고 한다.**03** 이때 중요한 요소라 함은 만약 부관이 없게 되면 행정청이 주된 행정행위를 하지 않았을 것이라고 판단하는 경우를 의미한다는 것이 일반적인 견해이다.

┌ **관련판례**

1. 도로점용허가의 점용기간은 행정행위의 본질적인 요소에 해당한다고 볼 것이어서 부관인 점용기간을 정함에 있어서 위법사유가 있다면 이로써 도로점용허가처분 전부가 위법하게 된다.**04 ★★★**

   시가 원고에 대하여 위 상가 등의 사용을 위한 도로점용허가를 함에 있어서는 그 점용기간을 수락한 조건대로 해야 할 것임에도 합리적인 근거 없이 단축한 것은 위법한 처분이라 할 것이며 …… (대판 1985. 7. 9, 84누604)

2. 기부채납받은 공원시설의 사용·수익허가에서 그 허가기간은 행정행위의 본질적 요소에 해당한다고 볼 것이어서, 부관인 허가기간에 위법사유가 있다면 이로써 이 사건 허가 전부가 위법하게 된다(대판 2001. 6. 15, 99두509).**05 ★★★**

❷ 하자 있는 부관과 행정쟁송

1. 문제의 소재

행정행위에 붙은 부관이 위법한 경우 국민이 이에 대하여 소송을 제기하여 권리구제를 받을 수 있는지가 문제된다. 이와 관련하여 ① 주된 행정행위와 분리하여 부관만을 소송대상으로 삼을 수 있는지, ② 이러한 경우 소송형태는 무엇인지, 그리고 ③ 부관이 위법하다고 인정되는 경우 법원은 어떠한 판단을 내려야 하는지가 문제된다.

2. 부관의 독립쟁송가능성(소송요건 중 대상적격의 문제)

부관의 독립쟁송가능성이란 주된 행정행위와 별도로 부관에 대해서 독립적으로 다툴 수 있는지와 관련한 논의이다.

대법원은 일관되게 부담만이 독립하여 항고소송의 대상이 될 수 있으며,**01** 기타 부관의 경우에는 독립하여 항고소송의 대상이 될 수 없다는 입장이다.**02** 판례에 따르면 부담을 제외한 부관만의 취소를 구하는 소송에 대하여는 각하판결을 하여야 한다고 본다.

▎ 관련판례

1-1. 부담은 독립하여 행정소송의 대상이 된다.★★★

　행정행위의 부관은 행정행위의 일반적인 효력이나 효과를 제한하기 위하여 의사표시의 주된 내용에 부가되는 종된 의사표시이지 그 자체로서 직접 법적 효과를 발생하는 독립된 처분이 아니므로 현행 행정쟁송제도 아래서는 부관 그 자체만을 독립된 쟁송의 대상으로 할 수 없는 것이 원칙이나 행정행위의 부관 중에서도 부담의 경우에는 다른 부관과는 달리 행정행위의 불가분적 요소가 아니고 그 존속의 본체인 행정행위의 존재를 전제로 하는 것일 뿐이므로, 부담 그 자체로서 행정쟁송의 대상이 될 수 있다.

1-2. 행정행위의 부관인 부담에 정해진 바에 따라 당해 행정청이 아닌 다른 행정청이 그 부담상의 의무이행을 요구하는 의사표시를 하였을 경우, 이러한 행위가 당연히 또는 무조건으로 행정소송법상 항고소송의 대상이 되는 처분에 해당한다고 할 수는 없다(대판 1992. 1. 21, 91누1264).**03**

2. (행정청이 원고에 대하여 행한 서울랜드 2차시설물에 대한 무상사용허가처분 중 원고가 신청한 무상사용기간 40년 가운데 20년을 초과하는 나머지 신청 부분에 대한 거부처분을 다툰 사건에서, 이러한 기간은 독립하여 소송대상이 될 수 없으므로 각하되어야 한다고 판시하면서) **기부채납받은 행정재산에 대한 사용·수익허가에서 사용·수익허가의 기간에 대하여 독립하여 행정소송을 제기할 수 없으며04 05** 이러한 청구는 **부적법하므로 각하된다**(대판 2001. 6. 15, 99두509).**06** ★★★

3. 법률효과의 일부배제는 독립하여 행정소송의 대상이 될 수 없다(대판 1993. 10. 8, 93누2032).**07** ★★★

4. 어업면허처분을 함에 있어 그 면허의 유효기간을 1년으로 정한 경우, 위 면허의 유효기간은 행정행위의 부관이라 할 것이고, 이러한 행정행위의 부관은 독립하여 행정소송의 대상이 될 수 없는 것이므로 위 어업면허처분 중 그 면허유효기간만의 취소를 구하는 청구는 허용될 수 없다(대판 1986. 8. 19, 86누202).**08** ★★★

3. 부관에 대한 쟁송형태

부관의 하자를 독자적으로 다툴 수 있는 가능성이 인정된다 하더라도 이를 쟁송제기에 있어서 어떤 형태로 다툴 것인지는 별개의 문제이다.

(1) 부담의 경우

부담에 대해서는 주된 행정행위와 별개로 부담만을 소송대상으로 하는 일부취소소송이 가능하다는 것이 통설과 판례의 입장이다.

(2) 부담 이외의 부관일 경우

① 판례는 부담이 아닌 부관의 경우 부관이 붙은 행정행위 전체에 대해 소송을 제기하여 부관 부분만의

취소를 구하는 소송은 부적법하다고 하여 각하하고 있는바,01 판례는 부담 이외의 부관에 대한 부진 정일부취소소송ⓐ을 인정하지 않고 있다.03

② 따라서 판례에 따르면 위법한 부담 이외의 부관으로 인하여 권리를 침해당한 자는 부관부 행정 행위 전체에 대해 취소소송을 제기하든지,04 아니면 행정청에 부관이 없는 행정행위로 변경해 줄 것 을 청구한 다음 그것이 거부된 경우에 거부처분취소소송을 제기할 수 있다.05ⓑ

┏ 관련판례

기선선망어업의 허가를 하면서 부속선을 사용할 수 없도록 제한한 위법한 부관에 대해서는 부속선을 사용할 수 있도 록 어업허가사항변경신청을 한 다음 그것이 거부된 경우에 거부처분취소소송을 제기할 수 있다.06 ★★★

선박의 척수를 변경(본선 2척을 1척으로 줄이는 대신 등선 2척과 운반선 3척을 추가하는 내용임)하여 달 라는 어업허가사항변경신청을 하였는데 피고는 1988. 9. 13. 수산업법 제15조, 제16조와 수산자원보호령 제17조 제2항의 규정에 따라 수산자원보호 및 다른 어업과 어업조정을 위하여 앞서 한 제한조건을 변경할 수 없다는 사유로 위 신청을 불허가한 것은 위법하다(대판 1990. 4. 27, 89누6808).

┏ 관련문제

다음 사례에 대한 판례의 입장으로 옳지 않은 것은?   2017 국가직 9급

고속국도 관리청이 고속도로 부지와 접도구역에 송유관 매설을 허가하면서 상대방인 甲과 체결한 협약 에 따라 송유관 시설을 이전하게 될 경우 그 비용을 甲이 부담하도록 하였는데, 그 후 도로법 시행규칙이 개정되어 접도구역에는 관리청의 허가 없이도 송유관을 매설할 수 있게 되었다.

① 협약에 따라 송유관 시설을 이전하게 될 경우 그 비용을 甲이 부담하도록 한 것은 행정행위의 부관 중 부담에 해당한다.
② 甲과의 협약이 없더라도 고속국도 관리청은 송유관매설허가를 하면서 일방적으로 송유관 이전시 그 비용을 甲이 부담한다는 내용의 부관을 부가할 수 있다.
③ 도로법 시행규칙의 개정 이후에도 위 협약에 포함된 부관은 부당결부금지의 원칙에 반하지 않는다.
④ 도로법 시행규칙의 개정으로 접도구역에는 관리청의 허가 없이도 송유관을 매설할 수 있게 되었기 때문에 위 협약 중 접도구역에 대한 부분은 효력이 소멸된다.

정답 ④

ⓐ 부진정일부취소소송
1. 진정일부취소소송
부관만을 독립하여 쟁송의 대상으로 삼아 부 관만의 취소를 요구하는 진정한 의미의 일부 취소소송을 의미한다. 통설과 판례는 부담에 대해 진정일부취소소송을 인정한다.
2. 부진정일부취소소송
부관이 붙은 행정행위 전체를 소송대상으로 하되, 실질적으로는 부관만의 취소를 구하 는 소송형태를 부진정일부취소소송이라고 한다.02 부담을 제외한 부관에 대해 다수설 은 이러한 소송형태를 인정하나, 판례는 부 담 이외의 부관에 대해 부진정일부취소소송 을 부정하고 있다.

ⓑ 판례에 따르면 부진정일부취소소송을 인정 하지 않으므로 결국 위법한 부관에 대해서만 취 소를 구하고 싶더라도 당해 행정행위 전체를 다 툴 수밖에 없다는 점에서 권리구제 측면에서 문 제가 있다.

제 2 절 부관과 이를 기초로 한 후속조치

❶ 민법 제109조【착오로 인한 의사표시】① 의사표시는 법률행위의 내용의 중요부분에 착오가 있는 때에는 취소할 수 있다.

❶ 문제의 소재

부관부 행정행위의 경우 부관의 이행으로서 상대방인 국민 등의 행위가 후속조치로 이루어지는 경우가 있다. 예컨대, 토지를 기부채납할 것을 부관으로 붙인 토지형질변경행위허가에 따라 토지를 기부채납하는 경우 또는 공유재산 중 일반재산의 매매계약을 체결할 것을 부관으로 붙인 주택건설사업계획승인처분에 따라 매매계약을 체결하는 경우 등을 들 수 있다. 이때 기부채납부관에 따른 토지의 기부채납의 성질과 부관이 위법한 경우 그 이행으로 이루어진 후속조치의 효력은 어떠한지가 문제된다.

❷ 후속조치의 성질

판례는 기부채납부담과 기부채납을 별개로 보아 기부채납은 공법관계가 아닌 사법(私法)상의 증여계약이라고 본다. 또한 위의 사례에서 일반재산의 매매는 당연히 사법상 매매계약에 해당한다.

┌ **관련판례** ─────────────────────

기부채납의 법적 성질은 <u>사법(私法)상의 증여계약</u>에 해당한다.01 ★★★

기부채납은 기부자가 그의 소유재산을 지방자치단체의 공유재산으로 증여하는 의사표시를 하고 지방자치단체는 이를 승낙하는 채납의 의사표시를 함으로써 성립하는 증여계약이고, 증여계약의 주된 내용은 기부자가 그의 소유재산에 대한 소유권, 즉 사용·수익권 및 처분권을 무상으로 지방자치단체에 양도하는 것이므로, 증여계약이 해제된다면 특별한 사정이 없는 한 기부자는 그의 소유재산에 처분권뿐만 아니라 사용·수익권까지 포함한 완전한 소유권을 회복한다(대판 1996. 11. 8, 96다20581).

❸ 하자 있는 부관의 이행으로 이루어진 사법행위의 효력

이는 기부채납의 부담이 위법한 경우에 이 부담의 이행으로 행해진 사법상 법률행위(기부채납)의 효력이 어떻게 되는가와 관련하여 논의되는 문제이다.

1. 학 설

(1) 부관구속설

부관의 이행으로 이루어진 사법행위의 효력은 부관에 구속을 받으므로, 예컨대 기부계약의 중요부분에 착오가 있더라도 그 원인행위인 부관이 무효이거나 취소·철회되지 않는 한 기부계약의사표시의 착오를 이유로 기부행위만을 취소할 수는 없다고 한다.❶

(2) 부관무관설

부관의 이행으로 이루어진 사법행위의 효력은 부관과 무관하게 독자적으로 판단하여야 하므로, 예컨대 기부계약의 중요부분에 착오가 있다면 그 원인행위인 부관의 효력유지와는 무관하게 기부행위를 취소할 수 있다고 한다.

2. 판례

판례는 부관구속설에 가까운 입장을 취한 바 있으나, 최근 판례는 부관무관설의 입장을 취하는 것으로 보인다. 즉, 최근 판례에 의하면 행정처분에 붙인 부담인 부관이 무효가 되더라도, 그 부담의 이행으로 한 사법(私法)상 법률행위는 부담과는 별개의 행위로서 당연히 무효가 되는 것은 아니라고 한다. 따라서 행정처분에 붙인 부담인 부관이 제소기간의 경과로 불가쟁력이 생긴 경우에 부담에 대한 취소소송은 제기할 수 없으나, 그 부담의 이행으로 한 사법상 법률행위의 효력은 그와 별개로 다툴 수 있다고 본다.

▶ 관련판례

1. 토지소유자가 토지형질변경행위허가에 붙은 기부채납의 부관에 따라 토지를 기부채납(증여)한 경우, 기부채납의 부관이 당연무효이거나 취소되지 않은 상태에서 그 부관으로 인하여 증여계약의 중요부분에 착오가 있음을 이유로 증여계약을 취소할 수 없다(대판 1999. 5. 25, 98다53134).**01**

2-1. 행정처분에 붙인 부담인 부관이 무효가 되더라도 그 부담의 이행으로 한 사법상 법률행위가 당연히 무효가 되는 것은 아니다.**02 03 ★★★**

2-2. 행정처분에 붙인 부담인 부관에 제소기간 도과로 불가쟁력이 생긴 경우에도 그 부담의 이행으로 한 사법상 법률행위의 효력을 다툴 수 있다.**04 ★★**

   <u>행정처분에 부담인 부관을 붙인 경우 부관의 무효화에 의하여 본체인 행정처분 자체의 효력에도 영향이 있게 될 수는 있지만</u>, 그 처분을 받은 사람이 부담의 이행으로 사법상 매매 등의 법률행위를 한 경우에는 그 부관은 특별한 사정이 없는 한 법률행위를 하게 된 동기 내지 연유로 작용하였을 뿐이므로 <u>이는 법률행위의 취소사유가 될 수 있음은 별론으로 하고 그 법률행위 자체를 당연히 무효화하는 것은 아니다.</u> 또한, 행정처분에 붙은 부담인 부관이 제소기간의 도과로 확정되어 이미 불가쟁력이 생겼다면 그 하자가 중대하고 명백하여 당연무효로 보아야 할 경우 외에는 누구나 그 효력을 부인할 수 없을 것이지만, <u>부담의 이행으로서 하게 된 사법상 매매 등의 법률행위는 부담을 붙인 행정처분과는 어디까지나 별개의 법률행위이므로</u> 그 부담의 불가쟁력의 문제와는 별도로 법률행위가 사회질서 위반이나 강행규정에 위반되는지 여부 등을 따져보아 <u>그 법률행위의 유효 여부를 판단하여야 한다</u>(대판 2009. 6. 25, 2006다18174).**05**

3. 무효인 건축허가조건을 유효한 것으로 믿고 토지를 증여하였더라도 이는 동기의 착오에 불과하여 그 소유권이전등기의 말소를 청구할 수 없다.**06 ★★**

   건축허가를 하면서 일정 토지를 기부채납하도록 하는 내용의 허가조건은 부관을 붙일 수 없는 기속행위 내지 기속적 재량행위인 건축허가에 붙인 부담이거나 또는 법령상 아무런 근거가 없는 부관이어서 무효이다. 허가조건이 무효라고 하더라도 그 부관 및 본체인 건축허가 자체의 효력이 문제됨은 별론으로 하고, 허가신청대행자가 그 소유인 토지를 허가관청에게 기부채납함에 있어 위 허가조건은 증여의 의사표시를 하게 된 하나의 동기 내지 연유에 불과한 것이고, 위 허가신청대행자가 건축허가를 받은 토지의 일부를 반드시 허가관청에 기부채납하여야 한다는 법령상의 근거규정이 없음에도 불구하고 위 허가조건의 내용에 따라 위 토지를 기부채납하여야만 허가신청인들이 시공한 건축물의 준공검사가 나오는 것으로 믿고 증여계약을 체결하여 허가관청인 시 앞으로 위 토지에 관하여 소유권이전등기를 경료하여 주었다면 이는 일종의 동기의 착오로서 그 허가조건상의 하자가 허가신청대행자의 증여의 의사표시 자체에 직접 영향을 미치는 것은 아니므로, 이를 이유로 하여 위 시 명의의 소유권이전등기의 말소를 청구할 수는 없다(대판 1995. 6. 13, 94다56883).

[유튜브] 14강 필수 개념 TEST
- QR코드를 스캔해 주세요.
- 필수 개념과 출제 포인트를 풀어 보세요.
- 틀린 문제는 기본서로 확인해 주세요.

행정행위의 성립 및 효력발생요건

행정행위의 성립요건

내부적 성립요건

주 체	정당한 권한을 가진 행정청이 그 권한 내에서 정상적 의사에 따라 행해야 함.
내 용	법률상·사실상 실현가능한 행위이어야 함.
절 차	행정행위에 관하여 일정한 절차(청문·공청회 등) 요구시 그에 관한 절차를 거쳐야 함.
형 식	• 행정행위는 일정한 형식이 요구되는 경우가 많음. • 행정절차법 : 처분을 하는 경우 다른 법에 특별한 규정이 있는 경우를 제외하고는 문서로 하여야 한다고 규정함(서면주의 원칙).

외부적 성립요건

• 행정처분이 주체·내용·절차와 형식이라는 내부적 성립요건과 외부에 대한 표시라는 외부적 성립요건을 모두 갖춘 경우에 행정처분이 존재한다고 할 수 있음(판례).
• 외부적 표시행위가 필요(행정의사가 외부에 표시되어 행정청이 자유롭게 취소·철회할 수 없는 구속을 받게 되는 시점에 처분이 성립하고, 그 성립 여부는 행정청이 행정의사를 공식적인 방법으로 외부에 표시하였는지를 기준으로 판단해야 함)
• 법무부장관이 甲의 입국을 금지하는 결정을 하고, 그 정보를 내부전산망인 '출입국관리정보시스템'에 입력하였으나, 甲에게는 통보하지 않은 경우에 위 입국금지결정은 '처분'에 해당하지 않음(판례).

행정행위의 효력발생요건

도달주의

상대방이 알 수 있는 상태에 두는 것

통지의 방법

송달(특정인)
• 우편·교부 또는 정보통신망 이용시 송달받을 자의 주소·거소·영업소·사무소 또는 전자우편주소로 함. 다만, 송달받을 자가 동의하는 경우 그를 만나는 장소에서 송달 가능(행정절차법)
• 교부송달 및 우편송달은 상대방이 처분의 내용을 이미 알고 있는 경우에도 송달이 필요하다는 것이 판례의 입장임.
• **구체적 방법**

우편에 의한 송달	• **등기우편** : 그 무렵 수취인에게 도달되었다고 추정됨(원칙). 　－다만, 수취인이 주민등록지에 실제로 거주하지 아니하는 등 특별한 사정이 있는 경우 도달이 추정되지 않으므로 행정청이 도달사실을 입증하여야 함. 　－상대방이 부당하게 등기취급 우편물의 수취를 거부함으로써 우편물의 내용을 알 수 있는 객관적 상태의 형성을 방해한 경우 수취거부시에 의사표시의 효력이 생긴 것으로 보아야 함(판례). • **보통우편** : 상당한 기간 내에 도달된 것으로 추정할 수 없음.
교부에 의한 송달	수령확인서를 받고 문서를 교부함으로써 함. • 송달하는 장소에서 송달받을 자를 만나지 못한 경우에는 사무원·피용자 또는 동거인으로서 사리를 분별할 지능이 있는 사람에게 문서를 교부할 수 있음. • 문서를 송달받을 자 또는 그 사무원 등이 정당한 사유 없이 송달받기를 거부하는 때에는 그 사실을 수령확인서에 적고, 문서를 송달할 장소에 놓아둘 수 있음(이른바 유치송달).
정보통신망에 의한 송달	송달받을 자가 동의하는 경우에만 가능 • 이 경우 송달받을 자는 송달받을 전자우편주소 등을 지정하여야 함. • 정보통신망을 이용하여 전자문서로 송달을 하는 경우에는 송달받을 자가 지정한 컴퓨터에 입력된 때에 도달된 것으로 봄.

행정절차법상 공고
• 송달받을 자의 주소 등을 통상의 방법으로 확인할 수 없는 경우, 송달이 불가능한 경우 : 송달받을 자가 알기 쉽도록 관보, 공보, 게시판, 일간신문 중 하나 이상에 공고하고, 인터넷에도 공고해야 함.
• 행정절차법상 공고를 할 때에는 민감정보 및 고유식별정보 등 송달받을 자의 개인정보를 개인정보보호법에 따라 보호하여야 함.
• 행정절차법상 공고는 원칙적으로 공고일로부터 14일이 경과한 때 효력 발생

개별법상 고시 또는 공고
• 상대방이 불특정 다수인이거나 일일이 통지하는 것이 적절하지 않은 경우 등
• **효력발생일에 관해 명문규정이 없는 경우** : 고시 또는 공고 등이 있은 날부터 5일이 경과한 때에 효력 발생(「행정업무의 운영 및 혁신에 관한 규정」 및 판례)

망인(亡人)의 경우

• 망인에 대한 서훈취소는 유족에 대한 것이 아니므로 유족에 대한 통지에 의해서만 성립하여 효력이 발생한다고 볼 수 없음.
　－처분권자의 의사에 따라 상당한 방법으로 대외적으로 표시됨으로써 행정행위로서 성립하여 효력 발생(판례)

효력요건 결여의 효과

• **행정행위 효력요건** : 정당한 권한 있는 기관이 필요한 수속을 거치고 필요한 표시의 형식을 갖추어야 할 뿐만 아니라, 행정행위의 내용이 법률상 효과를 발생할 수 있는 것이어야 함.
　－그중 어느 하나 요건의 흠결도 당해 행정행위의 절대적 무효를 초래(판례)

행정법령의 적용문제

원칙

• **처분시의 법령을 적용** : 허가의 신청 후 처분 전에 법령의 개정으로 허가기준이 변경된 경우 ⇨ 원칙적으로 개정된 처분시의 법령 적용
• **소급적용금지원칙**(행정기본법 제14조 제1항)

예외

법률관계를 확인하는 처분	당해 법률관계의 확정시(지급사유 발생시)의 법령을 적용
신의성실의 원칙 위반이 있는 경우	행정청이 신청이 있음에도 정당한 이유 없이 처리를 늦춘 경우라면 변경 전 허가기준이 적용될 수 있음(판례).
법령위반행위에 대한 과징금 등 행정제재처분	행정기본법 제14조 제3항 －원칙적으로 법령위반 행위시법 적용 －행위 후 법령 등의 변경으로 법위반행위에 해당하지 않거나 제재처분기준이 가벼워진 경우로서 특별한 규정이 없는 경우 변경된 법률 적용

행정행위의 효력 및 구속력

내용적 구속력

공정력

의 의

비록 위법하더라도 당연무효가 아닌 한 권한 있는 기관에 의해서 취소되기 전까지 누구도 그 효력을 부인할 수 없어 일단 유효한 것으로 통용되는 힘(적법성 추정 ×)

근 거

- **실정법적 근거** : 행정기본법 제15조
- **이론적 근거** : 법적 안정성설(통설)−행정법관계의 안정성 유지, 상대방의 신뢰보호

공정력과 선결문제

민사·형사법원
- 행정행위의 위법성 확인이 선결문제인 경우 : 판단 가능
- 행정행위의 효력 부인이 선결문제인 경우
  −취소사유 사안 : 효력 부인 불가(공정력 존재)
  −무효사유 사안 : 효력 부인 가능(공정력 ×)
- 판례
  −도시계획법에 정한 처분이나 조치명령을 받은 자가 이에 위반한 경우, 이로 인하여 동법 제92조에 정한 처벌을 하기 위하여는 그 처분이나 조치명령이 적법한 것이어야 함. 그리고 그 처분이 당연무효가 아니더라도, 그것이 위법한 처분으로 인정되는 한 동법 제92조 위반죄가 성립 ×
  −「국토의 계획 및 이용에 관한 법률」에 따른 처분이나 조치명령에 따라야 할 의무위반을 이유로 형사처벌을 하기 위해서는 그 처분이나 조치명령이 적법한 것이어야 하므로 형사법원은 해당 조치명령의 위법성을 판단할 수 있음(판례).
  −자동차관리법상 운행정지명령이 당연무효는 아니더라도 위법한 처분으로 인정된다면 그 위반죄는 성립할 수 없음(판례).
  −연령미달의 결격자인 피고인이 형의 이름으로 운전면허시험에 응시하여 교부받은 운전면허는 당연무효가 아니고 취소되지 않는 한 유효하므로 피고인의 운전행위는 무면허운전에 해당하지 아니함(판례).
  비교) 운전면허취소처분의 원인이 된 교통사고 또는 법규위반에 대하여 범죄사실의 증명이 없는 때에 해당한다는 이유로 무죄판결이 확정된 경우 취소처분이 취소되지 않았더라도 도로교통법에 규정된 무면허운전의 죄로 처벌할 수는 없음(판례).
  −조세포탈에 관하여 유죄의 확정판결이 있은 후에, 그 조세부과처분을 취소하는 행정소송판결이 확정된 경우, 형사소송법 제420조 제5항의 재심사유에 해당
  −행정처분의 취소판결이 있어야만 그 행정처분이 위법임을 이유로 손해배상청구를 할 수 있는 것은 아님.

한 계

- 무효인 행정행위에는 공정력 인정 ×(행정기본법 제15조 단서)
- 존재하지 않는(부존재) 행정행위도 공정력 인정 ×
- 공정력은 취소쟁송제도를 전제로 한 것이므로 처분 외에 취소쟁송의 대상이 되지 않는 법규명령, 공법상 계약, 단순한 사실행위 및 사법행위는 공정력 인정 ×

입증책임

공정력과 입증책임은 무관

공정력과 구성요건적 효력을 구분하는 견해

- **공정력** : 상대방 또는 이해관계인을 구속하는 효력
- **구성요건적 효력** : 다른 국가기관 등에 미치는 효력(근거는 권력분립에 따른 기관 간 권한존중의 원칙)

존속력(불가쟁력·불가변력)

불가쟁력 (형식적 존속력)	• **개념** : 쟁송제기기간이 경과하거나 쟁송수단을 다 거친 경우 상대방 또는 이해관계인이 더 이상 행정행위의 효력을 다툴 수 없게 되는 힘 • **내용** −상대방 또는 이해관계인에 대한 효력 : 불가쟁력이 발생한 행정행위라도 처분청이 취소·철회 가능 −행정상 손해배상청구의 가능성 : 불가쟁력이 발생한 행정행위라도 소멸시효가 완성되지 않는 한 상대방 등은 행정상 손해배상청구소송 제기 가능 −무효인 행정행위는 불가쟁력이 발생 × : 무효확인소송을 제기함에 있어서는 쟁송제기기간의 제한 × −일반적으로 행정처분이 불복기간의 경과로 확정될 경우, 그 확정력에 판결에서와 같은 기판력이 인정되는 것은 아님. • **불가쟁력이 발생한 행정행위에 대한 변경신청권 문제** : 법령에서 신청권을 인정하고 있거나 법령해석상 신청권이 인정될 수 있는 등 특별한 사정이 없는 한 신청권 없음.
불가변력 (실질적 존속력)	• **개념** : 행정청 자신도 직권으로 자유로이 취소·변경할 수 없는 효력 • **불가변력이 인정되는 행정행위** −준사법적 행정행위 : 행정심판의 재결·특허심판원의 심결 −확인행위 • **내용** −불가변력 발생시 행정청은 직권으로 취소할 수 없으나 이해관계인은 쟁송기간이 경과하지 않은 경우 취소소송제기 가능 −무효인 행정행위의 경우 불가변력이 발생하지 않음. −동종의 행정행위라도 그 대상이 다르면 인정되지 않음. −수익적 행정행위는 신뢰보호의 원칙에 의해 취소가 제한되는 것일 뿐 불가변력이 발생하는 것은 아니라는 것이 다수설 −실질적 존속력이 있는 행정행위를 철회하거나 취소하면 그 자체가 위법한 행위가 됨.

- **불가쟁력과 불가변력의 차이점**

구 분	불가쟁력	불가변력
상대방	상대방 및 이해관계인 구속	처분청 등 행정기관 구속
성 질	절차법적 효력	실체법적 효력
효력발생범위	모든 행정행위	일정한 행정행위
효력의 독립성	불가쟁력 발생 ⇨ 불가변력이 발생하는 것은 아님(직권취소는 가능).	불가변력 발생 ⇨ 불가쟁력이 발생하는 것은 아님(쟁송제기는 가능).

강제력(자력집행력·제재력)

자력집행력	• 행정행위에 의해 부과된 의무를 상대방이 불이행시, 행정청이 스스로 강제력을 발동하여 그 의무를 실현시키는 힘 • 하명행위에 인정됨. • 별도의 법적 근거가 있어야 함.
제재력	• 행정행위의 상대방이 의무를 이행하지 않을 때 그에 대한 제재로 행정벌을 부과하는 효력을 의미 • 명시적인 법적 근거가 있어야 함.

초대 Topic 18 　핵심집약 Topic 29

❶ 행정절차법 제24조【처분의 방식】
① 행정청이 처분을 할 때에는 다른 법령 등에 특별한 규정이 있는 경우를 제외하고는 <u>문서로 하여야 하며</u>, 다음 각 호의 어느 하나에 해당하는 경우에는 전자문서로 할 수 있다.
1. 당사자 등의 동의가 있는 경우
2. 당사자가 전자문서로 처분을 신청한 경우
② 제1항에도 불구하고 공공의 안전 또는 복리를 위하여 긴급히 처분을 할 필요가 있거나 사안이 경미한 경우에는 말, 전화, 휴대전화를 이용한 문자전송, 팩스 또는 전자우편 등 문서가 아닌 방법으로 처분을 할 수 있다. 이 경우 당사자가 요청하면 지체 없이 처분에 관한 문서를 주어야 한다.

행정행위가 성립하여 효력을 발생시키기 위해서는 성립 및 효력요건을 구비하여야 하며, 성립 및 효력요건은 행정행위의 적법요건으로서 이러한 요건을 갖추지 못한 경우는 하자 있는 행정행위가 된다. 성립요건은 크게 내부적 요건과 외부적 요건으로 나눌 수 있으며, 성립된 행정행위가 효력을 발생시키기 위해서는 상대방에게 도달되어야 한다.

01 | 행정행위의 성립요건

❶ 내부적 성립요건

1. 주체에 관한 요건

정당한 권한을 가진 행정청이 자신에게 부여된 권한 내에서 정상적인 의사에 따라 행해야 한다.

2. 내용에 관한 요건

행정행위는 법률상·사실상 실현 가능한 행위이어야 한다. 그리고 이해관계인이 인식할 수 있을 정도로 명확한 것이어야 하고, 그 내용이 법률에 적합하여야 한다.

3. 절차에 관한 요건

행정행위에 관하여 일정한 절차(청문·공청회 등)가 요구되고 있는 경우에는 그에 관한 절차를 거쳐야 하며, 다른 관청의 협력절차가 요구되는 경우에는 그러한 절차를 거쳐야 한다.

┌ **관련판례**
교육과학기술부장관(현 교육부장관)의 검정도서의 수정명령의 내용이 <u>표현상의 잘못이나 기술적 사항 또는 객관적 오류를 바로잡는 정도를 넘어서서 이미 검정을 거친 내용을 실질적으로 변경하는 결과를 가져오는 경우</u>에는 새로운 검정절차를 취하는 것과 마찬가지라 할 수 있으므로 <u>검정절차상의 교과용 도서심의회의 심의에 준하는 절차를 거쳐야 한다</u>(대판 2013. 2. 15, 2011두21485).

4. 형식에 관한 요건 – 서면주의

행정행위는 그 내용과 존재를 객관적으로 명확히 하기 위해 일정한 형식이 요구되는 경우가 많다. 행정절차법은 행정청이 처분을 하는 경우에는 다른 법에 특별한 규정이 있는 경우를 제외하고는 문서로 하여야 한다고 규정함으로써 서면주의 원칙을 정하고 있다.01**❶** 한편, 이는 처분의 명확성을 확보하고 처분의 존부에 관한 다툼을 방지하기 위함이라는 것이 판례의 입장이다.

┌ **관련판례**
1-1. 행정처분을 하는 문서의 문언만으로 <u>행정처분의 내용이 분명한 경우</u>, 그 문언과 달리 다른 행정처분까지 포함되어 있다고 <u>확대해석할 수 없다</u>.02

1-2. 지방소방사시보 발령을 취소한다고만 기재되어 있는 인사발령통지서에 정규공무원인 지방소방사 임용행위까지 취소한다는 취지가 포함되어 있다고 볼 수 없다.

　　행정청이 문서에 의하여 처분을 한 경우 그 처분서의 문언이 불분명하다는 등의 특별한 사정이 없는 한, 그 문언에 따라 어떤 처분을 하였는지 여부를 확정하여야 할 것이고, 처분서의 문언만으로도 행정청이 어떤 처분을 하였는지가 분명함에도 불구하고 처분경위나 처분 이후의 상대방의 태도 등 다른 사정을 고려하여 처분서의 문언과는 달리 다른 처분까지 포함되어 있는 것으로 확대해석하여서는 아니 된다(대판 2005. 7. 28, 2003두469).

2. 행정청이 문서에 의하여 처분을 한 경우 원칙적으로 그 처분서의 문언에 따라 어떤 처분을 하였는지를 확정하여야 하나, 그 처분서의 문언만으로는 행정청이 어떤 처분을 하였는지 불분명하다는 등 특별한 사정이 있는 때에는 처분 경위, 처분청의 진정한 의사, 처분을 전후한 상대방의 태도 등 다른 사정을 고려하여 처분서의 문언과 달리 그 처분의 내용을 해석할 수도 있다(대판 2020. 6. 11, 2019두49359).01 ★

3. 공문서(전자공문서 포함)는 결재권자가 서명 등의 방법으로 결재함으로써 성립된다. 여기서 '결재'란 문서의 내용을 승인하여 문서로서 성립시킨다는 의사를 서명 등을 통해 외부에 표시하는 행위이다. 결재권자의 결재가 있었는지 여부는 결재권자가 서명을 하였는지뿐만 아니라 문서에 대한 결재권자의 지시사항, 결재의 대상이 된 문서의 종류와 특성, 관련법령의 규정 및 업무절차 등을 종합적으로 고려하여야 한다(대판 2020. 12. 10, 2015도19296).

❷ 외부적 성립요건

1. 행정행위가 완전히 성립하기 위해서는 외부적 표시행위가 필요하다. 행정행위가 외부에 표시된 경우에는 행정행위로서 일단 완전하게 성립된 것이므로 비록 상대방에게 도달 전이라도 행정청은 이를 이유 없이 취소·변경할 수 없다고 할 것이다.

2. 행정청의 의사의 외부에 대한 표시는 공식적인 것이어야 한다. 행정기관의 공무원에 의한 사적인 통지나 우연히 알게 된 것만으로 행정행위는 성립되지 않는다. 행정청의 내부적 의사결정의 사실이 신문에 보도된 것도 행정청의 의사가 외부에 표시된 것으로 볼 수 없다.

┌ 관련판례

1-1. 일반적으로 처분이 주체·내용·절차와 형식의 요건을 모두 갖추고 외부에 표시된 경우에는 처분의 존재가 인정된다.02 행정의사가 외부에 표시되어 행정청이 자유롭게 취소·철회할 수 없는 구속을 받게 되는 시점에 처분이 성립하고, 그 성립 여부는 행정청이 행정의사를 공식적인 방법으로 외부에 표시하였는지를 기준으로 판단해야 한다.03 ★★★

1-2. 병무청장이 법무부장관에게 "가수 甲이 공연을 위하여 국외여행허가를 받고 출국한 후 미국시민권을 취득함으로써 사실상 병역의무를 면탈하였으므로 재외동포 자격으로 재입국하고자 하는 경우 국내에서 취업, 가수활동 등 영리활동을 할 수 없도록 하고, 불가능할 경우 입국 자체를 금지해 달라."고 요청함에 따라 법무부장관이 甲의 입국을 금지하는 결정을 하고, 그 정보를 내부전산망인 '출입국관리정보시스템'에 입력하였으나, 甲에게는 통보하지 않은 사안에서, 위 입국금지결정은 항고소송의 대상이 되는 '처분'에 해당하지 않는다.04 ★★★

　　행정청이 행정의사를 외부에 표시하여 행정청이 자유롭게 취소·철회할 수 없는 구속을 받기 전에는 '처분'이 성립하지 않으므로 법무부장관이 출입국관리법 제11조 제1항 제3호 또는 제4호, 출입국관리법 시행령 제14조 제1항, 제2항에 따라 위 입국금지결정을 했다고 해서 '처분'이 성립한다고 볼 수는 없고, 위 입국금지결정은 법무부장관의 의사가 공식적인 방법으로 외부에 표시된 것이 아니라 단지 그 정보를 내부전산망인 '출입국관리정보시스템'에 입력하여 관리한 것에 지나지 않으므로, 위 입국금지결정은 항고소송의 대상이 될 수 있는 '처분'에 해당하지 않는다(대판 2019. 7. 11, 2017두38874).

2. 과세관청이 납세의무자의 기한 후 신고에 대하여 내부적인 결정을 하였다 하더라도 이를 납세의무자에게 공식적인 방법으로 통지하지 않은 경우에는 기한 후 신고에 대한 결정이 외부적으로 성립하였다고 볼 수 없으므로, 항고소송의 대상이 되는 처분이 존재한다고 할 수 없다(대판 2020. 2. 27, 2016두60898).

① 도달주의

행정행위는 교통신호와 같이 성립과 동시에 효력이 발생하는 것도 있으나, 상대방이 있는 행정행위는 원칙적으로 상대방에게 발신한 때(발신주의)가 아니라 상대방에게 도달된 때(도달주의)에 그 효력이 발생한다(행정절차법 제15조).01❶❶ 여기서 도달이란 상대방이 직접 수령하여 그 내용을 현실적으로 안 것을 의미하는 것이 아니라 상대방이 알 수 있는 상태에 두는 것을 의미한다.

┌─ **관련판례** ─

1. 대형마트 영업시간 제한 등 처분시 그 처분의 상대방은 대규모 점포개설자이다.

   영업시간 제한 등 처분의 대상인 대규모점포 중 개설자의 직영매장 이외에 개설자로부터 임차하여 운영하는 임대매장이 병존하는 경우에도, 전체 매장에 대하여 법령상 대규모점포 등의 유지·관리 책임을 지는 개설자만이 처분상대방이 되고, 임대매장의 임차인이 이와 별도로 처분상대방이 되는 것은 아니라고 할 것이다. 따라서 사전통지·의견청취 절차는 원고들(편저자 주 : 전체 매장에 대하여 법령상 대규모점포 등의 유지·관리 책임을 지는 개설자)을 상대로 거치면 충분하고, 그 밖에 임차인들을 상대로 별도의 사전통지 등 절차를 거칠 필요가 없다(대판 2015. 11. 19, 2015두295 전합).

2. (구치소에 수감 중인 공무원에 대해 파면처분을 하면서 그 서류를 구치소로 보내지 아니하고 주소지로 보내어 배우자가 처분서를 수령한 경우 처분이 도달되었다고 판시한 사건에서) 도달이란 상대방이 그 내용을 현실적으로 알 필요까지는 없고 알 수 있는 상태에 놓여짐으로써 충분하다(대판 1989. 9. 26, 89누4963).04 ★★★

3. 문화재보호법 제13조 제2항 소정의 중요문화재 가지정의 효력발생요건인 통지는 행정처분을 상대방에게 표시하는 것으로서 상대방이 인식할 수 있는 상태에 둠으로써 족하고, 객관적으로 보아서 행정처분으로 인식할 수 있도록 고지하면 되는 것이다(대판 2003. 7. 22, 2003두513).05 ★★

4. 상대방이 부당하게 등기취급 우편물의 수취를 거부함으로써 우편물의 내용을 알 수 있는 객관적 상태의 형성을 방해한 경우, 그러한 상태가 형성되지 아니하였다는 사정만으로 발송인의 의사표시 효력을 부정할 수는 없으며, 이 경우 의사표시의 효력발생시기는 수취거부시이다.

   상대방이 부당하게 등기취급 우편물의 수취를 거부함으로써 우편물의 내용을 알 수 있는 객관적 상태의 형성을 방해한 경우 그러한 상태가 형성되지 아니하였다는 사정만으로 발송인의 의사표시의 효력을 부정하는 것은 신의성실의 원칙에 반하므로 허용되지 아니한다. 이러한 경우에는 부당한 수취거부가 없었더라면 상대방이 우편물의 내용을 알 수 있는 객관적 상태에 놓일 수 있었던 때, 즉 수취거부시에 의사표시의 효력이 생긴 것으로 보아야 한다(대판 2020. 8. 20, 2019두34630).

② 통지의 방법

1. 개 설

행정행위를 통지하는 방법으로는 상대방이 특정인인 경우 원칙적으로 송달에 의하고, 상대방이 불특정 다수인이거나 기타 송달이 불가능한 경우에는 고시 또는 공고에 의한다.

2. 일반적인 송달

(1) 개 설

① 송달에 관해서는 행정절차법에 규정이 있는바, 행정절차법에 따르면 송달은 우편, 교부 또는 정보통신망 이용 등의 방법으로 하되,06 송달받을 자의 주소·거소(居所)·영업소·사무소 또는 전자우편

주소로 한다. 국내에 주소 · 거소 · 영업소 또는 사무소가 없는 외국사업자에 대하여 우편송달의 방법으로 문서를 송달할 수 있는지의 여부가 문제되나 판례는 이를 긍정한다. 한편 송달이 부적법하면 처분은 효력을 발생할 수 없다는 것이 판례의 입장이다.

┌ **관련판례**
공정거래위원회는 국내에 주소 · 거소 · 영업소 또는 사무소가 없는 외국사업자에 대하여 우편송달의 방법으로 문서를 송달할 수 있다(대판 2006. 3. 24, 2004두11275).**01**

② 다만, 송달받을 자가 동의하는 경우에는 그를 만나는 장소에서 송달할 수 있다(행정절차법 제14조 제1항). 한편, 행정청은 송달하는 문서의 명칭, 송달받는 자의 성명 또는 명칭, 발송방법 및 발송연월일을 확인할 수 있는 기록을 보존하여야 한다(동법 제14조 제6항).**02**

┌─────
행정절차법 제14조【송달】 ① 송달은 우편, 교부 또는 정보통신망 이용 등의 방법으로 하되, 송달받을 자(대표자 또는 대리인을 포함한다. 이하 같다)의 주소 · 거소(居所) · 영업소 · 사무소 또는 전자우편주소(이하 '주소 등'이라 한다)로 한다. 다만, 송달받을 자가 동의하는 경우에는 그를 만나는 장소에서 송달할 수 있다.
─────┘

③ 한편, 교부송달 및 우편송달은 상대방이 처분의 내용을 이미 알고 있는 경우에도 그 송달이 필요하다는 것이 판례의 입장이다.

┌ **관련판례**
1. 납세고지서(현 납부고지서 – 이하 동일)의 교부송달 및 우편송달에 있어서 반드시 납세의무자 또는 그와 일정한 관계에 있는 사람의 현실적인 수령행위를 전제로 하는 것이고 납세자가 과세처분의 내용을 이미 알고 있는 경우에도 납세고지서 송달이 필요하다(대판 2004. 4. 9, 2003두13908).**03 ★★★**

2. 납세의무자가 거주하지 아니하는 주민등록상 주소지로 납세고지서를 등기우편으로 발송한 후 반송된 사실이 없는 경우, 송달은 부적법하다(대판 1998. 2. 13, 97누8977).

3-1. 상대방 있는 행정처분은 상대방에게 고지되어야 원칙적으로 효력이 발생한다.

3-2. 상대방 있는 행정처분이 상대방에게 고지되지 않았으나 상대방이 다른 경로를 통해 행정처분의 내용을 알게 된 경우라도, 행정처분의 효력이 발생하는 것은 아니다.**04 ★★**
상대방 있는 행정처분은 특별한 규정이 없는 한 의사표시에 관한 일반법리에 따라 상대방에게 고지되어야 효력이 발생하고, 상대방 있는 행정처분이 상대방에게 고지되지 아니한 경우에는 상대방이 다른 경로를 통해 행정처분의 내용을 알게 되었다고 하더라도 행정처분의 효력이 발생한다고 볼 수 없다. 피고가 인터넷 홈페이지에 이 사건 처분의 결정 내용을 게시한 것만으로는 행정절차법 제14조에서 정한 바에 따라 송달이 이루어졌다고 볼 수 없고, 원고가 그 홈페이지에 접속하여 결정 내용을 확인하여 알게 되었다고 하더라도 마찬가지이다(대판 2019. 8. 9, 2019두38656).

(2) 구체적 방법

① **우편에 의한 송달 – 등기우편과 보통우편(통상우편)**

　㉠ **등기우편의 경우**(내용증명우편도 동일)ⓐ

　　ⓐ **원칙 – 그 무렵 수취인에게 도달되었다고 추정ⓑ됨** : 등기우편으로 우편물을 발송한 경우 반송되는 등의 사정이 없는 한 원칙적으로 그 무렵 수취인에게 배달되었다고 보아야 한다는 것이 판례의 입장이다.

　　ⓑ **예외 – 특별한 사정이 있는 경우** : 수취인이나 가족이 실제로 주민등록지에 거주하지 않는 등의 특별한 사정이 있는 경우에는 도달이 추정되지 않는다는 입장이다.

┌ **관련판례**
1. 우편물이 등기취급의 방법으로 발송된 경우 그 무렵 수취인에게 배달되었다고 본다(원칙).★★★

기출 체크

□□□□□ **01** 행정청은 국내에 주소 · 거소 · 영업소 또는 사무소가 없는 외국사업자에 대하여 우편송달의 방법으로 문서를 송달할 수 있다. (O, ×)　2018 경행경채

□□□□□ **02** 행정청은 송달하는 문서의 명칭, 송달받는 자의 성명 또는 명칭, 발송방법 및 발송연월일을 확인할 수 있는 기록을 보존하여야 한다. (O, ×)　2020 국회직 8급

□□□□□ **03** 납세자가 과세처분의 내용을 미리 알고 있는 경우 납세고지서의 송달은 불필요하다. (O, ×) ★★★　2017 교육행정직 9급

□□□□□ **04** 상대방 있는 행정처분이 상대방에게 고지되지 아니한 경우에도 상대방이 다른 경로를 통해 행정처분의 내용을 알게 되었다면 행정처분의 효력이 발생한다고 볼 수 있다. (O, ×) ★★　2023 군무원 9급

ⓐ **등기우편과 배달방법**
보통우편과 달리 등기로 취급하는 우편물은 수취인 · 동거인(동일 직장에서 근무하는 자를 포함) 또는 수령인으로부터 그 수령사실의 확인을 받고 배달하여야 한다(우편법 시행령 제42조 제3항).

ⓑ **추 정**
추정이란 명확하지 않은 사실에 대해 일단 그러한 사실이 존재하는 것으로 보아 일정한 법률효과를 발생시키는 것을 말한다. 다만, 추정된 사실에 대해서는 반대의 증명(반증)이 있으면 추정된 효력을 뒤집을 수 있다.

정답　01 O　02 O　03 ×　04 ×

기출 체크

☐☐☐☐☐ **01** 등기에 의한 우편송달의 경우라도 수취인이 주민등록지에 실제로 거주하지 않는 경우에는 우편물의 도달사실을 처분청이 입증해야 한다. (○, ×) ★★★
2018 국가직 9급

☐☐☐☐☐ **02** 처분서를 보통우편의 방법으로 발송한 경우에는 그 우편물이 상당한 기간 내에 도달하였다고 추정할 수 없다. (○, ×) ★★★
2018 국가직 9급

☐☐☐☐☐ **03** 내용증명우편이나 등기우편과는 달리, 보통우편의 방법으로 발송된 경우 송달의 효력을 주장하는 측에서 증거에 의하여 이를 입증하여야 한다. (○, ×) ★★★
2020 경행경채

☐☐☐☐☐ **04** 교부에 의한 송달은 수령확인서를 받고 문서를 교부함으로써 한다. (○, ×) ★
2014 서울시 9급

☐☐☐☐☐ **05** (행정절차법상) 교부에 의한 송달은 수령확인서를 받고 문서를 교부함으로써 하며, 송달하는 장소에서 송달받을 자를 만나지 못한 경우에는 그 사무원·피용자 또는 동거인으로서 사리를 분별할 지능이 있는 사람에게 문서를 교부할 수 있다. (○, ×) ★★
2017 국가직(하) 7급

☐☐☐☐☐ **06** (행정절차법상) 문서를 송달받을 자 또는 그 사무원 등이 정당한 사유 없이 송달받기를 거부하는 때에는 그 사실을 수령확인서에 적고, 문서를 송달할 장소에 놓아둘 수 있다. (○, ×) ★★★
2017 국가직(하) 7급

☐☐☐☐☐ **07** 정보통신망을 이용한 송달은 송달받을 자가 동의하는 경우에만 한다. (○, ×) ★★★
2022 국회직 8급

우편법 등 관계규정의 취지에 비추어 볼 때 우편물이 등기취급의 방법으로 발송된 경우 반송되는 등의 특별한 사정이 없는 한 그 무렵 수취인에게 배달되었다고 보아야 한다(대판 1992. 3. 27, 91누3819).

2-1. 등기우편의 경우 특별한 사정이 없는 한 도달을 추정한다.

2-2. 다만, 수취인이 주민등록지에 실제로 거주하지 아니하는 등 특별한 사정이 있는 경우 도달이 추정되지 않으므로 행정청이 도달사실을 입증하여야 한다.**01** ★★★

우편물이 등기취급의 방법으로 발송된 경우, 특별한 사정이 없는 한, 그 무렵 수취인에게 배달되었다고 보아도 좋을 것이나, 수취인이나 그 가족이 주민등록지에 실제로 거주하고 있지 아니하면서 전입신고만을 해 둔 경우에는 그 사실만으로써 주민등록지 거주자에게 송달수령의 권한을 위임하였다고 보기는 어려울 뿐 아니라 수취인이 주민등록지에 실제로 거주하지 아니하는 경우에도 우편물이 수취인에게 도달하였다고 추정할 수는 없고, 따라서 이러한 경우에는 우편물의 도달사실을 과세관청이 입증해야 할 것이고, 수취인이나 그 가족이 주민등록지에 실제로 거주하고 있지 아니하면서 전입신고만을 해 두었고, 그 밖에 주민등록지 거주자에게 송달수령의 권한을 위임하였다고 보기 어려운 사정이 인정된다면, 등기우편으로 발송된 납세고지서가 반송된 사실이 인정되지 아니한다 하여 납세의무자에게 송달된 것이라고 볼 수는 없다. …… 납세고지서가 적법하게 송달되었다고 볼 수 없으므로 이 사건 과세처분은 무효이다(대판 1998. 2. 13, 97누8977).

ⓛ **보통우편의 경우** : 보통우편에 의한 송달의 경우 상당한 기간 내에 도달된 것으로 추정할 수 없다는 것이 판례의 입장이다.**02** 따라서 우편송달의 경우 송달을 입증하기 위하여는 등기우편에 의하여야 한다.

┏ 관련판례

보통우편의 방법으로 발송한 사실만으로는 도달한 것으로 추정할 수 없다. ★★★

내용증명우편이나 등기우편과는 달리, 보통우편의 방법으로 발송되었다는 사실만으로는 그 우편물이 상당기간 내에 도달하였다고 추정할 수 없고, 송달의 효력을 주장하는 측에서 증거에 의하여 도달사실을 입증하여야 한다(대판 2002. 7. 26, 2000다25002).**03**

② **교부에 의한 송달**

ⓖ 수령확인서를 받고 문서를 교부함으로써 하며**04** 송달하는 장소에서 송달받을 자를 만나지 못한 경우에는 사무원·피용자 또는 동거인으로서 사리를 분별할 지능이 있는 사람에게 문서를 교부할 수 있다(동법 제14조 제2항).**05**

ⓛ 한편, 이른바 유치송달이 2014년 행정절차법의 개정으로 도입되었는데 이에 따르면 문서를 송달받을 자 또는 그 사무원 등이 정당한 사유 없이 송달받기를 거부하는 때에는 그 사실을 수령확인서에 적고, 문서를 송달할 장소에 놓아둘 수 있다(동법 제14조 제2항 단서).**06**

┏ 관련판례

(근로복지공단을 상대로 유족급여 및 장의비 부지급 처분 취소 청구소송을 제기한 甲에 대하여 우편집배원이 상고기록접수통지서를 송달하기 위해 甲의 주소지에 갔으나 甲을 만나지 못하자 甲과 동거하는 만 8세 1개월 남짓의 딸 乙에게 이를 교부하고 乙의 서명을 받은 사안에서 송달이 적법하지 않다고 하면서) 사리를 분별할 지능이 없는 자에게 교부한 것만으로는 적법한 송달이 있었다고 볼 수 없다.

송달받을 사람의 동거인에게 송달할 서류가 교부되고 그 동거인이 사리를 분별할 지능이 있는 이상 송달받을 사람이 그 서류의 내용을 실제로 알지 못한 경우에도 송달의 효력은 있다. 이 경우 사리를 분별할 지능이 있다고 하려면, 사법제도 일반이나 소송행위의 효력까지 이해할 수 있는 능력이 있어야 한다고 할 수는 없을 것이지만 적어도 송달의 취지를 이해하고 그가 영수한 서류를 송달받을 사람에게 교부하는 것을 기대할 수 있는 정도의 능력은 있어야 한다(대판 2011. 11. 10, 2011재두148).

③ **정보통신망에 의한 송달**

정보통신망을 이용한 송달은 송달받을 자가 동의하는 경우에만 한다.**07** 이 경우 송달받을 자는 송

정답 01 ○ **02** ○ **03** ○ **04** ○ **05** ○ **06** ○ **07** ○

달받을 전자우편주소 등을 지정하여야 한다. 정보통신망을 이용하여 전자문서로 송달을 하는 경우에는 송달받을 자가 지정한 컴퓨터에 입력된 때에 도달된 것으로 본다(동법 제14조 제3항, 제15조 제2항).01 ❶

3. 특별한 송달 - 고시 또는 공고

(1) 행정절차법상 공고(송달에 갈음하는 공고 ⓐ)

① 공고방법

  ㉠ 송달받을 자의 주소 등을 통상적인 방법으로 확인할 수 없는 경우 또는 송달이 불가능한 경우에는 송달받을 자가 알기 쉽도록 관보(중앙정부가 국민들에게 어떤 사항에 대해 널리 알리기 위해 간행하는 국가의 기관지), 공보(지방정부가 주민들에게 어떤 사항에 대해 널리 알리기 위해 간행하는 기관지), 게시판, 일간신문 중 하나 이상에 공고하고 인터넷에도 공고하여야 한다(행정절차법 제14조 제4항).02

  ㉡ 행정절차법상 공고를 할 때에는 민감정보 및 고유식별정보 등 송달받을 자의 개인정보를 개인정보보호법에 따라 보호하여야 한다(동법 제14조 제5항).

② 효력발생시기

  공고의 경우에는 다른 법령 등에 특별한 규정이 있는 경우를 제외하고는 공고일부터 14일이 지난 때에 그 효력이 발생한다. 다만, 긴급히 시행하여야 할 특별한 사유가 있어 효력발생시기를 달리 정하여 공고한 경우에는 그에 따른다(동법 제15조 제3항).03 한편, 공고의 효력이 발생하기 위해서 당사자가 공고의 내용을 반드시 알아야만 하는 것은 아니다.

(2) 개별법상 고시 또는 공고와 효력발생일

① 개별법상 고시 또는 공고

  개별법에서 고시 또는 공고를 행정행위의 통지방법으로 규정하고 있는 경우가 있다. 대부분 행정행위의 상대방이 불특정 다수인이거나 상대방이 특정될 수 있으나 일일이 통지하는 것이 적절하지 않은 경우 등에 고시 또는 공고를 하도록 하고 있다.

② 효력발생일에 관해 명문규정이 있는 경우

  이러한 경우 대부분 법령에서 고시 또는 공고의 효력발생일을 명시하고 있거나(사업인정의 경우 고시된 날), 효력발생일을 명시하여 고시 또는 공고를 하도록 하고 있다.

┌─ **관련판례**

1. 청소년유해매체물 결정 및 고시처분은 일반 불특정 다수인을 상대방으로 하여 포장의무 등을 발생시키는 행정처분이다.04 ★★

2. 정보통신윤리위원회(현 방송통신심의위원회)가 특정 인터넷 웹사이트를 청소년유해매체물로 결정하고 청소년보호위원회가 효력발생시기를 명시하여 고시함으로써 그 명시된 시점에 효력이 발생하였다.

3. 정보통신윤리위원회와 청소년보호위원회가 위 처분이 있었음을 위 웹사이트 운영자에게 제대로 통지하지 아니하였다고 하여 그 효력 자체가 발생하지 아니한 것으로 볼 수는 없다(대판 2007. 6. 14, 2004두619).05 ❺ ★★

③ 효력발생일에 관해 명문규정이 없는 경우

  ㉠ 「행정업무의 운영 및 혁신에 관한 규정」: 동 규정에 따르면 공고문서의 경우에는 그 문서에서 효력발생시기를 구체적으로 밝히고 있지 않으면 그 고시 또는 공고 등이 있은 날부터 5일이 경과한 때에 효력이 발생한다고 규정하고 있다. 여기서 공고문서란 고시·공고 등 행정기관이 일정한 사항을 일반에게 알리기 위한 문서를 말한다.

기출 체크

☐☐☐☐☐ **01** 정보통신망을 이용하여 전자문서로 송달하는 경우에는 송달받을 자가 지정한 컴퓨터 등에 입력된 때에 도달된 것으로 본다. (○, ×) ★★★
2023 국가직 9급

☐☐☐☐☐ **02** (행정절차법상) 송달이 불가능한 경우에는 송달받을 자가 알기 쉽도록 관보, 공보, 게시판, 일간신문 중 하나 이상에 공고하고 인터넷에도 공고하여야 한다. (○, ×) ★★
2023 국가직 9급

☐☐☐☐☐ **03** (행정절차법상) 송달이 불가능하여 관보, 공보 등에 공고한 경우에는 다른 법령 등에 특별한 규정이 있는 경우를 제외하고 공고일부터 14일이 경과한 때에 그 효력이 발생한다. 다만, 긴급히 시행하여야 할 특별한 사유가 있어 효력발생시기를 달리 정해 공고한 경우에는 그에 따른다. (○, ×)
2022 국회직 8급

☐☐☐☐☐ **04** 청소년유해매체물 결정 및 고시처분은 일반 불특정 다수인을 상대방으로 하여 일률적으로 표시의무, 포장의무, 청소년에 대한 판매·대여 등의 금지의무를 발생시키는 행정처분이다. (○, ×) ★★
2011 지방직 9급

☐☐☐☐☐ **05** 구 청소년보호법에 따라 정보통신윤리위원회가 특정 웹사이트를 청소년유해매체물로 결정하고 청소년보호위원회가 효력발생시기를 명시하여 고시하였으나 정보통신윤리위원회와 청소년보호위원회가 웹사이트 운영자에게는 위 처분이 있었음을 통지하지 않았다면 그 효력이 발생하지 않는다. (○, ×) ★★
2018 국가직 9급

❶ 「행정업무의 운영 및 혁신에 관한 규정」 제6조 【문서의 성립 및 효력발생】 ② 문서는 수신자에게 도달(전자문서의 경우는 수신자가 관리하거나 지정한 전자적 시스템 등에 입력되는 것을 말한다)됨으로써 효력을 발생한다.

ⓐ 행정절차법은 공시송달이라는 용어를 쓰고 있지 않지만 공시송달제도는 규정하고 있는데 행정절차법 제14조 제4항의 공고(송달에 갈음하는 공고)가 이에 해당한다. 공시송달이란 재판절차나 행정절차에서 송달할 주소를 알 수 없는 경우에 송달할 서류를 관보 등에 게시해 놓고서 일정기간이 지나면 송달이 된 것으로 간주하는 제도를 말한다.

❺ 구 청소년보호법 제22조 제3항에 따르면 청소년보호위원회는 효력발생시기를 명시하여 고시하도록 하고 있다.

조문 | 구 청소년보호법 제22조 【청소년유해매체물의 고시】 ③ 청소년보호위원회가 제1항 및 제2항의 규정에 의한 매체물을 고시할 때에는 고시의 사유와 효력발생시기를 명시하여야 한다.

정답 01 ○ **02** ○ **03** ○ **04** ○ **05** ×

□□□□□ **01** 서훈은 서훈대상자의 특별한 공적에 의하여 수여되는 고도의 일신전속적 성격을 가지는 것이므로 유족이라고 하더라도 처분의 상대방이 될 수 없다. (○, ×) ★★
2023 국가직 9급

□□□□□ **02** 망인(亡人)에게 수여된 서훈을 취소하는 경우, 그 유족은 서훈취소처분의 상대방이 되지 않는다. (○, ×) ★★
2019 서울시 2회 7급

□□□□□ **03** 망인에 대한 서훈취소는 유족에 대한 것이 아니므로 유족에 대한 통지에 의해서만 성립하여 효력이 발생한다고 볼 수 없고, 그 결정이 처분권자의 의사에 따라 상당한 방법으로 대외적으로 표시됨으로써 행정행위로서 성립하여 효력이 발생한다고 봄이 타당하다. (○, ×) ★★
2017 지방직(하) 9급

□□□□□ **04** 행정행위의 효력요건은 정당한 권한 있는 기관이 필요한 절차를 거치고 필요한 표시의 형식을 갖추어야 할 뿐만 아니라, 행정행위의 내용이 법률상 효과를 발생할 수 있는 것이어야 되며 그 중의 어느 하나의 요건의 흠결도 당해 행정행위의 취소원인이 된다. (○, ×)
2018 국회직 8급

● 고시 또는 공고
- 공고의 경우 관보 · 공보 · 게시판 · 일간신문 중 하나 이상에 공고하고 인터넷에도 공고하여야 한다.
- 행정절차법에 따르면 공고는 법령에 특별한 규정이 있는 경우를 제외하고 공고일부터 14일이 지난 때 그 효력이 발생한다.

ⓛ 판례 : 판례는 고시 또는 공고의 효력발생일에 관한 명문의 규정이 없는 경우에는 구 사무관리규정(현 「행정업무의 운영 및 혁신에 관한 규정」)을 적용하여 당해 고시 또는 공고의 효력발생일을 고시 또는 공고가 있은 후 5일이 경과한 날로 보고 있다(대판 1995. 8. 22, 94누5694 전합).

┌ **관련판례**

1. 중앙행정기관 및 그 소속기관, 지방자치단체의 기관과 군의 기관의 사무관리에 적용되는 구 사무관리규정[2011. 12. 21, 대통령령 제23383호 「행정업무의 효율적 운영에 관한 규정」(현 「행정업무의 운영 및 혁신에 관한 규정」)으로 전부 개정되기 전의 것] 제8조 제2항 단서는 공고문서의 경우에는 공고문서에 특별한 규정이 있는 경우를 제외하고는 그 고시 또는 공고가 있은 후 5일이 경과한 날부터 효력을 발생한다고 규정하고 있고, …… 구 주택법 제16조에 따라 정하는 <u>사업계획승인의 효력은 사업계획승인권자의 고시가 있은 후 5일이 경과한 날부터 발생한다</u>(대판 2013. 3. 28, 2012다57231).

2. 통상 고시 또는 공고에 의하여 행정처분을 하는 경우에는 그 처분의 상대방이 불특정 다수인이고, 그 처분의 효력이 불특정 다수인에게 일률적으로 똑같이 적용됨으로 인하여 고시일 또는 공고일에 그 행정처분이 있음을 알았던 것으로 의제하여 행정심판청구기간을 기산하는 것이므로, 관리처분계획에 이해관계를 갖는 자는 고시가 있었다는 사실을 현실적으로 알았는지 여부에 관계없이 고시가 효력을 발생하는 날인 고시가 있은 후 5일이 경과한 날에 관리처분계획인가처분이 있음을 알았다고 보아야 한다(대판 1995. 8. 22, 94누5694 전합).

❸ 망인(亡人)의 경우

┌ **관련판례**

1. <u>서훈은 서훈대상자의 특별한 공적에 의하여 수여되는 고도의 일신전속적 성격을 가지는 것이다. …… 이러한 서훈의 일신전속적 성격은 서훈취소의 경우에도 마찬가지이므로, 망인에게 수여된 서훈의 취소에서도 유족은 그 처분의 상대방이 되는 것이 아니다.</u>**01 02 ★★**

2. <u>망인에 대한 서훈취소는 유족에 대한 것이 아니므로 유족에 대한 통지에 의해서만 성립하여 효력이 발생한다고 볼 수 없고, 그 결정이 처분권자의 의사에 따라 상당한 방법으로 대외적으로 표시됨으로써 행정행위로서 성립하여 효력이 발생한다고 봄이 타당하다</u>(대판 2014. 9. 26, 2013두2518).**03 ★★**

❹ 효력요건 결여의 효과

┌ **관련판례**

<u>행정행위 효력요건은 정당한 권한 있는 기관이 필요한 수속을 거치고 필요한 표시의 형식을 갖추어야 할 뿐만 아니라, 행정행위의 내용이 법률상 효과를 발생할 수 있는 것이어야 되며 그중의 어느 하나의 요건의 흠결도 당해 행정행위의 절대적 무효를 초래하는 것</u>이며 행정행위의 내용이 법률상 결과를 발생할 수 없는 권리 · 의무를 목적한 것이면 그 행정행위 및 부관은 절대무효이다(대판 1959. 5. 14, 4290민상834).**04**

제 2 절 행정법령의 적용문제

01 | 문제의 소재

행정처분을 함에 있어 신청시와 처분시 사이에 법령이 개정된 경우 행정청은 신청시의 법령을 적용하여 처분을 하여야 하는지 처분시의 법령을 적용하여 처분을 하여야 하는지 문제된다. 또한 이와 관련하여 법령의 개정이 이루어진 경우에 행정청은 개정 전 법령을 적용할 것인지 개정 후의 법령을 적용할 것인지가 상대방인 국민의 구법에 대한 신뢰보호와 관련하여 문제가 된다. 이는 법령의 위반 시점과 불이익처분 사이에 법령이 개정된 경우에 특히 문제된다.

02 | 구체적 검토

❶ 원칙 – 처분시의 법령 적용◉

행정기관은 행위를 함에 있어 법치주의원칙에 따라 처분 당시의 법을 적용함이 원칙이다. 즉, 행정처분은 그 근거법령이 개정된 경우에도 경과규정에서 달리 정함이 없는 한 처분 당시 시행되는 개정법령과 그에 정한 기준에 의하는 것이 원칙이다.01 법령의 소급적용은 원칙적으로 인정되지 않으나, 부진정소급적용은 엄밀한 의미에서 소급적용이 아니므로 가능하다.

┌ **관련판례**

1. 광업권자가 광업권을 취득하고 그에 대한 사업휴지인가를 받은 것은 모두 개정된 광업법 시행령이 시행되기 이전이나 그 존속기간의 만료 및 연장신청은 개정된 광업법 시행령 시행 이후인 경우, 위 광업권자의 광업권 존속기간 연장허가 신청에 대하여 **개정된 광업법 시행령이 적용된다.**★★★

   광업권자가 광업권을 취득하고 그에 대한 사업휴지인가를 받은 것은 모두 개정 광업법 시행령(1994. 12. 8, 대통령령 제14424호로 개정된 시행령, 부칙(1994. 12. 8.) 제1항에 의하여 1995. 6. 8.부터 시행)이 시행되기 이전이기는 하나 그 존속기간의 만료는 개정 시행령 시행 이후인 1996. 4. 30.이고, 그 존속기간의 연장신청 역시 그 시행 이후인 1996. 1. 30.자로 이루어졌음이 분명하여 광업권의 존속기간 연장에 대하여 개정 시행령 규정을 적용하는 것이 이미 완성되거나 종결된 사실 또는 법률관계에 대하여 개정 시행령을 소급적용하는 것이라고 할 수 없고, 광업권 취득과 사업휴지인가시 광업권자가 사업휴지인가를 광업권 존속기간 연장불허의 예외사유로 규정한 개정 전 시행령 규정의 존속에 대하여 신뢰를 가졌다고 하더라도 그것이 국가에 의하여 유도된 것이라고 할 수 없을 뿐만 아니라 …… (대판 2000. 3. 10, 97누13818)

2. 의무사관후보생의 병적에서 제적된 자에게 적용될 징병검사 · 현역병입영 등의 의무를 면제받는 연령에 관한 관계법령의 규정이 개정되어 온 경우, 위 제적된 자에게 적용될 법령은 제적 당시의 개정된 시행법령이다 (대판 2002. 6. 25, 2001두5125).

3. 파산선고를 받고 복권되지 아니한 자를 임의적 면허취소사유로 규정한 개정 전 의료법하에서 파산선고를 받은 의사가 같은 사유를 필요적 면허취소사유로 규정한 개정 의료법하에서도 복권되지 아니한 경우 개정 의료법을 적용하여 의사면허를 반드시 취소하여야 한다.★

   행정처분은 그 근거법령이 개정된 경우에도 경과규정에서 달리 정함이 없는 한 처분 당시 시행되는 개

기출 체크

□□□□□ 01 행정처분은 그 근거법령이 개정된 경우에도 경과규정에서 달리 정함이 없는 한, 처분 당시 시행되는 개정법령과 그에 정한 기준에 의하는 것이 원칙이다. (○, ×) ★★★
2014 지방직 7급

● 법령의 적용

• 행정처분은 처분시의 법령을 적용함이 원칙이다.
• 법률관계를 확인하는 처분의 경우 법률관계 확정시의 법령을 적용하는 것이 판례의 취지이다.
• 과징금 등의 제재처분, 형사처벌의 경우에는 원칙적으로 법령위반행위시의 법에 따라 제재처분, 형사처벌 등이 행해진다.
• 신뢰보호를 위해 경과규정을 두는 경우에는 신청시의 법령에 따라 처분이 행해질 수도 있다.

판례 | ❿ 시세의 과세 또는 면제에 관한 조례가 개정되면서 그 부칙에서 경과규정을 두지 아니한 경우, 적용하여야 할 조례는 납세의무 성립 당시 시행되는 조례이다.

시세의 과세 또는 면제에 관한 조례가 납세의무자에게 불리하게 개정된 경우에 있어서 납세의무자의 기득권 내지 신뢰보호를 위하여 특별히 경과규정을 두어 납세의무자에게 유리한 종전 조례를 적용하도록 하고 있는 경우에는 종전 조례를 적용해야 할 것이지만, 개정 조례 부칙에서 종전의 규정을 개정 조례 시행 후에도 계속 적용한다는 경과규정을 두지 아니한 이상, 다른 특별한 사정이 없는 한 법률불소급의 원칙상 개정 전후의 조례 중에서 납세의무가 성립한 당시에 시행되는 조례를 적용하여야 할 것이다(대판 1999. 9. 3, 98두15788).

정답 01 ○

기출 체크

☐☐☐☐☐ **01** 한시적인 법인세액 감면제도를 시행하다가 새로운 조문을 신설하면서 법인세액 감면대상이 되지 아니하는 업종으로 변경된 기업에 대하여 아무런 경과규정을 두지 아니하였더라도 신뢰보호의 원칙에 위반되지 않는다. (○, ×)
2011 국회직 8급

☐☐☐☐☐ **02** 신뢰보호는 절대적이거나 어느 생활영역에서나 균일한 것은 아니고 개개의 사안마다 관련된 자유나 권리 등에 따라 보호의 정도와 방법이 다를 수 있으며, 새로운 법령을 통하여 실현하고자 하는 공익적 목적이 우월한 때에는 이를 고려하여 제한될 수 있다. (○, ×)
2024 국회직 8급

정법령과 그에서 정한 기준에 의하는 것이 원칙이고, …… 2000. 1. 12, 법률 제6157호로 개정되기 전의 의료법 제52조 제1항은 제8조 제1항 제4호 소정의 '파산선고를 받고 복권되지 아니한 자'를 임의적 면허취소사유로 규정하였다가 위 개정으로 그 항에 단서를 신설하여 위 사유를 필요적 면허취소사유로 규정하였는바, '파산선고를 받고 복권되지 아니한 자'를 파산선고 후 복권될 때까지 파산자의 상태에 있는 자의 의미로 해석한다면, 파산선고를 받고 복권되지 아니한 의사의 경우 파산자라는 결격사유가 위 법률 개정 전에 이미 종료된 것이 아니고 위 법률 개정 후에도 여전히 존속하고 있는 것으로 보아야 할 것이므로, 행정청으로서는 개정 전의 의료법을 적용하여 면허취소에 대한 재량판단을 할 것이 아니라, 개정된 의료법 제52조 제1항 단서에 따라 그 면허를 반드시 취소하여야 할 것이고 …… (대판 2001. 10. 12, 2001두274)

4. 한시적 법인세액 감면제도를 시행하다가 새로운 조문을 신설하면서 법인세액 감면대상이 되지 않는 업종으로 변경된 기업에 대하여 아무런 경과규정을 두지 않은 경우, 위 규정은 헌법상의 평등의 원칙, 재산권의 보장, 과잉금지의 원칙, 신뢰보호의 원칙 등에 위배되지 않는다(대판 2009. 9. 10, 2008두9324).**01**

❷ 예 외

1. 구법에 대한 신뢰보호를 위한 개정법령의 적용제한

개정 전 법령의 존속에 대한 국민의 신뢰가 개정법령의 적용에 대한 공익상의 요구보다 더 보호가치가 있다고 인정되는 경우에는 개정법령의 적용이 제한될 수 있다.

┌─ **관련판례** ─

1-1. 신뢰보호는 절대적이거나 어느 생활영역에서나 균일한 것은 아니고 개개의 사안마다 관련된 자유나 권리, 이익 등에 따라 보호의 정도와 방법이 다를 수 있으며, 새로운 법령을 통하여 실현하고자 하는 공익적 목적이 우월한 때에는 이를 고려하여 제한될 수 있으므로,**02** 이 경우 신뢰보호원칙의 위배 여부를 판단하기 위해서는 한편으로는 침해된 이익의 보호가치, 침해의 중한 정도, 신뢰가 손상된 정도, 신뢰침해의 방법 등과 다른 한편으로는 새 법령을 통해 실현하고자 하는 공익적 목적을 종합적으로 비교·형량하여야 한다.

1-2. 한약사 국가시험의 응시자에 관하여 개정 전의 약사법 시행령 제3조의2에서 '필수 한약 관련 과목과 학점을 이수하고 대학을 졸업한 자'로 규정하고 있던 것을 '한약학과를 졸업한 자'로 응시자격을 변경하면서, 그 개정 이전에 이미 한약자원학과에 입학하여 대학에 재학 중인 자에게도 개정 시행령이 적용되게 한 개정 시행령 부칙은 헌법상 신뢰보호의 원칙과 평등의 원칙에 위배되어 허용될 수 없다(대판 2007. 10. 29, 2005두4649 전합).

2. 비관리청이 항만공사 시행허가를 받은 이후 항만시설 준공시까지 사이에 비관리청의 항만시설 무상사용권의 범위와 관련된 총사업비에 포함되는 건설이자율에 관한 항만법 시행령이 비관리청에 불리하게 개정된 경우, 비관리청의 항만시설 무상사용권의 범위와 관련된 총사업비의 산정은 비관리청의 신뢰보호를 위하여 개정 전 항만법 시행령을 적용하여야 한다(대판 2001. 8. 21, 2000두8745).

3. (밴형 화물차의 구조를 정원 6인에서 3인으로 하도록 한 화물자동차운수사업법 시행규칙의 위헌 여부와 관련하여) 정원제한조항이 제정되기 전에 화물자동차운송사업의 등록을 한 밴형 화물자동차운송사업자들에게 정원제한조항과 화물제한조항이 적용되는 것은 신뢰보호의 원칙에 위반된다(헌재 2004. 12. 16, 2003헌마226·270·298·299 병합).

└─────

2. 법률관계를 확인하는 처분

사건의 발생시 법령에 따라 이미 법률관계가 확정되고, 행정청이 이를 확인하는 처분, 예컨대 장해등급결정을 하는 경우처럼 행정청이 확정된 법률관계를 확인하는 처분을 하는 경우에는 처분시의 법령을 적용하는 것이 아니라 당해 법률관계의 확정시(지급사유발생시)의 법령을 적용한다는 것이 판례의 태도이다.

관련판례

1. 개정된 산업재해보상보험법 시행령의 시행 전에 장해급여지급청구권을 취득한 근로자의 장해등급을 결정함에 있어 그 지급사유 발생 당시의 법령에 따르는 것이 원칙이다.**01** ★★

산업재해보상보험법상 장해급여는 근로자가 업무상의 사유로 부상을 당하거나 질병에 걸려 치료종결 후 신체 등에 장해가 있는 경우에 지급되는 것으로서, 치료종결 후 신체 등에 장해가 있을 때 그 지급사유가 발생하고, 그때 근로자는 장해급여지급청구권을 취득하므로, 장해급여 지급을 위한 장해등급결정 역시 장해급여지급청구권을 취득할 당시, 즉 그 지급사유 발생 당시의 법령에 따르는 것이 원칙이라 할 것이다(대판 2007. 2. 22, 2004두12957).

✛ 다만, 이 사안에서는 종전 법률이 남녀차별적 요소를 가짐으로써 위헌적 요소를 가지고 있었던바, 법령의 개정이 이러한 위헌적 요소를 없애려는 고려에서 이루어진 사정을 고려해 볼 때 예외적으로 개정 시행령을 적용하여야 한다고 판시하였다.

2. 장애연금 지급을 위한 장애등급결정은 장애연금지급청구권을 취득할 당시, 즉 치료종결 후 신체 등에 장애가 있게 된 당시의 법령에 따르는 것이 원칙이다.**02** ★★

국민연금법상 장애연금은 국민연금 가입 중에 생긴 질병이나 부상으로 완치된 후에도 신체상 또는 정신상의 장애가 있는 자에 대하여 그 장애가 계속되는 동안 장애 정도에 따라 지급되는 것으로서, 치료종결 후에도 신체 등에 장애가 있을 때 지급사유가 발생하고 그때 가입자는 장애연금지급청구권을 취득한다. 따라서 장애연금 지급을 위한 장애등급결정은 장애연금지급청구권을 취득할 당시, 즉 치료종결 후 신체 등에 장애가 있게 된 당시의 법령에 따르는 것이 원칙이다(대판 2014. 10. 15, 2012두15135).

3. 신의성실의 원칙 위반이 있는 경우

행정청이 심히 부당하게 처분을 늦추고, 그 사이에 허가기준을 변경한 것처럼 신의성실의 원칙에 반하는 경우에는 개정 전의 법령을 적용하여 처분하여야 한다는 것이 판례의 취지이다.

관련판례

행정청이 신청이 있음에도 정당한 이유 없이 처리를 늦춘 경우라면 변경 전 허가기준이 적용될 수 있다.

허가 등의 행정처분은 원칙적으로 처분시의 법령과 허가기준에 의하여 처리되어야 하고 허가신청 당시의 기준에 따라야 하는 것은 아니며, 비록 허가신청 후 허가기준이 변경되었다 하더라도 그 허가관청이 허가신청을 수리하고도 정당한 이유 없이 그 처리를 늦추어 그 사이에 허가기준이 변경된 것이 아닌 이상 변경된 허가기준에 따라서 처분을 하여야 한다(대판 1996. 8. 20, 95누10877).

4. 법령위반행위에 대한 과징금 등 행정제재처분

행정기본법 제14조【법적용의 기준】 ③ 법령 등을 위반한 행위의 성립과 이에 대한 제재처분은 법령 등에 특별한 규정이 있는 경우를 제외하고는 법령 등을 위반한 행위 당시의 법령 등에 따른다.**03 04** 다만, 법령 등을 위반한 행위 후 법령 등의 변경에 의하여 그 행위가 법령 등을 위반한 행위에 해당하지 아니하거나 제재처분기준이 가벼워진 경우로서 해당 법령 등에 특별한 규정이 없는 경우에는 변경된 법령 등을 적용한다.**05 06 07**

행정기본법은 법령 등을 위반한 행위에 대한 제재처분을 할 때의 법적용기준을 행위 당시의 법령으로 더욱 명확하게 규정하되 위반행위가 있은 후 당사자에게 유리한 법령 등의 개정이 있는 경우에는 변경된 법령 등을 적용하도록 하고 있다. 행정기본법 제정 이전의 판례는 법령위반행위시의 법에 따라야 함이 원칙이라고 보았다. ⓛ

기출 체크

◻◻◻◻◻ **01** 장해급여 지급을 위한 장해등급결정과 같이 행정청이 확정된 법률관계를 확인하는 처분을 하는 경우에는 처분시 법령을 적용하여야 한다. (○, ×) ★★ 　2014 지방직 7급

◻◻◻◻◻ **02** 국민연금법상 장애연금 지급을 위한 장애등급결정을 하는 경우에는 원칙상 장애연금지급청구권을 취득할 당시가 아니라 장애연금지급을 결정할 당시의 법령을 적용한다. (○, ×) ★★ 　2017 국가직(하) 7급

◻◻◻◻◻ **03** 법령 등을 위반한 행위의 성립과 이에 대한 제재처분은 법령 등에 특별한 규정이 있는 경우를 제외하고는 원칙적으로 제재처분 당시의 법령 등에 따른다. (○, ×) 　2024 소방직 9급

◻◻◻◻◻ **04** (행정기본법상) 법령 등을 위반한 행위의 성립과 이에 대한 제재처분은 법령 등에 특별한 규정이 있는 경우를 제외하고는 법령 등을 위반한 행위 당시의 법령 등에 따른다. (○, ×) 　2023 서울시 지적 7급

◻◻◻◻◻ **05** (행정기본법상) 법령 등을 위반한 행위 후 법령 등의 변경에 의하여 그 행위가 법령 등을 위반한 행위에 해당하지 아니하거나 제재처분기준이 가벼워진 경우로서 해당 법령 등에 특별한 규정이 없는 경우에는 변경된 법령 등을 적용한다. (○, ×) 　2023 서울시 지적 7급

◻◻◻◻◻ **06** 법령위반행위가 2022년 3월 23일 있은 후 법령이 개정되어 그 위반행위에 대한 제재처분기준이 감경된 경우, 특별한 규정이 없다면 해당 제재처분에 대해서는 개정된 법령을 적용한다. (○, ×) 　2022 국가직 7급

◻◻◻◻◻ **07** 법령을 위반한 행위 후 법령의 변경에 의하여 그 행위가 법령을 위반한 행위에 해당하지 아니하는 경우에도 해당 법령에 특별한 규정이 없는 경우 변경 이전의 법령을 적용한다. (○, ×) 　2021 군무원 7급

판례 | ⓛ 한편 장애등급변경결정 역시 변경 사유 발생 당시, 즉 장애등급을 다시 평가하는 기준일인 '질병이나 부상이 완치되는 날'의 법령에 따르는 것이 원칙이다(대판 2014. 10. 15, 2012두15135).

ⓛ (법령의 개정으로 법위반행위에 대해 과태료가 아닌 이행강제금을 부과하도록 한 규정의 적용과 관련하여) 위반행위를 한 시기가 개정 건축법이 시행되기 전이라면 구 건축법을 적용하여 과태료에 처하여야 한다(대결 1995. 11. 17, 95마1048).

정답 **01** × **02** × **03** × **04** ○ **05** ○ **06** ○ **07** ×

관련판례

1-1. 경과규정 등의 특별규정 없이 법령이 변경된 경우, 그 변경 전에 발생한 사항에 대하여 적용할 법령은 개정 전의 구법령이다. ★★★

1-2. 건설업자가 시공자격 없는 자에게 전문공사를 하도급한 행위에 대하여 과징금 부과처분을 하는 경우, 구체적인 부과기준에 대하여 처분시의 법령이 행위시의 법령보다 불리하게 개정되었고 어느 법령을 적용할 것인지에 대하여 특별한 규정이 없다면 행위시의 법령을 적용하여야 한다(대판 2002. 12. 10, 2001두3228). **01** ★★

2. 제약회사의 리베이트 제공이라는 위반행위에 대한 약제 상한금액 인하처분은 제재적 성격을 포함하고 있으므로 위반행위인 리베이트 제공 당시에 시행되던 법령에 따라 이루어져야 한다(대판 2022. 5. 13, 2019두49199 · 49205).

초대 Topic 19   핵심집약 Topic 31

행정행위가 성립요건(p.302 참조)과 효력요건(p.304 참조)을 모두 갖추면 행위의 종류에 따라 내용적 구속력, 공정력(최근의 유력설에 의하면 공정력과 구성요건적 효력), 존속력, 강제력 등이 발생하게 된다.

01 | 내용적 구속력

1. 구속력이란 행정행위가 그 내용에 따라 관계행정청 및 상대방과 이해관계인에 대하여 일정한 법률적 효과, 즉 구속력을 발생시키는 힘을 말한다.01

2. 예컨대, 건물철거명령의 경우 상대방에게 그 내용에 따라 철거의무를 발생시키며 광업허가의 경우 상대방에게 권리를 설정하는 등의 효력을 말하는데, 이러한 효력은 모든 행정행위에 발생한다고 볼 수 있다. 한편 처분청도 그 행위를 취소하거나 철회하지 않는 한 행위의 내용에 구속된다. 즉, 행정행위의 발령은 일방적인 것이나, 내용상의 구속력은 쌍방적인 실체법상의 효력이다.

02 | 공정력(예선적 효력)

❶ 의 의

공정력이라 함은, 비록 행정행위에 하자가 있는 경우라도 그것이 중대·명백하여 당연무효❶로 인정되는 경우를 제외하고는 권한 있는 기관(처분청·감독청, 행정심판위원회·취소소송관할법원)에 의하여
　　　　　　　　　　　　　　　(직권취소기관)　　　　　　　　(쟁송취소기관)
취소되기 전까지 다른 누구(상대방, 다른 행정청, 민·형사법원)도 그 효력을 부인할 수 없어 일단 유효한 것으로 통용되는 힘을 말한다02(최근에는 공정력과 구성요건적 효력을 구별하는 견해가 유력한바, 후술한다). ❶❷ 따라서 조세부과처분이 비록 위법하다 하더라도 그 하자가 중대하고 명백하여 당연무효가 아닌 한 일단 상대방은 세금을 납부하여야 할 의무를 진다.03

┌─ **관련판례** ──────────────────
1. 공정력이란 행정행위가 위법하더라도 취소되지 않는 한 유효한 것으로 통용되는 효력을 의미하는 것이다(대판 1994. 4. 12, 93누21088).04 ★★★

2. 원래 행정처분이 아무리 위법하다고 하여도 그 하자가 중대하고 명백하여 당연무효라고 보아야 할 사유가 있는 경우를 제외하고는 아무도 그 하자를 이유로 무단히 그 효과를 부정하지 못하는 것05으로 …… (대판 1994. 11. 11, 94다28000)
└────────────────────────────

❶ 일반적으로 행정행위의 무효는 당연무효, 항상무효라고도 불리며, 누구에게나 무효가 된다.

❷ **공정력**
사법(私法)상의 법률행위에 있어서는, 그 행위의 효력에 다툼이 있을 때에는 법원의 판결로 확정될 때까지 관계인은 그 법률행위의 효력을 언제든지 부인할 수 있다. 그러나 행정행위에는 공정력이 인정되기 때문에 비록 위법하더라도 권한 있는 기관에 의하여 취소될 때까지는 그 효력을 부인하지 못한다.

❸ 결국 공정력이란 위법한 행정행위라도 무효가 아닌 한 권한 있는 기관 외에는 그 효력을 인정해야 한다는 것을 의미한다.

기출 체크

☐☐☐☐☐ **01** 처분은 무효인 경우를 제외하고, 권한이 있는 기관이 취소 또는 철회하거나 기간의 경과 등으로 소멸되기 전까지는 유효한 것으로 통용된다.
(○, ×)   2024 소방직 9급

☐☐☐☐☐ **02** 공정력을 인정하는 이론적 근거는 법적 안정성설이 통설이다.
(○, ×) ★★   2020 국회직 8급

ⓐ 현행 행정심판법이나 행정소송법은 행정행위의 상대방이나 이해관계인이 위법한 행정행위의 효력을 상실시키기 위하여는 무효인 경우를 제외하고는 취소심판 또는 취소소송을 제기하고 행정심판위원회 또는 취소소송의 수소법원만이 취소할 수 있도록 규정하고 있다.

ⓑ 기타 학설

자기 확인설	행정행위는 권한이 있는 행정청이 공익을 위해 스스로 확인해서 행하는 것이므로 법원의 판결과 같이 그 자체로 권위를 가지며 적법성이 추정됨(O. Mayer).
국가 권위설	행정행위는 국가적 권위에 의해 그 타당성이 부여되기 때문에 효력에 의심이 있더라도 일단 유효한 것으로 추정(E. Forsthoff).
예선적 특권설	프랑스의 예선적 특권개념(권한있는 기관이 판단하기 전까지 예비적으로 인정되는 효력)을 도입하여 공정력을 설명

선결(先決)문제 개념의 보충 설명
예컨대, 행정청이 甲에게 2월 1일 6개월의 영업정지처분을 하였다. 甲은 자신은 아무런 잘못이 없으므로 영업정지처분이 잘못되었다고 판단하고 있다. 따라서 甲은 이러한 영업정지처분으로 인해 금전적인 피해와 정신적인 피해가 발생하였다는 이유로 손해배상청구소송을 제기하였다. 그런데 손해배상청구소송은 우리 법원에서는 민사소송으로 취급하므로 민사법원(수소(受訴)법원)이 재판을 담당하게 된다. 이 경우 민사법원이 과연 '甲에게 손해배상청구권이 인정되는지 안 되는지'(본안(本案)문제)를 판단하기 위해서는 행정행위인 영업정지처분의 위법 여부가 먼저 판단되어야 하는바, 이때 '영업정지처분의 위법 여부 판단'이 본안판단에 앞서 행해져야 된다는 점에서 이를 선결문제라고 한다.

정답 01 ○ 02 ○

❷ 근거

1. 실정법상의 근거

종래 공정력을 직접적으로 인정하는 규정이 없어서, 직권취소에 관한 규정, 위법한 행정처분의 배타적 취소절차 및 관할을 규정한 취소심판·취소소송에 관한 규정, 처분의 쟁송기간을 제한하는 규정 등을 공정력의 간접적 근거규정으로 봄이 통설적 견해이었다.**ⓐ** 최근 제정된 행정기본법에서는, 학설과 판례에 따라 인정되는 처분의 효력[공정력(公定力)]을 명확하게 규정하여 공법관계의 안정성을 도모하고 국민의 예측가능성을 제고하려는 법적 근거를 마련하였다.

> **행정기본법 제15조【처분의 효력】** 처분은 권한이 있는 기관이 취소 또는 철회하거나 기간의 경과 등으로 소멸되기 전까지는 유효한 것으로 통용된다.**01** 다만, 무효인 처분은 처음부터 그 효력이 발생하지 아니한다.

2. 이론상의 근거ⓑ

여러 학설이 있으나 공정력의 근거를 행정목적의 신속한 달성(세금 부과처분에 대해 일단 상대방이 다투더라도 그 효력을 인정하여 세금을 징수할 수 있게 함), 행정법관계의 안정성 유지, 상대방의 신뢰보호(행정행위가 다소 위법하더라도 그 위법성을 모르는 국민은 행정행위를 믿고 따를 수밖에 없음) 등과 같은 정책적 고려에서 구하는 견해인 법적 안정성설(행정정책설)이 통설의 입장이다.**02**

❸ 공정력과 선결문제

1. 선결문제의 개념

선결문제란 특정 행정행위의 위법 여부 또는 효력 유무가 취소소송 외 다른 소송사건(ⓔ 민·형사사건)의 본안재판을 함에 있어 먼저 해결하여야 할 문제가 된 경우에 그 특정 행정행위의 위법 여부 등의 문제를 말한다.

2. 문제의 소재

(1) 행정소송법 제11조 제1항은 처분의 효력 유무 또는 존재 여부에 대해서는 민사소송에서 선결문제로 심리 가능함을 규정하고 있다.

> **행정소송법 제11조【선결문제】** ① 처분 등의 효력 유무 또는 존재 여부가 민사소송의 선결문제로 되어 당해 민사소송의 수소법원이 이를 심리·판단하는 경우에는 제17조(편저자 주 : 행정청의 소송참가), 제25조(행정심판기록의 제출명령), 제26조(직권심리) 및 제33조(소송비용에 관한 재판의 효력)의 규정을 준용한다.

(2) 즉, 민사법원은 행정처분의 무효 및 부존재에 대해서는 스스로 심사할 수 있음을 규정하고 있으나, 다른 경우(ⓔ 취소할 수 있는 사유에 불과한 처분의 경우)는 규정하고 있지 않고 있어 문제되고 있다. 한편, 민사소송에서의 선결문제와 공정력에 관한 논의는 당사자소송에도 그대로 타당하다. 이하에서 민사사건과 형사사건을 나누어 검토해 본다.

3. 민사법원과 공정력

(1) 행정행위의 위법성을 판단하는 것이 선결문제인 경우(국가배상청구소송의 경우)

① 문제의 소재

   ㉠ 행정상 손해배상청구소송에 대해 학설은 행정소송인 당사자소송에 의하여야 한다고 보나, 법원 실무상으로는 민사소송으로 다루어지고 있다.

ⓛ 이때 배상책임의 요건인 행정행위의 위법 여부를 민사법원 등이 스스로 심리·판단할 수 있는지가 문제된다.

② 판 례

계고처분의 위법성 여부가 문제된 국가배상청구소송 등에서 민사법원도 행정행위의 위법성 여부를 판단하여 배상청구를 인용할 수 있다는 것이 판례의 입장이다.01

┌ 관련판례

1. 행정처분의 취소판결이 있어야만 그 행정처분이 위법임을 이유로 손해배상청구를 할 수 있는 것은 아니다.02 03 ★★★

   본건 계고처분 행정처분이 위법임을 이유로 배상을 청구하는 취지로 인정될 수 있는 본건에 있어 미리 그 행정처분의 취소판결이 있어야만 그 행정처분의 위법임을 이유로 피고에게 배상을 청구할 수 있는 것은 아니라고 해석함이 상당할 것임에도 불구하고 행정처분의 취소가 있어 그 효력이 상실되어야만 배상을 청구할 수 있는 법리인 것같이 판단한 원판결에는 배상청구와 행정처분 취소판결의 관계에 관한 법리를 오해한 위법이 있다 할 것이다(대판 1972. 4. 28, 72다337).

2. 세무공무원이 직무상 과실로 과세대상을 오인하여 과세처분을 한 경우 국가는 손해배상책임이 있다.★★★

   물품세 과세대상이 아닌 것을 세무공무원이 직무상 과실로 과세대상으로 오인하여 과세처분을 행함으로 인하여 손해가 발생된 경우에는, 동 과세처분이 취소되지 아니하였다 하더라도, 국가는 이로 인한 손해를 배상할 책임이 있다(대판 1979. 4. 10, 79다262).

(2) 행정행위의 효력을 부인하는 것이 선결문제가 된 경우(부당이득반환청구소송의 경우)

① 문제의 소재

부당이득반환청구소송에 대해 학설은 행정소송인 당사자소송으로 해결해야 한다고 보나, 소송실무상 민사소송으로 취급하고 있다. 이때 민사법원이 행정행위의 효력을 부인할 수 있는지가 문제된다.

② 판 례

판례는 조세부과처분에 단순위법사유가 있는 경우에는 민사법원이 그 효력을 부인할 수 없다는 입장이다.

┌ 관련판례

1. 행정행위의 하자가 취소사유에 불과한 때에는 처분이 취소되지 않는 한 그로 인한 이득은 법률상 원인 없는 이득, 즉 부당이득이 아니다.★★★

   조세의 과오납이 부당이득이 되기 위하여는 납세 또는 조세의 징수가 실체법적으로나 절차법적으로 전혀 법률상의 근거가 없거나 과세처분의 하자가 중대하고 명백하여 당연무효이어야 하고, 과세처분의 하자가 단지 취소할 수 있는 정도에 불과할 때에는 과세관청이 이를 스스로 취소하거나 항고소송절차에 의하여 취소되지 않는 한 그로 인한 조세의 납부가 부당이득이 된다고 할 수 없다.04 05 …… 이러한 행정행위의 공정력은 판결의 기판력과 같은 효력은 아니지만 그 공정력의 객관적 범위에 속하는 행정행위의 하자가 취소사유에 불과한 때에는 그 처분이 취소되지 않는 한 처분의 효력을 부정하여 그로 인한 이득을 법률상 원인 없는 이득이라고 말할 수 없다(대판 1994. 11. 11, 94다28000).

2. 과세처분에 단지 취소할 수 있는 위법사유가 있는 경우, 민사소송절차에서 그 과세처분의 효력을 부인할 수 없다.06 07 ★★★

   과세처분이 당연무효라고 볼 수 없는 한 과세처분에 취소할 수 있는 위법사유가 있다 하더라도 그 과세처분은 행정행위의 공정력 또는 집행력에 의하여 그것이 적법하게 취소되기 전까지는 유효하다 할 것이므로, 민사소송절차에서 그 과세처분의 효력을 부인할 수 없다(대판 1999. 8. 20, 99다20179).ⓐ

ⓐ 세무서장의 조세부과처분에 따라 국민이 세금을 납부한 것이 국가의 부당이득에 해당하는지가 문제된다. 부당이득이라 함은 법률상 원인 없는 이득을 말하는데, 여기서 세금납부의 원인은 조세부과처분이 된다. 조세부과처분이 무효(無效)라면 세금납부의 원인이 없는 것과 마찬가지이므로 국가의 이득은 부당이득이 된다. 그러나 조세부과처분이 취소사유에 불과하다면 취소 전까지는 일단 유효(有效)하므로 세금납부는 원인이 있는 것이 된다. 그런데 민사법원은 공정력에 의해 조세부과처분을 취소할 수가 없으므로 이 경우 취소 전까지 국가의 이득은 원인 있는 이득으로서 부당이득이 아니다.

☐☐☐☐☐ **01** 민사소송에 있어서 어느 행정처분의 당연무효 여부가 선결문제로 되는 때에는 이를 판단하여 당연무효임을 전제로 판결할 수 있다. (○, ×) ★★★
2023 소방직 9급

☐☐☐☐☐ **02** 조세부과처분이 무효임을 이유로 이미 납부한 세금의 반환을 청구하는 민사소송에서 법원은 그 조세부과처분이 무효라는 판단과 함께 세금을 반환하라는 판결을 할 수 있다. (○, ×) ★★★
2022 지방직·서울시 9급

☐☐☐☐☐ **03** 민사소송에서 어느 행정처분의 당연무효 여부가 선결문제로 되는 경우 행정소송 등의 절차에 의하여 그 취소나 무효확인을 받아야 한다.
(○, ×) ★★★ 2023 지방직·서울시 7급

3. 재결에 대하여 불복절차를 취하지 아니함으로써 그 재결에 대하여 더 이상 다툴 수 없게 된 경우, 기업자가 이미 보상금을 지급받은 자에 대하여 민사소송으로 부당이득의 반환을 구할 수는 없다.

재결에 대하여 불복절차를 취하지 아니함으로써 그 재결에 대하여 더 이상 다툴 수 없게 된 경우에는 기업자는 그 재결이 당연무효이거나 취소되지 않는 한, 이미 보상금을 지급받은 자에 대하여 민사소송으로 그 보상금을 부당이득이라 하여 반환을 구할 수 없고(대판 2001. 1. 16, 98다58511 참조), 또한 계약이 무효이거나 취소되지 아니한 이상, 계약의 이행으로 지급된 금원을 그 수령자가 법률상 원인 없이 이익을 얻었다고 할 수는 없는 법리이므로, 원고가 피고들에게 지급한 휴업보상금을 부당이득이라고 할 수 없다. 이 점에서도 원심판결은 결론적으로 정당하다(대판 2001. 4. 27, 2000다50237).

4-1. 요양급여비용청구권과 의사소견서 발급비용청구권은 공단의 지급결정에 의하여 구체적인 권리가 발생한다고 보아야 한다.

4-2. 따라서 요양급여비용 지급결정이 취소되지 않았다면, 요양급여비용 지급결정이 당연무효라는 등의 특별한 사정이 없는 한 그 결정에 따라 지급된 요양급여비용이 법률상 원인 없는 이득이라고 할 수 없고, 국민건강보험공단의 요양기관에 대한 요양급여비용 상당 부당이득반환청구권도 성립하지 않는다.

요양기관의 요양급여비용 수령의 법률상 원인에 해당하는 요양급여비용 지급결정이 취소되지 않았다면, 요양급여비용 지급결정이 당연무효라는 등의 특별한 사정이 없는 한 그 결정에 따라 지급된 요양급여비용이 법률상 원인 없는 이득이라고 할 수 없고, 국민건강보험공단의 요양기관에 대한 요양급여비용 상당 부당이득반환청구권도 성립하지 않는다.
의사소견서 발급비용청구권 역시 요양급여비용청구권과 마찬가지로 공단의 지급결정에 의하여 구체적인 권리가 발생한다고 보아야 한다. 따라서 앞서 본 요양급여비용과 관련한 법리는 공단이 부당이득을 원인으로 의사소견서 발급비용의 반환을 구하는 경우에도 그대로 적용된다(대판 2023. 10. 12, 2022다276697).

(3) 행정행위의 무효를 확인하는 것이 선결문제인 경우(부당이득반환청구소송의 경우)

후술하는 바와 같이 공정력은 행정행위가 무효인 경우에는 인정되지 않는다. 따라서 누구라도 무효임을 확인할 수 있기 때문에 민사법원은 행정행위의 무효 여부를 판단할 수 있다. 민사법원은 민사소송의 선결문제로서 행정행위의 무효를 확인할 수 있고 그에 따라 본안인 부당이득반환청구에 대한 판결을 할 수 있다. 다만 이 의미는 민사재판, 즉 부당이득반환청구소송에서 처분의 효력유무가 부당이득반환청구권 성립의 전제문제로서 다투어질 때 민사법원이 처분이 무효라면 이를 전제로 부당이득반환청구를 인용할 수 있다는 의미일 뿐이다. 즉, 처분의 무효확인판결을 하기 위해서는 항고소송으로 처분의 무효확인소송을 제기한 경우 행정법원이 처분의 무효확인판결을 할 수 있을 뿐, 민사법원이 처분의 무효확인판결까지 할 수 있는 것은 아니다.

┏ **관련판례**

1. 행정행위가 당연무효인 때에는 민사법원도 당연무효를 전제로 하여 판단할 수 있다.01 02 ★★★
   국세 등의 부과 및 징수처분 등과 같은 행정처분이 당연무효임을 전제로 하여 민사소송을 제기한 때에는 그 행정처분의 당연무효인지의 여부가 선결문제이므로, 법원은 이를 심사하여 그 행정처분의 하자가 중대하고 명백하여 당연무효라고 인정될 경우에는 이를 전제로 하여 판단할 수 있으나, 그 하자가 단순한 취소사유에 그칠 때에는 법원은 그 효력을 부인할 수 없다(대판 1973. 7. 10, 70다439).

2. 민사소송에 있어서 어느 행정처분의 당연무효 여부가 선결문제로 되는 때에는 이를 판단하여 당연무효임을 전제로 판결할 수 있고 반드시 행정소송 등의 절차에 의하여 그 취소나 무효확인을 받아야 하는 것은 아니며 …… (대판 2010. 4. 8, 2009다90092)03 ★★★

선결문제의 판단

4. 형사법원과 공정력

(1) 행정행위의 위법성을 확인하는 것이 선결문제인 경우
(범죄성립을 위해 행정행위의 위법 여부를 확인해야 하는 경우)

① 행정행위의 위법성을 확인하는 것이 선결문제인 경우에는 형사법원에 그 선결문제의 판단권이 있는지가 문제된다.

② 민사소송과 동일하게 행정행위의 위법성을 판단할 수 있다는 것이 통설의 입장이다.

(2) 행정행위의 효력에 관한 것이 선결문제인 경우
(범죄성립을 위해 행정행위의 효력이 부인 또는 인정되어야 하는 경우)

① **당연무효인 경우**

민사소송과 동일하게 행정행위의 효력 유무가 문제된 경우 선결문제인 행정행위가 당연무효라면 공정력이 없으므로 형사법원이 그 행정행위의 효력을 부인할 수 있다.01

② **취소사유인 경우**

행정행위가 단순위법인 경우(취소사유에 불과한 경우) 형사법원은 행정행위의 효력을 스스로 부인할 수 없다는 것이 통설의 입장이다.

(3) 판 례

당연무효가 아닌 한 형사법원이 위법성을 확인하는 경우는 가능하다고 보나 효력부인은 할 수 없다고 한다.

① **위법성 확인이 선결문제인 경우**

행정행위의 위법성에 대해서는 심사할 수 있다.02

┌ 관련판례 ─

1-1. 도시계획구역 안에서 허가 없이 토지의 형질을 변경한 경우 행정청이 구 도시계획법 제78조 제1항에 의하여 행하는 처분이나 원상회복 등 조치명령의 대상자는 그 토지의 형질을 변경한 자이며 토지의 형질을 변경하지 않은 자에 대하여 한 원상복구의 시정명령은 위법하다.

1-2. 구 도시계획법 제78조 제1항에 정한 처분이나 조치명령을 받은 자가 이에 위반한 경우 같은 법 제92조에 정한 처벌을 하기 위하여는 그 처분이나 조치명령이 적법한 것이라야 하고,03 그 처분이 당연무효가 아니라 하더라도 그것이 위법한 처분으로 인정되는 한 같은 법 제92조 위반죄가 성립될 수 없다(대판 1992. 8. 18, 90도 1709).04 05 ⓐ ★★

2. 「개발제한구역의 지정 및 관리에 관한 특별조치법」(이하 '개발제한구역법'이라 한다) 제30조 제1항에 의하여 행정청으로부터 시정명령을 받은 자가 이를 위반한 경우, 그로 인하여 개발제한구역법 제32조 제2호에 정한 처벌을 하기 위하여는 시정명령이 적법한 것이라야 하고, 시정명령이 당연무효가 아니더라도 위법한 것으로 인정되는 한 개발제한구역법 제32조 제2호 위반죄가 성립될 수 없다(대판 2017. 9. 21, 2017도7321).06 ★★

기출 체크

☐☐☐☐☐ **01** 형사법원은 행정행위가 당연무효라면, 선결문제로서 그 행정행위의 효력을 부인할 수 있다. (○, ×) ★★
2018 교육행정직 9급

☐☐☐☐☐ **02** 행정행위의 위법 여부가 범죄구성요건의 문제로 된 경우에는 형사법원이 행정행위의 위법성을 인정할 수 있다. (○, ×)
2022 군무원 7급

☐☐☐☐☐ **03** 어떤 법률에 의하여 행정청으로부터 시정명령을 받은 자가 이를 위반한 경우 그 때문에 그 법률에서 정한 처벌을 하기 위하여는 그 시정명령은 적법한 것이라야 한다. (○, ×) ★★
2021 군무원 7급

☐☐☐☐☐ **04** 개발행위허가를 받지 않고 무단으로 토지의 형질을 변경하였다는 이유로 관할행정청으로부터 원상복구조치명령을 받았으나, 위 조치명령에 취소사유에 해당하는 위법이 있는 경우 이를 이행하지 않더라도 처벌할 수는 없다고 할 것이다. (○, ×) ★★
2024 국회직 8급

☐☐☐☐☐ **05** 구 도시계획법상 원상회복 등의 조치명령을 받고도 이를 따르지 않은 자에 대해 형사처벌을 하기 위해서는 적법한 조치명령이 전제되어야 하며, 이때 형사법원은 그 적법 여부를 심사할 수 있다. (○, ×) ★★
2022 국가직 9급

☐☐☐☐☐ **06** 「개발제한구역의 지정 및 관리에 관한 특별조치법」에 따라 행정청으로부터 시정명령을 받은 자가 이를 이행하지 않은 경우, 당해 시정명령이 위법한 것으로 인정되는 한 죄가 성립하지 않는다. (○, ×) ★★
2019 경행경채 2차

ⓐ 시정명령위반죄는 적법한 시정명령을 위반한 경우에 성립하는 것이고 위법한 시정명령을 따르지 않았다고 하여 범죄가 성립하는 것은 아니다. 위법한 명령에 따르지 않았다고 하여 처벌하는 것은 법치주의의 원칙 및 기본권 보장규정을 위반하는 것이기 때문이다. 사안의 경우 시정명령의 위법 여부가 시정명령위반죄라는 범죄성립에 대한 선결문제가 되는데 형사법원은 행정행위의 위법 여부는 심사할 수 있다 할 것이므로 위의 사례에서는 시정명령이 위법하다고 보아 피고인에게 무죄를 선고하게 된 것이다.

정답 01 ○ **02** ○ **03** ○ **04** ○ **05** ○
06 ○

3. 「국토의 계획 및 이용에 관한 법률」(이하 '법'이라 한다) 제133조 제1항에 정한 처분이나 조치명령을 받은 자가 이에 위반한 경우 이로 인하여 법 제142조에 정한 처벌을 하기 위하여는 그 처분이나 조치명령이 적법한 것이라야 하고, 그 처분이 당연무효가 아니라 하더라도 그것이 위법한 처분으로 인정되는 한 법 제142조 위반죄가 성립될 수 없다고 할 것이다(대판 2007. 2. 23, 2006도6845).

4. 주택법 제91조에 의하여 행정청으로부터 공사의 중지, 원상복구, 그 밖의 필요한 조치명령을 받은 자가 이에 위반한 경우 이로 인하여 주택법 제98조 제11호에 정한 처벌을 하기 위하여는 그 처분이나 조치명령이 적법한 것이라야 하고, 그 조치명령이 당연무효가 아니라 하더라도 그것이 위법한 것으로 인정되는 한 법 제98조 제11호 위반죄가 성립될 수 없다고 할 것이다(대판 2007. 7. 13, 2007도3918).**01**

5. 소하천정비법 제14조 제5항, 제17조 제5호에 의하여 행정청으로부터 시정명령을 받은 사람이 이를 위반한 경우, 그로 인하여 같은 법 제27조 제4호에 정한 처벌을 하기 위해서는 그 시정명령이 적법해야 한다. 따라서 시정명령이 당연무효가 아니더라도 위법하다고 인정되는 한 같은 법 제27조 제4호의 위반죄가 성립될 수 없고, 시정명령이 절차적 하자로 인하여 위법한 경우에도 마찬가지이다(대판 2020. 5. 14, 2020도2564).**02**

6. 계량기가 달린 양수기를 설치·사용하라는 시설개선명령은 적법한 명령이므로 이를 위반한 행위는 온천법 제26조 제1호의 구성요건을 충족한다(범죄가 성립한다).

온천수를 사용하는 여관 또는 목욕탕에서 계량기가 달린 양수기를 설치·사용하라는 시설개선명령은 온천수의 효율적인 수급으로 온천의 적절한 보호를 도모하기 위한 조치로서 온천법 제15조가 정하는 온천의 이용증진을 위하여 특히 필요한 명령이라 할 것이므로 이에 위반한 소위(행위)는 온천법 제26조 제1호, 제15조의 구성요건을 충족한다(대판 1986. 1. 28, 85도2489).

② 효력 부인이 선결문제인 경우

행정행위의 효력을 부인하는 것이 형사소송에서 선결문제가 된 경우 행정행위가 당연무효가 아닌 한 형사법원은 공정력으로 인해 행정행위의 효력을 부인할 수 없다.**03** 물론 이 경우도 처분이 무효라면 형사법원은 무효를 확인하여 무죄판결을 할 수 있다. 또한 처분이 유효함을 전제로 형사처벌이 이루어지는 경우 처분이 취소된 경우라면 무죄판결을 하여야 하며, 판례는 유죄판결 후에 처분이 취소된 경우라면 형사소송법 제420조 제5호 소정의 재심사유에 해당한다고 본 바 있다.

관련판례

1. 운전면허에 취소사유가 있다 하더라도 취소되지 않는 한 효력이 있으므로 무면허운전죄가 성립하는 것은 아니다(처분이 취소사유인 경우). ★★★

연령미달의 결격자인 피고인이 소외인(자신의 형)의 이름으로 운전면허시험에 응시, 합격하여 교부받은 운전면허는 당연무효가 아니고 도로교통법 제65조 제3호의 사유에 해당함에 불과하여 취소되지 않는 한 유효하므로 피고인의 운전행위는 무면허운전에 해당하지 아니한다(대판 1982. 6. 8, 80도2646).**04**

비교판례

운전면허 취소처분을 받은 사람이 자동차를 운전하였으나 운전면허 취소처분의 원인이 된 교통사고 또는 법규위반에 대하여 범죄사실의 증명이 없는 때에 해당한다는 이유로 무죄판결이 확정된 경우, 취소처분이 취소되지 않았더라도 도로교통법에 규정된 무면허운전의 죄로 처벌할 수는 없다.**05**

(1) 행정청의 자동차 운전면허 취소처분이 직권으로 또는 행정쟁송절차에 의하여 취소되면, 운전면허 취소처분은 그 처분시에 소급하여 효력을 잃고 운전면허 취소처분에 복종할 의무가 원래부터 없었음이 확정되므로, 운전면허 취소처분을 받은 사람이 운전면허 취소처분이 취소되기 전에 자동차를 운전한 행위는 도로교통법에 규정된 무면허운전의 죄에 해당하지 아니한다.**06**

(2) 관련 규정 및 법리, 헌법 제12조가 정한 적법절차의 원리, 형벌의 보충성 원칙을 고려하면, 자동차 운전면허 취소처분을 받은 사람이 자동차를 운전하였으나 운전면허 취소처분의 원인이 된 교통사고 또는 법규위반에 대하여 범죄사실의 증명이 없는 때에 해당한다는 이유로 무죄판결이 확정된 경우에는 그 취소처분이 취소되지 않았더라도 도로교통법에 규정된 무면허운전의 죄로 처벌할 수는 없다고 보아야 한다(대판 2021. 9. 16, 2019도11826).

2. 시장 등이 한 자동차관리법상 운행정지명령을 위반하여 자동차를 운행하였다는 이유로 같은 법 제82조 제2호의2에 따른 처벌을 하기 위해서는 그 운행정지명령이 적법한 것이어야 하고, 그 운행정지명령이 당연무효는 아니더라도 위법한 처분으로 인정된다면 같은 법 제82조 제2호의2 위반죄는 성립할 수 없다(대판 2023. 4. 27, 2020도17883).

3. 사위(詐僞) 기타 부정한 방법으로 수입면허를 받았다 하더라도 그 수입면허가 당연무효가 아닌 한 관세법 소정의 무면허수입죄가 성립될 수 없다(처분이 취소사유인 경우)(대판 1989. 3. 28, 89도149).01 ★★★

4. 어업면허취소처분 후 그 처분에 대한 취소소송을 제기하여 어업면허취소처분의 취소판결이 확정되었다면, 면허취소처분 후 판결로 그 처분이 취소되기까지 사이에 어장을 그대로 유지한 행위를 무면허어업행위라고 보아 형사처벌할 수는 없다(처분이 취소사유인 경우).★★

   피고인 甲이 어업면허를 받아 피고인 乙과 동업계약을 맺고 피고인 乙의 비용으로 어장시설을 복구 또는 증설하여 어류를 양식하던 중 어업면허가 취소되었으나 피고인 甲이 행정소송을 제기하여 면허취소처분의 효력정지가처분결정을 받은 후 면허취소처분을 취소하는 판결이 확정되었다면, 피고인들 간의 거래는 어업권의 임대가 아니며 면허취소 후 판결로 그 처분이 취소되기까지 사이에 어장을 그대로 유지한 행위를 무면허어업행위라고 보아서 처벌할 수는 없다(대판 1991. 5. 14, 91도627).

5. 〔조세부과처분이 있은 뒤 조세를 포탈(세금납부를 회피)한 혐의가 인정되어 조세포탈죄의 유죄판결을 받은 후 조세부과처분이 취소된 사건에서〕 조세포탈에 관하여 유죄의 확정판결이 있은 후에 그 조세부과처분을 취소하는 행정소송판결이 확정된 경우에는 형사소송법 제420조 제5호 소정의 재심사유에 해당한다.ⓐ★★
   조세의 부과처분을 취소하는 행정소송판결이 확정된 경우 그 조세부과처분의 효력은 처분시에 소급하여 효력을 잃게 되고, 따라서 그 부과처분을 받은 사람은 그 처분에 따른 납부의무가 없다고 할 것이므로 위 확정된 행정판결은 조세포탈에 대한 무죄 내지 원판결이 인정한 죄보다 경한 죄를 인정할 명백한 증거라 할 것이다.02 조세포탈에 관하여 원심판결이 있은 후에 그 조세부과처분을 취소하는 행정소송판결이 확정된 경우에는 형사소송법 제420조 제5호 소정의 재심사유에 해당한다(대판 1985. 10. 22, 83도2933).

6. 「소방시설 설치ㆍ유지 및 안전관리에 관한 법률」 제9조에 의한 소방시설 등의 설치 또는 유지ㆍ관리에 대한 명령이 행정처분으로서 하자가 있어 무효인 경우, 위 명령 위반을 이유로 행정형벌을 부과할 수 없다(대판 2011. 11. 10, 2011도11109).★★★

기출 체크

☐☐☐☐☐ 01 물품을 수입하고자 하는 자가 세관장에게 수입신고를 하여 그 면허를 받고 물품을 통관한 경우에는, 세관장의 수입면허가 중대하고도 명백한 하자가 있는 행정행위이어서 당연무효가 아닌 한 관세법 소정의 무면허수입죄가 성립될 수 없다. (○, ×) ★★★
2022 지방직ㆍ서울시 9급

☐☐☐☐☐ 02 조세부과처분을 취소하는 행정판결이 확정된 경우 부과처분의 효력은 처분시에 소급하여 효력을 잃게 되므로 확정된 행정판결은 조세포탈을 인정할 명백한 증거에 해당한다. (○, ×) ★★
2022 국가직 9급

☐☐☐☐☐ 03 공정력은 행정청의 권력적 행위뿐 아니라 비권력적 행위, 사실행위, 사법행위에도 인정된다. (○, ×) ★★
2016 사회복지직 9급

ⓐ 재심이란 법이 정한 사유가 있을 때 확정판결을 다투는 제도를 말한다. 4번 판례의 경우 판결이 확정되기 전에 취소소송에서 조세부과처분이 취소되었다면 형사법원에서 무죄판결이 내려졌을 것이나, 판결이 확정된 후라면 재심으로 다툴 수 있다는 취지의 판결이다.

조문 | 형사소송법 제420조 【재심이유】 재심은 다음 각 호의 어느 하나에 해당하는 이유가 있는 경우에 유죄의 확정판결에 대하여 그 선고를 받은 자의 이익을 위하여 청구할 수 있다.
5. 유죄를 선고받은 자에 대하여 무죄 또는 면소를, 형의 선고를 받은 자에 대하여 형의 면제 또는 원판결이 인정한 죄보다 가벼운 죄를 인정할 명백한 증거가 새로 발견된 때

④ 공정력의 한계

1. 무효인 행정행위와 공정력

무효인 처분은 처음부터 그 효력이 발생하지 아니한다(행정기본법 제15조 단서). 즉 무효인 행정행위에는 공정력이 인정되지 않는다.

2. 행정행위(처분) 이외의 행정작용

공정력은 취소쟁송제도를 전제로 한 것이므로 처분, 즉 취소소송의 대상이 아닌 법규명령, 비권력적인 공법상 계약, 단순한 사실행위 및 사법(私法)행위에는 공정력이 인정되지 않는다.03

정답 01 ○ 02 ○ 03 ×

기출 체크

□□□□□ **01** 통설은 공정력의 근거를 적법성의 추정으로 보아 행정행위의 적법성은 피고인 행정청이 아니라 원고 측에 입증책임이 있다고 한다. (○, ×) ★★
2021 군무원 7급

□□□□□ **02** 공정력은 입증책임의 분배와 직접적인 관련이 있다. (○, ×) ★★
2012 사회복지직 9급

□□□□□ **03** 구성요건적 효력은 행정행위의 유 · 무효를 불문하고 인정되는 구속력이다. (○, ×) ★★
2015 교육행정직 9급

□□□□□ **04** 구성요건적 효력이란 유효한 행정행위가 존재하는 이상 모든 국가기관은 그의 존재를 존중하여 스스로의 판단기초 내지는 구성요건으로 삼아야 한다는 구속력을 말한다. (○, ×) ★★
2008 선관위 9급

□□□□□ **05** 법무부장관이 A에게 귀화허가를 준 경우 그 귀화허가가 무효가 아니라면, 귀화허가가 모든 국가기관을 구속하여 각부장관이 A를 국민으로 보아야 하는 효력은 행정의사의 존속력에서 나온다. (○, ×) ★★
2014 서울시 7급

ⓐ 법원에 구성요건적 효력이 미치는 것은 헌법상의 권력분립원리에서 나온다. 즉, 행정행위의 존재와 내용을 법원이 존중하는 것이 권력분립원리에 합당하기 때문이다.

⑤ 공정력과 입증책임(p.875 참조)

1. 종래 공정력을 실체법상 적법성의 추정으로 보는 견해에서는 공정력과 입증책임을 연결시켜 행정행위는 공정력이 있으므로 적법성이 추정되기 때문에 처분의 위법성을 원고가 증명해야 한다는 원고책임설을 취하였다.

2. 그러나 오늘날은 공정력에 대해 행정행위를 잠정적으로 유효한 것으로 통용시키는 효력에 불과한 것으로 이해하여 공정력과 입증책임은 무관하다는 것이 통설적 견해이다.01 02

⑥ 공정력과 구성요건적 효력을 구분하는 견해

1. 의 의

(1) 공정력과 구성요건적 효력의 구분

종래의 통설적 공정력 이론에 대해 최근에는 공정력과 구성요건적 효력을 구별하는 견해가 유력해지고 있다. 이 견해에 따르면 공정력과 구성요건적 효력은 개념과 근거범위에서 차이가 있으며, 그런 점에서 선결문제는 구성요건적 효력과 관련하여 논의하여야 한다고 본다.

(2) 공정력의 개념

공정력이란 행정행위가 당연무효사유에 해당하는 것이 아닌 한, 하자 있는 행정행위라도 권한 있는 기관에 의하여 취소되기까지는 행정의 상대방이나 이해관계자를 구속하는 효력이라고 본다.

(3) 구성요건적 효력ⓐ

① 개 념

구성요건적 효력이란 비록 하자 있는 행정행위라고 하더라도 그 하자가 중대 · 명백하여 당연무효가 아닌 한03 법원을 포함한 모든 다른 국가기관은 행정행위의 존재와 효과를 존중하여 스스로의 판단의 기초 내지 구성요건으로 삼아야 한다는 견해이다.04

② 예시적 상황

㉠ 甲이 법무부장관으로부터 귀화허가를 받은 경우 귀화허가가 무효가 아닌 한, 다른 국가기관은 甲을 대한민국 국민으로 인정해야 한다.05

㉡ 교육공무원임용시 교육부장관도 甲을 대한민국 국민으로 인정하여 임용 여부를 결정해야 한다.

2. 범 위

(1) 공정력의 범위

공정력은 상대방 또는 이해관계인에 대한 구속력이라고 본다.

(2) 구성요건적 효력의 범위

다른 국가기관, 지방자치단체기관 그리고 다른 법원에 미치는 구속력이라고 본다.

3. 근 거

(1) 공정력의 근거

공정력의 이론적 근거와 실정법적 근거는 종래 통설과 동일하게 본다.

정답 **01** × **02** × **03** × **04** ○ **05** ×

(2) 구성요건적 효력의 이론적 근거

국가기관은 서로 권한과 직무 또는 관할을 달리하므로 국가기관은 상호 다른 기관의 권한을 존중하여 야 하며 침해해서는 안 된다는 점을 근거로 든다(기관 간 권한존중의 원칙).

4. 선결문제

종래 통설은 선결문제를 공정력과 관련하여 검토하나 공정력과 구성요건적 효력을 구분하는 견 해에 따르면 민·형사법원에 미치는 효력은 구성요건적 효력이 되므로 구성요건적 효력과 선결문 제의 형태로 논의하게 된다. 공정력과 구성요건적 효력을 구분하는 견해를 도표로 정리하면 다음 과 같다.

구 분	공정력	구성요건적 효력
내 용	행정행위가 무효가 아닌 한 **상대방 또는 이해관계인**은 행정행위가 권한 있는 기관(처분청, 행정심판위원회 또는 수소법원)에 의해 취소되기까지는 그의 효력을 부인할 수 없는 힘	무효가 아닌 행정행위가 존재하는 이상 비록 흠(하자)이 있는 행정행위일지라도, **다른 국가기관(지방자치단체기관을 포함한 행정기관 및 법원 등)**은 그의 존재, 유효성 및 내용을 존중하며, 스스로의 판단의 기초 내지는 구성요건으로 삼아야 하는 구속력
범 위	상대방 또는 이해관계인	다른 국가기관
이론적 근거	행정의 안정성과 실효성 확보	권력분립에 따른 기관 간의 권한 존중01

기출 체크

☐☐☐☐☐ **01** 행정행위의 효력으로서 구성요건적 효력과 공정력은 이론적 근거를 법적 안정성에서 찾고 있다는 공통점이 있다. (○, ×) ★★★　　2017 국가직 9급

☐☐☐☐☐ **02** 행정행위의 존속력에는 불가쟁력과 불가변력이 있다. (○, ×) ★★　　2006 서울시 9급

☐☐☐☐☐ **03** 행정행위의 불가쟁력은 형식적 존속력이라고도 한다. (○, ×) ★★　　2018 소방직 9급

☐☐☐☐☐ **04** 일정한 불복기간이 경과하거나 쟁송수단을 다 거친 후에는 더 이상 행정행위를 다툴 수 없게 되는 효력을 행정행위의 불가변력이라 한다. (○, ×) ★★　　2015 서울시 9급

☐☐☐☐☐ **05** 불가쟁력은 행정행위의 상대방이나 이해관계인에 대하여 발생하는 효력이다. (○, ×) ★★　　2018 교육행정직 9급

03 | 존속력(불가쟁력 · 불가변력)

❶ 존속력의 의의

행정행위가 일단 행해지면 이를 기초로 하여 많은 법률관계가 형성되는데 행정행위 후 이를 무제한 취소·변경할 수 있다면 많은 복잡한 문제가 야기된다. 따라서 일단 행정행위가 행해진 후 제소기간 의 경과 등 일정한 사유가 발생하면 상대방 등이 더 이상 그 효력을 다툴 수 없게 되고, 또한 일정한 행정행위에 대해서는 행위를 한 행정청 자신도 이를 취소·철회할 수 없게 되는바, 이러한 효력을 존속력 또는 확정력이라 한다.

❷ 불가쟁력(형식적 존속력)

1. 의의

(1) 비록 하자 있는 행정행위라 할지라도 쟁송제기기간이 경과하거나 쟁송수단을 다 거친 경우에는 상 대방 또는 이해관계인은 더 이상 행정행위의 효력을 다툴 수 없게 되는바, 이러한 효력을 불가쟁력 또 는 형식적 존속력이라 한다.03 04 05

(2) 이러한 형식적 존속력은 행정법관계의 안정과 능률적인 행정목적의 수행을 위하여 그 효력에 관한 다툼을 일정한 시간적 한계 내에서만 허용한다는 목적에서 인정되는 것이다. 한편, 불가쟁 력이 발생한 행정행위에 대한 행정심판 및 행정소송의 제기는 부적법한 것으로 각하된다.

정답 **01** × **02** ○ **03** ○ **04** × **05** ○

기출 체크

☐☐☐☐☐ **01** 불가쟁력이 발생한 행정행위로 손해를 입은 국민은 그 위법성을 들어 국가배상청구를 할 수 있다. (○, ×) ★★★ 2022 군무원 9급

☐☐☐☐☐ **02** 취소사유 있는 영업정지 처분에 대한 취소소송의 제소기간이 도과한 경우 처분의 상대방은 국가배상청구소송을 제기하여 재산상 손해의 배상을 구할 수 있다. (○, ×) ★★★ 2019 서울시 9급

☐☐☐☐☐ **03** 불가쟁력이 발생한 행정행위에서 해당 처분이 취소되지 않아도 국가는 손해를 배상할 책임이 있다. (○, ×) ★★★ 2008 지방직 9급

☐☐☐☐☐ **04** 무효인 행정행위에는 공정력, 불가쟁력이 인정되지 않는다. (○, ×) ★★ 2019 소방직 9급

☐☐☐☐☐ **05** 일반적으로 행정처분이나 행정심판재결이 불복기간의 경과로 확정될 경우에는 그 처분의 기초가 된 사실관계나 법률적 판단이 확정되고 당사자들이나 법원이 이에 기속되어 모순되는 주장이나 판단을 할 수 없게 된다. (○, ×) 2022 군무원 9급

☐☐☐☐☐ **06** 산업재해요양보상급여 취소처분이 불복기간의 경과로 인해 확정되면 요양급여청구권 없음이 확정되므로 다시 요양급여를 청구할 수 없다. (○, ×) ★★★ 2017 국가직(하) 7급

☐☐☐☐☐ **07** 행정처분이나 행정심판재결이 불복기간의 경과로 확정될 경우 그 확정력은 처분으로 법률상 이익을 침해받은 자가 당해 처분이나 재결의 효력을 더 이상 다툴 수 없다는 의미일 뿐 판결과 같은 기판력이 인정되는 것은 아니다. (○, ×) ★★★ 2024 국가직 9급

☐☐☐☐☐ **08** 행정처분이나 행정심판 재결이 불복기간의 경과로 확정될 경우 그 처분의 기초가 된 사실관계나 법률적 판단이 확정되고 당사자들이나 법원은 이에 기속되어 모순되는 주장이나 판단을 할 수 없다. (○, ×) ★★★ 2023 서울시 지적 7급

정답 01 ○ 02 ○ 03 ○ 04 ○ 05 ×
    06 × 07 ○ 08 ×

2. 내용

(1) 상대방 또는 이해관계인에 대한 효력

불가쟁력은 상대방 또는 이해관계인이 행정행위의 효력을 더 이상 다투지 못하는 효력이다. 따라서 불가쟁력이 발생한 행정행위라도 처분을 한 행정청이 취소 또는 철회하는 것은 가능하다.

(2) 행정상 손해배상청구의 가능성

행정상 손해배상청구소송은 처분의 효력을 다투는 것이 아니므로 비록 불가쟁력이 발생한 행정행위라도 소멸시효가 완성되지 않는 한 상대방 등은 행정상 손해배상청구소송을 제기할 수 있다.01 02 03

(3) 무효인 행정행위의 경우

무효인 행정행위는 불가쟁력이 발생하지 않으므로04 무효확인소송을 제기함에 있어서는 쟁송제기기간의 제한을 받지 않는다(p.915 참조).

(4) 판결의 효력인 기판력과 같은 의미인지 여부

① 기판력이란 소송물에 관하여 법원의 판단내용이 확정되면 이후 동일사항이 문제된 경우에 당사자(승계인 포함)는 그에 반하는 주장을 하여 다투는 것이 허용되지 않으며, 법원도 그와 모순·저촉되는 판단을 해서는 안 되는 구속력을 말한다(p.896 참조).

② 행정행위에 인정되는 존속력, 특히 불가쟁력이 기판력과 동일한 것인지 문제된다. 판례는 행정행위의 존속력(확정력)은 기판력과 구별되는 것으로 처분에 불가쟁력이 발생했더라도 처분의 기초가 된 사실관계 등이 확정되어 당사자나 법원이 그것과 다른 주장이나 판단을 할 수 없게 되는 것은 아니라고 한다.05

> **┌ 관련판례 ──**
> 1. 산업재해요양보상급여취소처분이 쟁송기간의 경과로 더 이상 다툴 수 없게 된 경우에도 요양급여청구권의 부존재가 확정된 것은 아니므로 다시 요양급여청구를 할 수 있다.06 ★★★
> 2. 일반적으로 행정처분이나 행정심판 재결이 불복기간의 경과로 인하여 확정될 경우 그 확정력은, 그 처분으로 인하여 법률상 이익을 침해받은 자가 당해 처분이나 재결의 효력을 더 이상 다툴 수 없다는 의미일 뿐이다. ★★★
> 3. 또한 그 확정력에는 판결에 있어서와 같은 기판력이 인정되는 것은 아니어서07 그 처분의 기초가 된 사실관계나 법률적 판단이 확정되고 당사자들이나 법원이 이에 기속되어 모순되는 주장이나 판단을 할 수 없게 되는 것은 아니다(대판 2004. 7. 8, 2002두11288).08 ★★★

3. 불가쟁력이 발생한 행정행위의 재심사청구

(1) 문제의 소재

불가쟁력이 발생하면 국민이 더 이상 쟁송을 제기하지 못하므로 행정법관계의 안정은 확보할 수 있으나 개인의 권리구제 측면에서 문제가 있다. 특히, 법원의 확정판결에 대해서도 일정한 요건을 구비한 경우에는 재심이 인정되는 데 반해, 일정한 기간 내에 불복을 제기하지 않았다 하여 재심의 기회를 제공하지 않는 것은 형평성의 관점에서 문제가 있다.

(2) 행정절차법상 규정 없음

일정한 요건(⑩ 행정행위의 위법성을 인정할 수 있는 새로운 증거의 발견 등)하에 불가쟁력이 발생한 행정행위에 대해서도 재심사청구를 할 수 있도록 하는 입법례가 있으나(⑩ 독일 행정절차법), 우리나라 행정절차법에는 불가쟁력이 발생한 행정행위에 대한 재심사청구에 관한 명문의 규정이 없다.

(3) 행정기본법상 불가쟁력이 발생한 행정행위의 재심사청구

기존에는 행정행위의 재심사에 관한 아무런 규정이 없었으나 최근 제정된 행정기본법에서는 재심사에 관한 명문규정을 두고 있다. 즉, 행정행위에 불가쟁력이 발생하여 더 이상 행정쟁송을 통해 다툴 수 없게 된 경우라도 "① 처분의 근거가 된 사실관계 또는 법률관계가 추후에 당사자에게 유리하게 바뀐 경우, ② 당사자에게 유리한 결정을 가져다주었을 새로운 증거가 있는 경우, ③ 민사소송법 제451조에 따른 재심사유에 준하는 사유가 발생한 경우 등 대통령령으로 정하는 경우"에 당사자는 해당 처분을 한 행정청에 행정행위를 취소·철회하거나 변경하여 줄 것을 신청할 수 있다(동법 제37조 제1항). 이에 관하여는 제33강에서 자세히 살펴보기로 한다.

4. 불가쟁력이 발생한 행정행위에 대한 변경신청권 문제

관련판례

제소기간이 도과하여 불가쟁력이 생긴 행정처분에 대하여는 법규에서 신청권을 규정하고 있거나 법령해석상 신청권이 인정될 수 있는 등 특별한 사정이 없는 한 신청권이 없다.01 ★★★

제소기간이 이미 도과하여 불가쟁력이 생긴 행정처분에 대하여는 개별 법규에서 그 변경을 요구할 신청권을 규정하고 있거나 관계법령의 해석상 그러한 신청권이 인정될 수 있는 등 특별한 사정이 없는 한 국민에게 그 행정처분의 변경을 구할 신청권이 있다 할 수 없다. …… 피고가 원고들의 이 사건 신청을 거부하였다 하여도 그 거부로 인해 원고들의 권리나 법적 이익에 어떤 영향을 주는 것은 아니라 할 것이므로 그 거부행위인 이 사건 통지는 항고소송의 대상이 되는 행정처분이 될 수 없다(대판 2007. 4. 26, 2005두11104).02

---

❸ 불가변력(실질적 존속력)

1. 의 의

(1) 일정한 행정행위의 경우 행정행위가 행해지면 성질상 행위를 한 행정청 자신도 직권으로 자유로이 취소·철회할 수 없는 효력이 발생하는바,03 04 이러한 효력을 불가변력 또는 실질적 존속력이라 한다.05 **ⓐ** 불가변력은 법령에 명문의 규정이 없는 경우에도 행정행위의 성질에 비추어 인정되는 효력이다.

(2) 행정의 법률적합성의 원칙상 행정행위에 하자가 있거나 사정변경 등 후발적 사정이 있으면 행정청은 행정행위를 취소 또는 변경할 수 있음이 원칙이나, 법적 안정성의 필요에서 일정한 행정행위에 대해서는 행정행위의 취소·변경을 허용하지 않는 것이다.

2. 불가변력이 인정되는 행정행위

불가변력은 모든 행정행위에 공통된 효력이 아니라 일정한 행정행위에만 인정되는데, 준사법적 행정행위가 불가변력 발생 여부와 관련하여 논의된다. **ⓑ**

(1) 불가변력의 인정

일정한 쟁송절차를 거쳐 행해지는 확인적 행위 등 사법(司法)적 성격이 강한 행정행위는 그 성격상 법원의 재판행위처럼 법률상 인정된 별도의 불복절차를 거치지 않고서는 취소·변경될 수 없는바, 이러한 행정행위에는 불가변력이 인정된다.

(2) 구체적 예

이의 예로는 행정심판의 재결06·특허심판원의 심결**ⓒ**을 들 수 있다.

□□□□□ **01** 행정행위의 불가변력은 당해 행정행위에 대해서만 인정되는 것이 아니고, 동종의 행정행위라면 그 대상을 달리하더라도 인정된다. (O, ×) ★★
2021 지방직·서울시 9급

□□□□□ **02** 행정행위의 존속력에 관한 설명으로 옳지 않은 것은? (다툼이 있는 경우 판례에 의함) 2021 소방직 9급
① 불가변력은 처분청에 미치는 효력이고, 불가쟁력은 상대방 및 이해관계인에게 미치는 효력이다.
② 불가쟁력이 생긴 경우에도 국가배상청구를 할 수 있다.
③ 불가변력이 있는 행위가 당연히 불가쟁력을 발생시키는 것은 아니다.
④ 불가쟁력은 실체법적 효력만 있고, 절차법적 효력은 전혀 가지고 있지 않다.

□□□□□ **03** 제소기간의 경과 등으로 처분에 불가쟁력이 발생하였다 하여도 행정청은 실권의 법리에 해당하지 않는다면 직권으로 처분을 취소할 수 있다.
(O, ×) ★★
2024 국가직 9급

□□□□□ **04** 불가쟁력이 발생한 행정행위일지라도 불가변력이 없는 경우에는 행정청 등 권한 있는 기관은 이를 직권으로 취소할 수 있다. (O, ×) ★★
2018 소방직 9급

□□□□□ **05** 위법한 점용허가를 다투지 않고 있다가 제소기간이 도과한 경우에는 처분청이라도 그 점용허가를 취소할 수 없다. (O, ×) ★★ 2018 지방직 9급

□□□□□ **06** 불가변력이 있는 행정행위도 쟁송제기기간이 경과하기 전에는 쟁송을 제기하여 그 효력을 다툴 수 있다.
(O, ×) ★★
2015 교육행정직 9급

□□□□□ **07** 실질적 존속력이 발생한 행위라도 형식적 존속력이 발생하지 않은 동안에는 상대방은 그 행위를 다툴 수 있다. (O, ×) ★★
2014 서울시 7급

□□□□□ **08** 불가변력은 모든 행정행위에 공통되는 것이 아니라 행정심판의 재결 등과 같이 예외적이고 특별한 경우에 처분청 등 행정청에 대한 구속으로 인정되는 실체법적 효력을 의미한다. (O, ×) ★
2017 국가직(하) 7급

ⓐ 절차법적 효력
소송절차, 심판절차와 관련하여 논의되는 효력이라는 의미로 이해하면 된다.

정답 01 × 02 ④(②는 p.321 참조)
03 ○ 04 ○ 05 × 06 ○ 07 ○
08 ○

3. 내용

(1) 행정청에 대한 효력

불가변력이 발생한 경우 행정청은 직권으로 취소할 수 없다. 다만, 상대방 등 이해관계인은 쟁송기간이 경과하지 않은 경우 취소소송 등을 제기할 수 있다.

(2) 무효인 행정행위의 경우

무효인 행정행위의 경우 개념상 불가변력이 발생하지 않는다.

(3) 동종의 행정행위의 경우

불가변력은 당해 행정행위의 경우에만 인정되고, 동종의 행정행위라도 그 대상이 다른 경우 인정되지 않는다는 것이 판례의 입장이다.

┌─ **관련판례**
│ 동종의 행위라도 그 대상을 달리하는 경우 불가변력이 인정되지 않는다.01 ★★
│
│ 국민의 권리와 이익을 옹호하고 법적 안정을 도모하기 위하여 특정한 행위에 대하여는 행정청이라 하여
│ 도 이것을 자유로이 취소, 변경 및 철회할 수 없다는 <u>행정행위의 불가변력은 당해 행정행위에 대하여서만</u>
│ <u>인정되는 것이고, 동종의 행정행위라 하더라도 그 대상을 달리할 때에는 이를 인정할 수 없다</u>(대판 1974.
│ 12. 10, 73누129).

❹ 불가쟁력과 불가변력의 관계

1. 공통점

양자는 행정법관계의 안정을 도모하고 상대방 등의 신뢰를 보호한다는 점에서는 공통된다. 그러나 그 외에 양자는 서로 다른 내용의 효력이다.

2. 차이점

(1) 상대방

불가쟁력은 행정행위의 상대방 및 이해관계인에 대한 구속력인 반면, 불가변력은 처분청 등 행정기관에 대한 구속력으로 볼 수 있다.02

(2) 효력의 독립성

① **불가쟁력이 발생하면 불가변력이 발생하는지 여부**
불가쟁력이 생긴 행위가 당연히 불가변력을 발생시키는 것은 아니다. 따라서 불가쟁력이 발생한 행정행위도 실권의 법리에 해당하지 않는다면 처분청 등이 직권으로 취소·변경하는 것은 가능하다.03 04 05

② **불가변력이 발생하면 불가쟁력이 발생하는지 여부**
불가변력이 있는 행위가 당연히 불가쟁력을 가지는 것은 아니다. 따라서 불가변력이 있는 행정행위도 쟁송제기기간이 경과하기 전에는 쟁송을 제기하여 그 효력을 다툴 수 있다.06 07

(3) 효력이 발생하는 행정행위의 범위

불가쟁력은 모든 행정행위에 발생하고, 불가변력은 확인 등 일정한 행정행위에만 발생한다.

(4) 성질

불가쟁력이 절차법적 효력ⓐ인 반면, 불가변력은 실체법적 효력이라고 한다.08

❺ 위반의 효과

실질적 존속력이 있는 행정행위를 취소하거나 철회하면 그 자체가 위법한 행위가 된다.

불가쟁력과 불가변력의 차이점

구 분	불가쟁력(형식적 존속력)	불가변력(실질적 존속력)
상대방	상대방 및 이해관계인 구속	처분청 등 행정기관 구속
성 질	절차법적 효력	실체법적 효력
효력발생범위	모든 행정행위	확인 등 일정한 행정행위
효력의 독립성	불가쟁력 발생 ⇨ 불가변력이 발생하는 것은 아님. (직권취소는 가능)	불가변력 발생 ⇨ 불가쟁력이 발생하는 것은 아님. (쟁송제기는 가능)01

04 | 강제력(자력집행력·제재력)

❶ 자력집행력

1. 의의

(1) 개념

행정행위의 자력집행력이란 행정행위에 의해 부과된 의무를 상대방이 이행하지 않는 경우에 행정청이 스스로 강제력을 발동하여 그 의무를 실현시키는 힘을 말한다.

(2) 사법관계와 자력집행력의 구별

사법(私法)관계에서는 의무의 이행을 위해 스스로의 힘으로 의무를 강제하는 것은 불가능하고 법원의 이행판결을 받아 집행할 수 있을 뿐이나 행정행위에는 행정청 스스로 강제할 수 있는 효력이 인정된다.

2. 자력집행력이 인정되는 행정행위

모든 행정행위가 집행력을 가지는 것이 아니라 개념상 상대방에게 어떤 의무를 부과하는 하명행위에 인정된다.02

3. 근거

행정청이 자력집행을 함에 있어서는 하명의 근거만으로 자력집행을 할 수 있는지가 문제된다. 통설은 이에 대해 하명의 근거 외에 자력집행력에 관한 별도의 법적 근거가 있어야만 자력집행을 할 수 있다고 한다.03 자력집행과 관련한 일반법으로는 행정대집행법과 국세징수법 등이 있으며, 이에 관해서는 후술한다(제24강 참조).

❷ 제재력

제재력이란 행정행위의 상대방이 의무를 이행하지 않은 때 그에 대한 제재로 행정형벌과 행정질서벌, 즉 행정벌을 부과하는 효력을 의미하며,04 이러한 행정벌 역시 명시적인 법적 근거가 있어야 가능하다. 이에 관해서도 후술한다(제26강 참조).

[유튜브] 15강 필수 개념 TEST
- QR코드를 스캔해 주세요.
- 필수 개념과 출제 포인트를 풀어 보세요.
- 틀린 문제는 기본서로 확인해 주세요.

행정행위의 하자

하자의 의의 및 판단시점

의 의	• 개념 ┬ 위법 : 법령을 위반한 경우 　　　└ 부당 : 재량행사에 있어 합목적성 판단을 그르쳤으나 재량권의 　　　　　한계를 넘지는 않은 경우 • 행정절차법에 따르면 행정행위에 오기·오산, 기타 이에 준하는 명백 한 오류가 있는 경우 행정청은 직권 또는 신청에 의해 지체 없이 정정 하고 당사자에게 통지해야 함(하자와는 구별됨).
판단시점	• 행정행위의 위법 여부는 처분시를 기준으로 판단함. • 처분의 위법 여부는 특별한 사정이 없는 한 그 처분 당시를 기준으로 판단하여야 함(판례).

행정행위의 부존재

외관상 존재 자체가 없는 것
　cf. 무효 : 처음부터 아무런 효력이 없는 것. 외관은 존재

행정행위의 무효와 취소

의 의

• **무효인 행정행위** : 행정행위의 효력이 처음부터 발생하지 않는 행정행위
• **취소할 수 있는 행정행위** : 권한 있는 기관이 취소하기 전까지 유효한 행위로 통용되
는 행정행위

양자의 구별실익

구 분	무효(무효확인소송)	취소(취소소송)
공정력 발생 여부	×	○
불가쟁력 발생 여부	×	○
행정행위의 효력부인이 선결문제인 경우	효력부인 가능	효력부인 불가
하자의 치유와 전환의 인정 여부	전환 인정	치유 인정(전환은 견해대립)
신뢰보호원칙의 적용 여부	×	○
쟁송형태의 구분	무효확인심판, 무효확인소송	취소심판, 취소소송
쟁송제기기간의 제한 여부	×	○
사정판결·사정재결 인정 여부	×	○
간접강제	×	○
예외적 행정심판전치주의의 적용 여부	×	○
집행부정지원칙 적용 여부	무효확인소송에서도 취소소송의 집행부정지원칙을 준용 하므로, 무효·취소 간에 집행부정지원칙이 적용되는 점 에 차이가 없음.	
국가배상	행정작용이 위법하기만 하면 인정. 구별실익 아님.	
하자승계 여부	선행행위의 무효의 하자는 당연히 후행행위에 승계됨.	① 선행행위와 후행행위가 별개의 효과를 발생시키 는 경우 ⇨ 원칙적 승계 되지 않음. ② 양자가 결합하여 하나의 법률효과를 발생시키는 경우 ⇨ 승계됨.

구별기준

• 중대·명백설(하자가 중대·명백한 경우에는 무효, 그렇지 않으면 취소)
• 대법원 : 중대·명백설
　– 사실관계의 자료를 정확히 조사하여야 비로소 하자 유무가 밝혀지는 경우의 하자
　　⇨ 명백한 하자 ×

행정행위 하자의 구체적 내용

주체상 하자	• 정당한 권한이 없는 행정기관의 행위 : 원칙적으로 무효 　– 단, 당연무효가 아니라고 본 판례도 있음 : 적법한 권한위임 없이 세 　관출장소장이 행한 관세부과처분, 임면권자가 아닌 국가정보원장이 　5급 이상의 국가정보원 직원에 대하여 한 의원면직처분 • 의사능력 없는 자의 행위 : 원칙적으로 무효
절차상 하자	• 다른 기관의 협의 등을 거치지 않은 행위 : 원칙적으로 취소사유 　– 당연무효로 본 판례 : 환경영향평가법상 환경영향평가를 실시하여야 　할 사업에 대하여 환경영향평가를 거치지 아니하였음에도 승인 등 처 　분을 한 경우 • 절차에 단순한 하자가 있음에 불과한 경우는 무효 아님 : 주민등록말소 처분이 주민등록법에 규정한 최고·공고의 절차를 거치지 아니한 경우 • 청문·의견진술 기회 등을 결한 행위 : 판례는 취소사유로 보는 경향 　– 단, 청문·의견진술 기회가 흠결된 경우 무효로 규정하는 개별법률 있 　음(국가공무원법 등). • 예산의 편성에 절차상 하자가 있다는 사정만으로 예산을 집행하는 처분 이 위법하게 되는 것은 아님. • 도지사의 인사교류의 권고가 전혀 없는 상태에서 행하여진 관할구역 내 시장의 인사교류에 관한 처분은 지방공무원법상 그 하자가 중대하고 객 관적으로 명백하여 당연무효임(판례).
내용상 하자	• 불명확·불가능한 행위는 원칙적으로 무효 　– 납세자가 아닌 제3자의 재산을 대상으로 한 압류처분은 그 처분의 내 　용이 법률상 실현될 수 없는 것이어서 당연무효임(판례). 　– 법률의 규정을 적용할 수 없다는 법리가 명백히 밝혀져 그 해석에 다 　툼의 여지가 없음에도 불구하고 행정청이 그 규정을 적용하여 처분 　을 한 때에는 그 하자가 중대하고 명백 　– 그러나 그 법률의 규정을 적용할 수 없다는 법리가 명백히 밝혀지지 　아니하여 그 해석에 다툼의 여지가 있는 때에는 행정관청이 이를 잘 　못 해석하여 행정처분을 하였더라도 하자가 명백하다고 할 수 없음.
형식상 하자	법률상 문서를 요건으로 하고 있는 행정행위가 그러한 문서에 의하지 아 니한 경우는 원칙적으로 무효
위헌인 법률에 근거한 행정행위	• 위헌결정 후 해당 법률을 근거로 행정행위가 행해진 경우 : 당연무효 • 위헌결정의 소급효 인정범위 　– 헌법재판소 : 당해 사건, 동종사건, 병행사건, 기타 정의와 형평 등을 　고려할 필요가 있는 경우에 소급효 인정 　– 대법원 : 위헌결정 후 제소된 일반사건의 경우에도 소급효 인정 　　▸ 단, 확정력(불가쟁력)이 발생한 행정처분에는 위헌결정의 소급효 미 　　치지 않음. 　　▸ 법적 안정성의 유지나 당사자의 신뢰보호를 위하여 불가피한 경우에 　　는 소급효 제한 • 행정행위가 행해진 후 근거법이 위헌결정된 경우 : 원칙적으로 취소사유 • 위헌결정 후 처분의 집행이나 집행력을 유지하기 위한 행위는 허용될 수 없음(무효).

하자 있는 행정행위의 치유와 전환

하자 있는 행정행위의 치유

- **원칙** : 허용될 수 없음. 예외적으로 인정
- 위법한 수익적 행정행위의 하자의 치유를 인정한다면 경원관계에 있는 다른 사람의 이익을 침해하는 경우 치유 부정
- 무효인 행정행위에는 치유 부정(판례), 취소할 수 있는 행정행위에만 인정
- 형식·절차상 하자는 하자치유 인정. 내용상의 하자에 대해서는 하자치유 부정
  - 청문서 도달기간을 다소 어겼지만 영업자가 이의하지 아니한 채 청문일에 출석하여 의견을 진술하고 변명하는 등 방어의 기회를 충분히 가졌다면 하자치유 O
  - 납세고지서에서 기재사항이 누락된 경우 납세의무자가 세금산출근거를 알고 있다 하더라도 하자치유 ×
  - 납세고지서에서 기재사항이 누락되었더라도 과세예고통지서 등에 그러한 사항이 기재되어 있어 납세의무자에게 불이익이 없다면 하자치유 O
- 이유제시의 하자치유시기는 쟁송제기 전까지(판례)
- 하자가 치유된 경우 행정행위는 처음부터 적법(소급효)

하자 있는 행정행위의 전환

- 무효인 행정행위의 경우 전환이 인정될 수 있음.
- **전환의 요건** ┌ 요건·목적·효과 등에서 실질적 공통성이 있어야 함.
  └ 행정청 및 상대방이 그 전환을 의욕하는 것으로 인정되어야 함.
- 전환 역시 하나의 행정행위로, 처분성이 인정되므로 이해관계인은 전환행위에 대해 항고소송을 제기할 수 있음.
- 소송계속 중에 행정행위의 전환이 이루어진다면, 처분변경으로 인한 소의 변경이 가능함.

행정행위의 하자승계

의 의

- **개념**
  - 선행행위의 위법을 이유로 후행행위의 위법을 주장할 수 있는지의 문제
  - 후행행위의 하자를 이유로 선행행위를 다투는 것은 인정될 수 없음.
- **인정필요성** : 국민의 권리를 보호하기 위해 일정 범위 내에서 하자의 승계를 인정할 필요가 있음.

논의의 전제

- 선행행위의 위법사유는 무효 아닌 취소사유일 것(무효라면 그 하자는 당연히 후행행위에 승계됨)
- 선행행위에는 불가쟁력이 발생할 것
- 후행행위에는 고유한 위법사유가 없을 것
- 선행행위와 후행행위 모두 처분성을 가질 것

하자승계의 인정범위

통 설

하자승계 긍정	선행행위와 후행행위가 결합하여 하나의 법률효과의 발생을 목적으로 하는 경우
하자승계 부정	양 행위가 독립하여 별개의 법률효과의 발생을 목적으로 하는 경우

판 례

- 통설과 유사하나 독립하여 별개의 법률효과 발생을 목적으로 하더라도 수인한도를 넘는 불이익을 가져오고 그 결과가 당사자에게 예측가능한 것이 아닌 경우 하자승계를 긍정
  - 📝 개별공시지가-양도소득세 부과, 표준공시지가-수용재결(보상금산정) 등

하자승계 긍정	하자승계 부정
① 선행 분묘개장명령과 후행 계고처분 사이	① 선행 과세처분과 후행 체납처분 사이
② 선행 귀속재산의 임대처분과 후행 매각처분 사이	② 선행 직위해제처분과 후행 면직처분 사이
③ 선행 한지의사시험자격인정과 후행 한지의사면허처분 사이	③ 선행 변상판정과 후행 변상명령 사이
④ 선행 안경사국가시험합격무효처분과 안경사면허취소처분 사이	④ 선행 사업인정과 후행 수용재결 사이
⑤ 계고처분과 대집행비용납부명령 사이	⑤ 선행 액화석유가스판매사업허가처분과 후행 사업개시신고반려처분 사이
⑥ 계고처분과 대집행영장발부통보처분 사이	⑥ 선행 도시계획결정과 후행 수용재결 사이
⑦ 선행 독촉처분과 후행 가산금·중가산금 징수처분	⑦ 선행 택지개발예정지구의 지정과 후행 택지개발계획승인
⑧ 강제징수절차인 독촉·압류·매각·청산의 각 행위	⑧ 선행 택지개발계획의 승인과 후행 수용재결처분
⑨ 대집행절차인 계고·통지·실행·비용징수의 각 행위	⑨ 보충역편입처분과 공익근무요원소집처분
⑩ 개별공시지가결정과 개발부담금부과처분	⑩ 토지구획정리사업 시행인가처분과 환지청산금 부과처분
⑪ 개별공시지가결정과 과세처분	⑪ 표준공시지가결정과 개별공시지가결정
⑫ 표준공시지가결정과 수용재결	⑫ 사업계획승인처분과 도시계획시설변경 및 지적승인고시처분
⑬ 친일반민족행위자결정과 독립유공자 예우배제결정	⑬ 표준공시지가와 과세처분
✚ 특히 ⑪~⑬은 독립하여 별개의 효과를 가져오는 것이지만 하자의 승계를 긍정한 사안	⑭ 토지등급의 설정 또는 수정처분과 과세처분
	⑮ 선행 수강거부처분과 수료처분
	⑯ 도시·군계획시설결정과 도시·군계획시설사업실시계획인가
	⑰ 공인중개사업무정지처분과 업무정지기간 중의 중개업무를 사유로 한 중개사무소의 개설등록취소처분
	⑱ 표준지공시지가결정과 재산세부과처분
	⑲ 시정명령과 이행강제금 부과처분

선행행위의 후행행위에 대한 구속력이론

01 │ 개설

① 하자의 의의

1. 개념

행정행위의 하자라 행정행위가 적법요건(성립 및 효력요건)을 갖추지 못하여 완전한 효력발생에 장애가 되는 사유를 말한다.

2. 오기·오산 등 명백한 오류의 경우

행정절차법 규정에 따르면 행정청은 행정행위에 오기·오산(계산상의 잘못), 또는 그 밖에 이에 준하는 명백한 잘못이 있을 때에는 직권으로 또는 신청에 따라 지체 없이 정정하고 그 사실을 당사자에게 통지하여야 한다고 규정하고 있다.01❶ 따라서 이러한 경우는 행정행위의 하자와는 구별된다.02

② 하자의 판단시점

행정행위에 하자가 있는지, 즉 행정행위의 위법 여부는 일반적으로 행정행위가 외부에 표시된 시점인 처분시를 기준으로 판단한다. 행정행위가 행해진 후 법령이나 사실관계가 변경되는 등 사후적으로 문제가 생긴 경우에는 행정행위의 하자의 문제가 아닌 철회의 문제로 다루어진다.

> **관련판례**
>
> 1. 행정소송에서 행정처분의 위법 여부는 행정처분이 행하여졌을 때의 법령과 사실상태를 기준으로 하여 판단해야 한다. 따라서 공정거래위원회의 과징금 납부명령 등이 재량권 일탈·남용으로 위법한지는 다른 특별한 사정이 없는 한 과징금 납부명령 등이 행하여진 '의결일' 당시의 사실상태를 기준으로 판단하여야 한다(대판 2015. 5. 28, 2015두36256).03
>
> 2. 항고소송에서 처분의 위법 여부는 특별한 사정이 없는 한 그 처분 당시를 기준으로 판단하여야 한다. 이는 신청에 따른 처분의 경우에도 마찬가지이다. 새로 개정된 법령의 경과규정에서 달리 정함이 없는 한, 처분 당시에 시행되는 개정법령과 그에서 정한 기준에 의하여 신청에 따른 처분의 발급 여부를 결정하는 것이 원칙이고, 그러한 개정법령의 적용과 관련하여서는 개정 전 법령의 존속에 대한 국민의 신뢰가 개정법령의 적용에 관한 공익상의 요구보다 더 보호가치가 있다고 인정되는 경우에 그러한 국민의 신뢰를 보호하기 위하여 그 적용이 제한될 수 있는 여지가 있을 따름이다(대판 2020. 1. 16, 2019다264700).

❶ 행정절차법 제25조 【처분의 정정】 행정청은 처분에 오기(誤記), 오산(誤算) 또는 그 밖에 이에 준하는 명백한 잘못이 있을 때에는 직권으로 또는 신청에 따라 지체 없이 정정하고 그 사실을 당사자에게 통지하여야 한다.

02 | 행정행위의 부존재

❶ 의의

기출 체크

☐☐☐☐☐ **01** 무효인 행정행위는 행정행위의 외형은 갖추고 있는 데 대해서, 행정행위의 부존재는 외형 자체가 존재하지 않는다. (○, ×) 2008 국회직 8급

행정행위의 부존재란 행정행위라고 볼 수 있는 외형상의 존재 자체가 없어서 행정행위로서 성립조차 하지 못한 경우를 말한다. 이에 반해 행정행위의 무효란 행정행위가 적어도 외형상으로는 성립하였으나 그 효력이 발생하지 못한 경우를 말한다.

> **부존재** ── 외관상 존재 자체가 없는 것
>
> **무효** ── 처음부터 아무런 효력이 없는 것. 외관은 존재
>
> **취소** ── 행정행위시부터 존재한 하자를 이유로 효력이 소멸. 취소 전까지는 유효
> **철회** ── 일단 발생한 효력이 후발적 사정으로 소멸
> └─ 효력을 소멸시키기 위해 행정청의 의사표시 필요
>
> **실효** ── 일정한 사정의 발생으로 당연히 효력 소멸 ── 별도의 의사표시 불요

❷ 부존재사유

① 행정청이 아닌 것이 명백한 사인의 행위, ② 행정권의 발동으로 볼 수 없는 행위, ③ 행정기관 내에서 내부적 의사결정이 있었을 뿐 아직 외부에 표시되지 않은 경우, ④ 취소 · 철회 · 실효 등으로 소멸한 경우 등이 부존재사유에 해당하는 것으로 봄이 일반적이다.

❸ 무효와 부존재의 구별실익

무효와 부존재를 구별할 필요가 있는지에 대해서 다음과 같이 학설이 대립한다.

1. 부정설

무효와 부존재는 실질적으로 모두 그 효력이 발생하지 않는다는 점에서는 동일하다는 점, 행정소송법상 무효확인소송과 부존재확인소송은 하나의 조문에서 규정하고 있다는 점을 그 근거로 든다.

2. 긍정설

무효는 적어도 행정행위의 외형이 존재하나 부존재는 그렇지 않다는 점01 등을 근거로 무효와 부존재를 구별할 필요가 있다는 견해이다.

03 | 행정행위의 무효와 취소

❶ 무효인 행정행위, 취소할 수 있는 행정행위

1. 의의

(1) 무효인 행정행위란 행정행위의 외형은 갖추고 있으나 행정행위의 효력이 처음부터 발생하지 않는 행정행위를 말한다. 한편, 행정행위의 일부에 무효사유인 하자가 있는 경우 무효부분이 본

정답 01 ○

ⓐ 구별실익에 관한 도표는 숲그린 참조

질적이거나(처분청이 무효부분 없이는 행정행위를 발하지 않았을 경우) 불가분적인 경우에는 행정행위 전부가 무효가 되고, 무효부분이 본질적이지 않고 가분적인 경우 무효부분만이 무효가 된다.

(2) 취소할 수 있는 행정행위란 행정행위에 하자가 있음에도 불구하고, 권한 있는 기관이 취소하기 전까지는 유효한 행위로 통용되는 행정행위를 말한다.

2. 양자의 구별실익 01 ⓐ

(1) 공정력·불가쟁력 등 행정행위의 효력발생 여부(p.319, 320 참조)

① 무효인 행정행위는 처음부터 행정행위로서 아무런 효력이 발생하지 않는다.02

② 취소할 수 있는 행정행위는 권한 있는 기관에 의해 취소될 때까지는 유효한 행위로서 공정력·불가쟁력이 발생한다.

(2) 선결문제의 판단 여부(p.314 참조)

① 무효인 행정행위는 공정력(유력설에 따르면 구성요건적 효력)이 발생하지 않으므로 민사소송 등에서 무효 여부가 선결문제로 되는 때에는 법원은 스스로 당해 행위가 무효임을 판단하고 효력을 부인할 수 있다.

② 그러나 취소할 수 있는 행정행위는 공정력이 있으므로 민·형사법원이 행위의 위법성을 판단할 수는 있으나 스스로 그 효력을 부인할 수는 없다.03

(3) 하자의 치유와 전환의 인정 여부(p.344 참조)

다수설에 의하면 취소할 수 있는 행정행위의 경우 하자치유만 인정되고 전환은 인정되지 않는다.

(4) 선행행위의 하자승계의 문제(p.350 참조)

① 선행행위에 무효원인인 하자가 있는 경우 그 하자는 모든 후행행위에 승계된다.04

② 선행행위에 취소원인인 하자가 있는 경우 원칙적으로 선행행위와 후행행위가 결합하여 하나의 법률효과를 완성하는 경우에 하자가 승계된다는 것이 통설적 견해이다.

(5) 신뢰보호원칙의 적용 여부(p.61 참조)

① 처분이 무효인 경우에는 상대방은 신뢰보호원칙의 적용을 주장할 수 없다.

② 그러나 처분이 취소사유인 경우 비록 수익적 행정행위가 위법하더라도 일정한 요건이 충족되면 신뢰보호원칙이 적용되어 행정청의 취소권은 제한된다.

(6) 쟁송형태의 차이(p.708, 912 참조)

① 무효인 행정행위에 대해서는 무효확인심판·무효확인소송을 제기하도록 하고 있다.

② 취소할 수 있는 행정행위에 대해서는 취소심판·취소소송을 제기하도록 하고 있다.

(7) 쟁송제기기간의 제한 여부(p.322 참조)

① 무효인 행정행위는 불가쟁력이 발생하지 않으므로 쟁송제기기간의 제한을 받지 않아 언제든지 무효확인소송을 제기할 수 있다.

② 취소할 수 있는 행정행위는 쟁송제기기간이 경과하면 불가쟁력이 발생하므로 취소쟁송을 제기할 수 없다.05

(8) 사정판결 및 사정재결의 인정 여부(p.734, 891 참조)

① 다수설과 판례는 처분이 무효인 경우에는 존치시킬 유효한 처분이 없다는 점과 무효등확인쟁송에는 취소소송의 사정판결에 관한 규정과 취소심판의 사정재결에 관한 규정을 준용하고 있지 않다는 점을 논거로 사정판결 및 사정재결이 인정되지 않는다고 한다.01

② 이에 반해 처분이 취소사유인 경우에는 사정판결과 사정재결이 인정된다.02

(9) 예외적 행정심판전치주의의 적용 여부(p.856 참조)

① 무효확인소송에는 예외적 행정심판전치주의가 적용되지 않는다. 따라서 공무원의 징계가 무효사유인 경우 무효확인심판을 제기함이 없이 무효확인소송을 제기할 수 있다.

② 취소소송에는 예외적 행정심판전치주의❶가 적용된다. 예컨대 공무원의 징계가 취소사유인 경우 취소심판을 거쳐 취소소송을 제기하여야 한다.

(10) 간접강제와의 관계(p.917 참조)

현행 행정소송법상 거부처분의 취소판결에는 간접강제가 인정되고 있지만, 무효확인판결에는 인정되고 있지 않다(행정소송법 제38조 제1항).

(11) 국가배상과 집행부정지 – 구별실익 아님(p.315, 915 참조)

① 국가배상은 행정작용이 위법하기만 하면 인정되는 것이므로 무효인 행정행위인지 취소할 수 있는 행정행위인지 불문하고 국가배상을 청구할 수 있다.

② 취소소송에는 집행부정지원칙이 적용되고, 무효확인소송에서도 취소소송의 집행부정지원칙을 준용하므로 집행부정지원칙에 관하여는 양자의 구별실익이 없다.

❷ 무효와 취소의 구별기준

1. 학설

(1) 중대설

하자의 중대성을 기준으로 하자가 중대하면 그 하자가 명백하지 않더라도 무효라는 견해이다.

(2) 중대 · 명백설

① 개념

통설 및 판례의 입장으로 하자가 법규의 중요한 부분을 위반한 중대한 것으로서 또한 객관적으로 명백하면 무효인 행정행위이고 중대성과 명백성 중 어느 하나라도 갖추지 못한 경우, 즉 중대하나 명백하지 않은 경우, 또는 명백하지만 중대하지 않은 경우, 중대하지도 명백하지도 않은 경우 모두 취소사유라고 보는 견해이다.03

② 중대성 · 명백성의 의미

하자의 중대성이란 행정행위가 중대한 법률요건을 위반하고 그 위반 정도가 상대적으로 심한 경우를 말하며, 하자의 명백성이란 일반인의 판단에 의해서도 그 하자가 있음이 객관적으로 외관상 분명한 것을 말한다.04

③ 논거

중대 · 명백설은 무효의 요건으로 중대성과 명백성을 요구하는 것은 국민의 권리구제의 측면(가급적 무효사유로 봄)과 법적 안정성의 요청(가급적 취소사유로 봄)을 조화하기 위함이라고 한다.

정답 01 × **02** ○ **03** ○ **04** ○

기출 체크

☐☐☐☐☐ **01** 명백성 보충요건설에서는 행정행위의 무효의 기준으로 중대성 요건만을 요구하지만, 제3자나 공공의 신뢰보호의 필요가 있는 경우에는 보충적으로 명백성 요건도 요구한다. (○, ×) ★
2015 서울시 9급

☐☐☐☐☐ **02** (행정행위의 하자와 관련하여) 명백성 보충설에 의하면 무효판단의 기준에 명백성이 항상 요구되는 것은 아니므로 중대·명백설보다 무효의 범위가 넓어지게 된다. (○, ×) ★
2017 지방직(하) 9급

☐☐☐☐☐ **03** 판례는 무효와 취소의 구별기준에 관하여 명백성 보충요건설을 취하고 있다. (○, ×) ★ 2008 관세사

☐☐☐☐☐ **04** 행정처분의 하자가 중대하고 명백한 것인지 여부를 판별함에 있어서는 그 법규의 목적, 의미, 기능 등을 목적론적으로 고찰함과 동시에 구체적 사안 자체의 특수성에 관하여도 합리적으로 고찰하여야 한다. (○, ×) ★★ 2023 소방간부

☐☐☐☐☐ **05** 행정처분의 대상이 되는 법률관계나 사실관계가 있는 것으로 오인할 만한 객관적인 사정이 있고 사실관계를 정확히 조사하여야만 그 대상이 되는지 여부가 밝혀질 수 있는 경우에는 비록 그 하자가 중대하더라도 명백하지 않아 무효로 볼 수 없다. (○, ×) ★★
2021 소방직 9급

☐☐☐☐☐ **06** 행정청이 사전환경성검토협의를 거쳐야 할 대상사업에 관하여 법의 해석을 잘못한 나머지 세부용도지역이 지정되지 않은 개발사업부지에 대하여 사전환경성검토협의를 할지 여부를 결정하는 절차를 생략한 채 승인 등의 처분을 하였다면, 그 행정처분은 당연무효이다. (○, ×)
2022 소방직 9급

(3) 명백성 보충요건설

하자가 중대하기만 하면 무효가 되는 것이 원칙이나, 제3자나 공공의 신뢰보호가 필요한 경우에는 보충적으로 명백성을 요구하는 견해로서**01** 명백성을 항상 요구하는 것은 아니라는 점에서 중대·명백설보다 무효의 범위가 넓어지게 된다.**02** 이 설은 중대·명백설의 경우 '명백성'이라는 것이 무엇을 의미하는지 불분명하며, '명백성' 요건이 반드시 요구된다고 한다면 하자가 아무리 중대하고 그로 인하여 국민의 권익이 크게 침해되었다 하여도 그 하자를 무효사유로 볼 수 없게 된다는 점에서 통설 및 판례의 입장인 중대·명백설을 비판한다.

2. 판례

(1) 대법원

행정행위가 당연무효이기 위해서는 그 하자가 법규의 중요한 부분을 위반한 중대한 것으로서 객관적으로 명백한 것이어야 한다고 하여 통설과 동일하게 중대·명백설을 취하고 있다.**03** 이때 하자의 중대·명백성을 판별함에 있어서는 구체적 사안 자체의 특수성에 대하여도 합리적으로 고찰함을 요한다는 것이 판례의 입장이다.

> ┌ **관련판례**
>
> 1-1. 행정처분이 당연무효가 되기 위해서는 하자가 중대하고 객관적으로 명백한 것이어야 한다.
>
> 1-2. 하자가 중대하고도 명백한 것인가의 여부를 판별함에 있어서는 그 법규의 목적, 의미, 기능 등을 목적론적으로 고찰함과 동시에 <u>구체적 사안 자체의 특수성에 관하여도 합리적으로 고찰함을 요한다</u>(대판 1985. 7. 23, 84누419).**04** ★★
>
> 2. 공공사업의 경제성 또는 사업성의 결여로 인하여 행정처분이 무효로 되기 위해서는 사업시행이익과 사업소요비용의 균형을 고려하여야 한다. ★
>
> 공공사업의 경제성 내지 사업성의 결여로 인하여 행정처분이 무효로 되기 위하여는 공공사업을 시행함으로 인하여 얻는 이익에 비하여 공공사업에 소요되는 비용이 훨씬 커서 이익과 비용이 현저하게 균형을 잃음으로써 사회통념에 비추어 행정처분으로 달성하고자 하는 사업목적을 실질적으로 실현할 수 없는 정도에 이르렀다고 볼 정도로 과다한 비용과 희생이 요구되는 등 그 하자가 중대하여야 할 뿐만 아니라 명백한 것이어야 하고 …… (대판 2006. 3. 16, 2006두330 전합)
>
> 3. <u>사실관계의 자료를 정확히 조사하여야 비로소 그 하자 유무가 밝혀질 수 있는 경우라면 이러한 하자는 명백한 하자가 아니다.</u> ★★
>
> 행정처분에 사실관계를 오인한 하자가 있는 경우 그 하자가 중대하더라도 객관적으로 명백하지 않다면 그 처분을 당연무효라고 할 수 없는바, <u>하자가 명백하다고 하기 위하여는 그 사실관계 오인의 근거가 된 자료가 외형상 상태성을 결여하거나 또는 객관적으로 그 성립이나 내용의 진정을 인정할 수 없는 것임이 명백한 경우라야 할 것이고</u> …… (대판 1992. 4. 28, 91누6863)
>
> 4. 행정처분의 대상이 되는 법률관계나 사실관계가 전혀 없는 사람에게 행정처분을 한 때에는 그 하자가 중대하고도 명백하다 할 것이나, 행정처분의 대상이 되지 아니하는 어떤 법률관계나 사실관계에 대하여 이를 처분의 대상이 되는 것으로 오인할 만한 객관적인 사정이 있는 경우로서 그것이 처분대상이 되는지의 여부가 그 사실관계를 정확히 조사하여야 비로소 밝혀질 수 있는 때에는 비록 이를 오인한 하자가 중대하다고 할지라도 외관상 명백하다고 할 수는 없다(대판 2004. 10. 15, 2002다68485).**05** ★★
>
> 5. 행정청이 사전환경성검토협의를 거쳐야 할 대상사업에 관하여 법의 해석을 잘못한 나머지 세부용도지역이 지정되지 않은 개발사업부지에 대하여 <u>사전환경성검토협의를 할지 여부를 결정하는</u> 절차를 생략한 채 승인 등의 처분을 한 사안에서, 그 <u>하자가 중대한 하자라고 할 수 있으나, 객관적으로 명백하다고 할 수는 없다</u>(대판 2009. 9. 24, 2009두2825).**06**

정답 01 ○ 02 ○ 03 × 04 ○ 05 ○ 06 ×

(2) 헌법재판소

헌법재판소 역시 원칙적으로 중대·명백설을 취하나, 예외를 인정하여 행정처분 자체의 효력이 쟁송기간 경과 후에도 존속 중이고 그 행정처분의 근거가 된 법규가 위헌으로 선고되는 경우, 그 행정처분을 무효로 하더라도 법적 안정성을 해치지 않는 반면, 그 하자가 중대하여 개인의 권리구제의 필요성이 큰 경우에는 하자가 명백하지 않더라도 무효를 인정한다(p.343 참조).

04 | 행정행위 하자의 구체적 내용

행정행위의 하자에는 주체에 관한 하자, 절차에 관한 하자, 형식에 관한 하자 및 내용에 관한 하자가 있는데 주체, 절차, 형식상의 하자를 넓은 의미에서 형식적 하자라고 부르기도 한다.

❶ 주체상 하자원인

1. 정당한 권한이 없는 행정기관의 행위

행정청의 권한에는 사무의 성질 및 내용에 따르는 제약이 있고, 지역적·대인적으로 한계가 있으므로 이러한 권한의 범위를 넘어서는 권한유월의 행위는 무권한행위로서 원칙적으로 무효이다. 다만 구체적 상황하에서 중대·명백하지 않은 행위는 취소할 수 있는 행위에 불과하다.

┏ 관련판례

1. 입지선정위원회의 구성방법과 절차가 주민대표나 주민대표 추천에 의한 전문가의 참여 없이 이루어지는 등 위법한 경우, 입지선정위원회는 의결기관으로서 그러한 의결에 터잡아 이루어진 폐기물처리시설 입지결정처분의 하자는 중대한 것이고 객관적으로도 명백하므로 무효사유에 해당한다.01 02 ★★★

   입지선정위원회는 폐기물처리시설의 입지를 선정하는 의결기관이고 …… 주민대표나 주민대표 추천에 의한 전문가의 참여 없이 의결이 이루어지는 등 입지선정위원회의 구성방법이나 절차가 위법한 경우에는 그 하자 있는 입지선정위원회의 의결에 터잡아 이루어진 폐기물처리시설 입지결정처분도 위법하게 된다. 구 「폐기물처리시설 설치촉진 및 주변지역지원 등에 관한 법률」에 정한 입지선정위원회가 그 구성방법 및 절차에 관한 같은 법 시행령의 규정에 위배하여 군수와 주민대표가 선정·추천한 전문가를 포함시키지 않은 채 임의로 구성되어 의결을 한 경우, 그에 터잡아 이루어진 폐기물처리시설 입지결정처분의 하자는 중대한 것이고 객관적으로도 명백하므로 무효사유에 해당한다(대판 2007. 4. 12, 2006두20150).

2. 학교법인 이사회의 승인의결 없이 한 기본재산교환허가신청에 대한 감독청(시교육위원회)의 교환허가처분은 무효이다.

   학교법인의 감독청인 피고(부산시교육위원회)의 학교법인기본재산교환허가처분은 학교법인의 이사장이 교환허가신청을 함에 있어서 이사회의 승인의결을 받음이 없이 이사회회의록사본을 위조하여 첨부한 교환허가신청서에 의한 것인바, 사립학교법 제1조, 제16조, 제28조, 제73조, 동법 시행령 제11조의 각 규정취지를 종합 고찰하면 피고의 이 사건 허가처분은 중대하고 명백한 하자가 있어 당연무효라 할 것이고 위 학교법인이사회가 위 교환을 추인·재추인하는 의결을 한 사실만으로써 무효인 허가처분의 하자가 치유된다고 볼 수 없다(대판 1984. 2. 28, 81누275 전합).

3. 조세채권의 소멸시효기간이 완성된 후에 부과한 과세처분은 무효이다.03 ★★

   조세채권의 소멸시효가 완성되어 부과권이 소멸된 후에 부과한 과세처분은 위법한 처분으로 그 하자가 중대하고도 명백하여 무효라 할 것이다(대판 1988. 3. 22, 87누1018).

4. 국세부과의 제척기간이 경과한 후에 이루어진 부과처분은 무효이다(대판 2019. 8. 30, 2016두62726).

판례 | ❶ 운전면허에 대한 정지처분권한은 경찰청장으로부터 경찰서장에게 권한위임된 것이므로 음주운전자를 적발한 단속경찰관으로서는 관할 경찰서장의 명의로 운전면허정지처분을 대행처리할 수 있을지는 몰라도 자신의 명의로 이를 할 수는 없다 할 것이고, 단속경찰관이 자신의 명의로 운전면허행정처분통지서를 작성·교부하여 행한 운전면허정지처분은 비록 그 처분의 내용·사유·근거 등이 기재된 서면을 교부하는 방식으로 행하여졌다고 하더라도 권한 없는 자에 의하여 행하여진 점에서 무효의 처분에 해당한다(대판 1997. 5. 16, 97누2313).

❷ **의원면직**
본인의 원에 의해 면직되는 것, 사표수리를 생각하면 된다.

---

5. 내부위임을 받은 자는 자기의 명의로 처분을 할 권한이 없으므로 내부위임을 받은 자가 자신의 명의로 처분을 한 경우 이는 당연무효이다.★★

   체납취득세에 대한 압류처분권한은 경상남도지사로부터 울산시장에게 권한위임된 것이고, 울산시장으로부터 압류처분권한을 내부위임을 받은 데 불과한 피고(편저자 주 : 울산남구청장)로서는 울산시장 명의로 압류처분을 대행처리할 수 있을 뿐이고 자신의 명의로 이를 할 수 없다 할 것이므로 이 사건 압류처분은 권한 없는 자에 의하여 행하여진 위법·무효의 처분이다(대판 1993. 5. 27, 93누6621).

6. 음주운전을 단속한 경찰관 자신의 명의로 행한 운전면허정지처분의 효력은 무효이다(대판 1997. 5. 16, 97누2313).**01** ❶ ★★

7. 적법한 권한위임 없이 세관출장소장이 행한 관세부과처분은 그 하자가 중대하지만 객관적으로 명백하다고 할 수 없어 당연무효는 아니다.**02** ★★★

   세관출장소장에게 관세부과처분에 관한 권한이 위임되었다고 볼 만한 법령상의 근거가 없는데도 피고가 이 사건 처분을 한 것은 결국, 적법한 위임 없이 권한 없는 자가 행한 처분으로서 그 하자가 중대하다고 할 것이나, …… 그동안 세관출장소장에게 관세부과처분에 관한 권한이 있는지 여부에 관하여 아무런 이의제기가 없었던 점 등에 비추어 보면, 세관출장소장에게 관세부과처분을 할 권한이 있다고 객관적으로 오인할 여지가 다분하다고 인정되므로 결국 적법한 권한위임 없이 행해진 이 사건 처분은 그 하자가 중대하기는 하지만 객관적으로 명백하다고 할 수는 없어 당연무효는 아니라고 보아야 할 것이다(대판 2004. 11. 26, 2003두2403).

8-1. 권한유월의 행위는 원칙적으로 무효이나, 권한을 유월한 의원면직처분은 무효가 아니다.★★★

8-2. 임면권자가 아닌 국가정보원장이 5급 이상의 국가정보원 직원에 대하여 한 의원면직처분은 당연무효가 아니다.**03** ★★★

   행정청의 공무원에 대한 의원면직❷처분은 공무원의 사직의사를 수리하는 소극적 행정행위에 불과하고, 당해 공무원의 사직의사를 확인하는 확인적 행정행위의 성격이 강하며 재량의 여지가 거의 없기 때문에 의원면직처분에서 행정청의 권한유월행위를 다른 일반적인 행정행위의 그것과 반드시 같이 보아야 할 것은 아니다(대판 2007. 7. 26, 2005두15748).

9. 국세청장 훈령인 「주류유통거래에 관한 규정」(1977. 6. 25, 훈령 제585호) 제20조, 제26조는 주류판매업자에 대한 관계에 있어서는 상위법령에 근거가 없어 무효이다(대판 1980. 12. 23, 79누382).

2. 행정기관의 의사에 하자가 있는 행위

(1) 의사능력 없는 자의 행위

의사능력 없는 공무원이 한 행정행위는 무효이다. 심신상실상태 중에 행한 행위, 저항할 수 없는 정도의 강제에 의한 행위가 이에 해당한다.

(2) 착오로 인한 행위

① 행정행위에 있어 착오는 거래안전, 신뢰보호의 관점에서 그 자체가 독립된 무효원인이나 취소원인이 되지 아니하며 착오에 의한 행정행위는 표시된 대로 효력을 발생한다는 것이 통설이다.

② 다만, 착오의 결과 행해진 행정행위의 내용 그 자체가 실현불가능한 경우(⑩ 행정재산을 착오로 매각한 경우 등)에는 무효, 단순한 위법이 있는 경우에는 취소, 그렇지 않고 사소한 오기(誤記) 등에 불과한 경우에는 그 효력에 영향이 없고 유효하다고 할 것이다.

┌ **관련판례** ─────────────

1. 행정행위는 그 요소에 착오가 있다고 해서 그것만을 이유로 하여 취소할 수 없다(대판 1976. 5. 11, 75누214).

2. 부동산을 양도한 사실이 없는 자에 대한 양도소득세 부과처분은 당연무효이다.★

   부동산을 양도한 사실이 없음에도 세무당국이 부동산을 양도한 것으로 오인하여 양도소득세를 부과하였다면 그 부과처분은 착오에 의한 행정처분으로서 그 표시된 내용에 중대하고 명백한 하자가 있어 당연무효이다(대판 1983. 8. 23, 83누179).**04**

3. 구「개발이익환수에 관한 법률」 시행 당시 납부의무자가 아닌 주택조합의 조합원에 대하여 한 개발부담금 부과처분은 당연무효이다.01 ★

주택건설촉진법(현 주택법)에 의한 설립인가를 받은 주택조합이 아파트지구 개발사업의 사업계획을 승인받아 아파트를 건축한 경우 구「개발이익환수에 관한 법률」(1993. 6. 11, 법률 제4563호로 개정되기 전의 것) 제6조 제1항 소정의 개발부담금 납부의무자는 사업시행자인 주택조합이고 그 조합원들이 아니므로, 납부의무자가 아닌 조합원들에 대한 개발부담금 부과처분은 그 처분의 법적 근거가 없는 것으로서 그 하자가 중대하고도 명백하여 무효이다(대판 1998. 5. 8, 95다30390).

❷ 절차상 하자원인

1. 개설

행정행위를 하기 위하여 법률이 일정한 절차를 거칠 것을 요구하는 경우, 이 절차 중 어느 하나를 거치지 않거나 절차에 하자가 있으면 위법한 행정행위가 된다. 한편 절차상의 하자도 무효 또는 취소사유가 되며, 다만 경미한 하자의 경우 처분의 효력에 영향을 미치지 않는다.❼

┌ 관련판례 ─
1. 행정청이 처분절차에서 관계법령의 절차규정을 위반하여 절차적 정당성이 상실된 경우에는 해당 처분은 위법하고 원칙적으로 취소하여야 한다. 다만 처분 상대방이나 관계인의 의견진술권이나 방어권행사에 실질적으로 지장이 초래되었다고 볼 수 없는 특별한 사정이 있는 경우에는, 절차규정 위반으로 인하여 처분절차의 절차적 정당성이 상실되었다고 볼 수 없으므로 해당 처분을 취소할 것은 아니다(대판 2021. 2. 4, 2015추528).

2. 경찰공무원에 대한 징계위원회의 심의과정에 감경사유에 해당하는 공적 사항이 제시되지 아니한 경우에는 그 징계양정이 결과적으로 적정한지와 상관없이 이는 관계법령이 정한 징계절차를 지키지 않은 것으로서 위법하다(대판 2012. 10. 11, 2012두13245).02 ★

2. 구체적인 경우

(1) 법률상 필요한 상대방의 신청 또는 동의 없이 행한 행위

법령이 일정한 행정행위에 대하여 상대방의 신청 또는 동의를 필요적 절차로 규정하고 있는 경우, 상대방의 신청 또는 동의를 거치지 않은 행위는 원칙적으로 무효에 해당한다는 것이 일반적인 견해이다.

┌ 관련판례 ─
1. 분배신청을 한 바 없는 자에 대한 농지분배는 무효이다.
   분배신청을 한 바 없고 분배받은 사실조차 알지 못하고 있는 자에 대한 농지분배는 허무인(편저자 주 : 존재하지 않는 사람)에게 분배한 것이나 다름이 없는 당연무효의 처분이다(대판 1970. 10. 23, 70다750).

2. 행정행위 중 당사자의 신청에 의하여 인·허가 또는 면허 등 이익을 주거나 그 신청을 거부하는 처분을 하는 것을 내용으로 하는 이른바 신청에 의한 처분의 경우에는 신청에 대하여 일단 거부처분이 행해지면 그 거부처분이 적법한 절차에 의하여 취소되지 않는 한, 사유를 추가하여 거부처분을 반복하는 것은 존재하지도 않는 신청에 대한 거부처분으로서 당연무효이다(대판 1999. 12. 28, 98두1895).03

(2) 다른 기관의 협의 등을 거치지 않은 행위

① 다른 기관의 협의 또는 자문이 법률에 의해 관계인의 권리·이익을 보호하기 위하여 인정되는 때에 그 협력의 결여는 무효원인이 되지만, 이러한 경우를 제외하고는 원칙상 취소사유에 불과하다고 볼 수 있다.❶

판례 | ❼ 화장장 및 묘지공원 부지에 대한 개발제한구역 해제 여부의 결정을 위하여 개최된 중앙도시계획위원회의 표결과정에서 표결권이 없는 광역교통실장이 참석하여 다른 표결권자 대신 표결한 경우, 이러한 잘못이 있다 하여 건설교통부장관(현 국토교통부장관)의 개발제한구역 해제결정까지 위법하다고 할 수 없다.

중앙도시계획위원회의 심의결과에 기속되어 도시계획을 결정하여야 한다는 것은 아닌 점 등을 종합해 볼 때, 중앙도시계획위원회의 심의에 위와 같은 잘못이 있다고 하여 이 사건 처분까지 위법하다고 할 수 없다(대판 2007. 4. 12, 2005두2544).

✚ 표결 결과 18 : 3으로 가결되었는데 광역교통실장의 표를 제외하더라도 17 : 3의 압도적인 표 차이가 있으므로 가결되는 데 아무런 지장이 없는 점, 또 도시계획위원회의 심의는 어차피 의견을 참고하는 절차에 불과하다는 점을 고려한 판결이다.

❶ 주된 행정처분의 관할행정청이 관계행정기관과 법령에 규정된 협의를 전혀 하지 않은 경우, 주된 행정처분은 위법하다. 다만, 그 하자의 정도에 대해서는 판례는 일반적으로 취소사유로 보고 있다. 이와 달리 주된 행정처분의 관할행정청이 관계행정기관과 법령에 규정된 협의를 하였는데 관계행정기관(협의행정기관)이 반대했음에도 불구하고 주된 인·허가를 한 경우 일반적으로 그 처분은 위법하지 않다고 본다(왜냐하면 협의는 합의와 동의와는 다른 개념으로서 말 그대로 협의를 할 것을 요구할 뿐 의사의 합치까지는 필요 없기 때문이다). 다만, 그 협의가 실질적으로 동의에 해당한다면 관계기관이 반대했음에도 불구하고 행정처분을 한 것은 위법하다고 볼 것이다.

관련판례

1. 건설부장관(현 국토교통부장관)이 관계중앙행정기관의 장과 협의를 거치지 아니하고 택지개발예정지구를 지정한 경우, 지정처분은 위법하나 당연무효가 되는 것은 아니다(즉, 취소사유로 봄)(대판 2000. 10. 13, 99두653).**01** ★

2. 구 학교보건법상 학교환경위생정화구역의 금지행위 및 시설의 해제 여부에 관한 행정처분을 함에 있어 학교환경위생정화위원회의 심의를 누락한 행정처분에는 취소사유가 있다.**02** ★★
   행정청이 구 학교보건법 소정의 학교환경위생정화구역 내에서 금지행위 및 시설의 해제 여부에 관한 행정처분을 함에 있어 학교환경위생정화위원회의 심의를 거치도록 한 취지는 그에 관한 전문가 내지 이해관계인의 의견과 주민의 의사를 행정청의 의사결정에 반영함으로써 공익에 가장 부합하는 민주적 의사를 도출하고 행정처분의 공정성과 투명성을 확보하려는 데 있고 …… 행정처분을 하면서 절차상 위와 같은 심의를 누락한 흠이 있다면 그와 같은 흠을 가리켜 위 행정처분의 효력에 아무런 영향을 주지 않는다거나 경미한 정도에 불과하다고 볼 수는 없으므로, 특별한 사정이 없는 한 이는 행정처분을 위법하게 하는 취소사유가 된다(대판 2007. 3. 15, 2006두15806).

3. 둘 이상의 시 · 도에 걸친 노선업종에 있어서의 노선신설이나 변경 또는 노선과 관련되는 사업계획변경인가처분이 미리 관계 도지사와 협의를 거치지 아니하고 행해진 경우 인가처분은 당연무효가 아니다(대판 1995. 11. 7, 95누9730).

4-1. 구 환경영향평가법령상 환경영향평가를 실시하여야 할 사업에 대하여 환경영향평가를 거치지 아니하였음에도 승인 등 처분을 한 경우, 그 처분은 당연무효이다.★★★
   환경영향평가를 거쳐야 할 대상사업에 대하여 환경영향평가를 거치지 아니하였음에도 불구하고 승인 등 처분이 이루어진다면, 이러한 행정처분의 하자는 법규의 중요한 부분을 위반한 중대한 것이고 객관적으로도 명백한 것이라고 하지 않을 수 없어,**03** 이와 같은 행정처분은 당연무효이다.

4-2. 「국방 · 군사시설 사업에 관한 법률」 및 구 산림법에서 보전임지를 다른 용도로 이용하기 위한 사업에 대하여 승인 등 처분을 하기 전에 미리 산림청장과 협의를 하라고 규정한 경우 이러한 협의를 거치지 아니한 승인처분은 당연무효가 아니다.**04** ★
   「국방 · 군사시설 사업에 관한 법률」 및 구 산림법(2002. 12. 30, 법률 제6841호로 개정되기 전의 것)에서 보전임지를 다른 용도로 이용하기 위한 사업에 대하여 승인 등 처분을 하기 전에 미리 산림청장과 협의를 하라고 규정한 의미는 그의 자문을 구하라는 것이지 그 의견을 따라 처분을 하라는 의미는 아니라 할 것이므로, 이러한 협의를 거치지 아니하였다고 하더라도 이는 당해 승인처분을 취소할 수 있는 원인이 되는 하자 정도에 불과하고 그 승인처분이 당연무효가 되는 하자에 해당하는 것은 아니라고 봄이 상당하다(대판 2006. 6. 30, 2005두14363).
   ✚ 의결 · 동의와 협의를 구별하여 의결 · 동의를 결한 경우는 주체상 하자로, 협의를 결한 경우는 절차상 하자로 보는 견해도 존재한다(박균성, <행정법강의>, p.303 · 307).

비교판례

환경영향평가법령에서 정한 환경영향평가절차를 거쳤으나 그 환경영향평가의 내용이 부실한 경우, 그 부실의 정도가 환경영향평가를 하지 아니한 것과 다를 바 없는 정도의 것이 아닌 이상, 그 부실은 당해 승인 등 처분에 재량권 일탈 · 남용의 위법이 있는지 여부를 판단하는 하나의 요소로 됨에 그칠 뿐, 그 부실로 인하여 당연히 해당 승인 등 처분이 위법하게 되는 것은 아니다(대판 2006. 3. 16, 2006두330 전합).**05** ★

5. 행정청이 사전에 교통영향평가를 거치지 아니한 채 '건축허가 전까지 교통영향평가 심의필증을 교부받을 것'을 부관으로 붙여서 한 '실시계획변경 승인 및 공사시행변경 인가처분'은 중대하고 명백한 흠이 있다고 할 수 없어 무효로 보기 어렵다(대판 2010. 2. 25, 2009두102).**06** ★

② **항고소송의 피고**

　　협력기관의 협력행위의 위법을 이유로 다투고자 하는 경우 취소소송의 피고 또는 취소심판의 피청구인은 협력기관이 아니라 처분청이 된다.

(3) 필요한 공고 · 열람 및 통지 없이 행한 행위

① 이해관계인의 보호를 위해 법상 요구되는 공고 또는 통지를 결여한 행정행위는 무효로 볼 수 있다. 예컨대, 특허출원의 공고 없이 행한 발명특허처분, 열람절차 없이 행한 선거인명부확정 등과 같은 행위는 원칙적으로 무효로 볼 수 있다.

② 다만, 그 절차에 단순한 하자가 있음에 불과한 경우에는 무효라 할 수 없고, 경우에 따라 취소사유가 될 뿐이다.

(4) 필요한 이해관계인의 참여 또는 협의 없이 행한 행위

판례는 사업시행자가 토지소유자와 협의를 거치지 아니한 채, 수용의 재결을 신청한 것은 절차상의 하자로서 취소사유에 그친다고 판시하고 있다.

(5) 필요한 청문 또는 의견진술의 기회를 주지 아니한 행위

① 일정한 행정행위의 경우 반드시 상대방에게 청문 또는 의견진술의 기회를 부여하도록 하고 있는데, 주류적 판례는 청문 등을 결한 행위에 대해 취소사유로 보는 경향이다.

기출 체크

☐☐☐☐☐ **01** 법률상 청문을 요하는 행정처분의 경우 청문절차를 결여한 하자는 취소사유에 해당한다. (○, ×) ★★★
2016 교육행정직 9급

☐☐☐☐☐ **02** 예산의 편성에 절차적 하자가 있으면 그 예산을 집행하는 처분은 위법하게 된다. (○, ×) ★★
2016 국회직 8급

☐☐☐☐☐ **03** '4대강 살리기 사업' 각 하천 중 한강 부분에 관한 공사시행계획 및 각 실시계획승인처분에 보의 설치와 준설 등에 대한 예비타당성 조사를 실시하지 아니한 하자는 예산 자체의 하자가 되며 이에 따라 해당 하천 부분에 관한 각 하천공사시행계획 및 각 실시계획승인처분의 하자도 인정된다. (○, ×) ★★
2023 소방간부

☐☐☐☐☐ **04** 과세예고 통지 후 과세전적부심사청구나 그에 대한 결정이 있기도 전에 과세처분을 하는 것은 절차상 하자가 중대하고도 명백하여 무효이다. (○, ×) ★★
2024 소방직 9급

☐☐☐☐☐ **05** 도지사의 인사교류안 작성과 그에 따른 인사교류의 권고가 전혀 이루어지지 않은 상태에서, 관할구역 내 A시의 시장이 인사교류로서 소속 지방공무원인 甲에게 B시 지방공무원으로 전출을 명한 처분은 당연무효이다. (○, ×) ★★
2020 지방직·서울시 7급

② 다만, 개별 법률이 청문이 흠결된 행정행위를 무효로 규정하고 있는 경우도 있다. 예컨대, 국가공무원법 제13조 제2항에서는 소청심사위원회가 소청인에게 진술의 기회를 부여하지 않고 한 결정은 무효라고 규정하고 있다(징계의 경우에도 징계대상자에게 진술의 기회를 주지 않으면 무효가 됨).

▶ **관련판례**

행정처분의 근거법령 등에서 청문의 실시를 규정하고 있는 경우, 청문절차를 결여한 처분은 위법하여 취소사유에 해당한다.**01** ★★★

행정절차법 제22조 제1항 제1호에 정한 청문제도는 행정처분의 사유에 대하여 당사자에게 변명과 유리한 자료를 제출할 기회를 부여함으로써 위법사유의 시정가능성을 고려하고 처분의 신중과 적정을 기하려는 데 그 취지가 있으므로, 행정청이 특히 침해적 행정처분을 할 때 그 처분의 근거법령 등에서 청문을 실시하도록 규정하고 있다면, 행정절차법 등 관련법령상 청문을 실시하지 않아도 되는 예외적인 경우에 해당하지 않는 한 반드시 청문을 실시하여야 하며, 그러한 절차를 결여한 처분은 위법한 처분으로서 취소사유에 해당한다(대판 2007. 11. 16, 2005두15700).

(6) 예산의 경우

예산은 관련 국가행정기관만을 구속할 뿐 국민에 대한 직접적인 구속력을 발생하는 것이 아니므로 예산의 편성에 절차상 하자가 있다는 사정만으로 그러한 예산을 집행하는 처분이 위법하게 되는 것은 아니라는 것이 판례의 입장이다.

▶ **관련판례**

예산의 편성에 절차상 하자가 있다는 사정만으로 예산을 집행하는 처분에 취소사유에 이를 정도의 하자가 존재한다고 보기 어렵다.**02** ★★

국가재정법령에 규정된 예비타당성조사는 이 사건 각 처분과 형식상 전혀 별개의 행정계획인 예산의 편성을 위한 절차일 뿐 이 사건 각 처분에 앞서 거쳐야 하거나 그 근거 법규 자체에서 규정한 절차가 아니므로, 예비타당성조사를 실시하지 아니한 하자는 원칙적으로 예산 자체의 하자일 뿐, 그로써 곧바로 이 사건 각 처분의 하자가 된다고 할 수 없다(대판 2015. 12. 10, 2011두32515).**03**

(7) 무효가 되는 경우

▶ **관련판례**

1. 과세관청이 과세예고 통지 후 과세전적부심사청구나 그에 대한 결정이 있기 전에 과세처분을 한 경우, 원칙적으로 절차상 하자가 중대·명백하여 과세처분은 무효가 된다(대판 2016. 12. 27, 2016두49228).**04** ★★

2. 도지사의 인사교류안 작성과 그에 따른 인사교류의 권고가 전혀 이루어지지 않은 상태에서 행하여진 관할구역 내 시장의 인사교류에 관한 처분은 지방공무원법 제30조의2 제2항의 입법취지에 비추어 그 하자가 중대하고 객관적으로 명백하여 당연무효이다(대판 2005. 6. 24, 2004두10968).**05** ★★

❸ 내용상 하자원인

행정행위는 그 내용이 명확하고 실현 가능해야 한다. 이를 위반하여 내용상 불명확·불가능한 행위는 원칙적으로 무효이다. 그러나 내용이 단순히 위법하거나 부당함에 그친 경우에는 취소할 수 있을 뿐이다. 내용상 하자의 대표적인 예인 위헌법률에 근거한 행정행위에 대해서는 ❺에서 살펴보며, 이하에서는 일반적인 내용을 검토한다.

정답 **01** ○ **02** × **03** × **04** ○ **05** ○

1. 실현불가능한 행위

법은 불가능한 것을 요구할 수는 없으므로 실현불가능한 행위는 무효이다. 이에는 다음 두 가지가 있다.

(1) 사실상의 불가능

사회통념상 실현불가능한 경우는 무효이다. 예컨대, 30분 내에 10층 건물을 철거할 것을 명하는 것 등과 같은 행위는 무효인 행위가 된다.

(2) 법률상의 불가능

법제도·법이론상 실현불가능한 경우는 무효이다. 이의 예로는 판매되지 아니한 물품에 대한 부가가치세 부과, 존재하지 않는 토지에 대한 수용재결, 사망자에 대한 의사면허, 의사국가시험에 불합격한 자에 대한 의사면허,01 체납자 아닌 제3자 소유물건에 대한 압류처분 등을 들 수 있다.

> **관련판례**
>
> **납세자가 아닌 제3자의 재산을 대상으로 한 압류처분은 당연무효이다.**
>
> 체납처분으로서 압류의 요건을 규정한 국세징수법 제24조 각 항의 규정을 보면 어느 경우에나 압류의 대상을 납세자의 재산에 국한하고 있으므로, 납세자가 아닌 제3자의 재산을 대상으로 한 압류처분은 그 처분의 내용이 법률상 실현될 수 없는 것이어서 당연무효이다(대판 2012. 4. 12, 2010두4612).02

2. 불명확한 행위

행위의 내용이 무엇인지 사회통념상 인식할 수 없을 정도로 명확하지 않은 행위는 무효이다.03● 예컨대, 대집행의 대상을 특정하지 않은 대집행의 계고 등을 들 수 있다.

3. 행정행위 내용의 공익 위반

행정행위의 내용이 공익에 반하는 경우 당해 행정행위는 부당한 행정행위로서 취소할 수 있는 행정행위가 된다.04 한편 부당한 행정행위는 법원에 의한 통제의 대상이 되지 않으며 행정심판의 대상이 될 뿐이다.

4. 행정행위의 내용이 법령에 위반된 경우

행정행위의 내용은 법의 일반원칙 및 헌법을 포함하여 모든 법에 위반하여서는 안 되며, 법에 위반하면 위법한 행정행위가 된다. 법에 위반한 행정행위는 무효와 취소의 구별기준에 따라 무효 또는 취소할 수 있는 행정행위가 된다.

> **관련판례**
>
> 1-1. 행정청이 어느 법률관계나 사실관계에 대하여 어느 법률의 규정을 적용하여 행정처분을 한 경우에 그 법률관계나 사실관계에 대하여는 그 법률의 규정을 적용할 수 없다는 법리가 명백히 밝혀져 그 해석에 다툼의 여지가 없음에도 불구하고 행정청이 위 규정을 적용하여 처분을 한 때에는 그 하자가 중대하고 명백하다고 할 것이다.05 ★★
>
> 1-2. 그러나 그 법률관계나 사실관계에 대하여 그 법률의 규정을 적용할 수 없다는 법리가 명백히 밝혀지지 아니하여 그 해석에 다툼의 여지가 있는 때에는 행정관청이 이를 잘못 해석하여 행정처분을 하였더라도 이는 그 처분요건사실을 오인한 것에 불과하여 그 하자가 명백하다고 할 수 없다.06 ★★
>
> 1-3. 그리고 행정청이 법령규정의 문언상 처분요건의 의미가 분명함에도 합리적인 근거 없이 그 의미를 잘못 해석한 결과, 처분요건이 충족되지 아니한 상태에서 해당 처분을 한 경우에는 법리가 명백히 밝혀지지 아니하여 그 해석에 다툼의 여지가 있다고 볼 수는 없다(편저자 주 : 명백하다는 의미임)(대판 2014. 5. 16, 2011두27094).★★

기출 체크

□□□□□ **01** 행정청이 처분을 할 때에는 다른 법령 등에 특별한 규정이 있는 경우를 제외하고는 문서로 하여야 하며, 이를 위반한 처분은 하자가 중대·명백하여 원칙적으로 무효이다. (○, ×) ★★★
2024 국회직 8급

□□□□□ **02** 건물소유자에게 소방시설 불량사항을 시정·보완하라는 명령을 구두로 고지한 것은 행정절차법에 위반한 것으로 하자가 중대하나 명백하지는 않아 취소사유에 해당한다. (○, ×) ★★★
2023 국회직 8급

□□□□□ **03** 처분의 근거가 되었던 법률규정에 대하여 위헌결정이 내려진 후 행한 처분의 집행행위는 당연무효이다. (○, ×) ★★★
2019 소방직 9급

□□□□□ **04** 헌법재판소가 법률을 위헌으로 결정하였다면 이러한 결정이 있은 후 그 법률을 근거로 한 행정처분은 중대한 하자이기는 하나 명백한 하자는 아니므로 당연무효는 아니다. (○, ×) ★★★
2015 국가직 9급

□□□□□ **05** 과세처분 이후 조세부과의 근거가 되었던 법률규정에 대하여 헌법재판소에서 위헌결정이 내려진 후 그 조세채권의 집행을 위한 체납처분은 당연무효이다. (○, ×) ★★★ 2023 군무원 7급

판례 | ❶ 예비군대원의 교육훈련을 위한 소집은 당해 경찰서장이 발부하는 소집통지서에 의하여야 하며 구두, 사이렌, 타종, 기타 방법에 의할 수 없다(대판 1970. 3. 24, 69도724).

2-1. 법령규정의 문언만으로는 처분요건의 의미가 분명하지 않지만 그에 관하여 법원이나 헌법재판소의 분명한 판단이 있고, 행정청이 판단내용에 따라 법령규정을 해석·적용하는 데에 아무런 법률상 장애가 없는데도 합리적 근거 없이 <u>사법적 판단과 어긋나게 행정처분을 한 경우, 하자가 객관적으로 명백하다.</u>

2-2. 법률상 정해진 처분요건에 따라 부담금을 부과·징수하는 침익적 처분의 근거법령에 대한 헌법불합치결정이 있은 후 개선입법이 없는 경우, 행정청이 <u>사법적 판단에 따라 위헌이라고 판명된 내용과 동일한 취지로 부담금 부과처분을 하여서는 안 된다</u>(대판 2017. 12. 28, 2017두30122).

3. 공유수면에 대한 적법한 사용인지 무단 사용인지의 여부에 관한 판단을 그르쳐 변상금 부과처분을 할 것을 사용료 부과처분을 하거나 반대로 사용료 부과처분을 할 것을 변상금 부과처분을 한 경우, 그 부과처분의 하자는 중대한 하자라고 할 수는 없다.
<u>공유수면 점·사용 허가 등을 받아 적법하게 사용하는 경우에는 사용료 부과처분을, 허가를 받지 않고 무단으로 사용하는 경우에는 변상금 부과처분을 하는 것이 적법하다.</u> 그러나 적법한 사용이든 무단 사용이든 그 공유수면 점·사용으로 인한 대가를 부과할 수 있다는 점은 공통된 것이고, 적법한 사용인지 무단 사용인지의 여부에 관한 판단은 사용관계에 관한 사실 인정과 법적 판단을 수반하는 것으로 반드시 명료하다고 할 수 없으므로, 그러한 판단을 그르쳐 변상금 부과처분을 할 것을 사용료 부과처분을 하거나 반대로 사용료 부과처분을 할 것을 변상금 부과처분을 하였다고 하여 그와 같은 부과처분의 하자를 중대한 하자라고 할 수는 없다(대판 2013. 4. 26, 2012두20663).

❹ 형식상 하자원인

재결서에 의하지 아니한 행정심판의 재결, 독촉장에 의하지 아니한 납세독촉 등과 같이, 법률상 문서를 요건으로 하고 있는 행정행위가 그러한 문서에 의하지 아니한 경우에는 무효이다.**01**❶

> **관련판례**
> 1. 행정청의 처분의 방식을 규정한 행정절차법 제24조를 위반하여 행해진 행정청의 처분은 그 하자가 중대하고 명백하여 원칙적으로 무효이다.★★★
> 2. (집합건물 중 일부 구분건물의 소유자인 피고인이 관할 소방서장으로부터 소방시설 불량사항에 관한 시정보완명령을 받고도 따르지 아니하였다는 내용으로 기소된 사안에서) **공무원이 소방시설 불량사항을 시정·보완하라는 명령을 구술로 고지한 것은 당연무효이다**(대판 2011. 11. 10, 2011도11109).**02** ★★★

❺ 위헌인 법률에 근거한 행정행위의 효력과 행정행위의 집행력

1. 법률에 대해 위헌결정이 내려진 후 이러한 법률을 근거로 행정행위가 행해진 경우

이러한 행정행위는 그 하자가 중대하고 명백한 것이라고 볼 수 있으므로 당연무효이다.**03 04** 대법원은 위헌결정된 국가보위입법회의법 부칙 규정에 의하여 이루어진 면직처분은 당연무효라고 판시한 바 있으며 과세처분 이후 부과의 근거가 된 법률에 대해 위헌결정이 내려진 경우, 그 조세채권의 집행을 위한 체납처분은 당연무효라고 판시한 바 있다.

> **관련판례**
> 과세처분 이후 조세 부과의 근거가 되었던 법률규정에 대하여 위헌결정이 내려진 경우, 그 조세채권의 집행을 위한 체납처분은 당연무효가 된다.**05** ★★★
> 구 헌법재판소법(2011. 4. 5, 법률 제10546호로 개정되기 전의 것) 제47조 제1항은 "법률의 위헌결정은 법원 기타 국가기관 및 지방자치단체를 기속한다."고 규정하고 있는데, 이러한 위헌결정의 기속력과

정답 01 ○ **02** × **03** ○ **04** × **05** ○

헌법을 최고규범으로 하는 법질서의 체계적 요청에 비추어 국가기관 및 지방자치단체는 위헌으로 선언된 법률규정에 근거하여 새로운 행정처분을 할 수 없음은 물론이고, 위헌결정 전에 이미 형성된 법률관계에 기한 후속처분이라도 그것이 새로운 위헌적 법률관계를 생성·확대하는 경우라면 이를 허용할 수 없다.01 따라서 조세 부과의 근거가 되었던 법률규정이 위헌으로 선언된 경우, 비록 그에 기한 과세처분이 위헌결정 전에 이루어졌고, 과세처분에 대한 제소기간이 이미 경과하여 조세채권이 확정되었으며, 조세채권의 집행을 위한 체납처분의 근거규정 자체에 대하여는 따로 위헌결정이 내려진 바 없다고 하더라도, 위와 같은 위헌결정 이후에 조세채권의 집행을 위한 새로운 체납처분에 착수하거나 이를 속행하는 것은 더 이상 허용되지 않고, 나아가 이러한 위헌결정의 효력에 위배하여 이루어진 체납처분은 그 사유만으로 하자가 중대하고 객관적으로 명백하여 당연무효라고 보아야 한다(대판 2012. 2. 16, 2010두10907 전합).02

2. 위헌결정과 소급효

(1) 전 제

법령에 대한 헌법재판소의 위헌결정이 내려진 경우 그 법령이 소급하여 효력을 상실한다고 볼 것인지 아니면 장래를 향하여 효력을 상실한다고 볼 것인지가 문제된다. 이는 법적 안정성과 개인의 권리구제를 어떻게 조화시킬 것인지에 대한 문제로 볼 수 있다.

(2) 소급효 인정범위

① 헌법재판소의 태도 ⓐ

┌ 관련판례

헌법재판소의 위헌결정은 당해 사건, 동종사건, 병행사건, 기타 정의와 형평 등을 고려할 필요가 있는 경우에 소급효가 인정된다.★

구체적 규범통제의 실효성의 보장의 견지에서 법원의 제청·헌법소원의 청구 등을 통하여 헌법재판소에 법률의 위헌결정을 위한 계기를 부여한 당해 사건(당해 사건), 위헌결정이 있기 전에 이와 동종의 위헌 여부에 관하여 헌법재판소에 위헌제청을 하였거나 법원에 위헌제청신청을 한 경우의 당해 사건(동종사건), 그리고 따로 위헌제청신청을 아니하였지만 당해 법률 또는 법률의 조항이 재판의 전제가 되어 법원에 계속 중인 사건(병행사건)에 대하여는 소급효를 인정하여야 할 것이다. 또 다른 한 가지의 불소급원칙의 예외로 볼 것은, 당사자의 권리구제를 위한 구체적 타당성의 요청이 현저한 반면에 소급효를 인정하여도 법적 안정성을 침해할 우려가 없고 나아가 구법에 의하여 형성된 기득권자의 이익이 해쳐질 사안이 아닌 경우로서 소급효의 부인이 오히려 정의와 형평 등 헌법적 이념에 심히 배치되는 때라고 할 것으로, 이때에 소급효의 인정은 법(편저자 주 : 헌법재판소법) 제47조 제2항 본문의 근본취지에 반하지 않을 것으로 생각한다(헌재 1993. 5. 13, 92헌가10).

② 대법원의 태도

대법원도 헌법재판소가 소급효를 인정한 경우에는 소급효를 인정하며 더 나아가 위헌결정 후 제소된 일반사건의 경우에도 소급효가 인정된다고 한다. 다만, 판례는 법적 안정성의 유지 등 일정한 사유가 있는 경우에는 위헌결정의 소급효가 미치지 않는다고 한다.

┌ 관련판례

1. 헌법재판소의 위헌결정의 효력이 위헌결정 이후에 당해 법률 또는 법조항이 재판의 전제가 되어 제소된 일반사건에도 미친다.★★★

   헌법재판소의 위헌결정의 효력은 위헌제청을 한 당해 사건은 물론 위헌제청신청은 아니하였지만 당해 법률 또는 법률의 조항이 재판의 전제가 되어 법원에 계속 중인 사건뿐만 아니라, 위헌결정 이후에

기출 체크

□□□□□ **01** 법률이 위헌으로 선언된 경우, 위헌결정 전에 이미 형성된 법률관계에 기한 후속처분은 비록 그것이 새로운 위헌적 법률관계를 생성·확대하는 경우라도 당연무효라 볼 수는 없다. (○, ×) ★★★
2016 지방직 7급

□□□□□ **02**

세무서장 A가 甲에게 과세처분을 하였는데, 그 후 과세처분의 근거가 되었던 법률규정은 헌법재판소에 의해 위헌으로 선언되었다. 그러나 그 과세처분에 대한 제소기간은 이미 경과하여 확정되었고, A는 甲 명의의 예금에 대한 압류처분을 하였다. 한편, 과세처분의 집행을 위한 위 압류처분의 근거규정 자체는 따로 위헌결정이 내려진 바 없다.

(1) 압류처분은 과세처분 근거규정이 직접 적용되지 않고 압류처분 관련규정이 적용될 뿐이므로, 과세처분 근거규정에 대한 위헌결정의 기속력은 압류처분과는 무관하다. (○, ×)
(2) 과세처분 이후 조세부과의 근거가 되었던 법률규정에 대하여 위헌결정이 내려진 경우, 과세처분이 당연무효가 아니더라도 위헌결정 이후에 과세처분의 집행을 위한 압류처분을 하는 것은 더 이상 허용되지 않는다. (○, ×)
(3) 甲에 대한 과세처분과 압류처분은 별개의 행정처분이므로 선행처분인 과세처분이 당연무효가 아닌 이상 압류처분을 다툴 수 있는 방법은 존재하지 않는다. (○, ×)
2024 국가직 9급

□□□□□ **03** 헌법재판소법 제47조는 위헌으로 결정된 법률 또는 법률의 조항은 원칙적으로 그 법률 또는 법률조항이 제정된 날까지 소급하여 관련된 사건의 효력을 상실시킨다고 규정하고 있다. (○, ×) ★
2013 서울시 7급

ⓐ 헌법재판소법에 따르면 형벌규정은 소급한다는 명문규정이 있다. 그 외의 법률에 대해서는 소급효에 관한 명문규정이 없으나 개인의 권리구제 측면에서 해석상 소급효를 인정할 필요가 있다.

조문 | 헌법재판소법 제47조【위헌결정의 효력】② 위헌으로 결정된 법률 또는 법률의 조항은 그 결정이 있는 날로부터 효력을 상실한다.03
③ 제2항에도 불구하고 형벌에 관한 법률 또는 법률의 조항은 소급하여 그 효력을 상실한다. 다만, 해당 법률 또는 법률의 조항에 대하여 종전에 합헌으로 결정한 사건이 있는 경우에는 그 결정이 있는 날의 다음 날로 소급하여 효력을 상실한다.

정답 01 × **02** (1) × (2) ○ (3) ×
03 ×

▢▢▢▢▢ **01** 헌법재판소의 위헌결정은 원칙적으로 장래효이지만 위헌결정이 있기 전에 이와 동종의 위헌 여부에 대하여 헌법재판소에 위헌 여부 심판제청을 한 사건에 대해서는 소급효를 인정한다. (○, ×) ★★★
2022 서울시 지적 7급

▢▢▢▢▢ **02** 헌법재판소에 별도로 위헌제청신청을 하지는 않았으나 당해 법률 또는 법률조항이 재판의 전제가 되어 법원에 계속 중인 사건의 경우 위헌결정의 예외적 소급효가 인정된다. (○, ×) ★★★
2022 서울시 지적 7급

▢▢▢▢▢ **03** 이미 취소소송의 제기기간을 경과하여 확정력이 발생한 행정처분에는 그 근거가 되는 법률에 대한 위헌결정의 소급효가 미치지 않는다. (○, ×) ★★★
2023 소방직 9급

▢▢▢▢▢ **04** 대법원은 처분이 있은 후에 근거법률이 위헌으로 결정된 경우, 그 처분은 법률의 근거가 없이 행하여진 것과 마찬가지의 하자가 인정되므로 불가쟁력이 발생하였다 하더라도 위헌결정의 소급효가 미친다고 보았다. (○, ×) ★★★
2012 국가직 7급

▢▢▢▢▢ **05** 대법원은 금고 이상의 형의 선고유예를 받은 경우에 공무원직에서 당연히 퇴직하는 것으로 규정한 구 지방공무원법 제61조 중 제31조 제5호 부분에 대한 헌법재판소의 위헌결정의 효력에 대하여, 종래의 법령에 의하여 형성된 공무원의 신분관계에 관한 법적 안정성과 신뢰보호의 요청에 비하여 퇴직공무원의 권리구제의 요청이 현저하게 우월하므로, 위 위헌결정 이후 제소된 일반사건에 대하여 위 위헌결정의 소급효가 인정된다고 판시하였다. (○, ×)
2014 지방직 9급

▢▢▢▢▢ **06** 행정처분이 발하여진 후에 헌법재판소가 그 행정처분의 근거가 된 법률을 위헌으로 결정하였다면, 그 행정처분은 특별한 사정이 없는 한 당연무효이다. (○, ×) ★★★
2022 국가직 7급

▢▢▢▢▢ **07** 행정처분 이후에 처분의 근거법령에 대하여 헌법재판소 또는 대법원이 위헌 또는 위법하다는 결정을 하게 되면, 당해 처분은 법적 근거가 없는 처분으로 하자 있는 처분이고 그 하자는 중대한 것으로 당연무효이다. (○, ×) ★★★
2019 사회복지직 9급

ⓐ 직접적으로는 p.183과 관련된 내용이지만 한 번 더 확인하기를 바란다.

위와 같은 이유로 제소된 일반사건에도 미친다(대판 1993. 2. 26, 92누12247).**01 02**

2. 이미 취소소송의 제기기간을 경과하여 확정력(불가쟁력)이 발생한 행정처분에는 위헌결정의 소급효가 미치지 않는다.**03 04** ★★★

위헌결정의 효력은 그 결정 이후에 당해 법률이 재판의 전제가 되었음을 이유로 법원에 제소된 일반사건에도 미치므로, 당해 법률에 근거하여 행정처분이 발하여진 후에 헌법재판소가 그 행정처분의 근거가 된 법률을 위헌으로 결정하였다면 결과적으로 행정처분은 법률의 근거가 없이 행하여진 것과 마찬가지가 되어 하자가 있는 것이 되나, 이미 <u>취소소송의 제기기간을 경과하여 확정력이 발생한 행정처분의 경우에는 위헌결정의 소급효가 미치지 않는다고</u> 보아야 할 것이고 …… (대판 2002. 11. 8, 2001두3181)

3-1. 법적 안정성의 유지나 당사자의 신뢰보호를 위하여 불가피한 경우에는 위헌결정의 소급효가 제한된다.

3-2. 금고 이상의 형의 선고유예를 받은 경우에 공무원직에서 당연히 퇴직하는 것으로 규정한 구 지방공무원법 제61조 중 제31조 제5호 부분에 대한 헌법재판소의 위헌결정의 소급효를 인정할 경우 그로 인하여 보호되는 퇴직공무원의 권리구제라는 구체적 타당성 등의 요청에 비하여 종래의 법령에 의하여 형성된 공무원의 신분관계에 관한 법적 안정성과 신뢰보호의 요청이 현저하게 우월하므로 위 위헌결정 이후 제소된 일반사건에 대하여 <u>위헌결정의 소급효가 제한된다.</u>**05**

위헌결정의 효력은 그 미치는 범위가 무한정일 수는 없고 다른 법리에 의하여 그 소급효를 제한하는 것까지 부정되는 것은 아니라 할 것이며, 법적 안정성의 유지나 당사자의 신뢰보호를 위하여 불가피한 경우에 위헌결정의 소급효를 제한하는 것은 오히려 법치주의의 원칙상 요청되는 바라 할 것이다(대판 2005. 11. 10, 2005두5628).

3. 행정행위가 행해진 후 행정행위의 근거법률이 위헌결정된 경우

(1) 행정행위의 효력

① 문제의 소재

행정행위가 행해지고 난 후에 행정행위의 근거법률이 헌법재판소에 의해 위헌결정이 내려지면 그 행정행위는 결과적으로 법률에 근거가 없는 행정행위로서 위법한 처분이 된다. 이때 그 처분이 당연무효인지 아니면 취소할 수 있는 행정처분에 불과한지가 문제가 된다.

② 대법원의 태도

대법원은 중대·명백설의 입장에서 이러한 경우 하자가 있다 하더라도 행정행위의 근거법률이 위헌이라는 것은 헌법재판소의 위헌결정이 있기 전에는 그 하자가 명백하다고 할 수는 없다는 이유로 특별한 사정이 없는 한 취소할 수 있는 행정행위에 그칠 뿐 무효가 아니라고 본다.

╶ 관련판례 ╴

1. 처분 후 처분의 근거법률에 대해 위헌결정이 내려진 경우 행정처분의 하자는 헌법재판소의 위헌결정이 있기 전에는 객관적으로 명백한 것이라고 할 수는 없으므로 취소사유에 불과할 뿐 당연무효는 아니다.**06 07** ★★★

법률에 근거하여 행정처분이 발하여진 후에 헌법재판소가 그 행정처분의 근거가 된 법률을 위헌으로 결정하였다면 결과적으로 행정처분은 법률의 근거가 없이 행하여진 것과 마찬가지가 되어 하자가 있는 것이 되나, <u>하자 있는 행정처분이 당연무효가 되기 위하여는 그 하자가 중대할 뿐만 아니라 명백한 것이어야 하는데, 일반적으로 법률이 헌법에 위반된다는 사정이 헌법재판소의 위헌결정이 있기 전에는 객관적으로 명백한 것이라고 할 수는 없으므로</u> 헌법재판소의 위헌결정 전에 행정처분의 근거되는 당해 법률이 헌법에 위반된다는 사유는 특별한 사정이 없는한 그 행정처분의 <u>취소소송의 전제가 될 수 있을 뿐 당연무효사유는 아니라고</u> 봄이 상당하다(대판 1994. 10. 28, 92누9463).

2. 위헌·위법한 시행령에 근거한 행정처분은 그 시행령의 무효를 선언한 대법원 판결이 없는 상태라면 특별한 사정이 없는 한 당연무효라 할 수 없다.ⓐ ★★

일반적으로 시행령이 헌법이나 법률에 위반된다는 사정은 그 시행령의 규정을 위헌 또는 위법하여 무효라고 선언한 대법원의 판결이 선고되지 아니한 상태에서는 그 시행령 규정의 위헌 내지 위법 여부가 해석상 다툼의 여지가 없을 정도로 명백하였다고 인정되지 아니하는 이상, 객관적으로 명백한 것이라 할 수 없으므로, 이러한 시행령에 근거한 행정처분의 하자는 취소사유에 해당할 뿐 무효사유가 되지 아니한다(대판 2007. 6. 14, 2004두619).

③ 헌법재판소의 태도

⑦ **원칙** : 헌법재판소도 기본적으로는 대법원과 동일하게 이러한 행정행위는 취소할 수 있는 행정행위라고 본다.❶

ⓛ **예외** : 다만, 행정처분 자체의 효력이 쟁송기간 경과 후에도 존속 중이고 그 행정처분의 근거가 된 법규가 위헌으로 선고되는 경우, 그 행정처분을 무효로 하더라도 법적 안정성을 크게 해치지 않는 반면에, 그 하자가 중대하여 그 구제가 필요한 경우에는 예외를 인정하여 당연무효사유로 보고 있다.ⓐ

▎관련판례

1. 처분의 근거가 되는 법률이 처분 이후에 위헌으로 선고된 경우, 행정처분을 무효로 하더라도 법적 안정성을 크게 해치지 않는 반면 그 하자가 중대하여 국민의 권익구제가 필요한 경우에는 예외를 인정하여 당연무효사유로 볼 수 있다(예외).01 ★★

2. 행정처분 자체의 효력이 쟁송기간 경과 후에도 존속 중인 경우, 그 행정처분이 위헌인 법률에 근거하여 내려졌고 그 목적달성을 위해 필요한 후행 행정처분이 아직 이루어지지 않았다면 그 하자가 중대하여 그 구제가 필요한 경우에 대하여서는 쟁송기간 경과 후라도 무효확인을 구할 수 있다.02 ★★

   판례나 통설은 행정처분이 당연무효인가의 여부는 그 행정처분의 하자가 중대하고 명백한가의 여부에 따라 결정된다고 보고 있지만 행정처분의 근거가 되는 법규범이 상위법규범에 위반되어 무효인가 하는 점은 그것이 헌법재판소 또는 대법원에 의하여 유권적으로 확정되기 전에는 어느 누구에게도 명백한 것이라고 할 수 없기 때문에 원칙적으로 당연무효사유에는 해당할 수 없게 되는 것이다. 그러나 행정처분 자체의 효력이 쟁송기간 경과 후에도 존속 중인 경우, 특히 그 처분이 위헌법률에 근거하여 내려진 것이고 그 행정처분의 목적달성을 위하여서는 후행(後行) 행정처분이 필요한데 후행 행정처분은 아직 이루어지지 않은 경우, 그 행정처분을 무효로 하더라도 법적 안정성을 크게 해치지 않는 반면에 그 하자가 중대하여 그 구제가 필요한 경우에 대하여서는 그 예외를 인정하여 이를 당연무효사유로 보아서 쟁송기간 경과 후에라도 무효확인을 구할 수 있는 것이라고 봐야 할 것이다. 학설상으로도 중대·명백설 외에 중대한 하자가 있기만 하면 그것이 명백하지 않더라도 무효라고 하는 중대설도 주장되고 있고, 대법원의 판례로도 반드시 하자가 중대·명백한 경우에만 행정처분의 무효가 인정된다고는 속단할 수 없기 때문이다(헌재 1994. 6. 30, 92헌바23).

(2) 행정행위의 집행력

① 문제의 소재

처분 후 처분의 근거법률이 위헌으로 결정되었다면 처분으로 부과된 의무를 이행하지 않고 있는 경우 위헌결정 후에도 강제집행할 수 있는지가 문제된다. 예컨대, 과세처분 후 세금을 납부하지 않고 있는 상태에서 처분의 근거법률이 위헌결정된 경우에 세금의 강제징수가 가능한지가 문제된다.

② 대법원의 태도

헌법재판소의 위헌결정은 기속력이 있으므로 위헌결정 후 처분의 집행이나 집행력을 유지하기 위한 행위는 허용될 수 없다는 것이 판례의 입장이다.

▭▭▭▭▭▭ **01** 헌법재판소는 위헌법률에 근거한 행정처분의 효력과 관련하여, 그 행정처분을 무효로 하더라도 법적 안정성을 크게 해치지 않는 반면에 그 하자가 중대하여 그 구제가 필요한 경우에 대해서는 예외적으로 당연무효사유로 보아야 한다는 입장을 취하고 있다. (○, ×) ★★
2015 서울시 7급

▭▭▭▭▭▭ **02** (헌법재판소에 따르면) 행정처분 자체의 효력이 쟁송기간 경과 후에도 존속 중인 경우, 그 행정처분이 위헌인 법률에 근거하여 내려졌고 그 목적달성을 위해 필요한 후행 행정처분이 아직 이루어지지 않았다면 그 하자가 중대하여 그 구제가 필요한 경우에 대하여서는 쟁송기간 경과 후라도 무효확인을 구할 수 있다. (○, ×) ★★
2018 지방직 9급

판례 | ❶ 위헌인 법률에 근거한 행정처분의 하자는 헌법재판소의 위헌결정이 있기 전에는 객관적으로 명백한 것이라고 할 수 없으므로 취소사유에 불과할 뿐 당연무효는 아니다(원칙)(헌재 2004. 1. 29, 2002헌바73).

ⓐ 대법원과 같이 해석할 경우 A법률에 근거하여 조세부과처분을 한 후, A법률이 위헌결정을 받았다고 하더라도 이미 내려진 조세부과처분은 취소사유에 불과하게 된다. 이 경우 만약 조세부과처분에 대해 이미 쟁송기간이 경과하여 불가쟁력이 발생하였다면 이러한 처분을 더 이상 다툴 수 없는 문제가 생겨서 오히려 성실한 납세자를 불리하게 대하는 결과가 된다. 따라서 이러한 점을 보완하기 위해 헌법재판소는 위와 같이 판시한 것으로 보인다.

☐☐☐☐☐ **01** 위헌법률에 기한 행정처분의 집행이나 집행력을 유지하기 위한 행위는 위헌결정의 기속력에 위반되어 허용되지 않는다. (○, ×) ★★★
2018 경행경채

☐☐☐☐☐ **02** 조세부과의 근거가 되었던 법률규정이 위헌결정되었다 하더라도, 그에 기한 과세처분이 위헌결정 전에 이루어졌다면 위헌결정 이후에 조세채권의 집행을 위한 새로운 체납처분에 착수할 수 있다. (○, ×) ★★★ 2023 소방직 9급

☐☐☐☐☐ **03** 과세처분의 근거가 되었던 법률규정에 대해 위헌결정이 내려진 후, 위헌결정의 효력에 위배하여 이루어진 체납처분은 당연무효이다. (○, ×) ★★★
2022 서울시 지적 7급

☐☐☐☐☐ **04** 법치주의 원칙을 강조할 경우 행정행위의 하자의 치유는 원칙적으로 허용될 수 없지만 예외적으로 행정의 무용한 반복을 피하고 당사자의 법적 안정성을 위해 허용될 수 있다. (○, ×) ★★★
2019 서울시 1회 7급

┌ 관련판례

1. 위헌법률에 기한 행정처분의 집행이나 집행력을 유지하기 위한 행위는 위헌결정의 기속력에 위반되어 허용되지 않는다(즉, 무효이다).**01** ★★★

2. <u>위헌결정 이전에 이미 부담금 부과처분과 압류처분 및 이에 기한 압류등기가 이루어지고 위의 각 처분이 확정되었다고 하여도, 위헌결정 이후에는 별도의 행정처분인 매각처분, 분배처분 등 후속 체납처분절차를 진행할 수 없다.</u>**02 03** ★★★

3. <u>또한 특별한 사정이 없는 한 기존의 압류등기나 교부청구만으로는 다른 사람에 의하여 개시된 경매절차에서 배당을 받을 수도 없다</u>(대판 2002. 8. 23, 2001두2959).

⑥ 행정행위가 무효인 경우(취소의 경우는 후술)

무효인 행정행위는 행정청의 특별한 의사를 기다릴 필요 없이 처음부터 아무런 효력이 발생하지 않는다. 다만, 무효인 행정행위는 후술하는 바와 같이 다른 행정행위의 요건을 갖추고 있는 경우에는 전환이 인정될 수 있다.

05 │ 하자 있는 행정행위의 치유와 전환

하자 있는 행정행위는 그 정도에 따라 무효 또는 취소가 됨이 원칙이다. 그런데 일정한 경우, 행정행위의 무용한 반복을 피하고 행정의 법적 안정성을 위해 행정행위를 유지시키거나 다른 행정행위로 전환하는 것이 요구되는바, 이를 하자의 치유와 전환이라고 한다. 우리 민법 및 독일 행정절차법 제47조에서는 하자의 치유 및 하자 있는 행정행위의 전환에 관하여 규율하고 있는 반면, 우리 행정절차법의 경우 명문의 규정이 없기 때문에 학설과 판례상으로만 논의되고 있다.

① 하자 있는 행정행위의 치유

1. 개념

행정행위의 하자의 치유라 함은 성립 당시에 하자가 있는 행정행위라 하더라도 그 하자의 원인인 법정요건을 사후에 보완하였다든가 또는 그 하자가 취소를 요하지 않을 정도로 경미해진 경우에 그 행위를 적법한 것으로 보아 효력을 유지시키는 것을 의미한다.

2. 인정근거

하자의 치유는 행정행위의 무용한 반복을 피하고 당사자의 법적 안정성을 위해 인정된다.

3. 허용성

(1) 허용 여부

하자 있는 행정행위의 치유는 행정행위의 성질이나 법치주의의 관점에서 볼 때 원칙적으로 허용될 수 없으나 예외적으로 행정행위의 무용한 반복을 피하고 당사자의 '법적 안정성'을 위해 허용될 수 있는바,**04** 이 경우에도 국민의 권리와 이익을 침해하지 않는 범위에서 인정되어야 한다. 따라서 하자의 치유는 하자의 종류에 따라 하자의 치유를 인정함으로써 달성되는 이익(예 행정객체, 상대방이 받는 이익)과 그로 인하여 발생하는 불이익(예 제3자에 대한 불이익, 상대방에 대한 불이익)을 비교·형량하여 개별적으로 결정하여야 한다.

한편 판례는 이러한 전제하에 위법한 수익적 행정행위의 하자의 치유를 인정한다면 경원관계에 있는 다른 사람의 이익을 침해하는 경우, 치유를 부정한 바 있다.

> **관련판례**
>
> 1-1. 인근주민의 동의를 받아야 하는 요건을 결여하였다는 이유로 경원관계에 있는 자가 제기한 허가처분 취소소송에서 허가처분을 받은 자가 처분 후에 동의를 받은 경우에 하자의 치유를 인정하는 것은 경원관계에 있는 원고에게 불이익이므로 허용할 수 없다.**01 ★**
>
> 1-2. <u>하자 있는 행정행위의 치유는 원칙적으로 허용될 수 없는 것이고, 예외적으로 법적 안정성을 위해 이를 허용하는 때에도 국민의 권리나 이익을 침해하지 않는 범위에서 구체적 사정에 따라 합목적적으로 인정하여야 할 것이다.</u>**★★★**
>
> 하자 있는 행정행위의 치유는 행정행위의 성질이나 법치주의의 관점에서 볼 때 원칙적으로 허용될 수 없는 것이고, 예외적으로 행정행위의 무용한 반복을 피하고 당사자의 법적 안정성을 위해 허용되는 때에도 국민의 권리나 이익을 침해하지 않는 범위 내에서 구체적 사정에 따라 합목적적으로 인정해야 할 것이다(대판 1992. 5. 8, 91누13274).**02**
>
> 2. 선행처분인 개별공시지가결정이 위법하여 그에 기초한 개발부담금 부과처분도 위법하게 된 경우, 그 후 <u>적법한 절차를 거쳐 공시된 개별공시지가결정이 종전의 위법한 공시지가결정과 그 내용이 동일하다는 사정만으로 그 개발부담금 부과처분의 하자가 치유되어 적법하게 된다고 볼 수 없다.</u>**03**
>
> 선행처분인 개별공시지가결정이 위법하여 그에 기초한 개발부담금 부과처분도 위법하게 된 경우 그 <u>하자의 치유를 인정하면 개발부담금 납부의무자로서는 위법한 처분에 대한 가산금 납부의무를 부담하게 되는 등 불이익이 있을 수 있으므로,</u> 그 후 적법한 절차를 거쳐 공시된 개별공시지가결정이 종전의 위법한 공시지가결정과 그 내용이 동일하다는 사정만으로는 위법한 개별공시지가결정에 기초한 개발부담금 부과처분이 적법하게 된다고 볼 수 없다(대판 2001. 6. 26, 99두11592). **ⓐ**
>
> 3. 재건축조합설립인가처분 당시 토지소유자 등의 동의율을 충족하지 못한 하자는 후에 토지소유자 등의 추가 동의서가 제출되었다는 사정만으로 치유될 수 없다(대판 2013. 7. 11, 2011두27544).**04 ★★**

(2) 무효사유의 경우

하자의 치유는 통설·판례에 의하면 취소할 수 있는 행정행위에 대해서만 인정된다.**05** 무효인 행정행위에도 하자의 치유를 인정하는 것은 오히려 관계인의 신뢰 및 법적 안정성을 저해하기 때문이라고 한다.

> **관련판례**
>
> 1. 당연무효인 징계처분의 하자는 피징계자의 인용으로 치유되지 않는다.**★★★**
>
> 징계처분이 중대하고 명백한 흠 때문에 당연무효의 것이라면 징계처분을 받은 자가 이를 용인하였다 하여 그 흠이 치료되는 것은 아니다(대판 1989. 12. 12, 88누8869).**06**
>
> 2. 절차상 또는 형식상 하자로 인하여 무효인 행정처분이 있은 후 행정청이 관계법령에서 정한 절차 또는 형식을 갖추어 다시 동일한 행정처분을 하였다면 당해 행정처분은 종전의 무효인 행정처분과 관계없이 새로운 행정처분이라고 보아야 한다(대판 2014. 3. 13, 2012두1006).**07 ★**
>
> 3. 골프장의 부지로 이용되는 토지소유자 소유의 토지들 중 일부 토지들의 등급을 설정 또는 수정하는 결정을 하여 이를 개별통지함에 있어서 토지등급수정결과통지서의 토지 소재지란에는 '색달동 2542 <관광단지 내 전필지 수정>'이라고 기재하고, 지목란, 결정 이전의 토지등급 및 등급가액란, 결정으로 인한 토지등급 및 등급가액란에는 색달동 2542 토지에 해당하는 내용을 기재한 경우, 이와 같은 개별통지는 색달동 2542 토지를 제외한 나머지 토지에 대하여는 토지등급결정내용의 통지를 한 것으로 볼 수 없어 그 나머지 토지들에 대한 토지등급결정은 효력을 발생할 수 없는 무효의 처분이다. 토지등급결정내용의 개별통지가 있다고 볼 수 없어 토지등급결정이 무효인 이상, 토지소유자가 그 결정 이전이나 이후에 토지등급결정내용을 알았다거나 또는 그 결정 이후 매년 정기 등급수정의 결과가 토지소유자 등의 열람에 공하여졌다 하더라도 개별통지의 하자가 치유되는 것은 아니다(대판 1997. 5. 28, 96누5308).**08**

기출 체크

□□□□□ **01** 처분의 하자가 그 내용에 관한 것인 경우, 판례는 소제기 이후에도 하자의 치유가 가능한 것으로 본다. (○, ×) ★★★　　　2019 서울시 1회 7급

□□□□□ **02** 행정행위의 내용상의 하자는 치유의 대상이 될 수 있으나, 형식이나 절차상의 하자에 대해서는 치유가 인정되지 않는다. (○, ×) ★★★　　2016 국가직 9급

□□□□□ **03** 행정청이 청문서 도달기간을 어겼다면 당사자가 이에 대하여 이의하지 아니한 채 스스로 청문일에 출석하여 방어의 기회를 충분히 가졌더라도 청문서 도달기간을 준수하지 아니한 하자가 치유되는 것은 아니다. (○, ×) ★★★　　　2024 지방직·서울시 9급

□□□□□ **04** 행정청이 청문서 도달기간을 다소 어겼다 하더라도 당사자가 이에 대하여 이의하지 아니한 채 스스로 청문일에 출석하여 그 의견을 진술하고 변명하는 등 방어의 기회를 충분히 가졌다면 청문서 도달기간을 준수하지 아니한 하자는 치유되었다고 볼 수 있다. (○, ×) ★★★　　2022 지방직·서울시 7급

□□□□□ **05** 납세고지서에 세액산출근거 등의 기재사항이 누락되었거나 과세표준과 세액의 계산명세서가 첨부되지 않은 납세고지의 하자는 납세의무자가 그 나름대로 산출근거를 알고 있다거나 사실상 이를 알고서 쟁송에 이르렀다 하더라도 치유되지 않는다. (○, ×) ★★　　2019 국가직 7급

4. 하자의 치유사유

(1) 일반적 검토

형식과 절차상의 하자에 대해서는 하자치유가 인정되나, 판례는 내용상의 하자에 대해서는 치유를 인정하지 않고 있다. 법치주의의 관점에서 볼 때 내용상 하자가 있는 경우까지 하자치유를 인정하는 것은 문제가 있다는 점에서 판례의 입장은 타당하다.

> **관련판례**
>
> (운송사업의 사업계획변경인가처분으로 종전 운행계통을 연장하여 종점을 새로 정하는 것이 노선면허가 없는 상태에서 운행계통을 연장·변경한 것이어서 위법하며 이는 내용상 하자로 하자가 치유되지 아니한다고 하면서) 하자가 행정처분의 내용에 관한 것인 경우에는 치유가 인정되지 않는다.01 02★★★
>
> 행정행위의 성질이나 법치주의의 관점에서 볼 때 하자 있는 행정행위의 치유는 원칙적으로 허용될 수 없을 뿐만 아니라 이를 허용하는 경우에도 국민의 권리와 이익을 침해하지 않는 범위에서 구체적 사정에 따라 합목적적으로 가려야 할 것이다. …… 사업계획변경인가처분에 관한 하자가 행정처분의 내용에 관한 것이고 새로운 노선면허가 소제기 이후에 이루어진 사정 등에 비추어 하자의 사후적 치유를 인정하지 아니한다(대판 1991. 5. 28, 90누1359).

(2) 구체적 검토

① 청문절차의 하자

㉠ 일정한 불이익처분의 경우 처분 전에 청문을 할 것이 요구되는데, 이러한 청문을 실시함에 있어서는 청문이 시작되는 날부터 10일 전까지 일정한 사항을 당사자 등에게 통지하여야 한다.

㉡ 판례는 이러한 청문통지기간을 지키지 아니한 경우에도 실질적인 관점에서 일정한 경우 하자의 치유를 긍정한 바 있다.

> **관련판례**
>
> 행정청이 식품위생법상의 청문절차를 이행함에 있어 청문서 도달기간을 다소 어겼지만 영업자가 이의하지 아니한 채 청문일에 출석하여 의견을 진술하고 변명하는 등 방어의 기회를 충분히 가졌다면 하자는 치유된다.03 04 ★★★
>
> 가령 행정청이 청문서 도달기간을 다소 어겼다 하더라도 영업자가 이에 대하여 이의하지 아니한 채 스스로 청문일에 출석하여 그 의견을 진술하고 변명하는 등 방어의 기회를 충분히 가졌다면 청문서 도달기간을 준수하지 아니한 하자는 치유되었다고 봄이 상당하다 할 것이다(대판 1992. 10. 23, 92누2844).

② 이유 등의 사후제시

㉠ 행정청이 처분을 함에 있어서는 처분의 이유를 제시하여야 하는데 이유를 제시하지 않은 경우, 예컨대 납세고지서(현 납부고지서)에 기재사항이 누락된 경우와 같은 납세고지(현 납부고지)의 하자는 납세의무자가 세금산출근거를 알고 있다 하더라도 위법한 처분이 된다.

㉡ 다만, 납세고지서에 기재사항이 누락된 경우라도 과세예고통지서 등 다른 서류에 납세고지서에 기재될 사항이 제대로 기재된 경우 납세의무자가 처분의 불복 여부 결정 등에 지장을 받지 않았음이 명백하다면 하자는 치유된다는 것이 판례의 입장이다.

> **관련판례**
>
> 1. 납세고지서에 세액산출근거 등의 기재사항이 누락되었거나 과세표준과 세액의 계산명세서가 첨부되지 않았다면 이는 위법하고 이러한 하자는 납세의무자가 그 나름대로 산출근거를 알고 있었다 하더라도 치유되지 않는다(대판 2002. 11. 13, 2001두1543).05 ★★

정답 **01** × **02** × **03** × **04** ○ **05** ○

2. 납세고지서에 기재사항이 누락되었더라도 과세예고통지서 등에 그러한 사항이 기재되어 있어 납세의무자에게 불이익이 없다면 하자가 치유된다. ★★

> 과세관청이 과세처분에 앞서 납세의무자에게 보낸 과세예고통지서 등에 의하여 납세의무자가 그 처분에 대한 불복 여부의 결정 및 불복신청에 전혀 지장을 받지 않았음이 명백하다면, 이로써 납세고지서의 흠결이 보완되거나 하자가 치유된다[01]고 보아야 하나 ······ (대판 1998. 6. 26, 96누12634)

┌ **비교판례**

국유재산 무단점유자에 대한 변상금 부과처분에 있어서 그 납부고지서 또는 사전통지서에 변상금 산출근거를 명시하지 않은 경우, 그러한 부과처분은 위법하다. [a]

국유재산 무단점유자에 대하여 변상금을 부과함에 있어서 그 납부고지서에 일정한 사항을 명시하도록 요구한 위 법령의 취지와 그 규정의 강행성 등에 비추어 볼 때, 처분청이 변상금 부과처분을 함에 있어서 그 납부고지서 또는 적어도 사전통지서에 그 산출근거를 밝히지 아니하였다면 위법한 것이고, 위 시행령 제26조, 제26조의2에 변상금 산정의 기초가 되는 사용료의 산정방법에 관한 규정이 마련되어 있다고 하여 산출근거를 명시할 필요가 없다거나 이로써 간접적으로 산출근거를 명시하였다고는 볼 수 없다(대판 2000. 10. 13, 99두2239).

③ 기 타 🔟

┌ **관련판례**

1. 의견진술의 기회를 주지 않은 처분에 대하여 원고가 이의신청을 하면서 뒤늦게 의견을 제출하여도 하자의 치유가 부정된다(대판 2001. 5. 8, 2000두10212).

2. 납세의무자가 부과된 세금을 자진납부하였다 하여 세액산출근거가 누락된 납세고지서에 의한 부과처분의 하자가 치유되는 것은 아니다.[03] ★★

> 세액산출근거가 기재되지 아니한 납세고지서에 의한 부과처분은 강행법규에 위반하여 취소대상이 된다 할 것이므로 이와 같은 하자는 납세의무자가 전심절차에서 이를 주장하지 아니하였거나, 그 후 부과된 세금을 자진납부하였다거나, 또는 조세채권의 소멸시효기간이 만료되었다 하여 치유되는 것이라고는 할 수 없다(대판 1985. 4. 9, 84누431).[04]

5. 하자치유의 한계

(1) 실체적 한계

하자의 치유는 법치주의의 관점에서 볼 때 원칙적으로 허용되지 않을 뿐만 아니라 허용되는 경우에도 국민의 권리와 이익을 침해하지 않는 범위에서 구체적 상황에 따라 합목적적인 사정이 있는 경우에 인정된다는 것이 판례의 입장이다.

(2) 시간적 한계

① 문제의 소재

하자의 치유를 인정한다고 하더라도 과연 어느 시점까지 인정할 수 있을 것인지가 문제된다.

② 판 례

판례는 이유제시(부기)가 결여된 처분의 하자치유와 관련하여 늦어도 처분에 대한 불복 여부의 결정 및 불복신청에 편의를 줄 수 있는 상당한 기간 내에 하여야 한다고 보고 있는바, 쟁송제기전설을 취하고 있다.[05][06][07]

ⓐ 하자의 치유는 하자 있는 A행정행위가 하자 없는 A행정행위로 바뀌는 것을 말한다. 이에 반해 하자의 전환(무효행위의 전환)은 하자 있는 A행정행위가 하자 없는 B행정행위로 바뀌는 것을 말한다.

ⓑ **강제면직**
면직은 행정청이 일방적 의사에 의해 공무원관계를 소멸시키는 행위로서 징계사유가 발생하여 징계 차원에서 하는 징계면직과 법정사유, 예컨대 직무수행능력 부족 등의 사유가 발생한 경우 임용권자가 직권으로 하는 직권면직이 있다.

┌ **관련판례** ─────

1. 과세처분에 이유제시를 하도록 한 것은 납세의무자에게 처분의 내용을 상세히 알려서 불복 여부의 결정 및 불복신청에 편의를 주려는 데 그 취지가 있으므로, 하자의 치유는 늦어도 과세처분에 대한 불복 여부의 결정 및 불복신청에 편의를 줄 수 있는 상당한 기간 내에 이루어져야 한다. ★★★

   법인세법 등이 과세처분에 과세표준과 세액의 계산명세서 등을 첨부하여 고지하도록 규정한 취지는 …… 처분청으로 하여금 자의를 배제하고 신중하고도 합리적인 처분을 행하게 함으로써 조세행정의 공정성을 기함과 동시에 납세의무자에게 부과처분의 내용을 상세히 알려서 불복 여부의 결정 및 그 불복신청에 편의를 주려는 취지로 해석되어 …… 이 치유를 허용하려면 늦어도 과세처분에 대한 불복 여부의 결정 및 불복신청에 편의를 줄 수 있는 상당한 기간 내에 하여야 한다고 할 것인바 …… 과세처분시 납세고지서에 과세표준, 세율, 세액의 산출근거 등이 누락된 경우에는 늦어도 과세처분에 대한 불복 여부의 결정 및 불복신청에 편의를 줄 수 있는 상당한 기간 내에 보정행위를 하여야 그 하자가 치유된다 할 것이므로, 과세처분이 있은 지 4년이 지나서 그 취소소송이 제기된 때에 보정된 납세고지서를 송달하였다는 사실이나 오랜 기간(4년)의 경과로써 과세처분의 하자가 치유되었다고 볼 수는 없다(대판 1983. 7. 26, 82누420).

2. 과세처분에 대한 전심절차가 모두 끝나고 상고심의 계류 중에 세액산출근거의 통지가 있었다고 하여 이로써 위 과세처분의 하자가 치유되었다고는 볼 수 없다(대판 1984. 4. 10, 83누393).**01** ★★★

6. 하자치유의 효과

행정행위의 하자가 치유되면 당해 행정행위는 치유시가 아니라 처음부터 하자가 없는 적법한 행정행위로서 그 효력이 발생한다.**02** 즉, 하자의 치유는 소급효가 있다.

② 하자 있는 행정행위의 전환

1. 의의

(1) 하자 있는 행정행위의 전환이라 함은, 행정행위가 본래의 행정행위로서는 무효이나 다른 행정행위로 보면 요건이 충족되는 경우에, 하자 있는 행정행위를 하자 없는 다른 행정행위로 보는 것을 의미한다.ⓐ

(2) 예컨대, 사망자에 대한 조세부과처분을 그 상속인에 대한 처분으로 보는 경우 또는 위법한 징계면직을 적법한 직권면직으로 보는 경우 등이 있다.ⓑ

2. 인정근거

하자의 전환은 행정의 법적 안정성을 도모하고 무용한 행정행위의 반복을 피하기 위해 인정된다.

3. 허용성

전통적 견해는 하자 있는 행정행위의 전환은 무효인 행정행위에 대해서만 인정되고, 취소할 수 있는 행정행위에 대해서는 인정되지 않는다고 한다.**03** 이에 대해 취소할 수 있는 행정행위도 전환이 인정된다고 하는 견해가 유력하게 주장되고 있다(최근의 다수설).

4. 전환의 요건

학설은 일반적으로 전환의 요건을 다음과 같이 제시하고 있다.

> ① 하자 있는 행정행위와 전환되는 행정행위가 요건·목적·효과 등에서 실질적 공통성이 있어야 한다.01
>
> ② 전환되는 행정행위의 성립·효력요건을 갖추고 있어야 한다.02
>
> ③ 하자 있는 행정행위를 한 행정청의 의도에 반하는 것이 아니어야 한다.03 달리 말하면, 행정청이 본래의 행정행위의 위법성을 알았더라면 전환되는 행정행위와 같은 내용의 처분을 하였을 것이 인정되어야 한다.
>
> ④ 당사자가 그 전환을 의욕하는 것으로 인정되어야 한다.04 즉, 당사자에게 불이익한 법적 효과를 초래하지 않아야 한다.05
>
> ⑤ 상대방 및 제3자의 권익을 침해하지 않아야 한다.
>
> ⑥ 기속행위를 재량행위로 전환하여서는 안 된다. 이러한 경우에도 전환을 인정한다면 법원이 처분청의 재량권을 행사하는 것과 같은 효과를 가져오게 되어 결과적으로 처분청의 재량권을 침해하는 것이 되기 때문이다.

┌ **관련판례**

사망한 귀속재산 수불하자에 대하여 한 그 불하처분의 취소처분을 그 상속인에게 송달한 경우 송달시에 그 상속인에 대하여 다시 그 불하처분을 취소한다는 새로운 행정처분을 한 것이다.06 ★

귀속재산을 불하받은 자가 사망한 후에 그 수불하자에 대하여 한 그 불하처분은 사망자에 대한 행정처분이므로 무효이지만, 그 취소처분을 수불하자의 상속인에게 송달한 때에는 그 송달시에 그 상속인에 대하여 다시 그 불하처분을 취소한다는 새로운 행정처분을 한 것이라고 할 것이다(대판 1969. 1. 21, 68누190).

5. 전환의 성질 및 효과

(1) 행정행위의 전환을 하나의 행정행위로 보는 견해가 통설이다. 따라서 전환행위는 처분성이 인정되므로 이해관계인은 전환행위에 대해 항고소송을 제기할 수 있다. 전환으로 인해 생긴 새로운 행정행위는 종전 행정행위의 발령 당시로 소급하여 효력이 발생한다.07 ●

(2) 소송계속 중에 행정행위의 전환이 이루어진다면, 처분의 변경이 이루어지는 것이 되므로 처분변경으로 인한 소의 변경이 가능하다(p.858 참조).08

기출 체크

☐☐☐☐☐ **01** 전환 전의 행위와 전환 후의 행위는 목적·효과에 있어서 실질적 공통성이 있어야 한다. (○, ×)　2009 국회직 8급

☐☐☐☐☐ **02** 무효인 행정행위는 전환될 행정행위의 성립·발효요건을 갖추고 있어야 한다. (○, ×)　2006 경북 9급

☐☐☐☐☐ **03** (전환은) 흠이 있는 행정행위를 한 행정청의 의도에 반하는 것이 아니어야 한다. (○, ×)　2005 서울시 9급

☐☐☐☐☐ **04** 당사자가 그 전환을 원하지 않더라도 객관적으로 전환을 위한 요건이 갖추어졌다고 판단되면 당해 행정행위는 다른 종류의 행정행위로 전환된다. (○, ×)　2005 서울시 9급

☐☐☐☐☐ **05** 전환이 관계자에게 불이익하지 않아야 한다. (○, ×)　2009 국회직 8급

☐☐☐☐☐ **06** 귀속재산을 불하받은 자가 사망한 후에 불하분의 취소처분을 수불하자의 상속인에게 송달한 때에는 그 상속인에 대하여 다시 그 불하처분을 취소한다는 새로운 행정처분을 한 것으로 본다. (○, ×) ★　2018 서울시 2회 7급

☐☐☐☐☐ **07** 전환에 의하여 형성되는 새로운 행정행위의 효력발생을 소급적으로 보아도 무방하다. (○, ×)　2009 관세사

☐☐☐☐☐ **08** 소송계속 중 행정행위의 전환이 이루어진다 하더라도 처분변경으로 인한 소의 변경은 불가능하다. (○, ×)　2009 관세사

판례 | ● 채권압류 및 전부명령의 제3채무자 표시를 사망자에서 그 상속인으로 경정하는 경정결정의 효력은 당초의 압류 및 전부명령정본이 제3채무자에게 송달된 때에 소급하여 발생한다(대판 1998. 2. 13, 95다15667).

정답 **01** ○ **02** ○ **03** ○ **04** × **05** ○
06 ○ **07** ○ **08** ×

01 | 하자의 승계문제

❶ 의 의

1. 개 념

행정결정이 여러 단계의 행정행위를 거쳐 행해지는 경우에 선행행위가 위법하지만 쟁송제기기간의 경과로 불가쟁력이 발생하여 선행행위의 취소를 구하는 소송을 제기할 수 없는 경우가 있다. 이때 후행행위 그 자체는 적법함에도 불구하고 선행행위의 위법을 이유로 후행행위의 위법을 주장할 수 있는지가 문제되는데, 이것이 이른바 하자의 승계문제이다. 한편, 후행행위의 하자를 이유로 선행행위를 다투는 것은 하자의 승계문제가 아닐뿐더러, 인정될 수도 없다.01

> **관련판례**
>
> 대집행에 위법이 있다는 사유로 그 선행절차인 계고처분이 부적법한 것으로 되지는 않는다.★★
> 계고처분의 후속절차인 대집행에 위법이 있다고 하더라도, 그와 같은 후속절차에 위법성이 있다는 점을 들어 선행절차인 계고처분이 부적법하다는 사유로 삼을 수는 없다(대판 1997. 2. 14, 96누15428).02

2. 인정필요성

행정행위의 하자 또는 효력은 행정행위별로 판단되는 것이 원칙이다. 따라서 행정행위의 상대방이나 이해관계인은 후행 행정행위를 다투면서 후행 행정행위의 위법사유가 아니라 선행 행정행위의 위법사유를 주장할 수는 없는 것이 원칙이다. 그러나 국민의 권리를 보호하기 위하여 일정한 범위 내에서 하자의 승계를 인정할 필요가 있다.

❷ 논의의 전제

1. 선행행위의 위법사유는 무효 아닌 취소사유일 것03 04

왜냐하면, 선행행위가 무효인 경우에는 당사자는 선행행위의 무효를 언제나 주장할 수 있고 또한 선행행위의 무효는 당연히 후행 행정행위에 승계되어 후행행위도 무효로 됨으로써 하자의 승계를 논의할 실익이 없기 때문이다.05

> **관련판례**
>
> 1. 적법한 건축물에 대한 철거명령은 당연무효이고, 그 후행행위인 대집행계고처분 역시 당연무효이다.06 ★★★
>   원고의 이 사건 대문설치신고는 형식적 하자가 없는 적법한 요건을 갖춘 신고라고 할 것이어서 피고의 신고증 교부 또는 수리처분 등 별단의 조처를 기다릴 필요가 없이 그 신고의 효력이 발생하였다고 할 것이어서 이 사건 대문은 적법한 것임에도 피고가 원고에 대하여 명한 이 사건 대문의 철거명령은 그 하자가 중대하고 명백하여 당연무효라고 할 것이고, 그 후행행위인 이 사건 계고처분 역시 당연무효라고 할 것이다(대판 1999. 4. 27, 97누6780).07

기출 체크

☐☐☐☐☐ **01** 선행행위의 하자를 이유로 후행행위를 다투는 경우뿐만 아니라 후행행위의 하자를 이유로 선행행위를 다투는 것도 하자의 승계이다. (○, ×) ★★
2017 지방직(하) 9급

☐☐☐☐☐ **02** 계고처분의 후속절차인 대집행에 위법이 있다고 하여 그와 같은 후속절차에 위법성이 있다는 점을 들어 선행절차인 계고처분이 부적법하다는 사유로 삼을 수는 없다. (○, ×) ★★
2021 소방직 9급

☐☐☐☐☐ **03** 하자의 승계문제는 선행 행정행위에 하자가 존재하고, 그 하자가 무효가 아닌 취소사유인 경우에 문제가 되는 것이다. (○, ×) ★★
2017 경행경채

☐☐☐☐☐ **04** 하자의 승계는 통상 선행행위에 존재하는 취소사유에 해당하는 하자를 이유로 후행행위를 다투는 경우에 문제된다. (○, ×) ★★
2016 사회복지직 9급

☐☐☐☐☐ **05** 선행 행정행위가 당연무효이더라도 양자가 서로 독립하여 별개의 효과를 목적으로 하는 경우에는 후행 행정행위가 당연무효가 되는 것은 아니다. (○, ×) ★★★
2016 국회직 8급

☐☐☐☐☐ **06** 적법한 건축물에 대한 철거명령은 그 하자가 중대하고 명백하여 당연무효에 해당하면 그 후행행위인 건축물철거 대집행계고처분 역시 당연무효라고 할 것이다. (○, ×) ★★★
2023 서울시·지적 7급

☐☐☐☐☐ **07** 자기완결적 신고에 해당하는 대문설치신고가 형식적 하자가 없는 적법한 요건을 갖춘 신고임에도 불구하고 관할행정청이 수리를 거부한 후 당해 대문의 철거명령을 하였더라도, 후행행위인 대문철거 대집행계고처분이 당연무효가 되는 것은 아니다. (○, ×) ★★★
2024 지방직·서울시 9급

정답 01 × 02 ○ 03 ○ 04 ○ 05 ×
06 ○ 07 ×

2-1. 국토의 계획 및 이용에 관한 법령이 정한 도시계획시설사업의 대상 토지의 소유와 동의 요건을 갖추지 못하였는데도 사업시행자로 지정한 경우, 하자가 중대하고 명백하다.

2-2. 선행처분인 도시계획시설사업 시행자 지정처분이 처분요건을 충족하지 못하여 당연무효인 경우, 후행처분인 도시계획시설사업의 시행자가 작성한 실시계획을 인가하는 처분도 무효이다.**01** ★★★

선행처분과 후행처분이 서로 독립하여 별개의 법률효과를 목적으로 하는 때에도 선행처분이 당연무효이면 선행처분의 하자를 이유로 후행처분의 효력을 다툴 수 있다(대판 2017. 7. 11, 2016두35120).**02**

3. 조세의 부과처분과 압류 등의 체납처분은 별개의 행정처분으로서 독립성을 가지므로 부과처분에 하자가 있더라도 그 부과처분이 취소되지 아니하는 한 그 부과처분에 의한 체납처분은 위법이라고 할 수는 없지만, 체납처분은 부과처분의 집행을 위한 절차에 불과하므로 그 부과처분에 중대하고도 명백한 하자가 있어 무효인 경우에는 그 부과처분의 집행을 위한 체납처분도 무효라 할 것이다(대판 1987. 9. 22, 87누383).**03**

2. 선행행위에는 불가쟁력이 발생할 것04

선행행위에 대한 제소기간이 경과하지 않은 경우에는 선행행위의 위법 여부를 직접 다툴 수 있으므로 하자의 승계를 논할 실익이 없다.

3. 후행행위에는 고유한 위법사유가 없을 것

후행행위에 고유한 위법사유가 있으면 굳이 하자의 승계이론을 논의하지 않더라도 후행행위를 직접 다투면 된다.

4. 선행행위와 후행행위 모두 처분성을 가질 것05

처분성이 없으면 하자승계가 된다 할지라도 소송제기를 못한다는 점에서 처분성이 있어야 한다.

02 | 하자승계의 인정범위

❶ 논의의 필요성

1. 법적 안정성의 견지에서 행정행위의 하자 여부는 당해 행정행위별로 판단하여 선행행위에 불가쟁력이 발생되면 더 이상 다툴 수 없는 것이 원칙이다. 그러나 행정행위의 상대방이 쟁송제기기간 내에 선행행위를 다투지 못했기 때문에 후행행위를 무조건적으로 감수해야 한다는 것은 상대방이나 이해관계인의 권리보호 측면에서는 너무 가혹하다.

2. 이러한 점을 고려해 학설 · 판례는 일정한 경우에 선행행위의 위법이 후행행위에 승계된다고 보는데, 결국 문제의 핵심은 하자승계의 인정범위이다. 이 경우 하자승계의 인정범위는 행정법관계의 안정성과 행정의 실효성 보장이라는 요청과 국민의 권리구제의 요청을 조화하는 선에서 결정되어야 한다.

❷ 학설 · 판례

1. 통설의 태도

통설은 원칙적으로 선행행위와 후행행위가 결합하여 하나의 법률효과의 발생을 목적으로 하는 경우에는 하자의 승계를 긍정하여 선행행위의 하자를 이유로 후행행위의 효력을 다툴 수 있으며, 양 행위가 서로 독립하여 별개의 법률효과의 발생을 목적으로 하는 경우에는 하자의 승계를 부정하여 선행행위의 하자를 이유로 후행행위의 효력을 다툴 수 없다.**06**

기출 체크

☐☐☐☐☐ **01** 도시계획시설사업시행자 지정처분이 처분요건을 충족하지 못하여 당연무효인 경우, 도시계획시설사업의 시행자가 작성한 실시계획을 인가하는 처분도 무효이다. (○, ×) ★★★
2022 국가직 9급

☐☐☐☐☐ **02** 선행처분과 후행처분이 서로 독립하여 별개의 법률효과를 목적으로 하는 때에도 선행처분이 당연무효이면 선행처분의 하자를 이유로 후행처분의 효력을 다툴 수 있다. (○, ×) ★★★
2022 서울시 지적 7급

☐☐☐☐☐ **03** 조세부과처분과 압류 등의 체납처분은 별개의 행정처분으로서 독립성을 가지므로 조세부과처분에 하자가 있더라도 그 부과처분이 취소되지 아니하는 한 그에 근거한 체납처분은 위법이라고 할 수 없으나, 그 부과처분에 중대하고도 명백한 하자가 있어 무효인 경우에는 그 부과처분의 집행을 위한 체납처분도 무효이다. (○, ×)
2022 국회직 8급

☐☐☐☐☐ **04** 하자의 승계가 인정되기 위해서는 선행행위와 후행행위에 모두 불가쟁력이 발생한 경우이어야 한다. (○, ×) ★★
2016 교육행정직 9급

☐☐☐☐☐ **05** 하자의 승계가 인정되기 위해서는 선행행위와 후행행위가 모두 항고소송의 대상이 되는 처분이어야 한다. (○, ×) ★★
2016 교육행정직 9급

☐☐☐☐☐ **06** 원칙적으로 선 · 후의 행정행위가 결합하여 하나의 법적 효과를 완성하는지 여부를 기준으로 하자의 승계 여부를 결정한다. (○, ×) ★★
2016 사회복지직 9급

정답 01 ○ 02 ○ 03 ○ 04 × 05 ○ 06 ○

□□□□□ **01** 다음 중 하자의 승계가 인정되는 경우가 아닌 것은? (다툼이 있는 경우 판례에 따름) ★★
2018 서울시 1회 7급
① 도시계획결정과 수용재결처분
② 계고처분과 대집행비용납부명령
③ 귀속재산의 임대처분과 후행매각처분
④ 한지의사시험자격인정과 한지의사면허처분

□□□□□ **02** 안경사시험합격취소처분과 안경사면허취소처분(은 판례가 행정행위의 하자의 승계를 인정한다)
(○, ×) ★★   2017 서울시 9급

□□□□□ **03** 대집행계고처분과 비용납부명령(간에는 하자의 승계가 인정된다) (○, ×) ★★
2022 군무원 7급

□□□□□ **04** 과세처분의 취소를 구하는 행정소송에서 선행처분인 개별공시지가결정의 위법을 독립된 위법사유로 주장할 수 있다. (○, ×) ★★
2023 국가직 9급

□□□□□ **05** 대집행의 계고, 대집행영장에 의한 통지, 대집행의 실행, 대집행비용의 납부명령은 동일한 행정목적을 달성하기 위하여 일련의 절차로 연속하여 행하여지는 것으로서, 서로 결합하여 하나의 법률효과를 발생시키는 것이다. (○, ×) ★★
2018 서울시 9급

ⓐ 판례정리

결합하여 하나의 법률효과	승계 긍정

| 독립하여 별개의 법률효과 | 원칙 : 승계 부정 |
| | 단, 수인한도를 넘는 불이익 강요 : 승계 긍정 |

ⓑ 판례에 따르면 계고처분과 영장에 의한 통지처분은 하자가 승계된다. 하자가 승계된다는 말은 계고처분이 위법하면 통지처분도 위법하다는 말이 된다. 따라서 통지처분 취소소송에서 통지처분의 위법사유로 계고처분의 위법성을 주장할 수 있게 된다(만약 하자가 승계되지 않으면 계고처분이 위법하더라도 통지처분의 위법성과는 아무 관계가 없으므로 통지처분 취소소송에서는 통지처분 자체의 위법사유를 주장할 수 있을 뿐이다).

2. 판례의 입장 ⓐ

(1) 일반론

판례도 원칙적으로 통설과 같이 선·후의 행위가 결합하여 하나의 법률효과를 목적으로 하는지, 독립하여 별개의 법률효과를 목적으로 하는지에 따라 판단한다. 그러나 개별공시지가결정과 과세처분, 표준공시지가결정과 보상금산정에 관한 수용재결의 경우에는 비록 별개의 법률효과를 목적으로 하는 경우이지만 예외적으로 예측가능성과 수인한도의 법리를 고려하여 하자의 승계를 긍정한 바 있다.

(2) 구체적 검토01

① 하자의 승계를 긍정한 판례 – 선행행위와 후행행위가 결합

ⓐ 선행 암매장 분묘개장명령과 후행 계고처분 사이(대판 1961. 2. 21, 4293행상31)

ⓑ 선행 귀속재산의 임대처분과 후행 매각처분 사이(대판 1963. 2. 7, 62누215)

ⓒ 선행 한지의사(일정지역 내에서만 개업 가능한 의사)시험자격인정과 후행 한지의사면허처분 사이(대판 1975. 12. 9, 75누123)

ⓓ 선행 안경사국가시험합격무효처분과 안경사면허취소처분 사이(대판 1993. 2. 9, 92누4567)02

ⓔ 계고처분과 대집행비용납부명령 사이(대판 1993. 11. 9, 93누14271)03

ⓕ 선행 독촉처분과 후행 가산금·중가산금징수처분 사이(대판 1986. 10. 28, 86누147)

ⓖ 강제징수절차인 독촉·압류·매각·청산의 각 행위 사이

ⓗ 대집행절차인 계고·영장에 의한 통지·실행·비용징수의 각 행위 사이

ⓘ 개별공시지가결정과 개발부담금 부과처분

ⓙ 개별공시지가결정과 과세처분04

ⓚ 표준지공시지가결정과 수용재결

ⓛ 친일반민족행위자결정과 독립유공자예우배제결정

➕ 특히, ⓙⓚⓛ은 독립하여 별개의 효과를 가져오는 것이지만 하자의 승계가 긍정된 사안

┏ 관련판례

1. 후행처분인 대집행영장발부통보처분의 취소청구소송에서 선행처분인 계고처분이 위법하다는 이유로 대집행영장발부통보처분도 위법한 것이라는 주장을 할 수 있다(하자승계를 긍정한 판례). ⓑ★★
대집행의 계고, 대집행영장에 의한 통지, 대집행의 실행, 대집행에 요한 비용의 납부명령 등은 타인이 대신하여 행할 수 있는 행정의무의 이행을 의무자의 비용부담하에 확보하고자 하는, 동일한 행정목적을 달성하기 위하여 단계적인 일련의 절차로 연속하여 행하여지는 것으로서, 서로 결합하여 하나의 법률효과를 발생시키는 것이므로,05 선행처분인 계고처분이 하자가 있는 위법한 처분이라면, …… 후행처분인 대집행영장발부통보처분의 취소를 청구하는 소송에서 청구원인으로 선행처분인 계고처분이 위법한 것이기 때문에 그 계고처분을 전제로 행하여진 대집행영장발부통보처분도 위법한 것이라는 주장을 할 수 있다(대판 1996. 2. 9, 95누12507).

2. 이행강제금은 시정명령 자체의 이행을 목적으로 하므로 시정명령과 이행강제금 부과처분 사이에서는 하자가 승계된다. 그러므로 시정명령이 위법하면 이행강제금 부과처분도 위법하다고 보아야 한다(대판 2020. 12. 24, 2019두55675).

② 하자의 승계를 부정한 판례

    ⓐ 철거명령과 강제집행01

    ⓑ 선행 과세처분과 후행 체납처분 사이(대판 1961. 10. 26, 4292행상73)02

    ⓒ 선행 직위해제처분과 후행 면직처분 사이(대판 1984. 9. 11, 84누191)03

    ⓓ 선행 사업인정과 후행 수용재결 사이(대판 1992. 12. 11, 92누5584)04

    ⓔ 선행 도시계획결정과 후행 수용재결 사이(대판 1990. 1. 23, 87누947)

    ⓕ 보충역편입처분과 공익근무요원소집처분(대판 2002. 12. 10, 2001두5422)05

    ⓖ 표준공시지가결정과 개별공시지가결정

    ⓗ 표준공시지가결정과 과세처분

    ⓘ 과세관청의 소득금액변동통지와 징수처분(납세고지) 사이(대판 2012. 1. 26, 2009두14439)

    ⓙ 「도시 및 주거환경정비법」상 사업시행계획과 관리처분계획 사이(대판 2012. 8. 23, 2010두13463)06

    ⓚ 사업실시계획인가고시와 수용재결

    ⓛ 신고납세방식의 취득세신고행위와 징수처분(대판 2006. 9. 8, 2005두14394)

    ⓜ 도시·군계획시설결정과 도시·군계획시설사업실시계획인가(대판 2017. 7. 18, 2016두49938)

    ⓝ 공인중개사업무정지처분과 업무정지기간 중의 중개업무를 사유로 한 중개사무소의 개설등록취소처분(대판 2019. 1. 31, 2017두40372)

▶ 관련판례

1. **도시계획결정과 수용재결 간에는 하자가 승계되지 않는다.**

  도시계획의 수립에 있어서 구 도시계획법 제16조의2 소정의 공청회를 열지 아니하고 「공공용지의 취득 및 손실보상에 관한 특례법」 제8조 소정의 이주대책을 수립하지 아니하였더라도 이는 절차상의 위법으로서 취소사유에 불과하고 그 하자가 도시계획결정 또는 도시계획사업시행인가를 무효라고 할 수 있을 정도로 중대하고 명백하다고는 할 수 없으므로 이러한 위법을 선행처분인 도시계획결정이나 사업시행인가단계에서 다투지 아니하였다면 그 쟁소기간이 이미 도과한 후인 수용재결단계에 있어서는 도시계획수립행위의 위와 같은 위법을 들어 재결처분의 취소를 구할 수는 없다고 할 것이다(대판 1990. 1. 23, 87누947).07

2. **도시·군계획시설결정과 도시·군계획시설사업실시계획인가는 하자가 승계되지 않는다.08 ★★★**

  도시·군계획시설결정과 실시계획인가는 도시·군계획시설사업을 위하여 이루어지는 단계적 행정절차에서 별도의 요건과 절차에 따라 별개의 법률효과를 발생시키는 독립적인 행정처분이다. 그러므로 선행처분인 도시·군계획시설결정에 하자가 있더라도 그것이 당연무효가 아닌 한 원칙적으로 후행처분인 실시계획인가에 승계되지 않는다(대판 2017. 7. 18, 2016두49938).

3. **구 토지수용법상 사업인정의 고시절차를 누락한 것을 이유로 수용재결처분의 취소를 구하거나 무효확인을 구할 수 없다.09**

  구 토지수용법 제16조 제1항에서는 건설부장관이 사업인정을 하는 때에는 지체 없이 그 뜻을 기업자·토지소유자·관계인 및 관계도지사에게 통보하고 기업자의 성명 또는 명칭, 사업의 종류, 기업지 및 수용 또는 사용할 토지의 세목을 관보에 공시하여야 한다고 규정하고 있는바, 가령 건설부장관이 위와 같은 절차를 누락한 경우 이는 절차상의 위법으로서 수용재결 단계 전의 사업인정 단계에서 다툴 수 있는 취소사유에 해당하기는 하나, 더 나아가 그 사업인정 자체를 무효로 할 중대하고 명백한 하자라고 보기는 어렵고, 따라서 이러한 위법을 들어 수용재결처분의 취소를 구하거나 무효확인을 구할 수는 없다(대판 2000. 10. 13, 2000두5142).

기출 체크

☐☐☐☐☐ **01** 과세관청의 소득처분과 그에 따른 소득금액변동통지가 있는 경우 원천징수의무자인 법인은 원천징수하는 소득세의 납세의무에 관하여는 이를 확정하는 소득금액변동통지에 대한 항고소송에서 다툴 수 있고, 소득금액변동통지의 하자는 후행처분인 징수처분에 그대로 승계된다. (○, ×) ★★   2024 소방직 9급

☐☐☐☐☐ **02** 선행처분과 후행처분이 서로 합하여 1개의 법률효과를 완성하는 경우 선행처분에 불가쟁력이 발생하였다면 선행처분의 하자를 이유로 후행처분의 효력을 다툴 수 없다. (○, ×) ★★
2023 서울시 지적 7급

☐☐☐☐☐ **03** 선행처분과 후행처분이 서로 독립하여 별개의 법률효과를 발생시키는 경우 선행처분에 취소사유가 있다면 선행처분의 하자를 이유로 후행처분의 효력을 다툴 수 있는 것이 원칙이다. (○, ×) ★★   2023 서울시 지적 7급

☐☐☐☐☐ **04** 선행처분과 후행처분이 서로 독립하여 별개의 법률효과를 발생시키는 경우에는 선행처분에 불가쟁력이 생겨 그 효력을 다툴 수 없게 되면 수인한도를 넘는 가혹함을 가져오며 그 결과가 당사자에게 예측가능하지 않더라도 하자의 승계가 인정되지 않는다. (○, ×) ★★
2023 지방직 · 서울시 9급

4. 보충역편입처분과 공익근무요원소집처분은 양자가 별개의 법률효과를 목표로 하는 것이므로 선행처분에 대한 하자는 후행처분에 승계되지 않는다.

   병역법상 보충역편입처분과 공익근무요원소집처분이 각각 단계적으로 별개의 법률효과를 발생하는 독립된 행정처분이라고 할 것이므로, 따라서 보충역편입처분의 기초가 되는 신체등위판정에 잘못이 있다는 이유로 이를 다투기 위하여는 신체등위판정을 기초로 한 보충역편입처분에 대하여 쟁송을 제기하여야 할 것이며, 그 처분을 다투지 아니하여 이미 불가쟁력이 생겨 그 효력을 다툴 수 없게 된 경우에는, 병역처분변경신청에 의하는 경우는 별론으로 하고, 보충역편입처분에 하자가 있다고 할지라도 그것이 당연무효라고 볼 만한 특단의 사정이 없는 한 그 위법을 이유로 공익근무요원소집처분의 효력을 다툴 수 없다(대판 2002. 12. 10, 2001두5422).

5. 과세관청의 소득처분과 그에 따른 소득금액변동통지가 있는 경우, 후행처분인 징수처분에 대한 항고소송에서 징수처분 고유의 하자가 아닌 소득세 납세의무 자체에 관하여 다툴 수 없다(하자승계를 부정한 판례). ★★

   과세관청의 소득처분과 그에 따른 소득금액변동통지가 있는 경우 원천징수하는 소득세의 납세의무에 관하여는 이를 확정하는 소득금액변동통지에 대한 항고소송에서 다투어야 하고, 소득금액변동통지가 당연무효가 아닌 한 징수처분에 대한 항고소송에서 이를 다툴 수는 없다(대판 2012. 1. 26, 2009두14439).01

6. 공인중개사업무정지처분과 업무정지기간 중의 중개업무를 사유로 한 중개사무소의 개설등록취소처분은 하자가 승계되지 않는다. ★★

   2개 이상의 행정처분이 연속적 또는 단계적으로 이루어지는 경우 선행처분과 후행처분이 서로 합하여 1개의 법률효과를 완성하는 때에는 선행처분에 하자가 있으면 그 하자는 후행처분에 승계된다. 이러한 경우에는 선행처분에 불가쟁력이 생겨 그 효력을 다툴 수 없게 되더라도 선행처분의 하자를 이유로 후행처분의 효력을 다툴 수 있다.02 그러나 선행처분과 후행처분이 서로 독립하여 별개의 법률효과를 발생시키는 경우에는 선행처분에 불가쟁력이 생겨 그 효력을 다툴 수 없게 되면 선행처분의 하자가 중대하고 명백하여 선행처분이 당연무효인 경우를 제외하고는 특별한 사정이 없는 한 선행처분의 하자를 이유로 후행처분의 효력을 다툴 수 없는 것이 원칙이다.03 다만 그 경우에도 선행처분의 불가쟁력이나 구속력이 그로 인하여 불이익을 입게 되는 자에게 수인한도를 넘는 가혹함을 가져오고, 그 결과가 당사자에게 예측가능한 것이 아니라면, 국민의 재판받을 권리를 보장하고 있는 헌법의 이념에 비추어 선행처분의 후행처분에 대한 구속력을 인정할 수 없다(대판 2019. 1. 31, 2017두40372).04

7. 재산세부과처분의 취소를 구하는 소송에서 표준지공시지가결정의 위법성을 다투는 것은 원칙적으로 허용되지 않는다.

   표준지로 선정된 토지의 표준지공시지가를 다투기 위해서는 처분청인 국토교통부장관에게 이의를 신청하거나 국토교통부장관을 상대로 공시지가결정의 취소를 구하는 행정심판이나 행정소송을 제기해야 한다. 그러한 절차를 밟지 않은 채 토지 등에 관한 재산세 등 부과처분의 취소를 구하는 소송에서 표준지공시지가결정의 위법성을 다투는 것은 원칙적으로 허용되지 않는다(대판 2022. 5. 13, 2018두50147).

(3) 예외적인 판례

쟁송제기기간이 경과한 개별공시지가의 위법을 이유로 그에 기초해서 부과된 양도소득세부과처분의 취소를 구하는 사건에서 대법원은 개별공시지가결정과 양도소득세부과처분은 별개의 법률효과를 발생시키는 것이나, 하자의 승계를 부정하는 것이 관계인에게 수인한도를 넘는 불이익을 강요하는 것이 되는 경우 선행 개별공시지가결정의 위법을 이유로 후행 양도소득세부과처분의 효력을 다툴 수 있다고 판시한 바 있다. 또한 표준공시지가와 수용재결사건에서도 이와 동일한 취지로 판시하고 있다. 이에 반하여 수인가능성이나 예측가능성이 있는 경우에는 선행행위의 위법을 후행행위의 위법사유로 주장할 수 없다.

정답 01 × 02 × 03 × 04 ×

관련판례

1. 개별공시지가결정과 과세처분은 비록 별개의 효과를 목적으로 하는 것이기는 하나 관계인에게 수인한도를 넘는 불이익을 강요하는 것인 경우에는 과세처분에 대한 취소소송에서 개별공시지가결정의 위법을 주장할 수 있다(개별공시지가결정과 과세처분 간의 하자승계 긍정).01 02 ★★★

   선행처분과 후행처분이 서로 독립하여 별개의 법률효과를 목적으로 하는 때에는 선행처분에 불가쟁력이 생겨 그 효력을 다툴 수 없게 된 경우에는 선행처분의 하자가 중대하고 명백하여 당연무효인 경우를 제외하고는 선행처분의 하자를 이유로 후행처분의 효력을 다툴 수 없는 것이 원칙이나 <u>선행처분과 후행처분이 서로 독립하여 별개의 효과를 목적으로 하는 경우에도 선행처분의 불가쟁력이나 구속력이 그로 인하여 불이익을 입게 되는 자에게 수인한도를 넘는 가혹함을 가져오며, 그 결과가 당사자에게 예측가능한 것이 아닌 경우에는 국민의 재판받을 권리를 보장하고 있는 헌법의 이념에 비추어 선행처분의 후행처분에 대한 구속력은 인정될 수 없다.</u>03

   개별공시지가결정은 이를 기초로 한 과세처분 등과는 별개의 독립된 처분으로서 서로 독립하여 별개의 법률효과를 목적으로 하는 것이나 당해 결정은 이해관계인에게 개별적으로 고지되는 것도 아니고, 또한 관계인으로서는 이러한 개별공시지가가 자신에게 유리 또는 불리하게 적용될 것인지도 알기 어려운 것으로서, 이러한 사정하에서 관계인이 그 쟁송기간 내에 당해 처분을 다투지 않았다고 하여 이를 기초로 한 과세처분 등 후행처분에서 그 위법을 주장할 수 없도록 하는 것은 <u>관계인에 수인한도를 넘는 불이익을 강요하는 것이므로, 이러한 경우에는 개별공시지가결정과 과세처분은 서로 독립하여 별개의 법률효과를 목적으로 하는 것임에도 불구하고, 관계인은 후행처분인 과세처분의 위법사유로서 선행처분인 개별공시지가결정의 위법을 주장할 수 있다</u>(대판 1994. 1. 25, 93누8542).

비교판례

   개별공시지가결정의 불가쟁력이나 구속력이 수인가능성 또는 예측가능성이 있는 경우에는 선행행위의 위법을 후행행위의 위법사유로 주장할 수 없다.★★

   개별토지가격결정에 대한 재조사청구에 따른 감액조정에 대하여 더 이상 불복하지 아니한 경우, 이를 기초로 한 양도소득세 부과처분 취소소송에서 다시 개별토지가격결정의 위법을 당해 과세처분의 위법사유로 주장할 수 없다. <u>원고가 이 사건 토지를 매도한 이후에 그 양도소득세 산정의 기초가 되는 1993년도 개별공시지가결정에 대하여 한 재조사청구에 따른 조정결정을 통지받고서도 더 이상 다투지 아니한 경우까지 선행처분인 개별공시지가결정의 불가쟁력이나 구속력이 수인한도를 넘는 가혹한 것이거나 예측불가능하다고 볼 수 없어, 위 개별공시지가결정의 위법을 이 사건 과세처분의 위법사유로 주장할 수 없다</u>(대판 1998. 3. 13, 96누6059).04

   ✛ 96누6059 판결은 원고가 개별공시지가결정에 대하여 한 재조사청구에 따른 조정결정통지를 받고서도 더 이상 개별공시지가결정을 다투지 않고 있다가 개별공시지가결정의 불가쟁력이 발생한 경우에 과세처분을 다투면서 개별공시지가결정의 위법을 과세처분의 위법사유로 주장한 것이다. 따라서 이 경우는 위 1.과 달리 상대방에게 수인한도를 넘는 가혹한 것이거나 예측불가능한 것으로 볼 수 없다는 취지에서 내려진 판결이다.

2. 수용보상금의 증액을 구하는 소송에서 선행처분으로서 그 수용대상 토지가격 산정의 기초가 된 비교표준지공시지가결정의 위법을 독립한 사유로 주장할 수 있다(표준공시지가와 수용재결(보상금결정) 간 승계 긍정).05 06 ★★

   위법한 표준지공시지가결정에 대하여 그 정해진 시정절차를 통하여 시정하도록 요구하지 않았다는 이유로 위법한 표준지공시지가를 기초로 한 수용재결 등 후행 행정처분에서 표준지공시지가결정의 위법을 주장할 수 없도록 하는 것은 수인한도를 넘는 불이익을 강요하는 것으로서 국민의 재산권과 재판받을 권리를 보장한 헌법의 이념에도 부합하는 것이 아니다. 따라서 표준지공시지가결정이 위법한 경우에는 그 자체를 행정소송의 대상이 되는 행정처분으로 보아 그 위법 여부를 다툴 수 있음은 물론, 수용보상금의 증액을 구하는 소송에서도 선행처분으로서 그 수용대상 토지가격 산정의 기초가 된 비교표준지공시지가결정의 위법을 독립한 사유로 주장할 수 있다(대판 2008. 8. 21, 2007두13845).

3. 甲을 친일반민족행위자로 결정한 친일반민족행위진상규명위원회의 최종결정(선행처분)과 지방보훈지청장이 「독립유공자 예우에 관한 법률」 적용 대상자로 보상금 등의 예우를 받던 甲의 유가족 乙 등에 대하여 「독립유공자 예우에 관한 법률」 적용배제자 결정(후행처분)의 경우 선행처분과 후행처분은 비록 별개의 법률효과

☐☐☐☐☐ **01** 친일반민족행위자로 결정한 최종발표와 그에 따라 그 유가족에 대하여 한 「독립유공자 예우에 관한 법률」 적용배제자 결정은 별개의 법률효과를 목적으로 하는 처분이다. (○, ×) ★★
2018 지방직 9급

☐☐☐☐☐ **02** 「일제강점하 반민족행위 진상규명에 관한 특별법」에 따른 친일반민족행위자 결정과 「독립유공자 예우에 관한 법률」에 의한 법적용 배제결정(은 판례가 행정행위의 하자의 승계를 인정한다) (○, ×) ★★
2017 서울시 9급

☐☐☐☐☐ **03** 근로복지공단이 사업주에 대하여 하는 개별 사업장의 사업종류 변경결정은 사업종류결정의 주체, 내용과 결정기준을 고려할 때 확인적 행정행위로서 처분에 해당한다. (○, ×) ★★★
2021 국회직 8급

공시지가

1. **표준공시지가**
「부동산 가격공시에 관한 법률」에 의하여 국토교통부장관이 표준지(전국의 토지 중 기준이 되는 약 50만 필지의 땅)의 적정가격을 평가·공시한 표준지의 단위면적당 가격을 말한다. 표준공시지가는 토지거래의 기준이 되며, 국가·지방자치단체 등의 기관이 그 업무와 관련하여 지가를 산정(토지의 수용·사용 등에 대한 보상)하거나 감정평가업자가 개별적으로 토지를 감정·평가하는 기준이 된다.

2. **개별공시지가**
시장·군수 또는 구청장이 특정 목적을 위한 지가산정에 사용하기 위하여 표준공시지가를 기준으로 개별토지의 단위면적당 가격을 결정하여 공시하는 것을 말한다. 개별공시지가는 과세처분 등의 기초자료로 활용된다.

를 목적으로 하는 처분이나 선행처분의 위법을 이유로 후행처분의 효력을 다툴 수 있다.01 02 ★★

두 개 이상의 행정처분이 연속적으로 행하여지는 경우 선행처분과 후행처분이 서로 독립하여 별개의 법률효과를 목적으로 하는 때에는 선행처분에 불가쟁력이 생겨 그 효력을 다툴 수 없게 된 경우에는 선행처분의 하자가 중대하고 명백하여 당연무효인 경우를 제외하고는 선행처분의 하자를 이유로 후행처분의 효력을 다툴 수 없는 것이 원칙이나, 선행처분과 후행처분이 서로 독립하여 별개의 효과를 목적으로 하는 경우에도 선행처분의 불가쟁력이나 구속력이 그로 인하여 불이익을 입게 되는 자에게 수인한도를 넘는 가혹함을 가져오며, 그 결과가 당사자에게 예측가능한 것이 아닌 경우에는 국민의 재판받을 권리를 보장하고 있는 헌법의 이념에 비추어 선행처분의 후행처분에 대한 구속력은 인정될 수 없다(대판 2013. 3. 14, 2012두6964).

4-1. 근로복지공단이 사업주에 대하여 하는 '개별 사업장의 사업종류 변경결정'은 행정청이 행하는 구체적 사실에 관한 법집행으로서의 공권력의 행사인 '처분'에 해당한다.03 ★★★

4-2. 근로복지공단의 사업종류 변경결정에 따라 국민건강보험공단이 사업주에 대하여 하는 각각의 산재보험료 부과처분도 항고소송의 대상인 처분에 해당한다.★★★

근로복지공단이 사업종류 변경결정을 하면서 개별 사업주에 대하여 사전통지 및 의견청취, 이유제시 및 불복방법 고지가 포함된 처분서를 작성하여 교부하는 등 실질적으로 행정절차법에서 정한 처분절차를 준수함으로써 사업주에게 방어권행사 및 불복의 기회가 보장된 경우에는, 그 사업종류 변경결정은 그 내용·형식·절차의 측면에서 단순히 조기의 권리구제를 가능하게 하기 위하여 행정소송법상 처분으로 인정되는 소위 '쟁송법적 처분'이 아니라, 개별·구체적 사안에 대한 규율로서 외부에 대하여 직접적 법적 효과를 갖는 행정청의 의사표시인 소위 '실체법적 처분'에 해당하는 것으로 보아야 한다. 이 경우 사업주가 행정심판법 및 행정소송법에서 정한 기간 내에 불복하지 아니하여 불가쟁력이 발생한 때에는 그 사업종류 변경결정이 중대·명백한 하자가 있어 당연무효가 아닌 한, 사업주는 그 사업종류 변경결정에 기초하여 이루어진 각각의 산재보험료 부과처분에 대한 쟁송절차에서는 선행처분인 사업종류 변경결정의 위법성을 주장할 수 없다고 봄이 타당하다. (반면에) 근로복지공단이 사업종류 변경결정을 하면서 실질적으로 행정절차법에서 정한 처분절차를 준수하지 않아 사업주에게 방어권행사 및 불복의 기회가 보장되지 않은 경우에는 이를 항고소송의 대상인 처분으로 인정하는 것은 사업주에게 조기의 권리구제기회를 보장하기 위한 것일 뿐이므로, 이 경우에는 사업주가 사업종류 변경결정에 대해 제소기간 내에 취소소송을 제기하지 않았다고 하더라도 후행처분인 각각의 산재보험료 부과처분에 대한 쟁송절차에서 비로소 선행처분인 사업종류 변경결정의 위법성을 다투는 것이 허용되어야 한다(대판 2020. 4. 9, 2019두61137).

---

03 | 새로운 이론(선행행위의 후행행위에 대한 구속력이론, 규준력이론)

❶ 선행행위의 구속력(규준력)의 의의

선행행위의 후행행위에 대한 구속력은 주로 다단계행정행위에 있어 선행행위(◉사전결정 및 부분허가)가 후행행위에 대하여 미치는 구속력을 말하는 것으로, 선행행위에서 내려진 결정은 특별한 사정이 없는 한 선취된 결정으로 보고 이를 토대로 후행 행정행위를 하도록 하는 효력을 말한다. 통설이 후행행위에서 선행행위의 위법 여부를 다툴 수 있는가를 하자의 승계이론으로 파악하는 데 반해, 새로운 견해는 불가쟁력이 발생한 행정행위의 후행행위에 대한 구속력의 문제로 파악한다.

❷ 구속력의 인정요건 및 한계

선행행위의 후행행위에 대한 구속력의 인정요건 및 한계로는 다음과 같은 것을 들 수 있다.

① 선행행위와 후행행위가 동일한 목적을 추구하며 법적 효과가 기본적으로 일치하여야 한다(사물적 한계).

② 양 행위의 수범자(상대방)가 일치하여야 한다(대인적 한계).

③ 선행행위의 사실 및 법상태가 유지되는 한도 내에서만 미친다(시간적 한계).

④ 선행행위의 후행행위에 대한 구속력을 인정하는 것이 개인에게 지나치게 가혹하며 예측불가능한 경우에는 구속력의 효력이 인정되지 않는다(추가적 한계 – 예측가능성, 수인가능성).

ⓐ 통설에서 하자승계가 인정되지 않는다는 것은 새로운 견해에 따르면 선행행위의 구속력이 인정된다는 것과 같은 의미이다.

❸ 구속력의 효과

선행행위가 후행행위에 대해 일정한 한계 내에서 구속력을 가지면 그러한 구속력이 미치는 범위 내에서는 후행행위에 있어 선행행위의 효과와 다른 주장을 할 수 없게 된다. 즉, 하자승계가 부정되는 것과 같은 효력을 가진다.ⓐ

┏ **관련문제**

01 다음 중 하자승계가 인정되는 것은 모두 몇 개인가? (다툼이 있으면 판례에 의함)   2015 경행특채 2차

> ㉠ 공무원의 직위해제처분과 면직처분
> ㉡ 안경사시험합격무효처분과 안경사면허취소처분
> ㉢ 대집행의 계고처분과 대집행의 비용징수처분
> ㉣ 과세처분과 체납처분
> ㉤ 「일제강점하 반민족행위 진상규명에 관한 특별법」에 따른 친일반민족행위자 결정과 「독립유공자 예우에 관한 법률」에 의한 법적용대상으로부터의 배제결정

① 1개   ② 2개   ③ 3개   ④ 4개

정답 ③(㉡㉢㉤)

02 판례가 하자의 승계를 인정한 것을 모두 고르면?   2011 국가직 7급

> ㉠ 개별공시지가결정과 과세처분
> ㉡ 표준지공시지가결정과 수용재결처분
> ㉢ 도시계획사업의 실시계획인가고시와 수용재결처분
> ㉣ 보충역편입처분과 공익근무요원소집처분
> ㉤ 건물철거명령과 대집행계고처분
> ㉥ 대집행절차상 계고처분과 대집행영장발부통보처분

① ㉠, ㉡, ㉥   ② ㉠, ㉢, ㉥   ③ ㉠, ㉣, ㉤   ④ ㉡, ㉢, ㉣

정답 ①

03 다음 사례에 관한 설명으로 옳은 것은?   2008 국가직 9급

> A는 본인 소유의 토지를 乙에게 매도하였고, 관할 세무서장은 위 토지의 양도 당시의 기준시가로서 이 토지의 개별공시지가를 기준으로 양도소득세를 부과하였다. 그런데 양도소득세가 지나치게 많다고 생각한 A는 개별공시지가결정이 있은 지 1년 넘게 지나고 나서야 개별공시지가에 대하여 이의가 있으면 개별공시지가의 경정·공시일로부터 30일 이내에 이의를 신청할 수 있다는 사실과 이 개별공시지가가 자신의 토지에 대하여는 잘못된 사실판단으로 인하여 지나치게 높게 결정되었다는 사실을 알게 되었다.

① A는 개별공시지가결정을 대상으로 취소소송을 제기하여 이를 다투면 된다.

② 개별공시지가결정이 무효라 하더라도 A는 개별공시지가결정이 잘못되었음을 이유로 양도소득세부과처분의 위법을 주장할 수 없다.

③ 개별공시지가의 결정과 이를 기초로 한 과세처분은 동일한 목적을 달성하기 위하여 일련의 절차로 연속하여 행하여지는 것으로서 양 행위는 서로 결합된 처분이라고 보는 것이 다수설의 입장이다.

④ 대법원은 관계인의 수인한도를 넘어 불이익을 강요하는 경우에는 과세처분의 위법사유로서 개별공시지가결정의 위법을 주장할 수 있다고 판시한 바 있다.

정답 ④

[유튜브] 16강 필수 개념 TEST
- QR코드를 스캔해 주세요.
- 필수 개념과 출제 포인트를 풀어 보세요.
- 틀린 문제는 기본서로 확인해 주세요.

행정행위의 폐지

행정행위의 취소

의 의

- **개념** : 취소란 일단 유효하게 성립한 행정행위를 나중에 성립상의 하자를 이유로 권한 있는 기관이 그 효력을 소멸시키는 행위
  - 취소는 명시적으로 할 수도 있으나, 종전 처분과 양립할 수 없는 처분을 함으로써 묵시적으로 종전 처분을 취소할 수도 있음.

- **구별개념**

부존재	외관상 존재 자체가 없는 것
무효	외관은 존재하나 처음부터 아무런 효력이 없는 것
취소	행정행위시부터 존재한 하자를 이유로 효력을 소멸시킴. 취소되기 전까지는 유효하며 효력을 소멸시키기 위해 행정청의 별도의 의사표시가 필요함.
철회	일단 발생한 효력이 후발적 사정에 의해 소멸되며 효력 소멸을 위한 행정청의 의사표시가 필요함.
실효	일정한 사정의 발생으로 당연히 효력이 소멸되며 행정청이 별도의 의사표시를 할 필요가 없음.

- **쟁송취소와 직권취소의 구별**

구 분	쟁송취소	직권취소
동 기	상대방 또는 이해관계인의 쟁송제기	행정청의 직권
취소권자	행정청(행정심판위원회) 또는 법원	행정청(처분청·감독청)
사 유	• 심판 : 위법 또는 부당 • 소송 : 위법	위법 또는 부당
절 차	• 행정심판법·행정소송법에 따른 절차 • 당사자의 쟁송제기로 절차가 개시됨	• 개별법 또는 행정절차법에 따른 절차 • 행정청의 직권에 의해 개시됨.
제 한	취소사유가 있으면 취소해야 함 (단, 사정판결·사정재결은 예외).	행정기본법 제18조 제2항 • 공익과 사익을 비교·형량해야 함. • 거짓이나 그 밖의 부정한 방법으로 처분을 받았거나 당사자가 처분의 위법성을 알고 있었거나 중대한 과실로 알지 못한 경우는 제외
효 과	원칙상 소급함.	소급하여 취소할 수 있음. 다만, 당사자의 신뢰를 보호할 가치가 있는 등 정당한 사유가 있는 경우에는 장래를 향하여 취소할 수 있음.
범 위	행정소송에 의한 취소의 경우에는 적극적 변경이 불가능하나, 행정심판의 경우에는 적극적 변경이 가능함.	적극적 변경이 가능함.

근 거

직권취소	• 처분청의 직권취소는 법적 근거 불필요(종래 통설·판례)하다고 봄. 다만 행정기본법에 위법 또는 부당한 처분의 직권취소에 대한 근거규정을 둠. • 권한 없는 행정기관이 한 당연무효인 행정처분의 취소권자는 당해 처분을 한 처분청임(판례).
쟁송취소	• 행정심판 : 행정심판위원회 • 행정소송 : 법원

취소사유

- 단순한 위법·부당
  - 사기·강박·증뢰 등 부정행위에 의한 경우 등
- 행정청이 직권취소를 할 수 있다는 사정만으로 이해관계인에게 처분청에 대하여 취소를 요구할 신청권이 부여된 것으로 볼 수는 없음.
- 취소소송이 진행 중인 경우라도 행정청은 직권취소할 수 있음.

직권취소의 한계

- **부담적 행정행위의 직권취소** : 특별한 제한 ×
- **수익적 행정행위의 직권취소**

취소가 제한되는 경우	• 신뢰보호의 원칙 • 실권의 법리 • 불가변력이 있는 행정행위 • 하자 있는 행정행위가 치유와 전환에 의해 적법하게 된 경우 • 비례의 원칙에 의한 제한(당사자 불이익과 공익의 비교·형량)
취소가 제한되지 않는 경우	• 거짓이나 그 밖의 부정한 방법으로 처분을 받은 경우 • 당사자가 처분의 위법성을 알고 있었거나 중대한 과실로 알지 못한 경우

직권취소의 절차

행정절차법상의 처분절차에 따라야 함(수익적 행정행위 포함).

취소의 효과

- **직권취소** : 일반적으로 소급효
  - 행정기본법 제18조 제1항 : 행정청은 위법 또는 부당한 처분의 전부나 일부를 소급하여 취소할 수 있음. 다만, 당사자의 신뢰를 보호할 가치가 있는 등 정당한 사유가 있는 경우에는 장래를 향하여 취소할 수 있음.
  - 관련문제 : 지급결정을 변경 또는 취소하는 처분이 적법하다고 하여 그에 터잡은 징수처분도 반드시 적법하다고 판단해야 하는 것은 아님(판례).
- **쟁송취소** : 소급효
  - 영업허가취소처분이 행정쟁송절차에 의하여 취소된 경우 영업허가취소처분 이후의 영업행위를 무허가영업이라고 볼 수는 없음(판례).

하자 있는 취소의 취소(판례)

부정	• 과세관청이 부과의 취소를 다시 취소함으로써 원부과처분을 소생시킬 수 없음. • 지방병무청장이 보충역편입처분을 제2국민역편입처분으로 변경한 경우, 새로운 병역처분을 취소하더라도 종전의 병역처분은 되살아나지 않음.
긍정	광업권취소처분 후 새로운 이해관계인이 생기기 전에는 취소처분을 취소하여 광업권을 회복시킬 수 있음. - 단, 광업권 허가에 대한 취소처분을 한 후 광업권 설정의 선출원이 있는 경우에는 취소처분을 취소하여 광업권을 복구시키는 조처는 위법

행정행위의 철회

의 의

- **개념** : 아무런 하자 없이 성립한 행정행위를 새로운 사정이 발생하였음을 이유로 장래에 향하여 그 효력을 소멸시키는 행위
- **직권취소와의 구별**

구 분	직권취소	철 회
사 유	원시적 하자	후발적 사유
주 체	처분청, 감독청(법률에 명문규정이 없는 경우 견해대립)	처분청(감독청은 법률에 명문규정이 없는 경우에는 불가능)
법적 근거	• 행정기본법 제18조 • 판례에 따르면 필요 없음.	• 행정기본법 제19조 • 판례에 따르면 필요 없음.
소급효	• 행정청은 위법 또는 부당한 처분의 전부나 일부를 소급하여 취소할 수 있음. • 다만, 당사자의 신뢰를 보호할 가치가 있는 등 정당한 사유가 있는 경우에는 장래를 향하여 취소할 수 있음.	장래효

철회권자와 법적 근거

철회권자	• 철회는 처분청만 할 수 있음. • 감독청은 법률에 근거가 없는 한 직접 철회 불가
법적 근거	• 행정기본법 제19조 • 처분청은 별도의 법적 근거가 없더라도 행정행위를 철회하거나 변경할 수 있음(판례).

철회의 사유

- 법률에서 정한 철회사유에 해당하게 된 경우 ┐
- 법령 등의 변경이나 사정변경으로 처분을 더 이상 존속시킬 필요가 없게 된 경우 ├ 행정기본법상 사유
- 중대한 공익을 위하여 필요한 경우 ┘
- 철회권유보사실의 발생
- 상대방의 의무위반(부담의 불이행 등)
- **판례**
  - 체육지도자가 금고 이상의 형의 집행유예를 선고받은 후 집행유예기간이 경과하는 등의 사유로 자격취소처분 이전에 결격사유가 해소된 경우에도 행정청은 원칙적으로 체육지도자의 자격을 취소해야 함.
  - 의료인이 의료법을 위반하여 금고 이상의 형의 집행유예를 선고받고 유예기간이 지나 형 선고의 효력이 상실된 경우에도 의료법상 면허취소사유에 해당함.

철회권의 제한

부담적 행정행위의 철회	특별한 제한 ×
수익적 행정행위의 철회	• 철회로 인하여 당사자가 입게 될 불이익을 철회로 달성되는 공익과 비교·형량하도록 함(행정기본법 제19조 제2항). • 여러 이익(공익상의 필요, 신뢰보호, 법적 안정성의 유지 등)을 비교·형량하여 철회 여부를 결정하여야 함. • 철회사유가 있음을 알면서도 장기간 철회권을 행사하지 않은 경우에는 실권의 법리에 의해 철회권의 행사 제한 • 비례원칙 등에 의해 제한됨. 　- 외형상 하나의 행정행위라도 가분성이 있거나 일부가 특정될 수 있는 경우 일부철회만으로 목적을 달성할 수 있으면 일부철회를 해야 함.

절 차

- 철회 역시 하나의 행정행위로서 행정절차법 규정 적용
- 판례는 행정절차법이 제정되기 이전부터 철회에 이유제시가 필요하다는 입장

효 과

- 행정청이 적법한 처분의 전부 또는 일부를 장래를 향하여 철회할 수 있음(행정기본법 제19조 제1항).
- 원칙적 장래효, 예외적으로 법적 근거가 있으면 소급효도 있을 수 있음(판례).
  - 영유아보육법에 따라 평가인증을 철회하는 처분을 하면서, 원칙적으로 별도의 법적 근거 없이 평가인증의 효력을 과거로 소급하여 상실시킬 수는 없음.

철회의 취소

수익적 행정행위의 철회의 직권취소를 인정한 판례 있음.
　- 행정청이 의료법인의 이사에 대한 이사취임승인취소처분(편저자 주 : 철회)을 직권으로 취소한 경우, 그로 인하여 이사가 소급하여 지위를 회복하게 되고 법원에 의하여 선임된 임시이사는 법원의 해임결정이 없더라도 당연히 그 지위가 소멸됨.

행정행위의 실효

의 의

아무런 하자 없이 적법하게 성립한 행정행위가 일정 사실의 발생에 의하여 장래를 향하여 당연히 그 효력이 소멸되는 것

사 유

행정행위의 대상의 소멸

- **사람의 사망** : 운전면허를 받은 자의 사망으로 인한 운전면허의 실효
- **물건의 소멸** : 자동차가 파괴된 경우 자동차검사합격처분의 실효
- 자진폐업, 대물적 허가에 있어 영업시설이 모두 철거된 경우 등

해제조건의 성취, 종기의 도래

목적의 달성 또는 목적 달성의 불가능

행정행위의 변경의 경우

선행처분의 주요 부분을 실질적으로 변경하는 내용으로 후행처분을 한 경우 선행처분은 특별한 사정이 없는 한 효력 상실(판례)

효 과

행정청의 특별한 의사표시 없이 그때부터 장래를 향하여 당연히 효력이 소멸됨.

01 │ 행정행위의 취소

❶ 취소의 의의

1. 취소의 개념

(1) 의의

행정행위의 취소란 그 성립에 흠이 있음에도 불구하고 일단 유효하게 성립한 행정행위를 나중에 성립상의 하자를 이유로 권한 있는 기관이 그 효력을 소멸시키는 행위를 의미한다. 이러한 취소는 명시적으로 할 수도 있으나, 종전 처분과 양립할 수 없는 처분을 함으로써 묵시적으로 종전 처분을 취소할 수도 있다.01

(2) 구별개념

① **무효선언과 취소의 구별**

행정행위의 취소는 일단 유효하게 성립한 행정행위의 효력을 소멸시키는 행위인 점에서, 처음부터 아무런 효력이 없는 무효인 행정행위를 공적으로 확인하는 것에 불과한 무효선언과는 구별된다.❼

② **철회와 취소의 구별**

행정행위의 취소는 그 성립 당시에 하자가 있음을 이유로 하여 효력을 소멸시키는 행위인 점에서, 하자 없이 성립하였으나 그 효력을 존속시킬 수 없는 새로운 사유의 발생을 이유로 하는 행정행위의 철회와 구별된다. 따라서 관행적으로 사용하는 용어인 음주운전으로 인한 운전면허취소는 학문상으로는 운전면허의 취소가 아닌 운전면허의 철회에 해당한다.

2. 취소의 종류(쟁송취소와 직권취소)

상대방이나 이해관계인의 쟁송에 의해 법원이나 행정청이 행하는 취소를 쟁송취소라 하며, 행정청이 직권으로 행하는 취소를 직권취소라 한다. 쟁송취소와 직권취소는 둘 다 성립상 하자가 있는 행정행위에 대해 그 효력을 소멸시킨다는 공통점이 있지만 다음과 같은 차이가 있다.

(1) 취소사유

① 쟁송취소 중 행정심판에 의한 취소는 위법뿐만 아니라 부당도 취소사유가 되나, 행정소송에 의한 취소는 위법성만이 취소사유가 된다.

② 이에 대해 직권취소의 경우는 위법뿐만 아니라 부당도 취소사유가 된다.02

(2) 취소기간

① 쟁송취소는 쟁송의 제기기간이 법에 정해져 있어서(행정심판법 제27조, 행정소송법 제20조) 쟁송제기기간이 경과한 때에는 쟁송에 의한 취소는 불가능하다.

② 이에 대하여 직권취소는 원칙적으로 그러한 기간의 제한을 받지 않으나,03 신뢰보호원칙 또는 실권의 법리에 의해 제한되는 경우가 있다.

(3) 취소절차

① 쟁송취소는 행정심판법, 행정소송법이 정한 쟁송절차에 따라 행해진다.

② 이에 대하여 직권취소의 절차는 개별법 또는 행정절차법에 정해진 행정절차에 따른다.

(4) 취소형식

① 쟁송취소는 재결·판결 등의 형식으로 행해진다.

② 직권취소는 그 자체가 하나의 행정행위로서 반드시 판결 등과 같은 형식을 취할 필요는 없다.

(5) 취소대상

① 쟁송취소는 부담적 행정행위가 그 주된 대상이 되고 복효적 행정행위도 제3자의 쟁송제기에 의해 취소될 수 있다.

② 이에 대하여 직권취소는 부담적 행정행위·수익적 행정행위 및 제3자효 행정행위 모두 그 대상이 된다. 다만, 행정심판의 재결은 직권취소의 대상이 되지 않는다(행정심판법 제49조).

(6) 취소의 소급효

① 쟁송취소는 일반적으로 소급효가 인정된다.

② 최근 제정된 행정기본법에 따르면 이익형량의 관점에서 원칙적으로 행정행위의 직권취소는 소급효를 갖지만(동법 제18조 제1항 본문), 당사자의 신뢰를 보호할 가치가 있는 등 정당한 사유가 있는 경우에는 장래효를 가지는 것으로 규정하고 있다(동법 제18조 제1항 단서).**01**

(7) 취소의 범위

① 쟁송취소 중 행정심판에 의한 취소의 경우에는 적극적 변경이 가능하지만, 행정소송에 의한 취소의 경우에는 적극적 변경이 불가능하고 원칙적으로 소극적 변경(일부취소)만이 가능하다.

② 이에 대하여 직권취소의 경우에는 처분의 적극적 변경을 내용으로 할 수 있다.

(8) 취소의 제한

① 쟁송취소는 행정행위가 위법한 경우 취소되는 것이 원칙이다.

② 이에 대하여 직권취소는 취소를 통해 달성하고자 하는 공익 및 취소로 인해 당사자가 입게 될 불이익을 비교·형량(구체적 위법성)하여 취소 여부를 결정해야 한다. 최근 제정된 행정기본법에 따르면 처분취소로 인한 공·사익에 대한 비교·형량의 대상을 당사자에게 권리나 이익을 부여하는 처분으로 한정하고, 당사자 보호의 필요성이 적은 경우에는 비교·형량의 대상에서 제외하도록 규정하고 있다.

> **행정기본법 제18조【위법 또는 부당한 처분의 취소】** ① 행정청은 위법 또는 부당한 처분의 전부나 일부를 소급하여 취소할 수 있다. 다만, 당사자의 신뢰를 보호할 가치가 있는 등 정당한 사유가 있는 경우에는 장래를 향하여 취소할 수 있다.
> ② 행정청은 제1항에 따라 당사자에게 권리나 이익을 부여하는 처분을 취소하려는 경우에는 취소로 인하여 당사자가 입게 될 불이익을 취소로 달성되는 공익과 비교·형량(衡量)하여야 한다. 다만, 다음 각 호의 어느 하나에 해당하는 경우에는 그러하지 아니하다.
> 1. 거짓이나 그 밖의 부정한 방법으로 처분을 받은 경우**02**
> 2. 당사자가 처분의 위법성을 알고 있었거나 중대한 과실로 알지 못한 경우**03 04**

ⓐ 「행정권한의 위임 및 위탁에 관한 규정」 제6조에 따르면 권한의 위임이 있는 경우 위임청에게 명문으로 취소권을 인정하고 있다. 따라서 권한의 위임이 있고 그에 따라 위임청이 수임청을 감독하는 경우에는 명문규정이 있으므로 감독청인 위임청은 취소권을 행사할 수 있다.
조문 | 「행정권한의 위임 및 위탁에 관한 규정」 제6조 【지휘·감독】 위임 및 위탁기관은 수임 및 수탁기관의 수임 및 수탁사무처리에 대하여 지휘·감독하고, 그 처리가 위법하거나 부당하다고 인정될 때에는 이를 <u>취소하거나 정지시킬 수 있다.</u>04

ⓑ 정부조직법 제11조 제2항(대통령은 국무총리와 중앙행정기관의 장의 명령이나 처분이 위법 또는 부당하다고 인정하면 이를 중지 또는 <u>취소할 수 있다</u>),05 제18조 제2항(국무총리는 중앙행정기관의 장의 명령이나 처분이 위법 또는 부당하다고 인정될 경우에는 대통령의 승인을 받아 이를 중지 또는 취소할 수 있다) 등

정답 01 ○ 02 ○ 03 ○ 04 ○ 05 ×
06 ×

---

② 취소권자와 법적 근거

1. 직권취소

(1) 처분청

① 당해 행정행위를 한 행정청, 즉 처분청이 행정행위를 취소할 수 있는 권한을 가지는 것에 관해서는 이견이 없다. 특히, 통설 및 판례에 의하면 **처분청은 취소에 관한 별도의 법적 근거가 없더라도** 행정행위를 취소할 수 있다고 보았으나, 최근 제정된 행정기본법에서는 행정청은 위법 또는 부당한 처분의 전부나 일부를 취소할 수 있다는 법적 근거를 마련해 두고 있다.01

② 한편, 이와 관련하여 권한 없는 행정기관이 한 당연무효인 행정처분의 취소권자는 적법한 권한을 가진 행정청이 아니라 당해 행정처분을 한 처분청이라는 것이 판례의 입장이다.

┌─ **관련판례** ───────────────

1. **처분청은 별도의 법적 근거가 없더라도 처분을 직권으로 취소할 수 있다.**02 ★★★

   개별토지에 대한 가격결정도 행정처분에 해당하며, 원래 행정처분을 한 처분청은 그 행위에 하자가 있는 경우에는 원칙적으로 별도의 법적 근거가 없더라도 스스로 이를 직권으로 취소할 수 있는 것이다(대판 1995. 9. 15, 95누6311).

2. **권한 없는 행정기관이 한 당연무효인 행정처분의 취소권자는 당해 처분을 한 처분청이다.**★

   권한 없는 행정기관이 한 당연무효인 행정처분을 취소할 수 있는 권한은 당해 행정처분을 한 처분청에 속하고, 당해 행정처분을 할 수 있는 적법한 권한을 가지는 행정청에 그 취소권이 귀속되는 것이 아니다(대판 1984. 10. 10, 84누463).03

3. 병역의무가 국가수호를 위하여 전 국민에게 과하여진 헌법상의 의무로써 그를 수행하기 위한 전제로서의 신체등위판정이나 병역처분 등은 공정성과 형평성을 유지하여야 함은 물론 그 면탈을 방지하여야 할 공익적 필요성이 매우 큰 점에 비추어 볼 때, 지방병무청장은 군의관의 신체등위판정이 청탁이나 금품수수에 따라 위법 또는 부당하게 이루어졌다고 인정하는 경우에는 그 위법 또는 부당한 신체등위판정을 기초로 자신이 한 병역처분을 직권으로 취소할 수 있다(대판 2004. 2. 27, 2002두7791).

└─────────────────────────

(2) 감독청

법률에서 감독청의 취소권을 인정하고 있는 경우에는 감독청은 취소권을 행사할 수 있다.ⓐⓑ 그러나 이러한 법적 근거가 없는 경우 감독청이 취소권을 행사할 수 있는가에 대하여는 견해가 나누어져 있다.

① 긍정설은 취소권은 감독의 목적을 달성하기 위하여 필요불가결한 것이므로 감독청은 당연히 취소권을 갖는다고 한다.

② 부정설은 감독청은 처분청에 취소를 명할 수 있을 뿐 직접 취소를 할 수는 없다고 한다.

③ 종래에는 긍정설이 일반적 견해였지만, 현재에는 양 학설이 팽팽하게 대립되어 있다.

2. 쟁송취소

쟁송취소의 경우 취소권자는 행정심판의 단계에서는 **행정심판위원회**가 되고,06 행정소송의 단계에서는 법원이 된다.

③ 취소의 사유

1. 일반론

행정행위의 하자가 중대하고 명백한 하자가 아닌 경우, 즉 단순한 위법 또는 부당이 취소사유가 된다.

2. 취소사유의 존재와 이해관계인의 취소신청권의 관계

판례에 따르면, 행정청이 직권취소를 할 수 있다는 사정만으로 이해관계인에게 처분청에 대하여 취소를 요구할 신청권이 부여된 것으로 볼 수는 없다고 한다.

┏ 관련판례

행정청이 직권취소를 할 수 있다는 사정만으로 이해관계인인 제3자에게 행정청에 대한 직권취소청구권이 부여된 것으로 볼 수 없다.01 ★★★

산림법령에는 채석허가처분을 한 처분청이 산림을 복구한 자에 대하여 복구설계서승인 및 복구준공통보를 한 경우 그 취소신청과 관련하여 아무런 규정을 두고 있지 않고, 원래 행정처분을 한 처분청은 그 처분에 하자가 있는 경우에는 원칙적으로 별도의 법적 근거가 없더라도 스스로 이를 직권으로 취소할 수 있지만, 그와 같이 직권취소를 할 수 있다는 사정만으로 이해관계인에게 처분청에 대하여 그 취소를 요구할 신청권이 부여된 것으로 볼 수는 없다(대판 2006. 6. 30, 2004두701).

3. 취소소송이 진행 중인 경우

판례에 따르면, 취소소송이 진행 중이라도 행정청은 직권취소할 수 있다고 한다.

┏ 관련판례

처분에 대한 취소소송이 진행 중이라도 부과권자는 처분을 직권취소할 수 있다.02 ★★★

변상금 부과처분에 대한 취소소송이 진행 중이라도 그 부과권자로서는 위법한 처분을 스스로 취소하고 그 하자를 보완하여 다시 적법한 부과처분을 할 수도 있다(대판 2006. 2. 10, 2003두5686).03 04

④ 취소권의 한계

1. 직권취소

(1) 부담적(침익적) 행정행위의 경우

취소권의 행사는 원칙적으로 자유롭다.05 06 이는 법치행정의 원리도 확보하고 상대방에게도 이익을 주기 때문이다.

(2) 수익적 행정행위의 경우

수익적 행정행위의 취소권행사는 비례의 원칙 등 행정법의 일반원칙에 따른 제한을 받는다.

① 취소가 제한되는 경우

　㉠ 신뢰보호의 원칙 : 신뢰보호원칙이 충족되는 경우 행정행위의 취소가 제한된다고 할 수 있다.07

　㉡ 실권의 법리 : 행정기관에 취소권이 인정된 경우라도 장기간 그 권한을 행사하지 않아 상대방이 더 이상 취소권을 행사하지 않을 것이라는 신뢰하에 일정한 행위를 한 경우에는 실권의 법리에 의해 취소권을 잃게 된다.ⓐ

　㉢ 포괄적 신분설정행위 : 공무원임용 · 귀화허가 등과 같은 포괄적 신분설정행위는 법적 안정성의 요청이 매우 크므로 취소가 제한된다.

　㉣ 인가 등 사법(私法)형성적 행정행위 : 사인 간의 법률적 행위의 효력을 보충하여 그 법률상 효과를 완성시켜 주는 행위인 인가의 경우에는 이미 사인의 법률행위가 완성된 이후에는 법적 안정성 때문에 그 취소가 제한된다.

　㉤ 불가변력이 있는 행정행위 : 행정심판의 재결 등 불가변력이 인정되는 행정행위는 행정청이 직권으로 취소할 수 없다.

ⓗ **하자 있는 행정행위의 치유와 전환** : 하자 있는 행정행위가 치유와 전환에 의해 적법하게 된 경우에는 취소가 제한된다.**01**

ⓘ **비례의 원칙에 의한 제한** : 취소사유가 있다 하더라도, 취소로서 달성하고자 하는 공익보다 취소의 상대방이 입게 되는 불이익이 더 큰 경우에는 취소권이 제한된다고 할 것이다.**02**❶ 따라서 외형상 하나의 처분이라 하더라도 가분성이 있거나 그 처분대상의 일부가 특정될 수 있다면 그 일부를 취소한다.**03**

관련판례

1. 마을버스 운수업자 甲이 유류사용량을 실제보다 부풀려 유가보조금을 과다 지급받은 데 대하여 관할 시장이 甲에게 부정수급기간 동안 지급된 유가보조금 전액을 회수하는 내용의 처분을 한 사안에서, 구 「여객자동차 운수사업법」 제51조 제3항에 따라 국토해양부장관(현 국토교통부장관) 또는 시·도지사는 여객자동차 운수사업자가 '거짓이나 부정한 방법으로 지급받은 보조금'에 대하여 반환할 것을 명하여야 하고, 위 규정을 '정상적으로 지급받은 보조금'까지 반환하도록 명할 수 있는 것으로 해석하는 것은 문언의 범위를 넘어서는 것이며, 규정의 형식이나 체재 등에 비추어 보면, 위 환수처분은 국토해양부장관 또는 시·도지사가 지급받은 보조금을 반환할 것을 명하여야 하는 기속행위**04**이다(대판 2013. 12. 12, 2011두3388).

2. 수익적 행정처분을 취소할 때에는 이를 취소하여야할 중대한 공익상 필요와 취소로 인하여 처분 상대방이 입게 될 기득권과 법적 안정성에 대한 침해 정도 등 불이익을 비교·교량한 후 공익상 필요가 처분 상대방이 입을 불이익을 정당화할 만큼 강한 경우에 한하여 취소할 수 있다(대판 2020. 7. 23, 2019두31839).**05**

3. 수익적 행정처분을 취소 또는 철회하는 경우, 그 처분으로 인하여 공익상의 필요보다 상대방이 받게 되는 불이익 등이 막대한 경우에는 재량권의 한계를 일탈한 것으로서 그 자체가 위법하다.**06** ★★★
   행정행위를 한 처분청은 비록 그 처분 당시에 별다른 하자가 없었고, 또 그 처분 후에 이를 철회할 별도의 법적 근거가 없더라도 원래의 처분을 존속시킬 필요가 없게 된 사정변경이 생겼거나 또는 중대한 공익상의 필요가 발생한 경우에는 그 효력을 상실케 하는 별개의 행정행위로 이를 철회할 수 있다고 할 것이나, 수익적 행정처분을 취소 또는 철회하는 경우에는 이미 부여된 그 국민의 기득권을 침해하는 것이 되므로, 비록 취소 등의 사유가 있더라도 그 취소권 등의 행사는 기득권의 침해를 정당화할 만한 중대한 공익상의 필요 또는 제3자의 이익보호의 필요가 있는 때에 한하여 상대방이 받는 불이익과 비교·교량하여 결정하여야 하고, 그 처분으로 인하여 공익상의 필요보다 상대방이 받게 되는 불이익 등이 막대한 경우에는 재량권의 한계를 일탈한 것으로서 그 자체가 위법하다(대판 2004. 11. 26, 2003두10251).
   ➕ 취소와 철회 양자 모두에 적용되는 공통된 법리를 포함하고 있는 판례이므로 취소와 철회에서 모두 소개한다(p.372 참조).

4-1. 도로점용허가는 일반사용과 별도로 도로의 특정 부분에 대하여 특별사용권을 설정하는 설권행위이다. 도로관리청은 신청인의 적격성, 점용목적, 특별사용의 필요성 및 공익상의 영향 등을 참작하여 점용허가 여부 및 점용허가의 내용인 점용장소, 점용면적, 점용기간을 정할 수 있는 재량권을 갖는다.

4-2. 도로점용허가는 도로의 일부에 대한 특정사용을 허가하는 것으로서 도로의 일반사용을 저해할 가능성이 있으므로 그 범위는 점용목적 달성에 필요한 한도로 제한되어야 한다. 도로관리청이 도로점용허가를 하면서 특별사용의 필요가 없는 부분을 점용장소 및 점용면적에 포함하는 것은 그 재량권행사의 기초가 되는 사실인정에 잘못이 있는 경우에 해당하므로 그 도로점용허가 중 특별사용의 필요가 없는 부분은 위법하다. 이러한 경우 도로점용허가를 한 도로관리청은 위와 같은 흠이 있다는 이유로 유효하게 성립한 도로점용허가 중 특별사용의 필요가 없는 부분을 직권취소할 수 있음이 원칙이다.**07** 다만, 이 경우 행정청이 소급적 직권취소를 하려면 이를 취소하여야 할 공익상 필요와 그 취소로 인하여

당사자가 입을 기득권 및 신뢰보호와 법률생활안정의 침해 등 불이익을 비교·교량한 후 공익상 필요가 당사자의 기득권 침해 등 불이익을 정당화할 수 있을 만큼 강한 경우여야 한다. 이에 따라 <u>도로관리청이 도로점용허가 중 특별사용의 필요가 없는 부분을 소급적으로 직권취소하였다면, 도로관리청은 이미 징수한 점용료 중 취소된 부분의 점용면적에 해당하는 점용료를 반환하여야 한다.</u>

4-3. 행정청은 행정소송이 계속되는 때에도 직권으로 그 처분을 변경할 수 있다. 점용료 부과처분에 취소사유에 해당하는 흠이 있는 경우 도로관리청은 <u>당초 처분 자체를 취소하고 흠을 보완하여 새로운 부과처분을 하거나, 흠 있는 부분에 해당하는 점용료를 감액하는 처분을 할 수 있다. 흠 있는 부분에 해당하는 점용료를 감액하는 처분은 당초 처분 자체를 일부 취소하는 변경처분에 해당하고, 그 실질은 종래의 위법한 부분을 제거하는 것으로서 흠의 치유와는 차이가 있다</u>(대판 2019. 1. 17, 2016두56721 · 56738).**01**★★

② 취소가 제한되지 않는 경우

　　㉠ **위험의 방지, 중대한 공익상의 필요** : 공공의 안녕과 질서에 대한 위험을 방지하기 위해 필요한 경우 또는 중대한 공익상의 필요가 있는 경우 상대방의 신뢰에도 불구하고 취소가 제한되지 않는다.

　　㉡ **수익자의 귀책사유** : ⓐ 거짓이나 그 밖의 부정한 방법으로 수익적 처분을 받은 경우나 ⓑ 당사자가 그 처분의 위법성을 알고 있었거나 중대한 과실로 알지 못한 경우와 같이 수익자의 책임이 있는 경우 취소가 제한되지 않는다 할 것이다.

┏ **관련판례**
1-1. 수익적 행정처분의 하자가 당사자의 사실은폐나 기타 사위의 방법에 의한 신청행위에 기인한 경우, 당사자의 신뢰이익을 고려하지 않았다고 하더라도 재량권의 남용이 되지 않는다.**02** ★★★

1-2. <u>공장을 공장의 용도뿐만 아니라 공장 외의 용도로도 활용할 내심의 의사가 있었다고 하더라도 그와 같은 사유만으로는 이 사건 공장등록이 하자 있는 행정행위로서 취소사유가 있다고 할 수 없어 공장등록취소처분은 위법하다.</u>**03** ★
수익적 행정처분을 취소할 때에는 이를 취소하여야 할 공익상의 필요와 그 취소로 인하여 당사자가 입게 될 기득권과 신뢰보호 및 법률생활 안정의 침해 등 불이익을 비교·교량한 후 공익상의 필요가 당사자가 입을 불이익을 정당화할 만큼 강한 경우에 한하여 취소할 수 있으며, 나아가 수익적 행정처분의 하자가 당사자의 사실은폐나 기타 사위의 방법에 의한 신청행위에 기인한 것이라면 당사자는 처분에 의한 이익이 위법하게 취득되었음을 알아 취소가능성도 예상하고 있었다 할 것이므로, 그 자신이 처분에 관한 신뢰이익을 원용할 수 없음은 물론 행정청이 이를 고려하지 아니하였다고 하여도 재량권의 남용이 되지 않는다(대판 2006. 5. 25, 2003두4669).**04**

2. 허위의 고등학교 졸업증명서를 제출하는 사위의 방법에 의한 하사관 지원의 하자를 이유로 하사관 임용일로부터 33년이 경과한 후에 행정청이 행한 하사관 및 준사관 임용취소처분은 적법하다(대판 2002. 2. 5, 2001두5286).**05** ★

2. 쟁송취소

쟁송취소는 주로 부담적 행정행위가 그 대상이 되므로 원칙적으로 취소권의 제한이론이 적용될 여지가 없다. 다만, 행정소송법과 행정심판법상으로는 공공복리를 위해 취소가 제한되는 경우가 있는 바, 사정판결과 사정재결 등이 이에 해당한다(p.734, 890 참조).

┏ **관련판례**
수익적 행정처분에 대한 취소권 등의 행사는 기득권의 침해를 정당화할 만한 중대한 공익상의 필요 또는 제3자의 이익보호의 필요가 있는 때에 한하여 허용될 수 있다는 법리는, 처분청이 수익적 행정처분을 직권으로 취소·철회하는 경우에 적용되는 법리일 뿐 쟁송취소의 경우에는 적용되지 않는다(대판 2019. 10. 17, 2018두104).**06**

⑤ 취소의 절차

1. 직권취소

(1) 직권취소에 관한 일반적인 절차규정은 없으나 개별법률에서 청문 등 의견진술의 기회를 부여하도록 규정하여 상대방의 권익보호를 도모하고 있는 경우가 있다.

(2) 한편, 행정행위의 직권취소는 독립적인 행정행위의 성격을 갖고 있기 때문에 행정절차법상의 처분절차에 따라 행하여져야 한다. 특히 수익적 행정행위의 직권취소의 경우는 상대방에게 부담적 효과를 발생시키기 때문에 사전통지(행정절차법 제21조), 의견청취(동법 제22조)를 거쳐야 하고 아울러 이유제시(동법 제23조)를 하여야 한다.01

2. 쟁송취소

쟁송취소의 절차는 행정심판법과 행정소송법에 상세히 규정되어 있다.

⑥ 취소의 효과

1. 직권취소

(1) 소급효 여부

> **행정기본법 제18조【위법 또는 부당한 처분의 취소】** ① 행정청은 위법 또는 부당한 처분의 전부나 일부를 소급하여 취소할 수 있다.02 다만, 당사자의 신뢰를 보호할 가치가 있는 등 정당한 사유가 있는 경우에는 장래를 향하여 취소할 수 있다.03 04

① 직권취소의 소급효 또는 장래효는 구체적 사건마다 이익형량의 결과에 따라 결정함이 타당하다. 일반적으로는 취소의 효과는 소급한다고 볼 수 있다.

② 행정기본법도 위법하거나 부당한 처분은 소급하여 취소함이 원칙이고 당사자의 신뢰보호 등 정당한 사유가 있는 경우에만 장래를 향하여 취소할 수 있도록 명확히 규정하고 있다.

(2) 관련문제

금전급부처분이 소급적으로 취소된 경우 잘못 지급된 급여액에 대해 별도의 징수처분이 행해지는 경우가 있는데, 이 경우 지급결정을 변경 또는 취소하는 처분이 적법하다고 하여 그에 터잡은 징수처분도 반드시 적법하다고 판단해야 하는 것은 아니고, 관련이익을 비교·교량하여 징수할 금액을 결정하여야 한다는 것이 판례의 입장이다(대판 2014. 7. 24, 2013두27159).

> **┏ 관련판례**
>
> 1-1. 산업재해보상보험법상 각종 보험급여 지급결정을 변경 또는 취소하는 처분이 적법한 경우, 그에 터잡은 징수처분도 반드시 적법하다고 판단해야 하는 것은 아니다.★★
>
> 1-2. 근로복지공단이, 출장 중 교통사고로 사망한 甲의 아내 乙에게 요양급여 등을 지급하였다가 甲의 음주운전 사실을 확인한 후 요양급여 등 지급결정을 취소하고 이미 지급된 보험급여를 부당이득금으로 징수하는 처분을 한 사안에서, 요양급여 등 지급결정은 취소해야 할 공익상의 필요가 중대하여 乙 등 유족이 입을 불이익을 정당화할 만큼 강하지만, 이미 지급한 보험급여를 부당이득금으로 징수하는 처분은 공익상의 필요가 乙 등이 입게 된 불이익을 정당화할 만큼 강한 경우에 해당하지 않는다(지급결정을 취소하는 처분은 적법하나 징수처분은 위법하다고 본 사안이다).05 ★★
>
> 망인의 유족인 원고는 사고 당시 망인이 음주한 사실은 인식하였으나 만취상태인 사실은 알지 못하였고, 3명의 어린 자녀를 양육하여야 하는 주부인 점, 피고는 이 사건 선행처분이 있은 때로부터 1년 11개월여가 경과한 후에서야 선행처분에 기하여 피고가 지급한 보험급여를 부당이득금으로 징수하는 처분을 행한 점 등을 근거로, 선행처분의 하자를 이유로 피고가 이미 지급한 보험급여를 부당이득금으로 징수하는 처분으로 얻게 될 공익상의 필요가 위 처분으로 원고 등이 입게 된 기득권과 신뢰보호 및 법률생활

안정의 침해 등 불이익을 정당화할 만큼 강한 경우에 해당한다고 볼 수 없다(대판 2014. 7. 24, 2013두 27159).

2-1. 국민연금법이 정한 수급요건을 갖추지 못하였음에도 연금지급결정이 이루어진 경우, 이미 지급된 급여 부분에 대한 환수처분과 별도로 지급결정을 취소할 수 있다.

2-2. 연금지급결정을 취소하는 처분이 적법한 경우 그에 기초한 환수처분도 반드시 적법하다고 판단해야 하는 것은 아니다.01 ★★

(1) 구 국민연금법 제9조 제1항 제1호의 내용과 취지, 사회보장 행정영역에서 수익적 행정처분 취소의 특수성 등을 종합하여 보면, 위 조항에 따라 급여를 받은 당사자로부터 잘못 지급된 급여액에 해당하는 금액을 환수하는 처분을 할 때에는 급여의 수급에 관하여 당사자에게 고의 또는 중과실 등 귀책사유가 있는지, 지급된 급여의 액수·연금지급결정일과 지급결정 취소 및 환수처분일 사이의 시간적 간격·수급자의 급여액 소비 여부 등에 비추어 이를 다시 원상회복하는 것이 수급자에게 가혹한지, 잘못 지급된 급여액에 해당하는 금액을 환수하는 처분을 통하여 달성하고자 하는 공익상 필요의 구체적 내용과 그 처분으로 말미암아 당사자가 입게 될 불이익의 내용 및 정도와 같은 여러 사정을 두루 살펴, 잘못 지급된 급여액에 해당하는 금액을 환수하는 처분을 하여야 할 공익상 필요와 그로 인하여 당사자가 입게 될 기득권과 신뢰의 보호 및 법률생활 안정의 침해 등의 불이익을 비교·교량한 후, 공익상 필요가 당사자가 입게 될 불이익을 정당화할 만큼 강한 경우에 한하여 잘못 지급된 급여액에 해당하는 금액을 환수하는 처분을 하여야 한다.

(2) 행정처분을 한 처분청은 처분의 성립에 하자가 있는 경우 별도의 법적 근거가 없더라도 직권으로 이를 취소할 수 있다고 봄이 원칙이므로, 국민연금법이 정한 수급요건을 갖추지 못하였음에도 연금지급결정이 이루어진 경우에는 이미 지급된 급여부분에 대한 환수처분과 별도로 지급결정을 취소할 수 있다. 이 경우에도 이미 부여된 국민의 기득권을 침해하는 것이므로 취소권의 행사는 지급결정을 취소할 공익상의 필요보다 상대방이 받게 될 불이익 등이 막대한 경우에는 재량권의 한계를 일탈한 것으로서 위법하다고 보아야 한다. 다만, 이처럼 연금지급결정을 취소하는 처분과 그 처분에 기초하여 잘못 지급된 급여액에 해당하는 금액을 환수하는 처분이 적법한지를 판단하는 경우 비교·교량할 각 사정이 동일하다고는 할 수 없으므로, 연금지급결정을 취소하는 처분이 적법하다고 하여 환수처분도 반드시 적법하다고 판단하여야 하는 것은 아니다(대판 2017. 3. 30, 2015두43971).

2. 쟁송취소

쟁송취소는 성격상 부담적 행정행위가 대상이 되므로 원칙적으로 당해 행정행위가 있었던 때에 소급하여 취소의 효력이 발생한다(처음부터 그 처분이 없었던 것과 같은 상태로 된다는 의미이다).

관련판례

1. 운전면허취소처분을 받은 후 자동차를 운전하였으나 위 취소처분이 행정쟁송절차에 의하여 취소된 경우, 무면허운전이 성립되지 않는다.02 ★★

피고인이 행정청으로부터 자동차 운전면허취소처분을 받았으나 나중에 그 행정처분 자체가 행정쟁송절차에 의하여 취소되었다면, 위 운전면허취소처분은 그 처분시에 소급하여 효력을 잃게 되고, 피고인은 위 운전면허취소처분에 복종할 의무가 원래부터 없었음이 후에 확정되었다고 봄이 타당할 것이고, 행정행위에 공정력의 효력이 인정된다고 하여 행정소송에 의하여 적법하게 취소된 운전면허취소처분이 단지 장래에 향하여서만 효력을 잃게 된다고 볼 수는 없다(대판 1999. 2. 5, 98도4239).

2. 영업허가취소처분이 행정쟁송절차에 의하여 취소된 경우 영업허가취소처분 이후의 영업행위를 무허가영업이라고 볼 수는 없다.03 04 ★★★

영업의 금지를 명한 영업허가취소처분 자체가 나중에 행정쟁송절차에 의하여 취소되었다면 그 영업허가취소처분은 그 처분시에 소급하여 효력을 잃게 되며, 그 영업허가취소처분에 복종할 의무가 원래부터 없었음이 확정되었다고 봄이 타당하고, 영업허가취소처분이 장래에 향하여서만 효력을 잃게 된다고 볼 것은 아니므로 그 영업허가취소처분 이후의 영업행위를 무허가영업이라고 볼 수는 없다(대판 1993. 6. 25, 93도277).

□□□□□ **01** 직권취소도 원행정행위와 별개의 행정행위이므로 조세부과처분을 취소한 후, 취소에 하자가 있다고 하여 이를 취소하면 원부과처분을 소생시킬 수 있다. (○, ×) ★★★ 2024 국회직 8급

□□□□□ **02** 조세부과처분이 취소되면 그 조세부과처분은 확정적으로 효력이 상실되기 때문에 나중에 취소처분이 취소되어도 원 조세부과처분의 효력이 회복되지 않는다. (○, ×) ★★★
2023 지방직 · 서울시 7급

□□□□□ **03** 지방병무청장이 재신체검사 등을 거쳐 종전의 현역병입영대상편입처분을 보충역편입처분으로 변경한 후에 제소기간의 경과 등으로 보충역편입처분에 형식적 존속력이 생겼다면, 보충역편입처분에 하자가 있다는 이유로 이를 직권으로 취소하더라도 종전의 현역병입영대상편입처분의 효력은 회복되지 않는다. (○, ×) ★★ 2022 국회직 8급

□□□□□ **04** 광업권 허가에 대한 취소처분을 한 후 적법한 광업권 설정의 선출원이 있는 경우에는 취소처분을 취소하여 광업권을 복구시키는 조처는 위법하다. (○, ×) ★★ 2018 국회직 8급

□□□□□ **05** 행정행위의 철회는 적법요건을 구비하여 완전히 효력을 발하고 있는 행정행위를 사후적으로 효력을 장래에 향해 소멸시키는 별개의 행정처분이다. (○, ×) ★★ 2022 군무원 9급

□□□□□ **06** 행정행위의 철회는 장래에 향하여 원행정행위의 효력을 상실시키는 효력을 갖는다. (○, ×) ★★
2022 소방간부

판례 | ● 비록 새로운 병역처분의 성립에 하자가 있다고 하더라도 그것이 당연무효가 아닌 한 일단 유효하게 성립하고 제소기간의 경과 등 형식적 존속력이 생김과 동시에 종전의 병역처분의 효력은 취소 또는 철회되어 확정적으로 상실된다고 보아야 할 것이므로 그 후 새로운 병역처분의 성립에 하자가 있었음을 이유로 하여 이를 취소한다고 하더라도 종전의 병역처분의 효력이 되살아난다고 할 수 없다(대판 2002. 5. 28, 2001두9653).

❼ 하자 있는 취소의 취소

판례는 수익적 행정행위의 경우 취소의 취소를 긍정하나, 부담적 행정행위의 경우 취소의 취소를 부정한 바 있다. 다만, 수익적 행정행위의 취소의 취소로 수익적 행정행위의 취소 후 새롭게 형성된 제3자의 권익이 침해되는 경우에 취소의 취소가 허용되지 않는다는 취지로 판시하고 있다(3번 판례).

┏ 관련판례

1. 과세관청이 부과의 취소를 다시 취소함으로써 원부과처분을 소생시킬 수 없다.**01** ★★★
   설사 부과의 취소에 위법사유가 있다고 하더라도 당연무효가 아닌 한 일단 유효하게 성립하여 부과처분을 확정적으로 상실시키는 것이므로, 과세관청은 부과의 취소를 다시 취소함으로써 원부과처분을 소생시킬 수는 없고 납세의무자에게 종전의 과세대상에 대한 납부의무를 지우려면 다시 법률에서 정한 부과절차에 좇아 동일한 내용의 새로운 처분을 하는 수밖에 없다(대판 1995. 3. 10, 94누7027).**02**

2. 지방병무청장이 <u>현역병입영대상편입처분을 보충역편입처분이나 제2국민역편입처분으로 변경하였다면 그 후 변경된 새로운 병역처분의 성립에 하자가 있었음을 이유로 하여 이를 취소한다고 하더라도 종전의 병역처분의 효력이 되살아난다고 할 수 없다</u>(대판 2002. 5. 28, 2001두9653).**03** ● ★★

3-1. 광업권취소처분 후 새로운 이해관계인이 생기기 전에는 취소처분을 취소하여 광업권을 회복시킬 수 있다.★★

3-2. 광업권 허가에 대한 취소처분을 한 후 광업권 설정의 선출원이 있는 경우에는 취소처분을 취소하여 광업권을 복구시키는 조치는 위법하다.**04** ★★
   광업권 허가에 대한 취소처분을 한 후에 새로운 이해관계인이 생기기 전에 취소처분을 취소하여 그 광업권의 회복을 시켰다면 모르되, 취소처분을 한 후에 제3자가 선출원을 적법하게 함으로써 이해관계인이 생긴 이후에 취소처분을 취소하여, 광업권을 복구시키는 조처는, 제3자의 선출원 권리를 침해하는 위법한 처분이라고 하지 않을 수 없다(대판 1967. 10. 23, 67누126).
   ✚ 한편, 이 사례에서 판례는 제3자가 선출원을 적법히 함으로써 이해관계인이 생긴 이후에 취소처분을 취소하여 광업권을 복구시키는 조처는, 제3자의 선출원 권리를 침해하는 위법한 처분이라고 하지 않을 수 없다고 판시하였다.

---

02 | 행정행위의 철회

❶ 철회의 의의

1. 의 의

행정행위의 철회란 아무런 하자 없이 성립한 행정행위에 대해 그 효력을 존속시킬 수 없는 새로운 사정이 발생하였음을 이유로 장래에 향하여 그의 효력을 소멸시키는 행위를 말한다.**05 06** 실정법상으로는 대부분 취소라는 용어가 사용되고 있다.

2. 직권취소와 철회의 구별

(1) 공통점

양자는 모두 다 같이 유효하게 성립한 행정행위의 효력을 소멸시킨다는 점, 그리고 별개의 독립한 행정행위라는 점에서 공통된다.

(2) 차이점

① 권한행사자

　　㉠ 철회는 그 성질상 새로운 처분을 하는 것과 같기 때문에 법률에 특별한 규정이 없는 한, 처분청만이 철회권자가 될 수 있다는 것이 통설의 입장이다(후술).

ⓛ 직권취소의 경우 처분청 외에 감독청도 법률의 명문규정이 없는 경우에 취소권을 행사할 수 있는가에 대해서 학설이 대립함은 앞서 살펴본 바와 같다.

② 원 인
　㉠ 철회는 일단 하자 없이 성립한 행정행위에 대해 사후에 발생한 새로운 사유를 그 이유로 한다.01
　ⓛ 취소는 행정행위의 성립 당시에 하자, 즉 원시적 하자가 있음을 이유로 한다.

┏ 관련판례
<u>행정행위의 취소는 일단 유효하게 성립한 행정행위를 그 행위에 위법 또는 부당한 하자가 있음을 이유로 소급하여 그 효력을 소멸시키는 별도의 행정처분이고, 행정행위의 철회는 적법요건을 구비하여 완전히 효력을 발하고 있는 행정행위를 사후적으로 그 행위의 효력의 전부 또는 일부를 장래에 향해 소멸시키는 행정처분이므로, 행정행위의 취소사유는 행정행위의 성립 당시에 존재하였던 하자를 말하고, 철회사유는 행정행위가 성립된 이후에 새로이 발생한 것으로서 행정행위의 효력을 존속시킬 수 없는 사유를 말한다</u>(대판 2003. 5. 30, 2003다6422).**02 03** ★★★

③ 효 과
　㉠ 철회는 후발적 사정을 이유로 하는 것이므로 그때부터 장래에 향하여 행정행위의 효력이 소멸한다.
　ⓛ 취소는 처음부터 소급하여 효력을 상실하는 경우가 일반적이다.

❷ 철회권자와 법적 근거

1. 철회권자

행정행위의 철회는 처분을 한 행정청만이 할 수 있으며, 감독청은 법률에 근거 없는 한 직접 철회할 수는 없다.**04 05** ⓐ

2. 법적 근거

(1) 종래 학설의 태도(필요설과 불요설의 대립)

처분청이 철회를 함에 있어 반드시 개별적인 법률의 근거가 필요한지 문제된다. 수익적 행정행위의 철회는 상대방에게 침익적 효과를 주므로 법적 근거가 필요하다는 견해와, 철회사유를 모두 법률에 규정한다는 것은 사실상 불가능하므로 법적 근거가 필요 없다는 견해가 대립한다.**06**

(2) 판례의 태도

처분청은 철회에 대한 별도의 법적 근거가 없더라도 일정한 경우 철회할 수 있다는 입장이다.

┏ 관련판례
처분청은 별도의 법적 근거가 없더라도 행정행위를 철회하거나 변경할 수 있다.★★★
행정행위를 한 처분청은 그 처분 당시에 그 행정처분에 별다른 하자가 없었고 또 그 처분 후에 이를 취소할 별도의 법적 근거가 없다 하더라도 원래의 처분을 그대로 존속시킬 필요가 없게 된 사정변경이 생겼거나 또는 중대한 공익상의 필요가 발생한 경우에는 별개의 행정행위로 이를 철회하거나 변경할 수 있다(대판 1992. 1. 17, 91누3130 ; 대판 1995. 2. 28, 94누7713 ; 대판 1995. 6. 9, 95누1194).**07**

(3) 행정기본법의 태도

행정기본법에 따르면 일정한 사유가 있으면 행정청은 처분을 철회할 수 있다는 법적 근거를 마련해 두고 있다.

기출 체크

□□□□□ **01** 행정청은 적법한 처분의 경우 당사자의 신청이 있는 경우에만 철회가 가능하다. (○, ×)
2021 지방직 · 서울시 7급

□□□□□ **02** 행정청은 사정변경으로 적법한 처분을 더 이상 존속시킬 필요가 없게 된 경우 그 처분의 전부 또는 일부를 장래를 향하여 철회할 수 있다. (○, ×)
2024 국가직 9급

□□□□□ **03** 행정청은 중대한 공익을 위하여 필요한 경우에는 적법한 처분의 전부 또는 일부를 장래를 향하여 철회할 수 있다. (○, ×)   2022 국가직 7급

□□□□□ **04** 부담부 행정처분에 있어서 처분의 상대방이 부담을 이행하지 아니한 경우에 처분행정청으로서는 이를 들어 당해 처분을 철회할 수 있다. (○, ×)
2022 군무원 9급

□□□□□ **05** 사실관계의 변동은 철회의 사유로 볼 수 없다. (○, ×) ★★
2013 서울시 7급

❶ **국유재산법 제36조 【사용허가의 취소와 철회】** ② 중앙관서의 장은 사용허가한 행정재산을 국가나 지방자치단체가 직접 공용이나 공공용으로 사용하기 위하여 필요하게 된 경우에는 그 허가를 철회할 수 있다.
③ 제2항의 경우에 그 철회로 인하여 해당 사용허가를 받은 자에게 손실이 발생하면 그 재산을 사용할 기관은 대통령령으로 정하는 바에 따라 보상한다.

판례 | ❷ 특례보충역편입처분 후 국외여행허가를 받아 출국하였다가 귀국을 지연한 경우, 이러한 사정은 처분을 취소할 수 있는 <u>사정변경 또는 중대한 공익상의 필요가 발생한 것</u>으로 처분청은 별도의 법적 근거 없이도 그 편입처분을 <u>취소할 수 있다</u>(대판 1995. 2. 28, 94누7713).

행정기본법 제19조 【적법한 처분의 철회】 ① 행정청은 적법한 처분이 다음 각 호의 어느 하나에 해당하는 경우에는 그 처분의 전부 또는 일부를 장래를 향하여 철회할 수 있다.**01**
1. 법률에서 정한 철회사유에 해당하게 된 경우
2. 법령 등의 변경이나 사정변경으로 처분을 더 이상 존속시킬 필요가 없게 된 경우**02**
3. 중대한 공익을 위하여 필요한 경우**03**

❸ 철회의 사유

1. 일반론

당사자의 신청이나 동의가 있는 경우에는 철회가 가능하다. 다수설은 그 밖의 철회사유로 다음의 것을 들고 있다.

(1) 철회권유보 사실의 발생

행정행위를 하면서 일정한 사실이 발생하게 되면 행정행위를 철회하겠다는 취지의 부관을 붙인 경우 그 유보된 사실이 발생하면 행정행위를 철회할 수 있다.

(2) 상대방의 의무위반의 경우

행정행위에 수반되는 법정의무를 위반하거나(예 도로교통법에 규정된 음주운전금지의무 등) 부관에 의한 의무, 즉 부담을 불이행한 경우에는 행정행위의 철회가 인정된다.

> **관련판례**
> 부담부 행정처분의 상대방이 그 부담을 이행하지 않은 경우 주된 행정처분을 취소(철회)할 수 있다.
> 부담부 행정행위에 있어서 처분의 상대방이 <u>부담을 이행하지 아니한 경우</u>에 처분행정청으로서는 당해 처분을 취소(철회)할 수 있는 것이다(대판 1989. 10. 24, 89누2431).**04**

(3) 사실관계의 변화(사정변경)

사실관계의 변화 또는 근거법령의 변경으로 행정행위의 존속이 공익상 중대한 장애가 된 경우에는 철회권을 행사할 수 있다.**05** 예컨대 하천매립에 따른 하천점용허가의 철회를 들 수 있다.

(4) 중대한 공익상의 필요

사실관계나 법령의 변경이 없더라도, 행정행위의 철회를 하여야 할 우월한 공익상의 필요가 있는 경우에는 철회가 인정된다.❶❷

2. 행정기본법상 철회사유

행정청은 적법한 처분이 다음에 해당하는 경우에는 그 처분의 전부 또는 일부를 장래를 향하여 철회할 수 있다(행정기본법 제19조 제1항).

> ① 법률에서 정한 철회사유에 해당하게 된 경우
> ② 법령 등의 변경이나 사정변경으로 처분을 더 이상 존속시킬 필요가 없게 된 경우
> ③ 중대한 공익을 위하여 필요한 경우

3. 철회사유의 존재와 상대방의 철회신청권

(1) 처분청은 별도의 법적 근거가 없어도 별개의 행정행위로 이를 철회·변경할 수 있으나, 처분청이 철회할 수 있다는 사정만으로는 처분의 상대방 등에게 그 철회·변경을 요구할 신청권이 인

정되지 않는다는 것이 판례의 입장이다.

┌ 관련판례

처분청은 별도의 법적 근거가 없어도 별개의 행정행위로 이를 철회·변경할 수 있으나, 처분의 상대방 등이 그 철회·변경을 요구할 신청권은 없다(대판 1997. 9. 12, 96누6219).**01**

┌ 비교판례

건축허가는 대물적 성질을 갖는 것이어서 행정청으로서는 허가를 할 때에 건축주 또는 토지소유자가 누구인지 등 인적 요소에 관하여는 형식적 심사만 한다.**02** 건축주가 토지소유자로부터 토지사용승낙서를 받아 그 토지 위에 건축물을 건축하는 대물적 성질의 건축허가를 받았다가 착공에 앞서 건축주의 귀책사유로 해당 토지를 사용할 권리를 상실한 경우, 건축허가의 존재로 말미암아 토지에 대한 소유권 행사에 지장을 받을 수 있는 토지소유자로서는 건축허가의 철회를 신청할 수 있다고 보아야 한다. 따라서 토지소유자의 위와 같은 신청을 거부한 행위는 항고소송의 대상이 된다(대판 2017. 3. 15, 2014두41190).★★★

(2) 철회사유가 철회처분 이전에 해소된 경우에도 철회사유가 당연히 없어지는 것은 아니다.

┌ 관련판례

1-1. 체육지도자의 자격취소에 관한 구 국민체육진흥법 제12조 제1항 제4호에서 정한 '제11조의5 각 호의 어느 하나에 해당하는 경우'는 '제11조의5 각 호 중 어느 하나의 사유가 발생한 사실이 있는 경우'를 의미한다.

1-2. 체육지도자가 금고 이상의 형의 집행유예를 선고받은 후 집행유예기간이 경과하는 등의 사유로 자격취소처분 이전에 결격사유가 해소된 경우에도 행정청은 체육지도자의 자격을 취소해야 한다.

　구 국민체육진흥법 제11조의5 제3호, 제12조 제1항 제4호의 내용, 체계와 입법취지 등을 고려하면, 구 국민체육진흥법 제12조 제1항 제4호에서 정한 '제11조의5 각 호의 어느 하나에 해당하는 경우'는 '제11조의5 각 호 중 어느 하나의 사유가 발생한 사실이 있는 경우'를 의미한다고 보아야 하므로, 체육지도자가 금고 이상의 형의 집행유예를 선고받은 경우 행정청은 원칙적으로 체육지도자의 자격을 취소(철회)하여야 하고, 집행유예기간이 경과하는 등의 사유로 자격취소처분 이전에 결격사유가 해소되었다고 하여 이와 달리 볼 것은 아니다(대판 2022. 7. 14, 2021두62287).

2-1. 면허취소사유를 정한 구 의료법 제65조 제1항 단서 제1호의 '제8조 각 호의 어느 하나에 해당하게 된 경우'가 행정청이 면허취소처분을 할 당시까지 제8조 각 호의 결격사유가 유지되어야 한다는 의미라고 볼 수는 없다.

2-2. 의료인이 의료법을 위반하여 금고 이상의 형의 집행유예를 선고받고 유예기간이 지나 형 선고의 효력이 상실된 경우에도 의료법상 면허취소사유에 해당한다.

　구 의료법 제8조 제4호의 '금고 이상의 형을 선고받고 그 집행을 받지 아니하기로 확정되지 아니한 자'에는 금고 이상의 형의 집행유예를 선고받고 그 선고의 실효 또는 취소 없이 유예기간이 지나 형 선고의 효력이 상실되기 전까지의 자가 포함되는 것으로, 그 유예기간이 지나 형 선고의 효력이 상실되었다면 더 이상 의료인 결격사유에 해당하지 아니한다. 다만 면허취소사유를 정한 구 의료법 제65조 제1항 단서 제1호의 '제8조 각 호의 어느 하나에 해당하게 된 경우'란 '제8조 각 호의 사유가 발생한 사실이 있는 경우'를 의미하는 것이지, 행정청이 면허취소처분을 할 당시까지 제8조 각 호의 결격사유가 유지되어야 한다는 의미로 볼 수 없다. 의료인이 의료법을 위반하여 금고 이상의 형의 집행유예를 선고받았다면 면허취소사유에 해당하고, 그 유예기간이 지나 형 선고의 효력이 상실되었다고 해서 이와 달리 볼 것은 아니다(대판 2022. 6. 30, 2021두62171).

④ 철회권의 제한

1. 부담적 행정행위의 철회

부담적 행정행위의 철회는 상대방에게 이익을 가져다주는 것이므로 수익적 행정행위의 철회에서와 같은 제한을 받지 않고 자유로움이 원칙이다.**03** 다만, 행정행위를 유지시켜야 할 중대한 공익상의 요구가 있는 경우에는 철회권이 제한된다고 할 수 있다.

기출 체크

□□□□□ **01** 처분청이 처분 후에 원래의 처분을 그대로 존속시킬 필요가 없게 된 사정변경이 생겼거나 중대한 공익상의 필요가 발생한 경우에는 별도의 법적 근거가 없어도 별개의 행정행위로 이를 철회할 수 있다고 하여 상대방 등에게 그 철회·변경을 요구할 신청권까지를 부여하는 것은 아니다. (○, ×)　2022 소방간부

□□□□□ **02** 건축허가는 대물적 성질을 갖는 것이어서 행정청으로서는 허가를 할 때에 건축주 또는 토지소유자가 누구인지 등 인적 요소에 관하여는 형식적 심사만 한다. (○, ×) ★★★
2022 지방직·서울시 9급

□□□□□ **03** 부담적 행정행위의 철회는 원칙적으로 자유롭지 않다고 본다. (○, ×) ★★
2011 국가직 7급

정답 01 ○ 02 ○ 03 ×

2. 수익적 행정행위의 철회

수익적 행정행위의 철회는 상대방의 신뢰와 법적 안정성을 해할 우려가 있으므로 철회사유가 발생한 경우에도 그것을 자유로이 철회할 수 있는 것은 아니며, 다음과 같은 제한을 받는다.01 02

(1) 일반적 제한

철회를 요하는 공익상의 필요, 상대방의 신뢰 내지 기득권 보호, 법적 안정성의 유지 등 관계되는 여러 이익을 비교·형량하여 철회 여부를 결정하여야 한다.● 최근 제정된 행정기본법에 따르면, 처분을 철회하는 경우에는 철회로 인하여 당사자가 입게 될 불이익을 철회로 달성되는 공익과 비교·형량하도록 하여(동법 제19조 제2항), 공익상 필요가 당사자가 입을 불이익을 정당화할 만큼 강한 경우에 철회할 수 있도록 규정하고 있다.

> **행정기본법 제19조【적법한 처분의 철회】** ② 행정청은 제1항에 따라 처분을 철회하려는 경우에는 철회로 인하여 당사자가 입게 될 불이익을 철회로 달성되는 공익과 비교·형량하여야 한다.03

▶ 관련판례

1. **철회권을 행사함에도 일정한 한계가 있다.★★★**

   행정청이 일단 행정처분을 한 경우에는 행정처분을 한 행정청이라도 법령에 규정이 있는 때, 행정처분에 하자가 있는 때, 행정처분의 존속이 공익에 위반되는 때, 또는 상대방의 동의가 있는 때 등의 특별한 사유가 있는 경우를 제외하고는 행정처분을 자의로 취소(철회의 의미를 포함한다)할 수 없다고 할 것인바 …… (대판 1990. 2. 23, 89누7061)

2. **수익적 행정처분을 취소 또는 철회하는 경우, 그 처분으로 인하여 공익상의 필요보다 상대방이 받게 되는 불이익 등이 막대한 경우에는 재량권의 한계를 일탈한 것으로서 그 자체가 위법하다.★★★**

   행정행위를 한 처분청은 비록 그 처분 당시에 별다른 하자가 없었고, 또 그 처분 후에 이를 철회할 별도의 법적 근거가 없다 하더라도 원래의 처분을 존속시킬 필요가 없게 된 사정변경이 생겼거나 또는 중대한 공익상의 필요가 발생한 경우에는 그 효력을 상실케 하는 별개의 행정행위로 이를 철회할 수 있다고 할 것이나, 수익적 행정처분을 취소 또는 철회하는 경우에는 이미 부여된 그 국민의 기득권을 침해하는 것이 되므로, 비록 취소 등의 사유가 있다고 하더라도 그 취소권 등의 행사는 기득권의 침해를 정당화할 만한 중대한 공익상의 필요 또는 제3자의 이익보호의 필요가 있는 때에 한하여 상대방이 받는 불이익과 비교·교량하여 결정하여야 하고, 그 처분으로 인하여 공익상의 필요보다 상대방이 받게 되는 불이익 등이 막대한 경우에는 재량권의 한계를 일탈한 것으로서 그 자체가 위법하다(대판 2004. 11. 26, 2003두10251).

3. 수익적 행정행위의 철회는 그 처분 당시 별다른 하자가 없었음에도 불구하고 사후적으로 그 효력을 상실케 하는 행정행위이므로, 법령에 명시적인 규정이 있거나 행정행위의 부관으로 그 철회권이 유보되어 있는 등의 경우가 아니라면, 원래의 행정행위를 존속시킬 필요가 없게 된 사정변경이 생겼거나 또는 중대한 공익상의 필요가 발생한 경우 등의 예외적인 경우에만 허용된다고 할 것이다(대판 2005. 4. 29, 2004두11954).04 ★★★

(2) 구체적 검토

① **실 권**

행정청이 철회사유가 있음을 알면서도 장기간 철회권을 행사하지 않은 경우에는 실권의 법리에 의해 철회권의 행사가 제한된다.05

② **비례의 원칙 등**

　㉠ **일반론** : 비록 상대방의 귀책사유가 있더라도 철회가 아닌 다른 경미한 침해를 가져오는 수단으로도 그 목적을 달성할 수 있는 경우에 곧바로 철회권을 행사하는 것은 비례원칙에 위반된다.06

ⓒ 일부철회의 문제

ⓐ 비록 외형상 하나의 행정행위라 하더라도 가분성이 있거나 일부가 특정될 수 있는 경우에 일부철회로도 목적을 달성할 수 있으면 일부만을 철회하여야 할 것이지 전부를 철회해서는 안 된다고 할 것이다.

ⓑ 이와 관련하여 복수운전면허의 철회가 문제되는바, 이에 관해서는 앞서 살펴본 바 있다(p.81 참조).

⑤ 제3자효적 행정행위의 경우

제3자효적 행정행위의 경우에도 전체적으로 수익적 행정행위의 철회에 관한 법리가 적용된다고 할 것이다. 다만, 이익형량에 있어 철회를 요구하는 공익과 상대방의 사익뿐만 아니라 제3자의 이익도 종합적으로 고려하여야 한다.

❺ 철회의 절차

1. 철회 역시 하나의 행정행위이므로 특별한 규정이 없는 한 일반 행정행위와 같은 절차에 따른다.04 따라서 수익적 행정행위의 철회는 권리를 제한하는 처분이므로 사전통지절차(행정절차법 제21조)와 이유제시(동법 제23조) 등 행정절차법상의 절차를 거쳐야 한다.05

2. 한편, 판례는 행정절차법이 제정되기 이전부터 철회에 이유제시가 필요하다는 입장을 취해 오고 있다.06ⓒ

판례 | ⑩ 행정처분이 취소되면 그 소급효에 의하여 처음부터 그 처분이 없었던 것과 같은 효과를 발생하게 되는바, 행정청이 의료법인의 이사에 대한 이사취임승인취소(편저자 주 : 철회에 해당하는 사인이었음)처분(제1처분)을 직권으로 취소(제2처분)한 경우에는 그로 인하여 이사가 소급하여 이사의 지위를 회복하게 되고, 그 결과 위 제1처분과 제2처분 사이에 법원에 의하여 선임결정된 임시이사들의 지위는 법원의 해임결정이 없더라도 당연히 소멸된다(대판 1997. 1. 21, 96누3401).

⑥ 철회의 효과

철회는 장래를 향하여 행정행위의 효력을 소멸시킨다. 최근 제정된 행정기본법에서는, 행정청이 적법한 처분의 전부 또는 일부를 장래를 향하여 철회할 수 있도록 규정하고 있다(동법 제19조 제1항). 철회의 경우 별도의 법적 근거 없이 철회의 효력을 철회사유발생일로 소급할 수는 없으며, 다만 판례에 따르면 별도의 법적 근거가 있는 경우에는 철회의 효력을 소급시킬 수 있을 뿐이다.01

┌ **관련판례**

영유아보육법 제30조 제5항에 따라 평가인증을 철회하는 처분을 하면서, 원칙적으로 별도의 법적 근거 없이 평가인증의 효력을 과거로 소급하여 상실시킬 수는 없다. ★★★

영유아보육법 제30조 제5항 제3호에 따른 평가인증의 취소는 평가인증 당시에 존재하였던 하자가 아니라 그 이후에 새로이 발생한 사유로 평가인증의 효력을 소멸시키는 경우에 해당하므로, 법적 성격은 평가인증의 '철회'에 해당한다. 그런데 행정청이 평가인증을 철회하면서 그 효력을 철회의 효력발생일 이전으로 소급하게 하면, 철회 이전의 기간에 평가인증을 전제로 지급한 보조금 등의 지원이 그 근거를 상실하게 되어 이를 반환하여야 하는 법적 불이익이 발생한다. 이는 장래를 향하여 효력을 소멸시키는 철회가 예정한 법적 불이익의 범위를 벗어나는 것이다. 이처럼 행정청이 평가인증이 이루어진 이후에 새로이 발생한 사유를 들어 영유아보육법 제30조 제5항에 따라 평가인증을 철회하는 처분을 하면서도, 평가인증의 효력을 과거로 소급하여 상실시키기 위해서는, 특별한 사정이 없는 한 영유아보육법 제30조 제5항과는 별도의 법적 근거가 필요하다(대판 2018. 6. 28, 2015두58195).02

⑦ 철회의 취소

철회에 하자가 있음을 이유로 이를 무효 또는 취소할 수 있는가에 대해서는 취소의 취소에 준하여 판단하면 된다.

┌ **관련판례**

행정청이 의료법인의 이사에 대한 이사취임승인취소처분을 직권으로 취소한 경우, 그로 인하여 이사가 소급하여 지위를 회복하게 되고 법원에 의하여 선임된 임시이사는 법원의 해임결정이 없더라도 당연히 그 지위가 소멸된다(수익적 행정행위의 철회(이사취임승인을 취소한 것)의 직권취소를 인정한 판례)(대판 1997. 1. 21, 96누3401).03 ⑩ ★★

제 **2** 절 행정행위의 실효

01 | 실효의 의의

행정행위의 실효란 아무런 하자 없이 적법하게 성립한 행정행위가 일정한 사실의 발생에 의하여 장래를 향하여 당연히 그 효력이 소멸되는 것을 의미한다.01 무효는 처음부터 아무런 효력이 발생하지 않는 데 비해, 실효는 일단 발생한 효력이 사후에 소멸된다는 점에서 차이가 있다.02 또한 취소와 철회는 행정청의 별도의 의사표시가 필요하나, 실효는 행정청의 의사표시와 무관하게 당연히 효력이 소멸한다는 점에서 차이가 있다.

02 | 실효의 사유

❶ 행정행위의 대상의 소멸

1. 행정행위는 그 대상인 사람의 사망이나 물건의 소멸 등으로 당연히 효력이 소멸된다. 예컨대, 운전면허를 받은 자의 사망으로 인한 운전면허의 실효, 자동차가 파괴된 경우 자동차검사합격처분의 실효 등이 있다.

2. 허가영업을 자진폐업하는 경우와 폐업을 하지는 않았더라도 대물적 허가에 있어 영업시설이 모두 철거되어 그 기능을 더 이상 수행할 수 없게 된 경우에도 대상이 소멸하는 경우와 같이 실효사유로 볼 수 있다.

관련판례

1. 종전의 영업을 자진폐업한 이상 행정행위는 실효되었으므로 이후에 다시 영업허가신청을 하는 것은 신규허가의 신청이다(대판 1985. 7. 9, 83누412).

2. 신청에 의한 허가처분을 자진폐업한 경우 허가는 당연히 실효된다.03 ★★★
   청량음료제조업허가는 신청에 의한 처분이고, 신청에 의한 허가처분을 받은 원고가 그 영업을 폐업한 경우에는 그 영업허가는 당연실효되고, 허가행정청의 허가취소처분은 허가의 실효됨을 확인하는 것에 불과하므로04 원고는 그 허가취소처분의 취소를 구할 소의 이익이 없다(대판 1981. 7. 14, 80누593).

3. 유기장영업허가에 있어 유기시설이 모두 철거된 경우 유기장영업허가의 기능이 소멸되어 허가대상이 멸실된 경우와 마찬가지로 유기장영업허가는 당연히 그 효력이 소멸(실효)된다.
   구 유기장법상 유기장의 영업허가는 대물적 허가로서 영업장소의 소재지와 유기시설 등이 영업허가의 요소를 이루는 것이므로, 영업장소에 설치되어 있던 유기시설이 모두 철거되어 허가를 받은 영업상의 기능을 더 이상 수행할 수 없게 된 경우에는, 이미 당초의 영업허가는 그 효력이 당연히 소멸되는 것이고, 또 유기장의 영업허가는 신청에 의하여 행하여지는 처분으로서 허가를 받은 자가 영업을 폐업할 경우에는 그 효력이 당연히 소멸되는 것이니, …… (대판 1990. 7. 13, 90누2284)

판례 | ● 일정한 정비예정구역을 전제로 추진위원회 구성 승인처분이 이루어진 후 정비구역이 정비예정구역과 달리 지정되었다는 사정만으로 승인처분이 당연히 실효된다고 볼 수 없다(대판 2013. 9. 12, 2011두31284).

❷ 해제조건의 성취, 종기의 도래

해제조건이 붙은 행정행위는 그 조건이 성취됨으로써, 그리고 종기가 붙은 행정행위는 종기가 도래함으로써 실효된다.01

❸ 목적의 달성 또는 목적 달성의 불가능02

행정행위의 목적이 달성되거나 목적 달성이 불가능해지면 당해 행정행위는 당연히 실효된다. 예컨대, 건물에 대한 철거명령에 따라 건물이 철거되면 그 철거명령은 당연히 효력을 상실한다.●

❹ 행정행위의 변경의 경우

행정행위의 변경이라 함은 행정행위의 내용의 일부 또는 전부를 다른 내용으로 변경하는 것을 말하는데, 현역병의 병역처분을 받은 병역의무자에게 질병 또는 심신장애나 그 치유 등의 사유가 발생한 경우에 병역법 제65조 등에 따라 병역면제처분으로 변경하는 것을 예로 들 수 있다. 이때 행정행위의 변경에 요구되는 적법요건(주체ㆍ내용ㆍ형식ㆍ절차 및 표시의 요건)은 변경 전의 행위에 적용되었던 적법요건과 다를 바 없고, 변경의 효과로 판례는 선행처분의 주요 부분을 실질적으로 변경하는 내용으로 후행처분을 한 경우에 선행처분은 특별한 사정이 없는 한 그 효력을 상실한다고 보고 있다.

┌ **관련판례**
> 선행처분의 내용 중 일부만을 소폭 변경하는 후행처분이 있는 경우 선행처분도 후행처분에 의하여 변경되지 아니한 범위 내에서 존속하고, 후행처분은 선행처분의 내용 중 일부를 변경하는 범위 내에서 효력을 가지지만, 선행처분의 주요 부분을 실질적으로 변경하는 내용으로 후행처분을 한 경우에는 선행처분은 특별한 사정이 없는 한 그 효력을 상실한다(대판 2022. 7. 28, 2021두60748).

03 | 실효의 효과

행정행위의 실효사유가 발생하면 행정청의 특별한 의사표시 없이 그때부터 장래를 향하여 당연히 효력이 소멸된다. 한편, 실효 여부에 관해 다툼이 있는 경우 실효확인소송 또는 실효확인심판을 제기할 수 있다.

01 다음 ㉠, ㉡, ㉢에 해당하는 용어가 바르게 나열된 것은? 2014 서울시 7급

> ㉠ 하자 없이 성립한 행정행위에 대해 그의 효력을 존속시킬 수 없는 새로운 사정이 발생하였음을 이유로 장래에 향하여 그의 효력을 소멸시키는 행정행위
> ㉡ 일단 유효하게 성립한 행정행위를 하자가 있음을 이유로 또는 부당함을 이유로 행정청이 그 효력을 소멸시키는 행정행위
> ㉢ 하자 없이 적법하게 성립한 행정행위가 일정한 사실의 발생에 의하여 당연히 그 효력이 소멸 되는 것

	㉠	㉡	㉢			㉠	㉡	㉢
①	철회	실효	취소		②	철회	취소	실효
③	실효	취소	철회		④	실효	철회	취소
⑤	취소	실효	철회					

정답 ②

02 다음 사례에 대한 설명으로 옳지 않은 것을 고르시오. (다툼이 있는 경우 판례에 의함) 2022 국가직 9급

> 건축주 甲은 토지소유자 乙과 매매계약을 체결하고 乙로부터 토지사용승낙서를 받아 乙의 토지 위에 건축물을 건축하는 건축허가를 관할행정청인 A시장으로부터 받았다. 매매계약서에 의하면 甲이 잔금을 기일 내에 지급하지 못하면 즉시 매매계약이 해제될 수 있고 이 경우 토지사용승낙서 는 효력을 잃으며 甲은 건축허가를 포기·철회하기로 甲과 乙이 약정하였다. 乙은 甲이 잔금을 기일 내에 지급하지 않자 甲과의 매매계약을 해제하였다.

① 착공에 앞서 甲의 귀책사유로 해당 토지를 사용할 권리를 상실한 경우, 乙은 A시장에 대하여 건축허가의 철회를 신청할 수 있다.
② 건축허가는 대물적 성질을 갖는 것이어서 행정청으로서는 그 허가를 할 때에 건축주 또는 토 지소유자가 누구인지 등 인적 요소에 관하여는 형식적 심사만 한다.
③ A시장은 건축허가 당시 별다른 하자가 없었고 철회의 법적 근거가 없으므로 건축허가를 철회 할 수 없다.
④ 철회권의 행사는 기득권의 침해를 정당화할 만한 중대한 공익상의 필요 또는 제3자의 이익을 보호할 필요가 있고, 공익상의 필요 등이 상대방이 입을 불이익을 정당화할 만큼 강한 경우에 한해 허용될 수 있다.

정답 ③

행정상의 확약

확약

개 념	행정청이 자기구속의 의도로 사인에 대해 장래의 작위 또는 부작위를 약속하는 의사표시 중 약속된 대상이 행정행위인 경우
근 거	• 행정절차법에는 확약에 관한 규정 O • 개별법에 확약에 관한 별도 규정이 없더라도 확약은 가능-본처분권한포함설(통설)
성질(판례)	어업권 우선순위결정에 관한 사건에서 어업권 우선순위결정을 확약으로 보면서 이는 행정처분이 아니므로 공정력, 불가쟁력 등과 같은 효력이 인정되지 않는다고 봄.
허용성	• 재량행위는 물론 기속행위도 법적 근거가 없더라도 확약 가능(통설) • 요건사실이 완성된 경우에도 확약 허용됨(통설).

확약의
발생요건과
효과
	• 요건
	  -본행정처분을 할 수 있는 권한을 가진 행정청이 그 권한범위 내에서 하여야 함.
	  -적법하고 실현가능한 내용을 가져야 함.
	  -협의 등의 절차를 거쳐야 하는 처분에 대하여는 확약을 하기 전에 그 절차를 거쳐야 함.
	  -문서로 하여야 함.
	• 효과 : 확약을 발령한 행정기관은 자기구속의 의무를 지게 되어 확약 상대방에게 그 내용에 따른 행정행위를 해야 할 의무를 부담함과 동시에 상대방은 행정기관에 대해 확약의 내용을 이행할 것을 청구할 수 있는 권리가 인정됨.

실 효	• 행정절차법상 행정청은 ① 확약을 한 후에 확약의 내용을 이행할 수 없을 정도로 법령 등이나 사정이 변경된 경우, ② 확약이 위법한 경우에는 확약에 기속되지 아니함. • 확약 후 사실적·법률적 상태가 변경되었다면 확약은 행정청의 별다른 의사표시를 기다리지 않고 실효됨(판례).
권리구제	• **확약 자체에 대한 행정쟁송** : 확약의 처분성을 부정하는 판례에 따르면 확약 그 자체에 대해 취소소송 등 항고소송을 제기할 수는 없음. • **손해배상·손실보상** -확약의 불이행으로 손해가 발생한 경우 국가배상법 제2조의 요건이 충족되면 행정상 손해배상청구 가능

확약의 구별개념

가행정행위

개 념	최종적인 행정행위가 있기 전에 계속적인 심사를 유보한 상태에서 행정법관계의 권리·의무에 대해 잠정적으로만 행정행위로서의 구속력을 가지는 행정작용
인정영역	급부행정, 침해행정
예	잠정적으로 세금을 부과하는 것, 최종적 징계처분을 내리기 전에 직위해제처분을 하는 것
특 징	• 존속력(특히, 불가변력) 갖지 못함. • 신뢰보호의 원칙 주장 어려움.
법적 근거	불필요(다수설)
법적 성질	행정행위성 긍정함.
권리구제	가행정행위로 인하여 권익의 침해를 받은 경우 취소소송 또는 취소심판을 제기하여 권리구제를 받을 수가 있음. -단, 공정거래위원회가 과징금 부과처분(선행처분)을 한 뒤, 다시 자진신고를 이유로 과징금 감면처분(후행처분)을 하였다면, 후행처분이 종국적 처분이고 선행처분은 잠정적 처분으로서 후행처분이 있을 경우 선행처분은 후행처분에 흡수되어 소멸하므로, 선행처분의 취소를 구하는 소는 이미 효력을 잃은 처분의 취소를 구하는 것으로 부적법함(판례).

예비결정(사전결정)

개 념	종국적인 행정결정이 행해지기 전에 사전적인 단계로서 우선적으로 심사하여 내린 결정으로, 그 자체가 하나의 행정행위
예	건축법상 사전결정, 폐기물처리사업계획에 대한 적정결정 또는 부적정결정
법적 성질	행정행위(통설) -폐기물관리법 관계법령에 의한 폐기물처리업 허가권자의 부적정통보는 행정처분임(판례).

법적 효과	• 구속력을 긍정한 판례 : 예비결정은 후행결정에 대해 구속력 가짐. 행정청은 합리적 사유 없이 종국적 결정에서 예비결정의 내용과 모순되는 결정 못함.
	  예 폐기물관리법상 사업계획에 대한 적정통보가 있는 경우, 폐기물사업 허가단계에서는 나머지 허가요건만 심사
	• 구속력을 부정한 판례 : 예비결정시 파악 못한 공익을 현저히 해치는 사정이 있다면 예비결정에 구속되지 않고 다시 재량권행사 가능
	  예 주택건설사업계획승인의 사전결정이 있어도 이에 기속되지 않고 사익·공익을 비교·형량하여 승인 여부 결정 가능

권리구제	처분성을 가지므로 취소소송 등 제기 가능 -단, 최종행정행위가 있게 되면 예비결정(사전결정)은 원칙적으로 최종행정행위에 흡수됨.

부분허가

개 념	단계적 행정행위의 일부에 대하여 행하는 허가 -예비결정과는 달리 부분허가는 부분허가를 받게 되면 그 대상이 되는 행위를 적법하게 할 수 있음.

법적 성질	행정행위
	• 판례
	  -원자로시설부지사전승인 : 처분성 긍정
	  -부지사전승인 후 건설허가처분이 내려진 경우 : 부지사전승인은 독립된 존재가치가 상실되므로 소송대상이 아니고, 건설허가처분만이 소송대상이 됨.

법적 근거	행정청은 부분허가에 대한 별도의 법적 근거가 없더라도 부분허가 가능(부분허가권은 허가권한에 포함되는 것)
법적 효과	부분허가를 받은 자는 부분허가를 받은 범위 내에서 허가받은 행위를 할 수 있음.
권리구제	부분허가에 대해 다툼이 있는 자는 취소소송 등 항고소송을 통해 권리구제를 받을 수 있음.

행정계획

개념

행정주체가 행정목표를 설정하고 행정목표 달성을 위해 행정수단을 종합 · 조정함으로써 장래 일정한 시점에서 일정한 목표를 실현하는 것을 내용으로 하는 행정의 행위형식

내용

행정계획의 종류

구속적 계획	국민 또는 행정기관에 대해 일정한 구속력을 가지는 일체의 행정계획
비구속적 계획	단순한 내부지침에 불과한 것으로 국민은 물론 행정기관에 대해서도 아무런 법적 구속력을 가지지 못하는 계획

법적 성질

- 법률의 형식에 의해 수립되는 행정계획은 법률의 성질을 가지며 법규명령의 형식에 의해 수립되는 행정계획은 법규명령의 성질을 가짐.
- 판례

처분성 긍정	처분성 부정
• 도시계획결정 • 구 도시재개발법상의 관리처분계획 • 구 「도시 및 주거환경정비법」에 따른 주택재건축정비사업조합이 수립한 사업시행계획이 인가 · 고시를 통해 확정된 경우 • 개발제한구역지정처분 • 환지예정지지정 및 환지처분	• 도시기본계획 • 환지계획 • 4대강 살리기 마스터플랜

법적 근거

- 구속적 계획 : 작용법적 근거 필요
  - '권한 있는' 행정청이 수립한 후행 도시계획에 선행 도시계획과 서로 양립할 수 없는 내용이 포함되어 있다면 특별한 사정이 없는 한 선행 도시계획은 후행 도시계획과 같은 내용으로 변경된 것으로 볼 수 있음.
  - 후행 도시계획의 결정을 하는 행정청이 선행 도시계획의 결정 · 변경 등에 관한 '권한을 가지고 있지 아니한 경우' 선행 도시계획과 양립할 수 없는 내용이 포함된 후행 도시계획결정은 무효

절차

- 절차적 통제가 중요
- 절차하자의 효과(판례)
  - 특정 토지가 도시관리계획에 포함되지 않음이 명백한데도 후속계획이나 처분에서 포함된 것처럼 표시된 경우, 원칙적으로 당연무효임(판례).
  - 도시계획의 입안에 있어 도시계획안의 공고 및 공람절차에 하자가 있는 도시계획결정은 위법
  - 공청회와 이주대책이 없는 도시계획결정은 취소사유에 해당하는 위법이 있음.

행정계획의 효력발생요건

- 법령 등의 형식 : 공포하여야 효력 발생
- 구 도시계획결정(현 도시관리계획결정)과 같은 국민의 권리 · 의무와 관련되는 계획은 고시하지 아니한 이상, 대외적으로 아무런 효력 발생 ×(판례)

효력

행정계획의 집중효(행정계획이 확정되면 다른 법령에 의해 받게 되어 있는 승인 또는 허가 등을 받은 것으로 간주하는 효력, 대체효라고도 함)

계획재량

- 개념 : 행정청이 행정계획을 입안하고 결정함에 있어 광범위한 형성의 자유를 가지는 것
- 목표 · 절차 등만을 규정하는 형식(목적프로그램 또는 목표 · 수단프로그램)

계획재량의 하자

형량명령	• 행정계획에 계획재량이 인정된다 하더라도 이러한 재량 역시 법령 등을 위반할 수 없으며 관련된 여러 이익 간의 정당한 비교 · 교량이 요구되는데 이를 형량명령의 원칙이라고 함. 　- 행정청은 행정청이 수립하는 계획 중 국민의 권리 · 의무에 직접 영향을 미치는 계획을 수립하거나 변경 · 폐지할 때에는 관련된 여러 이익을 정당하게 형량하여야 함(행정절차법 제40조의4). • 계획재량의 통제원리로 작용 • 이익형량을 함에 있어서는 법령에서 고려하도록 규정한 이익은 물론 법령에 규정되지 않은 이익도 행정계획과 관련이 있으면 모두 형량명령에 포함시켜야 함.
형량의 하자 (형량명령을 위반한 것)	• 조사의 결함 : 조사의무를 이행하지 않은 경우 • 형량의 해태 : 형량을 전혀 행하지 않은 경우 • 형량의 흠결 : 형량의 고려대상에서 마땅히 포함시켜야 할 사항을 빠뜨리고 형량을 행한 경우 • 오형량 : 형량을 행하긴 하였으나 객관성 · 비례성을 결한 경우 • 판례 : 행정주체가 행정계획을 입안 · 결정함에 있어서 이익형량을 전혀 행하지 아니하거나 이익형량의 고려대상에 마땅히 포함시켜야 할 사항을 누락한 경우 또는 이익형량을 하였으나 정당성 · 객관성이 결여된 경우에는 그 행정계획결정은 재량권을 일탈 · 남용한 것으로서 위법

행정계획 관련 사인의 권리

계획보장청구권

- 인정 여부 : 계획의 가변성으로 인해 원칙적으로 인정되기 어려움.
- 내용
  - 계획존속청구권
  - 계획이행청구권 ── 원칙적으로 인정되지 않음.
  - 경과조치청구권

계획변경청구권

- 원칙 : 인정 ×
- 예외 : 인정 ○
  ① 국토이용계획변경신청을 거부하는 것이 실질적으로 처분 자체를 거부하는 결과가 되는 경우
  ② 문화재보호구역 내 토지소유자의 문화재보호구역 지정해제신청에 대한 행정청의 거부행위
  ③ 도시계획구역 내 토지소유자의 도시계획입안신청에 대한 도시계획입안권자의 거부행위

행정계획과 권리구제

비구속적 행정계획이더라도 국민의 기본권에 직접 영향을 끼치는 내용일 때에는 공권력행위로서 헌법소원의 대상이 됨.

장기미집행 도시계획 관련문제

- 장기미집행 도시계획시설결정의 실효제도는 헌법상 재산권으로부터 당연히 도출되는 권리는 아니며 법률의 근거가 필요(헌법재판소)
- 「국토의 계획 및 이용에 관한 법률」에 따르면 도시 · 군계획결정 고시일부터 20년이 지날 때까지 사업이 시행되지 아니하는 경우 고시일부터 20년이 되는 날의 다음 날에 그 효력을 잃게 됨.

제 1 절 행정상의 확약

01 | 확약

❶ 확약의 의의

1. 확약의 개념

행정청이 자기구속의 의도로 사인에 대해 장래에 일정한 행정작용을 하거나(작위) 행정작용을 하지 않을 것(부작위)을 약속하는 의사표시를 확언(確言)이라 하는데, 이 중 약속된 대상이 행정행위인 경우를 특히 확약(確約)이라 한다.01

2. 확약의 예

확약의 예로는 공무원임용의 내정, 각종 인 · 허가신청에 대해 행하는 내인가 · 내허가, 자진신고자에 대한 세인하 약속, 재개발지역 내 전세입주자들에게 아파트입주권을 주겠다는 약속, 토지형질변경허가의 약속 등을 들 수 있다.

❷ 법적 근거

1. 행정절차법에서 명문화

종래 우리 행정절차법에서 확약에 관한 일반적인 규정을 두고 있지 않아 개별법에 별도의 명문의 규정이 없는 경우에도 확약이 가능한지 문제되었는데, 본처분을 할 권한에는 본처분에 대한 확약을 할 수 있는 권한도 포함되어 있다고 보고 이를 긍정하는 것이 통설의 입장이었다.02 그러나 최근 행정절차법의 개정으로 확약을 명문화함으로써 확약에 대한 법적 근거를 마련하였다.03

2. 행정절차법의 내용

(1) 법령 등에서 당사자가 신청할 수 있는 처분을 규정하고 있는 경우 행정청은 당사자의 신청에 따라 장래에 어떤 처분을 하거나 하지 아니할 것을 내용으로 하는 의사표시(이하 '확약'이라 한다)를 할 수 있다(행정절차법 제40조의2 제1항). 즉 확약은 본처분권한에 포함된다.

(2) 그리고 확약은 문서로 하여야 하고(동조 제2항),04 행정청은 다른 행정청과의 협의 등의 절차를 거쳐야 하는 처분에 대하여 확약을 하려는 경우에는 확약을 하기 전에 그 절차를 거쳐야 한다(동조 제3항).

(3) 행정청은 ① 확약을 한 후에 확약의 내용을 이행할 수 없을 정도로 법령 등이나 사정이 변경된 경우, ② 확약이 위법한 경우에는 확약에 기속되지 않지만(동조 제4항), 이를 이유로 확약을 이행할 수 없는 경우에는 행정청은 지체 없이 당사자에게 그 사실을 통지하여야 한다(동조 제5항).05

❸ 확약의 성질

1. 학 설

확약이 행정행위인가에 대해서는 긍정설과 부정설이 대립하고 있다.

2. 판 례

판례는 어업권 우선순위결정에 관한 사건에서 어업권 우선순위결정을 확약으로 보면서 이는 행정처분이 아니므로 공정력, 불가쟁력 등과 같은 효력이 인정되지 않는다고 판시한 바 있다.

> **관련판례**
>
> 어업권면허처분에 선행하는 우선순위결정은 확약에 불과하고 행정처분이 아니므로 공정력, 불가쟁력과 같은 효력은 인정되지 아니한다(대판 1995. 1. 20, 94누6529).**01 02 03** 📖 ★★★

❹ 확약의 허용성

확약은 법적 근거가 없어도 행해질 수 있다는 점은 살펴보았으나, 그렇더라도 기속행위 등에 대해 확약이 가능한지가 문제된다.

1. 논의의 여지

재량행위에 대해 법적 근거가 없더라도 확약이 허용됨은 당연하나**04** 기속행위의 경우에도 법적 근거가 없는 경우에 확약이 가능한지가 문제된다. 왜냐하면 기속행위는 요건충족 여부에 따라 행정행위가 발령되는 것이지 행정청의 약속에 의해 행정행위의 발급이 좌우되는 것은 아니기 때문에 확약의 실효성에 의문이 있다.

2. 확약의 허용

이에 대해 통설은 기속행위라도 요건충족 여부가 불명확한 경우가 적지 않으므로 기속행위에 대해서도 확약이 있으면 상대방은 기대이익·준비이익을 가지게 된다는 점에서 법적 근거가 없더라도 확약이 허용된다고 한다.**05**

❺ 확약의 발생요건과 효과

1. 요 건

(1) 주 체

확약은 본행정처분을 할 수 있는 권한을 가진 행정청이 그 권한범위 내에서 하여야 한다.

(2) 내 용

확약은 적법하고 실현가능한 내용을 가져야 한다.

(3) 절 차

본행정행위에 대해 상대방, 기타 이해관계인의 보호를 위해 청문 등 일정한 절차가 필요한 경우에는 확약에 대해서도 그 절차를 거친 다음에 행할 것이 요구된다. 행정절차법도 행정청은 다른 행정청과

판례 | 📖 어업권면허에 선행하는 우선순위결정은 행정청이 우선권자로 결정된 자의 신청이 있으면 어업권면허처분을 하겠다는 것을 약속하는 행위로서 강학상 확약에 불과하고 행정처분은 아니므로, 우선순위결정에 공정력이나 불가쟁력과 같은 효력은 인정되지 아니하며, 따라서 우선순위결정이 잘못되었다는 이유로 종전의 어업권면허처분이 취소되면 행정청은 종전의 우선순위결정을 무시하고 다시 우선순위를 결정한 다음 새로운 우선순위결정에 기하여 새로운 어업권면허를 할 수 있다(대판 1995. 1. 20, 94누6529).

□□□□□ **01** (행정절차법상) 행정청은 다른 행정청과의 협의 등의 절차를 거쳐야 하는 처분에 대하여 확약을 하려는 경우에는 확약을 하기 전에 그 절차를 거쳐야 한다. (○, ×)　2024 소방직 9급

□□□□□ **02** (행정절차법상) 확약은 서면이나 말로 할 수 있으며, 확약이 말로 이루어지는 경우에는 상대방이 서면의 교부를 요구하면 직무수행에 특별한 지장이 없는 한 이를 교부하여야 한다. (○, ×)　2024 소방직 9급

□□□□□ **03** (행정절차법상) 확약은 문서로 하여야 한다. (○, ×)　2023 국회직 8급

□□□□□ **04** 확약을 행한 행정청은 확약의 내용인 행위를 하여야 할 자기구속적 의무를 지며, 상대방은 행정청에 그 이행을 청구할 권리를 갖게 된다. (○, ×)★　2016 서울시 9급

□□□□□ **05** (행정절차법상) 확약을 한 후에 확약의 내용을 이행할 수 없을 정도로 사정이 변경된 경우, 행정청은 확약에 기속되지 아니한다. (○, ×)　2024 소방직 9급

□□□□□ **06** 행정청이 상대방에게 장차 어떤 처분을 하겠다고 확약을 하였더라도, 그 자체에서 상대방으로 하여금 언제까지 처분의 발령을 신청하도록 유효기간을 두었는데도 그 기간 내에 상대방의 신청이 없었다면, 그 확약은 행정청의 별다른 의사표시를 기다리지 않고 실효된다. (○, ×)★★★　2023 국가직 7급

□□□□□ **07** 행정청의 확약 또는 공적인 의사표명 그 자체에서 처분의 발령을 신청하도록 유효기간을 두었을 경우 그 후에 사실적·법률적 상태가 변경되었더라도 직권취소나 철회로 효력이 소멸되고 당연히 실효되는 것은 아니다. (○, ×)★★★　2023 군무원 7급

□□□□□ **08** (판례에 따르면) 행정청의 확약에 대해 법률상 이익이 있는 제3자는 확약에 대해 취소소송으로 다툴 수 있다. (○, ×)　2018 국가직 9급

의 협의 등의 절차를 거쳐야 하는 처분에 대하여 확약을 하려는 경우에는 확약을 하기 전에 그 절차를 거쳐야 한다고 규정하고 있다(동법 제40조의2 제3항).**01**

(4) 형식

행정절차법에 따르면 확약은 문서로 하여야 한다고 규정함으로써 서면 형식을 요구하고 있다(동법 제40조의2 제2항).**02 03**

2. 효과(구속력)

확약을 발령한 행정기관은 자기구속의 의무를 지게 되어 확약 상대방에게 그 내용에 따른 행정행위를 해야 할 의무를 부담한다. 동시에 상대방은 행정기관에 대해 확약의 내용을 이행할 것을 청구할 수 있는 권리가 인정된다.**04**

❻ 확약의 실효(구속력의 배제)

> **행정절차법 제40조의2【확약】** ④ 행정청은 다음 각 호의 어느 하나에 해당하는 경우에는 확약에 기속되지 아니한다.
> 1. 확약을 한 후에 확약의 내용을 이행할 수 없을 정도로 법령 등이나 사정이 변경된 경우**05**
> 2. 확약이 위법한 경우
> ⑤ 행정청은 확약이 제4항 각 호의 어느 하나에 해당하여 확약을 이행할 수 없는 경우에는 지체 없이 당사자에게 그 사실을 통지하여야 한다.

행정절차법 개정 전에도 확약이 있은 후에 사실적 또는 법률적 상태의 변경이 있는 경우 행정청이 별다른 의사표시를 하지 않더라도 확약은 실효되고, 또한 확약을 함에 있어서 상대방으로 하여금 언제까지 처분의 발령을 신청하도록 유효기간을 두었는데도 그 기간 내에 상대방의 신청이 없었던 경우에도 확약은 실효된다는 것이 다수설과 판례의 입장이었다.

> **관련판례**
>
> 행정청의 확약 또는 공적인 의사표명이 있은 후 사실적·법률적 상태가 변경되었다면 확약은 행정청의 별다른 의사표시를 기다리지 않고 실효된다.★★★
>
> 행정청이 상대방에게 장차 어떤 처분을 하겠다고 확약 또는 공적인 의사표명을 하였다고 하더라도, 그 자체에서 상대방으로 하여금 언제까지 처분의 발령을 신청하도록 유효기간을 두었는데도 그 기간 내에 상대방의 신청이 없었다거나 확약 또는 공적인 의사표명이 있은 후에 사실적·법률적 상태가 변경되었다면, 그와 같은 확약 또는 공적인 의사표명은 행정청의 별다른 의사표시를 기다리지 않고 실효된다(대판 1996. 8. 20, 95누10877).**06 07**

❼ 권리구제

1. 확약 자체에 대한 행정쟁송

확약의 행정행위성(처분성)을 긍정하는 다수설에 따르면 확약에 대해 취소소송 등 항고소송을 제기할 수 있다. 그러나 확약의 처분성을 부정하는 판례에 따르면 확약 그 자체에 대해 취소소송 등 항고소송을 제기할 수는 없다.**08**

2. 손해배상·손실보상

행정기관의 확약의 불이행으로 손해가 발생한 경우 국가배상법 제2조의 요건이 충족되면 행정상 손해배

상을 청구할 수 있다.01 또한, 확약이 공익상의 이유로 철회됨으로써 상대방이 손실을 입은 경우에는 손실보상청구권이 인정될 수도 있다.

기출 체크

□□□□□ **01** 행정청의 확약의 불이행으로 인해 손해를 입은 자는 국가배상법상 요건을 충족하는 경우에 한하여 손해배상을 청구할 수 있다. (○, ×)
2014 사회복지직 9급

□□□□□ **02** 가행정행위는 불가변력이 발생하지 않기 때문에 신뢰보호원칙이 적용된다고 보기 어렵다. (○, ×) ★★
2008 지방직 9급

02 │ 확약의 구별개념 : 가행정행위, 예비결정, 부분허가

❶ 단계적 행정결정유형

1. 행정청이 공항, 원자력발전소, 폐기물처리공장과 같은 대규모 시설을 허가하는 경우 그 결정과정이 복잡하여 많은 시간이 소요된다. 또한, 상대방의 입장에서는 대규모 사업의 경우 일정단계마다 허가를 받음으로써 한번에 모든 허가결정이 이루어지는 경우에 발생할 투자손실을 예방할 필요가 있다(즉, 선행단계에서 거부된 경우 그 다음 단계를 준비할 필요가 없다).

2. 따라서 여러 단계의 행정결정을 거쳐 최종적인 행정행위에 이르게 되는바, 이처럼 다단계적 행정결정에 있어 단계별로 내려지는 결정유형으로 예비결정(사전결정), 부분허가(부분승인), 가행정행위가 있다(학자에 따라서는 단계적 행정결정에 확약까지 포함하는 견해가 있으며, 예비결정과 부분허가만을 단계적 행정결정으로 보는 견해도 있다).ⓐ

ⓐ 가행정행위 · 예비결정 · 부분허가는 결론적으로 모두 행정행위에 해당한다. 따라서 행정행위 부분에서 설명하는 것이 논리적으로 타당하나, 확약과 비교되는 부분이 있기 때문에 이해의 편의상 여기에서 설명함을 밝힌다.

가행정행위의 필요성 및 인정영역
1. 필요성
   가행정행위는 사실관계가 아직 분명하게 밝혀지지 아니하여 최종적인 효력을 가지는 행정행위를 발할 수는 없지만 잠정적으로 행정행위를 발할 필요가 있는 경우를 위한 것이다.
2. 인정영역
   급부행정의 영역(ⓔ 보조금의 확정이 있기 전까지 임시로 내리는 보조금교부결정)에서 이루어졌으나 당사자에게 불리한 효과를 발생시키는 침해행정의 영역에서도 인정된다.

❷ 가행정행위

1. 의 의

가행정행위란 최종적인 행정행위가 있기 전에 사실관계 또는 법률관계의 계속적인 심사를 유보한 상태에서 행정법관계의 권리 · 의무에 대해 잠정적으로만 행정행위로서의 구속력을 가지는 행정작용을 말하는 것으로, 급부행정영역뿐만 아니라 침해행정영역에서도 인정된다.

2. 가행정행위의 예

(1) 소득액이 확정되지 아니한 상태에서 과세를 담당하는 행정청이 일단 상대방의 소득신고액에 따라 소득세액을 결정하여 과세처분을 하는 것을 들 수 있다.

(2) 또한 비리사실이 적발되어 징계의결이 요구 중인 자에 대해 아직 최종적인 징계처분을 내리기 전에 일단 직무를 수행하지 못하도록 하기 위해 **직위해제처분**을 하는 경우, 그리고 먹는물관리법 제10조의 샘물개발의 임시허가 등을 들 수 있다.

3. 특 징

가행정행위는 최종적 결정이 내려지면 새로운 행위로 대체되므로 행정행위의 효력 중 존속력(특히, 불가변력)을 갖지 못한다. 또한, 상대방은 새로운 최종적 행정행위의 발령을 예상할 수 있으므로 가행정행위에 대한 신뢰, 즉 신뢰보호의 원칙을 주장할 수 없다.02

4. 허용성 및 법적 성질

다수설은 최종적 행정행위의 권한이 있는 한 별도의 법적 근거가 없더라도 가행정행위도 허용된다고 보며, 가행정행위도 비록 잠정적이기는 하지만 일정한 법적 효과(ⓔ 직위해제처분의 경우 상대방은 직무수행의무가 없어진다)가 발생하므로 **행정행위성을 긍정**한다.

정답 01 ○ **02** ○

□□□□□ **01** 가행정행위는 그 효력발생이 시간적으로 잠정적이라는 것 외에는 보통의 행정행위와 같은 것이므로 가행정행위로 인한 권리침해에 대한 구제도 보통의 행정행위와 다르지 않다. (○, ×) ★★
2019 국회직 8급

□□□□□ **02** 가행정행위인 선행처분이 후행처분으로 흡수되어 소멸하는 경우에도 선행처분의 취소를 구하는 소는 가능하다. (○, ×) ★
2019 서울시 2회 7급

□□□□□ **03** 공정거래위원회가 부당한 공동행위를 한 사업자에게 과징금 부과처분을 한 뒤 다시 자진신고 등을 이유로 과징금 감면처분을 한 경우, 선행처분은 후행처분에 흡수되어 소멸하므로 선행처분의 취소를 구하는 소는 부적법하다. (○, ×) ★
2022 국가직 9급

□□□□□ **04** 예비결정과 확약은 구분된다. (○, ×) ★★
2014 경행특채 1차

● 예비결정(사전결정)
1. 건축법 제10조【건축 관련 입지와 규모의 사전결정】① 제11조에 따른 건축허가 대상 건축물을 건축하려는 자는 건축허가를 신청하기 전에 허가권자에게 그 건축물의 건축에 관한 다음 각 호의 사항에 대한 사전결정을 신청할 수 있다.
   1. 해당 대지에 건축하는 것이 이 법이나 관계법령에서 허용되는지 여부
   2. 이 법 또는 관계법령에 따른 건축기준 및 건축제한, 그 완화에 관한 사항 등을 고려하여 해당 대지에 건축 가능한 건축물의 규모
   3. 건축허가를 받기 위하여 신청자가 고려하여야 할 사항
2. 폐기물관리법 제25조【폐기물처리업】① 폐기물의 수집·운반, 재활용 또는 처분을 업(이하 '폐기물처리업'이라 한다)으로 하려는 자(음식물류 폐기물을 제외한 생활폐기물을 재활용하려는 자와 폐기물처리 신고자는 제외한다)는 환경부령으로 정하는 바에 따라 지정폐기물을 대상으로 하는 경우에는 폐기물처리사업계획서를 환경부장관에게 제출하고, 그 밖의 폐기물을 대상으로 하는 경우에는 시·도지사에게 제출하여야 한다. 환경부령으로 정하는 중요사항을 변경하려는 때에도 또한 같다.

5. 권리구제

가행정행위는 그 효력이 잠정적이라는 것 외에는 일반적인 행정행위와 동일한 성질을 가진다고 보는 것이 일반적 견해이므로, 가행정행위로 인하여 권익의 침해를 받은 경우에는 취소소송 또는 취소심판을 제기하여 권리구제를 받을 수가 있다고 할 것이다.01 다만, 잠정적 처분 후 종국적 처분이 있게 되면 선행처분은 후행처분에 흡수되어 소멸하므로 이러한 경우에 잠정적 선행처분(가처분)을 다투는 소는 부적법하게 된다.02

┏ 관련판례

공정거래위원회가 부당한 공동행위를 한 사업자에게 과징금 부과처분(선행처분)을 한 뒤, 다시 자진신고 등을 이유로 과징금 감면처분(후행처분)을 한 경우, 선행처분의 취소를 구하는 소는 부적법하다. ★

공정거래위원회가 부당한 공동행위를 행한 사업자로서 구 「독점규제 및 공정거래에 관한 법률」(2013. 7. 16, 법률 제11937호로 개정되기 전의 것) 제22조의2에서 정한 자진신고자나 조사협조자에 대하여 과징금 부과처분(이하 '선행처분'이라 한다)을 한 뒤, 「독점규제 및 공정거래에 관한 법률 시행령」 제35조 제3항에 따라 다시 자진신고자 등에 대한 사건을 분리하여 자진신고 등을 이유로 한 과징금 감면처분(이하 '후행처분'이라 한다)을 하였다면, 후행처분은 자진신고 감면까지 포함하여 처분 상대방이 실제로 납부하여야 할 최종적인 과징금액을 결정하는 종국적 처분이고, 선행처분은 이러한 종국적 처분을 예정하고 있는 일종의 잠정적 처분으로서 후행처분이 있을 경우 선행처분은 후행처분에 흡수되어 소멸한다. 따라서 위와 같은 경우에 선행처분의 취소를 구하는 소는 이미 효력을 잃은 처분의 취소를 구하는 것으로 부적법하다(대판 2015. 2. 12, 2013두987).03

❸ 예비결정(사전결정)

1. 의의

(1) 예비결정이란 종국적인 행정결정이 행해지기 전에 사전적인 단계로서 여러 요건 중 하나 또는 일부에 대해 우선적으로 심사하여 내린 결정을 말하며, 사전결정이라고도 한다.

(2) 구체적 예로는 건축법상의 사전결정과 폐기물관리법상의 폐기물처리사업계획에 대한 적정결정 또는 부적정결정이 해당한다.●

(3) 구별개념

① 확약

㉠ 예비결정은 종국적인 결정에 대한 관계에서는 일부요건에 대한 결정이기는 하나 그 자체가 최종적 결정이라는 점에서 종국적인 결정에 대한 약속에 불과한 확약과는 구별된다.04

㉡ 예를 들어, 폐기물처리사업계획에 대한 적정통보는 '폐기물처리업허가'와 관련하여서는 '사업계획'이라는 전체 허가 중 일부 요건에 대한 결정이지만 '사업계획 그 자체'에 대해서는 최종적 결정이다.

② 부분허가

예비결정은 그 자체만으로 상대방에게 어떠한 행위를 할 수 있게 하는 것은 아니라는 점에서 부분허가와 구별되는바, 이에 대해서는 후술한다.

2. 법적 성질

(1) 예비결정은 비록 제한적인 효력을 가지지만 상대방의 권리·의무에 영향을 주는 법적 효과를 가

진다는 점에서 그 자체로 하나의 완결된 행정행위라는 것이 통설이며01 재량행위일 수도 있고 기속행위일 수도 있다(⑩ 폐기물처리업 부적정통보를 받게 되면 폐기물처리업허가신청 자체가 제한된다).

(2) 한편, 판례 역시 폐기물처리업 부적정통보 등 예비결정에 대해 처분성을 긍정하고 있다. 왜냐하면 관련법령의 규정에 따르면 폐기물처리업에 대한 적정통보를 받은 자만이 일정기간 내에 그 요건을 갖추어 폐기물처리업허가신청을 할 수 있기 때문이다.

▶ 관련판례

1. 주택건설촉진법(현 주택법) 제32조의4 소정의 주택건설사업계획의 사전결정은 재량행위이다(처분성 긍정)(대판 1998. 4. 24, 97누1501).

2. 폐기물관리법 관계법령에 의한 폐기물처리업 허가권자의 부적정통보는 행정처분이다.02 03 ★★★
   폐기물관리법 관계법령의 규정에 의하면 폐기물처리업의 허가를 받기 위하여는 먼저 사업계획서를 제출하여 허가권자로부터 사업계획에 대한 적정통보를 받아야 하고, 그 적정통보를 받은 자만이 일정기간 내에 시설, 장비, 기술능력, 자본금을 갖추어 허가신청을 할 수 있으므로, 결국 부적정통보는 허가신청 자체를 제한하는 등 개인의 권리 내지 법률상의 이익을 개별적이고 구체적으로 규제하고 있어 행정처분에 해당한다(대판 1998. 4. 28, 97누21086).

3. 행정청이 폐기물처리사업계획서의 적합 여부(환경 친화적 폐기물처리업인지 여부)를 판단하는 경우 행정청에 광범위한 재량권이 인정된다.
   (1) 시·도지사는 구 폐기물관리법 제25조 제2항 제4호에 따라 폐기물처리사업계획서의 적합 여부를 판단함에 있어, 환경의 질적인 향상과 그 보전을 통한 쾌적한 환경의 조성 및 이를 통한 인간과 환경 간의 조화와 균형의 유지라는 환경정책기본법의 입법취지와 환경정책기본법에 따라 설정된 환경기준도 고려하여야 한다. 행정청은 사람의 건강이나 주변환경에 영향을 미치는지 여부 등 생활환경과 자연환경에 미치는 영향을 두루 검토하여 폐기물처리사업계획서의 적합 여부를 판단할 수 있으며, 이에 관해서는 행정청에 광범위한 재량권이 인정된다.
   (2) '자연환경·생활환경에 미치는 영향'과 같이 장래에 발생할 불확실한 상황과 파급효과에 대한 예측이 필요한 요건에 관한 행정청의 재량적 판단은 그 내용이 현저히 합리적이지 않다거나 상반되는 이익이나 가치를 대비해볼 때 형평이나 비례의 원칙에 뚜렷하게 배치되는 등의 특별한 사정이 없는 한 폭넓게 존중될 필요가 있다(대판 2023. 7. 27, 2023두35661).

3. 법적 효과

판례는 예비결정(사전결정)의 구속력을 부정한 경우도 있고 긍정한 경우도 있다. 즉, 1번 판례의 경우 예비결정(사전결정)의 구속력을 인정하지 않고, 예비결정(사전결정)시 재량권을 행사하였더라도 최종 처분시 다시 재량권을 행사할 수 있다고 본다. 그런데 2번 판례의 경우 폐기물관리법상의 사업계획에 대한 적정통보가 있는 경우 폐기물처리사업허가단계에서는 사업계획에 대한 적정통보처분시 심사한 요건 외의 나머지 허가요건만을 심사한다고 판시하여 예비결정(사전결정)인 사업계획에 대한 적합통보결정의 구속력을 인정한 바 있다.

▶ 관련판례

1-1. 주택건설사업계획승인은 재량행위로서 주택건설사업계획의 사전결정이 있다 하더라도 여전히 재량행위이다.04 ★★

1-2. 따라서 주택건설사업계획승인을 함에 있어 비록 사전결정을 하였다고 하더라도 사전결정에 기속되지 않고 사익과 공익을 비교·형량하여 그 승인 여부를 결정할 수 있다(구속력을 부정한 판례).05 ★★
   구 주택건설촉진법 제33조 제1항의 규정에 의한 주택건설사업계획의 승인은 상대방에게 권리나 이익을 부여하는 효과를 수반하는 이른바 수익적 행정처분으로서 행정처분의 요건에 관하여 일의적으로 규정되어 있지 아니한 이상 행정청의 재량행위에 속하고, 그 전 단계인 같은 법 제32조의4 제1항의 규정

정답 **01** ○ **02** ○ **03** ○ **04** × **05** ×

2. 폐기물관리법상의 사업계획에 대한 적정통보가 있는 경우 폐기물사업의 허가단계에서는 나머지 허가요건만을 심사한다(구속력을 긍정한 판례)(대판 1998. 4. 28, 97누21086).★★★

4. 권리구제

예비결정은 처분성을 가지므로 상대방은 이에 대해 취소소송 등을 제기할 수 있다. 다만, 최종행정행위가 있게 되면 예비결정(사전결정)은 원칙적으로 최종행정행위에 흡수된다.

④ 부분허가

1. 의 의

(1) 개 념

① 부분허가란 단계적 행정행위의 일부에 대하여 행하는 허가를 말하는 것으로서, 예컨대 원자력 발전소와 같이 장기간이 소요되는 대형 시설물을 건설할 때 단계적으로 시설의 일부에 대하여 하는 허가를 말한다.

② 즉, 행정결정의 대상이 되는 시설물 일부의 건설 등에 대해 부분허가를 계속함으로써 시설 전체의 건설이 완성되는 경우에 있어 그 일부에 대한 허가를 의미한다.

(2) 예비결정과 부분허가의 구별

① 예비결정은 그 자체만으로 상대방에게 어떠한 행위를 할 수 있게 하는 것은 아니다. 예컨대, 폐기물처리업 적정통보를 받았다 하더라도 폐기물처리업을 할 수 있는 것은 아니다.

② 이에 반해 부분허가는 부분허가를 받게 되면 그 대상이 되는 행위를 적법하게 할 수 있다. 예컨대, 일부시설에 대한 건설허가를 받으면 일부시설에 대한 건설공사를 할 수 있다.

2. 법적 성질

(1) 학 설

부분허가는 비록 제한된 사항이지만 그 부분허가가 규율하는 사항에 대해서는 법적 효과가 종국적으로 발생한다는 점에서 행정행위의 성질을 가진다.

(2) 판례의 태도

① 판례는 원자로시설부지 사전승인의 법적 성격을 사전적 부분건설허가라고 하여, 예비결정과 부분허가의 성격을 모두 가지고 있다고 판시하면서 처분성을 긍정한다.

② 다만, 부지사전승인처분이 있고 난 후 그에 근거해서 본처분(건설허가처분)이 발하여진 경우라면 부지사전승인처분은 본처분에 흡수되고 독립하여 소송대상이 되지 않는다고 한다.

> **관련판례**
> 1. 원자력법(현 원자력안전법) 제11조 제3항 소정의 부지사전승인처분은 그 자체로서 독립한 행정처분이다.01 ★★★
> 2. 그러나 부지사전승인처분 후 건설허가처분이 있게 되면 부지사전승인처분은 건설허가처분에 흡수되어 독립된 존재가치를 상실함으로써 건설허가처분만이 소송의 대상이 된다.02 ⓑ ★★★
> 원자력법 제11조 제3항 소정의 부지사전승인제도는 …… 원자로 및 관계시설의 부지사전승인처분은 그

ⓐ 이 사안은 행정청이 甲회사에 대해 주택건설사업계획의 사전결정을 하여 甲회사가 주택건설사업준비를 하였는데 행정청이 최종적 결정인 주택건설사업계획승인을 거부한 경우이다. 언뜻 보면 폐기물처리업에 관한 판례와 모순되는 것 같으나 이 사안의 사실관계는 이러하다. 주택건설사업계획이 안산자연공원에 대한 환경파괴로 이어져 공익을 현저히 해칠 염려가 있다는 이유로 관할 행정청이 입지심의 및 사전결정을 여러 차례에 걸쳐 반려해 오던 중에 대통령비서실 경제행정규제완화점검단의 지시로 인하여 부득이 甲회사에 대해 사전결정을 해주게 되었다.
따라서 입지심의 및 사전결정에서 이 사건 주택건설사업계획이 위 안산의 자연생태계를 파괴하여 지역주민 전체의 쾌적한 자연환경에 관한 권리를 현저히 침해할 염려가 있다는 점에 대한 고려가 충분히 이루어지지 않았을 개연성이 있다고 법원이 판단하게 되었다. 이에 법원이 사건 원고의 주택사업계획을 승인할 경우 공익을 현저히 침해할 우려가 있으므로 신뢰보호의 원칙은 적용될 수 없다고 본 것이다. 즉, 이는 상대방의 신뢰보호원칙이 성립되었더라도 이른바 신뢰보호원칙의 한계, 신뢰보호원칙과 공익이 충돌하는 경우의 문제라고 할 수 있다. 따라서 법원이 이익형량의 관점에서 사안과 같이 판시한 것으로 해석된다.

ⓑ 부지사전승인처분은 예비결정(사전결정)과 부분허가의 성격을 모두 가지고 있다.

자체로서 건설부지를 확정하고 사전공사를 허용하는 법률효과를 지닌 독립한 행정처분이기는 하지만01 …… 나중에 건설허가처분이 있게 되면 그 건설허가처분에 흡수되어 독립된 존재가치를 상실함으로써 그 건설허가처분만이 쟁송의 대상이 되는 것이므로, 부지사전승인처분의 취소를 구하는 소는 소의 이익을 잃게 된다고 할 것이다(따라서 부지사전승인처분의 위법성은 나중에 내려진 건설허가처분의 취소를 구하는 소송에서 이를 다투면 될 것이다)(대판 1998. 9. 4, 97누19588).

3. 법적 근거

부분허가를 함에 있어 별도의 법적 근거가 필요한지가 문제되는데, 부분허가권은 허가권한에 포함되는 것이므로 허가에 대한 권한을 가진 행정청은 부분허가에 대한 별도의 법적 근거가 없더라도 부분허가를 할 수 있다는 것이 일반적 견해이다.02

4. 법적 효과

부분허가를 받은 자는 부분허가를 받은 범위 내에서 허가받은 행위를 할 수 있다. 또한, 부분허가는 구속력을 가지므로 원칙적으로 행정청은 나머지 부분에 대한 결정에서 부분허가한 내용과 모순되는 결정을 할 수 없다.

5. 권리구제

부분허가는 행정행위로서 처분성이 인정되므로 부분허가에 대해 다툼이 있는 자는 취소소송 등 항고소송을 통해 권리구제를 받을 수 있다.

┌ **관련문제** ─

甲은 폐기물관리법에 따라 폐기물처리업의 허가를 받기 전에 행정청 乙에게 폐기물처리사업계획서를 작성하여 제출하였고, 乙은 그 사업계획서를 검토하여 적합통보를 하였다. 이에 대한 설명으로 옳지 않은 것은? (다툼이 있는 경우 판례에 의함)
2018 국가직 7급

① 甲이 폐기물처리업허가를 받기 위해서는 용도지역을 변경하는 국토이용계획변경이 선행되어야 할 경우, 甲에게 국토이용계획변경을 신청할 권리가 인정된다.
② 사업계획서 적합통보가 있는 경우 폐기물처리업의 허가단계에서는 나머지 허가요건만을 심사한다.
③ 사업계획의 적합 여부는 乙의 재량에 속하고, 사업계획 적합 여부 통보를 위하여 필요한 기준을 정하는 것도 역시 乙의 재량에 속한다.
④ 적합통보를 받은 甲은 폐기물처리업의 허가를 받기 전이라도 부분적으로 폐기물처리를 적법하게 할 수 있다.

정답 ④

기출 체크

□□□□□ **01** 행정계획이란 행정활동의 일정한 목표를 설정하고 그 목표를 달성하기 위하여 필요한 수단을 선정하고 조정하는 것을 말한다. (○, ×)
2012 지방직 9급

□□□□□ **02** (행정계획은) 주로 장기성·종합성을 요하는 사회국가적 복리행정 영역에서 중요한 의미를 갖는다. (○, ×)
2013 서울시 9급

□□□□□ **03** 행정계획은 구체화의 정도에 따라 기본계획과 실시계획으로 나눌 수 있는바, 실시계획은 기본계획의 내용을 구체화하는 것이다. (○, ×)   2013 서울시 9급

□□□□□ **04** 도시설계는 건축물규제라는 성격과 건축법의 입법적인 경과에 비추어 볼 때 법적 구속력을 갖는 구속적 행정계획이다. (○, ×)   2008 지방직 9급

□□□□□ **05** 이미 고시된 실시계획에 포함된 상세계획으로 관리되는 토지 위의 건물의 용도를 상세계획승인권자의 변경승인 없이 임의로 판매시설에서 상세계획에 반하는 일반목욕장으로 변경한 사안에서, 그 영업신고를 수리하지 않고 영업소를 폐쇄한 처분은 적법하다고 한 판례가 있다. (○, ×) ★★   2022 군무원 9급

ⓐ 행정계획의 또 다른 분류
1. 종합계획, 부문별 계획
   계획대상의 종합성·개별성에 따른 분류로 종합계획은 종합적·전반적 사업에 관한 계획을 말하고, 부문별 계획은 특정지역 또는 특정사업에 관한 계획을 말한다. 국토종합계획은 전자의 예이고, 도시계획·공해방지계획 등은 후자의 예이다.
2. 장기계획, 중기계획, 단기계획, 연도계획
   이는 계획의 기간에 따른 분류로 보통 장기계획은 20년, 연도계획은 1년 단위의 계획을 의미한다.
3. 상위계획, 하위계획
   다른 계획의 기준이 되는지에 따른 분류로서, 도시기본계획은 상위계획인 국토이용계획의 지침을 발전시켜 도시의 발전방향 및 미래상을 제시하는 하위계획이다.
4. 기본계획, 실시(시행)계획03
   구체화의 정도를 기준으로 경제적·사회적 측면을 종합한 계획이 기본계획이며, 이것을 개별적으로 시행하기 위한 구체적인 세부계획이 실시(시행)계획이다.

정답 01 ○ 02 ○ 03 ○ 04 ○ 05 ○

01 | 행정계획의 내용

❶ 의 의

1. 개 념

행정계획이란 행정주체가 행정목표를 설정하고 행정목표 달성을 위해 행정수단을 종합·조정함으로써 장래 일정한 시점에서 일정한 목표를 실현하는 것을 내용으로 하는 행정의 행위형식을 말한다.01 한편, 판례는 행정계획을 행정에 관한 전문적·기술적 판단을 기초로 하여 특정한 행정목표를 달성하기 위하여 서로 관련되는 행정수단을 종합·조정함으로써 장래의 일정한 시점에 있어서 일정한 질서를 형성하기 위하여 설정된 활동기준으로 정의한다.

2. 등장배경

현대국가에서는 행정의 주요한 과제가 장기성·종합성을 요하는 사회국가적인 복리(급부)행정에 놓여 있다.02 따라서 헌법상의 사회국가 원리는 국가에 대해 정의로운 사회질서의 실현을 위하여 사회 전반에 적극적으로 개입하여 계획적으로 국가질서를 형성할 수 있는 권한을 부여하고 있는바, 이에 따라 행정계획은 행정의 주요한 행위형식이 되고 있다.

❷ 행정계획의 종류ⓐ – 구속적 계획, 비구속적 계획

1. 구속적 계획

(1) 구속적 계획이란 국민 또는 행정기관에 대해 일정한 구속력을 가지는 일체의 행정계획을 말한다. 이 중에서 행정기관에 대한 구속적 계획으로는 국토종합계획, 예산운용계획, 예산계획 등을 들 수 있다.

(2) 한편, 국민에 대한 구속적 계획으로는 도시관리계획, 지역·지구·구역(개발제한구역 등)의 지정 또는 변경에 관한 계획과 같이 국민에게 일정한 행위제한 등의 효과를 가져오는 것을 들 수 있다. 이를 협의의 구속적 계획이라고도 한다.

┌ 관련판례
1. 도시설계는 도시계획의 한 종류로서 도시설계지구 내의 모든 건축물에 대하여 구속력을 가지는 구속적 행정계획의 법적 성격을 갖는다(헌재 2003. 6. 26, 2002헌마402).04

2. 이미 고시된 실시계획에 포함된 상세계획으로 관리되는 토지 위의 건물의 용도를 상세계획 승인권자의 변경승인 없이 임의로 판매시설에서 상세계획에 반하는 일반목욕장으로 변경한 사안에서, 그 영업신고를 수리하지 않고 영업소를 폐쇄한 처분은 적법하다(대판 2008. 3. 27, 2006두3742).05 ★★

2. 비구속적 계획

비구속적 계획은 단순한 내부지침에 불과한 것으로 국민은 물론 행정기관에 대해서도 아무런 법적 구속력을 가지지 못하는 계획을 말하며, 경제개발 5개년계획 등을 들 수 있다.

┌─ 관련판례
│ 1. 구 도시계획법(현 「국토의 계획 및 이용에 관한 법률」) 제10조의2 소정의 도시기본계획은 도시계획입안의 지침이 되는 것에 불과할 뿐 일반국민에 대한 직접적인 구속력은 없는 것이다.01 ★★
│   도시기본계획은 도시의 기본적인 공간구조와 장기발전방향을 제시하는 종합계획으로서 그 계획에는 토지이용계획, 환경계획, 공원녹지계획 등 장래의 도시개발의 일반적인 방향이 제시되지만, 그 계획은 도시계획입안의 지침이 되는 것에 불과하여 일반국민에 대한 직접적인 구속력은 없는 것이므로, ……
│   (대판 2002. 10. 11, 2000두8226)
│ 2. 구 도시계획법 제19조 제1항 및 지방자치단체의 도시계획조례에서 말하는 도시기본계획은 행정청에 대한 직접적 구속력은 없다(대판 2007. 4. 12, 2005두1893).02 03 ★★★

❸ 법적 성질

1. 문제의 소재

행정계획이 특정의 법적 형식에 의해 수립된 경우에 당해 행정계획은 그 법적 형식의 성질을 갖는바, 예컨대 법률의 형식에 의해 수립되는 행정계획은 법률의 성질을 가지며 법규명령의 형식에 의해 수립되는 행정계획은 법규명령의 성질을 갖는다.04 05 그런데 행정계획이 특정의 행위형식을 취하지 않는 경우에 당해 행정계획은 어떠한 법적 성질을 갖는지가 문제되는바, 이는 행정계획이 항고소송의 대상이 되는지와 관련하여 특히 의미를 가진다.

2. 학설

행정계획의 성질에 관한 학설로는 입법행위설, 행정행위설, 독자성설이 있으나 복수성질설이 다수설의 입장이다. 이 설에 따르면 행정계획은 종류와 내용이 매우 다양하며 그 형식도 다양한 형태로 존재하므로 행정계획의 법적 성질은 계획마다 개별적으로 검토하여야 한다고 본다.

입법행위설	행정계획은 행정의 기준이 되는 것으로서 일반적·추상적 성격을 가지므로 입법행위라는 견해이다.
행정행위설	행정계획은 직접적으로 국민의 권리·의무에 변동을 가져오는 효과가 발생하므로 이를 행정행위로 보아야 한다는 견해이다.
독자성설	행정계획은 추상적이 아니라는 점에서 법규범도 아니고 개개인을 규율하는 것도 아니므로 하나의 독자적인 행위형식으로 보는 견해이다.

3. 판례

(1) 처분성 긍정

도시관리계획결정과 같이 국민의 권리·의무에 구체적·개별적인 영향을 미치는 행정계획은 처분성이 인정된다.06 07

┌─ 관련판례
│ 1. 고시된 도시관리계획결정은 개인의 권리 내지 법률상의 이익을 개별적이고 구체적으로 규제하는 효과를 가져오는 행정처분으로서 행정소송의 대상이 된다(대판 1982. 3. 9, 80누105).08 ★★★
│ 2. 구 도시재개발법(현 「도시 및 주거환경정비법」)상의 관리처분계획은 항고소송의 대상이 되는 행정처분이다.09 10 ★★★
│   도시재개발법에 의한 재개발조합은 조합원에 대한 법률관계에서 적어도 특수한 존립목적을 부여받

기출체크

☐☐☐☐☐ **01** 구 도시계획법상 도시기본계획은 도시의 기본적인 공간구조와 장기발전방향을 제시하는 종합계획으로서 도시계획입안의 지침이 되므로 일반국민에 대한 직접적인 구속력은 없다. (○, ×) ★★　　2021 국가직 9급

☐☐☐☐☐ **02** (구)도시계획법 및 지방자치단체의 도시계획조례상 규정된 도시기본계획은 장기적·종합적인 개발계획으로서 행정청에 대한 직접적 구속력을 가지지 않는다. (○, ×) ★★★　　2022 소방직 9급

☐☐☐☐☐ **03** 「국토의 계획 및 이용에 관한 법률」에 따른 도시기본계획은 일반국민에 대한 직접적인 구속력은 인정되지 않지만, 도시의 장기적 개발방향과 미래상을 제시하는 도시계획입안의 지침이 되기에 행정청에 대한 직접적인 구속력은 인정된다. (○, ×) ★★★　　2018 국가직 7급

☐☐☐☐☐ **04** 행정계획은 법률의 형식으로 수립되어야 한다. (○, ×) ★★　　2015 교육행정직 9급

☐☐☐☐☐ **05** 행정계획은 법률의 형식일 수도 있다. (○, ×) ★★　　2013 지방직 9급

☐☐☐☐☐ **06** 국민의 권리·의무에 구체적·개별적인 영향을 미치는 행정계획은 처분성이 인정된다. (○, ×) ★★★　　2015 교육행정직 9급

☐☐☐☐☐ **07** 행정계획은 항고소송의 대상이 될 수 없다. (○, ×) ★★★　　2016 서울시 9급

☐☐☐☐☐ **08** 도시관리계획결정은 행정청의 처분이며, 항고소송의 대상이 된다. (○, ×) ★★★　　2015 지방직 7급

☐☐☐☐☐ **09** 「도시 및 주거환경정비법」에 따른 주택재건축정비사업조합이 행정주체의 지위에서 수립하는 관리처분계획은 구속적 행정계획으로서 주택재건축정비사업조합이 행하는 독립된 행정처분에 해당한다. (○, ×) ★★★　　2023 군무원 9급

☐☐☐☐☐ **10** 재개발조합이 조합원에게 한 관리처분계획에 대한 다툼은 공법상 당사자소송을 제기하여 그 위법성을 다툴 수 있다. (○, ×) ★★★　　2015 국회직 8급

정답 01 ○ 02 ○ 03 × 04 × 05 ○ 06 ○ 07 × 08 ○ 09 ○ 10 ×

01 도시재개발법에 의한 재개발조합의 관리처분계획은 토지 등의 소유자에게 구체적이고 결정적인 영향을 미치는 것으로서 조합이 행한 처분에 해당한다. (○, ×) ★★★　2019 서울시 1회 7급

02 재건축정비사업조합의 사업시행계획은 행정주체의 지위에서 수립한 구속적 행정계획으로서 인가·고시를 통해 확정되면 독립된 행정처분에 해당한다. (○, ×) ★★★　2023 소방직 9급

03 개발제한구역지정처분은 그 입안·결정에 관하여 광범위한 형성의 자유를 가지는 계획재량처분이다. (○, ×) ★★　2023 군무원 9급

04 「도시 및 주거환경정비법」에 따라 인가·고시된 관리처분계획은 구속적 행정계획으로서 처분성이 인정된다. (○, ×)　2024 지방직·서울시 9급

05 행정계획이 행정활동의 지침으로서만의 성격에 그치거나 행정조직 내부에서의 효력만을 가질 때는 항고소송의 대상으로서의 처분성을 갖지는 않는다. (○, ×) ★　2014 서울시 7급

06 위법한 도시기본계획에 대하여 제기되는 취소소송은 법원에 의하여 허용되지 아니한다. (○, ×) ★★★　2017 지방직 9급

07 도시기본계획은 도시의 장기적 개발방향과 미래상을 제시하는 도시계획 입안의 지침이 되는 장기적·종합적인 개발계획으로서 직접적인 구속력이 있으므로, 도시계획시설결정 대상면적이 도시기본계획에서 예정했던 것보다 증가할 경우 도시기본계획의 범위를 벗어나 위법하다. (○, ×) ★★★　2024 국가직 9급

08 구 토지구획정리사업법상 환지계획은 환지예정지지정이나 환지처분의 근거가 되어 직접 토지소유자 등의 법률상의 지위를 변동시키므로 항고소송의 대상이 된다. (○, ×) ★★　2018 경행경채 3차

은 특수한 행정주체로서 국가의 감독하에 그 존립목적인 특정한 공공사무를 행하고 있다고 볼 수 있는 범위 내에서는 공법상의 권리·의무관계에 서 있는 것이므로 분양신청 후에 정하여진 관리처분계획의 내용에 관하여 다툼이 있는 경우에는 그 관리처분계획은 토지 등의 소유자에게 구체적이고 결정적인 영향을 미치는 것으로서 조합이 행한 처분에 해당하므로 항고소송의 방법으로 그 무효확인이나 취소를 구할 수 있다(대판 2002. 12. 10, 2001두6333).**01**

3. 구 「도시 및 주거환경정비법」에 따른 주택재건축정비사업조합이 수립한 사업시행계획이 인가·고시를 통해 확정된 경우 구속적 행정계획으로서 행정처분에 해당한다(대결 2009. 11. 2, 2009마596).**02** ★★★

4. 개발제한구역지정처분은 건설부장관(현 국토교통부장관)이 법령의 범위 내에서 도시의 무질서한 확산 방지 등을 목적으로 도시정책상의 전문적·기술적 판단에 기초하여 행하는 일종의 행정계획으로서 그 입안·결정에 관하여 광범위한 형성의 자유를 가지는 계획재량처분으로 소송대상이 된다(대판 1997. 6. 24, 96누1313).**03** ★★

5. 「도시 및 주거환경정비법」(이하 '도시정비법'이라 한다)에 따른 주택재건축정비사업조합(이하 '재건축조합'이라 한다)은 관할행정청의 감독 아래 도시정비법상의 주택재건축사업을 시행하는 공법인(도시정비법 제38조)으로서, 그 목적범위 내에서 법령이 정하는 바에 따라 일정한 행정작용을 행하는 행정주체의 지위를 갖는다. 재건축조합이 행정주체의 지위에서 도시정비법 제74조에 따라 수립하는 관리처분계획은 정비사업의 시행 결과 조성되는 대지 또는 건축물의 권리귀속에 관한 사항과 조합원의 비용분담에 관한 사항 등을 정함으로써 조합원의 재산상 권리·의무 등에 구체적이고 직접적인 영향을 미치게 되므로, 이는 구속적 행정계획으로서 재건축조합이 행하는 독립된 행정처분에 해당한다(대판 2022. 7. 14, 2022다206391).**04**

(2) 처분성 부정

행정계획이 구체적인 행정계획을 입안함에 있어 행정활동의 지침으로서만의 성격에 그치거나 행정조직 내부에서의 효력만을 가질 때에는 항고소송의 대상이 되는 처분에 해당하지 않는다.**05** 예컨대 판례는 구 도시계획법상 도시기본계획은 일반지침에 불과하다는 이유로, 그리고 구 토지구획정리사업법상 환지계획결정에 대해서는 직접 토지소유자의 법률상 지위를 변동시키는 것이 아니라는 이유로 처분성을 부정한 바 있다.

▶ **관련판례**

1. 도시기본계획은 국민에 대해서 직접적인 구속력이 없으므로 처분이 아니다.**06** ★★★
   도시계획법 제11조 제1항에는, 시장 또는 군수는 그 관할 도시계획구역 안에서 시행할 도시계획을 도시기본계획의 내용에 적합하도록 입안하여야 한다고 규정하고 있으나, 도시기본계획이라는 것은 도시의 장기적 개발방향과 미래상을 제시하는 도시계획 입안의 지침이 되는 장기적·종합적인 개발계획으로서 직접적인 구속력은 없는 것이므로, 도시계획시설결정 대상면적이 도시기본계획에서 예정했던 것보다 증가하였다 하여 그것이 도시기본계획의 범위를 벗어나 위법한 것은 아니다(대판 1998. 11. 27, 96누13927).**07**

2. 환지계획은 항고소송의 대상이 되는 행정처분에 해당하지 않는다.★★
   토지구획정리사업법(현 도시개발법) 제57조, 제62조 등의 규정상 환지예정지지정이나 환지처분은 그에 의하여 직접 토지소유자 등의 권리·의무가 변동되므로 이를 항고소송의 대상이 되는 처분이라고 볼 수 있으나, 환지계획은 위와 같은 환지예정지 지정이나 환지처분의 근거가 될 뿐 그 자체가 직접 토지소유자 등의 법률상의 지위를 변동시키거나 또는 환지예정지 지정이나 환지처분과는 다른 고유한 법률효과를 수반하는 것이 아니어서 이를 항고소송의 대상이 되는 처분에 해당한다고 할 수가 없다(대판 1999. 8. 20, 97누6889).**08**

   ✚ 환지는 일정한 지역 안에서 토지의 이용가치를 높이기 위한 사업을 실시하기 위해 토지의 소유권 등을 권리자의 의사와 관계없이 강제적으로 교환하는 것을 말한다. 이는 환지계획을 먼저 수립한 후 환지예정지의 지정을 하고 최종적으로 환지처분을 하는 순서로 행해지게 된다.
   한편, 종전 토지소유자는 환지예정지의 지정이 있게 되면 환지예정지에 대해 사용·수익을 할 권리가 생기고 환지처분이 있게 되면 새로운 토지(환지)에 대해 소유권을 취득하게 된다. 따라서 판례는 환지계획과 달리 '환지예정지의 지정'이나 '환지처분'에 대해서는 처분성을 긍정한다.

3. 국토해양부(현 국토교통부), 환경부, 문화체육관광부, 농림수산식품부(현 농림축산식품부)가 합동으로 2009. 6. 8. 발표한 '4대강 살리기 마스터플랜' 등은 행정기관 내부에서 사업의 기본방향을 제시하는 계획일 뿐 국민의 권리·의무에 직접 영향을 미치는 것이 아니어서, 행정처분에 해당하지 않는다(대결 2011. 4. 21, 2010무111 전합).**01** ★★

④ 법적 근거

1. 조직법적 근거

행정계획은 행정기관이 자신의 직무범위 안에서 수립하여야 하므로 구속적 행정계획과 비구속적 행정계획을 수립함에 있어서는 모두 조직법적 근거가 필요하다.

2. 작용법적 근거

(1) 구속적 계획

구속적 계획은 일반국민의 권리·의무에 영향을 미치거나 행정기관에 대해 법적인 구속력을 가지므로 이를 수립함에 있어서는 법률에 근거가 있어야 한다.**02** 한편, 도시계획결정 등에 관한 권한 있는 행정청이 선행 도시계획과 양립할 수 없는 후행 도시계획을 수립한 경우 특별한 사정이 없는 한 선행 도시계획은 후행 도시계획과 같은 내용으로 변경된 것으로 볼 수 있다는 것이 판례의 입장이다.

> **관련판례**
> 1. '권한 있는' 행정청이 수립한 후행 도시계획에 선행 도시계획과 서로 양립할 수 없는 내용이 포함되어 있다면 특별한 사정이 없는 한 선행 도시계획은 후행 도시계획과 같은 내용으로 변경된 것으로 볼 수 있다.**03** ★★
> 2. 후행 도시계획의 결정을 하는 행정청이 선행 도시계획의 결정·변경 등에 관한 '권한을 가지고 있지 아니한 경우' 선행 도시계획과 양립할 수 없는 내용이 포함된 후행 도시계획결정은 무효이다(대판 2000. 9. 8, 99두11257).**04** ★★

(2) 비구속적 계획

정보제공 내지 행정지침적 성격을 가지는 비구속적 계획은 원칙적으로 작용법적 근거는 필요 없다.

⑤ 행정계획의 절차

1. 절차적 통제(사전통제)의 중요성

행정계획은 그 파급효과가 매우 광범위한 반면, 앞에서 본 바와 같이 처분성이 인정되지 않는 계획이 있고, 또한 처분성이 인정되더라도 후술하는 바와 같이 광범위한 재량이 인정되기 때문에 사후적인 구제가 어렵다. 따라서 계획을 수립하는 과정에서 절차적으로 통제하는 것이 중요하다. 이는 행정계획의 민주적 적정성을 도모하기 위해서도 중요하다.

2. 행정절차법의 태도

(1) 행정절차법에 따르면 행정청은 행정청이 수립하는 계획 중 국민의 권리·의무에 직접 영향을 미치는 계획을 수립하거나 변경·폐지할 때에는 관련된 여러 이익을 정당하게 형량하여야 한다(동법 제40조의4).

(2) 한편 행정계획은 원칙적으로 행정절차법상 행정예고의 대상❶이 되며, 행정계획이 행정입법의 형식을 띠는 경우에는 행정절차법상의 행정입법예고절차가, 처분의 형식을 띠는 경우에는 행정절차법상의 처분절차가 적용된다.

□□□□□ **01** 환지계획인가 후에 수정하고자 하는 내용에 대하여 토지소유자 등 이해관계인의 공람절차를 거치지 아니한 채 수정된 내용에 따라 한 환지예정지지정처분은 당연무효이다. (○, ×) ★
2015 서울시 7급

□□□□□ **02** 도시관리계획결정·고시와 그 도면에 특정 토지가 도시관리계획에 포함되지 않았음이 명백한데도 도시관리계획을 집행하기 위한 후속계획이나 처분에서 그 토지가 도시관리계획에 포함된 것처럼 표시되어 있는 경우, 이는 원칙적으로 취소사유에 해당한다. (○, ×)
2021 지방직·서울시 7급

□□□□□ **03** 구 도시계획법령상 도시계획안의 내용에 대한 공고 및 공람절차에 하자가 있는 도시계획결정은 위법하다. (○, ×) ★★ 2022 국가직 7급

□□□□□ **04** 공청회와 이주대책 없는 도시계획수립행위는 당연무효인 행위이다. (○, ×) ★★ 2012 지방직 9급

□□□□□ **05** 구 도시계획법상 행정청이 정당하게 도시계획결정의 처분을 하였다고 하더라도 이를 관보에 게재하여 고시하지 아니한 이상 대외적으로는 아무런 효력이 발생하지 않는다. (○, ×) ★★
2021 지방직·서울시 7급

□□□□□ **06** 행정계획에는 행정기관 사이에서만 구속력을 가지는 계획뿐만 아니라 대외적으로 구속력을 갖는 계획도 있다. (○, ×) 2019 경행경채 2차

ⓐ **집중효의 구체적 내용**
집중효의 근거·내용 등은 인·허가 의제와 동일하게 논의되므로 여기에서는 설명을 생략한다(인·허가 의제제도 참조).

3. 절차하자의 효과

┏ **관련판례** ─────────────

1. 환지계획인가 후에 수정하고자 하는 내용에 대하여 토지소유자 등 이해관계인의 공람절차를 거치지 아니한 채 수정된 내용에 따라 한 환지예정지지정처분은 당연무효이다.**01** ★

환지계획인가 후에 당초의 환지계획에 대한 공람과정에서 토지소유자 등 이해관계인이 제시한 의견에 따라 수정하고자 하는 내용에 대하여 다시 공람절차 등을 밟지 아니한 채 수정된 내용에 따라 한 환지예정지지정처분은 환지계획에 따르지 아니한 것이거나 환지계획을 적법하게 변경하지 아니한 채 이루어진 것이어서 당연무효라고 할 것이다(대판 1999. 8. 20, 97누6889).

2. 도시관리계획결정·고시와 그 도면에 특정 토지가 도시관리계획에 포함되지 않았음이 명백한데도 도시관리계획을 집행하기 위한 후속 계획이나 처분에서 그 토지가 도시관리계획에 포함된 것처럼 표시되어 있는 경우가 있다. 이것은 실질적으로 도시관리계획결정을 변경하는 것에 해당하여 구 「국토의 계획 및 이용에 관한 법률」(2009. 2. 6, 법률 제9442호로 개정되기 전의 것) 제30조 제5항에서 정한 도시관리계획변경절차를 거치지 않는 한 당연무효이다(대판 2019. 7. 11, 2018두47783).**02**

3. 도시계획의 입안에 있어 도시계획안의 공고 및 공람절차에 하자가 있는 도시계획결정은 위법하다(대판 2000. 3. 23, 98두2768).**03** ★★

4. 공청회와 이주대책이 없는 도시계획결정은 취소사유에 해당하는 위법이 있다(대판 1990. 1. 23, 87누947).**04** ★★

─────────────────────────

❻ 행정계획의 효력발생요건 및 행정계획의 효력

1. 공포 또는 고시

(1) 법령 등의 형식

행정계획을 법률·법규명령·조례 등의 형식으로 정하는 경우에는 「법령 등 공포에 관한 법률」이 정한 형식을 갖추어 대외적으로 공포해야 한다. 이 경우는 특별한 규정이 없는 한 공포한 날로부터 20일을 경과함으로써 효력이 발생한다.

(2) 그 외의 형식

기타 형식으로 계획을 정하는 경우에는 각 개별법이 정하는 형식에 의해 고시해야 하며, 비록 행정청이 기안, 결재 등의 과정을 거쳐 정당하게 도시계획결정 등의 처분을 하였더라도 이를 관보에 게재하여 고시하지 아니한 이상 대외적으로는 아무런 효력도 발생하지 아니한다는 것이 판례의 입장이다.

┏ **관련판례** ─────────────

행정청이 적법한 절차를 거쳐 도시계획결정 등의 처분을 하였다고 하더라도 이를 관보에 게재하여 고시하지 아니한 이상 대외적으로는 아무런 효력이 발생하지 아니한다(대판 1985. 12. 10, 85누186).**05** ★★

─────────────────────────

2. 효력

(1) 일반적 효력

행정계획 중 비구속적 계획은 아무런 법적 효과도 없고 단지 앞으로의 행정방향에 관한 구상이나 지침에 불과하다. 그러나 구속적 행정계획은 그 행위형식, 즉 법률·명령·행정행위 등에 상응하여 국민 또는 행정기관에 대해 법적 효력(구속력 등)이 발생한다.**06**

(2) 집중효 ⓐ

행정계획의 집중효란 행정계획이 확정되면 다른 법령에 의한 승인 또는 허가 등을 받은 것으로 간주하는 효력을 말한다. 이는 계획확정결정을 통해 인·허가 등을 받은 것으로 대체된다는 점에서 대체효라

고도 하며,01 택지개발촉진법 제11조,❶ 「산업입지 및 개발에 관한 법률」 제21조의 규정을 그 예로 들수 있다.

❼ 계획재량

1. 계획재량의 의의

(1) 계획규범의 특색

통상의 법률은 어떠한 요건사실이 발생하면 어떠한 효과가 발생한다(……하면, ~한다)는 형태로 이루어져 있다. 그런데 계획법률은 어떠한 목표를 위해 어떠한 행위를 한다는 형태, 즉 목표는 제시하지만 그 목표실현을 위한 수단은 추상적으로 제시할 뿐 구체적으로 제시하지 않는 형태를 취하는 것을 특징으로 한다. 이러한 점에서 통상의 법률은 조건프로그램이라고 하고, 계획법률은 목적프로그램 또는 목적·수단프로그램이라고 부르기도 한다.02 ⓐ

(2) 계획재량의 개념

계획규범은 이와 같이 추상적인 목표만을 제시하고 구체적인 내용에 대해서는 자세한 언급이 없는 경우가 일반적이므로 행정청은 행정계획을 입안하고 결정함에 있어 구체적인 내용선택에 대해 일반적인 행정행위에 비하여 광범위한 형성의 자유를 가지는바, 이를 계획재량이라고 한다.

> **관련판례**
> 행정주체는 구체적인 행정계획을 입안·결정함에 있어서 비교적 광범위한 형성의 자유를 가진다.03 ★★★
> 행정계획이라 함은 행정에 관한 전문적·기술적 판단을 기초로 하여 도시의 건설·정비·개량 등과 같은 특정한 행정목표를 달성하기 위하여 서로 관련되는 행정수단을 종합·조정함으로써 장래의 일정한 시점에 있어서 일정한 질서를 실현하기 위한 활동기준으로 설정된 것으로서, 도시계획법 등 관계법령에는 추상적인 행정목표와 절차만이 규정되어 있을 뿐 행정계획의 내용에 대하여는 별다른 규정을 두고 있지 아니하므로 행정주체는 구체적인 행정계획을 입안·결정함에 있어서 비교적 광범위한 형성의 자유를 가지는 한편 …… (대판 2000. 3. 23, 98두2768)04

2. 성질(행정재량과의 구분)

(1) 행정재량과 질적 차이 인정 여부 ⓑ

보통의 행정재량과 계획재량은 동일한 성질의 것인지 아니면 별개의 성질을 가지는 것인지에 관해 다음과 같은 학설이 대립한다.

① 질적 차이를 인정하는 견해
일반재량과 계획재량은 규범구조 면에서 차이가 있고, 형량명령이라는 특유의 하자이론이 존재한다는 것을 근거로 질적 차이가 있다는 견해이다.

② 질적 차이를 인정하지 않는 견해(양적 차이만을 인정하는 견해)
규범구조 면의 차이는 질적 차이를 가져올 만큼 본질적인 것이 아니고 형량명령이라는 것도 비례의 원칙의 내용에 해당하는 법원리일 뿐이라는 점을 근거로 질적 차이를 부정하고 양적 차이만 인정하는 견해이다.

(2) 차이점

재량의 범위가 계획재량의 경우에는 상대적으로 넓으나, 행정재량은 상대적으로 좁다. 그리고 통제에 관해서 보면 계획재량의 경우에는 절차적 통제가 중심적이나, 행정재량의 경우에는 절차적 통제 외에 실체적 통제도 중요한 문제가 된다.

❶ 택지개발촉진법 제11조【다른 법률과의 관계】① 시행자가 실시계획을 작성하거나 승인을 받았을 때에는 다음 각 호의 결정·인가·허가·협의·동의·면허·승인·처분·해제·명령 또는 지정(이하 '인·허가 등'이라 한다)을 받은 것으로 보며, 지정권자가 실시계획을 작성하거나 승인한 것을 고시하였을 때에는 관계법률에 따른 인·허가 등의 고시 또는 공고가 있은 것으로 본다.

ⓐ 계획규범의 특색
「개발제한구역의 지정 및 관리에 관한 특별조치법」 제11조 : 개발제한구역을 관할하는 시·도지사는 개발제한구역을 종합적으로 관리(목표)하기 위하여 5년 단위로 다음 각 호의 사항이 포함된 개발제한구역관리계획을 수립(수단)하여 국토교통부장관의 승인을 받아야 한다.

ⓑ 일반적 행정법규는 요건부분과 효과부분으로 구성된 조건프로그램으로 되어 있고 따라서 일반적인 행정재량은 행정행위의 요건(판단여지로 보는 견해도 있음)과 효과에 있어서 인정되는 반면에, 계획재량의 수권규범은 계획목표의 설정과 목표의 달성을 위한 수단과 절차를 규정하는 목적프로그램으로 되어 있고 계획재량은 목표의 설정과 수단의 선택에 있어서 인정된다.

□□□□□ **01** 행정주체가 행정계획을 입안·결정함에 있어서 행정계획에 관련되는 자들의 이익을 공익과 사익 사이에서는 물론이고 공익 상호 간과 사익 상호 간에도 정당하게 비교·교량하여야 한다. (○, ×)   2018 국가직 7급

□□□□□ **02** 행정계획의 수립에 있어서 행정청에게 인정되는 광범위한 형성의 자유, 즉 '계획재량'은 '형량명령의 원칙'에 따라 통제한다. (○, ×) ★★   2018 국회직 8급

□□□□□ **03** (행정절차법상) 행정청은 행정청이 수립하는 계획 중 국민의 권리·의무에 직접 영향을 미치는 계획을 수립하거나 변경·폐지할 때에는 관련된 여러 이익을 정당하게 형량하여야 한다. (○, ×)   2023 국회직 8급

□□□□□ **04** 법령에서 고려하도록 규정한 이익은 물론 법령에 규정되지 않은 이익도 행정계획과 관련이 있으면 모두 형량명령에 포함시켜야 한다. (○, ×) ★   2012 사회복지직 9급

□□□□□ **05** 행정계획결정에 있어서 계획청은 행정계획과 관련된 이익을 형량하기 위하여 관련이익을 조사하여야 한다. (○, ×) ★   2012 국회 (속기·경위직) 9급

□□□□□ **06** 행정주체가 구체적인 행정계획을 입안·결정할 때 가지는 형성의 자유의 한계에 관한 법리는 주민의 입안제안 또는 변경신청을 받아들여 도시관리계획결정을 하거나 도시계획시설을 변경할 것인지를 결정할 때에도 동일하게 적용된다. (○, ×) ★★   2020 국가직 9급

□□□□□ **07** 형량시에 여러 이익 간의 형량을 행하기는 하였으나 그것이 객관성·비례성을 결한 경우를 형량의 해태라고 한다. (○, ×) ★★   2014 서울시 7급

ⓐ 위에서 본 것처럼 질적 차이를 긍정하는 견해는 형량명령을 행정계획 특유의 이론으로 보고 형량명령을 논의하는 데 반해, 질적 차이를 부정하는 견해는 형량명령은 비례원칙의 행정계획 부분의 적용례로 본다. 따라서 부정하는 견해는 형량명령이론이 적용되면 별도로 비례원칙을 논할 필요는 없다고 본다.

8 행정계획의 하자

1. 일반적인 하자

행정계획의 경우, 형성의 자유가 인정되는 범위 내에서 사법심사는 제한된다. 다만, 일정한 한계가 있는바 계획상의 목표는 법질서에 부합하여야 하고, 수단은 목표실현에 적합하고 필요하고 또한 비례적이어야 하며, 법에서 정한 절차가 있다면 그 절차를 준수하여야 한다.

2. 계획재량의 하자

(1) 형량명령 ⓐ

① 행정계획에 광범위한 형성의 자유, 즉 계획재량이 인정된다 하더라도 이러한 재량 역시 법령 등을 위반할 수가 없으며 무엇보다도 관련된 여러 이익, 즉 공익과 사익 간, 공익 상호 간 및 사익 상호 간의 정당한 비교·형량(교량)이 행해질 것이 요구되는데, **01** 이를 형량명령의 원칙이라 하며 판례도 이러한 원리를 반영하고 있다. 이러한 형량명령은 계획결정에 있어 비례의 원칙을 고려한 것으로 볼 수도 있으며 계획재량의 통제원리로 작용한다. **02** 한편, 2022년 개정 행정절차법은 "행정청은 행정청이 수립하는 계획 중 국민의 권리·의무에 직접 영향을 미치는 계획을 수립하거나 변경·폐지할 때에는 관련된 여러 이익을 정당하게 형량하여야 한다." **03** 라고 규정하여(동법 제40조의4) 이러한 형량명령의 원칙을 명문화하고 있다.

② 이익형량을 함에 있어서는 법령에서 고려하도록 규정한 이익은 물론 법령에 규정되지 않은 이익도 행정계획과 관련이 있으면 모두 형량명령에 포함시켜야 한다. **04**

③ 형량명령의 준수는 내용적으로 비교·형량하여야 할 관련이익의 조사, 관련이익의 중요도에 따른 이익의 평가, 협의의 비교·형량의 3단계에 걸쳐 행해진다. **05**

④ 한편, 이러한 이익형량의 원리는 주민의 입안 제안 또는 변경신청을 받아들여 도시관리계획결정을 하거나 도시계획시설을 변경할 것인지를 결정할 때에도 동일하게 적용된다는 것이 판례의 입장이다.

> ┌ **관련판례** ─────
> 행정주체가 구체적인 행정계획을 입안·결정할 때 가지는 형성의 자유의 한계에 관한 법리(편저자 주 : 형량명령)는 주민의 입안 제안 또는 변경신청을 받아들여 도시관리계획결정을 하거나 도시계획시설을 변경할 것인지를 결정할 때에도 동일하게 적용된다(대판 2012. 1. 12, 2010두5806). **06** ★★

(2) 형량의 하자

① 개 념

형량의 하자란 이러한 형량명령을 위반한 것을 의미하는데, 형량의 하자가 있으면 행정계획은 위법하게 된다.

② 구체적 내용

㉠ **조사의 결함** : 조사의무를 이행하지 않은 경우를 의미한다.

㉡ **형량의 해태**(형량의 부존재) : 형량을 전혀 행하지 않은 경우를 의미한다.

㉢ **형량의 흠결**(형량의 누락) : 형량의 고려대상에서 마땅히 포함시켜야 할 사항을 빠뜨리고 형량을 행한 경우를 의미한다.

㉣ **오형량**(형량의 불비례) : 형량을 하긴 하였으나 객관성·비례성을 결한 경우를 의미한다. **07**

③ 판례의 수용 여부

판례도 형량하자의 법리를 인정하고 있다. 다만, 판례 중에는 형량하자의 법리를 수용하면서도 재량권의 일탈·남용으로 위법하다고 본 판례도 있다.

> **관련판례**
>
> 1. 행정주체가 가지는 이와 같은 형성의 자유는 무제한적인 것이 아니라 그 행정계획에 관련되는 자들의 이익을 공익과 사익 사이에서는 물론이고 공익 상호 간과 사익 상호 간에도 정당하게 비교·형량하여야 한다는 제한이 있는 것이고,**01** 행정주체가 행정계획을 입안·결정함에 있어서 이익형량을 전혀 행하지 아니하거나, 이익형량의 고려대상에 마땅히 포함시켜야 할 사항을 누락한 경우 또는 이익형량을 하였으나 정당성과 객관성이 결여된 경우에는 그 행정계획결정은 형량에 하자가 있어 위법**ⓐ**하다(대판 2006. 9. 8, 2003두5426).**02 03 ★★★**
>
> 2. 행정주체가 행정계획을 입안·결정함에 있어서 이익형량을 전혀 행하지 아니하거나 이익형량의 고려대상에 마땅히 포함시켜야 할 사항을 누락한 경우 또는 이익형량을 하였으나 정당성·객관성이 결여된 경우에는 그 행정계획결정은 재량권을 일탈·남용한 것으로서 위법하다(대판 1996. 11. 29, 96누8567).**04 ★★★**

02 | 행정계획 관련 사인의 권리ⓑ

❶ 계획보장청구권(행정계획과 신뢰보호)

1. 계획보장청구권의 의의

(1) 행정계획은 장래에 있어 행정지침이 되며 행정의 방향을 제시하는 기능을 하므로 국민은 행정 계획의 존속을 신뢰하고 투자 등의 조치를 취하게 된다. 그런데 행정청의 미래예측의 어려움 때문에 행정계획의 변경가능성, 즉 가변성(可變性)은 계획의 불가피한 속성이라고 할 수 있다.

(2) 이런 점에서 계획작용에는 신뢰보호의 요구와 계획의 변경가능성의 충돌이 문제되는바, 이와 관련하여 논해지는 것이 이른바 계획보장청구권이다.

2. 인정 여부

(1) 당해 계획의 폐지·변경 요청과 당사자의 신뢰보호 요청의 충돌

행정계획의 확정 당시에는 예상하지 못한 상황의 변화로 인한 당해 계획의 폐지·변경의 요청과 행정계획의 계속적 집행을 신뢰한 당사자의 신뢰보호의 요청이 충돌하게 된다.

(2) 계획보장청구권의 인정 여부

이 경우 계획의 가변성으로 인해 원칙적으로 계획보장청구권은 인정되기 어려운바,**05** 구체적인 내용을 살펴보면 다음과 같다.

3. 계획보장청구권의 내용

(1) 계획존속청구권

계획존속청구권이란 행정계획의 변경·폐지에 대해서 그 계획의 유지 및 존속을 청구할 수 있는 권리를 말한다. 행정계획은 그 영향력이 광범위하여 계획변경으로 인한 공익이 개인의 사익보다 더 큰

> **기출 체크**
>
> ☐☐☐☐☐ **01** 행정주체는 그 행정계획에 관련되는 자들의 이익을 공익과 사익 사이에서는 물론이고 공익 상호 간과 사익 상호 간에도 정당하게 비교·교량하여야 한다는 제한을 받는다. (○, ×) ★★★
> 2021 군무원 9급
>
> ☐☐☐☐☐ **02** 행정청이 행정계획을 입안·결정할 때 이익형량을 하였으나 정당성과 객관성이 결여된 경우에는 그 행정계획결정은 위법하게 될 수 있다. (○, ×) ★★★ 2024 국가직 9급
>
> ☐☐☐☐☐ **03** 이익형량을 전혀 하지 않았다면 위법하다고 볼 수 있으나, 이익형량의 고려사항을 일부 누락하였거나 이익형량에 있어 정당성이 결여된 것만으로는 위법하다고 볼 수 없다. (○, ×) ★★★ 2016 서울시 9급
>
> ☐☐☐☐☐ **04** 행정주체가 행정계획을 입안·결정함에 있어서 이익형량의 고려대상에 마땅히 포함시켜야 할 사항을 누락한 경우 그 행정계획결정은 재량권을 일탈·남용한 것으로서 위법하다. (○, ×) ★★★ 2022 국가직 7급
>
> ☐☐☐☐☐ **05** 행정계획에는 변화가능성이 내재되어 있으므로, 국민의 신뢰보호를 위하여 계획보장청구권이 널리 인정된다. (○, ×) ★★ 2016 서울시 9급

ⓐ 판례는 형량의 하자별로 위법의 판단기준을 개별화하지 않고 형량하자가 있으면 행정계획결정이 위법하다고 본다. 즉, 형량의 해태, 형량의 흠결뿐만 아니라 오형량, 즉 이익형량을 하였으나 정당성·객관성이 결여되면 그 정도를 묻지 않고 행정계획결정이 위법하다는 입장을 취하고 있다.

ⓑ 이하에서는 행정계획과 관련된 사인의 권리를 계획보장청구권과 계획변경청구권 그리고 권리구제라는 목차로 나누어 검토해보겠다. 개인의 권리구제라는 하나의 목차 아래에서 이 내용들을 설명하는 방법도 있으나, 행정계획과 관련된 특유한 법리를 설명하기 위해서 별도로 목차를 나눈 것임을 미리 밝혀둔다.

정답 **01** ○ **02** ○ **03** × **04** ○ **05** ×

기출 체크

☐☐☐☐☐ **01** 행정계획의 변경 등으로 인한 권리구제문제와 관련하여 계획존속청구권이 일반적으로 인정된다. (○, ×) ★★
2008 지방직 9급

☐☐☐☐☐ **02** 판례는 원칙적으로 계획변경청구권을 인정하고 있지 않다. (○, ×) ★★ 2013 지방직(하) 7급

☐☐☐☐☐ **03** 계획법규는 공익보호를 목적으로 하는 것이므로 계획변경신청권의 예외적 인정은 허용되지 않는다. (○, ×) ★★ 2010 국가직 7급

☐☐☐☐☐ **04** 구 국토이용관리법상 국토이용계획이 확정된 후 일정한 사정의 변동이 있다면 그러한 사정만으로 지역주민에게 계획의 변경을 청구할 권리가 발생하게 된다고 할 수는 없다. (○, ×) ★★★
2023 서울시 지적 7급

ⓐ 예컨대, 지방자치단체가 특정 기업의 특정 공장을 유치하기로 한 계획과 같이 주로 특정 개인에 대해서 효력을 미치는 행정계획의 경우에 예외적으로 계획존속청구권이 인정될 수도 있다.

경우가 일반적일 것이므로 이러한 권리는 원칙적으로 인정되지 않는다.01 다만, 예외적으로 상대방의 신뢰보호가 더 큰 경우에는 인정될 수도 있다.ⓐ

(2) 계획이행청구권

① 계획이행청구권이란 행정청이 계획에 위반되는 행위를 하는 경우 행정계획을 준수하여 집행할 것을 요구할 수 있는 청구권을 말한다. 이러한 계획이행청구권은 공권이므로 공권의 성립요건인 의무의 존재와 사익보호성이 인정되어야 한다.

② 그런데 행정기관이 구속적 계획을 준수할 의무가 있다 하더라도 계획 관련 법률은 공익을 보호하는 것이 일반적이므로 계획이행청구권은 원칙적으로 인정되기 어렵다고 할 것이다.

② 계획변경청구권

1. 일반론

(1) 원칙

① 국민에게 기존 계획의 변경을 청구할 수 있는 권리가 있는지가 문제된다. 이러한 계획변경청구권도 공권인 이상 관련 법규의 사익보호성이 도출되어야 한다.

② 그런데 계획 관련 법규는 일반적으로 공익의 보호를 목적으로 하며 사익의 보호를 목적으로 하는 것이 아니기 때문에 원칙적으로 계획변경청구권은 인정될 수 없다.

(2) 예외

다만, 예외적으로 법규상·조리상 계획변경을 신청할 권리가 인정될 수도 있는바, 이러한 경우에는 계획변경청구권이 인정된다.

2. 판례

판례 역시 계획변경청구권을 원칙적으로 부정하나,02 일정한 행정처분을 신청할 수 있는 지위에 있는 자의 국토이용계획변경신청을 거부하는 것이 실질적으로 당해 행정처분 자체를 거부하는 결과가 되는 경우 등에는 예외적으로 이러한 권리를 인정하고 있다.03

(1) 부정한 판례

관련판례

1. 일단 도시계획시설사업의 시행에 착수한 뒤에는 그 도시계획시설결정 자체의 취소나 해제를 요구할 권리를 일부의 이해관계인에게 줄 수 없다.

   도시계획시설결정은 광범위한 지역과 상당한 기간에 걸쳐 다수의 이해관계인에게 다양한 법률적·경제적 영향을 미치는 것이 되어 일단 도시계획시설사업의 시행에 착수한 뒤에는, 시행의 지연에 따른 손해나 손실의 배상 또는 보상을 함은 별론으로 하고, 그 결정 자체의 취소나 해제를 요구할 권리를 일부의 이해관계인에게 줄 수는 없는 것이다(헌재 2002. 5. 30, 2000헌바58, 2001헌바3 병합).

2. 주민에게는 도시계획변경을 청구할 권리를 원칙적으로 인정해 줄 수 없으므로 지역주민의 도시계획변경신청에 대한 거부통지는 항고소송의 대상이 되는 행정처분이 아니다. ★★★

   도시계획법(현「국토의 계획 및 이용에 관한 법률」)상 주민이 행정청에 대하여 도시계획 및 그 변경에 대하여 어떤 신청을 할 수 있다는 규정이 없고, 도시계획과 같이 장기성·종합성이 요구되는 행정계획에 있어서 그 계획이 일단 확정된 후 어떤 사정의 변동이 있다 하여 지역주민에게 일일이 그 계획의 변경을 청구할 권리를 인정해 줄 수도 없는 것이므로04 그 변경거부행위를 항고소송의 대상이 되는 행정처분에 해당한다고 볼 수 없다(대판 1994. 1. 28, 93누22029).

정답 01 × **02** ○ **03** × **04** ○

(2) 긍정한 판례

관련판례

1. 〔군수로부터 폐기물처리사업계획의 적정통보를 받은 원고가 폐기물처리업허가를 받기 위하여는 문제된 부동산에 대한 용도지역을 '농림지역 또는 준농림지역'에서 '준도시지역(시설용지지구)'으로 변경하는 국토이용계획변경이 선행되어야 하는데 피고가 용도지역 변경, 즉 국토이용계획변경을 거부하자 이를 다툰 사건에서 처분성을 인정하면서〕 **일정한 행정처분을 구하는 신청을 할 수 있는 법률상 지위에 있는 자의 국토이용계획변경신청을 거부하는 것이 실질적으로 당해 행정처분 자체를 거부하는 결과가 되는 경우에는 예외적으로 그 신청인에게 국토이용계획변경을 신청할 권리가 인정된다**(대판 2003. 9. 23, 2001두10936).01 02 ★★★

2. 문화재보호구역 내 토지소유자의 <u>문화재보호구역 지정해제신청에 대한 행정청의 거부행위는 항고소송의 대상이 되는 행정처분에 해당한다.</u>03 ★★★
   헌법상 개인의 재산권보장의 취지에 비추어 보면, 문화재보호구역 내에 있는 토지소유자 등으로서는 위 보호구역의 지정해제를 요구할 수 있는 법규상 또는 조리상의 신청권이 있다고 할 것이고, 이러한 신청에 대한 거부행위는 항고소송의 대상이 되는 행정처분에 해당한다(대판 2004. 4. 27, 2003두8821).

3-1. 「국토의 계획 및 이용에 관한 법률」 규정에 헌법상 개인의 재산권 보장의 취지를 더하여 보면, 도시계획구역 내 토지 등을 소유하고 있는 사람과 같이 도시계획시설결정에 이해관계가 있는 주민에게는 도시계획시설입안권자에게 도시시설계획의 입안 내지 변경을 요구할 수 있는 법규상 또는 조리상의 신청권이 있다.04 ★★★

3-2. 이러한 신청에 대한 거부행위는 항고소송의 대상이 되는 행정처분에 해당한다(대판 2015. 3. 26, 2014두42742).05 ⓐ ★★★

4. <u>산업단지개발계획상 산업단지 안의 토지소유자로서 산업단지개발계획에 적합한 시설을 설치하여 입주하려는 자에게 산업단지지정권자 또는 그로부터 권한을 위임받은 기관에 대하여 산업단지개발계획의 변경을 요청할 수 있는 법규상 또는 조리상 신청권이 있으며 따라서 이러한 신청에 대한 거부행위는 항고소송의 대상이 되는 행정처분에 해당한다.</u>06
   산업입지에 관한 법령은 산업단지에 적합한 시설을 설치하여 입주하려는 자와 토지소유자에게 산업단지 지정과 관련한 산업단지개발계획 입안과 관련한 권한을 인정하고, 산업단지 지정뿐만 아니라 변경과 관련해서도 이해관계인에 대한 절차적 권리를 보장하는 규정을 두고 있다. 또한 산업단지 안에는 다수의 기반시설 등 도시계획시설 등을 포함하고 있고, 「국토의 계획 및 이용에 관한 법률」의 해석상 도시계획시설부지 소유자에게는 그에 관한 도시·군관리계획의 변경 등을 요구할 수 있는 법규상 또는 조리상 신청권이 인정된다고 해석되고 있다. 헌법상 재산권 보장의 취지에 비추어 보면 토지의 소유자에게 위와 같은 절차적 권리와 신청권을 인정한 것은 정당하다고 볼 수 있다(대판 2017. 8. 29, 2016두44186).

ⓐ **계획변경신청권**
우리 판례가 이른바 계획변경신청권을 인정한 경우라고 볼 수 있다. 이 외에도 토지소유자가 한 자신의 토지에 대한 보안림의 해제신청을 거부한 경우(대판 2006. 6. 2, 2006두2046), 국가지정문화재 보유구역에 인접한 나대지에 건물을 신축하기 위한 국가지정문화재 현상변경신청을 거부한 경우(대판 2006. 5. 12, 2004두9920)에도 처분성을 인정하고 있는바, 이 경우에도 신청권을 인정하고 있다고 볼 수 있다.

□□□□□ 01 국립대학의 '대학입학고사 주요 요강'을 행정쟁송 대상인 처분으로 보지 않으면서도 헌법소원의 대상이 되는 공권력행사로 보고 있다. (○, ×) ★★★
2015 국회직 8급

□□□□□ 02 비구속적 행정계획안이라도 국민의 기본권에 직접적으로 영향을 끼치고, 앞으로 법령의 뒷받침에 의하여 그대로 실시될 것이 틀림없을 것으로 예상될 수 있을 때에는 공권력행사로서 헌법소원의 대상이 될 수 있다. (○, ×) ★★★
2022 소방간부

□□□□□ 03 국공립대학의 총장직선제 개선 여부를 재정지원 평가요소로 반영하고 이를 개선하지 않을 경우 다음 연도에 지원금을 삭감 또는 환수하도록 규정한 교육부장관의 '대학교육역량강화사업 기본계획'은 헌법소원의 대상이 된다. (○, ×)
2017 지방직 9급

ⓐ 기타의 권리구제방법
1. 국가배상
위법한 계획으로 손해를 입은 국민은 이론상 행정상 손해배상청구를 할 수 있으나 구체적인 경우 요건입증, 특히 공무원의 고의 · 과실을 입증하기는 어려울 것이다.
2. 손실보상
적법한 계획으로 인해 손실을 입은 경우에는 손실보상의 요건이 충족되면 손실보상을 청구할 수 있다. 다만, 구체적인 경우 특별한 희생에 해당하는지, 또한 보상규정이 존재하는지가 문제될 것이다.

❸ 행정계획과 권리구제 ⓐ

행정계획으로 국민의 권리가 침해되는 경우는 계획결정으로 인해 발생할 수도 있고 행정계획의 변경 · 폐지 등으로 인해 발생할 수도 있는바, 이에 대해 어떻게 권리구제를 할 수 있는지가 문제된다.

1. 취소소송

행정계획은 앞서 본 바와 같이 다양한 형태로 존재하므로 처분성이 인정되지 않는 행정계획은 취소소송 등의 항고소송을 제기할 수 없다.

2. 헌법소원

행정계획이 공권력 행사로서의 실체를 가지면서 항고소송의 대상인 처분이 아닌 경우에는 헌법소원의 대상이 된다. 특히 헌법재판소는 서울대학교 '94학년도 대학입학고사 주요 요강' 사건에서 대학입학고사 주요 요강은 항고소송의 대상인 처분은 아니지만, 그러한 비구속적 행정계획안도 국민의 기본권에 직접 영향을 끼치는 내용일 때에는 공권력행위로서 헌법소원의 대상이 된다고 판시한 바 있다.01

> **관련판례**
>
> 1-1. 비구속적 행정계획안이나 행정지침이라도 국민의 기본권에 직접적으로 영향을 끼치고, 앞으로 법령의 뒷받침에 의하여 그대로 실시될 것이 틀림없을 것으로 예상될 수 있을 때에는, 공권력행위로서 예외적으로 헌법소원의 대상이 될 수 있다.02 ★★★
>
> 1-2. 1999. 7. 22. 발표한 개발제한구역제도 개선방안은 건설교통부장관(현 국토교통부장관)이 개발제한구역의 해제 내지 조정을 위한 일반적인 기준을 제시하고, 개발제한구역의 운용에 대한 국가의 기본방침을 천명하는 정책계획안으로서 비구속적 행정계획안에 불과하므로 공권력행위가 될 수 없으며, 이 사건 개선방안을 발표한 행위도 대내외적 효력이 없는 단순한 사실행위에 불과하므로 공권력의 행사라고 할 수 없다(헌재 2000. 6. 1, 99헌마538 등).
>
> 2-1. 일반적으로 국민적 구속력을 갖는 행정계획은 행정행위에 해당되지만, 구속력을 갖지 않고 행정기관 내부의 행동지침에 지나지 않는 행정계획은 행정행위가 될 수 없고, 이와 같이 행정기관의 내부적 의사결정에 불과하여 직접 국민의 권리 · 의무에 영향을 미치지 않는 경우에는 헌법소원의 대상인 공권력의 행사 또는 불행사로 볼 수 없다.
>
> 2-2. 국토해양부장관(현 국토교통부장관)이 2011. 5. 13. 발표한 '한국토지주택공사 이전방안'은 헌법재판소법 제68조 제1항의 공권력의 행사에 해당한다 할 수 없다(헌재 2014. 3. 27, 2011헌마291).
>
> 3. 2012년도 대학교육역량강화사업 기본계획 중 총장직선제 개선을 국공립대 선진화 지표로 규정한 부분, 2013년도 대학교육역량강화사업 기본계획 중 총장직선제 개선 규정을 유지하지 않는 경우 지원금 전액을 삭감 또는 환수하도록 규정한 부분이 헌법소원의 대상이 되는 공권력행사에 해당하지 않는다.03
>
> 2012년도와 2013년도 대학교육역량강화사업 기본계획은 대학교육역량강화 지원사업을 추진하기 위한 국가의 기본방침을 밝히고 국가가 제시한 일정 요건을 충족하여 높은 점수를 획득한 대학에 대하여 지원금을 배분하는 것을 내용으로 하는 행정계획일 뿐, 위 계획에 따를 의무를 부과하는 것은 아니다. 총장직선제를 개선하지 않을 경우 지원금을 받지 못하게 될 가능성이 있어 대학들이 이 계획에 구속될 여지가 있다 하더라도, 이는 사실상의 구속에 불과하고 이에 따를지 여부는 전적으로 대학의 자율에 맡겨져 있다. 더구나 총장직선제를 개선하려면 학칙이 변경되어야 하므로, 계획 자체만으로는 대학의 구성원인 청구인들의 법적 지위나 권리 · 의무에 어떠한 영향도 미친다고 보기 어렵다. 따라서 2012년도와 2013년도 계획 부분은 헌법소원의 대상이 되는 공권력행사에 해당하지 아니한다(헌재 2016. 10. 27, 2013헌마576).

❹ 장기미집행 도시계획 관련문제

1. 일반론

사인(私人)의 토지가 도로 · 공원 등 도시계획시설로 지정되면 토지소유자는 당해 토지가 매수될 때까지 계획된 사업의 시행을 어렵게 하는 변경을 해서는 안 된다는 등의 변경금지의무를 진다. 이때 도시계획시설로 지정된 후 사업집행 없이 오랜 기간이 경과한 경우에는 개인의 재산권침해 문제가 발생한다. [a]

2. 장기미집행 도시계획시설결정의 실효문제

(1) 도시계획결정이 있었음에도 그 계획이 집행되지 않고 있는 경우 헌법상 재산권을 고려할 때 이러한 계획이 당연히 실효되는 것은 아닌지가 문제된다. 이에 대해 헌법재판소는 장기미집행 도시계획시설결정의 실효제도는 헌법상 재산권으로부터 당연히 도출되는 권리는 아니며 법률의 근거가 필요하다는 입장이다.[01]

> **┌ 관련판례 ──────**
> 장기미집행 도시계획시설결정의 실효제도는 헌법상 재산권으로부터 당연히 도출되는 권리는 아니다.
> 장기미집행 도시계획시설결정의 실효제도는 도시계획시설부지로 하여금 도시계획시설결정으로 인한 사회적 제약으로부터 벗어나게 하는 것으로서 결과적으로 개인의 재산권이 더 보호되는 측면이 있는 것은 사실이나, 이와 같은 보호는 입법자가 새로운 제도를 마련함에 따라 얻게 되는 법률에 기한 권리일 뿐 헌법상 재산권으로부터 당연히 도출되는 권리는 아니다(헌재 2005. 9. 29, 2002헌바84 · 89, 2003헌마 678 · 943 병합).[02][03]

(2) 한편, 현행 「국토의 계획 및 이용에 관한 법률」에 따르면 도시 · 군계획결정 고시일부터 20년이 지날 때까지 사업이 시행되지 아니하는 경우 도시 · 군계획결정은 고시일부터 20년이 되는 날의 다음 날에 그 효력을 잃는다고 한다.[04][b]

[a] 헌법재판소는 헌법 제23조의 성격과 관련하여 분리이론을 따르는데, 이에 따르면 지정의 해제, 금전적 보상 등 구제조치가 필요한바 이에 대해서는 후술한다(p.654 참조).

[b] 개별법률의 규정
「국토의 계획 및 이용에 관한 법률」 제48조 제1항에서는 "도시 · 군계획시설결정이 고시된 도시 · 군계획시설에 대하여 그 고시일부터 20년이 지날 때까지 그 시설의 설치에 관한 도시 · 군계획시설사업이 시행되지 아니하는 경우 그 도시 · 군계획시설결정은 그 고시일부터 20년이 되는 날의 다음 날에 그 효력을 잃는다."라고 규정하여 법률상의 근거규정을 두고 있다.

그 밖의 행정의 주요 행정형식 1

공법상 계약

개 념

- 공법적 효과를 발생시키는 행위로서 복수당사자 간의 반대방향에 선 의사표시의 합치
- 행정기본법상 규정이 있음.
- 행정주체가 체결하는 계약이 모두 공법상 계약인 것은 아님.
- 지방자치단체가 사인과 체결한 시설(자원회수시설) 위탁운영협약은 사법상 계약임(판례).

구별개념

공법상 계약	반대방향의 의사합치 요구
공법상 합동행위	동일방향의 의사합치 요구

법치주의

- **공법상 계약의 자유성** : 법률의 근거 없이 가능(법률유보원칙 적용 ×)
- **공법상 계약의 한계** : 법률우위의 원칙에 위반될 수 없음(행정기본법 제27조).

공법상 계약의 종류 – 주체에 따른 분류

행정주체 상호 간의 공법상 계약	공공단체 상호 간의 사무위탁 등
행정주체와 사인 간의 공법상 계약	전문직 공무원의 채용계약, 서울특별시립무용단원의 위촉 등 –KAI(한국항공우주산업)와 체결한 '한국형 헬기 개발사업에 대한 물품·용역협약'은 공법상 계약임(판례). –중소기업 정보화지원사업에 따른 지원금 출연을 위하여 중소기업청장(현 중소벤처기업부장관)이 체결하는 협약은 공법상 계약임(판례). –중소기업 정보화지원사업을 위한 협약의 해지 및 그에 따른 환수통보 : 행정처분 ×
사인 상호 간의 공법상 계약	공무수탁사인과 일반사인 간에 성립하는 계약 –순수 사인 간의 공법상 계약은 개념상 인정되기 어려움.

특 색

- 행정절차법에는 공법상 계약에 관한 규정이 없고, 행정기본법에 규정

성립상	• 문서(계약의 목적 및 내용을 명확하게 적은 계약서 작성) • 공법상 계약의 해지는 처분이 아니므로 처분을 규율하고 있는 행정절차법 규정이 적용되지 않음(판례). • 행정주체가 일방적으로 계약내용을 정하고 상대방은 체결 여부만을 선택해야 되는 이른바 부합계약성을 띠는 경우가 많음. • 행정청은 공법상 계약의 상대방을 선정하고 계약내용을 정할 때 공법상 계약의 공공성과 제3자의 이해관계를 고려하여야 함(행정기본법 제27조 제2항).
효력상	• 비권력성 : 공정력, 자력집행력·존속력 등 인정 × • 하자 있는 공법상 계약 : 무효 • 계약강제 : 공법상 계약은 자력집행력이 없으므로 원칙적으로 당사자는 스스로 의무를 실현할 수는 없고 법원의 판결을 받아 계약내용을 실현할 수 있음.
소송법상	• 공법상 계약에 관한 분쟁 : 당사자소송으로 해결해야 함(학설 및 판례). • 공법상 계약의 한쪽 당사자가 다른 당사자를 상대로 효력을 다투거나 이행을 청구하는 소송은 특별한 사정이 없는 한 공법상 당사자소송으로 제기하여야 함(판례).

공법상 합동행위

복수당사자 간의 서로 동일방향에 선 의사표시의 합치
🔘 지방자치단체조합설립행위, 공공조합설립행위 등

행정상의 사실행위 일반

개 념

무기사용, 도로청소 등과 같이 직접적으로 어떠한 사실상의 효과의 발생을 목적으로 하는 행정주체의 행위

종 류

- **권력적 사실행위** : 불법건축물의 강제철거, 감염병환자의 강제입원 등
- **비권력적 사실행위** : 도로건설, 여론조사, 폐기물 수거, 행정지도 등

작용법적 근거

- **권력적 사실행위** : 법적 근거 필요 ○
- **비권력적 사실행위** : 법적 근거 필요 ×

한 계

법률우위원칙 적용

권리구제

행정쟁송	• **권력적 사실행위** : 처분성 긍정(🔘 단수조치, 미결수용자의 교도소 이송조치, 주민등록 말소처분, 수형자의 서신을 교도소장이 검열하는 행위) 　–계속적 성질을 가지는 사실행위(감염병환자의 강제입원 등)는 소송을 통해 구제받을 수 있음. • **비권력적 사실행위** : 처분성 부정
헌법소원	사실행위가 국민의 권익에 영향력을 행사하여 법적 통제가 필요함에도 불구하고 처분성이 인정되지 않는 경우 행정소송을 제기할 수 없으므로 헌법소원 가능 　–서울대학교의 '94학년도 대학입학고사 주요 요강'은 사실행위에 불과하여 행정처분은 아니지만 헌법소원의 대상이 되는 공권력의 행사에 해당함(판례).

행정지도

개 념	• 일정한 행정목적을 실현하기 위하여 지도, 권고, 조언 등을 행하는 행정작용 • 일본에서 비롯된 개념
성 질	비권력적 사실행위(그 자체로는 아무런 법적 효과 ×)
법적 근거	조직법적 근거 O, 작용법적 근거는 필요 ×

행정절차법 규정

행정지도의 원칙	• **비례의 원칙 및 임의성의 원칙** : 목적달성에 필요한 최소한도에 그칠 것. 상대방 의사에 반하여 부당하게 강요해서는 안 됨. • **불이익조치금지의 원칙** : 행정지도에 따르지 아니하였다고 불이익조치를 해서는 안 됨.
행정지도의 방식	• 행정지도는 반드시 문서로 해야 하는 것은 아니며 말로도 가능 • **행정지도실명제** : 행정지도의 취지, 내용 및 신분을 밝혀야 함. • **서면교부청구권** : 구술로 행정지도가 이루어진 경우 상대방이 서면 교부 요구시 직무수행에 특별한 지장이 없는 한 교부하여야 함.
의견제출	상대방은 행정지도의 방식, 내용 등에 관하여 의견제출을 할 수 있음.
공 표	**다수인을 대상으로 하는 행정지도의 공표** : 특별한 사정이 없는 한 행정지도의 공통적인 사항을 공표하여야 함.

권리구제

행정쟁송	행정지도는 비권력적 사실행위이므로 처분성이 없어 취소소송 · 취소심판을 제기할 수 없음.
손해배상청구	• 위법한 행정지도로 손해발생 ⇨ 국가배상법 제2조가 정한 요건을 갖춘 경우 국가 등을 상대로 손해배상청구 가능 • **직무행위성** : 직무행위의 범위는 권력적 작용+행정지도 등 비권력적 공행정작용까지 포함되므로 행정지도의 직무행위성이 인정됨. • **인과관계** : 원칙적으로 인과관계 인정 곤란. 다만, 사실상 강제성으로 인해 구체적인 사정하에 상대방이 행정지도를 따를 수밖에 없는 경우 인과관계가 인정되어 손해배상청구권이 인정될 수 있음. • **판례** : 한계를 일탈한 위법한 행정지도로 인하여 상대방이 손해를 입은 경우 행정기관에게 손해를 배상할 책임이 있으나, 한계를 일탈하지 않은 행정지도로 인하여 상대방에게 손해가 발생한 경우라면 행정기관은 손해배상책임을 지지 않음.
헌법소원청구	행정지도의 한계를 넘어 규제적 · 구속적 성격을 강하게 갖는 경우 헌법소원의 대상이 됨. – 금융위원회위원장이 시중은행을 상대로 투기지역에 대한 주택 구입용 주택담보대출을 금지한 조치는 규제적 · 구속적 성격을 갖는 행정지도로서 헌법소원의 대상이 되는 공권력 행사에 해당함(판례).
행정지도와 위법성조각 여부	위법한 행정지도에 따른 행위는 위법성이 조각되지 않으므로 형사처벌의 대상이 됨.

그 밖의 행정의 주요 행정형식 2

자동적 처분(완전히 자동화된 시스템에 의한 처분)

• 사람인 공무원의 인식 없이 완전히 자동화된 시스템으로 발급되는 처분임.
• 행정청은 법률로 정하는 바에 따라 완전히 자동화된 시스템(인공지능기술을 적용한 시스템 포함)으로 처분을 할 수 있음. 다만, 처분에 재량이 있는 경우는 그러하지 아니함(행정기본법 제20조).

사법형식의 행정작용

행정사법

개 념	직접적으로 공행정목적 추구, 형식은 사법형식
적용영역	• 급부행정 등 선택가능성이 인정되는 영역에서 주로 적용 • 조세, 경찰 등 선택가능성이 없는 영역에는 행정사법에 의한 작용이 인정되지 않음.
특 색	공법적 구속을 받음. 행정사법은 행정이 공법적 구속을 피하기 위해 사법으로 도피하는 것을 막는 기능을 함.
권리구제	행정사법이 공법적 규율을 받더라도 그 본질은 사법작용이므로 민사소송을 통해 권리구제를 도모해야 함(통설).

협의의 국고작용

의 의	재산권의 주체로서 일반사인과 같은 지위에서 행하는 작용
구 분	조달행정, 영리활동
권리구제	민사소송

초대 Topic 22, 23 핵심집약 Topic 38, 39, 40

01 | 공법상 계약

❶ 의의

1. 개념

공법상 계약이란 공법상 법률관계의 변동, 즉 공법적 효과를 발생시키는 행위로서[01] 적어도 한쪽 당사자는 행정주체인 양 당사자 간 반대방향의 의사합치를 말한다.[02] 그러나 행정주체가 체결하는 계약이 모두 공법상 계약인 것은 아니다.[03] 국유 또는 공유재산(잡종재산)의 임대 등은 행정주체와 사인 간의 사법상 계약을 통하여 이루어진다(제5강 참조).

> **▌관련판례**
>
> 1. 지방자치단체가 사인과 체결한 시설(자원회수시설) 위탁운영협약은 사법상 계약에 해당한다.[04][05] ★
>   甲 지방자치단체가 乙 주식회사 등 4개 회사로 구성된 공동수급체를 자원회수시설과 부대시설의 운영·유지관리 등을 위탁할 민간사업자로 선정하고 乙 회사 등의 공동수급체와 위 시설에 관한 위·수탁운영협약을 체결하였는데, 민간위탁 사무감사를 실시한 결과 乙 회사 등이 위 협약에 근거하여 노무비와 복지후생비 등 비정산비용 명목으로 지급받은 금액 중 집행되지 않은 금액에 대하여 회수하기로 하고 乙 회사에 이를 납부하라고 통보하자, 乙 회사 등이 이를 납부한 후 회수통보의 무효확인 등을 구하는 소송을 제기한 사안에서, 위 협약은 甲 지방자치단체가 사인인 乙 회사 등에 위 시설의 운영을 위탁하고 그 위탁운영비용을 지급하는 것을 내용으로 하는 용역계약으로서 상호 대등한 입장에서 당사자의 합의에 따라 체결한 사법상 계약에 해당한다(대판 2019. 10. 17, 2018두60588).
>
> 2. 「국유림의 경영 및 관리에 관한 법률」에 따른 국유임산물 매각계약은 사법상 계약이다(대판 2020. 5. 14, 2018다298409).[06]

2. 구별개념ⓐ

(1) 협력을 요하는(쌍방적) 행정행위와 공법상 계약의 구별

공법상 계약은 복수당사자 사이의 의사합치가 필요하다는 점에서, 동의 또는 신청이 필요하나 그 내용은 행정청의 일방적 의사에 의해 결정되는 협력을 요하는(쌍방적) 행정행위와 구별된다. 공법상 계약에서 상대방의 청약이나 승낙은 계약의 성립 내지 존재요건으로서 그것을 결하는 경우 당해 계약은 성립 자체가 없는 것이지만, 협력을 요하는 행정행위에서 상대방의 신청 또는 동의는 행정행위의 적법요건이다.

(2) 공법상 합동행위와 공법상 계약의 구별

공법상 계약은 반대방향의 의사합치가 요구되는 반면, 공법상 합동행위는 동일방향의 의사합치가 요구된다는 점에서 구별된다.

❷ 유용성 등

1. 유용성

공법상 계약은 행정주체의 일방적 의사가 아닌, 행정주체와 사인 간의 의사합치를 필요로 한다는 점에서 다음과 같은 장점을 가진다.

> ① 분쟁을 최소한으로 줄일 수 있다.
> ② 법률지식이 없는 사람에게도 교섭을 통하여 문제를 이해시킬 수 있다.
> ③ 개인이 행정의 단순한 객체가 아니라, 행정주체의 동반자적 지위에서 행정작용의 수행에 참여하는 민주적 법치국가시대에 부합한다.

2. 제3자의 동의

제3자의 권익을 제한하는 내용의 행정행위를 할 것을 내용으로 하는 공법상 계약은 제3자의 동의가 없는 한 인정될 수 없다.

❸ 법치주의

1. 공법상 계약의 자유성(법률유보의 문제)

당사자의 자유로운 의사합치를 요소로 하는 공법상 계약의 개념에 비추어 법률의 근거가 없더라도 행해질 수 있음이 일반적 견해이다. 즉, 법률유보의 원칙이 적용되지 않는다.01

2. 공법상 계약의 한계(법률우위의 문제)

공법상 계약도 행정작용인 이상, 법률우위의 원칙에 위반될 수 없음02 03은 다른 행정작용과 마찬가지이다. 따라서 헌법을 포함한 성문법, 행정법의 일반원칙 등에 위배되어서는 안 된다. 최근 제정된 행정기본법에서도 '법령 등을 위반하지 아니하는 범위에서' 공법상 법률관계에 관한 계약을 체결할 수 있다고 규정함으로써 법률우위원칙이 공법상 계약에 적용된다는 것을 명시하고 있다.

❹ 공법상 계약의 종류 – 주체에 따른 분류

1. 행정주체 상호 간의 공법상 계약04

국가와 공공단체 또는 공공단체 상호 간에 특정 행정사무의 처리를 합의하는 경우를 말한다. 이의 예로는 다음과 같은 것을 들 수 있다.
① 공공단체 상호 간의 사무위탁(지방자치단체 간의 교육사무위탁05 등)
② 지방자치단체 상호 간의 도로 또는 하천의 경비분담합의

2. 행정주체와 사인 간의 공법상 계약

행정주체(국가, 공공단체 등)와 사인 간에 성립하는 공법상 계약을 말한다. 이의 예로는 다음과 같은 것을 들 수 있다.
① 사인에 대한 행정사무의 위임(사인의 신청에 의한 별정우체국장의 지정)
② 임의적 공용부담계약(사유지를 공원용지로 제공하는 계약)
③ 특별행정법관계설정합의(전문직 공무원의 채용계약,06 지원입대, 서울특별시립무용단원의 위촉, 국립중앙극장 전속단원 채용계약, 광주시립합창단원의 재위촉, 공중보건의사 채용계약)07

기출 체크

□□□□□ **01** 중앙행정기관인 방위사업청과 부품개발협약을 체결한 기업이 협약을 이행하는 과정에서 환율변동 및 물가상승 등 외부적 요인으로 발생한 초과비용 지급에 대한 소송은 민사소송에 의한다. (○, ×) ★★★
2023 소방간부

□□□□□ **02** 행정주체인 사인은 공법상 계약의 일방 당사자가 될 수 없다. (○, ×) ★★
2011 사회복지직 9급

□□□□□ **03** (공법상 계약에서) 계약당사자의 일방은 행정주체이어야 하며, 행정주체에는 공무를 수탁받은 사인도 포함된다. (○, ×) ★★
2012 사회복지직 9급

□□□□□ **04** (공법상) 계약에 관하여는 행정절차법에 명문의 규정을 두고 있다. (○, ×) ★★★
2020 소방직 9급

□□□□□ **05** 행정청은 법령 등을 위반하지 아니하는 범위에서 행정목적을 달성하기 위하여 필요한 경우에는 공법상 법률관계에 관한 계약을 체결할 수 있고, 이 경우 계약의 목적 및 내용을 명확하게 적은 계약서를 작성하여야 한다. (○, ×)
2024 국가직 9급

□□□□□ **06** 행정기본법에 따르면 신속히 처리할 필요가 있거나 사안이 경미한 경우에는 말 또는 서면으로 공법상 계약을 체결할 수 있다. (○, ×)
2023 지방직 · 서울시 7급

□□□□□ **07** 계약직 공무원 채용계약해지의 의사표시(는 판례상 행정처분으로 인정된다) (○, ×) ★★★
2019 소방직 9급

□□□□□ **08** 계약직 공무원 채용계약해지의 의사표시는 행정절차법에 의하여 근거와 이유를 제시하여야 하는 것은 아니다. (○, ×) ★★★
2022 지방직 · 서울시 9급

□□□□□ **09** 계약직 공무원에 대한 채용계약해지의 의사표시는 국가 또는 지방자치단체가 대등한 지위에서 행하는 의사표시로 이해된다. (○, ×) ★★★
2019 사회복지직 9급

□□□□□ **10** 계약직 공무원 채용계약해지의 의사표시를 하는 경우 징계해고 등에서와 같이 그 징계사유에 한하여 효력 유무를 판단하여야 하거나, 행정처분과 같이 행정절차법에 의하여 근거와 이유를 제시하여야 한다. (○, ×) ★★★
2024 국가직 9급

정답 01 × **02** × **03** ○ **04** × **05** ○
06 × **07** × **08** ○ **09** ○ **10** ×

┌ 관련판례 ─

KAI(한국항공우주산업)와 체결한 '한국형 헬기 개발사업에 대한 물품 · 용역협약'은 공법상 계약이다.

(국책사업인 '한국형 헬기 개발사업'(Korean Helicopter Program, 이하 'KHP사업'이라 한다)에 개발주관사업자 중 하나로 참여하여 국가 산하 중앙행정기관인 방위사업청과 '한국형 헬기 민군 겸용 핵심구성품 개발협약'을 체결한 甲 주식회사가 협약을 이행하는 과정에서 환율변동 및 물가상승 등 외부적 요인 때문에 협약금액을 초과하는 비용이 발생하였다고 주장하면서 국가를 상대로 초과비용의 지급을 구하는 민사소송을 제기한 사안에서) 국가연구개발사업규정에 근거하여 국가 산하 중앙행정기관의 장과 참여기업인 甲 회사가 체결한 위 협약의 법률관계는 공법관계에 해당하므로 이에 관한 분쟁은 행정소송으로 제기하여야 한다(대판 2017. 11. 9, 2015다215526).**01** ★★★

3. 사인 상호 간의 공법상 계약

공무를 위탁받은 행정주체인 사인(공무수탁사인)과 일반사인 간에 성립하는 계약을 말한다.**02** 이의 예로는 토지수용에서 사인인 사업시행자와 토지소유자 간의 협의를 들 수 있는데, 다만 이러한 협의에 대해 공법상 계약으로 보는 것이 통설의 입장이나 판례는 사법상 계약으로 보고 있다. 한편 이 경우의 사인은 이른바 공무수탁사인으로서 행정주체에 해당한다고 볼 수 있으므로, 순수 사인 간의 공법상 계약은 개념상 인정되기 어렵다.**03**

❺ 공법상 계약의 규율

1. 법적 근거

종래 공법상 계약을 일반적으로 규율하는 법률은 존재하지 않았고, 행정절차법에서도 공법상 계약에 관한 규정을 두고 있지 않다.**04** 한편 최근 제정된 행정기본법은, 비권력적 행정의 대표적인 행위형식인 공법상 계약에 관한 일부 규정을 두고 있다.

> **행정기본법 제27조【공법상 계약의 체결】** ① 행정청은 법령 등을 위반하지 아니하는 범위에서 행정목적을 달성하기 위하여 필요한 경우에는 공법상 법률관계에 관한 계약(이하 '공법상 계약'이라 한다)을 체결할 수 있다. 이 경우 계약의 목적 및 내용을 명확하게 적은 계약서를 작성하여야 한다.**05**

2. 공법상 계약의 특색

(1) 성립상의 특색

① 형식상의 특성

행정기본법에서는, 공법상 계약을 체결하는 경우 계약의 목적 및 내용을 명확하게 적은 계약서를 작성하여야 한다**06**(동법 제27조 제1항 후문)고 규정하고 있다. 한편, 공법상 계약의 해지는 처분이 아니므로 처분을 규율하고 있는 행정절차법 규정이 적용되지 않는다는 것이 판례의 입장이다.

┌ 관련판례 ─

계약직 공무원에 대한 채용계약해지의 의사표시는 행정처분이 아니므로**07** 행정처분과 같이 행정절차법에 의하여 근거와 이유를 제시하여야 하는 것은 아니다.**08** ★★★

계약직 공무원에 관한 현행 법령의 규정에 비추어 볼 때, 계약직 공무원 채용계약해지의 의사표시는 일반공무원에 대한 징계처분과는 달라서 항고소송의 대상이 되는 처분 등의 성격을 가진 것으로 인정되지 아니하고, 일정한 사유가 있을 때에 국가 또는 지방자치단체가 채용계약 관계의 한쪽 당사자로서 대등한 지위에서 행하는 의사표시로 취급되는 것으로 이해되므로,**09** 이를 징계해고 등에서와 같이 그 징계사유에 한하여 효력 유무를 판단하여야 하거나, 행정처분과 같이 행정절차법에 의하여 근거와 이유를 제시하여야 하는 것은 아니다(대판 2002. 11. 26, 2002두5948).**10**

② **부합계약성 ⓐ** (일방이 미리 정해 놓은 약관 등에 따라 체결되는 계약)

공법상 계약은 비록 계약이라고 하더라도 계약내용을 완전히 합의하여 결정하는 것이 아니라 행정주체가 일방적으로 계약내용을 정하고 상대방은 체결 여부만을 선택해야 되는 이른바 부합계약성을 띠는 경우가 많다.01 또한 공법상 계약에서는 실질적으로 행정청이 일반국민보다 더 많은 형성의 자유를 가질 수 있다.

┌─ **관련판례** ───
│ 지방전문직 공무원 채용계약에서 정한 채용기간이 만료한 경우 채용계약을 갱신하거나 채용기간을 연장할 것인
│ 지 여부는 지방자치단체장의 재량이다(대판 1993. 9. 14, 92누4611).02 ★
└───

③ **동의 등**

공법상 계약으로 인해 제3자의 권리가 침해되는 경우에는 관련된 제3자의 동의를 얻어야 한다. 왜냐하면 그 누구도 제3자에게 부담을 가져오는 계약을 임의로 체결할 수는 없기 때문이다. 그리고 공법상 계약이 다른 행정청의 동의가 필요한 행정행위를 대체하는 것이라면, 공법상 계약의 체결에도 다른 행정청의 동의가 필요하다.

④ **상대방 선정 및 계약내용**

행정청은 공법상 계약의 상대방을 선정하고 계약내용을 정할 때 공법상 계약의 공공성과 제3자의 이해관계를 고려하여야 한다(행정기본법 제27조 제2항).03

(2) 효력상의 특색

① **비권력성**

공법상 계약은 권력적 행위인 행정행위와 달리 비권력적 성질을 가지므로 행정행위에 인정되는 공정력·자력집행력·존속력 등이 인정되지 않는다.04 따라서 상대방의 의무불이행이 있더라도 행정청은 자력으로 의무이행을 강제할 수는 없다.

➕ 공법상 계약이 비권력적 성질을 가진다는 것과 권력적 행정영역에서도 행해질 수 있다는 말을 구별하여야 한다.

② **계약내용의 하자 : 원칙적 무효**

공법상 계약의 내용이 법령에 위반되는 경우 이의 효력이 문제된다. 다수설은 공법상 계약은 행정행위와는 달리 공정력이 인정되지 않기 때문에 공정력을 전제로 이를 소멸시키는 행정행위의 취소와 같은 개념은 인정될 수 없다고 한다. 이에 따르면 **하자 있는 공법상 계약은 무효가 될 뿐이다.**05

③ **계약강제**

공법상 계약은 **자력집행력이 없으므로** 원칙적으로 당사자는 스스로 의무를 실현할 수는 없고 법원의 판결을 받아 계약내용을 실현할 수 있다.06 다만, 법률의 명문규정이 있는 경우에는 행정청이 자력집행할 수 있다.

(3) 소송법상의 특색

① **당사자소송**

공법상 계약에 관한 분쟁은 이론상 당사자소송으로 해결해야 한다.07 판례도 공법상 계약에 관한 소송을 공법상 당사자소송으로 해결해야 한다고 판시하여 학설과 동일한 태도를 보이고 있다.

ⓐ **부합계약**
계약당사자의 일방이 미리 계약의 세부내용을 정해 놓은 것(우리가 '약관'이라고 부르는 것이 그 예이다)에 대해 다른 일방은 사실상 그대로 따를 수밖에 없는 계약을 말한다. 오늘날 일반인이 기업과 계약을 하는 경우 대부분 이러한 부합계약에 의한다. 우리가 접할 수 있는 것으로는 인터넷 포털사이트에 회원가입하는 것, 통신사와 핸드폰 사용 계약을 하는 것 등을 생각해 보면 된다.

□□□□□ **01** 공법상 계약의 한쪽 당사자가 다른 당사자를 상대로 효력을 다투거나 이행을 청구하는 소송은 공법상의 법률관계에 관한 분쟁이므로 분쟁의 실질이 손해배상액의 구체적인 산정방법·금액에 국한되는 경우에도 공법상 당사자소송으로 제기하여야 한다. (○, ×)
2024 소방직 9급

□□□□□ **02** 광주광역시문화예술회관장의 단원 위촉은 공법상 근로계약이 아니라 행정청으로서 공권력을 행사하여 행하는 행정처분이다. (○, ×) ★★★
2019 사회복지직 9급

□□□□□ **03** A광역시립합창단원으로서 위촉기간이 만료되는 자들의 재위촉 신청에 대하여 A광역시문화예술회관장이 실기와 근무성적에 대한 평정을 실시하여 재위촉을 하지 아니한 것은 항고소송의 대상이 되는 불합격처분에 해당한다. (○, ×) ★★★ 2020 지방직·서울시 7급

□□□□□ **04** 지방계약직 공무원에 대하여는 채용계약상 특별한 약정이 없는 한 지방공무원법, 「지방공무원 징계 및 소청 규정」에 정한 징계절차에 의하지 않고서는 보수를 삭감할 수 없다. (○, ×) ★★
2022 소방간부

□□□□□ **05** 행정청이 자신과 상대방 사이의 법률관계를 일방적인 의사표시로 종료시켰다면 그 의사표시는 공법상 계약관계의 일방 당사자로서 대등한 지위에서 행하는 의사표시가 아니라 공권력행사로서 행정처분에 해당한다. (○, ×) ★★★
2021 지방직·서울시 7급

□□□□□ **06** 중소기업기술정보진흥원장이 甲 주식회사와 체결한 중소기업 정보화지원사업 지원대상인 사업의 지원에 관한 협약의 해지는 상대방의 권리·의무를 변경시키는 처분에 해당하므로 항고소송의 대상이 된다. (○, ×) ★★★
2023 지방직·서울시 7급

관련판례

1. 공법상 당사자소송이란 행정청의 처분 등을 원인으로 하는 법률관계에 관한 소송, 그 밖에 공법상의 법률관계에 관한 소송으로서 그 법률관계의 한쪽 당사자를 피고로 하는 소송을 말한다(행정소송법 제3조 제2호). 공법상 계약이란 공법적 효과의 발생을 목적으로 하여 대등한 당사자 사이의 의사표시의 합치로 성립하는 공법행위를 말한다. 공법상 계약의 한쪽 당사자가 다른 당사자를 상대로 효력을 다투거나 이행을 청구하는 소송은 공법상의 법률관계에 관한 분쟁이므로 분쟁의 실질이 공법상 권리·의무의 존부·범위에 관한 다툼이 아니라 손해배상액의 구체적인 산정방법·금액에 국한되는 등의 특별한 사정이 없는 한 공법상 당사자소송으로 제기하여야 한다(대판 2021. 2. 4, 2019다277133).**01**

2. 서울특별시립무용단원의 해촉은 공법상 계약의 해지이므로 공법상 당사자소송으로 무효확인을 청구할 수 있다(대판 1995. 12. 22, 95누4636).★★★

3. 전문직 공무원인 공중보건의사 채용계약해지의 의사표시는 행정처분이 아니므로 공법상 당사자소송의 방식으로 무효확인을 구하여야 한다(대판 1996. 5. 31, 95누10617).★★★

4. 지방전문직 공무원 채용계약해지 의사표시에 대하여 당사자소송으로 무효확인을 청구할 수 있다(대판 1993. 9. 14, 92누4611).

5. 시립합창단원에 대한 재위촉 거부는 항고소송의 대상인 처분에 해당하지 않는다.★★★
광주광역시문화예술회관장의 단원 위촉은 광주광역시문화예술회관장이 행정청으로서 공권력을 행사하여 행하는 행정처분이 아니라 …… 공법상 근로계약에 해당한다고 보아야 할 것이므로,**02** 광주광역시립합창단원으로서 위촉기간이 만료되는 자들의 재위촉 신청에 대하여 광주광역시문화예술회관장이 실기와 근무성적에 대한 평정을 실시하여 재위촉을 하지 아니한 것을 항고소송의 대상이 되는 불합격처분이라고 할 수는 없다(대판 2001. 12. 11, 2001두7794).**03**

6. 지방계약직 공무원에 대하여 특별한 약정이 없는 한 지방공무원법 등에 정한 징계절차에 의하지 않고 보수를 삭감할 수 없다.
근로기준법 등의 입법 취지, 지방공무원법과 「지방공무원 징계 및 소청 규정」의 여러 규정에 비추어 볼 때, 채용계약상 특별한 약정이 없는 한, 지방계약직 공무원에 대하여 지방공무원법, 「지방공무원 징계 및 소청 규정」에 정한 징계절차에 의하지 않고서는 보수를 삭감할 수 없다고 봄이 상당하다(대판 2008. 6. 12, 2006두16328).**04** ★★

7-1. 행정청이 자신과 상대방 사이의 법률관계를 일방적인 의사표시로 종료시켰다고 하더라도 곧바로 의사표시가 행정청으로서 공권력을 행사하여 행하는 행정처분이라고 단정할 수는 없고,**05** 관계법령이 상대방의 법률관계에 관하여 구체적으로 어떻게 규정하고 있는지에 따라 의사표시가 항고소송의 대상이 되는 행정처분에 해당하는지 아니면 공법상 계약관계의 일방 당사자로서 대등한 지위에서 행하는 의사표시인지를 개별적으로 판단하여야 한다. ★★★

7-2. (중소기업기술정보진흥원장이 甲주식회사와 중소기업 정보화지원사업 지원대상인 사업의 지원에 관한 협약을 체결하였는데, 협약이 甲회사에 책임이 있는 사업실패로 해지되었다는 이유로 협약에서 정한 대로 지급받은 정부지원금을 반환할 것을 통보한 사안에서) 중소기업 정보화지원사업에 따른 지원금 출연을 위하여 중소기업청장(현 중소벤처기업부장관)이 체결하는 협약은 공법상 대등한 당사자 사이의 의사표시의 합치로 성립하는 공법상 계약에 해당하는 점, …… 등을 종합하면, 중소기업 정보화지원사업을 위한 협약의 해지 및 그에 따른 환수통보는 공법상 계약에 따라 행정청이 대등한 당사자의 지위에서 하는 의사표시로 보아야 하고, 이를 행정청이 우월한 지위에서 행하는 공권력의 행사로서 행정처분에 해당한다고 볼 수는 없다(대판 2015. 8. 27, 2015두41449).**06** ★★★

② 손해배상청구소송

공법상 계약에 따른 의무의 불이행으로 인한 손해배상청구 및 공법상 계약의 체결과정 등의 불법행위로 인한 손해배상청구도 공법상 당사자소송으로 해결함이 타당하다는 것이 학설의 태도이나, 우리 법원 실무에서는 이를 민사소송으로 보고 있다.

02 | 공법상 합동행위

❶ 의 의

1. 개 념

공법상 합동행위란 공법적 효과의 발생을 목적으로 하는 복수당사자 간의 서로 동일방향에 선 의사표시를 합치시킴으로써 이루어지는 공법행위를 말한다.

2. 구별개념

공법상 합동행위는 동일방향의 의사합치라는 점에서, 반대방향의 의사표시의 합치인 공법상 계약과 구별된다. 또한, 복수의 의사를 합치시킨다는 점에서, 하나의 의사를 형성하는 합성행위(선거·투표·의결)와도 다르다.

❷ 구체적 사례 및 특색

1. 구체적 사례

지방자치단체조합을 설립하는 행위,01 농지개량조합 등 공공조합을 설립하는 행위, 공공조합의 연합체를 설립하는 행위 등을 들 수 있다.

2. 특 색

(1) 각 당사자에게 동일한 내용의 법적 효과를 발생시킨다.

(2) 공법상 합동행위가 유효하게 성립한 후에는 성립에 관여한 자뿐만 아니라 그 후에 조합 등에 참여한 자도 동일한 법적 구속을 받는다.

(3) 공법상 합동행위가 유효하게 성립한 후에는 개별 당사자의 의사 하자를 이유로 그 효력을 다툴 수는 없음이 원칙이다.

03 | 행정상의 사실행위 일반

❶ 의 의

1. 개 념

행정상 사실행위란 법률적 효과의 발생을 직접적 목적으로 하는 것이 아니라 무기사용, 도로청소 등과 같이 직접적으로는 어떠한 사실상의 효과의 발생을 목적으로 하는 행정주체의 행위를 말한다. 공법상 사실행위는 어떠한 직접적인 법적 효과가 발생하는 것이 아니므로 법적 행위와 동일하게 검토할 실익은 없다. 그러나 사실행위도 법질서 내에서 이루어져야 하고, 만약 사실행위가 위법하게 된 경우에는 손해배상청구권 등을 발생시킬 수 있다는 점에서는 검토할 실익이 있다.

> **┌ 관련판례**
> 1. 추첨방식에 의하여 운수사업 면허대상자를 선정하는 경우 추첨 자체는 다수의 면허신청자 중에서 면허를 받을 수 있는 신청자를 특정하여 선발하는 행정처분을 위한 사전 준비절차로서의 사실행위에 불과한 것이다(대판 1993. 5. 11, 92누15987).

2. 구속된 피의자가 검사조사실에서 수갑 및 포승을 시용한 상태로 피의자신문을 받도록 한 이 사건 수갑 및 포승 사용행위는 이미 종료된 <u>권력적 사실행위</u>이다(헌재 2005. 5. 26, 2001헌마728).

3. 학교당국이 미납공납금을 완납하지 아니할 경우에 졸업증의 교부와 증명서를 발급하지 않겠다고 통고한 것은 일종의 <u>비권력적 사실행위</u>이다(헌재 2001. 10. 25, 2001헌마13).

2. 종류[01]

(1) 권력적 사실행위

① 권력적 사실행위란 행정주체가 우월적 지위를 가지고 하는 행위로서 공권력(명령 · 강제 등)행사의 실체를 가지는 사실행위를 말한다.

② 이의 예로는 불법건축물의 강제철거 등 대집행의 실행행위, 감염병환자의 강제입원 등 행정상 즉시강제를 들 수 있다.

(2) 비권력적 사실행위

① 비권력적 사실행위란 공권력(명령 · 강제 등)행사의 실체를 가지지 않는 사실행위를 말한다.

② 이의 예로는 도로건설, 여론조사, 폐기물 수거, 품질평가, 행정지도,[02] 비공식적 행정작용 등을 들 수 있다(후술).

② 행정상 사실행위의 법적 근거와 한계

1. 법적 근거(법률유보의 측면)

행정상 사실행위도 행정기관이 자신의 권한범위 내에서 행하여야 하므로 조직법적 근거는 필요하다고 할 것이다. 다만, 작용법적 근거에 대해서 권력적 사실행위는 침해적 성질이 강하므로 법률유보의 원칙이 적용되어[03] 법적 근거가 필요하다고 할 것이나, 비권력적 사실행위에는 원칙적으로 법적 근거가 필요 없다는 것이 일반적 견해이다.

2. 한계(법률우위의 측면)

행정상 사실행위도 행정작용인 이상 법률우위의 원칙이 적용되어 성문법, 불문법(행정법의 일반원리)에 반하지 않아야 한다.

③ 권리구제

1. 행정쟁송

(1) 권력적 사실행위

① 대상성 여부

권력적 사실행위는 행정쟁송법상의 처분에 해당한다. 따라서 권력적 사실행위에 대해서는 취소소송 등 항고소송을 제기해서 권리구제를 받을 수 있는 가능성이 있다.

② 소이익 여부

무허가건물의 강제철거와 같은 권력적 사실행위는 단기간에 종료하는 것이 보통이므로 협의의 소의 이익이 없어 취소쟁송을 통해 구제받는 데는 한계가 있다. 반면에 계속적 성질을 가지는 사실행위, 예컨대 감염병환자의 강제입원 등은 소송을 통해 구제받을 수 있다.

③ 판례에 나타난 구체적인 경우

대법원은 명시적으로 밝힌 바는 없으나 학자들이 권력적 사실행위로 논하는 단수조치, 미결수용자의 교도소 이송조치, 교도소장의 영치품 사용·불허행위,**01** 동장의 주민등록 직권말소행위 등의 행위에 대해 처분성을 인정하고 있다. 한편 헌법재판소는 서신검열행위는 권력적 사실행위로서 행정소송의 대상이 되는 처분으로 볼 수 있다고 하여 명시적으로 권력적 사실행위의 처분성을 인정하고 있다.

> **관련판례**
>
> 1. 단수처분은 항고소송의 대상이 되는 행정처분에 해당한다(대판 1979. 12. 28, 79누218).**02** ★★★
> 2. 피고인에 대해 A교도소에서 B교도소로 이송하는 처분은 행정처분이다(이 사건은 집행정지결정을 받아들인 판례이지만 집행정지가 되기 위해서는 처분성이 인정되어야 하므로 이송처분을 행정처분으로 보았다는 의미이다)(대결 1992. 8. 7, 92두30). ★★
> 3. 주민등록말소처분은 행정처분이다(말소처분이 처분이라는 전제하에 그 하자가 중대하고 명백한 것이라고 볼 수는 없다고 판시하고 있다)(대판 1994. 8. 26, 94누3223).
> 4. 수형자의 <u>서신을 교도소장이 검열하는 행위</u>는 이른바 <u>권력적 사실행위</u>로서 행정심판이나 행정소송의 대상이 되는 행정처분으로 볼 수 있다.**03** ★★★
>   수형자의 서신을 교도소장이 검열하는 행위는 이른바 권력적 사실행위로서 행정심판이나 행정소송의 대상이 되는 행정처분으로 볼 수 있으나, 위 검열행위가 이미 완료되어 행정심판이나 행정소송을 제기하더라도 소의 이익이 부정될 수밖에 없으므로 헌법소원심판을 청구하는 외에 다른 효과적인 구제방법이 있다고 보기 어렵기 때문에 보충성의 원칙에 대한 예외에 해당한다(헌재 1998. 8. 27, 96헌마398).

(2) 비권력적 사실행위

알선, 권유, 경고, 추천, 사실상의 통지와 같은 비권력적 사실행위에 대해서는 처분성을 부정하는 것이 통설과 판례의 태도이다.

> **관련판례**
>
> 수도사업자의 급수공사 신청자에 대한 급수공사비 납부통지는 행정처분이 아니다(대판 1993. 10. 26, 93누6331).**04** ★

2. 손해전보

(1) 손해배상

위법한 행정상 사실행위로 국민이 손해를 입은 경우에는 국가배상을 청구할 수 있다(국가배상법 제2조 또는 제5조).**05**

(2) 손실보상

적법한 권력적 사실행위에 의해 국민에게 손실이 발생하고 그것이 특별한 희생에 해당하는 경우에는 행정상 손실보상을 청구할 수 있다.

3. 결과제거청구권(p.694 이하 참조)

행정상 사실행위로 인한 위법한 결과로 법률상 이익이 침해된 자는 공법상 결과제거청구권을 통해 원상회복을 청구할 수 있다.**06**

4. 헌법소원

사실행위가 국민의 권익에 영향력을 행사하여 법적 통제가 필요함에도 불구하고 처분성이 인정되지 않는 경우 행정소송을 제기할 수 없으므로 헌법소원이 가능하다 할 것이다. 한편 헌법재판소는 마약류 수용자에 대한 소변채취에 관한 사건에서 이를 권력적 사실행위로 보면서도 보충성의 원칙에 대한 예외에 해당하는 경우 헌법소원의 대상이 된다고 한다.

┏ 관련판례

1. 헌법소원은 공권력의 행사 또는 불행사로 인하여 헌법상 보장된 기본권을 침해받은 자가 제기하는 권리구제수단이므로, 공권력의 행사를 대상으로 하는 헌법소원에 있어서는 적어도 기본권침해의 원인이 되는 행위가 공권력의 행사에 해당하여야 할 것인바, 행정상 사실행위가 헌법소원의 대상이 되는 공권력의 행사이기 위해서는 행정청이 우월적 지위에서 일방적으로 강제하는 권력적 사실행위에 해당하여야 한다(헌재 2021. 5. 18, 2021헌마468).**01**

2-1. (교도관들이 외부병원 진료 후 구치소 환소 과정에 있는 수형자에게 환소차 탑승을 위하여 병원 밖 주차장 의자에 앉아 있을 것을 지시한 행위는 공권력의 행사가 아니라고 판시하면서) 권력적 사실행위만 헌법소원의 대상이 되는 공권력의 행사에 해당하고, 비권력적 사실행위는 공권력의 행사에 해당하지 아니한다.

2-2. 헌법소원은 공권력의 행사 또는 불행사로 인하여 헌법상 보장된 기본권을 침해받은 자가 제기하는 권리구제수단이므로, 공권력의 행사를 대상으로 하는 헌법소원에 있어서는 적어도 기본권침해의 원인이 되는 행위가 공권력의 행사에 해당하여야 한다(헌재 2012. 10. 25, 2011헌마429).

3. 서울대학교의 '94학년도 대학입학고사 주요 요강'은 행정처분은 아니지만 헌법재판의 대상이 되는 공권력의 행사에 해당한다(헌재 1992. 10. 1, 92헌마68·76).**02** ★★★

4. 마약류 수용자에 대한 소변채취는 권력적 사실행위로서 헌법재판소법 제68조 제1항의 심판대상이 되는 공권력행사에 해당한다(헌재 2006. 7. 27, 2005헌마277).**03**

04 | 행정지도

❶ 의 의

1. 개 념

행정지도란 행정기관이 그 소관 사무의 범위에서**04** 일정한 행정목적을 실현하기 위하여 특정인에게 일정한 행위를 하거나 하지 아니하도록 지도, 권고, 조언 등을 하는 행정작용을 말한다(행정절차법 제2조 제3호).**05**

2. 구체적 예

유가급등에 따라 차량10부제 운행을 할 것을 권고하거나 영업시간단축을 권고하는 것, 교통법규의 준수를 위해 단속을 하는 대신 계도기간을 설정하여 계도하는 것, 여름 휴가철 피서지의 자영업자에게 물가안정에 대한 협력을 권고하는 것 등을 들 수 있다.

3. 법적 성질 및 유래

(1) 법적 성질

행정지도는 법적 의무를 부과하는 것이 아니라 상대방의 임의적 협력을 요청하는 비권력적 사실행위로서**06** 그 자체로는 아무런 법적 효과가 발생하지 않는다.**07**

┏ 관련판례

행정지도만으로 건축법 시행령 제64조 제1항 소정의 도로지정이 있었던 것으로 볼 수 없다. ★★

행정관청이 건축허가시에 도로의 폭에 대하여 행정지도를 하였다는 점만으로는 건축법 시행령 제64조 제1항 소정의 도로지정이 있었던 것으로 볼 수 없다(대판 1991. 12. 13, 91누1776).

기출 체크

☐☐☐☐☐ **01** 비권력적 사실행위는 공권력의 행사에 해당하지 않지만, 행정청이 우월적 지위에서 일방적으로 강제하는 권력적 사실행위는 헌법소원의 대상이 되는 공권력의 행사에 해당한다. (○, ×)
2023 소방직 9급

☐☐☐☐☐ **02** 국립대학인 서울대학교의 '94학년도 대학입학고사 주요 요강'은 행정계획이므로 헌법소원의 대상이 되는 공권력행사에 해당되지 않는다. (○, ×) ★★★
2023 군무원 9급

☐☐☐☐☐ **03** 교도소 내 마약류 관련 수형자에 대한 교도소장의 소변강제채취는 권력적 사실행위이나 헌법소원의 대상은 아니다. (○, ×)
2023 지방직·서울시 9급

☐☐☐☐☐ **04** 행정지도는 당해 행정기관의 소관 사무의 범위 내에서 행해져야 한다. (○, ×) ★
2016 교육행정직 9급

☐☐☐☐☐ **05** 행정지도란 행정기관이 그 소관 사무의 범위에서 일정한 행정목적을 실현하기 위하여 특정인에게 일정한 행위를 하거나 하지 아니하도록 지도, 권고, 조언 등을 하는 행정작용을 말한다. (○, ×) ★★
2021 소방직 9급

☐☐☐☐☐ **06** 일정한 행정목적을 실현하기 위하여 상대방인 국민에게 임의적인 협력을 요청하는 비권력적 사실행위를 행정지도라 한다. (○, ×) ★★
2020 소방직 9급

☐☐☐☐☐ **07** 행정지도는 법적 효과의 발생을 목적으로 하는 의사표시이다. (○, ×) ★★
2018 교육행정직 9급

정답 01 ○ **02** × **03** × **04** ○ **05** ○
06 ○ **07** ×

(2) 유래

한편, 이러한 행정지도는 일본에서 비롯된 개념인데, 일본에서 행정지도라는 행위형식이 생성된 배경으로는 일본 특유의 수직구조적 사회 등을 들 수 있다고 한다.

② 행정지도의 종류(기능에 따른 분류)

1. 조성적 행정지도

일정한 질서의 형성을 유도하기 위한 행정지도로서 장학지도, 생활개선지도, 중소기업기술지도, 영농지도 등이 이에 해당한다.01

2. 조정적 행정지도

경제적 이해대립과 과당경쟁을 조정하기 위하여 행하는 행정지도로서 노사분쟁의 조정, 투자·수출량의 조절 등을 위한 지도가 이에 해당한다. 조정적 행정지도는 규제적 행정지도에 속한다고 볼 수 있다.

3. 규제적 행정지도

일정한 행위를 억제하기 위한 지도로서 물가억제를 위한 지도, 오물투기의 억제를 위한 지도 등이 이에 해당한다.

③ 행정지도의 법적 근거와 한계

1. 법적 근거(법률유보의 측면)

행정지도는 행정기관의 직무범위 내에서 이루어져야 하므로 조직법적 근거규범, 즉 자신의 권한업무의 범위 내이어야 하나, 행정지도에 따를 것인지가 상대방의 임의적 결정에 달려 있는 비권력적 사실행위이므로 작용법적 근거는 필요 없다는 것이 통설적 입장이다.02

2. 한계(법률우위의 측면)

(1) 일반론

행정지도도 행정작용인 이상 법률우위의 원칙을 지켜야 하므로03 비례의 원칙 등 행정법의 일반원칙을 비롯한 성문·불문의 법률을 위반하지 않아야 한다.04

(2) 행정절차법의 내용

행정절차법은 행정지도에 관해 다음과 같이 규정하고 있는바,05 다음의 내용을 준수하여야 한다.
① 행정지도의 원칙(동법 제48조)
　㉠ 비례의 원칙(과잉금지원칙) 및 임의성의 원칙 : 행정지도는 그 목적달성에 필요한 최소한도에 그쳐야 하고,06 07 상대방의 의사에 반하여 부당하게 강요하여서는 아니 된다.08
　㉡ 불이익조치금지원칙
　　ⓐ 행정기관은 상대방이 행정지도에 따르지 아니하였다는 것을 이유로 불이익한 조치를 하여서는 아니 된다.09
　　ⓑ 불이익조치를 허용하지 아니하는 것은, 불이익조치가 결과적으로는 행정지도에 강제성을 부여하는 것이 되어 임의성의 원칙에 반하는 것이 되기 때문이다.

ⓒ 한편 행정지도의 효과를 높이기 위하여 이익의 제공, 예컨대 자금의 융자, 교부지원금 지급, 정보제공을 하는 것은 허용된다.

② **행정지도의 방식**(동법 제49조)

행정절차법은 행정지도를 행하는 자와 지도의 내용을 분명히 함으로써 위법하거나 과도한 행정지도로부터 상대방에게 가져다 줄 수 있는 불이익을 방지하기 위해 행정지도실명제를 규정하고 있다. 또한 행정지도는 반드시 문서로 해야 하는 것은 아니며 말로도 할 수 있으나,01 내용의 명확성을 위해 상대방의 서면교부청구권을 규정하고 있다.

㉠ **행정지도실명제** : 행정지도를 하는 자는 그 상대방에게 행정지도의 취지 및 내용과 신분을 밝혀야 한다.02

㉡ **서면교부청구권** : 행정지도가 말로 이루어지는 경우 상대방이 행정지도의 취지, 내용 및 신분에 관한 사항을 적은 서면의 교부를 요구하면 그 행정지도를 하는 자는 직무수행에 특별한 지장이 없으면 이를 교부하여야 한다.03

③ **의견제출**(동법 제50조)

행정지도의 상대방은 해당 행정지도의 방식·내용 등에 관하여 행정기관에 의견제출을 할 수 있다.04

④ **다수인을 대상으로 하는 행정지도의 공표**(동법 제51조)

행정기관이 같은 행정목적을 실현하기 위해 다수인을 대상으로 행정지도를 하려는 경우에는 특별한 사정이 없으면, 행정지도에 공통적인 내용이 되는 사항을 공표하여야 한다.05

④ 행정지도와 권리구제

1. 행정쟁송

행정지도는 비권력적 사실행위이므로 행정쟁송법상 처분성이 없다. 따라서 통설에 따르면 행정지도에 대해서는 취소소송·취소심판 등 항고쟁송을 제기할 수 없다.06

> **관련판례**
> 1. 구청장이 도시재개발구역 내의 건물소유자에게 건물의 자진철거를 촉구하는 공문을 보낸 것은 처분이 아니다(대판 1989. 9. 12, 88누8883).07 ★
> 2. 세무당국이 특정회사에 대하여 원고의 주류거래를 일정기간 중지하여 줄 것을 요청한 행위는 항고소송의 대상이 될 수 없다(대판 1980. 10. 27, 80누395).08 ★★★

2. 손해배상청구

위법한 행정지도로 손해가 발생한 경우 국가배상법 제2조가 정한 요건을 갖춘 경우에는 국가 등을 상대로 손해배상을 청구할 수 있다. 다만 직무행위성, 위법성, 인과관계 등과 관련하여 요건충족이 특히 문제된다.

(1) 직무행위성

판례는 직무행위의 범위에 권력적 작용뿐만 아니라 행정지도 등 비권력적 공행정작용(관리작용)까지 포함시키나 사경제주체로서 하는 활동만은 제외하고 있는바, 이러한 판례이론에 따르면 행정지도에도 직무행위성은 인정됨에 어려움이 없다.

관련판례

1. 국가배상법이 정한 배상청구의 요건인 '공무원의 직무'의 범위에는 행정지도와 같은 비권력적 작용도 포함된다.01 02 ★★★

2. 행정지도로서 행한 공탁행위로 인해 사인에게 피해를 입힌 경우 행정상 손해배상책임이 있다.

   국가배상법이 정한 배상청구의 요건인 '공무원의 직무'에는 권력적 작용만이 아니라 행정지도와 같은 비권력적 작용도 포함되며, 단지 행정주체가 사경제주체로서 하는 활동만 제외되는 것이고(대판 1994. 9. 30, 94다11767 등 참조), 기록에 의하여 살펴보면, 피고 및 그 산하의 <u>강남구청은 이 사건 도시계획사업의 주무관청으로서</u> 그 사업을 적극적으로 대행·지원하여 왔고 이 사건 공탁도 행정지도의 일환으로 직무수행으로서 행하였다고 할 것이므로, 비권력적 작용인 공탁으로 인한 피고의 손해배상책임은 성립할 수 없다는 상고이유의 주장은 이유가 없다(대판 1998. 7. 10, 96다38971).

(2) 위법성

행정지도가 통상의 한계를 넘어 사실상 강제성을 갖고 국민의 권익을 침해하는 경우라면 이러한 행정지도는 위법하다고 보아야 하며, 통상 과실도 인정된다.

관련판례

1. 정부의 주식매각 종용행위가 강박행위에 해당한다면 이는 위법한 것으로 행정지도의 한계를 벗어난 것이다.

   <u>적법한 행정지도로 인정되기 위하여는 우선 그 목적이 적법한 것으로 인정될 수 있어야 할 것이므로,</u> 주식매각의 종용이 정당한 법률적 근거 없이 자의적으로 주주에게 제재를 가하는 것이라면 이 점에서 벌써 행정지도의 영역을 벗어난 것이라고 보아야 할 것이고, 만일 이러한 행위도 행정지도에 해당된다고 한다면 이는 행정지도라는 미명하에 법치주의의 원칙을 파괴하는 것이라고 하지 않을 수 없으며, 더구나 그 <u>주주가 주식매각의 종용을 거부한다는 의사를 명백하게 표시하였음에도 불구하고 집요하게 위협적인 언동을 함으로써 그 매각을 강요하였다면, 이는 위법한 강박행위에 해당한다고 하지 않을 수 없다</u>(대판 1994. 12. 13, 93다49482).

2. 재무부장관(현 기획재정부장관)이 금융기관의 부실채권 정리에 관한 행정지도를 함에 있어 중요한 사항에 대하여 사전에 대통령에게 보고·지시를 받는 것이 위법하다고 볼 수는 없으나, 그 행정지도가 통상의 방법에 의하지 아니하고 사실상 지시하는 방법으로 행하여진 경우, 그 행정지도는 위헌이다.

   재무부장관은 금융기관의 불건전채권 정리에 관한 행정지도를 할 권한과 책임이 있고, 이를 위하여 중요한 사항은 대통령에게 보고하고 지시를 받을 수도 있으므로, 기업의 도산과 같이 국민경제에 심대한 영향을 미치는 중요한 사안에 대하여 재무부장관이 부실채권의 정리에 관하여 금융기관에 대하여 행정지도를 함에 있어 사전에 대통령에게 보고하여 지시를 받는다고 하여 위법하다고 할 수는 없으며, 다만 재무부장관이 대통령의 지시에 따라 정해진 정부의 방침을 행정지도라는 방법으로 금융기관에 전달함에 있어 실제에 있어서는 <u>통상의 행정지도의 방법과는 달리 사실상 지시하는 방법</u>으로 행한 경우에 그것이 헌법상의 법치주의 원리, 시장경제의 원리에 반하게 되는 것일 뿐이다(대판 1999. 7. 23, 96다21706).

(3) 인과관계

행정지도에 의한 손해의 배상에 있어서 가장 큰 걸림돌이 되는 것은 **행정지도와 손해 사이의 인과관계**의 문제이다.

① 학설의 태도

   ⑦ 원칙 – 인과관계 부정

      ⓐ 행정지도는 상대방의 임의적 협력을 전제로 하므로 이론상 그에 따를지에 관해 상대방의 완전한 자유가 인정된다.

      ⓑ 그러므로 상대방은 그의 자유로운 의사에 따라 불이익을 감수하면서도 행정지도를 받아들인 것이 되어 행정청의 직무행위와 손해 사이에 인과관계를 인정하기는 어렵다고

기출 체크

□□□□□ **01** 행정지도가 강제성을 띠지 않은 비권력적 작용으로서 행정지도의 한계를 일탈하지 않았다면, 그로 인하여 상대방에게 어떤 손해가 발생하였다 하더라도 행정기관은 그에 대한 손해배상책임이 없다. (○, ×) ★★★
2024 지방직 · 서울시 9급

□□□□□ **02** 행정지도의 한계 일탈로 인해 상대방에게 손해가 발생한 경우 행정기관은 손해배상책임이 없다. (○, ×) ★★★
2018 교육행정직 9급

□□□□□ **03** 행정기관의 위법한 행정지도로 일정기간 어업권을 행사하지 못하는 손해를 입은 자가 그 어업권을 타인에게 매도하여 매매대금 상당의 이득을 얻은 경우, 손해배상액의 산정에서 그 이득을 손익상계할 수 있다. (○, ×) ★★★
2017 지방직(하) 9급

□□□□□ **04** 단순한 행정지도의 한계를 넘어 규제적 · 구속적 성격을 상당히 강하게 갖는 경우에는 헌법소원의 대상이 되는 공권력의 행사라고 볼 수 있다. (○, ×) ★★★
2023 국회직 8급

□□□□□ **05** 행정작용의 법적 성격이 행정지도의 일종이지만, 그에 따르지 않을 경우 일정한 불이익조치를 예정하고 있어 사실상 상대방에게 그에 따를 의무를 부과하는 것과 다를 바 없는 경우라면 헌법소원의 대상이 되는 공권력의 행사라고 볼 수 있다. (○, ×) ★★★ 2024 국회직 8급

□□□□□ **06** 교육인적자원부장관(현 교육부장관)의 (구)공립대학 총장들에 대한 학칙시정요구는 고등교육법에 따른 것으로, 그 법적 성격은 대학총장의 임의적인 협력을 통하여 사실상의 효과를 발생시키는 행정지도의 일종으로 헌법소원의 대상이 되는 공권력의 행사로 볼 수 없다. (○, ×) ★★★ 2021 소방직 9급

□□□□□ **07** 노동부장관이 공공기관 단체협약내용을 분석하여 불합리한 요소를 개선하라고 요구한 행위는 행정지도로서의 한계를 넘어 규제적 · 구속적 성격을 강하게 갖는다고 할 수 없어 헌법소원의 대상이 되는 공권력의 행사에 해당한다고 볼 수 있다. (○, ×) 2017 지방직(하) 9급

판례 | ❶ 문화공보부(현 문화체육관광부) 및 경찰 등 관계기관 소속 공무원들이 특정 서적에 관하여 출판업자나 시중서점에 대하여 한 판매금지종용행위는 비록 법적인 구속력이 있는 것은 아니나, 사실상의 강제력으로 인해 출판업자의 권리행사에 영향을 미치는 것으로서 위법한 행위이다(손해배상책임을 긍정한 판례)(서울고판 1990. 4. 6, 89나43571).

정답 01 ○ 02 × 03 × 04 ○ 05 ○
06 × 07 ○

할 수 있다.

ⓛ **예외 – 인과관계 긍정**

ⓐ 그러나 구체적인 사정하에서는 행정지도의 사실상의 강제성 때문에 상대방이 행정지도를 따를 수밖에 없는 경우도 있다.

ⓑ 이러한 경우에는 인과관계가 인정되어 손해배상청구권이 인정될 수도 있다.

② **판 례**

도시계획사업과 관련하여 서울특별시 공무원이 행정지도를 한 사안에서 손해배상책임을 인정한 바 있으며, 비록 하급심 판결이기는 하나 행정청이 법령의 근거 없이 책의 판매금지를 종용한 사건에서 인과관계를 긍정하여 피해자의 손해배상청구를 인정한 경우가 있다.❶

관련판례

한계를 일탈한 위법한 행정지도로 인하여 상대방이 손해를 입은 경우 행정기관에게 손해를 배상할 책임이 있으나, 한계를 일탈하지 않은 행정지도로 인하여 상대방에게 손해가 발생한 경우라면 행정기관은 손해배상책임을 지지 않는다.01 02 ★★★

행정기관의 위법한 행정지도로 일정기간 어업권을 행사하지 못하는 손해를 입은 자가 그 어업권을 타인에게 매도하여 매매대금 상당의 이득을 얻었더라도 그 이득은 손해배상책임의 원인이 되는 행위인 위법한 행정지도와 상당인과관계에 있다고 볼 수 없고, 행정기관이 배상하여야 할 손해는 위법한 행정지도로 피해자가 일정기간 어업권을 행사하지 못한 데 대한 것임에 반해 피해자가 얻은 이득은 어업권 자체의 매각대금이므로 위 이득이 위 손해의 범위에 대응하는 것이라고 볼 수도 없어, 피해자가 얻은 매매대금 상당의 이득을 행정기관이 배상하여야 할 손해액에서 공제할 수 없다(대판 2008. 9. 25, 2006다18228).03

3. 헌법소원청구

헌법재판소는 행정지도가 그에 따르지 않을 경우 일정한 불이익조치를 예정하고 있어 사실상 상대방에게 의무를 부과하는 것과 같은 경우에는 행정지도의 한계를 넘어 규제적 · 구속적 성격을 강하게 갖는 것으로 헌법소원의 대상이 된다고 판시한 바 있다.

관련판례

1-1. 교육인적자원부장관(현 교육부장관)의 국 · 공립대학총장들에 대한 학칙시정요구는 헌법소원의 대상이 되는 공권력행사에 해당한다.★★★

1-2. 행정지도가 단순한 행정지도의 한계를 넘어 규제적 · 구속적 성격을 상당히 강하게 갖는 것이라면 헌법소원의 대상이 되는 공권력의 행사라고 볼 수 있다.04 ★★★

교육인적자원부장관의 대학총장들에 대한 이 사건 학칙시정요구는 고등교육법 제6조 제2항, 동법 시행령 제4조 제3항에 따른 것으로서 그 법적 성격은 대학총장의 임의적인 협력을 통하여 사실상의 효과를 발생시키는 행정지도의 일종이지만, 그에 따르지 않을 경우 일정한 불이익조치를 예정하고 있어 사실상 상대방에게 그에 따를 의무를 부과하는 것과 다를 바 없으므로 단순한 행정지도의 한계를 넘어 규제적 · 구속적 성격을 상당히 강하게 갖는 것으로서 헌법소원의 대상이 되는 공권력의 행사라고 볼 수 있다(헌재 2003. 6. 26, 2002헌마337 · 2003헌마7 · 8 병합).05 06

2. 재무부장관(현 기획재정부장관)이 제일은행장에 대해 행한 국제그룹의 해체준비착수지시와 언론발표지시는 단순한 행정지도의 한계를 넘어선 것으로 헌법소원의 대상이 되는 공권력행사에 해당한다(헌재 1993. 7. 29, 89헌마31).

3. 노동부장관(현 고용노동부장관)이 2009. 4. 노동부 산하 7개 공공기관의 단체협약내용을 분석하여 2009. 5. 1.경 불합리한 요소를 개선하라고 요구한 행위(이하 '이 사건 개선요구'라 한다)가 공권력행사에 해당하지 않는다.07

이 사건 개선요구는 그 자체로 일정한 법적 효과의 발생을 목적으로 하는 것은 아니고, 노동부가 그 소

관 사무의 범위 안에서 이 사건 선진화 계획을 실현하기 위하여 관련 공공기관에게 단체협약에 대하여 개선을 요구하여, 각 해당 공공기관의 장의 임의적 협력을 통하여 사실상의 효과를 발생시키고자 하는 것이므로, 그 법적 성질은 행정지도에 해당한다고 할 것이다.

다만, 단체협약의 분석기준 등을 공공기관 경영실적 평가 및 기관장 평가기준으로 활용한다고 기재한 부분이 있으나, 그와 같이 평가기준으로 활용한다는 것만으로 이 사건 개선요구를 따르지 않을 경우의 불이익을 명시적으로 예정하고 있다고는 보기 어렵고, 달리 단체교섭에 직접 개입하거나 이를 강제하는 내용은 없으며, 그 개선요구의 시행문에서도 '법과 원칙의 테두리 내에서' 개선하라는 일반적 · 추상적 표현을 하고 있을 뿐이다. 그렇다면, 이 사건 개선요구가 행정지도로서의 한계를 넘어 규제적 · 구속적 성격을 강하게 갖는다고 보기 어려우므로, 헌법소원의 대상이 되는 공권력의 행사에 해당한다고 볼 수 없다(헌재 2011. 12. 29, 2009헌마330 등).

4. 금융위원회위원장이 시중은행을 상대로 투기지역 · 투기과열지구 내 초고가아파트(시가 15억원 초과)에 대한 주택구입용 주택담보대출을 금지한 조치(행정지도)는 규제적 · 구속적 성격을 갖는 행정지도로서 헌법소원의 대상이 되는 공권력행사에 해당된다.

금융위원회위원장이 2019. 12. 16. 시중은행을 상대로 투기지역 · 투기과열지구 내 초고가아파트(시가 15억원 초과)에 대한 주택구입용 주택담보대출을 2019. 12. 17.부터 금지한 조치(행정지도)는 비록 행정지도의 형식으로 이루어졌으나, 일정한 경우 주택담보대출을 금지하는 것을 내용으로 하므로 규제적 성격이 강하고, 부동산 가격폭등을 억제할 정책적 필요성에 따라 추진되었으며, 그 준수 여부를 확인하기 위한 현장점검반 운영이 예정되어 있었으므로 규제적 · 구속적 성격을 갖는 행정지도로서 헌법소원의 대상이 되는 공권력행사에 해당된다(헌재 2023. 3. 23, 2019헌마399).

4. 관련문제 – 행정지도와 위법성조각 여부

(1) 행정지도에 따라 국민이 행위를 하였는데 행정지도 자체가 위법하고 행정지도에 따른 행위도 결과적으로 위법하여 범죄행위에 해당하는 경우 형사처벌이 가능한지의 문제이다.

(2) 그런데 행정지도는 상대방의 임의적 협력을 기대하는 행위로서 행정지도에 따른 행위는 상대방의 자발적인 행위로 볼 수 있다. 따라서 이러한 경우에도 위법성이 조각(위법성이 없어진다는 의미)되지 않으므로 형사처벌의 대상이 된다.01

┌ 관련판례

토지거래계약신고에 관한 행정관청의 위법한 관행에 따라 토지의 매매가격을 허위로 신고한 행위라 하더라도 위법성이 조각되지 않아 형사처벌의 대상이 된다. ★★★

행정관청이 토지거래계약신고에 관하여 공시된 기준지가를 기준으로 매매가격을 신고하도록 행정지도하여 왔고 그 기준가격 이상으로 매매가격을 신고한 경우에는 거래신고서를 접수하지 않고 반려하는 것이 관행화되어 있다 하더라도 이는 법에 어긋나는 관행이라 할 것이므로 그와 같은 위법한 관행에 따라 허위신고행위에 이르렀다고 하여 그 범법행위가 사회상규에 위배되지 않는 정당한 행위라고는 볼 수 없다(대판 1992. 4. 24, 91도1609).

ⓐ 컴퓨터를 통한 학교배정은 자동화되어 있지만 그 결정의 통지는 일반적인 통지방법에 의한다. 그러나 통지도 자동으로 행하여지는 경우도 있다. 신호등에 의한 교통신호는 의사결정뿐만 아니라 표시행위까지 자동으로 행해진다.

01 | 행정의 자동결정(자동적으로 결정되는 행정행위)

❶ 의 의

행정의 자동결정이란 일반적으로 행정과정에서 컴퓨터 등 전자처리정보를 투입하여 행정업무를 자동화하여 수행하는 것을 말한다. 이의 예로는 컴퓨터를 통한 학교배정, 신호등에 의한 교통신호를 들수 있다.01ⓐ

❷ 법적 성질

1. 자동결정의 법적 성질

행정자동결정의 법적 성질에 대해서는 다양한 견해가 있으나, 행정자동결정 역시 행정기관이 작성한 프로그램에 의해 이루어진다는 점을 고려한다면 보통의 행정행위와 차이점은 크지 않으므로 행정자동결정은 행정행위라는 것이 통설적 견해이다. 따라서 원칙적으로 외부에 표시되고 상대방에게 도달함으로써 효력이 발생한다.

2. 프로그램의 법적 성질

이 경우 자동결정의 기준이 되는 전산프로그램은 명령(행정규칙)의 성격을 갖는다고 봄이 일반적이다.

❸ 행정의 자동결정의 대상

자동적으로 결정되는 행정행위는 기속행위와 친하다. 재량행위의 경우에도 정형화 내지 구체화가 용이한 경우에는 역시 자동적으로 결정되는 행정행위가 가능할 것이다.

❹ 자동결정의 특수성

행정자동결정은 행정행위라 할지라도 일반 행정행위와 다른 특성이 있다. 특히, 독일 연방행정절차법은 행정자동결정에 대해 다음과 같은 특례를 규정하고 있다. 다만, 이러한 특수한 법적 규율은 원칙적으로 명문의 규정이 있는 경우에 한하여 인정되며 해석상 인정될 수는 없다. 한편 우리 행정기본법과 행정절차법은 이러한 특례에 관한 **명문규정이 없다**.

① 행정청의 서명·날인을 생략할 수 있다.
② 자동결정의 내용은 문자가 아닌 특별한 부호가 사용되는 것도 허용된다.
③ 이유제시의 경우에도 예외가 인정된다. 즉, 자동장치를 사용하여 행정행위를 하는 경우에는 이유제시를 생략할 수 있다.
④ 관계인의 의견청취를 생략할 수 있다.

❺ 행정자동결정의 하자 및 권리구제

행정자동결정 역시 행정행위이므로 행정행위의 하자에 관한 내용이 적용된다. 즉, 행정의 자동결정도 행정의 법률적합성과 행정법의 일반원칙에 관한 한계를 준수하여야 한다. 또한, 위법한 행정자동결정에 대해서는 행정쟁송을 제기할 수 있고, 행정상 손해배상을 청구할 수도 있을 것이다. 손해배상청구와 관련하여서는 행정자동결정의 프로그램을 작성하는 관계공무원의 유책의 위법행위로 인한 경우에는 국가배상법 제2조에 의한 배상책임이 인정되고, 자동장치의 하자로 인해 타인이 손해를 입은 경우에는 국가배상법 제5조에 의한 배상책임이 발생한다고 볼 수 있다(후술).

02 | 자동적 처분(완전히 자동화된 시스템에 의한 처분)

❶ 의 의

행정청은 법률로 정하는 바에 따라 완전히 자동화된 시스템(인공지능기술을 적용한 시스템을 포함한다)01으로 처분을 할 수 있다. 다만, 처분에 재량이 있는 경우는 그러하지 아니하다(행정기본법 제20조).02 03 자동적 처분은 사람인 공무원의 인식 없이 완전히 자동화된 시스템으로 발급되는 처분이다. 이러한 자동적 처분 개념은 행정기본법에 최초로 도입되었다.

❷ 행정의 자동결정과 비교

행정의 자동결정은 처분의 내용이 자동적으로 결정될 뿐, 상대방 등에 대한 처분의 통지는 행정청(공무원)에 의해 이루어지는 처분을 말한다. 즉, 행정의 자동결정은 행위자인 공무원의 인식을 최종적으로 하여 발급되는 처분이다. 예컨대 스스로 능력을 가진 AI가 도로에서 교통경찰을 대신하여 운전자에게 직접 차량이동명령 등을 하게 되면, 그러한 행위는 행정의 자동결정이 아니라 완전히 자동화된 시스템에 의한 처분, 즉 자동적 처분에 해당한다. 한편 이러한 자동적 처분은 모든 행정작용이 아니라 처분만을 대상으로 하며,04 기속행위만을 대상으로 한다. 재량처분은 자동적 처분으로 발급될 수 없다.

03 | 사법형식의 행정작용

❶ 의 의

1. 행정사법작용 + 협의의 국고작용

공법과 사법의 이원적 법체계를 가지고 있는 대륙법계 국가에서는 행정이 공법형식으로 법률관계를 맺을 수도 있고 사법형식으로 법률관계를 맺을 수도 있음이 인정되고 있다. 이 경우 국가의 사법적 작용을 광의의 국고작용이라고 하는데, 이는 행정사법(行政私法) 작용과 협의의 국고작용으로 구분함이 일반적이다.ⓐ

기출 체크

□□□□□ **01** 행정기본법상 자동적 처분을 할 수 있는 '완전히 자동화된 시스템'에는 '인공지능 기술을 적용한 시스템'이 포함되지 않는다. (○, ×)
2023 지방직 · 서울시 9급

□□□□□ **02** 행정기본법은 재량행위에 대해서 자동적 처분을 허용하지 않고 있다. (○, ×) 2023 지방직 · 서울시 9급

□□□□□ **03** 행정청은 법률로 정하는 바에 따라 처분에 재량이 있는 경우에도 완전히 자동화된 시스템으로 처분을 할 수 있다. (○, ×) 2022 소방직 9급

□□□□□ **04** 행정기본법상 자동적 처분은 항고소송의 대상이 된다. (○, ×)
2023 지방직 · 서울시 9급

ⓐ **국고 개념**
1. 넓은 의미의 국고 개념
   국가가 공법적 형태로 활동하는 경우 외에 사법적 형태로 활동하는 경우를 총칭하는 개념이다. 초기 독일에서 국가작용 중 일정한 작용에라도 국가배상책임을 긍정하기 위해 만든 개념이다.
2. 좁은 의미의 국고 개념
   국가가 행정사법작용의 주체로서 활동하는 경우를 제외하고 재산관리자로서 활동하는 경우만을 의미하는 개념으로 국가는 개인과 근본적으로 차이가 없게 된다.

정답 01 × 02 ○ 03 × 04 ○

2. 필요성

이러한 국고작용은 업무의 성격상 공법형식으로 하는 것이 부적당하거나, 공법형식을 취하는 것보다 사법형식을 취하는 것이 업무의 효율성·능률성을 가져오는 경우에 인정된다고 할 수 있다.

❷ 행정사법

1. 의 의

행정사법이란 행정기관이 사법형식에 의하여 직접적으로 공행정임무를 수행하는 것으로 일정한 공법적 규율을 받는 것을 말한다. 이는 형식이 **사법(私法)**형식일 뿐 직접적으로 공행정목적을 추구한다는 점에서 협의(狹義)의 국고행정과는 구별된다.

2. 적용영역

행정사법은 행정기관에 당해 행정임무의 수행형식에 대한 선택가능성이 인정되는 경우에 적용되며, 주로 생존배려적인 급부행정과 자금지원을 통한 경제유도행정에서 많이 나타난다.01 따라서 조세, 경찰 등 공익성과 권력적 성격이 강하여 사법형식의 선택가능성이 없는 영역에서는 행정사법에 의한 작용이 인정될 수 없다.02

3. 특 성

(1) 공법적 구속

① 구속의 필요성

행정사법은 국민의 일상생활에 절대적으로 필요한 것을 공급하는 활동과 관계되므로 사적 자치가 전면적으로 적용되는 것이 아니라 공법적 구속을 받는다는 점이 본질적 속성이다. 이는 '행정이 공법적 구속을 피하기 위해 사적 자치원칙이 적용되는 사법으로 도피'하는 것을 막는 기능도 한다.03

② 구체적 내용

행정사법은 개별적인 법률이 있으면 그에 구속되는 것 외에 자유권, 평등권, 비례의 원칙 등 행정법상 일반원칙의 구속을 받는다.04 또한, 행정절차법상의 규정이 유추적용될 수도 있다. 그 밖에 계약이 강제되거나 해제가 제한되기도 하며, 행정기관은 경영을 계속할 의무가 주어지기도 한다.

(2) 공행정작용의 직접적 수행

행정사법은 사법형식에 의할지라도 협의의 국고작용과는 달리 직접적으로 공적 목적을 수행한다. 즉, 행정청이 생존배려적 활동 등 공행정작용을 사법형식으로 수행한다는 특성을 갖는다.

4. 행정사법과 권리구제

(1) 학 설

행정사법이 공법적 규율을 받더라도 그 본질은 사법작용이므로,05 행정사법에 관한 법적 분쟁은 특별한 규정이 없는 한, 민사소송을 통해 권리구제를 도모해야 한다는 것이 통설적 견해이다.

(2) 판 례

판례도 전화가입계약의 해지와 관련된 사건에서 사법상 계약에 불과하므로 민사소송을 제기하여야 한다고 판시한 바 있다(p.92 참조).

❸ 협의의 국고작용

1. 의의

이는 행정주체가 재산권의 주체로서 일반사인과 같은 지위에서 사법상 행위를 하는 작용을 말한다. 이는 직접적으로 공행정작용을 수행하는 것이 아니고, 단지 이를 보조할 뿐이라는 점에서 행정사법과는 구별된다.

2. 구분

협의의 국고작용은 **물품구매계약**이나 청사 · 교량 건설 등의 건축도급계약 등의 **조달행정**(공적 임무수행에 필요한 인적 · 물적 수단을 확보하기 위한 행정작용)과 우체국 예금이나 각종 공기업(⑩ 한국전력공사) 등을 통한 **영리활동**(수익의 확보를 위한 활동)으로 구분할 수 있다.

> **┏ 관련판례 ┓**
>
> 1. 지방재정법에 의하여 준용되는 국가계약법에 따라 ⓐ <u>지방자치단체가 당사자가 되는 이른바 공공계약은 사경제의 주체로서 상대방과 대등한 위치에서 체결하는 사법상의 계약으로서 그 본질적인 내용은 사인 간의 계약과 다를 바가 없으므로, 그에 관한 법령에 특별한 정함이 있는 경우를 제외하고는 사적 자치와 계약자유의 원칙 등 사법의 원리가 그대로 적용된다 할 것이다</u>(대결 2006. 6. 19, 2006마117).**01 02** ★★
>
> 2. 국가계약의 본질적인 내용은 사인 간의 계약과 다를 바가 없어 법령에 특별한 규정이 있는 경우를 제외하고는 사법의 규정 내지 법원리가 그대로 적용된다(대판 2016. 6. 10, 2014다200763 · 200770).**03** ★★

3. 특색 및 권리구제

협의의 국고작용은 사법의 규율을 받는다. 다만, 이 경우에도 조달작용의 경우 합리적 이유 없이 특정의 납품업자를 배제해서는 안 되는 등 기본권, 특히 평등권에 구속되어야 한다는 견해가 유력하다. 협의의 국고작용은 특별한 법률규정이 없는 한, **민사소송**을 통해 해결하여야 한다.

❹ 국가를 당사자로 하는 계약에 관한 법률

사법(私法)형식으로 행정상 활동을 하는 경우 민법규정 외에 「국가를 당사자로 하는 계약에 관한 법률」(국가계약법)이 적용되기도 한다. 동법에는 신의성실의 원칙 등을 규정하고 있으며, 계약방법으로는 일반경쟁을 원칙적인 방법으로 규정하고 있다. ⓑ

> **「국가를 당사자로 하는 계약에 관한 법률」 제5조【계약의 원칙】** ① 계약은 서로 대등한 입장에서 당사자의 합의에 따라 체결되어야 하며, 당사자는 계약의 내용을 <u>신의성실의 원칙에 따라 이행하여야 한다</u>.**04**
> ② 각 중앙관서의 장 또는 계약담당공무원은 제4조 제1항의 규정에 의한 국제입찰의 경우에는 호혜의 원칙에 따라 정부조달협정 가입국의 국민 및 이들 국가에서 생산되는 물품 또는 용역에 대하여 대한민국의 국민과 대한민국에서 생산되는 물품 또는 용역과 차별되는 특약이나 조건을 정하여서는 아니 된다.
>
> **제7조【계약의 방법】** ① 각 중앙관서의 장 또는 계약담당공무원은 계약을 체결하려면 <u>일반경쟁에 부쳐야 한다</u>. 다만, 계약의 목적, 성질, 규모 등을 고려하여 필요하다고 인정되면 대통령령이 정하는 바에 따라 참가자의 자격을 제한하거나 참가자를 지명하여 경쟁에 부치거나 수의계약을 할 수 있다.
> ② 제1항 본문에 따라 경쟁입찰에 부치는 경우 계약이행의 난이도, 이행실적, 기술능력, 재무상태, 사회적 신인도 및 계약이행의 성실도 등 계약수행능력평가에 필요한 사전심사기준, 사전심사절차, 그 밖에 대통령령으로 정하는 바에 따라 입찰 참가자격을 사전심사하고 적격자만을 입찰에 참가하게 할 수 있다.

ⓐ 2005년 8월 「지방자치단체를 당사자로 하는 계약에 관한 법률」(지방계약법) 제정에 따라, 지방자치단체가 당사자인 공공계약과 관련하여 종전에는 지방재정법에 의하여 국가계약법을 준용하였으나 현재는 지방계약법을 적용한다. 한편, 지방계약법은 지방자치단체가 당사자인 경우라면 그 계약의 성질이 사법상 계약인지 공법상 계약인지와 상관없이 적용된다(대판 2020. 12. 10, 2019다234617).

ⓑ 앞서 본 바와 같이 「국가를 당사자로 하는 계약에 관한 법률」은 국가가 당사자인 경우라면 공법상 계약이든 사법상 계약이든 모두 적용된다.

[유튜브] 19강 필수 개념 TEST
- QR코드를 스캔해 주세요.
- 필수 개념과 출제 포인트를 풀어 보세요.
- 틀린 문제는 기본서로 확인해 주세요.

INDEX

ㄱ

가처분 867
가행정행위 383
각급 행정심판위원회 716
각하재결 734
간접손실 673
감사규칙 175
감액경정처분 825
감 치 578
강제징수 535
개발이익 배제 647
개별공시지가 356
개별적 계획제한 663
개인별 보상 678
개인적 공권 104
객관적 병합 775
객관적 소송 752
거부처분 819
거부행위 217
거 소 142
건축신고 반려행위 162
건축허가 246
검사임용거부처분취소소송 117
결과제거청구권 694
결정재량 228
경계이론 655
경업자 110
경업자소송 784
경영관계 126
경원자 110
경원자소송 785, 786
경정처분 825
계 고 520
계획변경청구권 396
계획보장청구권 395
계획재량 393
고시 또는 공고 307
고 시 196
고지제도 743
공 개 466
공개결정에 대한 제3자의
　불복절차 487
공개주의 873
공공기관 466
공공단체 98
공급거부 507

공동불법행위자의 구상권 633
공동소송인 808
공 매 537
공매통지 538
공무수탁사인 100
공무원의 외부적 책임 610
공 물 618
공물의 일반사용 112
공법관계 88, 89
공법상 합동행위 407
공 보 307
공용폐지 141
공의무 113
공정력 313
공 증 274
공청회 455
공 포 47
공포일 48
과실의 입증책임 595
과징금 496
과태료 572
관련청구의 병합 774
관련청구의 이송 774
관리관계 96
관 보 307
관습헌법 45
관허사업의 제한 81, 508
광역지방자치단체 99
구상권 611
구성요건적 효력 320
구속적 가치평가 239
구술심리주의 873
구체적 규범통제 185
국가배상법 제5조 618
국가적 공권 104
국가행정 25
국고관계 96
국민투표에 관한 소송 766
국유재산법 525
국회전속적 입법사항의 위임금지 179
권력관계 95
권력적 사실행위 408
권한쟁의심판 767
귀책사유 66
규범해석(법령해석)규칙 196
규제적 행정지도 411

근무규칙 196
금융실명제 21
금지청구소송 751
기각재결 734
기관소송 766
기관위임사무 566, 609, 610, 628
기능적 하자 622
기본관계 126
기본적 사실관계의 동일성 881
기속재량 228
기속행위 227
기속행위와 부관 290
기준액설 608
기초지방자치단체 99
기판력 896
기 한 284
긴급명령 176

ㄴ

내부위임 804
내부적 책임 611

ㄷ

다른 행정청의 소송참가 810
단수처분 409, 507
단체소송 790
당사자능력 777
당선소송 766
당연승계 711
대 리 271
대물적 강제 544
대물적 보상 664
대물적 행정행위 219
대인적 강제 543
대인적 보상 664
대인적 행정행위 219
대인적 효력 53
대집행 514
대집행의 실행 522
대체적 작위의무 517
대토보상 677
대통령령 173
도달주의 150, 304
도시계획제한 656
도시기본계획 390
독립기관 등 소속 행정심판위원회 714
독임제 행정청 98
등기우편 305

ㅁ

매 각 537
매수보상 677
명단공표 503
명 령 41
명령적 행위 242
명백성 보충요건설 332
목적·수단프로그램 393
무과실책임 618
무하자재량행사청구권 116
무효등확인소송 912
무효등확인심판 708
무효선언적 의미의 취소소송 918
무효와 취소의 구별기준 331
무효인 행정행위 329
묵시적 거부 217
물적 하자 622
민사법원과 공정력 314
민주국가의 원리 28
민중소송 765
민중적 관습법 44

ㅂ

반복금지의무 901
반복된 거부 823
반사적 이익 105
배상심의회 638
배상책임자 609
배상청구권의 양도금지 635
법 규 30
법규명령 172
법규명령의 소멸 184
법규명령의 하자 183
법규명령형식의 행정규칙 197
법규하명 243
법령보충규칙 175, 200, 206
법령해석규칙 206
법 률 30
법률대위명령 172
법률문제 872
법률상 이익구제설(법률상 보호된
　이익구제설) 779
법률요건분류설 875
법률우위의 원칙 31
법률의 법규창조력 30
법률종속명령 172
법률효과의 일부배제 289
법적 안정성설 60
법적 행위 216

법정부관	282
법치국가의 원리	29, 32
변론관할	772
변론주의	870, 873
변형된 과징금	497
보상금증감소송	683
보충성의 원칙	25
보충적 효력설	44
보통관할	772
보통우편	305
복수운전면허의 철회	81
복합민원	227
본래적 과징금	497
본안심리	871
본안판결	889
부 관	282
부관의 가능성	290
부관의 독립쟁송가능성	296
부관의 부종성	283
부관의 사후변경	294
부관의 하자와 주된 행정행위의 효력	295
부당결부금지의 원칙	80
부당이득	144
부당이득반환청구소송	315
부 령	174
부분공개	482
부분허가	386
부작위법확인소송	920
부작위의 위법성	599
부진정소급입법	50
부진정소급적용	49
부진정일부취소소송	297
부합계약	405
분리이론	655
불가변력	274
불가분조항	653
불가쟁력	321, 322
불가항력	625
불고불리	730
불고불리의 원칙	871
불고지	726
불고지의 효과	745
불변기간	850
불요식행위	220
불융통성	113
불이익변경금지의 원칙	730
불침투이론	124
불확정기한	285
비공개결정에 대한 청구인의 불복절차	484

비구속적 계획	389
비권력적 사실행위	408, 409
비대체적 결정	239
비용부담자	609
비용의 징수	523

ㅅ

사단법인	99
사 면	256
사물관할	771
사법관계	91
사실문제	872
사실행위	31
사업손실보상	673
사업시행이익과의 상계금지	679
사익보호성	106
사정변경	370
사정재결	734
사정판결	890
사회국가의 원리	28
사회적 기본권	107
상 고	908
상당성의 원칙	58
상당한 인과관계	605
상대적 금지의 해제	244
상린관계	649
상임위원	717
생활대책	672
생활보상	664
서신을 교도소장이 검열	409
선례구속성의 원칙	45
선례필요설	79
선승인후협의제	254
선원주의	230
선정대표자	710
선택재량	228
선택적 청구권	610
설치나 관리의 하자	620
소극적 행정행위	220
소급입법금지의 원칙	50
소급적용금지의 원칙	48
소득세원천징수의무자	100
소멸시효	137
소멸시효의 중단ㆍ정지	139
소송대리인	811
소송물	770
소송판결	889
소의 이익	793
소의 종류의 변경	857

소의 취하	907
속인주의	53
속지주의	53
손실보상청구권	650
수리를 요하는 신고	153
수리를 요하지 않는 신고	152
수용유사침해	689
수용적 침해	691
수정(적극적 변경)재결	842
수정부담	290
수정인가	269
신고필증	157
신청권	820
신청시와 처분시의 법령이 다른 경우	258
실권의 법리	70
실질적 법치국가	29
실질적 의미의 사법	17
실질적 의미의 입법	16
실질적 의미의 행정	16
실 효	375
심급관할	771
심판청구의 변경	726
심판청구의 취하	727

ㅇ

압 류	536
영업손실	666, 667
영장주의	545, 546
영조물	618
영조물법인	99
영조물의 설치ㆍ관리상의 하자로 인한 손해배상	618
예 규	.196
예방적 금지소송	751
예방적 금지의 해제	244
예방적 부작위소송	751
예비결정	384
예비적 병합	775
예산부족	626
예외적 전치제도	856
예외적 허가	261
예정공물	141
예측적 결정	238
오고지	726
오고지의 효과	745
오형량	394
온라인공청회	456
완전보상설	646

요건심리	870
요건재량설	223
울레(Ule)의 수정설	125
원처분주의	840
위법한 행정조사	556
위임명령	172
위헌결정과 소급효	341
위헌인 법률에 근거한 행정행위	340
유추적용설	652
유치송달	306
의견제출	457
의결기관	98
의무이행소송	751
의무이행심판	708
의무이행재결	735
의사능력	149
의사력	106
의회유보설	34
이유제시	440
이의신청	702
이익의 공제	608
이주대책	669
이주정착금	671
이행강제금	526
인ㆍ허가 의제제도	249
인ㆍ허가의제 효과를 수반하는 건축신고	154
인 가	266
인근주민소송	111
인신보호법	547
인용재결	735
일괄보상	679
일반재산	94
일반적 계획제한	663
일반적으로 승인된 국제법규	42
일반처분	215
일반행정심판위원회	714
일방적 행정행위	220
일부인용(일부취소)판결	892
일부인용(취소)재결	842
일일명령	196
임금손실	667
임시처분	728
임의관할	772
입법예고	433
입법자에 대한 직접효력설	652
입증책임	875
입증책임분배의 기준	875
입찰참가자격제한조치	817

ㅈ

자기구속의 원칙	78
자기완결적 공법행위의 신고	152
자동차손해배상책임	613
자력집행력	325
자유재량	228
자이툰부대(일반사병) 이라크	
파병결정	22
자치법규	41
작용규범	32
작위의무확인소송	751
잔여지 등 수용	675
장기미집행 도시계획	399
장기미집행 도시계획시설결정	399
재 결	733
재결기간	733
재결주의	840, 843
재단법인	99
재량권의 영(0)으로의 수축이론	119
재량의 남용	232
재량의 불행사	232
재량의 일탈	232
재량준칙	196, 206
재량행위	227
재정적 사유	626
재조사결정	854
재판청구가능성	106
재항고	908
쟁송취소	361
쟁송취소와 직권취소	360
적극적 행정행위	220
적극적 형성판결	895
적합성의 원칙	57
전자정보처리조직을 통한 심판청구	747
전 환	349
절차상 하자	460
절차하자의 치유	460
접견권	107
정 보	466
정보공개절차	480
정보의 전자적 공개	483
정지조건	284
제3자의 소송참가	808
제3자효적 행정행위	221
제재력	325
제재사유의 승계 여부	115
제재사유의 승계	256
제척기간	140
조 리	46
조건프로그램	393

조성적 행정지도	411
조 약	42
조정적 행정지도	411
조직규범	32
조직규칙	195
존속보호	73
주거이전비	671, 672
주관적 병합	775
주관적 소송	752
주민소송	766, 786
주민투표에 관한 소송	766
주 소	142
주장책임	875
준법률행위적 행정행위	218
준법률행위적 행정행위와 부관	290
중대·명백설	331
중앙선거관리위원회규칙	174
중앙행정심판위원회	715
중요사항유보설	34
즉시강제	542
증액경정처분	826
지 시	196
지방자치단체	98
지역적 효력	52
직권심리	873
직접강제	533
직접처분	739
진정소급입법	50
진정소급적용	48
진정일부취소소송	297
집중효	392
집행명령	173
집행부정지	727, 859
징계벌	560

ㅊ

채권보상	677
처리기간의 설정·공표	444
처 분	815
처분권주의	870, 872
처분기준의 설정·공표	438
처분법규	187
처분변경으로 인한 소의 변경	858
처분사유의 추가·변경	879
처분의 방식	442
처분의 사전통지	445
처분의 이유제시	439
처분적 법률	77
처분적 조례	805

철 회	368
철회권의 유보	288
철회권의 제한	371
철회권자	369
철회의 효과	374
청구(신청)에 의한 고지	744
청구인용판결	892
청구인적격	710, 711
청 문	451
청 산	539
총리령	174
추상적 과실	594
추상적 규범통제	185
취득시효	140
취 소	360
취소권자	362
취소소송과 무효등확인소송의 관계	918
취소심판	707
취소의 사유	362
취소의 효과	366
치 유	344

ㅌ

토지·건물의 명도의무	518
토지관할	772
토지나 건물의 인도 또는 이전의무	518
토지수용위원회의 재결	680
통고처분	568, 569
통 지	522
통치행위	18
특별관할	772
특별한 희생	649
특별행정심판위원회	715
특별희생설	642
특 허	263

ㅍ

판결의 효력	895
판단여지론	236, 237
판례법	45
평등의 원칙	75
포괄적 위임금지	177
포괄적 위임금지의 예외	178
포기성의 제한	113
표준공시지가	356
필요성의 원칙	57
필요적(예외적) 행정심판전치주의	855

ㅎ

하자 있는 법규명령에 따른	
행정행위	183
하자 있는 취소의 취소	368
하자 있는 행정행위의 전환	348
하자 있는 행정행위의 치유	344
하자의 승계	350
하자의 입증책임	627
하자의 치유	344
하천홍수위	624
학 칙	195
학칙시정요구	414
한시법	51
합동행위	407
합성행위	407
합의관할	772
합의제 행정청	98
항변사항	814
행위능력	149
행위요건적 공법행위의 신고	153
행정계획	388
행정규제기본법	175
행정규칙형식의 법규명령	200
행정기관	97
행정벌	560
행정보조인	100
행정사법	418
행정상 강제집행	512
행정상 강제집행이 가능한 경우	
민사상 강제집행의 허용성	512
행정선례법	44
행정소송의 한계	750
행정심판기록제출명령	874
행정심판청구서	722
행정심판청구의 제출절차	723
행정예고	434
행정의 자동결정	416
행정입법	170
행정입법부작위	189
행정입법예고	433
행정재산	94
행정절차법의 특색	425
행정조사	548
행정주체 간의 권리·의무의 승계	114
행정지도	410
행정질서벌	561, 572
행정청	97
행정청의 관할	430
행정행위의 내용상 제한	283
행정행위의 부존재	329

행정행위의 철회 368
행정형벌 561
허가 자체의 존속기간 260
허 가 244
허가승계 711
허가의 갱신 259
허가조건의 존속기간 260
헌법대위명령 172
현물보상 677
현장조사 553
협력을 요하는(쌍방적) 행정행위 220
협의의 국고작용 419
협의의 비례원칙 58
협의의 소익 793
형량명령 394
형량의 해태 394
형량의 흠결 394
형사법원과 공정력 317
형사책임과 국가배상책임 607
형성적 행위 262
형성적 · 정책적 결정 239
형식적 당사자소송 759
형식적 법치국가 29
형식적 의미의 행정 16
확 약 380
확약의 실효 382
확인의 소의 보충성 913
확인의 이익 913
확정기한 285
환경영향평가구역(영향권) 안의
 주민 788
환지계획 390
효과재량설 223
훈 령 196
희생보상청구권 692

판례 찾아보기

헌법재판소

1989. 9. 4, 88헌마22	108
1990. 6. 25, 89헌마107	649, 663
1990. 9. 3, 90헌마13	78
1990. 10. 15, 89헌마178	188
1991. 2. 11, 90헌가27	36, 178
1991. 5. 13, 89헌가97	142
1991. 5. 13, 90헌마133	464
1992. 6. 26, 91헌마25	210
1992. 10. 1, 92헌마68·76	410
1992. 12. 24, 92헌마78	424
1993. 5. 13, 92헌가10	341
1993. 7. 29, 89헌마31	414
1994. 2. 24, 92헌바43	75
1994. 4. 28, 91헌바14	562
1994. 6. 30, 92헌바23	343
1994. 6. 30, 92헌바38	578
1994. 12. 29, 93헌바21	635
1995. 4. 20, 92헌마264	179
1995. 4. 20, 93헌바20·94헌바4·95헌바6	647
1996. 2. 29, 93헌마186	19, 22
1996. 2. 29, 94헌마213	180
1996. 6. 13, 94헌마118·95헌바39 병합	632
1996. 6. 13, 94헌바20	631
1996. 10. 31, 94헌마204	190
1997. 3. 27, 95헌가17	56
1998. 4. 30, 97헌마141	108, 197
1998. 5. 28, 96헌바4	571
1998. 5. 28, 96헌바83	561
1998. 7. 16, 96헌마246	189, 190
1998. 8. 27, 96헌마398	129, 409
1998. 9. 30, 98헌마18	576
1998. 12. 24, 89헌마214, 90헌바16, 97헌바78 병합	656
1998. 12. 24, 89헌마214	657, 659
1999. 5. 27, 98헌마70	35
1999. 6. 24, 97헌마315	276
1999. 7. 22, 97헌바76	51
1999. 10. 21, 97헌바26	657
1999. 11. 25, 98헌마36	726
1999. 12. 23, 98헌마363	76
2000. 3. 30, 98헌가8	527
2000. 6. 1, 97헌바74	20
2000. 6. 1, 99헌가11·12 병합	59
2000. 6. 1, 99헌마538	398
2001. 2. 22, 99헌마613	78
2001. 2. 22, 2000헌바38	631
2001. 5. 31, 99헌마413	210
2001. 6. 28, 2000헌바77	844
2001. 10. 25, 2001헌마113	408
2002. 5. 30, 2000헌바58·2001헌바3 병합	396
2002. 5. 30, 2000헌바58	792
2002. 8. 29, 2000헌바50, 2002헌바56 병합	178
2002. 10. 31, 2000헌가12	545, 547
2002. 11. 28, 2002헌바45	68
2003. 4. 24, 99헌바110	653
2003. 6. 26, 2002헌가14	504
2003. 6. 26, 2002헌마337·2003헌가7·8 병합	414
2003. 6. 26, 2002헌마402	388
2003. 7. 24, 2001헌가25	497, 499
2003. 10. 30, 2002헌마275	568
2003. 12. 18, 2002헌바1	107
2003. 12. 18, 2002헌바14·32 병합	845
2004. 1. 29, 2001헌마894	210
2004. 1. 29, 2002헌바73	343
2004. 2. 26, 2001헌마718	190
2004. 2. 26, 2001헌바80·84·102·103, 2002헌바26 병합	526, 528
2004. 2. 26, 2001헌바80·84 병합	658
2004. 4. 29, 2003헌마814	19, 22
2004. 7. 15, 2001헌마646	77
2004. 10. 21, 2004헌마554·556 병합	22, 24
2004. 10. 28, 99헌바91	206
2004. 12. 16, 2002헌마579	469
2004. 12. 16, 2003헌마226·270·298·299 병합	310
2005. 2. 24, 2003헌마289	33
2005. 5. 26, 2001헌마728	408
2005. 9. 29, 2002헌바84·89	399
2005. 9. 29, 2003헌마678·943 병합	399
2005. 11. 24, 2004헌가28	59
2006. 2. 23, 2004헌마19	668, 669
2006. 2. 23, 2004헌마675·981·1022 병합	76
2006. 2. 23, 2005헌가7·2005헌마1163 병합	845
2006. 3. 30, 2005헌바31	35, 179
2006. 4. 25, 2006헌마409	33
2006. 7. 27, 2004헌가13	500
2006. 7. 27, 2005헌마277	410
2006. 11. 30, 2005헌바855	92
2006. 12. 28, 2005헌바59	175
2007. 2. 22, 2003헌마428·600 병합	791
2007. 6. 28, 2004헌마262	101
2008. 2. 28, 2006헌바70	36
2008. 4. 24, 2007헌마1456	180
2009. 2. 26, 2005헌마764	29
2009. 5. 28, 2007헌마369	22
2009. 7. 30, 2007헌바110	658
2009. 9. 24, 2007헌바114	643
2009. 9. 24, 2008헌바23	597
2010. 2. 25, 2008헌마160	35
2010. 4. 29, 2007헌마910	33
2010. 9. 30, 2010헌가10	567
2010. 10. 28, 2008헌마638	128
2011. 7. 28, 2009헌마408	107
2011. 8. 30, 2009헌마128	36
2011. 10. 25, 2009헌바140	527, 528
2011. 12. 29, 2009헌마330	415
2012. 3. 29, 2010헌마443·2011헌마362	68
2012. 10. 25, 2011헌마429	410
2013. 7. 25, 2012헌바54	35
2013. 7. 25, 2012헌바71	672
2013. 9. 26, 2011헌바272	107
2013. 10. 24, 2011헌바355	659
2013. 12. 26, 2011헌바162	648
2014. 3. 27, 2011헌마291	398
2014. 3. 27, 2012헌바55	178
2014. 4. 24, 2010헌마747	60
2014. 7. 24, 2013헌바294	643
2014. 10. 30, 2011헌바172	643, 653
2015. 3. 26, 2013헌마214	831
2015. 6. 25, 2014헌바404	140
2015. 10. 21, 2012헌바367	657
2016. 10. 27, 2013헌마576	398
2017. 8. 31, 2015헌바388	222
2018. 5. 31, 2015헌마476	32
2018. 6. 28, 2012헌마191	551
2019. 11. 28, 2017헌가23	177
2020. 4. 23, 2019헌가25	567
2020. 6. 25, 2018헌바278	33
2021. 5. 18, 2021헌마468	410
2022. 1. 27, 2016헌마364	23, 659
2022. 2. 24, 2020헌가12	763
2023. 3. 23, 2019헌마1399	415
2023. 5. 25, 2021헌마21	835
2023. 6. 29, 2020헌마1669	659
2023. 6. 29, 2021헌마63	197

대법원(판결)

1953. 8. 19, 53누37	187
1957. 11. 4, 4290민상623	865
1959. 5. 14, 4290민상834	308
1961. 2. 21, 4293행상31	352
1961. 10. 26, 4292행상73	353

1961. 11. 23, 4294행상3	865	
1962. 1. 25, 61다9	174	
1963. 2. 7, 62누215	352	
1963. 6. 29, 62두9	863	
1963. 8. 31, 63누101	111, 247	
1963. 10. 22, 63누122	914	
1964. 5. 19, 63누177	895	
1964. 6. 9, 64누40	289	
1966. 10. 31, 66누25	277	
1967. 2. 21, 66다1723	626	
1967. 5. 2, 67누24	59	
1967. 6. 27, 67누44	818	
1967. 7. 4, 67다751	138	
1967. 9. 19, 67누71	162	
1967. 10. 23, 67누115	524	
1967. 10. 23, 67누126	368	
1968. 1. 31, 67다1987	593	
1968. 10. 22, 68다1317	696	
1969. 1. 21, 68누190	349	
1969. 4. 22, 68다2225	590	
1969. 11. 25, 69누129	48	
1969. 12. 30, 69누106	111	
1970. 3. 10, 69다1772	607, 608	
1970. 3. 24, 69도724	340	
1970. 3. 24, 70다135	614	
1970. 5. 26, 70다471	588	
1970. 10. 23, 70다1750	335	
1971. 6. 29, 69누91	785	
1971. 7. 27, 71다1290	593	
1971. 9. 14, 71누99	819	
1971. 10. 22, 71다1716	644	
1972. 3. 31, 72도64	564	
1972. 4. 28, 72다337	315	
1972. 10. 10, 69다701	584	
1972. 12. 26, 72누194	76	
1973. 7. 10, 70다1439	316	
1973. 10. 10, 72다2583	596	
1974. 1. 29, 73누202	796	
1974. 4. 9, 73누173	784	
1974. 12. 10, 73누129	324	
1975. 5. 13, 73누96 · 97	111, 780	
1975. 11. 11, 75누97	861, 867	
1975. 11. 25, 73다1896	589	
1975. 12. 9, 75누123	352	
1976. 1. 13, 75누175	916	
1976. 2. 10, 74누159 전합	914	
1976. 5. 11, 75누214	334	
1977. 2. 22, 76다2517	90	
1977. 5. 24, 76누295	275	
1977. 7. 12, 74누147	797	
1978. 4. 25, 78누42	265	
1978. 4. 25, 78다414	92	
1978. 5. 23, 78누72	800	
1979. 1. 30, 77다2389	632	
1979. 2. 13, 78누428 전합	270	
1979. 4. 10, 79다262	315	
1979. 7. 24, 79누173	839	
1979. 10. 30, 79누190	219	
1979. 12. 7, 79초70	21	
1979. 12. 26, 79누248	267	
1979. 12. 28, 79누218	409, 507	
1980. 3. 11, 79다1687	603	
1980. 6. 10, 80누6 전합	62	
1980. 7. 22, 80누33 · 34	785	
1980. 9. 24, 80다1051	588	
1980. 10. 27, 80누395	412	
1980. 12. 23, 79누382	334	
1981. 2. 10, 80누317	638	
1981. 7. 7, 80다2478	619	
1981. 7. 14, 80누536 전합	799	
1981. 7. 14, 80누593	375	
1982. 3. 9, 80누105	389	
1982. 6. 8, 80도2646	318	
1982. 7. 13, 81누360	537	
1982. 7. 27, 80누86	129	
1982. 7. 27, 81누174	259	
1982. 7. 27, 81누271	784	
1982. 7. 27, 82다173	899	
1982. 9. 28, 82누2	894	
1982. 10. 26, 82누411	276	
1982. 12. 28, 80다731 · 732	291	
1982. 12. 28, 82누441	92	
1983. 2. 8, 81누35	836	
1983. 2. 8, 81누263	278	
1983. 4. 26, 81누423	49	
1983. 6. 14, 80다3231	43, 45	
1983. 6. 14, 83누54	208	
1983. 7. 12, 83누59	111	
1983. 7. 12, 83누127	817	
1983. 7. 26, 82누420	348, 442	
1983. 8. 23, 83누179	334	
1983. 10. 25, 83누396	883	
1983. 12. 27, 81누366	92, 832	
1983. 12. 27, 82누491	270	
1984. 1. 31, 83누451	228	
1984. 2. 28, 81누275 전합	333	
1984. 2. 28, 82누154	916	
1984. 4. 10, 83누393	348	
1984. 4. 10, 84누91	843	
1984. 5. 9, 84누116	460	
1984. 5. 29, 84누175	918	
1984. 7. 24, 84누124	876	
1984. 7. 24, 84다카597	597	
1984. 9. 11, 84누191	353	
1984. 9. 25, 84누201	537	
1984. 10. 10, 84누463	362	
1984. 12. 26, 81누266	61	
1985. 2. 8, 83누625	286	
1985. 2. 8, 84누369	225, 247	
1985. 2. 28, 85초13	35	
1985. 4. 9, 84누431	347, 441	
1985. 4. 23, 84도2953	157	
1985. 6. 25, 85누39	797	
1985. 7. 9, 83누412	375	
1985. 7. 9, 84누604	295	
1985. 7. 23, 84누419	332	
1985. 8. 20, 84누509	267	
1985. 9. 10, 85다카571	131	
1985. 10. 22, 83도2933	319	
1985. 11. 12, 85누549	62	
1985. 11. 26, 85누382	247	
1985. 12. 10, 85누186	392	
1986. 1. 28, 85도2489	318	
1986. 2. 25, 85누712	265	
1986. 5. 27, 86누127	737	
1986. 6. 24, 86누171	92	
1986. 7. 22, 85누297	856	
1986. 7. 22, 86누203	257	
1986. 8. 19, 83다카2022	899	
1986. 8. 19, 86누202	296	
1986. 10. 28, 86누147	352	
1986. 11. 11, 85누231	738, 902	
1986. 11. 11, 86누479	536	
1986. 12. 9, 86누276	373	
1987. 2. 10, 86다카285	220	
1987. 2. 24, 86누571	44	
1987. 3. 24, 86누182	751	
1987. 3. 24, 86누656	187	
1987. 4. 14, 86누459	70, 360	
1987. 4. 28, 86누29	855	
1987. 6. 9, 86다카2756	896, 898	
1987. 6. 9, 87누219	854	
1987. 7. 7, 85다카1383	696	
1987. 7. 21, 84누126	131	
1987. 7. 21, 85누694	882	
1987. 8. 18, 86누152	268, 270	
1987. 9. 8, 87누373	71	
1987. 9. 22, 85누985	111	
1987. 9. 22, 87누383	351, 539	
1987. 9. 22, 87다카1164	594	
1987. 9. 29, 86누484	201	
1987. 10. 26, 87누493	878	
1987. 11. 10, 86누491	872	

1987. 11. 24, 87누529	745	
1987. 12. 8, 87누657 · 87누658	840	
1987. 12. 8, 87누884	93, 877	
1988. 2. 23, 87누1046 · 1047	89	
1988. 3. 8, 87누133	914	
1988. 3. 22, 87누986	347	
1988. 3. 22, 87누1018	333	
1988. 3. 22, 87다카1163	593	
1988. 4. 27, 87누915	70, 71, 133	
1988. 4. 27, 87누1106	291	
1988. 4. 27, 87누1107	291	
1988. 5. 10, 87누707	372	
1988. 5. 24, 87누944	796	
1988. 6. 14, 87누873	785	
1988. 8. 9, 86누889	278	
1988. 11. 8, 86누618	229	
1988. 12. 13, 88누7880	738	
1988. 12. 27, 84다카796	633	
1988. 12. 27, 87다카2293	606	
1989. 1. 17, 87누681	74	
1989. 3. 28, 87누930	519	
1989. 3. 28, 88누5198	682	
1989. 3. 28, 89도149	319	
1989. 4. 25, 88누3079	231	
1989. 5. 9, 88누4188	264	
1989. 5. 9, 88누5150	856	
1989. 5. 9, 88다카16096	899	
1989. 5. 23, 88누8135	923	
1989. 6. 27, 87누448	878	
1989. 6. 27, 88누6160	884	
1989. 6. 27, 88누6283	71	
1989. 7. 11, 87누1123	49	
1989. 7. 11, 88누11193	519	
1989. 7. 25, 88누11926	881	
1989. 9. 12, 88누6856	248	
1989. 9. 12, 88누6962	185	
1989. 9. 12, 88누8883	412	
1989. 9. 12, 88누9206	264	
1989. 9. 12, 88누11216	645	
1989. 9. 12, 89누909	702	
1989. 9. 12, 89누2103	92	
1989. 9. 26, 89누4963	304	
1989. 10. 10, 89누1308	871	
1989. 10. 10, 89누3397	914	
1989. 10. 24, 89누2431	286, 370	
1989. 10. 27, 89누39	762	
1989. 11. 14, 88다카32500	636	
1989. 12. 12, 88누8869	345	
1989. 12. 26, 87누308 전합	154	
1989. 12. 26, 87누1214	109	
1990. 1. 23, 87누947	353, 392	

1990. 2. 23, 89누7061	372	
1990. 3. 23, 89누4789	101	
1990. 3. 23, 89누5386	771	
1990. 3. 27, 88누4591	836	
1990. 4. 27, 89누6808	293, 297	
1990. 5. 22, 90누813	785	
1990. 5. 25, 89누5768	921	
1990. 6. 8, 90누851	722	
1990. 7. 10, 89누6839	745	
1990. 7. 13, 90누2284	375	
1990. 8. 14, 89누7900	784	
1990. 8. 28, 89누8255	798	
1990. 9. 11, 90누1786	373, 440, 441	
1990. 9. 14, 90누2048	521	
1990. 9. 25, 89누4758	822, 924	
1990. 9. 28, 89누2493	140	
1990. 10. 12, 90누2383	855	
1990. 11. 13, 89누756	784	
1990. 11. 13, 90다카25604	625	
1990. 11. 23, 90누3553	750, 751	
1990. 12. 11, 90누3560	901	
1991. 1. 25, 90누7791	710	
1991. 2. 12, 90누288	843	
1991. 2. 12, 90누5825	108, 117, 217	
1991. 2. 22, 90누5641	805	
1991. 3. 2, 91두1	861	
1991. 3. 12, 90누10070	519	
1991. 4. 12, 91도218	248	
1991. 5. 10, 90다10766	756	
1991. 5. 10, 91다6764	612	
1991. 5. 14, 91도627	319	
1991. 5. 28, 90누1359	346	
1991. 6. 11, 90누8862	165	
1991. 6. 25, 90누5184	270	
1991. 6. 25, 91다10435	91	
1991. 6. 28, 90누4402	830	
1991. 6. 28, 90누6521	848	
1991. 7. 9, 91누971	460	
1991. 7. 9, 91다5570	588	
1991. 7. 12, 90누8350	156	
1991. 7. 26, 91다14819	589	
1991. 8. 9, 90누7326	903, 905	
1991. 8. 13, 90누9414	275, 836	
1991. 9. 24, 91누1400	276, 837	
1991. 10. 11, 90누5443	899	
1991. 11. 8, 90누9391	921	
1991. 11. 8, 91누70	883	
1991. 11. 12, 91누2700	827	
1991. 11. 22, 91누2144	129, 231	
1991. 12. 10, 91므344	154	
1991. 12. 13, 90누8503	289	

1991. 12. 13, 91누1776	410	
1991. 12. 24, 90다12243 전합	267	
1991. 12. 24, 91누308	678	
1991. 12. 24, 91누1974	913	
1992. 1. 17, 91누1714	815	
1992. 1. 17, 91누3130	369	
1992. 1. 21, 91누1264	296	
1992. 2. 11, 91누7774	647	
1992. 2. 25, 91다12356	614	
1992. 3. 10, 91누4140	519	
1992. 3. 10, 91누6030	536	
1992. 3. 27, 91누3819	306	
1992. 3. 31, 91누4911	109, 153	
1992. 3. 31, 91누9824	65	
1992. 3. 31, 91다32053 전합	139, 557	
1992. 4. 10, 91누5358	274	
1992. 4. 24, 91누6634	237, 791	
1992. 4. 24, 91누11131	797	
1992. 4. 24, 91도1609	415	
1992. 4. 24, 92다4673	92	
1992. 4. 28, 91누6863	332	
1992. 4. 28, 91누8753	822	
1992. 5. 8, 91누7552	791	
1992. 5. 8, 91누11261	190, 922	
1992. 5. 8, 91누13274	67, 345, 884	
1992. 5. 8, 91부8	108	
1992. 5. 12, 91누8128	208	
1992. 5. 22, 91도2525	564	
1992. 6. 12, 91누13564	521	
1992. 6. 23, 92추17	465	
1992. 7. 10, 91누9107	784	
1992. 7. 14, 91누4737	800	
1992. 7. 14, 92누2912	905	
1992. 7. 28, 91누12844	851	
1992. 8. 7, 92두30	409, 861	
1992. 8. 14, 91누11582	830	
1992. 8. 18, 90도1709	317	
1992. 8. 18, 91누3659	882	
1992. 9. 14, 92다3243	623	
1992. 9. 22, 91누8289	81, 82	
1992. 9. 22, 91누13212	112	
1992. 10. 9, 92누213	882	
1992. 10. 13, 92누2325	74, 217, 818	
1992. 10. 23, 92누2844	346	
1992. 11. 10, 92누1162	251	
1992. 11. 24, 92누3052	883	
1992. 12. 8, 91누13700	792	
1992. 12. 8, 92누7542	277	
1992. 12. 11, 92누5584	353	
1992. 12. 24, 92누3335	754	
1993. 1. 15, 92다8514	592	

1993. 1. 19, 91누8050 전합	844	1993. 12. 28, 93누4519	914	1995. 6. 29, 95누4674	571
1993. 1. 26, 92다2684	629	1994. 1. 11, 93누10057	151	1995. 6. 30, 93추83	176, 546
1993. 2. 9, 92누4567	352	1994. 1. 25, 93누7365	91	1995. 7. 11, 94누4615 전합	184
1993. 2. 12, 91다43466	601	1994. 1. 25, 93누8542	355	1995. 7. 14, 94누14841	264
1993. 2. 12, 92누13707	93, 845	1994. 1. 25, 93누16901	843	1995. 7. 28, 95누2623	524
1993. 2. 26, 92누12247	342	1994. 1. 28, 93누22029	396	1995. 7. 28, 95누4629	890
1993. 4. 23, 92누17297	794	1994. 2. 8, 93누111	207, 824	1995. 8. 22, 94누5694 전합	186, 308
1993. 4. 27, 93누1374	156	1994. 2. 8, 93누17874	845	1995. 9. 15, 94누4455	113
1993. 5. 11, 91누9206	836	1994. 2. 25, 93누15120	670	1995. 9. 15, 95누6311	362
1993. 5. 11, 92누15987	407	1994. 3. 8, 92누1728	203, 282, 283	1995. 9. 15, 95누6724	828
1993. 5. 11, 93누2247	822	1994. 3. 8, 93누10828	824	1995. 9. 15, 95누7345	921
1993. 5. 14, 92다51433	794	1994. 3. 22, 93다56220	141	1995. 9. 26, 94누14544	787
1993. 5. 27, 92누19033	885	1994. 4. 12, 93누21088	313, 800	1995. 9. 29, 95누5332	702
1993. 5. 27, 93누2216	245	1994. 4. 12, 93누24247	791	1995. 10. 13, 95다184	93
1993. 5. 27, 93누6621	334	1994. 5. 10, 93다23442	141	1995. 10. 17, 94누14148 전합	198, 200, 796
1993. 6. 8, 91누11544	153	1994. 5. 24, 92다35783 전합	671, 804	1995. 11. 7, 95누9730	336
1993. 6. 8, 93누4526	872	1994. 5. 27, 94다6741	593	1995. 11. 10, 94누11866	259
1993. 6. 8, 93누6164	797	1994. 8. 26, 94누3223	337, 409	1995. 11. 10, 95누5714	245
1993. 6. 11, 92누14021	63	1994. 9. 9, 93누22234	792	1995. 11. 10, 95누8461	264
1993. 6. 25, 93다14424	623	1994. 9. 10, 94두33	819	1995. 11. 10, 95다23897	595
1993. 6. 25, 93도277	367	1994. 9. 30, 94다11767	413	1995. 11. 14, 95누2036	278
1993. 6. 29, 91누6986	834	1994. 10. 11, 94누4820	874	1995. 11. 16, 95누8850 전합	373
1993. 7. 13, 92다47564	89, 588	1994. 10. 25, 93누21231	275	1995. 11. 21, 95누9099	507, 840
1993. 7. 13, 93누2131	646	1994. 10. 28, 92누9463	342	1995. 11. 21, 95누10952	883
1993. 7. 27, 90누10384	62	1994. 10. 28, 94누5144	520, 521	1995. 12. 8, 93누9927	790
1993. 7. 27, 92누11084	647	1994. 11. 8, 94다26141	597	1995. 12. 12, 95누7338	267
1993. 7. 27, 93누3899	795	1994. 11. 11, 93누19375	828	1995. 12. 12, 95누11856	793
1993. 7. 27, 93누8139	792	1994. 11. 11, 94다28000	313, 315	1995. 12. 22, 95누30	455
1993. 8. 13, 93누2148	337	1994. 11. 22, 94다32924	620, 627	1995. 12. 22, 94다51253	93
1993. 8. 24, 93누5673	841	1994. 11. 25, 94누9672	82, 373	1995. 12. 22, 95누4636	90, 233, 406
1993. 8. 27, 93누3356	819	1994. 12. 2, 92누14250	818	1995. 12. 22, 95누14688	803
1993. 9. 10, 92도1136	564	1994. 12. 9, 94다38137	609, 610	1996. 1. 23, 95누12736	766
1993. 9. 14, 92누4611	405, 406, 754	1994. 12. 13, 93다49482	413	1996. 1. 23, 95누13746	64
1993. 9. 14, 93누9163	819	1994. 12. 23, 94누477	919	1996. 2. 9, 95누12507	352
1993. 10. 8, 93누2032	296	1995. 1. 12, 94누2602	816	1996. 2. 13, 95누8027	841
1993. 10. 12, 93누883	279	1995. 1. 20, 94누6529	381	1996. 2. 13, 95누11023	90
1993. 10. 12, 93누12527	663	1995. 1. 24, 94다45302	619	1996. 2. 15, 94다31235 전합	89, 758
1993. 10. 26, 93누6331	409	1995. 2. 24, 94누9146	153, 158	1996. 2. 15, 95다38677 전합	611
1993. 10. 26, 93다6409	691	1995. 2. 28, 94누7713	369, 370	1996. 2. 23, 95누2685	799
1993. 11. 9, 93누6867	799	1995. 3. 10, 94누7027	368	1996. 3. 21, 95누3640 전합	178
1993. 11. 9, 93누13988	797	1995. 3. 10, 94누14018	751, 921	1996. 3. 22, 95누5509	917
1993. 11. 9, 93누14271	352, 524	1995. 3. 14, 94누9962	162	1996. 3. 22, 96누433	507
1993. 11. 12, 93누7570	663	1995. 3. 28, 94누6925	198	1996. 4. 12, 95누7727	201, 203
1993. 11. 23, 93누15212	93	1995. 4. 21, 93다14240	592	1996. 4. 12, 96도158	577
1993. 11. 23, 93누16833	575	1995. 4. 28, 94다55019	93, 145, 757	1996. 4. 26, 94누12708	878
1993. 11. 23, 93도662	204	1995. 5. 12, 94누13794	818	1996. 4. 26, 95누5820	771, 896, 898
1993. 11. 26, 93누7341	20, 816	1995. 5. 26, 94누7324	781	1996. 4. 26, 96누1627	878
1993. 11. 26, 93다18389	506	1995. 6. 9, 94누10870	90	1996. 5. 16, 95누4810	267, 271
1993. 12. 7, 91누11612	91	1995. 6. 9, 95누1194	369	1996. 5. 31, 94다15271	592, 614, 615
1993. 12. 21, 93누13735	88	1995. 6. 13, 94누15592	842	1996. 5. 31, 95누10617	406
1993. 12. 24, 92누17204	850	1995. 6. 13, 94다56883	291, 299	1996. 6. 11, 95누12460	821

1996. 6. 14, 95누17823	199, 442	1997. 6. 27, 96누9362	269	1998. 8. 25, 98다16890	120
1996. 6. 14, 96누754	856, 878	1997. 7. 25, 94다2480	599	1998. 9. 4, 97누19588	111, 387, 786
1996. 6. 25, 95누1880	897	1997. 8. 29, 96누15213	245	1998. 9. 8, 97누20502	524
1996. 6. 28, 94다54511	656	1997. 9. 12, 96누6219	371	1998. 9. 8, 98두9165	799
1996. 6. 28, 96누4374	517	1997. 9. 12, 96누14661	841	1998. 9. 8, 98두9653	304
1996. 6. 28, 96누4992	82	1997. 9. 12, 96누18380	65, 68	1998. 9. 22, 97누19571	112
1996. 7. 30, 95누12897	68, 77	1997. 9. 12, 97누1228	245	1998. 9. 22, 98두4375	914
1996. 8. 20, 95누10877	258, 311, 382	1997. 9. 26, 97누8540	819	1998. 9. 22, 98두7602	226, 820
1996. 8. 23, 94다13589	77	1997. 9. 30, 97누3200	751	1998. 9. 22, 98두10189	162
1996. 8. 23, 96누4671	856	1997. 9. 30, 97누7790	796	1998. 9. 25, 98두6494	65
1996. 9. 6, 95누16233	726, 851	1997. 10. 10, 96누4046	268	1998. 10. 2, 96누5445	516
1996. 9. 6, 96누7427	882	1997. 11. 14, 97누7325	819	1998. 10. 13, 97누13764	822
1996. 9. 20, 95누8003	187, 806	1997. 11. 28, 97누11911	237	1998. 10. 23, 97누157	518
1996. 9. 20, 96누6882	237	1997. 12. 12, 96누4602	783	1998. 10. 23, 98다17381	619
1996. 9. 24, 95누12842	835	1997. 12. 12, 97누13962	150	1998. 10. 23, 98다12932	757
1996. 10. 11, 94누7171	472	1997. 12. 23, 96누10911	842	1998. 11. 13, 98두7343	69
1996. 10. 11, 96누6172	264	1997. 12. 26, 96누17745	822	1998. 11. 19, 97다36873 전합	608
1996. 10. 11, 96누8086	522, 524	1997. 12. 26, 97누15418	200, 224	1998. 11. 27, 96누13927	390
1996. 10. 25, 96다31307	46	1998. 1. 20, 95다29161	673	1998. 12. 13, 88누7880	707
1996. 10. 29, 96누8253	262	1998. 1. 23, 96누12641	922	1998. 12. 23, 97누5046	113
1996. 11. 8, 96다20581	298	1998. 2. 10, 97다45914	632	1999. 1. 26, 98두12598	113, 756
1996. 11. 8, 96다21331	610	1998. 2. 13, 95다15667	349	1999. 2. 5, 98도4239	367
1996. 11. 29, 95다21709	68	1998. 2. 13, 97누8977	305, 306, 878	1999. 2. 23, 98두14471	865
1996. 11. 29, 96누8567	395	1998. 2. 27, 97누1105	90, 195	1999. 2. 23, 98두17845	206
1996. 12. 6, 96누6417	755	1998. 2. 27, 97다46450	651	1999. 3. 9, 98두18565	883
1996. 12. 20, 96누14708	91	1998. 3. 10, 97누4289	785	1999. 3. 23, 98두13850	662
1997. 1. 21, 95누12941	208	1998. 3. 13, 96누6059	355	1999. 4. 23, 97누14378	882
1997. 1. 21, 96누3401	374	1998. 3. 13, 98두1321	234	1999. 4. 27, 97누6780	350
1997. 2. 14, 96누15428	350, 514	1998. 3. 19, 97누4289	244	1999. 5. 14, 99두35	499
1997. 2. 14, 96다28066	633	1998. 3. 27, 96누19772	227	1999. 5. 25, 98다53134	299
1997. 2. 25, 96추213	76	1998. 4. 10, 98두2270	893	1999. 5. 25, 99두1052	386
1997. 2. 28, 96누1757	804, 816	1998. 4. 24, 96누13286	771, 882	1999. 5. 28, 99두1571	496
1997. 2. 28, 96누17578	82	1998. 4. 24, 97누1501	385	1999. 6. 22, 99다7008	92, 590
1997. 3. 11, 96누15176	82	1998. 4. 24, 97누3286	112	1999. 6. 22, 99두2772	722
1997. 3. 11, 96다49650	81, 292	1998. 4. 24, 97누17131	736	1999. 6. 25, 98두15863	838
1997. 3. 14, 96누16698	294	1998. 4. 24, 97도3121	156, 160	1999. 6. 25, 99다11120	628
1997. 3. 28, 97다4036	632	1998. 4. 28, 97누21806	385, 386	1999. 7. 13, 97누119	535
1997. 4. 8, 96다52915	539	1998. 5. 8, 95다30390	335	1999. 7. 15, 95도2870 전합	565
1997. 4. 17, 96도3376	21	1998. 5. 8, 97누15432	737	1999. 7. 23, 96다21706	413
1997. 4. 22, 97다3194	623	1998. 5. 8, 97다54482	120	1999. 7. 23, 97누10857	755
1997. 4. 25, 97누3187	162	1998. 5. 8, 98두4061	73	1999. 7. 23, 99두3690	245
1997. 5. 16, 96다54102	622	1998. 5. 26, 96다49018	92	1999. 8. 20, 97누6889	390, 392, 775
1997. 5. 16, 97누2313	199, 334	1998. 6. 9, 97누19915	194, 201	1999. 8. 20, 98두17043	797, 883, 884
1997. 5. 28, 96누5308	345	1998. 6. 26, 96누12634	347	1999. 8. 20, 99다20179	315
1997. 5. 30, 95다28960	756, 772, 773	1998. 6. 26, 96누18960	257	1999. 8. 20, 99두2611	77
1997. 5. 30, 96누5773	199	1998. 7. 10, 96누14036	822	1999. 9. 3, 97누13641	823
1997. 5. 30, 96누14678	736	1998. 7. 10, 96다38971	413, 589	1999. 9. 3, 98두15788	309
1997. 5. 30, 97누2627	295	1998. 7. 10, 96다42819	629	1999. 9. 21, 98두3426	108
1997. 6. 13, 96다56115	546	1998. 7. 14, 96다17257	506	1999. 10. 8, 99다27231	673, 674
1997. 6. 19, 95누8669 전합	871	1998. 7. 24, 98다10854	897	1999. 10. 8, 99두6873	801
1997. 6. 24, 96누1313	390	1998. 8. 21, 98두8919	113, 293	1999. 10. 12, 99두6026	786

1999. 10. 22, 98두18435	152, 162	
1999. 11. 23, 98다11529	644, 652	
1999. 11. 26, 97다42250	754, 859	
1999. 11. 26, 99두9407	858, 878	
1999. 12. 7, 97누12556	787	
1999. 12. 7, 97누17568	921	
1999. 12. 24, 98다57419 · 57426	153	
1999. 12. 24, 99두5658	177	
1999. 12. 28, 98두1895	335, 902	
1999. 12. 28, 98다3532	500	
1999. 12. 28, 99두9742	849	
2000. 1. 14, 99다24201	621	
2000. 1. 14, 99두9735	828	
2000. 1. 21, 97다58507	143	
2000. 1. 28, 97누11720	678	
2000. 1. 28, 98두16996	268	
2000. 2. 11, 98누7527	287, 291	
2000. 2. 11, 99다61675	91	
2000. 2. 11, 99두7210	890	
2000. 2. 25, 99다55472	898	
2000. 2. 25, 99두10520	73	
2000. 2. 25, 99두11455	923	
2000. 3. 10, 97누13818	309	
2000. 3. 23, 98두2768	392, 393, 875	
2000. 3. 24, 97누12532	245	
2000. 3. 24, 98두8766	227	
2000. 3. 28, 98두16682	882	
2000. 3. 28, 99두11264	826	
2000. 4. 21, 98두10080	796	
2000. 4. 25, 99다54998	621	
2000. 5. 12, 99다70600	597	
2000. 5. 16, 99두7111	801	
2000. 5. 26, 99다37382	154	
2000. 5. 26, 99다53247	625	
2000. 6. 13, 98두5811	892, 893	
2000. 9. 8, 2000다12716	215	
2000. 9. 8, 98두19933	139	
2000. 9. 8, 99두2765	761	
2000. 9. 8, 99두11257	391	
2000. 9. 22, 2000두2013	277	
2000. 9. 26, 99두646	782, 838	
2000. 10. 13, 99두653	336	
2000. 10. 13, 99두2239	347	
2000. 10. 13, 2000두5142	353	
2000. 10. 24, 99두1144	216	
2000. 10. 27, 2000도3874	577	
2000. 10. 27, 98두8964	216	
2000. 10. 27, 99두264	238	
2000. 10. 27, 99두561	773	
2000. 11. 10, 2000다26807 · 26814	599	
2000. 11. 10, 2000두727	72	
2000. 11. 14, 2000다20144	919	
2000. 11. 14, 99두5481	803	
2000. 11. 14, 99두5870	448	
2000. 11. 28, 99두3416	763	
2000. 11. 28, 99두5443	450	
2000. 12. 12, 99두12243	893	
2000. 12. 22, 99두6903	157	
2001. 1. 5, 98다39060	588	
2001. 1. 16, 98다58511	316	
2001. 1. 16, 99두8107	874	
2001. 1. 16, 99두10988	252, 254	
2001. 1. 16, 2000다41349	898	
2001. 2. 9, 98다52988	595	
2001. 2. 9, 98두17593	224, 229, 262	
2001. 2. 9, 2000두6206	497	
2001. 2. 15, 96다42420 전합	631, 635	
2001. 2. 23, 99두6002	533	
2001. 3. 9, 99다64278	600	
2001. 3. 9, 99두5207	200	
2001. 3. 23, 99두5238	901, 903, 905	
2001. 3. 23, 99두6392	883	
2001. 4. 13, 2000다34891	601, 605	
2001. 4. 13, 2000두3337	449	
2001. 4. 13, 2000두6411	644	
2001. 4. 24, 2000다16114	591	
2001. 4. 24, 2000다57856	138	
2001. 4. 24, 2000두5203	62	
2001. 4. 27, 2000다50237	316	
2001. 5. 8, 2000두6916	851	
2001. 5. 8, 2000두10212	347, 428	
2001. 5. 29, 99다37047	603	
2001. 5. 29, 99두10292	841	
2001. 6. 12, 2000다18547	184	
2001. 6. 15, 99두509	91, 295, 296	
2001. 6. 26, 99두11592	345	
2001. 6. 29, 2001두1611	257	
2001. 7. 10, 98다38364	65	
2001. 7. 10, 2000두2136	837	
2001. 7. 27, 2000다56822	621, 623	
2001. 7. 27, 99두2970	788, 841	
2001. 7. 27, 99두5092	732	
2001. 7. 27, 99두9490	234	
2001. 8. 21, 2000다12419	139	
2001. 8. 21, 2000두8745	310	
2001. 8. 24, 99두9971	151	
2001. 8. 24, 2000두2716	183	
2001. 9. 4, 99두11080	676	
2001. 9. 14, 99두3324	739	
2001. 9. 18, 99두11752	914	
2001. 9. 25, 2000두2426	647	
2001. 9. 28, 99두8565	781	
2001. 9. 28, 2000두8684	882	
2001. 10. 12, 2000두4279	890	
2001. 10. 12, 2001두274	310	
2001. 10. 12, 2001두4078	525	
2001. 10. 23, 99다36280	602	
2001. 11. 9, 2001두7251	66	
2001. 11. 13, 2000두1003	666	
2001. 11. 27, 2000두697	776	
2001. 11. 30, 2001두5866	245	
2001. 12. 11, 99두1823	233	
2001. 12. 11, 2001두7794	406, 754	
2001. 12. 24, 2001다54038	93	
2002. 1. 11, 2000두2457	802	
2002. 1. 11, 2000두3306	798	
2002. 2. 5, 2001두5286	365	
2002. 2. 8, 2000두4057	76	
2002. 2. 22, 2001다23447	592	
2002. 2. 26, 99다35300	650	
2002. 3. 12, 2000다73612	160	
2002. 3. 29, 2000두6084	823	
2002. 4. 12, 2000두5944	500	
2002. 4. 26, 2000다16350	256	
2002. 4. 26, 2000두7612	837	
2002. 4. 26, 2001두8155	828	
2002. 5. 10, 2000다39735	631, 633, 636	
2002. 5. 17, 2000두8912	441	
2002. 5. 17, 2001두10578	819	
2002. 5. 24, 2000두3641	271, 726	
2002. 5. 28, 2000두6121	497	
2002. 5. 28, 2001두9653	368	
2002. 6. 25, 2001두5125	309	
2002. 6. 28, 2000두4750	923, 925	
2002. 6. 28, 2001두10028	225	
2002. 7. 9, 2002다1748	159	
2002. 7. 12, 2002두3317	537	
2002. 7. 23, 2000두9151	740	
2002. 7. 26, 2000다25002	306	
2002. 7. 26, 2000두7254	794	
2002. 7. 26, 2001두3532	827	
2002. 8. 23, 2001두2959	344	
2002. 8. 23, 2001두5651	178	
2002. 8. 23, 2002다9158	622	
2002. 8. 27, 2002두3850	724, 725	
2002. 9. 4, 2001두9370	63	
2002. 9. 6, 2002두554	427	
2002. 9. 24, 99두1519	811	
2002. 9. 24, 2000두5661	292	
2002. 9. 24, 2002두6620	887	
2002. 10. 11, 2000두8226	389	
2002. 10. 11, 2001두151	228, 251	
2002. 10. 25, 2002두4822	234	

2002. 10. 25, 2002두5795	264	2004. 3. 18, 2001두8254	472	2005. 2. 18, 2003두14222	663
2002. 11. 8, 2001두1512	67	2004. 3. 25, 2003두12837	260, 294	2005. 2. 25, 2004두4031	820, 837
2002. 11. 8, 2001두3181	342	2004. 3. 26, 2003다54490	601	2005. 3. 10, 2004도8311	248
2002. 11. 13, 2001두1543	346	2004. 3. 26, 2003도7878	19, 21, 23	2005. 3. 11, 2003두13489	789
2002. 11. 22, 2001도849	570	2004. 4. 9, 2003두13908	305	2005. 4. 14, 2003두7590	921
2002. 11. 26, 2001다44352	673	2004. 4. 22, 2000두7735	821	2005. 4. 15, 2004두10883	883
2002. 11. 26, 2001두9103	66	2004. 4. 22, 2003두9015	276	2005. 4. 15, 2004두11626	823
2002. 11. 26, 2002두5948	404	2004. 4. 23, 2003두13687	827	2005. 4. 28, 2004두8828	65, 73
2002. 12. 10, 2001두3228	312	2004. 4. 27, 2003두8821	397	2005. 4. 29, 2004두11954	372
2002. 12. 10, 2001두5422	354	2004. 5. 28, 2002두5016	265	2005. 5. 12, 2004두14229	106
2002. 12. 10, 2001두6333	390, 829	2004. 5. 28, 2003두7392	131	2005. 5. 13, 2004다8630	49
2003. 2. 14, 2001두7015	447	2004. 5. 28, 2004두961	225	2005. 5. 13, 2004두4369	799
2003. 2. 14, 2002다62678	606	2004. 5. 28, 2004두1254	448	2005. 6. 10, 2005두15482	839
2003. 2. 20, 2001두5347 전합	508	2004. 6. 11, 2001두7053	821	2005. 6. 24, 2003두6641	804
2003. 3. 11, 2001두6425	475, 482, 893	2004. 6. 11, 2002다31018	596	2005. 6. 24, 2004두10968	338
2003. 3. 14, 2000두6114	474	2004. 6. 25, 2003다69652	599	2005. 7. 8, 2005두487	828
2003. 3. 14, 2002다57218	58	2004. 7. 8, 2002두1946	114	2005. 7. 14, 2004두6181	246
2003. 3. 28, 2002두11905	262	2004. 7. 8, 2002두7852	808	2005. 7. 21, 2002다1178	45
2003. 4. 25, 2000두7087	485	2004. 7. 8, 2002두8350	450	2005. 7. 28, 2003두469	70, 303
2003. 4. 25, 2001다59842	601	2004. 7. 8, 2002두11288	322	2005. 7. 29, 2003두2311	666
2003. 5. 16, 2002두3669	915	2004. 7. 8, 2004두244	755	2005. 7. 29, 2003두3550	258
2003. 5. 30, 2002두11073	809	2004. 7. 22, 2002두868	894	2005. 8. 19, 2003두9817 · 9824	114
2003. 5. 30, 2003다6422	288, 369	2004. 7. 22, 2002두11233	85	2005. 8. 19, 2004다2809	518
2003. 5. 30, 2003다9339	292	2004. 7. 22, 2004다19715	252	2005. 9. 9, 2003두5402 · 5419	798
2003. 6. 24, 2001두8865	90	2004. 8. 20, 2003두8302	477, 485	2005. 9. 9, 2004추10	43
2003. 6. 27, 2002두6965	64	2004. 9. 23, 2003다49009	600	2005. 9. 28, 2004다50044	268, 292
2003. 7. 11, 99다24218	591	2004. 9. 23, 2003두1370	472, 479	2005. 9. 28, 2005두7464	516
2003. 7. 11, 2001두6289	782	2004. 9. 24, 2002다68713	93	2005. 10. 28, 2003두14550	836
2003. 7. 11, 2002다48023	865	2004. 9. 24, 2003두13236	444	2005. 10. 28, 2005다45827	71
2003. 7. 22, 2003두513	304	2004. 10. 14, 2001두2881	894	2005. 11. 10, 2003두7507	644
2003. 7. 25, 2001다57778	669	2004. 10. 15, 2002다68485	332	2005. 11. 10, 2004도2657	566
2003. 7. 25, 2001다60392	128	2004. 10. 15, 2003두6573	165, 337	2005. 11. 10, 2005두5628	342
2003. 8. 22, 2002두12946	474	2004. 11. 12, 2003두12042	231	2005. 11. 25, 2004두6822 · 6839 · 6846	64
2003. 9. 5, 2001두403	201, 500	2004. 11. 25, 2004두7023	287, 853	2005. 11. 25, 2004두12421	822
2003. 9. 5, 2002두3522	755	2004. 11. 26, 2003두2403	334	2005. 12. 9, 2003두7705	737, 738
2003. 9. 23, 2001두10936	397	2004. 11. 26, 2003두10251 · 10268	828	2005. 12. 9, 2004두6563	799
2003. 10. 10, 2003두5945	801	2004. 11. 26, 2003두10251	364, 372	2005. 12. 23, 2005두3554	279, 914, 919
2003. 10. 10, 2003두6443	796	2004. 11. 26, 2004두4482	882	2006. 1. 13, 2003두9459	477, 485
2003. 10. 23, 2001다48057	624, 625	2004. 12. 9, 2003다50184	461	2006. 1. 27, 2003두13106	666
2003. 10. 23, 2002두12489	823	2004. 12. 9, 2003두12707	471, 473, 483, 487	2006. 2. 10, 2003두5686	139, 363
2003. 10. 23, 2003두8005	115	2004. 12. 10, 2003두12257	853	2006. 2. 24, 2003도4966	566
2003. 11. 28, 2003두674	428, 447	2004. 12. 23, 2000두2648	783	2006. 2. 24, 2004두13592	61
2003. 12. 11, 2001다65236	594	2004. 12. 24, 2003두15195	755, 871	2006. 2. 24, 2005도7673	565
2003. 12. 11, 2001두8827	471, 881, 883	2005. 1. 13, 2004두9951	850	2006. 3. 9, 2003두2861	825
2003. 12. 11, 2003두8395	471, 882	2005. 1. 14, 2004다26805	592	2006. 3. 9, 2004다31074	90
2003. 12. 12, 2003두8050	469, 475, 482	2005. 1. 27, 2002두5313	783	2006. 3. 16, 2006두330 전합	108, 332, 336
2003. 12. 26, 2003두1875	63, 799	2005. 1. 27, 2003다49566	623	2006. 3. 24, 2004두11275	305
2004. 1. 15, 2001다12638	90	2005. 1. 27, 2004다50143	145	2006. 4. 13, 2005두15151	782
2004. 1. 15, 2002두2444	907	2005. 1. 28, 2002두11165	364	2006. 4. 14, 2003다41746	601
2004. 2. 27, 2002두7791	362	2005. 2. 17, 2003두10312	827	2006. 4. 14, 2004두3854	58
2004. 3. 12, 2002다14242	626	2005. 2. 17, 2003두14765	827	2006. 4. 20, 2002두1878 전합	828, 838

2006. 4. 27, 2006두2435   668
2006. 4. 28, 2004두978   671
2006. 4. 28, 2005두6539   63
2006. 4. 28, 2005두14851   850
2006. 5. 12, 2004두14717   914
2006. 5. 12, 2004두9920   397
2006. 5. 18, 2004다6207   651
2006. 5. 25, 2003두4669   365
2006. 5. 25, 2003두11988   751, 790
2006. 5. 25, 2006두3049   208, 478
2006. 6. 2, 2004두12070   557
2006. 6. 2, 2006두2046   397
2006. 6. 9, 2004두46   62
2006. 6. 22, 2003두1684   796
2006. 6. 27, 2003두4355   199
2006. 6. 30, 2004두701   363
2006. 6. 30, 2005두364   882
2006. 6. 30, 2005두14363   336
2006. 7. 28, 2004두6716   248
2006. 7. 28, 2004두13219   819
2006. 8. 24, 2004두2783   467, 469
2006. 9. 8, 2003두5426   395
2006. 9. 8, 2005두14394   353
2006. 9. 22, 2005두2506   782, 818, 892
2006. 9. 28, 2004두5317   800
2006. 10. 13, 2006두7096   516
2006. 10. 26, 2006두11910   471
2006. 11. 9, 2006다23503   651
2006. 11. 9, 2006두1227   246
2006. 11. 10, 2006두9351   472
2006. 11. 16, 2003두12899 전합   72
2006. 11. 23, 2004다65978   663
2006. 12. 7, 2005두241   475
2006. 12. 21, 2006두16274   235
2006. 12. 22, 2006두12883   237, 828
2006. 12. 22, 2006두14001   788
2007. 1. 11, 2004두10432   59, 173, 189, 237
2007. 1. 11, 2006두14537   156
2007. 1. 12, 2004두7139   339
2007. 1. 25, 2006두12289   783
2007. 2. 8, 2004두7658   890
2007. 2. 8, 2006두4899   879
2007. 2. 22, 2004두12957   311
2007. 2. 23, 2006도6845   318
2007. 3. 15, 2006두15806   336
2007. 4. 12, 2004두7924   778
2007. 4. 12, 2005두1893   389, 455
2007. 4. 12, 2005두2544   335
2007. 4. 12, 2005두15168   818
2007. 4. 12, 2006두20150   333
2007. 4. 26, 2005두11104   323

2007. 4. 26, 2006다87903   603
2007. 4. 27, 2004두9302   843, 853
2007. 5. 10, 2005다31828   596
2007. 5. 10, 2005두13315   224
2007. 5. 11, 2006도1993   569
2007. 5. 11, 2007두1811   885
2007. 6. 1, 2006두20587   477
2007. 6. 1, 2007두2555   480
2007. 6. 14, 2004두619
       183, 307, 343, 725, 824, 849
2007. 6. 14, 2005두4397   829
2007. 6. 15, 2005두9736   245, 787
2007. 6. 15, 2006두15936   474
2007. 7. 12, 2005두17287   498
2007. 7. 12, 2006두4554   226
2007. 7. 12, 2006두11507   663
2007. 7. 12, 2007두6663   224, 291
2007. 7. 13, 2007도3918   318
2007. 7. 19, 2006두19297 전합   234, 796
2007. 7. 26, 2005두15748   334
2007. 7. 27, 2006두8464   538
2007. 8. 23, 2005두3776   804
2007. 9. 20, 2005두6935   777
2007. 9. 20, 2007두6946   198, 234
2007. 9. 21, 2005다65678   624
2007. 9. 21, 2006두20631   427, 460
2007. 9. 21, 2007두12057   799
2007. 10. 11, 2005두12404   260
2007. 10. 11, 2007두1316   820, 822
2007. 10. 12, 2006두14476   179
2007. 10. 29, 2005두14417 전합   76
2007. 10. 29, 2005두4649 전합   310
2007. 11. 15, 2007두10198   835
2007. 11. 16, 2005두15700   338, 451
2007. 11. 29, 2006다3561   189, 191
2007. 12. 13, 2005다66770   238
2007. 12. 13, 2005두13117   475, 476
2007. 12. 14, 2005다11848   90
2007. 12. 27, 2005두9651   790
2008. 1. 10, 2007두16691   268, 271
2008. 1. 17, 2006두10931   74
2008. 1. 17, 2007두21563   51
2008. 1. 31, 2005두8269   816, 836
2008. 2. 1, 2007두20997   850
2008. 2. 14, 2007두13203   796
2008. 2. 15, 2006두3957   825
2008. 2. 28, 2007두13791 · 13807   879
2008. 3. 13, 2007다29287 · 29294   627
2008. 3. 13, 2007다29287   621
2008. 3. 20, 2007두6342 전합   914, 917
2008. 3. 27, 2006두3742   388

2008. 3. 27, 2007두23811   248
2008. 4. 10, 2005다48994   606
2008. 4. 10, 2007두4841   201
2008. 4. 10, 2007두18611   922
2008. 4. 10, 2008두402   248
2008. 4. 17, 2005두16185 전합   754
2008. 4. 24, 2006다32132   600
2008. 4. 24, 2006다33586   113
2008. 5. 15, 2007두26001   32
2008. 5. 29, 2004다33469   63, 590
2008. 5. 29, 2007다8129   671, 756
2008. 5. 29, 2007두18321   174
2008. 5. 29, 2007두34873   835
2008. 6. 12, 2006두16328   406, 758, 760, 830
2008. 6. 12, 2007다64365   598
2008. 6. 12, 2007두1767   447
2008. 6. 12, 2007두23255   63
2008. 6. 12, 2008두1115   62, 63
2008. 7. 10, 2006다23664   603
2008. 7. 10, 2007두10242   792
2008. 7. 24, 2007다25261   90, 758
2008. 7. 24, 2007두3930   886
2008. 8. 21, 2007두13845   355, 684
2008. 9. 11, 2006두7577   789
2008. 9. 18, 2007두2173 전합   84
2008. 9. 25, 2006다18228   414
2008. 9. 25, 2008두8680   487
2008. 10. 9, 2008두6127   62
2008. 10. 23, 2007두1798   477
2008. 10. 23, 2007두6212   820
2008. 11. 13, 2008두8628   234
2008. 11. 13, 2008두13491   273
2008. 11. 20, 2007두18154 전합   538
2008. 11. 27, 2005두15694   479
2008. 11. 27, 2008다60223   635
2009. 1. 30, 2006다17850   158
2009. 1. 30, 2007두7277   277
2009. 1. 30, 2007두13487   797
2009. 1. 30, 2008두16155   448
2009. 1. 30, 2008두17936   43
2009. 1. 30, 2008두19550 · 2008두19567   834
2009. 2. 12, 2004두10289   46
2009. 2. 12, 2005다65500   80, 288, 886
2009. 2. 12, 2007두17359   277, 883
2009. 2. 12, 2008두14999   451
2009. 2. 26, 2006두16243   162, 783
2009. 2. 26, 2007두13340   670
2009. 3. 12, 2006다28454   256
2009. 3. 12, 2008두11525   276
2009. 3. 12, 2008두12610   671
2009. 3. 12, 2008두18052   274

2009. 3. 26, 2008두21300 84
2009. 4. 9, 2008두23153 776
2009. 4. 23, 2007두13159 830
2009. 4. 23, 2008도6829 156
2009. 5. 14, 2007두16202 829
2009. 5. 28, 2006다16215 603
2009. 5. 28, 2006두16403 825
2009. 6. 11, 2008도6530 566
2009. 6. 11, 2009다1122 512
2009. 6. 18, 2008두10997 전합 159
2009. 6. 23, 2006두16786 235
2009. 6. 23, 2009두2672 646
2009. 6. 25, 2006다18174 299
2009. 6. 25, 2008두13132 80
2009. 7. 9, 2007두16608 804
2009. 7. 23, 2006다81325 606
2009. 7. 23, 2006다87798 606
2009. 7. 23, 2008두10560 924
2009. 9. 10, 2007두20638 822
2009. 9. 10, 2008두9324 310
2009. 9. 17, 2007다2428 759
2009. 9. 24, 2008다60568 262
2009. 9. 24, 2009두2825 332, 788, 789
2009. 9. 24, 2009두8946 246
2009. 10. 15, 2008다93001 98
2009. 10. 15, 2009두6513 829
2009. 10. 29, 2007두26285 184
2009. 10. 29, 2009두11218 893
2009. 11. 26, 2008두16087 225
2009. 12. 10, 2007다63966 294
2009. 12. 10, 2009두8359 110, 786, 890, 891
2009. 12. 10, 2009두12785 464, 473, 474, 482
2009. 12. 10, 2009두14231 819
2009. 12. 24, 2008두15350 44, 62
2009. 12. 24, 2009다51288 32
2009. 12. 24, 2009두7967 63, 79
2009. 12. 24, 2009두12853 829
2009. 12. 24, 2009두14507 531
2010. 1. 28, 2007다82950 · 82967 515, 589, 611
2010. 1. 28, 2008두1504 683
2010. 1. 28, 2008두19987 852
2010. 1. 28, 2009두4845 263
2010. 2. 11, 2009도9807 563
2010. 2. 11, 2009두6001 483
2010. 2. 11, 2009두18035 874
2010. 2. 25, 2007두9877 474
2010. 2. 25, 2009두102 336
2010. 4. 15, 2007두16127 787
2010. 4. 29, 2008두5643 468
2010. 4. 29, 2009다97925 160
2010. 4. 29, 2009두16879 801

2010. 4. 29, 2009두18547 252
2010. 4. 8, 2009다90092 316
2010. 4. 8, 2009두17018 257
2010. 4. 8, 2009두22997 199
2010. 5. 13, 2009두3460 916
2010. 5. 13, 2010두2043 783
2010. 5. 27, 2008두22655 829
2010. 6. 10, 2010두2913 472
2010. 6. 24, 2007두16493 826
2010. 6. 25, 2007두12514 전합 854
2010. 7. 15, 2009두19069 264
2010. 7. 15, 2010두7031 233
2010. 7. 29, 2007두18406 798
2010. 8. 19, 2008두822 676
2010. 9. 9, 2008다77795 602
2010. 9. 9, 2008두22631 159, 161
2010. 10. 14, 2008두23184 829
2010. 11. 11, 2008다57975 626
2010. 11. 11, 2009도11523 522
2010. 11. 11, 2010두4179 784
2010. 11. 11, 2010두14367 93
2010. 11. 18, 2008두167 162
2010. 12. 9, 2007두6571 645
2010. 12. 9, 2010두15674 887
2010. 12. 9, 2010두16349 208
2010. 12. 16, 2010도5986 전합 21
2010. 12. 23, 2008두13101 467, 477
2010. 12. 23, 2010두14800 472
2011. 1. 13, 2009다103950 637
2011. 1. 20, 2010두14954 전합 154, 249
2011. 1. 27, 2008두2200 836
2011. 1. 27, 2009다30946 822
2011. 1. 27, 2009두1051 643
2011. 1. 27, 2010두20508 225, 265
2011. 1. 27, 2010두23033 225
2011. 3. 10, 2009두1990 509
2011. 3. 10, 2009두23617 · 23624 830
2011. 3. 10, 2010다85942 632
2011. 3. 24, 2010두25527 538, 839
2011. 5. 13, 2009다26831 · 26848 · 26855 ·
 26862 51
2011. 5. 26, 2008두18335 257
2011. 5. 26, 2010두28106 879
2011. 6. 9, 2011다2951 758
2011. 6. 10, 2010두7321 162
2011. 6. 23, 2007다63089, 63096 전합 669
2011. 6. 24, 2008두9317 790
2011. 7. 14, 2011두2309 680, 681
2011. 7. 28, 2005두11784 162
2011. 7. 28, 2011두5728 261
2011. 8. 25, 2011두2743 652

2011. 8. 25, 2011두3371 830
2011. 9. 8, 2009두6766 158, 789
2011. 9. 8, 2010다48240 523
2011. 9. 8, 2011다34521 602
2011. 9. 29, 2009두10963 682, 762
2011. 10. 13, 2008두17905 672
2011. 10. 13, 2009다43461 651, 682
2011. 10. 27, 2011두14401 901
2011. 11. 10, 2011도11109 319, 340
2011. 11. 10, 2011두12283 225
2011. 11. 10, 2011재두148 306
2011. 11. 24, 2009두19021 473
2011. 11. 24, 2011두18786 852
2011. 12. 8, 2008두18342 790
2012. 1. 12, 2010두5806 394
2012. 1. 12, 2010두12354 837
2012. 1. 26, 2009두14439 353, 354
2012. 2. 9, 2009두16305 255
2012. 2. 16, 2010두10907 전합 341
2012. 2. 23, 2010다91206 93
2012. 2. 23, 2011두5001 428, 448, 798
2012. 3. 29, 2008다95885 899
2012. 3. 29, 2011다104253 202
2012. 3. 29, 2011두9263 894
2012. 3. 29, 2011두23375 877
2012. 3. 29, 2011두26886 702
2012. 4. 12, 2010두4612 339, 536
2012. 4. 13, 2009두5510 794
2012. 5. 24, 2009두22140 801
2012. 5. 24, 2012두1891 82
2012. 6. 14, 2010두19720 837
2012. 6. 18, 2011두2361 전합 476
2012. 6. 28, 2010두2005 792
2012. 6. 28, 2010두24371 508
2012. 6. 28, 2011두358 82, 373
2012. 7. 5, 2010다72076 201, 202
2012. 7. 5, 2011두13187, 13914 780
2012. 7. 26, 2010다50625 337, 538, 602
2012. 8. 23, 2010두13463 353
2012. 8. 30, 2010두24951 268
2012. 9. 13, 2012두3859 732
2012. 9. 27, 2010두3541 815, 830
2012. 9. 27, 2011두27247 826, 852
2012. 10. 11, 2010다23210 651
2012. 10. 11, 2010두18758 474
2012. 10. 11, 2012두13245 335
2012. 10. 18, 2010두12347 전합 425
2012. 10. 25, 2010두18963 754, 838
2012. 11. 15, 2010두8676 746, 837
2012. 11. 15, 2011다48452 596
2012. 12. 13, 2011두29144 153, 447, 782, 791

2012. 12. 13, 2012도11162 543
2012. 12. 20, 2011두30878 전합 181
2013. 1. 16, 2010두22856 830
2013. 1. 16, 2011두30687 427, 428
2013. 1. 16, 2012추84 36
2013. 1. 24, 2010두18918 466, 472
2013. 1. 31, 2011두11112 268
2013. 1. 31, 2011두11112 · 2011두11129 802
2013. 2. 15, 2011두21485 302
2013. 2. 28, 2010두22368 92, 757, 764
2013. 2. 28, 2012두22904 819
2013. 3. 14, 2012두6964 356
2013. 3. 21, 2011다95564 전합 757
2013. 3. 28, 2010두2289 802
2013. 3. 28, 2011두13729 811
2013. 3. 28, 2012다57231 308
2013. 3. 28, 2012다102629 756
2013. 4. 26, 2011다14428 597
2013. 4. 26, 2012두20663 340
2013. 5. 9, 2012두22799 264
2013. 6. 13, 2011두19994 265
2013. 6. 28, 2011두18304 538
2013. 7. 11, 2011두27544 345
2013. 7. 25, 2011두1214 778
2013. 7. 25, 2012두12297 739
2013. 8. 22, 2011두26589 874, 876
2013. 8. 22, 2012다3517 680
2013. 9. 12, 2011두10584 176
2013. 9. 12, 2011두31284 376
2013. 9. 12, 2011두33044 780
2013. 9. 26, 2013도7718 551
2013. 10. 24, 2011두13286 829
2013. 10. 24, 2013두963 887
2013. 11. 14, 2011다27103 678
2013. 11. 28, 2011두5049 468
2013. 11. 28, 2012두16565 183
2013. 12. 12, 2012두19137 530
2013. 12. 26, 2011두4930 830
2014. 1. 23, 2013다211865 624
2014. 2. 13, 2013두20899 831
2014. 2. 21, 2011두29052 781
2014. 2. 27, 2011두25173 270
2014. 2. 27, 2012두22980 779
2014. 2. 27, 2013두10885 671
2014. 3. 13, 2012두1006 345
2014. 4. 10, 2011두6998 153
2014. 4. 10, 2012두17384 481
2014. 4. 24, 2013두7834 839
2014. 4. 24, 2013두10809 852
2014. 4. 24, 2013두26552 49, 51
2014. 4. 30, 2011두18229 52

2014. 5. 16, 2011두27094 339
2014. 5. 16, 2012두26180 427, 797
2014. 5. 16, 2013두26118 732
2014. 5. 16, 2014두274 238, 689, 693
2014. 5. 29, 2013두12478 682
2014. 6. 12, 2012두4852 226
2014. 6. 26, 2012두911 550, 557
2014. 7. 10, 2013도11532 267
2014. 7. 24, 2011두30465 781
2014. 7. 24, 2013두20301 474
2014. 7. 24, 2013두27159 366, 367
2014. 8. 20, 2012다54478 612
2014. 8. 20, 2012두19526 176
2014. 8. 28, 2011두17899 809
2014. 9. 4, 2013다3576 89
2014. 9. 4, 2014다203588 89
2014. 9. 25, 2014두8254 849
2014. 9. 26, 2012두5602 265
2014. 9. 26, 2013두2518 308, 805
2014. 10. 15, 2012두5756 428
2014. 10. 15, 2012두15135 311
2014. 10. 15, 2013두5005 501
2014. 10. 27, 2012두7745 447
2014. 10. 30, 2012두25125 885
2014. 11. 27, 2013두8653 200
2014. 11. 27, 2013두16111 67
2014. 11. 27, 2013두18964 199, 817
2014. 11. 27, 2014두37665 244, 897
2014. 12. 11, 2012다15602 143
2014. 12. 11, 2012두28704 791, 833, 838
2014. 12. 11, 2013두15750 530
2014. 12. 24, 2010다83182 93
2014. 12. 24, 2010두6700 839
2014. 12. 24, 2014두9349 479
2015. 1. 15, 2010도15213 563
2015. 1. 15, 2013다215133 32
2015. 1. 15, 2013두14238 180
2015. 1. 29, 2012두7387 91
2015. 2. 12, 2013두987 384
2015. 3. 26, 2013두9267 838
2015. 3. 26, 2014두42742 397
2015. 4. 9, 2014두46669 675
2015. 4. 23, 2012두26920 20, 838
2015. 5. 28, 2013다41431 605
2015. 5. 28, 2015두36256 328
2015. 5. 29, 2013두635 268, 269
2015. 6. 11, 2013다208388 630
2015. 6. 24, 2011두2170 526
2015. 6. 25, 2014다5531 전합 144
2015. 7. 23, 2012두19496 792
2015. 7. 23, 2012두22911 670

2015. 8. 20, 2012두23808 전합 35, 36, 181
2015. 8. 27, 2012다204587 598
2015. 8. 27, 2013두1560 234
2015. 8. 27, 2015두41449 406
2015. 10. 29, 2013다209534 594, 595
2015. 10. 29, 2013두27517 786, 793
2015. 10. 29, 2014두2362 838
2015. 11. 12, 2013다215263 144
2015. 11. 12, 2015두47195 798
2015. 11. 19, 2015두295 전합 154, 304, 445, 831
2015. 11. 27, 2013다6759 598, 742
2015. 12. 10, 2011두32515 338
2015. 12. 10, 2013두20585 823
2015. 12. 23, 2015다210194 606
2015. 12. 24, 2015두264 833
2016. 1. 28, 2013두2938 821
2016. 1. 28, 2013두21120 238
2016. 1. 28, 2015두52432 238
2016. 3. 24, 2015두48235 901, 905
2016. 4. 15, 2015두52326 337
2016. 5. 24, 2013두14863 755, 762
2016. 6. 9, 2015다200258 637
2016. 6. 10, 2013두1638 797
2016. 6. 10, 2014다200763·200770 419
2016. 6. 23, 2015두36454 530
2016. 6. 23, 2016다206369 144
2016. 7. 14, 2014두47426 823
2016. 7. 14, 2015두4167 891, 892
2016. 7. 14, 2015두46598 529
2016. 7. 14, 2015두48846 225, 265
2016. 7. 14, 2015두58645 672
2016. 7. 27, 2015두45953 838
2016. 8. 17, 2015두51132 203
2016. 8. 24, 2016두35762 252
2016. 8. 25, 2014다225083 600, 606
2016. 8. 30, 2015두60617 604, 802, 871
2016. 9. 28, 2014도10748 568, 570
2016. 10. 13, 2016다221658 757
2016. 10. 27, 2016두41811 448, 450, 549, 745
2016. 11. 9, 2014두1260 449
2016. 11. 10, 2016두44674 482
2016. 11. 24, 2014두47686 252
2016. 11. 24, 2016수64 766
2016. 11. 24, 2016두45028 294, 832
2016. 12. 15, 2012두11409 · 11416 486
2016. 12. 15, 2013두20882 468
2016. 12. 15, 2016두47659 83
2016. 12. 27, 2014두5637 838
2016. 12. 27, 2014두46850 557
2016. 12. 27, 2016두43282 802
2016. 12. 27, 2016두49228 338

2016. 12. 29, 2013다73551	834
2017. 2. 3, 2015두60075	633
2017. 2. 9, 2014두40029	905
2017. 2. 9, 2014두43264	755
2017. 2. 16, 2015도16014 전합	180
2017. 3. 9, 2013두16852	791, 870
2017. 3. 15, 2013두16333	226
2017. 3. 15, 2014두41190	371
2017. 3. 16, 2013두11536	801
2017. 3. 16, 2014두8360	548
2017. 3. 30, 2015두43971	367
2017. 4. 7, 2016두63224	450, 451
2017. 4. 13, 2013다207941	513
2017. 4. 20, 2015두45700 전합	177
2017. 4. 28, 2016다213916	523
2017. 5. 11, 2015두37549	905
2017. 5. 30, 2017두34087	159
2017. 6. 15, 2014두46843	833
2017. 6. 19, 2013두17435	916
2017. 6. 19, 2015두59808	560
2017. 7. 11, 2012두22973	373
2017. 7. 11, 2013두25498	865
2017. 7. 11, 2015두2864	554
2017. 7. 11, 2016두35120	351
2017. 7. 11, 2017두40860	666
2017. 7. 18, 2014도8719	551
2017. 7. 18, 2016두49938	353
2017. 8. 23, 2017두38812	826
2017. 8. 29, 2016두44186	397
2017. 9. 7, 2017두44558	476
2017. 9. 12, 2017두45131	255
2017. 9. 21, 2017다223538	628
2017. 9. 21, 2017도7321	317
2017. 10. 12, 2015두36836	810
2017. 10. 12, 2017두48956	226
2017. 10. 31, 2015두45045	739, 802
2017. 11. 9, 2015다215526	404
2017. 12. 5, 2016두42913	226
2017. 12. 13, 2016두55421	557
2017. 12. 21, 2012두74076 전합	94
2017. 12. 28, 2017두30122	340
2017. 12. 28, 2017두39433	92
2018. 1. 25, 2015두35116	279, 530
2018. 1. 25, 2017두61799	663
2018. 2. 13, 2014두11328	93, 764
2018. 3. 13, 2016두33339	428, 432
2018. 3. 27, 2015두47492	780, 833
2018. 4. 12, 2014두5477	486, 884
2018. 4. 12, 2017두67834	802
2018. 4. 12, 2017두74702	877
2018. 4. 26, 2015두53824	784

2018. 5. 3, 2018두31733	474
2018. 5. 11, 2015다237748	94
2018. 5. 15, 2014두42506	793
2018. 5. 15, 2016두57984	198
2018. 5. 15, 2017두41221	684
2018. 6. 12, 2018두33593	161
2018. 6. 15, 2015두40248	205
2018. 6. 15, 2016두57564	441, 834
2018. 6. 15, 2017다249769	64
2018. 6. 28, 2015두47737	293
2018. 6. 28, 2015두58195	374, 885
2018. 7. 12, 2015두3485	791
2018. 7. 12, 2017두48734	253
2018. 7. 12, 2017두65821	886
2018. 7. 20, 2015두4044	665, 666, 682, 683
2018. 7. 20, 2018두36691	634
2018. 8. 1, 2014두35379	779
2018. 8. 1, 2014두42520	789
2018. 8. 30, 2016두60591	129
2018. 9. 28, 2017두47465	826
2018. 9. 28, 2017두69892	474
2018. 10. 25, 2016두33537	817
2018. 10. 25, 2018두43095	255
2018. 10. 25, 2018두44302	77, 154, 279
2018. 11. 29, 2015두52395	815, 833
2018. 11. 29, 2015두56120	500
2018. 11. 29, 2016두38792	251, 254
2018. 12. 13, 2016두31616	231, 428, 880
2018. 12. 27, 2014두11601	665
2018. 12. 27, 2016다266736	596
2018. 12. 28, 2016다33196	91
2019. 1. 17, 2015두46512	483
2019. 1. 17, 2016두56721 · 56738	365
2019. 1. 17, 2017두59949	58
2019. 1. 31, 2013두14726	893
2019. 1. 31, 2016두52019	84
2019. 1. 31, 2017두40372	353, 354
2019. 1. 31, 2017두46455	758
2019. 2. 14, 2016두41729	278, 816
2019. 2. 14, 2016두49501	760
2019. 3. 28, 2015다49804	669
2019. 4. 3, 2017두52764	688, 823
2019. 4. 11, 2018다277419	662
2019. 4. 11, 2018두42955	531
2019. 5. 30, 2016두49808	442
2019. 6. 13, 2016다239888	840
2019. 6. 13, 2017두33985	186, 834
2019. 6. 27, 2018두49130	504, 904
2019. 7. 4, 2018두58431	853
2019. 7. 4, 2018두66869	877, 879
2019. 7. 11, 2017두38874	

	57, 205, 216, 226, 233, 303, 429, 793
2019. 7. 11, 2018두47783	392
2019. 7. 25, 2017두55077	887
2019. 8. 9, 2019두38656	305, 707, 849
2019. 8. 30, 2016두62726	333
2019. 8. 30, 2018두47189	783
2019. 9. 9, 2016다262550	758, 761
2019. 9. 10, 2019다208953	161
2019. 10. 17, 2018두104	365
2019. 10. 17, 2018두60588	402
2019. 10. 31, 2013두20011	205
2019. 10. 31, 2016두50907	131
2019. 10. 31, 2017두74320	159, 882
2019. 11. 28, 2018두227	674
2019. 12. 13, 2018두41907	263, 438, 441, 444
2019. 12. 24, 2019두48684	235
2019. 12. 27, 2019두37073	238
2020. 1. 16, 2019다264700	328, 822, 859, 871
2020. 2. 13, 2015두745	557
2020. 2. 13, 2017두47885	605
2020. 2. 20, 2019두52386 전합	798
2020. 2. 27, 2016두60898	303
2020. 2. 27, 2017두37215	177
2020. 3. 2, 2017두41771	753
2020. 3. 26, 2017두41351	183
2020. 3. 26, 2019두38830	258
2020. 4. 9, 2015다34444	773, 790, 834
2020. 4. 9, 2017두275	666
2020. 4. 9, 2018두57490	876
2020. 4. 9, 2019두49953	785, 795, 800, 904
2020. 4. 9, 2019두61137	356, 815
2020. 4. 29, 2017두31064	834
2020. 4. 29, 2019두52799	62
2020. 5. 14, 2018다298409	402
2020. 5. 14, 2019두63515	501, 887, 893
2020. 5. 14, 2020도2564	318
2020. 5. 28, 2017다211559	599
2020. 5. 28, 2017두66541	205, 834
2020. 5. 28, 2017두73693	502
2020. 6. 11, 2019두49359	303, 880
2020. 6. 11, 2020두34384	225, 232
2020. 6. 25, 2018두34732	69, 72
2020. 6. 25, 2019두52980	233
2020. 6. 25, 2019두56135	902
2020. 7. 9, 2016다268848	605
2020. 7. 9, 2017두39785	238
2020. 7. 23, 2017두66602	451
2020. 7. 23, 2019두31839	
	51, 157, 226, 238, 250, 364
2020. 7. 23, 2020두36007	164
2020. 8. 20, 2017두44084	894

2020. 8. 20, 2019두34630 304
2020. 9. 3, 2016두32992 전합 35, 36, 37, 181
2020. 9. 3, 2020두34070 865, 866
2020. 10. 15, 2017다278446 604
2020. 10. 15, 2019두45739 224
2020. 10. 15, 2020두41504 73
2020. 10. 29, 2017다269152 282
2020. 11. 26, 2020두42262 195
2020. 12. 10, 2015도19296 303
2020. 12. 10, 2019다234617 419
2020. 12. 24, 2018두45633 439
2020. 12. 24, 2019두55675 906
2020. 12. 24, 2020두30450 795, 801
2020. 12. 24, 2020두39297 887
2021. 1. 14, 2020두50324 815, 824
2021. 1. 28, 2019다260197 589
2021. 2. 4, 2015추528 335
2021. 2. 4, 2019다277133 406
2021. 2. 4, 2020두48390 497
2021. 2. 10, 2020두47564 827
2021. 2. 10, 2020두48031 271
2021. 2. 25, 2020두51587 501
2021. 3. 18, 2018두47264 전합 140, 163
2021. 4. 1, 2020도15194 569
2021. 6. 10, 2017다286874 605
2021. 6. 30, 2021두35681 226, 238
2021. 7. 21, 2021두33838 601
2021. 7. 29, 2015다221668 605
2021. 7. 29, 2016두64876 885
2021. 7. 29, 2018두55968 258
2021. 7. 29, 2021두34756 880
2021. 9. 16, 2019도11826 319
2021. 10. 14, 2021두39362 205
2021. 10. 28, 2017다219218 543
2021. 10. 28, 2020도1942 566
2021. 11. 11, 2015다53770 475
2021. 11. 11, 2018다204022 667, 678
2021. 11. 11, 2018다288631 611
2021. 11. 11, 2021두43491 817
2021. 11. 25, 2019다235450 599
2021. 12. 16, 2019두45944 755
2021. 12. 30, 2018다241458 834
2021. 12. 30, 2018다284608 651
2022. 1. 14, 2021두37373 894
2022. 1. 27, 2019다289815 270
2022. 1. 27, 2020두39365 219
2022. 2. 10, 2019두50946 872
2022. 2. 11, 2021두40720 503
2022. 3. 17, 2019두35978 502
2022. 3. 17, 2021두53894 824
2022. 3. 31, 2019두36711 634

2022. 5. 12, 2020두35592 798
2022. 5. 13, 2018두50147 354
2022. 5. 13, 2019두49199 · 49205 312
2022. 5. 26, 2021두45848 648
2022. 5. 26, 2022두33439 486
2022. 6. 30, 2021두62171 371
2022. 7. 14, 2021두62287 371
2022. 7. 14, 2022다206391 390
2022. 7. 28, 2021두60748 376, 832
2022. 7. 28, 2022다225910 622
2022. 8. 25, 2020도12944 151
2022. 8. 30, 2018다212610 전합 596
2022. 9. 7, 2020두40327 159
2022. 9. 7, 2022두42365 815
2022. 9. 16, 2021두58912 209
2022. 9. 29, 2018다224408 599
2022. 10. 14, 2021두45008 509
2022. 11. 17, 2021두44425 854
2022. 11. 24, 2018두67 전합 664, 683
2022. 11. 30, 2017다257043 144
2023. 1. 12, 2020다210976 596
2023. 1. 12, 2020두50683 819
2023. 1. 12, 2021다201184 596, 636
2023. 2. 2, 2020다270633 890
2023. 2. 2, 2020두43722 207
2023. 2. 2, 2020두48260 832
2023. 4. 13, 2022두47391 886
2023. 4. 27, 2020도17883 319
2023. 6. 1, 2019두41324 472
2023. 6. 1, 2021다202224 591
2023. 6. 29, 2020두46073 771, 916
2023. 6. 29, 2021다250025 757
2023. 6. 29, 2022두44262 859
2023. 7. 13, 2016두34257 819
2023. 7. 27, 2023두35661 385
2023. 9. 21, 2022두31143 157
2023. 9. 21, 2023두39724 429
2023. 10. 12, 2022다276697 316

대법원(결정)

1971. 1. 28, 70두7 862
1971. 3. 5, 71두2 862
1988. 11. 3, 88마850 664
1990. 3. 14, 90두4 803
1991. 5. 2, 91두15 864
1992. 4. 29, 92두7 862
1992. 7. 6, 92마54 867
1993. 2. 10, 92두72 864
1993. 7. 6, 93마635 152
1994. 4. 26, 93부32 186

1994. 9. 24, 94두42 863
1994. 10. 11, 94두23 816
1995. 6. 21, 95두26 863, 864
1995. 11. 17, 95마1048 311
1995. 12. 8, 95카기16 178
1997. 4. 28, 96두75 863
1998. 1. 7, 97두22 904
1998. 12. 24, 98무37 917
1999. 11. 26, 99부3 817, 860
1999. 12. 20, 99무42 862, 863
2000. 8. 24, 2000마1350 575
2000. 10. 10, 2000무17 863
2001. 10. 10, 2001무29 862
2002. 3. 11, 2002그12 269
2002. 8. 16, 2002마1022 532
2002. 12. 11, 2002무22 904, 907
2003. 10. 9, 2003무23 818, 861
2005. 7. 15, 2005무16 866
2006. 2. 23, 2005부4 804, 805, 807
2006. 4. 28, 2003마715 202
2006. 6. 2, 2004마1148 · 1149 777
2006. 6. 19, 2006마117 419
2006. 12. 8, 2006마470 532
2009. 9. 24, 2009마168 · 169 758
2009. 11. 2, 2009마596 268, 390
2010. 5. 14, 2010무48 862
2011. 4. 21, 2010무111 전합 391, 867
2011. 7. 14, 2011마364 573
2012. 10. 19, 2012마1163 576
2015. 8. 21, 2015무26 763
2017. 4. 7, 2016마1626 574
2018. 11. 2, 2018마5608 530
2019. 6. 27, 2019무622 867
2022. 10. 27, 2022두48646 835

고등법원

1990. 4. 6, 89나43571 414

지방법원

2005. 10. 12, 2005구합10484 469

박준철 교수

약력

고려대학교 법과대학 법학과 졸업
고려대학교 법과대학원 행정법 전공
現. 공단기 행정법 대표 강사
　　소방단기 행정법 대표 강사
前. 남부고시학원 7·9급 행정법 대표 강사
　　KG패스원(웅진패스원) 7·9급 행정법 대표 강사

주요 저서

써니 행정법총론
7급 써니 행정법각론
써니 행정법총론 기출문제집
7급 써니 행정법각론 기출문제집
써니 행정법총론 행정법으로의 초대
써니 행정법총론 핵심집약
7·9급 써니 행정법총론 단원별 모의고사
써니 행정법총론 소방 단원별 모의고사
7·9급 써니 행정법총론 실전동형 모의고사
써니 행정법총론 소방 실전동형 모의고사
써니 행정법총론 오답노트
7·9급 써니 행정법총론 SOS
코드에 맞는 행정법총론
7·9급 써니 행정법총론 판례집
7·9급 써니 행정법총론 판례특강
써니 행정법총론 오답노트 하프모의고사

2025
써니 행정법총론 1권

13판 1쇄 발행　2024년　7월 15일
13판 8쇄 발행　2024년 10월　1일

편저자　박준철
발행인　김지연

등 록　제319-2011-41호
발행처　(주)도서출판 지금(http://www.papergold.net)
주 소　06924 서울특별시 동작구 장승배기로 128, 305호(노량진동, 동창빌딩)
교재공급처　(02)814-0022　FAX (02)872-1656
유튜브　SunnyLawTV_써니로
학습문의처　cafe.naver.com/sunnylaw(써니 행정법)
ISBN　979-11-6018-394-8 14360(세트)

정가 42,000원(전 2권)